AF218718

Constitución y Jurisprudencia constitucional
(selección)

Constitución y Jurisprudencia constitucional
(selección)

7ª Edición corregida y aumentada con Jurisprudencia

JOSÉ ANTONIO PORTERO MOLINA
Catedrático de Derecho Constitucional

tirant lo blanch
Valencia, 2012

© JOSÉ ANTONIO PORTERO MOLINA

© TIRANT LO BLANCH
EDITA: TIRANT LO BLANCH
C/ Artes Gráficas, 14 - 46010 - Valencia
Telfs.: 96/361 00 48 - 50
Fax: 96/369 41 51
Email:tlb@tirant.com
http://www.tirant.com
Librería virtual: http://www.tirant.es
DEPÓSITO LEGAL: V-876-2012
I.S.B.N.: 978-84-9004-862-7
Imprime: Gráficas Díaz Tuduri, S.L.
MAQUETA: PMc Media

NOTA PRELIMINAR

Se ha concebido esta «Selección de Jurisprudencia Constitucional» con la intención de proporcionar un material necesario a quienes han de estudiar nuestra Constitución; a quienes cursan la Licenciatura en Derecho y muy singularmente a los estudiantes de Derecho Constitucional. Y se ha llevado a cabo, al menos, por estas tres razones. Porque el conocimiento de nuestra disciplina exige el de la jurisprudencia constitucional aunque no se agote en ella; porque no existe, en lo que se me alcanza, una selección de parecidas características y porque creo que de forma manejable ofrece al estudiante lo indispensable de nuestra jurisprudencia constitucional.

Haber realizado este trabajo en solitario me responsabiliza de todas las insuficiencias que evidencia, pero no me exime de expresar mi agradecimiento a mi amigo Enrique Orts Berenguer, a la Editorial Tirant lo Blanch, y, naturalmente, al Tribunal Constitucional con el que el mundo del Derecho ha contraído una deuda impagable.

La Coruña, Diciembre 1991

NOTA A LA 5.ª EDICIÓN

Reeditar un libro de esta naturaleza cada dos, tres o cuatro años, sustrayendo o aumentando contenidos y corrigiendo las erratas, exclusivas del autor, tiene bastante de quehacer artesano y otro poco de tarea intelectual, labores que no dan juego ni siquiera para una nota como esta. Por eso aprovecho la ocasión para preguntarme, siguiendo la moda de las identidades, por la del libro: ¿es el mismo que se publicó hace trece años o es otro libro distinto? Claro que desde una visión sencilla de las cosas el libro es el mismo, no hay más que ver el título y la editorial que amablemente lo sigue cobijando y el formato interior y, desde luego, el propósito al que quiere servir. Pero si se opta por una visión heraclitiana, si se me permite la referencia, afectada sí, pero inofensiva, el libro, como el río, no es el mismo aunque lo sea, o en algo cambia para seguir igual, si se prefiere la referencia lampedusiana, a la que cuadra, asimismo, aquel doble calificativo.

Es lo que ocurre también con la Constitución a cuyo conocimiento este libro quiere contribuir. La que hoy preside nuestro ordenamiento jurídico, alberga nuestro complejo Estado, expande la protección de las libertades y es reconocida como la española de 1978, ha cambiado de modo extraordinario y a un ritmo trepidante. Salvo excepciones, ¿dónde no las hay?, hay un acuerdo general en apreciarla como una Constitución que, al cabo de más de un cuarto de siglo de vigencia, ha funcionado bien, precisamente por no seguir siendo la misma y, al mismo tiempo, por no haber dejado de serlo, ontológico misterio de la ciencia jurídica que, inexplicable como todos los misterios, se produce por la mediación transformadora y, sin embargo, conservadora, que lleva a cabo el Tribunal Constitucional, cuya jurisprudencia más relevante deben conocer los estudiantes de Derecho y no sólo ellos.

Si al Tribunal Constitucional le debe mucho nuestra convivencia civilizada, este libro, desde su primera edición, le debe todavía más, por razones obvias, y esta su quinta no es una excepción. He suprimido bastantes extractos de sentencias y he añadido otros que, por recientes y recapituladores de la doctrina anterior, me parecían de utilidad. Alguno se ha movido de sitio y, seguramente, unos cuantos se habrán quedado en las colecciones de sentencias, las fuentes originales y obligadas del conocimiento completo de la jurisprudencia del Tribunal, a cuyo manejo directo los estudiantes son invitados insistentemente. Como debe ser.

Si esta quinta edición ve la luz es porque Salvador Vives me lo ha sugerido amablemente. Se lo agradezco. Si a los estudiantes, además, les sirve de provecho, daré por compensado el esfuerzo de la revisión.

El autor
La Coruña, Mayo de 2004

NOTA A LA 6ª EDICIÓN

Desde la 5ª edición de esta selección han pasado seis años y muchas cosas. Tras las elecciones de marzo de 2004 y hasta hoy, la mayoría ha aprobado importantes modificaciones legislativas, siendo algunas de ellas impugnadas ante el Tribunal Constitucional. De las sentencias pronunciadas se hace eco esta edición. En otros casos el Tribunal no ha resuelto todavía y, siendo asuntos de tanta trascendencia como el Estatuto de Cataluña, no puedo sino lamentar la no inclusión de la sentencia con la que el Tribunal, ignorando obviamente las rogativas de inhibición que se le han dirigido, haría bien en fijar de modo expreso y definitivo los límites que en cualquier Estado, para seguir siéndolo, han de tener la estructura territorial, el ordenamiento jurídico, la distribución del poder y los factores de integración.

También han pasado cosas en la enseñanza del Derecho Constitucional porque, con el atolondramiento de no pocos cambios en España, la enseñanza universitaria está viviendo los efectos de la implantación del denominado espacio europeo de enseñanza superior. Por lo que compruebo personalmente, el cambio no es mejoría. En el Grado que sustituye a la Licenciatura en Derecho se arrincona el estudio de las normas, de los conceptos y de las instituciones jurídicas y se destaca el estudio directo del caso. Se promueve desde las primeras semanas el abandono de la teoría y un pronto manejo práctico del derecho, con apenas las herramientas naturales del estudiante y con las adquiridas en sólo unas escuetísimas indicaciones teóricas. Se presenta el cambio como una recepción del sistema de enseñanza del derecho en la universidad norteamericana que, por lo que vamos sabiendo, no parece convencer en los países europeos sobre cuya sólida cultura jurídica se ha construído la nuestra. Hace casi cien años Lambert ya contraponía las concepciones del derecho en Estados Unidos y en Francia; aquella muy deudora de la posición prevalente del pronunciamiento judicial y la europea, en cambio, deudora de la supremacía parlamentaria y de la ley escrita como fuente del derecho a la que el juez se somete. De ahí que, con toda lógica, los estudiantes de allá se centraban desde el comienzo en el conocimiento y discusión de las sentencias, capaces de inaplicar la ley, enfatizando el valor, la autoridad, del precedente, mientras que en Europa el estudio de las leyes, de los conceptos y las instituciones era irreemplazable. Por mucha que, al cabo del tiempo, sea la permeabilidad actual entre ambos sistemas jurídicos, aún son notables las diferencias.

Si los cambios no son para adaptarse al "derecho del caso" sino para que nuestros estudiantes se desenvuelvan mejor en el derecho de los veintisiete de la UE y, sin ir tan lejos, en los diecisiete ordenamientos jurídicos autonómicos, tampoco se entiende la minusvaloración de la teoría, su explicación y su estudio, sobrevalorando, en cambio, habilidades y técnicas por sí solas de escasa utilidad.

Sea como fuere, la jurisprudencia del Tribunal Constitucional sigue teniendo, treinta años después, la misma capital importancia, y su explicación, su lectura sosegada, su estudio minucioso, seguirá siendo imprescindible para entender el Estado Constitucional Jurisdiccional y los fundamentos de nuestro ordenamiento jurídico, ahora en los estudios del Grado como antes en la Licenciatura en Derecho.

La Coruña, 15 de junio

ÍNDICE DE SENTENCIAS

CONSTITUCIÓN ESPAÑOLA

DON JUAN CARLOS I, Rey de España, a todos los que la presente vieren y entendieren, sabed: Que las Cortes han aprobado y el pueblo español ratificado la siguiente Constitución:

PREÁMBULO

La Nación española, deseando establecer la justicia, la libertad y la seguridad y promover el bien de cuantos la integran, en uso de su soberanía, proclama su voluntad de:

Garantizar la convivencia democrática dentro de la Constitución y de las leyes conforme a un orden económico y social justo.

Consolidar un Estado de Derecho que asegure el imperio de la ley como expresión de la voluntad popular.

Proteger a todos los españoles y pueblos de España en el ejercicio de los derechos humanos, sus culturas y tradiciones, lenguas e instituciones.

Promover el progreso de la cultura y de la economía para asegurar a todos una digna calidad de vida.

Establecer una sociedad democrática avanzada, y

Colaborar en el fortalecimiento de unas relaciones pacíficas y de eficaz cooperación entre todos los pueblos de la Tierra.

En consecuencia, las Cortes aprueban y el pueblo español ratifica la siguiente

STC. 31/10 de 28 de junio (**naturaleza jurídica del Preámbulo**)

Fto. Jco. 7. ...Los Diputados recurrentes basan su impugnación en una premisa abiertamente discutida por las otras partes procesales, cual es la de la idoneidad misma del preámbulo para constituirse en objeto de un recurso de inconstitucionalidad. Ciertamente hemos repetido desde la STC. 36/1981, de 12 de noviembre, Fto. Jco. 2, que un "preámbulo no tiene valor normativo", siendo por ello innecesario, y hasta incorrecto, hacerlo objeto de "una declaración de inconstitucionalidad expresa que se recogiera en la parte dispositiva" de una Sentencia de este Tribunal (ibid.). Esa carencia de valor normativo tiene como consecuencia, en efecto, que, como afirmamos en la STC. 116/1999, de 17 de junio, Fto. Jco. 2, los preámbulos "no pueden ser objeto directo de un recurso de inconstitucionalidad (SSTC. 36/1981, fundamento jurídico 7; 150/1990, fundamento jurídico 2; 212/1996, fundamento jurídico 15; y 173/1998, fundamento jurídico 4)". Ahora bien, carencia de valor normativo no equivale a carencia de valor jurídico, del mismo modo que la imposibilidad de erigirse en objeto directo de un recurso de inconstitucionalidad no supone que los preámbulos sean inaccesibles a un pronunciamiento de nuestra jurisdicción en tanto que posible objeto accesorio de un proceso referido principalmente a una disposición normativa. De hecho, en la propia STC. 36/1981 hicimos una declaración expresa sobre el valor interpretativo del preámbulo entonces examinado, bien que proclamándola en la fundamentación jurídica y sin llevarla formalmente al fallo.

Nuestro proceder en la citada STC. 36/1981 es consecuencia de la naturaleza jurídica de los preámbulos y exposiciones de las leyes, que, sin prescribir efectos jurídicamente obligados y carecer, por ello, del valor preceptivo propio de las normas de Derecho, tienen un valor jurídicamente cualificado como pauta de interpretación de tales normas. Su destinatario es, pues, el intérprete del Derecho antes que el obligado a una conducta que, por definición, el preámbulo no puede imponer. El valor jurídico de los preámbulos de las leyes se agota, por tanto, en su cualificada condición como criterio hermenéutico. Toda vez que, por tratarse de la expresión de las razones en las que el propio legislador fundamenta el sentido de su acción legislativa y expone los objetivos a los que pretende que dicha acción se ordene, constituye un elemento singularmente relevante para la determinación del sentido de la voluntad legislativa, y, por ello, para la adecuada interpretación de la norma legislada.

En lo que hace al preámbulo de un Estatuto de Autonomía, es evidente que su condición de interpretación cualificada nunca podrá imponerse a la que, con carácter privativo y excluyente y con verdadero alcance normativo, sólo puede predicarse de la autoridad interpretativa de este Tribunal, es decir, a su condición de intérprete supremo de la Constitución y, con ella, de todas las leyes en su contraste con la Norma fundamental como condición para el enjuiciamiento de su validez. Por ello, siendo los fundamentos jurídicos de nuestras resoluciones el locus para las razones de la interpretación que en cada caso justifica el decisum sobre la validez de la norma enjuiciada, es obvio que sólo ahí ha de buscarse el juicio de constitucionalidad que nos merezca la interpretación cualificada pretendida por el legislador para la norma que juzgamos.

En lo que aquí importa, los párrafos del preámbulo del Estatuto de Cataluña cuestionados por los recurrentes lo son por referirse a conceptos y categorías que, proyectadas después a lo largo del articulado, pretenden para el Estatuto, a su juicio, un fundamento y un alcance incompatibles con su condición de norma subordinada a la Constitución. Tales conceptos y categorías son los "derechos históricos", la "nación" y la "ciudadanía", todos ellos formalizados, efectivamente, en diversos preceptos del Estatuto que en conexión con aquéllos también han sido objeto de una impugnación expresa. Ha de ser, por tanto, al hilo del enjuiciamiento de tales preceptos cuando nos pronunciemos también sobre la interpretación de los mismos que eventualmente cupiera deducir de los referidos párrafos del preámbulo y cuando, en consecuencia, de concluir que dicha interpretación es constitucionalmente inadmisible, privemos al preámbulo, en ese punto, del valor jurídico que le es característico, esto es, de su condición de interpretación cualificada.

CONSTITUCIÓN

TÍTULO PRELIMINAR

Art. 1. 1. España se constituye en un Estado social y democrático de Derecho, que propugna como valores superiores de su ordenamiento jurídico la libertad, la justicia, la igualdad y el pluralismo político.

2. La soberanía nacional reside en el pueblo español, del que emanan los poderes del Estado.

3. La forma política del Estado español es la Monarquía parlamentaria.

STC. 18/84 de 7 de febrero (contenido general de la fórmula Estado social y democrático)

Fto. Jco. 3: «...la C.E.... al establecer en su art. 1.1 la norma que configura al Estado como social y democrático de Derecho, está afirmando un principio que se ajusta a una realidad propia del mundo occidental de nuestra época y que transciende a todo el orden jurídico.

En efecto, la interacción entre Estado y Sociedad, destacada por la doctrina, produce consecuencias muy diversas en el mundo del Derecho, ...El reconocimiento de los denominados derechos de carácter económico y social, reflejado en diversos preceptos de la C., conduce a la intervención del Estado para hacerlos efectivos, a la vez que dota de una trascendencia social al ejercicio de sus derechos por los ciudadanos, especialmente de los de contenido patrimonial, como el de propiedad, y al cumplimiento de determinados deberes, como los tributarios. En el campo de la organización... la interpenetración entre Estado y Sociedad se traduce tanto en la participación de los ciudadanos en la organización del Estado como en una ordenación por el Estado de Entidades de carácter social en cuanto su actividad presenta un interés público relevante, si bien los grados de intensidad de esta ordenación y de intervención del Estado pueden ser diferentes, lo que se explica no sólo por la libertad de que dispone el legislador en el marco constitucional, sino también por la confluencia de diversos principios, como el del pluralismo político en relación a los partidos políticos, dado su carácter de organizaciones sociales con relevancia constitucional, o el derecho de libertad sindical en cuanto se traduce en la creación de sindicatos, a los que, al igual que a los partidos políticos y a las asociaciones empresariales, se garantiza la libertad de creación y ejercicio de su actividad dentro del respeto a la C. y a la Ley... Pero junto a estas formaciones sociales con relevancia constitucional... la C. se refiere a otros entes de base asociativa representativos de intereses profesionales y económicos (arts. 36, 52 y 131), los cuales pueden llegar a ser configurados como Corporaciones de Derecho Público en determinados supuestos, mientras, por otro lado, se reconoce el derecho de fundación para fines de interés general, con arreglo a la Ley (art. 34).

La interacción Estado-Sociedad y la interpenetración de lo público y lo privado, transciende, como hemos señalado al campo de lo organizativo y de la calificación de los entes. La función ordenadora de la Sociedad puede conseguirse de muy diversas formas, que siempre han de moverse dentro del marco de la C., cuyos límites es innecesario estudiar a los efectos del presente recurso. Lo que sí interesa señalar es el reconocimiento constitucional de entes asociativos o fundacionales, de carácter social, y con relevancia pública. Esta relevancia pública no conduce, sin embargo, necesariamente a su publificación, sino que es propio del Estado social de Derecho la existencia de entes de carácter social, no público, que cumplen fines de relevancia constitucional o de interés general.

La configuración del Estado como social de Derecho, viene así a culminar una evolución en la que la consecución de los fines de interés general no es absorbida por el Estado, sino que se armoniza en una acción mutua Estado-Sociedad, que difumina la dicotomía Derecho público-privado, y agudiza la dificultad, tanto de calificar determinados entes cuando no existe una calificación legal, como de valorar la incidencia de una nueva regulación sobre su naturaleza jurídica.»

STC. 8/83 de 18 de febrero (**igualdad como valor superior**)

Fto. Jco. 3: «La igualdad se configura como un valor superior que, en lo que ahora importa, se proyecta con una eficacia trascendente de modo que toda situación de desigualdad persistente a la entrada en vigor de la norma constitucional deviene incompatible con el orden de valores que la C., como norma suprema, proclama. Aquí están, según entendemos, las claves para la respuesta que en este punto se nos pide: la de la eficacia derogatoria de la C. de todas aquellas disposiciones que no son susceptibles de reconducir por vías interpretativas al marco constitucional y la de la extensión del amparo que el principio de igualdad reclama a todas aquellas situaciones de desigualdad que persistan a la entrada en vigor de la C.»

STC. 83/84 de 24 de julio (**principio general de libertad**)

Fto. Jco. 4: «...el principio general de libertad que la C. (art. 1.1) consagra autoriza a los ciudadanos a llevar a cabo todas aquellas actividades que la Ley no prohíba, o cuyo ejercicio no subordine a requisitos o condiciones determinadas...»

STC. 181/00 de 29 de junio (**valor superior de la justicia**)

Fto. Jco. 12: «Respecto de la invocación del valor superior de la justicia ...no cabe olvidar que constituye un canon de enjuiciamiento necesitado de concreción, de tal manera que este TC ha subrayado, en lo que ahora importa, la estrecha conexión que existe entre el valor justicia del art. 1.1 de la CE y el principio de interdicción de la arbitrariedad de su art. 9.3 (STC. 66/90). El valor justicia del art. 1.1 CE no puede, pues, identificarse unilateralmente con particulares modos de entender lo justo, ni con una forma de fiscalización de la constitucionalidad de la Ley en atención a los resultados. Más bien ha de ser considerado como un concepto tendencialmente abierto y plural. Por ello este valor superior del ordenamiento operará como un canon complementario, en concurrencia con otros factores de ponderación y, muy especialmente, en relación con el principio de interdicción de la arbitrariedad en su proyección sobre el legislador, principio este último que, con cita del art. 9.3 CE, también se considera vulnerado...»

STC. 10/83 de 21 de febrero (**origen popular del poder**)

Fto. Jco. 2: «El sentido democrático que en nuestra C. (art. 1.2) reviste el principio del origen popular del poder obliga a entender que la titularidad de los cargos y oficios públicos sólo es legítima cuando puede ser referida, de manera mediata o inmediata, a un acto concreto de expresión de la voluntad popular.»

STC. 31/10 de 28 de junio (**significado de ciudadanos**)

Fto. Jco. 11. El art. 7 EAC atribuye "la condición política de catalanes o ciudadanos de Cataluña [a] los ciudadanos españoles que tienen vecindad administrativa en Cataluña". Los Diputados recurrentes sostienen que los conceptos de "ciudadanía" y "ciudadano", también utilizados en los arts. 6.2 y 11.2 EAC, sólo pueden predicarse de los españoles en tanto que únicos titulares de la soberanía nacional. Sin necesidad de reiterar las razones expuestas al pronunciarnos sobre la constitucionalidad del art. 2.4 EAC, baste decir ahora que llevarían razón los recurrentes si la ciudadanía catalana a la que se refiere el art. 7 EAC (y con él los arts. 6.2 y 11.2 EAC) pretendiera oponerse a la ciudadanía española, ofreciéndose como una condición distinta y predicada de un sujeto ajeno al pueblo español del art. 1.2 CE y titular entonces de alguna suerte de poder soberano de imposible reconducción al ejercido por el poder constituyente cuya voluntad se ha formalizado en la Constitución Española.

Por el contrario, el art. 7 EAC se limita a determinar el ámbito subjetivo de proyección del poder de autogobierno constituido con el Estatuto de Autonomía en el marco de la Constitución. Y lo hace calificando como catalanes a los ciudadanos españoles vecinos de Cataluña, de lo que con claridad se desprende que la ciudadanía catalana no es sino una especie del género "ciudadanía española", a la que no puede ontológicamente contradecir. Todo ello sin perjuicio de que, en el sentido del art. 7 EAC, esto es, entendidos como el conjunto de los individuos en quienes concurren unas circunstancias jurídicas que permiten cualificarlos como destinatarios primeros de los derechos y deberes instaurados con el Estatuto de Autonomía, los ciudadanos de Cataluña no pueden confundirse con el pueblo soberano concebido como "la unidad ideal de imputación del poder constituyente y como tal fundamento de la Constitución y del Ordenamiento" (STC. 12/2008, de 29 de enero, Fto. Jco. 10), siendo claro que las causas determinantes de una condición jurídica —sea la de elector, como en el supuesto de la STC. 12/2008, sea, como ahora, la de ciudadano de Cataluña— "no afectan ... a esta unidad ideal, sino al conjunto de quienes, como ciudadanos, están sometidos al Ordenamiento español y no tienen, en cuanto tales, más derechos que los que la Constitución les garantiza, con el contenido que, asegurado un mínimo constitucional indisponible, determine el legislador constituido" (STC. 12/2008, loc. cit.), se trate, según los casos, del legislador estatal o del autonómico.

Art. 2. La Constitución se fundamenta en la indisoluble unidad de la Nación española, patria común e indivisible de todos los españoles, y reconoce y garantiza el derecho a la autonomía de las nacionalidades y regiones que la integran y la solidaridad entre todas ellas.

Ver selección en relación al art. 139.

STC. 4/81 de 2 de febrero

Fto. Jco. 3: ver selección con relación al art. 137.

STC. 32/81 de 28 de julio

Fto. Jco. 3: ver selección realizada con relación al art. 141.

STC. 76/83 de 5 de agosto (**homogeneidad y diversidad del Estado de las autonomías**)

Fto. Jco. 2: «...por lo que se refiere al proceso autonómico, carece de base constitucional la pretendida igualdad de derechos de las CC.AA.... En realidad éstas son iguales en cuanto a su subordinación al orden constitucional; en cuanto a los principios de su representación en el Senado (art. 69.5); en cuanto a su legitimación ante el T.C. (art. 162.1.a); o en cuanto que las diferencias entre los distintos Estatutos no podrán implicar privilegios económicos y sociales (art. 138); pero en cambio, pueden ser desiguales en lo que respecta al procedimiento de acceso a la autonomía y a la determinación concreta del contenido autonómico, es decir de su Estatuto y, por tanto, en cuanto a su complejo competencial. Precisamente el régimen autonómico se caracteriza por un equilibrio entre la homogeneidad y diversidad del 'status' jurídico público de las entidades territoriales que lo integran. Sin la primera, no habría unidad ni integración en el conjunto estatal; sin la segunda, no existiría verdadera pluralidad ni capacidad de autogobierno, notas que caracterizan al Estado de las autonomías.»

STC. 100/84 de 8 de noviembre

Fto. Jco. 3: Ver selección art. 144.

STC. 80/85 de 4 de julio (deber general de cooperación entre el Estado y las CC.AA.)

Fto. Jco. 2: «...el Estado y las CC.AA. están sometidos recíprocamente a un deber general de colaboración, que no es preciso justificar en preceptos concretos (STC. 18/92 Fto. Jco. 14), porque es de esencia al modelo de organización territorial del Estado implantado por la C.E.... De este deber deriva la obligación para las autoridades estatales y autónomas de suministrar recíprocamente información (SSTC. 76/83 de 5 de agosto) y proporcionar recíprocamente auxilio. Pero como ese deber no implica extensión alguna de las competencias estatales, el Estado no puede tratar de imponerlo mediante la adopción de medidas coercitivas, sino buscando para las que haya de adoptar la previa conformidad de las CC.AA. competentes que, por esta vía, participan en la formación de la voluntad estatal.»

STC. 247/2007 de 12 de diciembre (Principios de la organización territorial)

Fto. Jco. 4: «De acuerdo con lo que se acaba de decir, procede, en primer lugar, examinar los principios de la organización territorial del Estado que recoge nuestra Constitución, incidiendo para ello en los principios de unidad, autonomía, solidaridad e igualdad. Dichos principios se manifiestan y modulan de modo específico en los ámbitos que les son propios:
a) Hay que comenzar destacando que el art. 2 CE afirma de modo contundente: «La Constitución se fundamenta en la indisoluble unidad de la Nación española, patria común e indivisible de todos los españoles, y reconoce y garantiza el derecho a la autonomía de las nacionalidades y regiones que la integran y la solidaridad entre todas ellas» (art. 2 CE). En consecuencia, la estructuración del poder del Estado se basa, según la Constitución, en el principio de unidad, fundamento de la propia Constitución, y en los de autonomía y solidaridad.
La relación entre los principios de unidad y autonomía ha sido reiterada por el Tribunal Constitucional desde sus primeros pronunciamientos:
«La Constitución parte de la unidad de la Nación española que se constituye en Estado social y democrático de Derecho, cuyos poderes emanan del pueblo español en el que reside la soberanía nacional. Esta unidad se traduce así en una organización —el

Estado— para todo el territorio nacional. Pero los órganos generales del Estado no ejercen la totalidad del poder público, porque la Constitución prevé, con arreglo a una distribución vertical de poderes, la participación en el ejercicio del poder de entidades territoriales de distinto rango, tal como se expresa en el art. 137 de la Constitución al decir que 'el Estado se organiza territorialmente en municipios, en provincias y en las Comunidades Autónomas que se constituyan. Todas estas entidades gozan de autonomía para la gestión de sus respectivos intereses'.

El precepto transcrito refleja una concepción amplia y compleja del Estado, compuesto por una pluralidad de organizaciones de carácter territorial dotadas de autonomía. Resulta así necesario delimitar cuál es el ámbito del principio de autonomía, con especial referencia a municipios y provincias, a cuyo efecto es preciso relacionar este principio con otros establecidos en la Constitución.

Ante todo, resulta claro que la autonomía hace referencia a un poder limitado. En efecto, autonomía no es soberanía —y aún este poder tiene sus límites—, y dado que cada organización territorial dotada de autonomía es una parte del todo, en ningún caso el principio de autonomía puede oponerse al de unidad, sino que es precisamente dentro de éste donde alcanza su verdadero sentido, como expresa el art. 2 de la Constitución. De aquí que el art. 137 de la Constitución delimite el ámbito de estos poderes autonómicos circunscribiéndolos a la 'gestión de sus respectivos intereses', lo que exige que se dote a cada ente de todas las competencias propias y exclusivas que sean necesarias para satisfacer el interés respectivo. ...

Este poder 'para la gestión de sus respectivos intereses' se ejerce —por lo demás— en el marco del Ordenamiento. Es la Ley, en definitiva, la que concreta el principio de autonomía de cada tipo de entes, de acuerdo con la Constitución. Y debe hacerse notar que la misma contempla la necesidad —como una consecuencia del principio de unidad y de la supremacía del interés de la Nación— de que el Estado quede colocado en una posición de superioridad, tal y como establecen diversos preceptos de la Constitución tanto en relación a las Comunidades Autónomas, concebidas como entes dotadas de autonomía cualitativamente superior a la administrativa (arts. 150.3 y 155, entre otros), como a los entes locales (art. 148.1.2)» (STC. 4/1981, de 2 de febrero, Fto. Jco. 3).

Este Tribunal ha insistido, por tanto, en que nuestro sistema constitucional descansa en la adecuada integración del principio de autonomía en el principio de unidad, que lo engloba. De ahí que el nuestro sea un Estado políticamente descentralizado, como consecuencia del referido engarce entre aquellos dos principios. Así, hemos dicho que «al consagrar ésta [la Constitución] como fundamentos, de una parte el principio de unidad indisoluble de la Nación española y, de la otra, el derecho a la autonomía de las nacionalidades y regiones que la integran, determina implícitamente la forma compuesta del Estado en congruencia con la cual han de interpretarse todos los preceptos constitucionales» (STC. 35/1982, de 14 de junio, Fto. Jco. 2).

De ese modo, el Estado autonómico se asienta en el principio fundamental de que nuestra Constitución hace residir la soberanía nacional en el pueblo español (art. 1.2 CE), de manera que aquélla, como señalamos en su momento, «no es el resultado de un pacto entre instancias territoriales históricas que conserven unos derechos anteriores a la Constitución y superiores a ella, sino una norma del poder constituyente que se impone con fuerza vinculante general en su ámbito, sin que queden fuera de ella situaciones 'históricas' anteriores» (STC. 76/1988, de 26 de abril, Fto. Jco. 3).

b) Por su parte, el principio de solidaridad complementa e integra los principios de unidad y de autonomía (art. 2 CE), pues «este Tribunal se ha referido con reiteración a la existencia de un 'deber de auxilio recíproco' (STC. 18/1982, Fto. Jco. 14), 'de recíproco apoyo y mutua lealtad' (STC. 96/1986, Fto. Jco. 3), 'concreción, a su vez, del más amplio deber de fidelidad a la Constitución' (STC. 11/1986, Fto. Jco. 5). Y aunque, en los supuestos en que así ha tenido ocasión de hacerlo, lo haya identificado como regla a la que debe acomodarse el proceder entre autoridades estatales y autonómicas, igualmente está vigente y ha de ser atendido entre los poderes de las diversas Comunidades Autónomas, a las que, en efecto, el principio de solidaridad, que en el art. 2 de la Constitución encuentra general formulación y en el art. 138 de la misma se refleja como equilibrio económico, adecuado y justo entre las diversas partes del territorio español y prohibición entre éstas de privilegios económicos o sociales, requiere que, en el ejercicio de sus competencias, se abstengan de adoptar decisiones o realizar actos que perjudiquen o perturben el interés general y tengan, por el contrario, en cuenta la comunidad de intereses que las vincula entre sí y que no puede resultar disgregada o menoscabada a consecuencia de una gestión insolidaria de los propios intereses. La autonomía —ha dicho la STC. 4/1981— no se garantiza por la Constitución —como es obvio— para incidir de forma negativa sobre los intereses generales de la Nación o sobre intereses generales distintos de los de la propia entidad (Fto. Jco. 10). El principio de solidaridad es su corolario (STC. 25/1981, Fto. Jco. 3)» (STC. 64/1990, de 5 de abril, Fto. Jco. 7). Importa insistir en que el art. 138 CE hace garante al Estado de «la realización efectiva del principio de solidaridad consagrado en el art. 2 de la Constitución, velando por un equilibrio económico adecuado y justo entre las diversas partes del territorio español». Dicho principio, que también vincula a las Comunidades Autónomas en el ejercicio de sus competencias (art. 156.1 CE), trasciende la señalada perspectiva económica y financiera y se proyecta en las diferentes áreas de la actuación pública. En este sentido, hemos señalado que «la virtualidad propia del principio constitucional de solidaridad, que aspira a unos resultados globales para todo el territorio español, recuerda la técnica de los vasos comunicantes» (STC. 109/2004, de 30 de junio, Fto. Jco. 3).

En definitiva, el art. 138.1 CE, que incorpora el principio de solidaridad, «no puede ser reducido al carácter de un precepto programático, o tan siquiera al de elemento interpretativo de las normas competenciales. Es, por el contrario, un precepto con peso y significados propios, que debe ser interpretado, eso sí, en coherencia con las normas competenciales que resultan de la Constitución y de los Estatutos» (STC. 146/1992, de 16 de octubre, Fto. Jco. 1), toda vez que dicho principio ha de constituirse en la práctica en «un factor de equilibrio entre la autonomía de las nacionalidades y regiones y la indisoluble unidad de la Nación española (art. 2)» (STC. 135/1992, de 5 de octubre, Fto. Jco. 7).

c) Junto a los principios de unidad, autonomía y solidaridad opera también, y lo hace de modo relevante, el de igualdad, que la Constitución proclama en su art. 139.1 como principio general de la organización territorial del Estado (capítulo primero, título VIII, CE). Sin embargo, importa precisar el ámbito en que se proyecta el principio de igualdad y también su alcance, pues lo hace, esencialmente, en un ámbito distinto al que es propio de aquellos otros tres principios. En efecto, ha de advertirse que la jurisprudencia constitucional no sólo ha afirmado positivamente la sustentación del reparto del poder político en los principios de unidad, autonomía y solidaridad, según hemos visto, sino que, además, ha precisado expresamente que el principio de igualdad, que se predica de los ciudadanos, no excluye la diversidad de las posiciones jurídicas de las Comunidades Autónomas:

«Ya este Tribunal Constitucional puso de manifiesto en su Sentencia de 16 de noviembre de 1981, al valorar la función del principio de igualdad en el marco de las autonomías, que la igualdad de derechos y obligaciones de todos los españoles en cualquier punto del territorio nacional no puede ser entendida como rigurosa uniformidad del ordenamiento. No es, en definitiva, la igualdad de derechos de las Comunidades lo que garantiza el principio de igualdad de derechos de los ciudadanos, como pretende el Abogado del Estado, sino que es la necesidad de garantizar la igualdad en el ejercicio de tales derechos lo que, mediante la fijación de unas comunes condiciones básicas, impone un límite a la diversidad de las posiciones jurídicas de las Comunidades Autónomas» [STC. 76/1983, de 5 de agosto, Fto. Jco. 2 a)]...»

«d) Por último ha de hacerse referencia también al principio de lealtad constitucional, aunque su relevancia sea de un orden diferente a la que es propia de los principios constitucionales examinados hasta ahora, pues, al contrario que éstos, aquél no aparece recogido en la Constitución de modo expreso.

Al efecto, conviene recordar que, de acuerdo con la STC. 25/1981, de 14 de julio, Fto. Jco. 3, antes citada, el principio de lealtad constitucional requiere que las decisiones tomadas por todos los entes territoriales, y en especial, por el Estado y por las Comunidades Autónomas, tengan como referencia necesaria la satisfacción de los intereses generales y que, en consecuencia, no se tomen decisiones que puedan menoscabar o perturbar dichos intereses, de modo que esta orientación sea tenida en cuenta, incluso, al gestionar los intereses propios. En suma, la lealtad constitucional debe presidir «las relaciones entre las diversas instancias de poder territorial y constituye un soporte esencial del funcionamiento del Estado autonómico y cuya observancia resulta obligada (STC. 239/2002, Fto. Jco. 11)» (STC. 13/2007, de 18 de enero, Fto. Jco. 7).»

STC. 31/2010 de 28 de junio (**significado de nación**)

Fto. Jco. 12. El art. 8 EAC es objeto de impugnación por calificar como "nacionales" los símbolos de Cataluña relacionados en los distintos apartados del precepto. A juicio de los recurrentes, el calificativo remite de manera inequívoca a la nación catalana, incompatible, por contradictoria de su unidad e indivisibilidad, con la Nación española sobre la que se fundamenta la Constitución de acuerdo con el art. 2 CE. Tal remisión se vería confirmada, en opinión de los recurrentes, por la declaración incluida en el preámbulo acerca de la condición nacional de Cataluña proclamada en su momento por el Parlamento catalán.

Es preciso convenir con el Abogado del Estado y con el Parlamento y la Generalitat de Cataluña en que el término "nación" es extraordinariamente proteico en razón de los muy distintos contextos en los que acostumbra a desenvolverse como una categoría conceptual perfectamente acabada y definida, dotada en cada uno de ellos de un significado propio e intransferible. De la nación puede, en efecto, hablarse como una realidad cultural, histórica, lingüística, sociológica y hasta religiosa. Pero la nación que aquí importa es única y exclusivamente la nación en sentido jurídico-constitucional. Y en ese específico sentido la Constitución no conoce otra que la Nación española, con cuya mención arranca su preámbulo, en la que la Constitución se fundamenta (art. 2 CE) y con la que se cualifica expresamente la soberanía que, ejercida por el pueblo español como su único titular reconocido (art. 1.2), se ha manifestado como voluntad constituyente en los preceptos positivos de la Constitución Española.

En el contexto del Estado democrático instaurado por la Constitución, es obvio que, como tenemos reiterado, caben cuantas ideas quieran defenderse sin recurrir a la infracción de los procedimientos instaurados por el Ordenamiento para la formación de la voluntad general expresada en las leyes (por todas, STC. 48/2003, de 12 de marzo). Y cabe, en particular, la defensa de concepciones ideológicas que, basadas en un determinado entendimiento de la realidad social, cultural y política, pretendan para una determinada colectividad la condición de comunidad nacional, incluso como principio desde el que procurar la conformación de una voluntad constitucionalmente legitimada para, mediando la oportuna e inexcusable reforma de la Constitución, traducir ese entendimiento en una realidad jurídica. En tanto, sin embargo, ello no ocurra, las normas del Ordenamiento no pueden desconocer ni inducir al equívoco en punto a la "indisoluble unidad de la Nación española" proclamada en el art. 2 CE, pues en ningún caso pueden reclamar para sí otra legitimidad que la que resulta de la Constitución proclamada por la voluntad de esa Nación, ni pueden tampoco, al amparo de una polisemia por completo irrelevante en el contexto jurídico-constitucional que para este Tribunal es el único que debe atender, referir el término "nación" a otro sujeto que no sea el pueblo titular de la soberanía. La referencia del art. 8 EAC a los símbolos nacionales de Cataluña podría inducir a esa indebida confusión si pretendieran extraerse de la mención del preámbulo a determinada declaración del Parlamento de Cataluña sobre la nación catalana unas consecuencias jurídico constitucionales contradictorias con el sentido preciso del art. 2 CE en punto a la sola y exclusiva relevancia constitucional de la Nación española. Sin embargo, cabe interpretar, de acuerdo con la Constitución, que con la calificación como "nacionales" de los símbolos de Cataluña se predica únicamente su condición de símbolos de una nacionalidad constituida como Comunidad Autónoma en ejercicio del derecho que reconoce y garantiza el art. 2 CE, pues así expresamente se proclama en el art. 1 EAC y se reitera en el art. 8 EAC. Se trata, en suma, de los símbolos propios de una nacionalidad, sin pretensión, por ello, de competencia o contradicción con los símbolos de la Nación española.

En atención al sentido terminante del art. 2 CE ha de quedar, pues, desprovista de alcance jurídico interpretativo la referida mención del preámbulo a la realidad nacional de Cataluña y a la declaración del Parlamento de Cataluña sobre la nación catalana, sin perjuicio de que en cualquier contexto que no sea el jurídico-constitucional la autorepresentación de una colectividad como una realidad nacional en sentido ideológico, histórico o cultural tenga plena cabida en el Ordenamiento democrático como expresión de una idea perfectamente legítima.

Por todo ello, los términos "nación" y "realidad nacional" referidos a Cataluña, utilizados en el preámbulo, carecen de eficacia jurídica interpretativa, lo que dada la especial significación de un preámbulo estatutario así se dispondrá en el fallo; y el término "nacionales" del art. 8.1 EAC es conforme con la Constitución interpretado en el sentido de que dicho término está exclusivamente referido, en su significado y utilización, a los símbolos de Cataluña, "definida como nacionalidad" (art. 1 EAC) e integrada en la "indisoluble unidad de la nación española" como establece el art. 2 CE, y así se dispondrá en el fallo.

STC. 31/2010 de 28 de junio (Relaciones Estado Comunidad Autónoma)

Fto. Jco. 13. ... Ahora bien, incluso en la única relación posible, la de la Generalitat con el Estado "central" o "general", dicha relación (se refiere a la de bilateralidad), amén de no ser excluyente de la multilateralidad, como el propio precepto impugnado reconoce, no cabe entenderla como expresiva de una relación entre entes políticos en situación de igualdad, capaces de negociar entre sí en tal condición, pues, como este Tribunal ha constatado desde sus primeros pronunciamientos, el Estado siempre ostenta una posición de superioridad respecto de las Comunidades Autónomas (STC. 4/1981, de 2 de febrero, Fto. Jco. 3). De acuerdo con ello el principio de bilateralidad sólo puede proyectarse en el ámbito de las relaciones entre órganos como una manifestación del principio general de cooperación, implícito en nuestra organización territorial del Estado (STC. 194/2004, de 4 de noviembre, Fto. Jco. 9).

Art. 3. 1. El castellano es la lengua española oficial del Estado. Todos los españoles tienen el deber de conocerla y el derecho a usarla.

2. Las demás lenguas españolas serán también oficiales en las respectivas Comunidades Autónomas de acuerdo con sus Estatutos.

3. La riqueza de las distintas modalidades lingüísticas de España es un patrimonio cultural que será objeto de especial respeto y protección.

STC. 76/83 de 5 de agosto (el conocimiento de la lengua de la C.A. como mérito)

Fto. Jco. 42: «Una interpretación sistemática de los preceptos constitucionales y estatutarios lleva, por una parte, a considerar el conocimiento de la lengua propia de la Comunidad como un mérito para la provisión de vacantes, pero, por otra, a atribuir el deber de conocimiento de dicha lengua a la Administración autonómica en su conjunto, no individualmente a cada uno de sus funcionarios, como modo de garantizar el derecho a usarla por parte de los ciudadanos de la respectiva Comunidad.

«Ahora bien, dentro de ese contexto, la valoración relativa de dicho mérito (el conocimiento de la lengua oficial propia de las Comunidades), no tiene su fundamento en la implantación real de la lengua en cuestión, sino en la necesaria garantía del derecho a usarla...»

STC. 82/86 de 26 de junio (lengua oficial; cooficialidad)

Fto. Jco. 1: «El art. 3.1 y 2 de la C. y los arts. correspondientes de los Estatutos de Autonomía son la base de la regulación del pluralismo lingüístico en cuanto a su incidencia en el plano de la oficialidad en el ordenamiento constitucional español, dentro de lo que el Abogado del Estado denomina 'las líneas maestras del modelo lingüístico' de la C.E.»

Fto. Jco. 2: «Según el nº 1 del art. 3 de la C., el castellano es la lengua española oficial del Estado, y entendiéndose obviamente aquí por Estado el conjunto de los poderes públicos españoles, con inclusión de los autónomos y locales, resulta que el castellano es lengua oficial de todos los poderes públicos y en todo el territorio español. Aunque la

C. no define, sino que da por supuesto lo que sea una lengua oficial, la regulación que hace de la materia permite afirmar que es oficial una lengua, independientemente de su realidad y peso como fenómeno social, cuando es reconocida por los poderes públicos como medio normal de comunicación en y entre ellos y en su relación con los sujetos privados, con plena validez y efectos jurídicos (sin perjuicio de que en ámbitos específicos, como el procesal, y a efectos concretos, como evitar la indefensión, las Leyes y los Tratados internacionales permitan también la utilización de lenguas no oficiales por los que desconozcan las oficiales). Ello implica que el castellano es medio de comunicación normal de los poderes públicos y ante ellos en el conjunto del Estado español. En virtud de lo dicho, al añadir el n° 2 del mismo art. 3 que las demás lenguas españolas serán también oficiales de las respectivas CC.AA., se sigue asimismo, que la consecuente cooficialidad lo es con respecto a todos los poderes públicos radicados en el territorio autonómico, sin exclusión de los órganos dependientes de la Admón. central y de otras instituciones estatales en sentido estricto, siendo, por tanto, el criterio delimitador de la oficialidad del castellano y de la cooficialidad de otras lenguas españolas el territorio, independientemente del carácter estatal, autonómico o local de los distintos poderes públicos».

Fto. Jco. 3: «En directa conexión con el carácter del castellano como lengua oficial común del Estado español en su conjunto, está la obligación que tienen todos los españoles de conocerlo, que lo distingue de las otras lenguas españolas que con el son cooficiales en las respectivas CC.AA., pero respecto a las cuales no se prescribe constitucionalmente un deber individualizado de conocimiento y con él, la presunción de que todos los españoles lo conocen. Si es inherente a la cooficialidad el que, en los territorios donde exista, la utilización de una u otra lengua por cualquiera de los poderes públicos en ellos radicados tenga en principio la misma validez jurídica, la posibilidad de usar sólo una de ellas en vez de ambas a la vez, y de usarlas indistintamente, aparece condicionada, en las relaciones con los particulares, por los derechos que la C. y los Estatutos les atribuyen, por cuanto vimos también que el art. 3.1 de la C. reconoce a todos los españoles el derecho a usar el castellano, y los Estatutos en los arts. antes citados, y sea de modo expreso o implícitamente, el derecho a usar las dos lenguas cooficiales en la correspondientes C.A. o parte de ella. En los territorios dotados de un estatuto de cooficialidad lingüística, el uso por los particulares de cualquier lengua oficial tiene efectivamente plena validez jurídica en las relaciones que mantengan con cualquier poder público radicado en dicho territorio, siendo el derecho de las personas al uso de una lengua oficial un derecho fundado en la C. y en los Estatutos de Autonomía.»

Fto. Jco. 4: «Pero no cabe entender que este título competencial (art. 149.1, 1 de la C.E.), habilite al Estado para regular, con carácter general, siquiera en sus aspectos básicos, la cooficialidad de las lenguas españolas distintas del castellano y su consiguiente utilización por los poderes públicos o el derecho al uso de las otras lenguas españolas oficiales por los particulares. Interpretar el art. 149.1, 1ª con el alcance que le otorga el abogado del Estado, equivaldría a vaciar de contenido las competencias lingüísticas asumidas por las CC.AA. según sus Estatutos de acuerdo con lo dispuesto con el art. 3.º de la C.».
«Es un hecho que, a diferencia de la C. de 1931, cuyo art. 4 encomendaba a las 'leyes del Estado' el eventual reconocimiento de derechos a 'las lenguas de las provincias o regiones', y a 'leyes especiales' la posible exigencia del conocimiento o uso de una 'lengua

regional', el art. 3.2 de la de 1978 remite la regulación de la oficialidad de las lenguas españolas distintas del castellano a los Estatutos de las respectivas CC.AA., y sobre la base de estos, a sus respectivos órganos competentes, con el límite que pueda proceder de reservas constitucionales expresas. Los Estatutos contienen, de esta suerte, mandatos a las correspondientes instituciones autonómicas para regular la cooficialidad de las lenguas propias de las respectivas CC.AA.»

Fto. Jco. 5: «Es evidente que ninguna C.A. puede encontrar en la regulación de la materia lingüística una competencia que la habilite para dictar normas relativas a la organización y funcionamiento de la Admón. estatal, como puede hacerlo con respecto a la propia Admón. autonómica, e incluso a la local en virtud de lo que establezcan los respectivos Estatutos. Pero sí puede la C.A. determinar el alcance de la cooficialidad, que se deriva inmediatamente de la C. y de su Estatuto de Autonomía y es inherente al concepto de aquella, correspondiente a la Admón. estatal la ordenación concreta de la puesta en práctica de aquella regulación legal en cuanto afecte a órganos propios. La instauración por el art. 3.2 de la C. de la cooficialidad de las respectivas lenguas españolas en determinadas CC.AA. tiene consecuencias para todos los poderes públicos en dichas CC.AA., y en primer término el derecho de los ciudadanos a usar cualquiera de las dos lenguas ante cualquier Admón. en la C.A. respectiva con plena eficacia jurídica. Puede esta, pues, enunciar este derecho y, junto a él, el consiguiente deber de todos los poderes públicos (estatales, autonómicos y locales) radicados en la C.A. de adaptarse a la situación de bilingüismo constitucionalmente prevista y estatutariamente establecida.»

Fto. Jco. 8: «También el art. 6 (de la Ley 10/82 de 24 de noviembre, del Parlamento Vasco, básica de normalización del uso del euskera) es impugnado en su totalidad. Su nº 1 (afirma el derecho de los ciudadanos) de ' ser atendidos en la lengua oficial que elijan' y matiza este derecho al señalar que su ejercicio se garantizará 'de forma progresiva', conforme se adopten las 'medidas oportunas'.»
«No existiría... vicio de incompetencia si por 'ser atendidos' se entendiese el derecho a no ver rechazadas los ciudadanos las comunicaciones que dirijan a cualquier ente público en la lengua oficial elegida... La dificultad surge si por 'ser atendidos' se entiende el derecho a que la Admón. Pública conteste a los ciudadanos en la lengua oficial elegida por ellos. Porque la oficialidad de una lengua implica en definitiva el que en ciertos casos deban los poderes públicos llevar a cabo su actuación y su relación con el ciudadano en esa lengua, cuando es el ciudadano quien la elige y se ha previsto los medios para ello... Sentado el principio, que dimana del régimen de cooficialidad establecido por la C. en su art. 3.2, respecto de la ejecución cada poder público regulará los medios y el ritmo de la necesaria adaptación a las exigencias de aquel régimen... El art. 6.1 (de la Ley objeto de la impugnación), si bien establece un derecho subjetivo a ser respondido en la lengua oficial elegida, cuando es lengua distinta del castellano, deja un margen a los poderes públicos, en cuanto a las condiciones en que tal derecho puede verse efectivamente satisfecho, que se hacen depender de una progresiva adaptación de las respectivas Administraciones...»
«A la vista de cuanto antecede no cabe, pues, considerar inconstitucional el nº 1 del art. 6.»

Fto. Jco. 9: «En el art. 6.2 (de la Ley 10/82 del Parlamento Vasco) cabe distinguir entre los dos incisos de que consta. Según el primero de ellos, los poderes públicos tendrán la obligación de utilizar, en los expedientes administrativos en que intervenga más de una persona, aquella lengua que establezcan de mutuo acuerdo las partes que concurran... es aplicable también aquí el razonamiento que hemos hecho con respecto a ese nº 1 del art. 6, por lo que ...se llega a idéntica conclusión respecto a su constitucionalidad».

«En el segundo inciso... se prevé que en caso de no existir acuerdo entre las partes que concurran en el expediente,habrá de utilizarse en el mismo la que disponga la persona que lo haya promovido. Este precepto, pese a la salvaguardia que establece, de que habrá de aplicarse sin perjuicio del derecho de las partes a ser informadas en la lengua que deseen, supone una excepción al derecho reconocido en el nº 1 de este art. a los ciudadanos a ser atendidos en la lengua oficial que elijan,puesto que en caso de discrepancia se podrá utilizar en el expediente una lengua distinta de la elegida por quien no lo promovió. En consecuencia, ello supondría, por un lado, el romper la situación de igualdad de las partes en el procedimiento y, por otro, la vulneración de lo dispuesto en el art. 3 de la C., cuando se excluyera el uso oficial del castellano, pese a ser la lengua elegida por una de las partes, sin que sea salvaguarda suficiente el derecho que se establece a ser informado en la lengua que se desee, lo cual nos conduce a declarar inconstitucional dicho inciso.»

Fto. Jco. 10: «El art. 8.3 (Ley 10/82 del Parlamento Vasco) permite a los poderes públicos 'hacer uso exclusivo del euskera para el ámbito de la Admón. local, cuando en razón de la determinación socio-lingüística del municipio no se perjudiquen los intereses de los ciudadanos.'»

«...Es inexcusable... señalar que la exclusión del castellano no es posible porque se perjudican los derechos de los ciudadanos, que pueden alegar válidamente el desconocimiento de otra lengua cooficial. Pues bien, el citado art. 8.3 prevé la redacción exclusiva en euskera, sin que logre reducir su alcance la genérica salvedad de no perjudicar los derechos de los ciudadanos... Por ello viene a ser inconstitucional por infracción del art. 3.1 de la C., en relación con la no existencia del deber de conocimiento del euskera en zona alguna del territorio del Estado, que resulta del art. 6 de EAPV.»

Fto. Jco. 11: «El art. 9 (Ley 10/82 del Parlamento Vasco) reconoce el derecho de todo ciudadano, se entiende que en el territorio del País Vasco, a usar la lengua oficial de su elección en sus relaciones con la Admón. de Justicia sin que se le pueda exigir traducción alguna, y por ende, la plena validez de los escritos y documentos presentados en euskera, así como de las actuaciones judiciales.»

«En cuanto que el art. 9... no impone obligación alguna del uso del euskera a la Admón. de Justicia y se limita a declarar las consecuencias que inmediatamente se derivan del derecho al uso de dicha lengua establecido en el art. 6 de EAPV, dicho art. no es inconstitucional, ni invade tampoco ámbito competencial alguno reservado al Estado, al no regular referente a materia procesal alguna.»

Fto. Jco. 14: «Nada hay que objetar a la finalidad de progresiva euskaldunización del personal afecto a la Admón. Pública en la C.A. del País Vasco, entendida como posibilidad de dominio también del euskera... por dicho personal. Y, en tal sentido, de acuerdo con la obligación de garantizar el uso de las lenguas oficiales por los ciudadanos y con el deber de proteger y fomentar su conocimiento y utilización, nada se opone a que los poderes públicos prescriban, en el ámbito de sus respectivas competencias, el conocimiento de ambas lenguas para acceder a determinadas plazas de funcionario o que, en general, se considere como un mérito entre otros el nivel de conocimiento de las mismas: bien entendido que todo ello ha de hacerse dentro del necesario respeto a lo dispuesto en los arts. 14 y 23 de la C.E., y sin que en la aplicación del precepto legal en cuestión se produzca discriminación. En definitiva, el empleo del euskera implica la provisión de los medios necesarios, y entre ellos, la presencia del personal vascoparlante, tanto en la Admón. de la C.A. del País Vasco como en la periférica del Estado, en los términos señalados por la STC. 76/83 de 5 de agosto, 'como modo de garantizar el derecho a usarla por parte de los ciudadanos de la respectiva C.A.'»

STC. 83/86 de 26 de junio **(texto auténtico y seguridad jurídica)**

Fto. Jco. 3: «La primera parte del art. 6.1 (Ley del Parlamento de Cataluña 7/83, de 18 de abril, de normalización lingüística de Cataluña) que aquí interesa, es como sigue: 'las leyes que apruebe el Parlamento de Catalunya deben publicarse en ediciones simultáneas, en lengua catalana y en lengua castellana, en el Diari Oficial de la Generalitat. El Parlamento debe hacer la versión oficial castellana. En caso de interpretación dudosa, el texto catalán será el auténtico'... Digamos que sí puede, en cambio, este inciso (el último) infringir la seguridad jurídica y los derechos a la tutela judicial efectiva de los ciudadanos que sin tener el deber de conocerla, pueden alegar desconocimiento de una de las lenguas oficiales, aquella a la que se da prioridad en cuanto a la interpretación de las Leyes publicadas en forma bilingüe, máxime cuando las Leyes del Parlamento catalán pueden llegar a surtir efectos fuera del ámbito territorial de Cataluña.»
«...Cabe preguntarse qué sentido ha de darse a la expresión 'interpretación dudosa'... Un primer sentido es el de que en caso de disparidad entre el texto castellano y el catalán, hubiese que atenerse a lo que disponga éste, independientemente de que el texto castellano careciera en sí mismo de oscuridades o contradicciones internas. Esta interpretación que supone una primacía, en último término, del texto catalán, no resultaría aceptable dentro de los parámetros constitucionales... Un segundo sentido es el de que, de presentarse dificultades en la interpretación del texto castellano, el texto catalán servirá como elemento integrador de la interpretación, al haberse redactado el precepto y haberse llevado la discusión parlamentaria del mismo, en dicho idioma... No siendo esto lo que dice el precepto impugnado que otorga carácter de texto auténtico sólo al catalán, debe ser declarado inconstitucional.»

STC. 84/86 de 26 de junio **(el deber de conocer la lengua de la C.A.)**

Fto. Jco. 2: «El apartado segundo del art. 1 (Ley 3/83 del Parlamento Gallego de 15 de junio, de normalización lingüística) es impugnado por el Abogado del Estado en cuanto impone a todos los gallegos el deber de conocer el idioma gallego.
Ahora bien, tal deber no viene impuesto por la C. y no es inherente a la cooficialidad de la lengua gallega... La inexistencia de un deber constitucional de conocimiento del gallego, nada tiene que ver con las previsiones del EAG respecto del derecho de los gallegos a conocer y usar la lengua propia de su Comunidad (art. 27.20), a fin de garantizar su 'uso normal y oficial' (art. 5.3); pues el deber de conocimiento del gallego no es un simple instrumento para el cumplimiento de los correspondientes deberes y el ejercicio

de las mencionadas competencias, como alega el representante de la Junta de Galicia, sin perjuicio de que la acción pública que en tal sentido se realice pueda tener como finalidad asegurar el conocimiento de ese idioma por los ciudadanos de Galicia.»

«En cuanto a la argumentación en defensa del precepto impugnado fundada en la igualdad de las dos lenguas oficiales en el territorio de Galicia, pasa por alto que el principio constitucional y estatutario de igualdad se predica de los ciudadanos, y no es discriminatorio respecto de éstos, como vimos antes, la existencia de un deber de conocimiento del castellano y la inexistencia del mismo deber respecto del gallego.»

«Alega ciertamente el representante del Parlamento de Galicia, que el deber de conocer el gallego establecido por el impugnado apartado 'carece de exigibilidad coercitiva', está 'referido al mundo de los valores', y 'tendrá, pues, que interpretarse como imperativo ético que, jurídicamente, no es exigible y se traduce en un deber social de los gallegos como colectividad, dirigido, más bien, a los poderes públicos autonómicos'. Ahora bien, tal sentido y su interpretación no se desprenden del texto del apartado en cuestión, y no resulta tampoco, por amplio que sea el margen de la facultad interpretativa de este Tribunal, del contexto de los arts. invocados. Tampoco se desprende del texto que consideramos, que sean sus destinatarios únicos los poderes públicos autónomos como tales, ya que el deber de conocimiento se predica de 'todos los gallegos' con lo que no cabe en puridad no ver en él un deber individualizado y exigible de conocimiento.»

«La conclusión no puede ser otra que considerar inconstitucional el apartado 2° del art. 1 de la Ley 3/83 del Parlamento Gallego.»

STC. 30/86 de 20 de febrero (**cooficialidad y ámbito territorial**)

Fto. Jco. 4: «Los recurrentes... entienden que se han vulnerado los derechos reconocidos en los arts. 14.20 y 24.2 de la C., así como el art. 27 del Pacto internacional de Derechos Civiles y Políticos, al no permitírseles expresarse en lengua vasca, ni en el juicio ni al declarar ante el Juzgado Central n° 1 exhortante, aunque sí se hicieran en lengua vasca las declaraciones efectuadas en Juzgados de las provincias vascas. Mas de tal alegación no se desprende la lesión de ningún derecho constitucional porque... lo cierto es que, efectuadas (las declaraciones) fuera de las mismas (provincias vascas), los demandantes no tienen derecho a exigir que sus manifestaciones ante los órganos del poder se hagan en una lengua que no sea la castellana que por mandato de la misma C. (art. 3.1) tienen el deber de conocer. Así pues procede concluir que ni hay infracción del art. 14, porque no cabe comparar a quienes declararon en el País Vasco con quienes lo hicieron ante el Juzgado Central o ante la Sala segunda del T.S.; ni de la libertad de expresión, como es obvio, porque la expresión en un proceso está sometida a los requisitos de este; ni tampoco del art. 24.1, porque los demandantes tienen la obligación de conocer el idioma en el que se les exigió que declarasen, lo que significa que, si efectivamente se hubiese producido una merma en su defensa al desconocer el idioma, se habría debido a una ignorancia indebida.»

Tampoco queda infringido derecho alguno contenido en el art. 27 del Pacto internacional... ratificado por España... Dicho art. establece que en los Estados en que existen minorías lingüísticas no se negará a las personas que a ellas pertenezcan el derecho que les corresponde 'en común con los demás miembros de su grupo' a 'emplear su propio idioma'. La fórmula empleada señala el ámbito de aplicación el derecho así reconocido, y con él los límites a su aplicación que con respecto a las distintas lenguas españolas ha sido plenamente reconocido, más allá de la exigencia del art. 27, en el art. 3.2 de la C., que las erige en oficiales en las respectivas CC.AA. de acuerdo con sus Estatutos.»

STC. 74/87 de 25 de mayo (derecho a intérprete)

Fto. Jco. 3: «La atribución de este derecho (se refiere al derecho a intérprete en actuaciones judiciales y policiales) a los españoles que no conozcan suficientemente el castellano y no sólo a los extranjeros que se encuentren en ese caso no debe ofrecer duda... No cabe objetar que el castellano es la lengua oficial del Estado y que todos los españoles tienen el deber de conocerla (...), ya que lo que aquí se valora es un hecho (la ignorancia o el conocimiento insuficiente del castellano) en cuanto afecta al ejercicio de un derecho fundamental, cual es el de defensa. En el fondo se trata de un derecho que, estando ya reconocido en el ámbito de las actuaciones judiciales (...), debe entenderse que también ha de reconocerse en el ámbito de las actuaciones policiales que preceden a aquéllas y que, en muchos casos, les sirven de antecedentes. Ciertamente, el deber de los españoles de conocer el castellano, antes aludido, hace suponer que ese conocimiento existe en realidad, pero tal presunción puede quedar desvirtuada cuando el detenido o preso alega verosímilmente su ignorancia o conocimiento insuficiente o esta circunstancia se pone de manifiesto en el transcurso de las actuaciones policiales.»

STC. 123/88 de 23 de junio (derecho a traducción)

Fto. Jco. 4: «...Ahora bien, existe en el caso presente una diferencia consistente en la distinta salvaguardia del derecho de las partes afectadas recogido en la Ley balear (Ley 3/86 de 29 de abril, de normalización lingüística de la C.A. de las Islas Baleares). En esta, en efecto, lo dispuesto será «sin perjuicio del derecho de las partes a que les sea librada la traducción correspondiente». Frente a lo que ocurría en relación a la Ley vasca (STC. 82/86, Fto. Jco. 9), cabe apreciar en el presente supuesto que la traducción es una actividad cualitativamente distinta de la simple información, y en cuanto reproducción total y fidedigna de las actuaciones del procedimiento, no supone, por sí misma, un riesgo para el destinatario, que se ve perfectamente protegido al tener conocimiento de todos y cada uno de los extremos del procedimiento... Se elimina así la eventualidad de una desigualdad entre las partes... por lo que no procede apreciar la alegada inconstitucionalidad del precepto (art. 10.1 de la Ley balear).»

STC. 123/88 de 23 de junio (Lengua de la CA y FAS)

Fto. Jco. 5: «El art. 13 de la Ley impugnada se refiere... al uso del catalán por las personas que realicen el servicio militar en las Islas Baleares... y afirma la validez de todas las actuaciones militares hechas en catalán en el ámbito territorial de la C.A.»
«A este respecto ha de recordarse que el art. 149,1.4 de la C.E. dispone que el Estado tiene competencia exclusiva en lo que se refiere a materias de Defensa y Fuerzas Armadas, lo que excluye cualquier intervención de los poderes de las CC.AA. en la regulación de la organización de las FF.AA. Y, sin duda, el uso de la lengua en el seno de las FF.AA. para los fines de su servicio interno, y por los miembros de las mismas es algo que afecta a las mismas bases de organización y funcionamiento, dadas sus características internas. En consecuencia, y en ejercicio de una atribución competencial expresa, corresponde en exclusiva al Estado la regulación material del uso de lenguas oficiales en

las FF.AA., y le corresponde asimismo, en exclusiva, la fijación de las condiciones y requisitos para la determinación de la validez de los actos de la Admón. militar. Por lo que procede apreciar que la norma impugnada invade una competencia reservada al Estado y, en consecuencia declarar la inconstitucionalidad del art. 13 de la Ley balear.»

STC. 195/89 de 27 de noviembre (lengua cooficial y derecho a la educación)

Fto. Jco. 3: «...ninguno de los múltiples apartados del art. 27 CE... incluye, como parte o elemento del derecho constitucionalmente garantizado, el derecho de los padres a que sus hijos reciban educación en la lengua de preferencia de sus progenitores en el Centro docente público de su elección.»

STC. 337/94 de 23 de diciembre (derecho a enseñanza en una sola lengua)

Fto. Jco. 9: «...también desde la perspectiva del art. 27 CE. ha de llegarse a la conclusión de que ni el contenido del derecho constitucional a la educación... ni tampoco, en particular, de sus apartados, 2, 5 y 7 se desprende el derecho a recibir la enseñanza en sólo una de las dos lenguas cooficiales en la C.A., a elección de los interesados. El derecho de todos a la educación... se ejerce en el marco de un sistema educativo en el que los poderes públicos, esto es el estado a través de la legislación básica y las CCAA. en el marco de sus competencias en esta materia, determinan los currículos de los distintos niveles, etapas, ciclos y grados de enseñanza, las enseñanzas mínimas y las concretas áreas o materias objeto de aprendizaje, organizando asimismo su desarrollo en los distintos Centros docentes; por lo que la educación constituye, en términos generales, una actividad reglada. De este modo, el derecho a la educación que la C. garantiza no conlleva que la actividad prestacional de los poderes públicos en esta materia pueda estar condicionada por la libre opción de los interesados de la lengua docente. Y por ello los poderes públicos, el Estado y la CE., están facultados para determinar el empleo de las dos lenguas que son cooficiales en una CA. como lenguas de comunicación en la enseñanza, de conformidad con el reparto competencial en materia de educación.»

STC. 46/91 de 28 de febrero (lengua de la C.A. y Administración autonómica)

Fto. Jco. 3 «La razonabilidad de valorar el conocimiento del catalán como requisito general de capacidad, aunque variable en su nivel de exigencia, viene justificada por diversos motivos. En primer lugar, debemos mencionar el carácter del catalán como lengua de la Administración de la Generalidad, junto con el castellano, ambas de uso preceptivo (art. 5 Ley catalana 7/83); que son válidas y eficaces las actuaciones administrativas hechas en catalán (art. 7.1 Ley catalana 7/83); y que los particulares gozan del derecho de usar el catalán en sus relaciones con la Administración (art. 8 de la Ley 7/83 y STC. 82/86). Además se trata de un requisito justificado y equitativo también en funcióin de la propia eficacia de la Administración autónoma (art. 103.1 de la C.E.) por lo que resulta constitucionalmente lícito exigir, en todo caso, un cierto nivel de conocimiento de la lengua catalana, que resulta imprescindible para que el funcionario pueda ejercer adecuadamente su trabajo en la Administración autonómica dado el carácter cooficial del idioma catalán en Cataluña y dada también la extensión del uso del catalán en todo el territorio de la C.A.»

ATC. 311/93 de 25 de octubre (castellano en el Registro civil)

Fto. Jco. 3: «...dado el carácter del Registro Civil no es contrario a la CE. que los asientos en él practicados, salvo el nombre y apellidos de los interesados, deban ser redactados en castellano, sin perjuicio de obtener las certificaciones de dichos asientos en cualquiera de las dos lenguas.»

STC. 87/1997 de 24 de abril (Lengua Registro Mercantil)

Fto. Jco. 4 «...De lo que antecede se desprenden, pues, dos conclusiones. En primer lugar, como ya hemos avanzado, la competencia del Estado para determinar la lengua en la que deben practicarse los asientos en el Registro Mercantil y, más concretamente, la competencia estatal para dictar el art. 36.1 R.R.M. objeto del presente conflicto. Así parece reconocerlo la propia Ley 7/1983, del Parlamento de Cataluña, de normalización lingüística, que, después de regular en el art. 11 la lengua oficial en la que deben redactarse los asientos en los registros públicos dependientes de la Generalidad, se limita a prever en su Disposición adicional que la misma promoverá, de acuerdo con los órganos competentes, la normalización del catalán en los registros no dependientes de la misma.

La segunda conclusión es la de que el Estado, al regular el uso de la lengua en los Registros Mercantiles territoriales radicados en la Comunidad Autónoma, debe respetar las cláusulas generales relativas a la oficialidad y normalización de las lenguas, que se concretan, en lo que aquí afecta y como ya hemos avanzado, en el art. 2.2 de la referida Ley 7/1983 que establece que «las manifestaciones de pensamiento o de voluntad y los actos orales o escritos, públicos o privados, no pueden dar lugar en Cataluña a ningún tipo de discriminación si se expresan total o parcialmente en lengua catalana y producen todos los efectos jurídicos igual que si se expresaran en lengua castellana, y, por consiguiente, en lo que respecta a su eficacia, no pueden ser objeto de ningún tipo de dificultad, retraso, requerimiento de traducción ni de ninguna otra exigencia» y en el art. 8.2 y 3, referido en general a la Administración civil del Estado, prevé que ésta debe expedir los documentos o testimonios contenidos en los expedientes por ella tramitados en el idioma oficial requerido por los ciudadanos que los soliciten.

Estas previsiones legales, que hoy continúan vigentes, y no fueron impugnadas en el recurso que en su día promovió el Presidente del Gobierno contra la citada Disposición —y que este Tribunal resolvió en la STC. 83/1986 sin ningún pronunciamiento en contra—, establecen, pues, tan sólo tres requisitos relacionados con un conjunto de derechos lingüísticos de los ciudadanos e, indirectamente, con la oficialidad y normalización del uso del catalán, a saber: a) que los documentos redactados en catalán deben tener, a efectos registrales mercantiles, la misma eficacia y validez que los redactados en castellano; b) que los documentos expresados en catalán no pueden verse sometidos a ningún tipo de «dificultad o retraso», y c) que las certificaciones y demás comunicaciones relativas a los asientos deben expedirse en la lengua oficial de elección del solicitante.»

Fto. Jco. 5. «Planteada la cuestión desde esta perspectiva cabe avanzar ya que la previsión de que los asientos deben practicarse en lengua castellana no impide que los documentos redactados en catalán tengan plenos efectos registrales, iguales en eficacia y validez que los redactados en castellano...»

STC. 50/1999 de 6 de abril (traducción documentos)

Fto. Jco. 9 «...No cabe, en efecto, desconocer que en algunos supuestos singulares la oficialidad de la lengua propia de una Comunidad Autónoma no se detiene en los límites de su territorio. Lleva, por ello, razón la Comunidad Autónoma recurrente al afirmar que, en el anteriormente referido supuesto, someter a una traducción al castellano los documentos que, surgidos en una de ellas, deban surtir efectos en la otra (art. 36.2, y lo mismo cabe decir respecto de lo dispuesto en el art. 36.3), supondría un atentado a la oficialidad de la lengua en cuestión, común a ambas Comunidades Autónomas. Obligar a traducir al castellano todos los documentos, expedientes o parte de los mismos que vayan a producir efectos fuera de la Comunidad Autónoma, incluso en el caso de que en el territorio donde vayan a desplegar sus efectos tenga también carácter oficial la lengua en que dichos documentos hayan sido redactados, supone desconocer el carácter oficial de dicha lengua, ya que, como ha señalado la STC. 32/1986, el carácter oficial de una lengua conlleva que los poderes públicos la reconozcan como medio normal de comunicación en y entre ellos, y en su relación con los sujetos privados, con plena validez y efectos jurídicos. Por esta razón, en el ámbito territorial donde una lengua tiene carácter oficial, los actos jurídicos realizados en dicha lengua, aunque tengan su origen en un procedimiento administrativo instruido en otra Comunidad Autónoma en la que dicha lengua tenga también carácter cooficial, han de surtir, por sí mismos, plenos efectos sin necesidad de ser traducidos. Exigir en estos casos la traducción de los documentos supone desconocer la existencia de una lengua que en esa Comunidad Autónoma tiene igualmente carácter oficial, lo que constituye una vulneración del art. 3.2 C.E. y de los correlativos preceptos estatutarios en el que se reconoce el carácter oficial de otras lenguas distintas al castellano.»

STC. 270/2006 de 13 de septiembre (lengua y Poder Judicial)

Fto. Jco. 8: «a) En cuanto al art. 6, no incurre en infracción del orden constitucional de competencias. En nuestras SSTC. 46/1991 y 253/2005 hemos admitido que las Comunidades Autónomas competentes con lengua cooficial regulen el conocimiento de su lengua propia en la provisión de plazas de la función pública de la Generalidad de Cataluña y de la Administración de Justicia del País Vasco, respectivamente, siempre que la exigencia de conocimiento de dicha lengua propia "no se utilice de manera irrazonable y desproporcionada, impidiendo el acceso a la función pública de determinados ciudadanos españoles" (STC. 253/2005, Fto. Jco. 10, con cita de la STC. 46/1991, Fto. Jco. 4), con el matiz, respecto de la Administración de Justicia, de que el expresado conocimiento lingüístico como requisito exigible para la provisión de puestos "sólo será así cuando de la naturaleza de las funciones a desempeñar se derive dicha exigencia y así se establezca en las relaciones de puestos de trabajo" (STC. 253/2005, Fto. Jco. 10).»

Fto. Jco. 11: «c) La disposición adicional tercera se proyecta en un ámbito personal diferente, pues afecta a Jueces, Magistrados, Secretarios Judiciales y Fiscales. Este precepto carece de virtualidad aplicativa inmediata, pues su contenido queda deferido a futuros convenios con el Ministerio de Justicia y el Consejo General del Poder Judicial y, por tanto, a lo que aquéllos entonces determinen. Sin embargo, en su dimensión material vulnera el orden constitucional de competencias, pues no se limita únicamente a prever actividades de formación, sino que además supone incluir a los Jueces, Magistrados, Secretarios Judiciales y Fiscales en las medidas de normalización lingüística a que se refieren el título y el contenido del Decreto 117/2001, objeto de este conflicto. En cuanto que estas actuaciones sobre dicho personal corresponden, desde la perspectiva constitucional, al Estado (art. 149.1.5 CE y STC. 105/2000, de 13 de abril, Fto. Jco. 4), el precepto que examinamos excede de la competencia de la Comunidad Autónoma e incurre, por ello, en inconstitucionalidad.»

STC. 31/2010 de 28 de junio (cuestiones de política lingüística)

Fto. Jco. 14. ...El objeto de enjuiciamiento queda así contraído a dos cuestiones: de un lado, la condición del catalán como lengua propia de Cataluña con las consecuencias que a ello anuda el art. 6.1 EAC; de otro, el deber de conocimiento del catalán establecido en el art. 6.2 EAC.

a) Hemos de centrarnos aquí en las señaladas cuestiones de principio y remitir al enjuiciamiento de otros preceptos, específicamente al examen de los contenidos en los arts. 33 a 36, 50.4 y 5, 102 y 147.1 a) EAC, el concreto régimen lingüístico establecido por el Estatuto. Comenzando por la cuestión relativa al carácter propio de la lengua catalana y a las consecuencias que de ello resultan, es enteramente pacífico para las partes, como no podía ser menos, que el Estatuto de Autonomía de Cataluña es la norma competente para atribuir al catalán la condición jurídica de lengua oficial en esa Comunidad Autónoma (art. 3.2 CE), compartida con el castellano como lengua oficial del Estado (art. 3.1 CE). Como dijimos en la STC. 82/1986, de 26 de junio, Fto. Jco. 2, "[a]unque la Constitución no define, sino que da por supuesto lo que sea una lengua oficial, la regulación que hace de la materia permite afirmar que es oficial una lengua, independientemente de su realidad y peso como fenómeno social, cuando es reconocida por los poderes públicos como medio normal de comunicación en y entre ellos y en su relación con los sujetos privados, con plena validez y efectos jurídicos (sin perjuicio de que en ámbitos específicos, como el procesal, y a efectos concretos, como evitar la indefensión, las Leyes y los tratados internacionales permitan también la utilización de lenguas no oficiales por los que desconozcan las oficiales). Ello implica que el castellano es medio de comunicación normal de los poderes públicos y ante ellos en el conjunto del Estado español. En virtud de lo dicho, al añadir el núm. 2 del mismo art. 3 que las demás lenguas españolas serán también oficiales en las respectivas Comunidades Autónomas, se sigue asimismo, que la consecuente cooficialidad lo es con respecto a todos los poderes públicos radicados en el territorio autonómico, sin exclusión de los órganos dependientes de la Administración central y de otras instituciones estatales en sentido estricto, siendo, por tanto, el criterio delimitador de la oficialidad del castellano y de la cooficialidad de otras lenguas españolas el territorio, independientemente del carácter estatal (en sentido estricto), autonómico o local de los distintos poderes públicos."

La definición del catalán como "la lengua propia de Cataluña" no puede suponer un desequilibrio del régimen constitucional de la cooficialidad de ambas lenguas en perjuicio del castellano. Si con la expresión "lengua propia" quiere significarse, como alega el Abogado del Estado, que el catalán es lengua peculiar o privativa de Cataluña, por contraste con el castellano, lengua compartida con todas las Comunidades Autónomas, la dicción del art. 6.1 EAC es inobjetable. Si de ello, por el contrario, pretende deducirse que únicamente el catalán es lengua de uso normal y preferente del poder público, siquiera sea sólo del poder público autonómico, se estaría contradiciendo una de las características constitucionalmente definidoras de la oficialidad lingüística, cual es, según acabamos de recordar con la cita de la STC. 82/1986, que las lenguas oficiales constituyen "medio normal de comunicación en y entre [los poderes públicos] y en su relación con los sujetos privados, con plena validez y efectos jurídicos". Toda lengua oficial es, por tanto —también allí donde comparte esa cualidad con otra lengua española—, lengua de uso normal por y ante el poder público. También, en consecuencia, lo es el castellano por y ante las Administraciones públicas catalanas, que, como el poder público estatal en Cataluña, no pueden tener preferencia por ninguna de las dos lenguas oficiales.

Ahora bien, ha de repararse en que la declaración de la oficialidad del catalán se contiene en el art. 6.2 EAC, siendo de tal declaración de donde resultan los efectos que, en cuanto al régimen propio de las lenguas oficiales, hemos dicho que se desprenden de la Constitución misma. Siendo evidente que el Estatuto no puede pretender la contradicción de esas consecuencias, no cabe sino entender que con el art. 6.1 EAC el legislador del Estatuto sólo ha querido ceñirse a aquel cometido que la Constitución reserva, con carácter exclusivo, a los Estatutos de Autonomía, esto es a la cualificación de una lengua como oficial en la "respectiva" Comunidad Autónoma, según quiere el art. 3.2 CE. En efecto, el art. 3.2 CE no permite que los Estatutos de Autonomía proclamen la oficialidad de cualquier lengua española distinta del castellano, del mismo modo que el art. 143.1 CE condiciona el derecho a la autonomía a la concurrencia de una serie de características que permitan la identificación en los territorios que lo ejercitan de una cierta "entidad regional histórica". La lengua española distinta del castellano susceptible de ser proclamada oficial por un Estatuto de Autonomía es la lengua de la "respectiva" Comunidad Autónoma, esto es, la lengua característica, histórica, privativa, por contraste con la común a todas las Comunidades Autónomas, y, en este sentido, propia.

El carácter propio de una lengua española distinta del castellano es, por tanto, la condición constitucional inexcusable para su reconocimiento como lengua oficial por un Estatuto de Autonomía. Pues bien, el art. 6.1 EAC, al declarar que el catalán como lengua propia de Cataluña es la lengua de "uso normal" de las Administraciones Públicas y de los medios de comunicación públicos de Cataluña, cumple la función de acreditar la efectiva concurrencia de aquella condición constitucional en el caso de la lengua catalana, en tanto que la "normalidad" de esa lengua no es sino el presupuesto acreditativo de una realidad que, caracterizada por el uso normal y habitual del catalán en todos los órdenes de la vida social de la comunidad Autónoma de Cataluña, justifica la declaración de esa lengua como oficial en Cataluña, con los efectos y consecuencias jurídicos que, desde la Constitución y en su marco, hayan de desprenderse de esa oficialidad y de su concurrencia con el castellano.

El art. 6.1 EAC, además de "la lengua de uso normal", declara que el catalán como lengua propia de Cataluña es también la lengua de uso "preferente" de las Administraciones Públicas y de los medios de comunicación públicos de Cataluña. A diferencia de la noción de "normalidad", el concepto de "preferencia", por su propio tenor, trasciende la mera descripción de una realidad lingüística e implica la primacía de una lengua sobre otra en el territorio de la Comunidad Autónoma, imponiendo, en definitiva, la prescripción de un uso prioritario de una de ellas, en este caso, del catalán sobre el castellano, en perjuicio del equilibrio inexcusable entre dos lenguas igualmente oficiales y que en ningún caso pueden tener un trato privilegiado. La definición del catalán como lengua propia de Cataluña no puede justificar la imposición estatutaria del uso preferente de aquella lengua, en detrimento del castellano, también lengua oficial en la Comunidad Autónoma, por las Administraciones Públicas y los medios de comunicación públicos de Cataluña, sin perjuicio, claro está, de la procedencia de que el legislador pueda adoptar, en su caso, las adecuadas y proporcionadas medidas de política lingüística tendentes a corregir, de existir, situaciones históricas de desequilibrio de una de las lenguas oficiales respecto de la otra, subsanando así la posición secundaria o de postergación que alguna de ellas pudiera tener. No admitiendo, por tanto, el inciso "y preferente" del art. 6.1 EAC una interpretación conforme con la Constitución, ha de ser declarado inconstitucional y nulo.

En lo que hace a la segunda de las consecuencias anudadas por el art. 6.1 EAC al carácter propio de la lengua catalana, es decir, a su definición como "la lengua normalmente utilizada como vehicular y de aprendizaje en la enseñanza", hemos de recordar que "no puede ponerse en duda la legitimidad constitucional de una enseñanza en la que el vehículo de comunicación sea la lengua propia de la Comunidad Autónoma y lengua cooficial en su territorio, junto al castellano (STC. 137/1986, fundamento jurídico 1), dado que esta consecuencia se deriva del art. 3 C.E. y de lo dispuesto en el respectivo Estatuto de Autonomía" (STC. 337/1994, de 23 de diciembre, Fto. Jco. 9), si bien "ha de tenerse presente que en la STC. 6/1982, fundamento jurídico 10, hemos dicho tempranamente que corresponde al Estado velar por el respeto de los derechos lingüísticos en el sistema educativo y, en particular, 'el de recibir enseñanza en la lengua oficial del Estado'; pues no cabe olvidar que el deber constitucional de conocer el castellano (art. 3.1 C.E.) presupone la satisfacción del derecho de los ciudadanos a conocerlo a través de las enseñanzas recibidas en los estudios básicos" (STC. 337/1994, Fto. Jco. 10). El catalán debe ser, por tanto, lengua vehicular y de aprendizaje en la enseñanza, pero no la única que goce de tal condición, predicable con igual título del castellano en tanto que lengua asimismo oficial en Cataluña. En la medida en que el concreto régimen jurídico de los derechos lingüísticos en el ámbito de la enseñanza se regula en el art. 35 EAC remitimos al enjuiciamiento de ese precepto la exposición de las razones que abonen nuestro pronunciamiento sobre la constitucionalidad del modelo lingüístico de la enseñanza establecido en el Estatuto. Pero desde ahora hemos de dejar sentado en nuestra argumentación que, como principio, el castellano no puede dejar de ser también lengua vehicular y de aprendizaje en la enseñanza.

b) La cuestión relativa a la constitucionalidad de la imposición estatutaria del deber de conocimiento del catalán (art. 6.2 EAC) debe resolverse partiendo de la base de que "tal deber no viene impuesto por la Constitución y no es inherente a la cooficialidad ... El art. 3.1 de la Constitución establece un deber general de conocimiento del castellano como lengua oficial del Estado; deber que resulta concordante con otras disposiciones constitucionales que reconocen la existencia de un idioma común a todos los españoles, y cuyo conocimiento puede presumirse en cualquier caso, independientemente de factores de residencia o vecindad. No ocurre, sin embargo, lo mismo con las otras lenguas españolas cooficiales en los ámbitos de las respectivas Comunidades Autónomas, pues el citado artículo no establece para ellas ese deber" (STC. 84/1986, de 26 de junio, Fto. Jco. 2). Lo que aquí importa es, sin embargo, si la inexistencia de un deber constitucional de conocimiento de las lenguas españolas oficiales distintas del castellano supone la prohibición de que tal deber se imponga en un Estatuto de Autonomía o, por el contrario, es ésa una opción abierta al legislador estatutario y por la que puede legítimamente optarse.

Desde luego, y según admitimos en la citada STC. 82/1986, el hecho de que la Constitución no reconozca el derecho a utilizar las lenguas cooficiales distintas del castellano no impide que los Estatutos de Autonomía garanticen tal derecho. Otra cosa es, sin embargo, que también puedan exigir el deber de conocerlas. El deber constitucional de conocimiento del castellano, antes que un deber "individualizado y exigible" (STC. 82/1986, Fto. Jco. 2) de conocimiento de esa lengua, es en realidad el contrapunto de la facultad del poder público de utilizarla como medio de comunicación normal con los ciudadanos sin que éstos puedan exigirle la utilización de otra —fuera de los casos, ahora irrelevantes, en los que pueda estar en juego el derecho de defensa en juicio (STC. 74/1987, de 25 de mayo)— para que los actos de imperium que son objeto de comunicación desplieguen de manera regular sus efectos jurídicos. En el caso de las lenguas cooficiales distintas del castellano no existe para los poderes públicos una facultad equivalente, pues los ciudadanos residentes en las Comunidades Autónomas con lenguas cooficiales tienen derecho a utilizar ambas en sus relaciones con la autoridad y sólo obligación —constitucional— de conocer el castellano, lo que garantiza la comunicación con el poder público sin necesidad de exigir el conocimiento de una segunda lengua. En cuanto el deber del ciudadano se corresponde con el correlativo derecho o facultad del poder público, no teniendo la Administración derecho alguno a dirigirse exclusivamente a los ciudadanos en la lengua catalana tampoco puede presumir en éstos su conocimiento y, por tanto, formalizar esa presunción como un deber de los ciudadanos catalanes.

El art. 6.2 EAC sería inconstitucional y nulo en su pretensión de imponer un deber de conocimiento del catalán equivalente en su sentido al que se desprende del deber constitucional de conocimiento del castellano. Ello no obstante, el precepto admite con naturalidad una interpretación distinta y conforme con la Constitución, toda vez que, dirigiendo el precepto un mandato a los poderes públicos de Cataluña para que adopten "las medidas necesarias para facilitar ... el cumplimiento de este deber", es evidente que sólo puede tratarse de un deber "individualizado y exigible" de conocimiento del catalán, es decir, de un deber de naturaleza distinta al que tiene por objeto al castellano de acuerdo con el art. 3.1 CE (STC. 82/1986, Fto. Jco. 2). No hay aquí, por tanto, contrapunto alguno a la facultad del poder público de la Generalitat de utilizar exclusivamente la lengua catalana en sus relaciones con los ciudadanos, que sería improcedente, sino que se trata, aquí sí, no de un deber generalizado para todos los ciudadanos de Cataluña, sino de la imposición de un deber individual y de obligado cumplimiento que tiene su lugar específico y propio en el ámbito de la educación, según resulta del art. 35.2 EAC, y en el de las relaciones de sujeción especial que vinculan a la Administración catalana con sus funcionarios, obligados a dar satisfacción al derecho de opción lingüística reconocido en el art. 33.1 EAC. Si el concreto régimen jurídico de ese deber individualizado y exigible es o no conforme con la Constitución habrá de verse en el momento de examinar la constitucionalidad de dichos preceptos, también objeto del presente recurso. Importa aquí únicamente, sin embargo, que, concebido como un deber de naturaleza distinta al que sólo cabe predicar del castellano, esto es, como un deber que no es jurídicamente exigible con carácter generalizado, el deber de conocimiento del catalán tiene un objeto propio que lo justifica como mandato y que permite interpretarlo conforme a la Constitución.

Interpretado en esos términos, el art. 6.2 EAC no es contrario a la Constitución, y así se dispondrá en el fallo.

Art. 4. 1. La bandera de España está formada por tres franjas horizontales, roja, amarilla y roja, siendo la amarilla de doble anchura que cada una de las rojas.
2. Los Estatutos podrán reconocer banderas y enseñas propias de las Comunidades Autónomas. Estas se utilizarán junto a la bandera de España en sus edificios públicos y en sus actos oficiales.

STC. 94/85 de 29 de julio (**la fijación de símbolos es competencia de la C.A.**)

Fto. Jco. 6: «En principio, las competencias que pueden asumir las CC.AA. son las que derivan de los arts. 148 y 149 de la C., según la vía de acceso a la autonomía seguida por la Comunidad. Ahora bien, aunque es cierto que tales preceptos constitucionales constituyen el marco básico de la distribución competencial entre el Estado y las CC.AA. y, en consecuencia el marco de referencia principal que han de tener en cuenta los Estatutos de Autonomía a la hora de determinar las competencias que asume cada C.A., no está excluído que algunas de éstas tengan su base en otros preceptos constitucionales. Así el art. 147.2 d) de la C.E., al referirse a las competencias contenidas en los Estatutos, no remite exclusivamente a las determinadas en el Título VIII, sino que lo hace, más amplia o genéricamente, al 'marco establecido en la C.E.'.
'Dentro del marco establecido en la C.', se encuentra la competencia de cada C.A. para establecer 'la bandera y enseña propia' que tiene su apoyo en el art. 4.2 según el cual los Estatutos 'podrán reconocer' tales banderas y enseñas...
Este 'reconocimiento constitucional', que no tiene precedente en el constitucionalismo español ni en el Derecho comparado europeo, es una forma de expresión a través de los símbolos de la organización del Estado en CC.AA. Y la potestad conferida en el art. 4.2 para 'reconocer en los Estatutos...' entraña así necesariamente la atribución a ésta (C.A.) de la competencia para determinar qué símbolos reconocen o establecen como propios, competencia que podrán ejercer o no, por cuanto el contenido estatutario en este punto no es necesario u obligatorio desde el punto de vista constitucional.

Fto. Jco. 7: «No puede desconocerse que la materia sensible del símbolo político... transciende a sí misma para adquirir una relevante función significativa. Enriquecido con el transcurso del tiempo, el símbolo político acumula toda la carga histórica de una comunidad, todo un conjunto de significaciones que ejercen una función integradora y promueven una respuesta socioemocional, contribuyendo a la formación y mantenimiento de la conciencia comunitaria y, en cuanto expresión externa de la peculiaridad de esa Comunidad, adquiere una cierta autonomía respecto de las significaciones simbolizadas, con las que es identificada; de aquí la protección dispensada a los símbolos políticos por los ordenamientos jurídicos. Al símbolo político corresponde, pues, al lado de una función significativa integradora, una esencial función representativa e identificadora, que debe ejercer con la mayor pureza y virtualidad posibles.

Fto. Jco. 8: «La función identificadora del símbolo político, a que venimos haciendo referencia, determina que la competencia reconocida a las CC.AA. en esta materia no se agote en la potestad para fijar las características de sus propios símbolos, sino que abarque también, ya que de otro modo la relación de identidad quedaría rota, la potestad frente a las demás Comunidades para regular de forma exclusiva su utilización, regulación que, de hecho, algunas Comunidades han llevado a cabo al mismo tiempo que configuraban su escudo propio. Ello implica que dichos símbolos no pueden ser utilizados sin el consentimiento de la Comunidad a que corresponden, ni apropiándose de ellos aisladamente, ni integrándolos como tales símbolos identificadores en el emblema de otra Comunidad. El contenido de la competencia así definida supone, por consiguiente, un límite a la competencia de cada C.A. para establecer o configurar su propio emblema.

STC. 119/92 de 18 de septiembre (las banderas de las CC.AA., símbolos del Estado)

Fto. Jco. 1: «Sin necesidad de insistir en el sentido anfibológico con el que término Estado se utiliza en la C.E. (SSTC. 31/81 y 38/82), no cabe duda de que, siendo los principales símbolos de nuestro Estado la bandera de España y su escudo, también son símbolos del Estado español las banderas y enseñas previstas en el art. 4 C.E. y reconocidas en los EE.AA. de las CC.AA., en tanto en cuanto, como ha quedado dicho, éstas constituyen la expresión de la autonomía que la C.E. ampara y de la pluralidad y complejidad del Estado que configura.»

Art. 5. La capital del Estado es la villa de Madrid.

Art. 6. Los partidos políticos expresan el pluralismo político, concurren a la formación y manifestación de la voluntad popular y son instrumento fundamental para la participación política. Su creación y el ejercicio de su actividad son libres dentro del respeto a la Constitución y a la ley. Su estructura interna y funcionamiento deberán ser democráticos.

LO 6/02 de 27 de junio de Partidos Políticos
L.O. 3/1987 de 2 de julio de financiación de los partidos políticos.

STC. 3/81 de 2 de febrero (finalidad del registro de partidos)

Fto. Jco. 1: «El primer problema que plantea el presente recurso es decidir si el derecho a crear partidos políticos es susceptible de amparo en virtud del art. 22 de la C., que consagra el derecho de asociación. La respuesta ha de ser afirmativa. Un partido es una forma particular de asociación y el citado art. 22 no excluye las asociaciones que tengan una finalidad política, ni hay base alguna en él para deducir tal exclusión.»

Fto. Jco. 5: «El Registro de partidos políticos es, por tanto, un registro cuyo encargado no tiene más funciones que las de verificación reglada, es decir, le compete exclusivamente comprobar si los documentos que se le presentan corresponden a materia objeto del Registro y si reúnen los requisitos formales necesarios. La verificación ha de hacerse al presentarse la documentación, que es cuando se inicia el expediente. Si se encontrasen defectos formales, éstos deben comunicarse a los solicitantes señalando en forma concreta cuáles son y en qué plazo han de subsanarse, sin que pueda la Administración señalar tales defectos pasado el plazo de veinte días en que ha de proceder la inscripción, plazo que es preclusivo, pues a su expiración el partido adquiere la personalidad jurídica 'ex lege'.»

Fto. Jco. 9: «Tales alegaciones (referidas a la presunta inconstitucionalidad de los fines que el partido persigue), son aquí irrelevantes. Este T.C,. no tiene competencia directa para decidir sobre la inconstitucionalidad de un partido político. Con arreglo al art. 22.4 de la C., las asociaciones sólo podrán ser disueltas o suspendidas en virtud de resolución judicial motivada. La misma Ley de Partidos Políticos... establece en su art. 5 que la suspensión o disolución de los partidos políticos sólo podrá acordarse por decisión de la autoridad judicial competente, y entre las causas que justifican tal decisión figuran que la organización o actividades de aquellos sean contrarios a los principios democráticos. Resulta, por tanto, que el Poder Judicial, y sólo a éste, encomienda la C. y también la legislación ordinaria la función de pronunciarse sobre la legalidad de un partido político.»

STC. 5/83 de 4 de febrero (los partidos no son titulares del derecho a participar)

Fto. Jco. 4: «Los partidos políticos, tal y como establece el art. 6 de la C., ejercen funciones de trascendental importancia en el Estado actual... Pero, sin perjuicio de lo anterior, lo cierto es que el derecho a participar corresponde a los ciudadanos, y no a los partidos, que los representantes elegidos lo son de los ciudadanos y no de los partidos, y que la permanencia en el cargo no puede depender de la voluntad de los partidos sino de la expresada por los lectores a través del sufragio expresado en elecciones periódicas.»

STC. 10/83 de 21 de febrero (los partidos no son órganos del Estado)

Fto. Jco. 3: «Los partidos políticos son, como expresamente declara el art. 6, creaciones libres, producto como tales del ejercicio de la libertad de asociación que consagra el art. 22. No son órganos del Estado, por lo que el poder que ejercen se legitima sólo en virtud de la libre aceptación de los estatutos y, en consecuencia, sólo puede ejercerse sobre quienes, en virtud de una opción personal libre, forman parte del partido. La trascendencia política de sus funciones (...) no altera su naturaleza, aunque explica que respecto de ellos establezca la C. la exigencia de que su estructura interna y su funcionamiento sean democráticos.

«En razón de la función constitucionalmente atribuída de servir de cauce fundamental para la participación política, la legislación electoral (...) otorga a los partidos la facultad de presentar candidaturas en las que, junto con el nombre de los candidatos, figura la denominación del partido que los propone. La decisión del elector es así producto de una motivación compleja que sólo el análisis sociológico concreto permitiría, con mayor o menor precisión, establecer en cada caso. De acuerdo con la C. (arts. 6.23, 68, 69, 70 y 140) es inequívoco, sin embargo, que la elección de los ciudadanos sólo puede recaer sobre personas determinadas y no sobre los partidos o asociaciones que los proponen al electorado.»

STC. 32/85 de 6 de marzo (relevancia jurídica de la adscripción política de los representantes)

Fto. Jco. 2: «Es claro, en efecto, que la inclusión del pluralismo político como un valor jurídico fundamental (art. 1.1), y la consagración constitucional de los partidos políticos como expresión del pluralismo, cauces para la formación y manifestación de la voluntad popular e instrumentos fundamentales para la participación política de los ciudadanos (art. 6), dotan de relevancia jurídica (y no solo política) a la adscripción política de los representantes y que, en consecuencia, esa adscripción no puede ser ignorada, ni por las normas infraconstitucionales que regulen la estructura interna del órgano en el que tales representantes se integran, ni por el órgano mismo, en las decisiones que adopte en ejercicio de la facultad de organización que es consecuencia de su autonomía. Estas decisiones, que son, por definición, decisiones de la mayoría, no pueden ignorar lo que en este momento, sin mayor precisión, podemos llamar derechos de las minorías.»

STC. 85/86 de 25 de junio (importancia de los partidos; derecho al nombre)

Fto. Jco. 2: «La colocación sistemática de este precepto expresa la importancia que se reconoce a los partidos políticos dentro del sistema constitucional, y la protección que de su existencia y de sus funciones se hace, no sólo desde la dimensión individual del derecho a constituirlo y a participar activamente en ellos, sino también en función de la existencia del sistema de partidos como base esencial para la actuación del pluralismo político. Sin embargo, para la protección efectiva de la libertad de partidos políticos, el constituyente ha contado también con la protección global de la libertad y del derecho general de asociación reconocido en el propio art. 22 y susceptible, por su colocación sistemática, de protección a través del recurso de amparo. Como este Tribunal ha tenido ocasión de afirmar, los partidos políticos se incluyen bajo la protección de este art. 22, cuyo contenido conforma también el núcleo básico del régimen constitucional de los partidos políticos.

Es cierto que en el art. 6 de la C.E. se han establecido unas condiciones específicas para los partidos políticos en relación al respeto al orden constitucional y a su estructura interna de carácter democrático, pero tales exigencias se añaden y no sustituyen a las del art. 22, por situarse en un nivel diferente y, en cualquier caso, no repercuten propiamente en el área del derecho a constituirlos sino que, como ha venido señalando la doctrina científica, están en función de los cometidos que los partidos están llamados a desempeñar institucionalmente. La creación de los partidos políticos no está, pues, sometida constitucionalmente a límites más estrictos que los de las demás asociaciones, antes bien, en la C. existe un cierto reforzamiento de garantías de los partidos, respecto a las demás asociaciones, en cuanto que el art. 6 señala y garantiza el ámbito de funciones institucionales que a aquellos corresponden...

La C. en su deseo de asegurar el máximo de libertad e independencia de los partidos, los somete al régimen privado de las asociaciones, que permite y asegura el menor grado de control y de intervención estatal sobre los mismos. la disciplina constitucional en esta materia, tomada en su sustancia, se ha articulado sobre el reconocimiento de un derecho subjetivo público de los ciudadanos a constituir, bajo la forma jurídica de asociaciones, partidos políticos; con ello se reconoce y legitima la existencia de los partidos y se garantiza su existencia y su subsistencia. El partido, en su creación, en su organización y en su funcionamiento, se deja a la voluntad de los asociados fuera de cualquier control administrativo, sin perjuicio de la exigencia constitucional de determinadas pautas en su estructura, actuación y fines.

...la adquisición de la calificación jurídica de partido, para respetar el precepto constitucional de libertad de fundación de partidos, no puede subordinarse a otros requisitos formales que a los ya previstos y con el alcance que establece el propio art. 22. Del mismo se deduce con toda claridad la función de mera publicidad del Registro de Asociaciones y que tal Registro no puede controlar materialmente y decidir sobre la 'legalización' o 'reconocimiento' de las asociaciones y, en particular, de los partidos políticos. Del contexto del propio precepto se deriva, además, que los instrumentos para garantizar que los partidos se ajusten a la idea que de estos tiene la C. en cuanto a su sujeción al orden constitucional, su respeto de la legalidad, su estructura democrática y los demás requisitos generales que se exigen a todas las asociaciones, han de centrarse fundamentalmente en el momento de la actuación de éstos y por medio de un control judicial. Se trata además y, en todo caso, de límites marginales que parten de, y presuponen una amplísima libertad de constitución y de actuación de los partidos políticos.»

Fto. Jco. 4: «Una de las consecuencias del pluralismo político es la posibilidad de que una misma corriente ideológica pueda tener diversas expresiones partidarias que, consecuentemente, lleven a denominaciones que pueden parcialmente coincidir, siempre, claro es, que no lleven a la confusión, especialmente a los electores. En el caso de los partidos políticos, lo que se protege es fundamentalmente a los terceros y frente a la posible confusión, de ahí que no sea aceptable la idea de una explotación en exclusiva de una ideología o de una determinada dirección política lo que, en sí mismo, sería contrario al pluralismo.

La tutela de los posibles derechos de terceros, incluída la de los partidos de denominación similar, debe corresponder al orden jurisdiccional y no a la competencia administrativa, pues tal competencia, al operar a partir de un concepto jurídico indeterminado, podría tornarse en un verdadero control previo, en perjuicio de la libertad de constituir partidos políticos, y forzaría a los promotores de un partido el seguir un largo procedimiento administrativo y luego judicial para poder ejercer su derecho constitucionalmente reconocido.

Ciertamente, un derecho de toda asociación y muy en particular del partido político, es el derecho al nombre que le permite cumplir una finalidad tan esencial como la propia identificación del grupo. Si un partido político ya inscrito se siente usurpado de ese derecho por otro partido posteriormente inscrito que intente utilizar un nombre similar que se preste a confusión, tiene vías jurisdiccionales abiertas para la defensa de ese derecho. En consecuencia existen instrumentos judiciales adecuados que permiten asegurar el respeto a la legalidad, también en el tema específico de la denominación del partido político y la tutela de los legítimos derechos de los terceros, y tales vías judiciales no están impedidas por el hecho del registro.»

STC. 56/95 de 6 de marzo (democracia interna)

Fto. Jco. 3: «El mandato constitucional conforme al cual la organización y funcionamiento de los partidos políticos debe responder a los principios democráticos constituye, en primer lugar, una carga impuesta a los propios partidos con la que se pretende asegurar el efectivo cumplimiento de las funciones que estos tienen constitucional y legalmente encomendadas y, en último término, contribuir a garantizar el funcionamiento democrático del Estado...Difícilmente pueden los partidos ser cauces de manifestación de la voluntad popular e instrumentos de una participación en la gestión y control del Estado que no se agota en los procesos electorales, si sus estructuras y su funcionamiento son autocráticos. Los actores privilegiados del juego democrático deben respetar en su vida interna unos principios estructurales y funcionales democráticos mínimos al objeto de que pueda "manifestarse la voluntad popular y materializarse la participación" en los órganos del Estado a los que esos partidos acceden.

La democracia interna se plasma, pues, en la exigencia de que los partidos rijan su organización y su funcionamiento internos mediante reglas que permitan la participación de los afiliados en la gestión y control de los órganos de gobierno y, en suma, y esto es lo aquí relevante, mediante el reconocimiento de unos derechos y atribuciones a los afiliados en orden a conseguir esa participación en la formación de la voluntad del partido. ...el principio de democracia interna admite muy diversas concreciones, ya que los modos de organización partidista democrática que caben dentro del mencionado principio constitucional son muy diversos, tanto como dispares pueden ser, en contenido e intensidad, los derechos y, en general, el estatuto jurídico que puede atribuirse a los afiliados, en orden a garantizar su participación democrática.

Con todo...el legislador deberá respetar, además naturalmente del contenido esencial del derecho de participación democrática, el derecho de libre creación y, muy especialmente, el derecho de autoorganización del partido, un derecho este último que tiende, precisamente, a preservar la existencia de un ámbito libre de interferencias de los poderes públicos en la organización y funcionamiento interno de los partidos».

STC. 48/03 de 12 de marzo (**naturaleza y disolución de los partidos**)

Fto. Jco. 5: «Con toda claridad quedó ya dicho en la STC. 3/81 de 2 de febrero que "un partido es una forma particular de asociación" sin que el art. 22 "excluya las asociaciones que tengan una finalidad política". En ello no se agota, sin embargo, su realidad, pues el art. 6 CE hace de ellos expresión del pluralismo político e instrumento fundamental para la participación política mediante su concurso a la formación y manifestación de la voluntad popular. Les confiere, pues, una serie de funciones de evidente relevancia constitucional, sin hacer de ellos, sin embargo, órganos del Estado o titulares del poder público. Los partidos políticos, en efecto, "no son órganos del Estado (y) la trascendencia política de sus funciones ...no altera su naturaleza (asociativa), aunque explica que respecto de ellos establezca la CE la exigencia de que su estructura interna y su funcionamiento sean democráticos ...Se trata, por tanto, de asociaciones cualificadas por la relevancia constitucional de sus funciones; funciones que se resumen en su vocación de integrar, mediata o inmediatamente, los órganos titulares del poder público a través de los procesos electorales. No ejercen, pues, funciones públicas, sino que proveen al ejercicio de tales funciones por los órganos estatales, órganos que actualizan como voluntad del Estado la voluntad popular que los partidos han contribuído a conformar y manifestar mediante la integración de voluntades e intereses particulares en un régimen de pluralismo concurrente. Los partidos son, así, unas instituciones jurídico-políticas, elemento de comunicación entre lo social y lo jurídico que hace posible la integración entre gobernantes y gobernados, ideal del sistema democrático. Conformando y expresando la voluntad popular, los partidos contribuyen a la realidad de la participación política de los ciudadanos en los asuntos públicos (art. 23 CE), de la que ha de resultar un ordenamiento integrado por normas que si, en su procedimiento formal de elaboración han de ajustarse a la racionalidad objetivada del Derecho positivo, en su contenido material se determinan por el juego de las opciones ideológicas y políticas conformadas y aglutinadas por los partidos a través de la concurrencia de sus programas de gobierno en los distintos procesos electorales.

La naturaleza asociativa de los partidos políticos, con todo cuanto ello implica, en términos de libertad para su creación y funcionamiento, garantizada en nuestro Derecho con la protección inherente a su reconocimiento como objeto de un derecho fundamental, se compadece de manera natural con los cometidos que a los partidos encomienda el art. 6 CE. En la medida en que el Estado democrático constituído en el art. 1.1 CE ha de basarse necesariamente en el valor del pluralismo, del que los partidos son expresión principalísima mediante la configuración de una verdadera voluntad popular llamada a traducirse en voluntad general, es evidente que la apertura del ordenamiento a cuantas opciones políticas puedan y quieran nacer y articularse en la realidad social constituye un valor que sólo cabe proteger y propiciar. Para asegurar que aquella voluntad popular lo sea verdaderamente solo puede operarse aquí desde el principio de libertad, impidiendo que al curso que lleva de la voluntad popular a la general del Estado le siga o se oponga, en movimiento de regreso, una intervención del poder público sobre aquella que, con la desnaturalización de los partidos, pueda desvirtuarla en tanto que genuina voluntad del pueblo, titular de la soberanía.

La creación de partidos es, pues, libre ...En efecto, "la CE, en su deseo de asegurar el máximo de libertad e independencia de los partidos, los somete al régimen privado de las asociaciones, que permite y asegura el menor grado de control y de intervención estatal sobre los mismos. La disciplina constitucional en esta materia, tomada en su sustancia, se ha articulado sobre el reconocimiento de un derecho subjetivo público de los ciudadanos a constituir, bajo la forma jurídica de asociaciones, partidos políticos; con ello se reconoce y legitima la existencia de los partidos y se garantiza su existencia y su subsistencia. El partido, en su creación, en su organización y en su funcionamiento, se deja a la voluntad de los asociados fuera de cualquier control administrativo, sin perjuicio de la exigencia constitucional del cumplimiento de determinadas pautas en su estructura, actuación y fines (STC.85/86)».

Fto. Jco. 12: «Por lo demás, a la gravedad de la medida de disolución se hace corresponder ...una evidente exigencia de rigor en la entidad de las causas desencadenantes de su adopción. Así, como acabamos de señalar, no basta la realización de uno solo de los comportamientos descritos en la Ley. Se exige, por el contrario, que se realicen "de forma reiterada y grave" (art. 9.2) o "por repetición o acumulación" (art. 9.3). Y las conductas cuya reiteración o acumulación se exige abundan en la idea de gravedad y continuidad en el tiempo. El art. 9.2 a) habla de "vulnerar sistemáticamente"; ni siquiera, pues, de vulneraciones reiteradas, sino de infracciones desarrolladas por sistema. El art. 9.3 c) se refiere a la acción de "incluir regularmente" en los órganos directivos y listas electorales a personas condenadas por delitos de terrorismo, siendo también aquí clara la idea de comportamientos dilatados en el tiempo y en línea de continuidad. Se describen, en definitiva, conductas de singular gravedad y se concede relevancia, a efectos de erigirlas en causas de disolución, a las que evidencien una decidida incompatibilidad con los medios pacíficos y legales inherentes a los procesos de participación política para los que la CE demanda el concurso cualificado de los partidos políticos. Todo ello verificable y comprobable en un proceso judicial en el que quienes promuevan la disolución deberán probar suficientemente que el partido afectado realiza las conductas descritas en la Ley y que lo hace en términos que demuestran que no es acreedor a la condición de partido político. Se respetan, en definitiva, los criterios sentados por la jurisprudencia del TEDH en materia de disolución de partidos políticos (SSTEDH de 30 de enero de 1988; 25 de mayo de 1998; de 8 de diciembre de 1999; de 31 de julio de 2001 y 13 de febrero de 2003; 9 de abril de 2002 y 10 de diciembre de 2002), que exige (a Turquía) como condición de su ajuste al Convenio a) la previsión por ley de los supuestos y causas de disolución (que, obviamente, se cumple por las normas impugnadas, incluídas en una ley formal); b) la legitimidad del fin perseguido (que, como queda dicho, en el caso examinado es la garantía de los procesos democráticos de participación política mediante la exclusión como partido de aquel ente asociativo que no se ajusta a las exigencias que respecto a la actividad dimanan de la concepción constitucional del partido político); y c) el carácter necesario de la disolución en una sociedad democrática (acreditado por el examen precedente de las concretas causas de disolución establecidas en la Ley)».

Fto. Jco. 20: «Pues bien, partiendo de los requisitos formales exigidos por el art. 3.1 de la LOPP, y del régimen de inscripción contenido en la Ley impugnada (arts. 4 y 5.1), ha de entenderse que no se confieren al Ministerio del Interior potestades discrecionales que le habiliten para proceder o no a la inscripción en el Registro del partido que lo solicita mediante la presentación de la documentación requerida al efecto, pues a la autoridad administrativa tan solo se atribuye una actuación de constatación rigurosamente reglada, en cuanto contraída, a los aspectos formales, a través de los que se manifiesta el acto de constitución (acta fundacional y documentación complementaria), de tal manera que la suspensión del plazo de veinte días en el que ha de producirse el acto de inscripción tiene por exclusiva finalidad subsanar los defectos formales advertidos en aquella documentación...»

Fto. Jco. 21: «...ha de entenderse que, en cuanto atañe a la denominación del partido, las facultades atribuídas al Ministerio del Interior para suspender el plazo de inscripción únicamente podrán aplicarse cuando se compruebe de manera clara y manifiesta que concurre una plena coincidencia o identidad entre las formaciones políticas o entidades en contraste, de tal manera que los demás supuestos de semejanza o riesgo de confusión en virtud de la denominación, no habilitan para una eventual suspensión del plazo para la inscripción al amparo del art. 5.1 LOPP».

STC. 12/2008 de 29 de enero (partidos y candidaturas equilibradas)

Fto. Jco. 5: «...Así pues el art. 44 bis LOREG persigue la efectividad del art. 14 CE en el ámbito de la representación política, donde, si bien hombres y mujeres son formalmente iguales, es evidente que las segundas han estado siempre materialmente preteridas. Exigir de los partidos políticos que cumplan con su condición constitucional de instrumento para la participación política (art. 6 CE), mediante una integración de sus candidaturas que permita la participación equilibrada de ambos sexos, supone servirse de los partidos para hacer realidad la efectividad en el disfrute de los derechos exigida por el art. 9.2 CE. Y hacerlo, además, de una manera constitucionalmente lícita, pues con la composición de las Cámaras legislativas o de los Ayuntamientos se asegura la incorporación en los procedimientos normativos y de ejercicio del poder público de las mujeres (que suponen la mitad de la población) en un número significativo. Ello resulta coherente, en definitiva, con el principio democrático que reclama la mayor identidad posible entre gobernantes y gobernados.

Que los partidos políticos, dada "su doble condición de instrumentos de actualización del derecho subjetivo de asociación, por un lado y de cauces necesarios para el funcionamiento del sistema democrático, por otro" (STC. 48/2003, de 12 de marzo, Fto. Jco. 5), coadyuven por imperativo legal —esto es, por mandato del legislador constitucionalmente habilitado para la definición acabada de su estatuto jurídico— a la realización de un objetivo previsto inequívocamente en el art. 9.2 CE no es cuestión que pueda suscitar reparos de legitimidad constitucional, como ahora veremos. Y es que, es su condición de instrumento para la participación política y de medio de expresión del pluralismo como sujetos que concurren a la formación y manifestación de la voluntad popular (art. 6 CE) lo que cualifica su condición asociativa como partidos y los diferencia netamente de las demás asociaciones, de manera que es perfectamente legítimo que el legislador defina los términos del ejercicio de esas funciones y cometidos de modo que la voluntad popular a cuya formación y expresión concurren y la participación para la que son instrumento sean siempre el resultado del ejercicio de la libertad y de la igualdad "reales y efectivas" de los individuos, como expresamente demanda el art. 9.2 CE.

Es evidente que la libertad de presentación de candidaturas por los partidos (que, por lo demás, en ésta como en sus demás actividades están sometidos a la Constitución y a la ley, como expresa el art. 6 CE) no es, ni puede ser absoluta. Ya el legislador, en atención a otros valores y bienes constitucionales protegidos, ha limitado esa libertad imponiéndoles determinadas condiciones para la confección de las candidaturas (referidas a la elegibilidad de los candidatos, a la residencia en algunos supuestos, o incluso a que tales candidaturas hayan de serlo mediante listas cerradas y bloqueadas). Esta nueva limitación del equilibrio por razón de sexo, pues, ni es la única, ni carece, por lo que acaba de verse, de fundamento constitucional.

La libertad de selección de candidatos por los partidos se ve ciertamente limitada en razón de todas estas exigencias. La que concretamente ahora estamos examinando también lo hace. Con todo, esa constricción de la libertad del partido resulta perfectamente constitucional por legítima, por razonablemente instrumentada y por no lesiva para el ejercicio de derechos fundamentales. En otras palabras, por satisfacer las exigencias constitucionales para limitar la libertad de los partidos y agrupaciones de electores para confeccionar y presentar candidaturas, que en sentido propio ni siquiera es un derecho fundamental, sino una atribución, implícita en la Constitución (art. 6 CE), que les confiere el legislador (expresamente apoderado por dicho artículo para efectuarla); legislador que goza de una amplia libertad de configuración (aunque no absoluta, claro está). La validez constitucional de estas medidas, como se acaba de decir, resulta clara. En primer lugar porque es legítimo el fin de la consecución de una igualdad efectiva en el terreno de la participación política (arts. 9.2, 14 y 23 CE). En segundo término, porque resulta razonable el régimen instrumentado por el legislador que se limita a exigir una composición equilibrada con un mínimo del 40 por 100 y sin imposición de orden alguno, contemplándose excepciones para las poblaciones de menos de 3.000 habitantes y una dilación en la efectividad de la Ley hasta 2011 para las inferiores a 5.000, y que, por tanto, solo excluye de los procesos electorales a aquellas formaciones políticas que ni tan siquiera aceptan integrar en sus candidaturas a ciudadanos de uno y otro sexo. En fin, porque es inocuo para los derechos fundamentales de quienes, siendo sus destinatarios, los partidos políticos, no son, por definición, titulares de los derechos fundamentales de sufragio activo y pasivo.

Respecto de la aducida vulneración del art. 6 CE en conexión con el art. 22 interesa señalar que aun cuando este Tribunal ha identificado cuatro facetas o dimensiones del derecho fundamental de asociación —libertad de creación de asociaciones y de adscripción a las ya creadas; libertad de no asociarse y de dejar de pertenecer a las mismas; libertad de organización y funcionamiento internos sin injerencias públicas; y, como dimensión inter privatos, garantía de un haz de facultades a los asociados individualmente considerados frente a las asociaciones a las que pertenecen o a las que pretendan incorporarse (STC. 133/2006, de 27 de abril, Fto. Jco. 3)—, el motivo impugnatorio que ahora nos ocupa no se refiere propiamente a ninguna de ellas sino más bien a la libertad de actuación externa. Por lo que hace a los ámbitos señalados, habida cuenta de que la normativa cuestionada no atañe a la vertiente individual del derecho fundamental, debemos descartar que produzca intromisión en las dos primeras dimensiones, libertades positiva y negativa de asociación, ni tampoco en la denominada "dimensión inter privatos" del derecho fundamental de asociación. Igualmente, como quiera que esa normativa no versa sobre ninguna faceta de la vida interna ordinaria de los partidos políticos, tampoco existe vulneración alguna de la dimensión relativa a la libertad de organización y funcionamiento internos.

...Por lo demás, y en todo caso, el mandato de equilibrio entre sexos que se impone a los partidos, limitando una libertad de presentación de candidaturas que no les está atribuida por ser asociaciones, sino específicamente por ser partidos políticos, ha de considerarse que, incluso desde la perspectiva de que son asociaciones políticas, constituye una limitación proporcionada y, por tanto, constitucionalmente legítima, por las razones que se dieron más arriba y a las que nos remitimos.

Fto. Jco. 6: «Frente a lo afirmado en el recurso y en la cuestión, la normativa impugnada tampoco vulnera la libertad ideológica de los partidos políticos ni su libertad de expresión [arts. 16.1 y 20.1 a) CE]. No lo hace, en primer lugar, de la propia ideología feminista. Una norma como el art. 44 bis LOREG no hace innecesarios los partidos o idearios feministas, pero, a partir de ese precepto, es el propio art. 9.2 CE el que, una vez concretado en términos de Derecho positivo su mandato de efectividad, convierte en constitucionalmente lícita la imposibilidad de presentar candidaturas que quieran hacer testimonio feminista con la presentación de listas integradas únicamente por mujeres. En el nuevo contexto normativo es ya innecesario compensar la mayor presencia masculina con candidaturas exclusivamente femeninas, por la sencilla razón de que aquel desequilibrio histórico deviene un imposible. Cierto que un ideario feminista radical que pretenda el predominio femenino no podrá ser constitucionalmente prohibido, pero tampoco podrá pretender sustraerse al mandato constitucional de la igualdad formal (art. 14 CE) ni a las normas dictadas por el legislador para hacer efectiva la igualdad material tal como establece el 9.2 CE.

Por tanto, la disposición adicional segunda de la Ley Orgánica para la igualdad efectiva de mujeres y hombres no impide la existencia de partidos con una ideología contraria a la igualdad efectiva entre los ciudadanos...Por consiguiente, el requisito de que las formaciones políticas que pretendan participar en los procesos electorales hayan de incluir necesariamente a candidatos de uno y otro sexo en las proporciones recogidas en la disposición adicional segunda LOIMH no implica la exigencia de que esas mismas formaciones políticas participen de los valores sobre los que se sustenta la llamada democracia paritaria.

En particular, no se impide la existencia de formaciones políticas que defiendan activamente la primacía de las personas de un determinado sexo, o que propugnen postulados que pudiéramos denominar "machistas" o "feministas". Lo que exige la disposición adicional que nos ocupa es que cuando se pretenda defender esas tesis accediendo a los cargos públicos electivos se haga partiendo de candidaturas en las que se integran personas de uno y otro sexo. De otro lado, tampoco padece la libertad ideológica de los partidos en general, es decir, de los que no hacen del feminismo el núcleo de su definición ideológica...Esa libertad de los partidos no es, como ya se ha dicho, absoluta o ilimitada, y también se ve condicionada por todos los requisitos jurídicos constitutivos de la capacidad electoral, entre otros, y para el caso de las elecciones generales, el de la nacionalidad, o por aquellos que, como el ahora examinado, no afectan a aquella capacidad individual, sino a los partidos y agrupaciones habilitados para la presentación de candidaturas, y entre los que se cuenta la exigencia de un número determinado de candidatos o cuanto implica el sistema de listas bloqueadas. En consecuencia, dada la legitimidad constitucional de la nueva exigencia del equilibrio entre sexos impuesta a los partidos para la presentación de candidaturas, según ya vimos en el fundamento jurídico anterior, ha de rechazarse que tal medida vulnere las libertades garantizadas en los arts. 16.1 y 20.1 a) CE. En todo caso, si se sostuviera que, al menos instrumentalmente (aunque no sustantivamente), la limitación de la libertad de presentación de candidaturas a la que nos estamos refiriendo pudiese afectar a los derechos de los arts. 16.1 y 20.1 a) CE, tal limitación habría de entenderse constitucionalmente legítima, en cuanto que resultaría proporcionada según las razones expuestas en el fundamento jurídico 5 al que nos remitimos.

Fto. Jco. 7: «...Debemos plantearnos, además, si imponer a dichas agrupaciones que las candidaturas que presenten respeten la condición del equilibrio entre sexos podría entenderse que supone condicionar de algún modo la elegibilidad de los integrantes de las mismas. Pues bien, es indudable que formalmente no hay una causa de inelegibilidad ni tampoco materialmente por el hecho de que se obligue a la agrupación a presentar candidaturas donde los ciudadanos que las compongan hayan de buscar el concurso de otras personas, atendiendo, además de a criterios de afinidad ideológica y política, al dato del sexo. Tal exigencia, encuadrada en el ámbito de libre disposición del legislador, encuentra fundamento en el art. 9.2 CE...Que a la exigencia de concurrir en una lista se añada la de que ésta tenga una composición equilibrada en razón del sexo no cercena de manera intolerable las posibilidades materiales de ejercicio del derecho. Se trata de una condición que se integra con naturalidad en el ámbito disponible al legislador en sus funciones de configuración del derecho fundamental de participación política: se configura así un derecho de ejercicio colectivo en el seno de una candidatura cuya integración personal se quiere sea reflejo de la propia integración de la comunidad social, esto es, sexualmente equilibrada....En suma, las medidas impugnadas, en su aplicación a las agrupaciones de electores, por las razones expuestas y por las mismas apuntadas en el fundamento jurídico 5, desde la perspectiva de las limitaciones a la libertad de los partidos políticos en la confección y presentación de candidaturas, supera el canon de proporcionalidad por ser su fin legítimo de acuerdo con el art. 9.2 CE y resultar razonables y adecuadas a la finalidad perseguida.

Art. 7. Los sindicatos de trabajadores y las asociaciones empresariales contribuyen a la defensa y promoción de los intereses económicos y sociales que les son propios. Su creación y el ejercicio de su actividad son libres dentro del respeto a la Constitución y a la ley. Su estructura interna y funcionamiento deberán ser democráticos.

Ver concordancias legislativas y selección de SSTC. reproducidas con relación a los arts. 28 y 37.

Art. 8. 1. Las Fuerzas Armadas, constituidas por el Ejército de Tierra, la Armada y el Ejército del Aire, tienen como misión garantizar la soberanía e independencia de España, defender su integridad territorial y el ordenamiento constitucional.

2. Una ley orgánica regulará las bases de la organización militar conforme a los principios de la presente Constitución.

L.O. 6/1980, de 1 de julio por la que se regulan los criterios básicos de la Defensa Nacional y la organización militar, reformada por la L.O. 1/1984 de 5 de enero.
Ley 85/1978 de 28 de diciembre, de Reales ordenanzas de las Fuerzas Armadas.
L.O. 12/1985 de 27 de noviembre del régimen disciplinario de las Fuerzas Armadas.
Ley 17/1989 de 19 de julio, del régimen del personal militar profesional.
Ley 32/02 de 5 de julio (acceso de extranjeros a la condición de militar profesional)

ATC. 375/83 de 30 de julio (**organización jerárquica de las FAS.**)

Fto. Jco. 2: «No puede caber duda que, dada la importante misión que a las Fuerzas Armadas asigna el art. 8.1 de la C.E., representa un interés de singular relevancia en el orden constitucional el que las mismas se hallen configuradas de modo que sean idóneas y eficaces para el cumplimiento de sus altos fines, de garantizar la soberanía e independencia de España, defender su integridad territorial y su ordenamiento constitucional. A tal fin, la específica naturaleza de la profesión militar exige en su organización un indispensable sistema jerárquico, manifestado en una especial situación de sujeción enmarcada en la disciplina, que impone una precisa vinculación descendente para conseguir la máxima eficacia y el factor de precisa conexión que obliga a todos por igual...»

STC. 97/85 de 29 de julio (**constitucionalidad de la jurisdicción castrense**)

Fto. Jco. 4: «De modo que si el art. 452.2 del C.J.M., pese a estar en pugna con el derecho a la tutela judicial efectiva enlazado al derecho enunciado en el art. 125 de la C.E., encuentra su convalidación constitucional en cuanto está pensado para evitar disensiones y contiendas entre miembros de las Fuerzas Armadas, las cuales necesitan imperiosamente para el logro de los altos fines que el art. 8.1 de la C.E. les asigna, una especial e idónea configuración, de donde surge, entre otras singularidades, el reconocimiento constitucional de una jurisdicción castrense estructurada y afianzada en términos no siempre coincidentes con los de la jurisdicción ordinaria, de forma muy particular en lo que atañe a la imprescindible organización profundamente jerarquizada del Ejército, en la que la unidad y disciplina desempeñan un papel crucial para alcanzar aquellos fines, no resultando fácil compatibilizarlas con litigios entre quienes pertenecen a la institución militar en sus diferentes grados.»

Art. 9. 1. Los ciudadanos y los poderes públicos están sujetos a la Constitución y al resto del ordenamiento jurídico.

2. Corresponde a los poderes públicos promover las condiciones para que la libertad y la igualdad del individuo y de los grupos en que se integra sean reales y efectivas; remover los obstáculos que impidan o dificulten su plenitud y facilitar la participación de todos los ciudadanos en la vida política, económica, cultural y social.

3. La Constitución garantiza el principio de legalidad, la jerarquía normativa, la publicidad de las normas, la irretroactividad de las disposiciones sancionadoras no favorables o restrictivas de derechos individuales, la seguridad jurídica, la responsabilidad y la interdicción de la arbitrariedad de los poderes públicos.

STC. 1/81 de 26 de enero (**el principio de constitucionalidad**)

Fto. Jco. 2: «...Corresponde... al Tribunal Constitucional, en el ámbito general de sus atribuciones, el afirmar el principio de constitucionalidad, entendido como vinculación a la C.E. de todos los poderes públicos.»

STC. 21/81 de 15 de junio (**fuerza vinculante de los preceptos constitucionales**)

Fto. Jco. 17: «Frente a la argumentación anterior debe señalarse que los preceptos constitucionales alegados vinculan a todos los poderes públicos... y que son origen inmediato de derechos y de obligaciones y no meros principios programáticos.» (se refiere a los arts. 17.1; 24 y 25).

STC. 15/82 de 23 de abril (**aplicación inmediata de derechos; fuerza vinculante de la C.E.**)

Fto. Jco. 8: «De ello no se deriva, sin embargo, que el derecho del objetor esté por entero subordinado a la actuación del legislador. El que la objeción de conciencia sea un derecho que para su desarrollo y plena eficacia requiera la 'interpositio legislatoris' no significa que sea exigible tan sólo cuando el legislador lo haya desarrollado, de modo que su reconocimiento constitucional no tendría otra consecuencia que la de establecer un mandato dirigido al legislador sin virtualidad para amparar por sí mismo pretensiones individuales. Como ha señalado reiteradamente este Tribunal, los principios constitucionales y los derechos y libertades fundamentale vinculan a todos los poderes públicos (arts. 9.1 y 53.2 C.E.) y son origen inmediato de derechos y obligaciones y no meros principios programáticos; el hecho mismo de que nuestra norma fundamental en su art. 53.2 prevea un sistema especial de tutela a través del recurso de amparo, que se extiende a la objeción de conciencia, no es sino una confirmación del principio de su aplicabilidad inmediata. Este principio general no tendrá más excepciones que aquellos casos en que así lo imponga la propia C.E., o en que la naturaleza misma de la norma impida considerarla inmediatamente aplicable, supuestos que no se dan en el derecho a la objeción de conciencia.»

STC. 16/82 de 28 de abril (la C.E. es norma vinculante)

Fto. Jco. 1: «Conviene no olvidar nunca que la C.E. lejos de ser un mero catálogo de principios de no inmediata vinculación y de no inmediato cumplimiento hasta que sean objeto de desarrollo por vía legal, es una norma jurídica, la norma suprema de nuestro ordenamiento, y en cuanto tal tanto los ciudadanos como todos los poderes públicos, y por consiguiente también los Jueces y Magistrados integrantes del poder judicial, están sujetos a ella (art. 9.1 y 117.1 de la C.E.). Por ello es indudable que sus preceptos son alegables ante los Tribunales (dejando al margen la oportunidad o pertinencia de cada alegación de cada precepto en cada caso), quienes, como todos los poderes públicos, están además vinculados al cumplimiento y respeto de los derechos y libertades reconocidos en el Capt. 2° del Tít. I de la C.E. (art. 53.1).»

STC. 80/82 de 20 de diciembre (la C.E. vincula a todos los poderes, también al judicial)

Fto. Jco. 1: «Que la C.E. es precisamente eso, nuestra norma suprema y no una declaración programática o principal es algo que se afirma de modo inequívoco y general en su art. 9.1 donde se dice que 'los ciudadanos y los poderes públicos están sujetos a la C.', sujeción o vinculatoriedad normativa que se predica en presente de indicativo, esto es, desde su entrada en vigor, que tuvo lugar, según la disposición final, el mismo día de su publicación en el B.O.E. Decisiones reiteradas de este Tribunal en cuanto intérprete supremo de la C.E. (art. 1 de la LOTC) han declarado ese indubitable valor de la C.E. como norma. Pero si es cierto que tal valor necesita ser modulado en lo concerniente a los arts. 39 a 52 en los términos del art. 53.3 de la C.E., no puede caber duda a propósito de la vinculatoriedad inmediata (es decir, sin necesidad de mediación del legislador ordinario) de los arts. 14 a 38, componentes del Capt. 2° del Tít. I, pues el párrafo primero del art. 53 declara que los derechos y libertades reconocidos en dicho capítulo 'vinculan a todos los poderes públicos'. Que el ejercicio de tales derechos haya de regularse sólo por ley y la necesidad de que ésta respete su contenido esencial, implica que esos derechos ya existen, con carácter vinculante para todos los poderes públicos entre los cuales se insertan, obviamente, 'los Jueces y Magistrados integrantes del poder judicial' (art. 117 de la C.E.), desde el momento mismo de la entrada en vigor del texto constitucional. Uno de tales derechos es el de igualdad ante la Ley que tienen todos los españoles, sin que pueda prevalecer discriminación alguna entre ellos por razón de nacimiento (art. 14 de la C.E.).»

Fto. Jco. 2: «Lo dicho hasta aquí no implica la aplicación retroactiva de la C.E., sino el reconocimiento de su carácter normativo, el de la vinculatoriedad inmediata del art. 14 y la afirmación de que, en consecuencia, todo español tiene desde el momento mismo de la entrada en vigor de la C. el derecho a no ser discriminado por razón de nacimiento, por lo cual no puede perpetuarse, vigente la C., esta situación discriminatoria surgida al amparo de la legislación preconstitucional...

STC. 76/83 de 5 de agosto (T.C., poder constituyente y poderes constituídos)

Fto. Jco. 4: «La tercera cuestión que es preciso abordar, dentro de las consideraciones generales que venimos realizando, hace referencia a los límites intrínsecos de la potestad legislativa del Estado...»

«No cabe duda... que las Cortes Generales, como titulares 'de la potestad legislativa del Estado' (art. 66.2 de la C.E.), pueden legislar, en principio sobre cualquier materia sin necesidad de poseer un título específico para ello, pero esta potestad tiene sus límites, derivados de la propia Constitución, y en todo caso, lo que las Cortes no pueden hacer es colocarse en el mismo plano del poder constituyente realizando actos propios de éste, salvo en el caso de que la propia Constitución les atribuya alguna función constituyente. La distinción entre poder constituyente y poderes constituídos no opera tan sólo en el momento de establecerse la Constitución; la voluntad y racionalidad del poder constituyente objetivadas en la C. no sólo fundan en su origen sino que fundamentan permanentemente el orden jurídico y estatal y suponen un límite a la potestad del legislador. Al T.C. corresponde, en su función de intérprete supremo de la C.E. (art. 1 de la LOTC), custodiar la permanente distinción entre la objetivación del poder constituyente y la actuación de los poderes constituídos, los cuales nunca podrán rebasar los límites y las competencias establecidas por aquél.»

«Este es el sistema configurado por la C. (especialmente en los arts. 147, 148 y 149), que vincula a todos los poderes públicos de acuerdo con el art. 9.1 de la misma y que, en consecuencia, constituye un límite para la potestad legislativa de las Cortes Generales.»

STC. 76/88 de 26 de abril (la C. norma del P. constituyente)

Fto. Jco. 3: ver selección disp. adicional primera.

STC. 101/83 de 18 de noviembre (distinto deber de sujeción para ciudadanos y poderes)

Fto. Jco. 3: «La sujeción a la C.E. es una consecuencia obligada de su carácter de norma suprema, que se traduce en un deber de distinto signo para los ciudadanos y los poderes públicos; mientras los primeros tienen un deber general negativo de abstenerse de cualquier actuación que vulnere la C., sin perjuicio de los supuestos en que la misma establece deberes positivos (arts. 30 y 31, entre otros), los titulares de los poderes públicos tienen además un deber general positivo de realizar sus funciones de acuerdo con la C., es decir que el acceso al cargo implica un deber positivo de acatamiento entendido como respeto a la misma, lo que no supone necesariamente una adhesión ideológica ni una conformidad a su total contenido, dado que también se respeta la C. en el supuesto extremo de que se pretenda su modificación por el cauce establecido en los arts. 166 y ss. de la Norma Fundamental.»

Fto. Jco. 5: «...En definitiva, cuando la libertad ideológica se manifiesta en el ejercicio de un cargo público, ha de hacerse con observancia de deberes inherentes a tal titularidad, que atribuye a una posición distinta de la correspondiente a cualquier ciudadano.»

STC. 122/83 de 16 de diciembre (deber de fidelidad y de obediencia)

Fto. Jco. 5: «...El deber de fidelidad (se refiere a la exigencia contenida en el Reglamento del Parlamento de Galicia, art. 7.1), se confunde prácticamente con el deber de obediencia a la C. y al resto del ordenamiento jurídico que deriva del art. 9.1 de la C. del que arranca también, como se ha advertido, el deber de acatamiento...»

STC. 35/83 de 11 de mayo (noción de poderes públicos)

Fto. Jco. 3: «La noción de poderes públicos que utiliza nuestra C. (arts. 9, 27, 39 a 41, 44 a 51, 53 y otros) sirve como concepto genérico que incluye a todos aquellos entes (y sus órganos) que ejercen un poder de imperio, derivado de la soberanía el Estado y procedente, en consecuencia, a través de una mediación más o menos larga del propio pueblo. Esta noción no es, sin duda, coincidente con la de servicio público, pero lo 'público' establece entre ambas una conexión que tampoco cabe desconocer pues las funciones calificadas como servicios públicos quedan colocadas, por ello, y con independencia de cual sea el título (autorización, concesión etc.) que hace posible su prestación, en una especial relación de dependencia respecto de los 'poderes públicos'. Esta relación se hace tanto más intensa, como es obvio, cuando mayor sea la participación del poder en la determinación de las condiciones en las que el servicio ha de prestarse y en la creación, organización y dirección de los entes o establecimientos que deben prestarlo. Cuando el servicio queda reservado en monopolio a un establecimiento cuya creación, organización y dirección son determinadas exclusivamente por el poder público, no cabe duda de que es éste el que actúa, a través de persona interpuesta, pero en modo alguno independiente.»

STC. 19/82 de 5 de mayo (conexión entre el 9.2 y los principios rectores del Capt. III del Tít. I)

Fto. Jco. 6: «Pero la determinación de qué deba entenderse, en el contexto del presente caso, por desigualdad que entrañe discriminación, viene dada esencialmente por la propia C., que obliga a dar relevancia a determinados puntos de vista entre los cuales descuella el principio del Estado social y democrático de derecho del art. 1.1, que informa una serie de disposiciones como el mandato del art. 9.2 (...), y el conjunto de los principios rectores de la política social y económica del Capt. III del Tít. I cuyo 'reconocimiento, respeto y protección' informarán 'la legislación positiva, la práctica judicial y la actuación de los poderes públicos' según dice el art. 53.3 de la C., que impide considerar a tales principios como normas sin contenido y que obliga a tenerlos presentes en la interpretación tanto de las restantes normas constitucionales como de las leyes.»

STC. 3/83 de 25 de enero (significado de la igualdad en 9.2 y 14)

Fto. Jco. 3: «...como ya ha declarado este Tribunal en reiteradas ocasiones tal precepto (art. 14) no establece un principio de igualdad absoluta que pueda omitir tomar en consideración la existencia de razones objetivas que razonablemente justifiquen la desigualdad de tratamiento legal. Y, mucho menos, que excluya la propia necesidad del establecimiento de un trato desigual que recaiga sobre supuestos de hecho que en sí mismos son desiguales y tengan por función precisamente contribuir al restablecimiento o promoción de la igualdad real, ya que en tal caso, la diferencia de régimen jurídico no sólo no se opone al principio de igualdad sino que aparece exigida por dicho principio y constituye instrumento ineludible para su debida efectividad... Estas ideas encuentran expresa consagración el art. 9.2 de la C.E., ...pues con esta disposición se está superando el más limitado ámbito de actuación de una igualdad meramente formal y propugnando un significado del principio de igualdad acorde con la definición del art. 1 que constituye a España como un Estado democrático y social de Derecho, por lo que en definitiva se ajusta a la C. la finalidad tuitiva o compensadora del Derecho laboral en garantía de la promoción de una igualdad real, que en el ámbito de las relaciones laborales exige un mínimo de desigualdad formal en beneficio del trabajador.»

«Siendo esto así, es evidente que la igualdad entre trabajador y empresario promovida por el Derecho laboral sustantivo o procesal, no puede ser desconocida o quebrada por una presunta plena efectividad del art. 14 de la C.E., pues lo contrario equivaldría, paradójicamente, a fomentar mediante el recurso a la igualdad formal, una acrecentada desigualdad material en perjuicio del trabajador y en vulneración del art. 9.2 de la C., por lo que la resolución del tema debatido es evidente, desde el momento en que la diferencia de tratamiento en relación a la consignación se vincula razonablemente a la finalidad compensadora del ordenamiento laboral, no constituyendo vulneración del principio de igualdad consagrado en el art. 14 y, desde tal punto de vista, no puede estimarse inconstitucional el art. 170 de la LPL.»

STC. 27/81 de 20 de julio (relación entre los principios del 9.3)

Fto. Jco. 10: «Los principios constitucionales invocados por los recurrentes irretroactividad, seguridad, interdicción de la arbitrariedad, como los otros que integran el art. 9.3 de la C., legalidad, jerarquía normativa, responsabilidad, no son compartimentos estancos, sino que, al contrario, cada uno de ellos cobra valor en función de los demás y en tanto sirva a promover los valores superiores del ordenamiento jurídico que propugna el Estado social y democrático de Derecho.»

ATC. 647/86 de 23 de julio (el principio de publicidad de las normas no es derecho fundamental)

Fto. Jco. 1: «Por ello no tiene sentido, como fundamento de la pretendida publicación íntegra de las Ordenanzas en el B.O.E., la afirmación de la actora tendente a conferir al principio de publicidad de las normas el carácter de 'derecho fundamental del sujeto pasivo del impuesto cuyo desconocimiento origina indefensión', ya que, de un lado, dicho principio no tiene la naturaleza de derecho fundamental tutelable en un recurso de amparo (ni del mismo se deriva como consecuencia inconclusa la necesidad de publicar 'in toto' las Ordenanzas municipales).»

STC. 179/89 de 2 de noviembre (el principio de publicidad)

Fto. Jco. 2: «La C., en su art. 9.3 garantiza el principio de la publicidad de las normas. Esta garantía aparece como consecuencia ineluctable de la proclamación de España como un Estado de derecho, y se encuentra en íntima relación con el principio de seguridad jurídica consagrado en el mismo art. 9.3 CE: pues sólo podrán asegurarse las posiciones jurídicas de los ciudadanos, la posibilidad de éstos de ejercer y defender sus derechos, y la efectiva sujeción de los ciudadanos y los poderes públicos al ordenamiento jurídico, si los destinatarios de las normas tienen una efectiva oportunidad de conocerlas en cuanto tales normas, mediante un instrumento de difusión general que de fe de su existencia y contenido, por lo que resultarán evidentemente contrarias al principio de publicidad aquellas normas que fueran de imposible o muy difícil conocimiento.»

STC. 8/81 de 30 de marzo (**retroactividad e irretroactividad de la ley penal**)

Fto. Jco. 3: «El problema de la retroactividad e irretroactividad de la Ley penal (en realidad, no sólo de ella, sino también de otras disposiciones sancionadoras, aunque sólo a aquella y no a todas éstas van dirigidas las consideraciones presentes) viene regulado por nuestra C. en su art. 9.3, donde se garantiza la irretroactividad de las 'disposiciones sancionadoras no favorables o restrictivas de derechos individuales'. Interpretando 'a contrario sensu' este precepto puede entenderse que la C. garantiza también la retroactividad de la Ley penal favorable, principio que ya estaba recogido y puntualmente regulado en cuanto a su alcance en el art. 24 del C. Penal que, lejos de oponerse a la C. y haber sido derogado por ella, resulta fortalecido por la interpretación del citado art. 9.3. Sin embargo ni el art. 9.3, cuyos principios son mandatos dirigidos a los poderes públicos y en especial al legislador, ni, por supuesto, el art. 24 del C. Penal definen por sí mismos derechos cuya defensa pueda dar lugar a un recurso de amparo ante este Tribunal, pues ese mecanismo sólo queda reservado en nuestro ordenamiento a la tutela de las libertades públicas y derechos fundamentales reconocido en los arts. 14 a 29 y 30.2 de la C., según establece el art. 53.2 de la misma.»

STC. 8/82 de 4 de marzo (**interdicción absoluta de la retroactividad**)

Fto. Jco. 3: «...basta rememorar aquí los arts. 9.3 y 83 b) de la C. para convenir que el límite de la retroactividad 'in peius' de las leyes no es general, sino limitado a las leyes 'ex post facto' sancionadoras o las restrictivas de derechos individuales. Por lo demás la interdicción absoluta de la retroactividad conduciría a situaciones congeladoras del ordenamiento jurídico, a la petrificación de situaciones dadas, que son contrarias a la concepción que fluye del art. 9.2.»

STC. 42/86 de 10 de abril (**significado de la irretroactividad de las leyes**)

Fto. Jco. 3: «Este Tribunal ha señalado ya en varias ocasiones que la regla antes citada (art. 9.3) no supone la imposibilidad de dotar de efectos retroactivos a las leyes que colisionen con derechos subjetivos de cualquier tipo. De hecho la expresión 'restricción de derechos individuales' del art. 9.3 ha de equipararse a la idea de sanción, por lo cual el límite de dicho artículo hay que considerar que se refiere a las limitaciones introducidas en el ámbito de los derechos fundamentales y de las libertades públicas o en la esfera de la protección de la persona. Por otra parte convendrá hacer de nuevo hincapié en que lo que se prohíbe en el art. 9.3 es la retroactividad entendida como incidencia de la nueva Ley en los efectos jurídicos ya producidos de situaciones anteriores, de suerte que la incidencia en los derechos, en cuanto a su proyección hacia el futuro, no pertenece al campo estricto de la irretroactividad, sino al de la protección que tales derechos, en el supuesto de que experimenten alguna vulneración, hayan de recibir.»

STC. 99/86 de 11 de julio (sobre la irretroactividad)

Fto. Jco. 11: «...tal irretroactividad viene referida concretamente a las disposiciones sancionadoras no favorables o restrictivas de derechos individuales, y ello hace inviable la invocación de esta norma para afirmar el respeto debido a unas situaciones jurídicas que, si hubieran de identificarse como pretensiones tuteladas por la norma en cuestión, no tendría otros titulares que los entes públicos (el Ayuntamiento o la mayoría de los ayuntamientos interesados) a los que el art. 8 a) del EAPV atribuiría la posibilidad de solicitar la incorporación a esta C.A.»

STC. 99/87 de 11 de junio (retroactividad y derechos adquiridos)

Fto. Jco. 6: «Cabe indicar que la eficacia y protección del derecho individual, nazca de una relación pública o de una privada, dependerá de su naturaleza y de su asunción más o menos plena por el sujeto, de su ingreso en el patrimonio del individuo. Por eso se ha dicho que la doctrina y la práctica de la irretroactividad sólo es aplicable a los derechos consolidados, asumidos, integrados en el patrimonio del sujeto, y no los pendientes, futuros, condicionados y expectativas, según reiterada doctrina del T.S. Desde esta perspectiva se sostiene en el recurso que los derechos en cuestión pertenecen a la categoría de derechos adquiridos, inmunes a la retroactividad. Ya se ha dicho antes que no es esta la calificación que merecen y que, por ello, hay que reiterar la solución mantenida por la sentencia de este Tribunal antes citada (108/86 de 29 de julio), al decir que la invocación del principio de irretroactividad no puede presentarse como una defensa de una inadmisible petrificación del ordenamiento jurídico (SSTC. 27/81, de 20 de julio; 6/83 de 4 de febrero, entre otras), y de ahí la prudencia que la doctrina del T.C. ha mostrado en la aplicación del referido principio, señalando que sólo puede afirmarse que una norma es retroactiva, a los efectos del art. 9.3 de la C.E., cuando incide sobre 'relaciones consagradas' y 'afecta a situaciones agotadas', y que 'lo que se prohibe en el art. 9.3 es la retroactividad entendida como incidencia de la nueva Ley en los efectos jurídicos ya producidos de situaciones anteriores, de suerte que la incidencia en los derechos, en cuanto a su proyección hacia el futuro, no pertenece al campo estricto de la irretroactividad' (STC. 42/86 de 10 de abril). Y añade la STC. 108/86, que se refiere a Jueces y magistrados en tanto que funcionarios, que, 'aún en la hipótesis de la existencia de un derecho subjetivo a la edad de jubilación, esta doctrina conduce a rechazar la supuesta vulneración del principio de irretroactividad, pues las disposiciones impugnadas (art. 386 LOPJ) para nada alteran situaciones agotadas o perfectas, sino que se limitan a establecer para el futuro la consecuencia jurídica (la jubilación) de un supuesto genérico (cumplir determinadas edades) que aún no ha tenido lugar respecto a los sujetos afectados' (Fto. Jco. 17).»

STC. 27/81 de 20 de julio (significado de la seguridad jurídica)

Fto. Jco. 10: «La seguridad jurídica... es suma de certeza y legalidad, jerarquía y publicidad normativa, irretroactividad de lo no favorable, interdicción de la arbitrariedad, pero que, si se agotara en la adición de estos principios, no hubiera precisado de ser formulada expresamente. La seguridad jurídica es la suma de estos principios, equilibrada de tal suerte que permita promover, en el orden jurídico, la justicia y la igualdad, en libertad.»

STC. 63/82 de 20 de octubre (**intangibilidad de la cosa juzgada y ejecución de sentencias**)

Fto. Jco. 3: «El principio de seguridad que consagra el art. 9.3 de la C.E. (...) lleva a maximalizar la intangibilidad de la cosa juzgada y a mantener la ejecutoriedad de las sentencias firmes.»

ATC. 507/83 de 26 de octubre (**la seguridad jurídica no da lugar al recurso de amparo**)

Fto. Jco. 1: «Aparte de que la seguridad jurídica es certidumbre del ordenamiento y de las normas que forman parte de él, el art. 9 no pertenece a los que dan lugar a un recurso de amparo, según la prescripción categórica el art. 53 de la C.»

STC. 15/86 de 31 de enero (**seguridad jurídica y derecho a la seguridad personal del art. 17.1**)

Fto. Jco. 2: «El derecho a la seguridad reconocido en el art. 17.1 de la C.E. es, así, el derecho a la seguridad personal y no a la seguridad jurídica que garantiza el art. 9.3 de la C.E. y que equivale, con fórmula obligadamente esquemática, a certeza sobre el ordenamiento jurídico aplicable y los intereses jurídicamente tutelados.»

STC. 126/87 de 16 de julio (**seguridad jurídica e interdicción absoluta de la irretroactividad**)

Fto. Jco. 11: «En cuanto al principio de seguridad jurídica también aducido, ha venido ciertamente configurándose, a partir de la sentencia n° 26 del T.C. Federal alemán de 19 de Diciembre de 1961, una línea argumental que, partiendo de la idea del Estado de Derecho y de los principios que lo informan, considera que las normas tributarias retroactivas pueden estimarse constitucionalmente ilegítimas cuando atentan a tal principio y a la confianza de los ciudadanos.

Ahora bien, el principio de seguridad jurídica no puede erigirse en valor absoluto por cuanto daría lugar a la congelación del ordenamiento jurídico existente, siendo así que éste, al regular relaciones de convivencia humana, debe responder a la realidad social de cada momento como instrumento de perfeccionamiento y progreso. La interdicción absoluta de cualquier tipo de retroactividad entrañaría consecuencias contrarias a la concepción que fluye del art. 9.2 de la C. como ha puesto de manifiesto este Tribunal entre otras en sus SSTC. 27/81 y 6/83. Por ello el principio de seguridad jurídica consagrado en el art. 9.3 de la Norma Fundamental no puede entenderse como un derecho de los ciudadanos al mantenimiento de un determinado régimen fiscal.»

STC. 46/90 de 15 de marzo (**seguridad jurídica y claridad normativa**)

Fto. Jco. 4: «La exigencia del 9.3 relativa al principio de seguridad jurídica implica que el legislador debe perseguir la claridad y no la confusión normativa, debe procurar que acerca de la materia sobre la que se legisle sepan los operadores jurídicos y los ciudadanos a qué atenerse, y debe huir de provocar situaciones objetivamente confusas como la que sin duda se genera en este caso dado el complicadísimo juego de remisiones entre normas que aquí se ha producido. Hay que promover y buscar la certeza respecto a qué es Derecho y no, como en el caso ocurre, provocar juegos y relaciones entre normas como consecuencia de las cuales se introducen perplejidades difícilmente salvables respecto a la previsibilidad de cuál sea el Derecho aplicable, cuáles las consecuencias derivadas de las normas vigentes incluso cuáles sean éstas. La vulneración de la seguridad jurídica es patente y debe ser declarada la inconstitucionalidad también por este motivo.»

STC. 27/81 de 20 de julio (significado de la arbitrariedad)

Fto. Jco. 10: «El juicio de la arbitrariedad suele remitirse a la actuación del Ejecutivo; más concretamente a la actuación de la Administración Pública. En este sentido 'arbitrario' equivale a no adecuado a la legalidad y ello, tanto si se trata de actividad reglada, infracción de la norma, como de actividad discrecional, desviación de poder etc. Pero la C. se refiere a todos los poderes públicos y, al hacerlo así, introduce un arma revisora en manos de los Tribunales ordinarios y del T.C. Cuando se habla de la arbitrariedad del legislativo, no puede tratarse de la adecuación del acto a la norma, pero tampoco puede reducirse su examen a la confrontación de la disposición legal controvertida con el precepto constitucional que se dice violado.
El acto del legislativo se revela arbitrario, aunque respetara otros principios del art. 9.3 cuando engendra desigualdad. Y no ya desigualdad referida a la discriminación, que ésta concierne al art. 14, sino a las exigencias que el art. 9.2 conlleva, a fin de promover la igualdad del individuo y de los grupos en que se integra, finalidad que, en ocasiones, exige una política legislativa que no puede reducirse a la pura igualdad ante la Ley.»

STC. 66/85 de 23 de mayo (noción de arbitrariedad)

Fto. Jco. 1: «La noción de la arbitrariedad no puede ser utilizada por la jurisdicción constitucional sin introducir muchas correcciones y matizaciones en la construcción que de ella ha hecho la doctrina del Derecho Administrativo, pues no es la misma la situación en la que el legislador se encuentra respecto de la C., que aquella en la que se halla el Gobierno, como titular del poder reglamentario, en relación con la Ley.»

STC. 108/86 de 26 de julio (la arbitrariedad y la libertad del legislador)

Fto. Jco. 18: «Los recurrentes tachan también de arbitraria la modificación de la edad de jubilación, por lo que los preceptos impugnados serían inconstitucionales según el citado art. 9.3 de la Norma suprema. Pero la calificación de 'arbitraria' dada a una Ley a los efectos del art. 9.3 exige también una cierta prudencia. La Ley es la expresión de la voluntad popular, como dice el Preámbulo de la C. y como es dogma básico de todo sistema democrático. Ciertamente, en un régimen constitucional, también el poder legislativo está sujeto a la C., y es misión de este Tribunal velar por que se mantenga esa sujeción, que no es más que otra forma de sumisión a la voluntad popular, expresada esta vez como poder constituyente. Ese control de la constitucionalidad de las leyes debe ejercerse, sin embargo, de forma que no imponga constricciones indebidas al poder legislativo y respete sus opciones políticas. El cuidado que este Tribunal ha de tener para mantenerse dentro de los límites de ese control ha de extremarse cuando se trata de aplicar preceptos generales e indeterminados, como es el de la interdicción de la arbitrariedad, según ha advertido ya algunas de sus Sentencias (STC. 27/81 de 20 de julio y 66/85 de 23 e mayo). Así, al examinar un precepto legal impugnado desde ese punto de vista el análisis se ha de centrar en verificar si tal precepto establece una discriminación, pues la discriminación entraña siempre una arbitrariedad, o bien, si aún no estableciéndola, carece de toda explicación racional, lo que también evidentemente supondría una arbitrariedad, sin que sea pertinente un análisis a fondo de todas las motivaciones posibles de la norma y de todas sus eventuales consecuencias.»

STC. 151/86 de 1 de diciembre (arbitrariedad en la ley)

Fto. Jco. 6: «...No resulta admisible, ni por tanto debe considerarse justificativo de la desigualdad, que la Administración elija libremente, y en la misma resolución, a quienes aplicar y a quienes no aplicar la normativa vigente, actuación ésta vetada por la interdicción de la arbitrariedad contenida en el art 9.3 de la C.E.»

TÍTULO I
De los derechos y deberes fundamentales

Art. 10. 1. La dignidad de la persona, los derechos inviolables que le son inherentes, el libre desarrollo de la personalidad, el respeto a la ley y a los derechos de los demás son fundamento del orden político y de la paz social.

2. Las normas relativas a los derechos fundamentales y a las libertades que la Constitución reconoce se interpretarán de conformidad con la Declaración Universal de Derechos Humanos y los tratados y acuerdos internacionales sobre las mismas materias ratificados por España.

STC. 11/81 de 8 de abril (límites de los derechos e irrenunciabilidad de los mismos)

Fto. Jco. 7: «Tampoco puede aceptarse la tesis del recurso de que los derechos reconocidos o consagrados por la C. sólo pueden quedar acotados en virtud de límites de la propia C. o por la necesaria acomodación con el ejercicio de otros derechos reconocidos y declarados igualmente por la Norma Fundamental. Una conclusión como ésta es demasiado estricta y carece de fundamento en una interpretación sistemática de la C. y en el Derecho constitucional, sobre todo si al hablar de límites derivados de la C., esta expresión se entiende como derivación directa. La C. establece por sí misma los límites de los derechos fundamentales en algunas ocasiones. En otras ocasiones el límite del derecho deriva de la C. sólo de una manera mediata o indirecta, en cuanto que ha de justificarse por la necesidad de proteger o preservar no sólo sus derechos constitucionales, sino también otros bienes constitucionalmente protegidos.»

Fto. Jco. 14: «Los derechos constitucionales son irrenunciables (es una) proposición jurídica que es indiscutible.»

STC. 25/81 de 14 de julio (derechos fundamentales y Estado de Derecho)

Fto. Jco. 5: «En primer lugar, los derechos fundamentales son derechos subjetivos, derechos de los individuos no sólo en cuanto derechos de los ciudadanos en sentido estricto, sino en cuanto garantizan un "status" jurídico o la libertad en un ámbito de la existencia. Pero al propio tiempo, son elementos esenciales de un ordenamiento objetivo de la comunidad nacional, en cuanto ésta se configura como marco de una convivencia humana justa y pacífica, plasmada históricamente en el Estado de Derecho y, más tarde, en el Estado social de Derecho o el Estado social y democrático de Derecho, según la fórmula de nuestra C (art. 1.1).
En el segundo aspecto, en cuanto elemento fundamental de un ordenamiento objetivo, los derechos fundamentales dan sus contenidos básicos a dicho ordenamiento, en nuestro caso al del Estado social y democrático de Derecho, y atañen al conjunto estatal. En esta función, los derechos fundamentales no están afectados por la estructura federal, regional o autonómica del Estado. Puede decirse que los derechos fundamentales, por cuanto fundan un "status" jurídico-constitucional unitario para todos los españoles y son decisivos en igual medida para la configuración del orden democrático en el Estado central y en las CCAA, son elemento unificador, tanto más cuanto el cometido de

asegurar esa unificación, según el art. 155 de la CE compete al Estado. Los derechos fundamentales son así un patrimonio común de los ciudadanos individual y colectivamente, constitutivos del ordenamiento jurídico cuya vigencia a todos atañe por igual. Establecen por así decirlo una vinculación directa entre los individuos y el Estado y actúan como fundamento de la unidad política sin mediación alguna.»

STC. 78/82 de 20 de diciembre (**interpretación de conformidad con la Declaración Universal**)

Fto. Jco. 4: «Como ya señalábamos en la anterior STC. 62/82 de 15 de octubre (...), la C. se inserta en un contexto internacional en materia de derechos fundamentales y libertades públicas, por lo que hay que interpretar sus normas en esta materia de conformidad con la Declaración Universal de Derechos Humanos y los tratados y acuerdos internacionales que menciona el precepto. Y, añadimos ahora, no sólo las contenidas en la C., sino todas las del Ordenamiento relativas a los derechos fundamentales y libertades públicas que reconoce la norma fundamental.»

STC. 53/85 de 11 de abril (**significado y función de los derechos fundamentales**)

Fto. Jco. 4: «Es también pertinente hacer, con carácter previo, algunas referencias al ámbito, significación y función de los derechos fundamentales en el constitucionalismo de nuestro tiempo inspirado en el Estado social de Derecho. En este sentido, la doctrina ha puesto de manifiesto, en coherencia con los contenidos y estructuras de los ordenamientos positivos, que los derechos fundamentales no incluyen solamente derechos subjetivos de defensa de los individuos frente al Estado, y garantías institucionales, sino también deberes positivos por parte de éste (...). Pero además, los derechos fundamentales son los componentes estructurales básicos, tanto del conjunto del orden jurídico objetivo como de cada una de las ramas que lo integran, en razón de que son la expresión jurídica de un sistema de valores que, por decisión del constituyente, ha de informar el conjunto de la organización jurídica y política; son, en fin, como dice el art. 10 de la C. 'el fundamento del orden jurídico y la paz social'. De la significación y finalidades de estos derechos dentro del orden constitucional se desprende que la garantía de su vigencia no puede limitarse a la posibilidad del ejercicio de pretensiones por parte de los individuos, sino que ha de ser asumida también por el Estado. Por consiguiente, de la obligación del sometimiento de todos los poderes a la C. no solamente se deduce la obligación negativa del Estado de no lesionar la esfera individual o institucional protegida por los derechos fundamentales, sino también la obligación positiva de contribuir a la efectividad de tales derechos, y de los valores que representan, aun cuando no exista una pretensión subjetiva por parte del ciudadano. Ello obliga especialmente al legislador, quien recibe de los derechos fundamentales 'los impulsos y líneas directivas', obligación que adquiere especial relevancia allí donde un derecho o valor fundamental quedaría vacío de no establecerse los supuestos para su defensa.»

STC. 207/96 de 16 de diciembre (**la proporcionalidad de los sacrificios de los derechos fundamentales**)

Fto. Jco. 4: «Conviene recordar los requisitos que conforman nuestra doctrina sobre la proporcionalidad, los cuales pueden resumirse en los siguientes: que la medida limitativa del derecho fundamental esté prevista por la Ley; que sea adoptada mediante resolución judicial especialmente motivada, y que sea idónea, necesaria y proporcionada en relación con un fin constitucionalmente legítimo. A todos ellos hay que sumar otros derivados de la afectación a la integridad física, como son que la práctica de la intervención sea encomendada a personal médico o sanitario, la exigencia de que en ningún caso suponga un riesgo para la salud y de que a través de ella no se ocasione un trato inhumano o degradante.»

STC. 254/88 de 21 de diciembre (interpretación restrictiva de los límites)

Fto. Jco. 8: «...tanto los derechos individuales como sus limitaciones, en cuanto éstas derivan del respeto a la ley y a los derechos de los demás, son igualmente considerados por el art. 10.1 CE. como 'fundamento del orden político y de la paz social'. Se produce así un régimen de concurrencia normativa, no de exclusión, de tal modo que tanto las normas que regulan el derecho fundamental como las que establecen límites a su ejercicio vienen a ser igualmente vinculantes y actúan recíprocamente. Como resultado de esta interacción, la fuerza expansiva de todo derecho fundamental restringe, por su parte, el alcance de las normas limitadoras que acentúan sobre el mismo; de ahí la exigencia de que los límites de los derechos fundamentales hayan de ser interpretados con criterios restrictivos y en el sentido más favorable a la eficacia y esencia de tales derechos.»

STC. 64/91 de 22 de marzo (tratados y validez de normas)

Fto. Jco. 4: «La interpretación a que alude el citado art. 10.2...no convierte a tales tratados y acuerdos internacionales en canon autónomo de validez de las normas y actos de los poderes públicos desde la perspectiva de los derechos fundamentales. Si así fuera, sobraría la proclamación constitucional de tales derechos, bastando con que el constituyente hubiera efectuado una remisión a las Declaraciones internacionales de derechos humanos o, en general, a los tratados que suscriba el estado español sobre derechos fundamentales y libertades públicas. Por el contrario, realizada la mencionada proclamación, no puede haber duda de que la validez de las disposiciones y actos impugnados en amparo debe medirse sólo por referencia a los preceptos constitucionales que reconocen los derechos y libertades susceptibles de protección en esta clase de litigios. Siendo los textos y acuerdos internacionales del art. 10.2 una fuente interpretativa que contribuye a la mejor identificación del contenido de los derechos cuya tutela se pide a este TC.»

STC. 215/94 de 14 de julio (ponderación de derechos y bienes)

Fto. Jco. 2: «cuando entran en colisión derechos fundamentales o determinadas limitaciones a los mismos en interés de otros bienes y derechos constitucionalmente protegidos, la función del intérprete constitucional alcanza la máxima importancia 'y se ve obligado, como dice la STC. 53/85), a ponderar los bienes y derechos en función del supuesto planteado, tratando de armonizarlos si ello es posible o, en caso contrario, precisando las condiciones y requisitos en que podría admitirse la prevalencia de uno de ellos.»

CAPÍTULO PRIMERO
De los españoles y los extranjeros

Art. 11. 1. La nacionalidad española se adquiere, se conserva y se pierde de acuerdo con lo establecido por la ley.

2. Ningún español de origen podrá ser privado de su nacionalidad.

3. El Estado podrá concertar tratados de doble nacionalidad con los países iberoamericanos o con aquellos que hayan tenido o tengan una particular vinculación con España. En estos mismos países, aun cuando no reconozcan a sus ciudadanos un derecho recíproco, podrán naturalizarse los españoles sin perder su nacionalidad de origen.

Declaración del TC. de 1 de julio de 1992 (**no se puede parcelar la nacionalidad**)

Fto. Jco. 5: «Fto. Jco. 5: « Siendo cierto que la CE. no define quiénes son españoles (tarea que defiere al legislador en su art. 11.1), y resultando, asimismo, indiscutible que no existe un régimen jurídico uniforme para todos los nacionales, y que puede ser diverso también el de unos y otros extranjeros, es patente, sin embargo, que la CE., en su art. 13, ha introducido reglas imperativas e insoslayables para todos los poderes públicos españoles (art. 9.1 CE.), en orden al reconocimiento de derechos constitucionales en favor de las no nacionales. Se cuenta entre tales reglas, según venimos recordando, la que reserva a los españoles la titularidad y el ejercicio de muy concretos derechos fundamentales, derechos, como el de sufragio pasivo que aquí importa, que no pueden ser atribuídos, ni por Ley ni por Tratado, a quienes no tengan aquella condición; esto es, que sólo pueden ser conferidos a los extranjeros a través de la reforma de la CE. Pues bien, este límite constitucional desaparecería, y con el la propia fuerza de obligar de la CE., si tomara forma jurídica y fuera aceptada la interpretación que el Gobierno ha expuesto, según la cual pudiera el Legislador acuñar o troquelar nacionalidades 'ad hoc' con la única y exclusiva finalidad de eludir la vigencia de la limitación contenida en el art. 13.2 CE. El Legislador de la nacionalidad debe, como es obvio, definir quienes son españoles, es decir, quiénes tienen, potencialmente, capacidad para ser titulares de cualesquiera situaciones jurídicas en el ordenamiento y sobre ello no le da la CE. pauta material alguna. Pero no puede, sin incurrir en inconstitucionalidad, fragmentar, parcelar o manipular esa condición, reconociéndola solamente a determinados efectos con el único objeto de conceder a quienes no son nacionales un derecho fundamental, que, como es el caso del sufragio pasivo, les está expresamente vedado por el art. 13.2 de la CE.

Lo anterior no podría, claro está, ser desvirtuado por la alusión que en el Requerimiento se hace del expediente de las ficciones legales. Una ficción legal no es otra cosa que una construcción jurídica que tiene por objeto, contrariando la realidad, introducir en el ámbito de aplicación de una norma anterior un supuesto de hecho que, de otra forma, estaría excluido del mismo, siendo una de sus notas definitorias esenciales el no ser medio idóneo para operar sobre lo jurídicamente imposible, como lo es el reformar la CE. al margen de los procedimientos expresamente previstos con tal objeto en los arts. 167 y 168 de la propia CE., procedimientos que el Legislador, sometido como está al principio de supremacía de la Norma Fundamental, no puede en modo alguno soslayar, ni directamente, ni mediante la técnica indirecta, excepcional y subsidiaria de la fictio iuris.»

Art. 12. Los españoles son mayores de edad a los dieciocho años.

Art. 13. 1. Los extranjeros gozarán en España de las libertades públicas que garantiza el presente Título en los términos que establezcan los tratados y la ley.
2. Solamente los españoles serán titulares de los derechos reconocidos en el art. 23, salvo lo que, atendiendo a criterios de reciprocidad, pueda establecerse por tratado o ley para el derecho de sufragio activo y pasivo* en las elecciones municipales.
3. La extradición sólo se concederá en cumplimiento de un tratado o de la ley, atendiendo al principio de reciprocidad. Quedan excluidos de la extradición los delitos políticos, no considerándose como tales los actos de terrorismo.
4. La ley establecerá los términos en que los ciudadanos de otros países y los apátridas podrán gozar del derecho de asilo en España.

* Modificado por Reforma de la CE. de 27 de agosto de 1992
Ley 4/1985 de 21 de marzo, de Extradición pasiva.
Ley 5/1984, de 26 de marzo, reguladora del derecho de asilo y de la condición de refugiado.
Añadir LO 4/2000 de 11 de enero, sobre derechos y libertades de los extranjeros en España y su integración social

STC. 107/84 de 23 de noviembre (**españoles y extranjeros titulares de derechos**)

Fto. Jco. 3: «Cuando el art. 14 de la C. proclama el principio de igualdad, lo hace refiriéndose con exclusividad a 'los españoles'. Son éstos quienes, de conformidad con el texto constitucional son 'iguales ante la ley', y no existe prescripción ninguna que extienda tal igualdad a los extranjeros.
La inexistencia de declaración constitucional que proclame la igualdad de los extranjeros y españoles no es, sin embargo, argumento bastante para considerar resuelto el problema, estimando que la desigualdad de trato entre extranjeros y españoles resulta constitucionalmente admisible, o incluso, que el propio planteamiento de una cuestión de igualdad entre extranjeros y españoles está constitucionalmente excluído. Y no es argumento bastante porque no es únicamente el art. 14 de la C. el que debe ser contemplado, sino que, junto a él, es preciso tener en cuenta otros preceptos sin los que no resulta posible determinar la posición jurídica de los extranjeros en España.
A tenor del art. 13 de la C., 'los extranjeros gozarán en España...'. Ello supone que el disfrute de los derechos y libertades... reconocidos en el Tít. I de la C. se efectuará en la medida en que lo determinen los tratados internacionales y la ley interna española, y de conformidad con las condiciones y el contenido previsto en tales normas, de modo que la igualdad o desigualdad en la titularidad y ejercicio de tales derechos y libertades

dependerá, por propia previsión constitucional, de la libre voluntad del tratado o la Ley.

No supone, sin embargo, tal previsión que se haya querido desconstitucionalizar la posición jurídica de los extranjeros relativa a los derechos y libertades públicas, pues la C. no dice que los extranjeros gozarán en España de las libertades que les atribuyan los tratados y la Ley, sino de las libertades 'que garantiza el presente título en los términos que establecan los tratados y la Ley', de modo que los derechos y libertades reconocidos a los extranjeros siguen siendo derechos constitucionales y, por tanto, dotados, dentro de su específica regulación, de la protección constitucional, pero son todos ellos sin excepción en cuanto a su contenido derechos de configuración legal. Esta configuración puede prescindir de tomar en consideración, como dato relevante para modular el ejercicio del derecho, la nacionalidad o ciudadanía del titular, produciéndose así una completa igualdad entre españoles y extranjeros, como la que efectivamente se da respecto de aquellos derechos que pertenecen a la persona en cuanto tal y no como ciudadano, o, si se rehúye esta terminología, ciertamente equívoca, de aquellos que son imprescindibles para la garantía de la dignidad humana que, conforme al art. 10.1 de nuestra C., constituye fundamento del orden político español. Derechos tales como el derecho a la vida, a la integridad física y moral, a la intimidad, la libertad ideológica, etc., corresponden a los extranjeros por propio mandato constitucional, y no resulta posible un tratamiento desigual respecto a ellos en relación a los españoles.

Puede también, sin embargo, introducir la nacionalidad como elemento para la definición del supuesto de hecho al que ha de anudarse la consecuencia jurídica establecida, y en tal caso, como es obvio, queda excluída 'a priori' la aplicación del principio de igualdad como parámetro al que han de ajustarse en todo caso las consecuencias jurídicas anudadas a situaciones que sólo difieren en cuanto al dato de la nacionalidad, aunque tal principio haya de ser escrupulosamente respetado en la regulación referida a todos aquellos situados en identidad de relación con el dato relevante.

Fto. Jco. 4: «El problema de la titularidad y ejercicio de los derechos y, más en concreto, el problema de la igualdad en el ejercicio de los derechos, que es el tema aquí planteado, depende, pues, del derecho afectado. Existen derechos que corresponden por igual a españoles y extranjeros y cuya regulación ha de ser igual para ambos; existen derechos que no pertenecen en modo alguno a los extranjeros (los reconocidos en el art. 23 de la C., según dispone el art. 13.2 y con la salvedad que contienen); existen otros que pertenecerán o no a los extranjeros según lo dispongan los tratados y las Leyes, siendo entonces admisible la diferencia de trato con los españoles en cuanto a su ejercicio.

En el presente caso, la igualdad pretendida por el demandante lo es para la contratación laboral, es decir, para el ejercicio del derecho al trabajo. Y tanto porque no existe tratado ni Ley que establezcan la igualdad de trato entre nacionales y extranjeros para el acceso a un puesto de trabajo, lo hay para la titularidad y ejercicio de los derechos laborales una vez producida la contratación, con excepciones, como porque la propia C. sólo reconoce el derecho al trabajo para los españoles, no resulta posible la estimación del recurso.

La desigualdad resultante en relación a los españoles no es, en consecuencia, inconstitucional, y no porque se encuentre justificada en razones atendibles, sino, más sencillamente, porque en esta materia nada exige que deba existir la igualdad de trato.»

STC. 115/87 de 7 de julio (**el legislador puede condicionar derechos de extranjeros**)

Fto. Jco. 3: «El problema así planteado es el de si el art. 13.1 de la C. habilita o no al legislador a establecer una excepción para los extranjeros de la regla contenida en el art. 22.4 de la C. El art. 13.1 de la C. reconoce al legislador la posibilidad de establecer condicionamientos adicionales al ejercicio de derechos fundamentales por parte de los extranjeros, pero para ello ha de respetar, en todo caso, las prescripciones constitucionales, pues no se puede estimar aquel precepto permitiendo que el legislador configure libremente el contenido mismo del derecho, cuando éste ya haya venido reconocido por la C. directamente a los extranjeros, a los que es de aplicación también el mandato contenido en el art. 22.4 de la C. Una cosa es, en efecto, autorizar diferencias de tratamiento entre españoles y extranjeros y otra es entender esa autorización como una posibilidad de legislar al respecto sin tener en cuenta los mandatos constitucionales.»

Declaración TC. de 1 de julio de 1992 (**sufragio pasivo de extranjeros en municipales**)

Fto. Jco. 3: «Tres son las normas constitucionales que pudieran incidir en la extensión del derecho de sufragio pasivo a los no nacionales en las elecciones municipales: El art. 13.2... el art. 23... y el art. 1.2.
A) Mediante el art. 8 B que se incluirá en el Tratado Constitutivo de la Unión de la Comunidad Económica Europea, se reconocerá a 'todo ciudadano de la Unión' el derecho a ser elector y elegible en las elecciones municipales del Estado miembro del que no sea nacional y en el que resida, en las mismas condiciones que los nacionales de dicho Estado. Dicha previsión, junto a todas las demás contenidas en los distintos apartados del propio art. 8 viene a configurar una naciente ciudadanía europea que, sin abolir las distintas nacionalidades de los ciudadanos de los Estados signatarios del TUE (...) supone una parcial superación del tradicional binomio nacional/extranjero por vía de la creación de aquel tercer status común.
Es del todo claro, sin embargo, que esta limitada extensión del sufragio, activo y pasivo, a quienes sin ser nacionales españoles son ciudadanos de la Unión encuentra un acomodo sólo parcial en las previsiones del art. 13 CE., cuyo apartado 2 afirma que únicamente los españoles ostentan la titularidad de los derechos reconocidos en el art. 23 de la misma Norma fundamental ...limitación constitucional que ya ha sido puesta de relieve por este TC. en su STC. 112/91, en la que literalmente se afirmo que 'ese posible ejercicio del derecho se limita al sufragio activo, no al derecho de sufragio pasivo'. Por lo tanto, sin perjuicio de la citada salvedad contenida en el art. 13.2 en orden al sufragio activo en las elecciones municipales, y en virtud de estas reglas constitucionales no cabe, ni por Tratado ni por Ley, atribuir el derecho de sufragio pasivo a los no nacionales en cualquiera de los procedimientos electorales para la integración de órganos de los poderes públicos españoles.
La parcial contradicción así apreciable entre el repetido art. 13.2 CE y el texto sometido a nuestro examen habría de llevar, por consiguiente, a la conclusión de que dicho precepto contiene, en el extremo dicho, una estipulación que, por contraria a la CE., no podría ser objeto de ratificación sin la previa revisión de la Norma fundamental, según dispone su art. 95.1.
B) ...En relación con el sufragio pasivo, el art. 23.2 no contiene, por tanto, ninguna norma que excluya a los extranjeros del acceso a cargos y funciones públicas. En efecto, no es el art. 23 el precepto que en nuestra CE. establece los límites subjetivos

determinantes de la extensión de la titularidad de los derechos fundamentales a los no nacionales. En nuestra CE. dicha norma, atinente a este requisito de la capacidad, no es el art. 23, sino el art. 13, en cuyo primer párrafo se procede a extender a los extranjeros el ejercicio de todas las libertades públicas reconocidas en el Tit. I CE. en los términos que establezcan los Tratados y la Ley. Esta extensión se ve exceptuada por la cláusula del art. 13.2. Pero esa exclusión no deriva, por tanto, de las previsiones del art. 23, que por sí mismo no prohíbe que los derechos allí reconocidos puedan extenderse, por Ley o por Tratado a los ciudadanos de la Unión Europea. No cabe, por tanto, estimar que la previsión del futuro art. 8 B 1 del TCE. contradiga el art. 23 CE. haciendo necesario recurrir al procedimiento del art. 168 CE.

C) Tampoco la proclamación inscrita en el art. 1.2 CE queda contradicha ,ni afectada siquiera, por el reconocimiento del sufragio pasivo, en las elecciones municipales, a un determinado círculo o categoría de extranjeros. Sin entrar en otras consideraciones, ahora ociosas, sea suficiente advertir, para fundamentar lo dicho, que la atribución a quienes no son nacionales del derecho de sufragio en elecciones a órganos representativos sólo podría ser controvertida, a la luz de aquel enunciado constitucional, si tales órganos fueran de aquellos que ostentan potestades atribuídas directamente por la CE. y los EEAA. y ligadas a la titularidad por el pueblo español de la soberanía. No tendría sentido alguno, como es obvio, formular ahora juicios hipotéticos, de modo que basta con advertir que ese no es el caso de los municipios, para descartar toda duda sobre la constitucionalidad, en cuanto a este extremo, de lo prevenido en la estipulación aquí examinada.»

CAPÍTULO II
Derechos y libertades

Art. 14. Los españoles son iguales ante la ley, sin que pueda prevalecer discriminación alguna por razón de nacimiento, raza, sexo, religión, opinión o cualquier otra condición o circunstancia personal o social.

STC. 22/81 de 2 de julio (**no toda desigualdad es discriminación: finalidad y proporcionalidad**)

Fto. Jco. 3: «... aunque es cierto que la igualdad jurídica reconocida en el art. 14 de la C. vincula y tiene como destinatario no sólo a la Administración y al Poder Judicial, sino también al Legislativo, como se deduce de los arts. 9 y 53 de la misma, ello no quiere decir que el principio de igualdad contenido en dicho artículo implique en todos los casos un tratamiento legal igual con abstracción de cualquier elemento diferenciador de relevancia jurídica. El Tribunal Europeo de Derechos Humanos ha señalado... que toda desigualdad no constituye necesariamente una discriminación. El art. 14 del Convenio Europeo, (para la Protección de los Derechos Humanos y de las Libertades Fundamentales) declara el mencionado Tribunal en varias de sus sentencias, no prohíbe toda diferencia de trato en el ejercicio de los derechos y libertades: la igualdad es sólo violada si la desigualdad está desprovista de un justificación objetiva y razonable, y la existencia de dicha justificación debe apreciarse en relación a la finalidad y efectos de la medida considerada, debiendo darse una relación razonable de proporcionalidad entre los medios empleados y la finalidad perseguida.»

STC. 2/83 de 24 de enero (identidad de situaciones de hecho)

Fto. Jco. 4: «Teniendo en cuenta esta doctrina (se refiere a la expuesta en la STC. 49/82) y para poder concederle efectividad y llegar a la decisión procedente del amparo, es necesario seguidamente esclarecer en el caso concreto, en primer lugar, si existe una identidad de situaciones de hecho y de derecho aplicado; en segundo término, precisar las circunstancias concurrentes en las resoluciones judiciales que mantienen distinta aplicación jurídica para su posible confrontación; y en último término, determinar a qué autoridad corresponde corregir la desigualdad originada y cómo debe efectuarlo».

STC. 8/83 de 18 de febrero (igualdad como valor)

Fto. Jco. 3: «La igualdad se configura como un valor superior que, en lo que ahora importa, se proyecta con una eficacia trascendente de modo que toda situación de desigualdad persistente a la entrada en vigor de la norma constitucional deviene incompatible con el orden de valores que la C., como norma suprema, proclama. Aquí están, según entendemos, las claves para la respuesta que en este punto se nos pide: la de la eficacia derogatoria de la C. de todas aquellas disposiciones que no son susceptibles de reconducir por vías interpretativas al marco constitucional y la de la extensión del amparo que el principio de igualdad reclama a todas aquellas situaciones de desigualdad que persistan a la entrada en vigor de la C.»

STC. 76/83 de 5 de agosto (igualdad en situación jurídica concreta)

Fto. Jco. 2.a: «La igualdad reconocida en el art. 14 no constituye un derecho subjetivo autónomo, existente por sí mismo, pues su contenido viene establecido siempre respecto de relaciones jurídicas concretas. De aquí que pueda ser objeto de amparo en la medida en que se cuestione si tal derecho ha sido vulnerado en una concreta relación jurídica y, en cambio, no pueda ser objeto de una regulación o desarrollo normativo con carácter general».

STC. 107/84 de 23 de noviembre.

Ver selección art. 13

STC. 135/85 de 27 de febrero (personas jurídico-públicas no son titulares)

Fto. Jco. 3: «Por lo que se refiere a la pretendida legitimación del Ayuntamiento de Bilbao para recurrir en amparo alegando ser titular del derecho fundamental a la igualdad reconocido en el art. 14 CE., es de advertir que tal legitimación no se da en el presente caso, porque los entes públicos, como el Ayuntamiento de Bilbao, no pueden ser considerados como titulares del derecho fundamental a la no discriminación amparado por el citado artículo, que se refiere a los españoles, y no es de aplicación a las personas jurídico-públicas en cuanto tales. Lo que aquí, en definitiva, pretende el Ayuntamiento recurrente, es defender competencias que considera propias, y es obvio que esta es una cuestión a cuyo servicio no está el recurso de amparo».

STC. 23/89 de 2 de febrero (titularidad de las personas jurídicas españolas)

Fto. Jco. 2: «De hecho, este TC. ha venido considerando aplicable, implícitamente y sin oponer reparo alguno, el art. 14 CE. a las personas jurídicas de nacionalidad española, como titulares del derecho que en él se reconoce, como se pone de manifiesto entre otras en las SSTC. 99/83; 20 y 26/85; y 39/86 sin que existan razones para modificar esta doctrina general».

STC. 75/83 de 3 de agosto (la lista del 14 no es cerrada; la edad explica trato diferente)

Fto. Jco. 3: «La edad no es de las circunstancias enunciadas normativamente en el art. 14, pero no ha de verse aquí una intención tipificadora cerrada que excluya cualquiera otra de las precisadas en el texto legal, pues en la fórmula del indicado precepto se alude a cualquier otra condición o circunstancia personal o social, carácter de circunstancia personal que debe predicarse de la edad; de modo que la edad dentro de los límites que la Ley establece para el acceso y la permanencia en la función pública es una de las circunstancias comprendidas en el art. 14 y en el art. 23.2, desde la perspectiva excluyente de tratos discriminatorios. Pero sería equivocado inferir de aquí que todo funcionario, desde el momento del acceso a la función pública y en tanto no se haya operado la extinción conectada a la edad de jubilación, tiene abiertas, cualquiera que sea su edad, las posibilidades de ocupar cualquier puesto de la organización pública, pues, por el contrario, en cuanto la edad es un elemento diferenciador será legítima una decisión legislativa que, atendiendo a ese elemento diferenciador, y a las características del puesto de que se trate, fije objetivamente límites de edad que suponga, para los que la hayan rebasado, la imposibilidad de acceder a estos puestos.»

STC. 30/87 de 11 de marzo (igualdad y aplicación judicial de la ley)

Fto. Jco. 2: «Hemos dicho en anteriores resoluciones, en efecto, que la garantía que en este proceso constitucional puede dispensarse a la regla que establece la igualdad de todos los españoles ante la Ley (art. 14) es distinta según se trate de controlar diferenciaciones normativas o de examinar, en otro caso, aquellas deparadas por la diversidad en la interpretación y en la aplicación judicial de las normas mismas. En el primer supuesto (y también cuando los juzgadores ordinarios examinen las diferenciaciones operadas por la actuación administrativa), corresponde a este TC. determinar la fundamentación misma de la singularización enjuiciada, apreciando, por tanto, si muestra ésta una finalidad y una razón objetivas que excluyan el reproche de puro voluntarismo selectivo en que la discriminación consiste. No puede hacerse así, sin embargo, cuando lo que se traen a la comparación son resoluciones judiciales de contenido diverso sobre supuestos que acaso carezcan de distingos jurídicamente relevantes, porque este TC. no puede, ni sustituir al juzgador ordinario en su apreciación de las diferencias que en unos y otros casos pueden mostrar (STC. 183/85), ni determinar cuál de las dos resoluciones contrastantes es la correcta en Derecho, ni operar, en fin, como lo que ciertamente no es, como un órgano formador o unificador de jurisprudencia sobre la interpretación y aplicación de las leyes, tarea ésta que, según varias veces hemos recordado (STC. 125/86) le cumple en nuestro sistema jurisdiccional al T. Supremo de Justicia (art. 123 C.E.) y también, en el orden laboral, al Tribunal Central de Trabajo...

En algunas ocasiones ha definido este TC. tal diversidad en el enjuiciamiento, a la luz del principio de igualdad, de las normas o de la aplicación del Derecho, diciendo que la igualdad que se impone sobre el autor de la norma tiene un carácter «material», en tanto la que se proyecta, también como exigencia constitucional, sobre los Juzgados y Tribunales es predominantemente «formal» (STC. 49/85 y 56/86). Se quiere decir con ello, de conformidad con lo que se acaba de recordar, que sobre los órganos del Poder judicial, sujetos sólo a la ley e independientes en el ejercicio de su función (art. 117.1 CE.), no pesa la exigencia de resolver siempre en los mismos términos sobre supuestos que se pretendan iguales, pues cada caso, para el mismo juzgador, puede merecer una consideración diversa, ya por las peculiaridades que a su juicio muestre, ya porque el entendimiento judicial de la norma aplicable varíe a lo largo del tiempo, ya, incluso, porque parezca necesario corregir errores anteriores en su aplicación. Nada de esto puede quedar sometido a nuestro control, so pena de interferir en el modo como los órganos judiciales administran justicia y de desconocer los límites que para ese ámbito jurisdiccional exclusivo, señala nuestra LOTC (arts. 44.1.b y 54). Como tantas veces hemos dicho, podemos, estrictamente, apreciar si el cambio mismo que sea reconocible en la interpretación y en la aplicación de la ley, se realizó reflexivamente por el órgano judicial, lo que no entraña reconocer la existencia en nuestro ordenamiento de un principio de sujeción al precedente, pues el Juez está sólo sujeto a la ley, sino subrayar la necesidad de que la resolución judicial nueva y distinta no se adopte, apartándose de lo decidido por el mismo órgano en otros casos, sin la previa advertencia de aquellos posibles precedentes que, si no determinan el contenido de los fallos ulteriores, sí imponen la exigencia de su consideración reflexiva. Se trata, en suma, no de examinar la suficiencia o insuficiencia del fundamento dado a la diversidad de trato, sino de determinar, tan sólo, si existe, para la diferente aplicación judicial de la norma, ese fundamento.

No significa otra cosa lo anterior sino que lo garantizado en mérito del principio de igualdad a quienes demanden justicia ante los Tribunales no es la obtención de una resolución igual a las que se hayan adoptado o puedan adoptarse en el futuro por el mismo órgano judicial sino, más estrictamente, la razonable confianza, enlazada con la seguridad jurídica que la C. consagra (art. 9.3), de que la propia pretensión merecerá del juzgador, a salvo que por éste se fundamente la imposibilidad de atender tal expectativa, la misma respuesta obtenida por otros en casos iguales. Esta protección de la previsibilidad en la resolución judicial es la que, sin imponer, como hemos dicho, la necesidad de una interpretación y de una aplicación constantemente uniformes del Derecho, puede ser dispensada en el recurso de amparo y a tal efecto se orienta la recordada exigencia de que el apartamiento por el juzgador ordinario de sus propios precedentes muestre, cuando hayamos de verificar nuestro control, la debida motivación, explícita o implícitamente identificable en su última resolución. Es del todo claro por ello mismo, que esta garantía de la igualdad en la aplicación judicial de la ley sólo puede demandarse ante nosotros cuando las resoluciones con las que quiera contrastarse la impugnada sean anteriores a su adopción.»

STC. 144/88 de 12 de julio (**significado del principio de igualdad**)

Fto. Jco. 1: «El principio de igualdad que garantiza la C. (art. 14) y que está protegido en último término por el recurso constitucional de amparo, opera... en dos planos distintos. De una parte frente al legislador, o frente al poder reglamentario, impidiendo que uno u otro puedan configurar los supuestos de hecho de la norma de modo tal que se dé trato distinto a personas que, desde todos los puntos de vista legítimamente adoptables, se encuentran en la misma situación o, dicho de otro modo, impidiendo que se otorgue relevancia jurídica a circunstancias que, o bien no puedan ser jamás tomadas en consideración por prohibirlo así expresamente la propia C., o bien no guardan relación alguna con el sentido de la regulación que, al incluirlas, incurre en arbitrariedad y es por eso discriminatoria.

En otro plano, en el de la aplicación, la igualdad ante la ley obliga a que ésta sea aplicada efectivamente de modo igual a todos aquellos que se encuentran en la misma situación, sin que el aplicador pueda establecer diferencia alguna en razón de las personas o de las circunstancias que no sean precisamente las presentes en la norma. Situados ya en ese plano de la aplicación, es forzoso, claro está, operar una segunda distinción para tomar en cuenta la diferente situación en la que al respecto se encuentran los órganos administrativos, de una parte, y los órganos judiciales de la otra.

Los primeros, esto es, los que integran el amplio conjunto de las Administraciones públicas, no están ciertamente vinculados por el precedente, pero sí sujetos al control de los Tribunales, que han de corregir las desviaciones que en la aplicación igual de la ley se produzcan, no sólo en el ejercicio de las potestades regladas, sino también en el ejercicio de la discrecionalidad que las normas frecuentemente conceden a los administradores. Los Tribunales han de fijar, para ello, tanto las circunstancias fácticas del caso como el contenido concreto de la norma aplicada. Las decisiones del Juez de instancia sobre uno y otro aspecto de la cuestión podrán ser revisadas, en su caso, por las sucesivas instancias dentro del poder judicial, pero no por este Tribunal, salvo en lo que afecta al contenido mismo de la norma y sólo para el caso de que la interpretación que de éste se ha hecho afecte a alguno de los derechos fundamentales que la C. garantiza.

Otra es la situación en la que se encuentran los órganos del poder judicial, los cuales, tanto en la determinación de los hechos como en la interpretación de las normas, son independientes y no están sometidos al control de otro poder del Estado, aunque las decisiones que adoptan pueden ser revisadas, tanto en los hechos como en la interpretación del Derecho, por otros Tribunales a través de los recursos previstos en las leyes procesales».

STC. 128/87

Ver art. 32.

STC. 21/92 de 14 de febrero (**no hay igualdad en la ilegalidad**)

Fto. Jco. 4: «...el principio de igualdad ante la ley no significa un imposible derecho a la igualdad en la ilegalidad, de manera que en ningún caso aquel a quien se aplica la ley puede considerar violado el citado principio constitucional por el hecho de que la ley no se aplique a otros que asimismo la han incumplido.»

STC. 16/95 de 24 de enero (**acción positiva**)

Fto. Jco. 3: «Como señala la STC. 317/94, el sexo es uno de los factores de discriminación que por contrarios a la esencial dignidad de la persona estima inadmisibles el art. 14 CE, en línea con los numerosos tratados internacionales suscritos por el Estado español en la materia, y de ahí que se haya venido exigiendo una justificación reforzada cuando la diferencia de trato pretenda basarse en esta sola consideración.

Este examen más riguroso, aplicable en términos generales a los supuestos de diferencia de trato por razón del sexo en los que el género es el único elemento determinante de la discriminación, con independencia de cual de los dos sexos sea el preterido, no puede olvidar que poner fin a la "histórica situación de inferioridad de la mujer", a su "desigual punto de partida" (STC. 3/93) es un objetivo constitucionalmente planteado en la actuación de los poderes públicos, en orden a la consecución de las condiciones de igualdad que propugna el art. 9.2 CE. A este respecto, entre los posibles elementos justificadores del distinto tratamiento normativo, se encontrarán indudablemente aquellas "medidas de acción positiva en beneficio de la mujer ...en virtud de las cuales la persona de sexo femenino, como sujeto protegido de las mismas, pero sobre todo como agente o sujeto activo de su propia realización personal, pueda contribuir a poner fin a una situación de inferioridad en la vida social y jurídica, caracterizada por la existencia de numerosas trabas de toda índole en el acceso al trabajo y en la promoción a lo largo de la actividad laboral y profesional".

Sin embargo, es también obligado recordar que en las medidas normativas protectoras del trabajo femenino puede haber barreras que dificulten, como efecto no deseado, el acceso al mundo del trabajo en condiciones de igualdad (STC. 3/93) y operen de hecho en perjuicio de la mujer (STC. 229/92), como puede haber también disposiciones que tiendan a reproducir determinados patrones socioculturales y en la práctica perpetúen la propia posición de inferioridad social de la población femenina (STC. 317/94).»

Fto. Jco. 6: «Entre las consideraciones que cabe hacer al respecto, se encuentra sin duda la de que mientras exista la norma, el encargado de aplicarla no puede privar a nadie del derecho que ésta otorga, aunque pueda reconocerlo también a quienes según el tenor literal de la misma no lo tendrían, inaplicando las cláusulas que, de modo implícito o explícito establecen la discriminación, pues ésta consiste sustancialmente, para el discriminado, en la privación o limitación de un derecho, no en su otorgamiento (STC. 315/94; 68/91).»

STC. 200/01 de 4 de octubre (el derecho a la igualdad)

Fto. Jco. 4: «a) El art. 14 CE contiene en su primer inciso una cláusula general de igualdad de todos los españoles ante la ley, habiendo sido configurado este principio general de igualdad, por una conocida doctrina constitucional, como un derecho subjetivo de los ciudadanos a obtener un trato igual, que obliga y limita a los poderes públicos a respetarlo y que exige que los supuestos de hecho iguales sean tratados idénticamente en sus consecuencias jurídicas y que, para introducir diferencias entre ellos, tenga que existir una suficiente justificación de tal diferencia, que aparezca al mismo tiempo como fundada y razonable, de acuerdo con criterios y juicios de valor generalmente aceptados y cuyas consecuencias no resulten, en todo caso, desproporcionadas.

Como tiene declarado este TC desde la STC. 22/81 de 2 de julio, recogiendo al respecto la doctrina del TEDH en relación con el art. 14 del CEDH, el principio de igualdad no implica en todos los casos un tratamiento legal igual con abstracción de cualquier elemento diferenciador de relevancia jurídica, de manera que no toda desigualdad de trato normativo respecto a la regulación de una determinada materia supone una infracción del mandato contenido en el art. 14 CE, sino tan sólo las que introduzcan una diferencia entre situaciones que puedan considerarse iguales, sin que se ofrezca una justificación objetiva y razonable para ello, pues, como regla general, el principio de igualdad exige que a iguales supuestos de hecho se apliquen iguales consecuencias jurídicas y, en consecuencia, veda la utilización de elementos de diferenciación que quepa calificar de arbitrarios o carentes de una justificación razonable. Lo que prohíbe el principio de igualdad son, en suma, las desigualdades que resulten artificiosas o injustificadas por no venir fundadas en criterios objetivos y razonables, según criterios o juicios de valor generalmente aceptados. También es necesario, para que sea constitucionalmente lícita la diferencia de trato, que las consecuencias jurídicas que se deriven de tal distinción sean proporcionadas a la finalidad perseguida, de suerte que se eviten resultados excesivamente gravosos o desmedidos. En resumen, el principio de igualdad, no sólo exige que la diferencia de trato resulte objetivamente justificada, sino también que supere un juicio de proporcionalidad en sede constitucional sobre la relación existente entre la medida adoptada, el resultado producido y la finalidad perseguida (SSTC. 22/81; 49/82; 2/83; 23/84; 209/87; 209/88; 20/91; 110/93; 176/93; 340/93; 117/98).

b) La virtualidad del art. 14 CE no se agota, sin embargo, en la cláusula general ... sino que, a continuación el precepto constitucional se refiere a la prohibición de una serie de motivos o razones concretos de discriminación. Esta referencia expresa ...no implica el establecimiento de una lista cerrada de supuestos de discriminación ...pero sí representa una explícita interdicción de determinadas diferencias históricamente muy arraigadas y que han situado, tanto por la acción de los poderes públicos como por la práctica social, a sectores de la población en posiciones, no sólo desventajosas, sino contrarias a la dignidad de la persona que reconoce el art. 10.1 CE.

En este sentido el TC, bien con carácter general en relación con el listado de los motivos o razones de discriminación expresamente prohibidas por el art. 14 CE, bien en relación con alguno de ellos en particular, ha venido declarando la ilegitimidad constitucional de los tratamientos diferenciados respecto de los que operan como factores determinantes o no aparecen fundados más en los concretos motivos o razones de discriminación que dicho precepto prohíbe, al tratarse de características expresamente excluídas como causas de discriminación por el art. 14 CE...

No obstante este TC ha admitido también que, los motivos de discriminación que dicho precepto constitucional prohíbe, puedan ser utilizados excepcionalmente como criterio de diferenciación jurídica (en relación con el sexo, entre otras, SSTC. 103/83; 128/87; 229/92; 126/97; en relación con las condiciones personales o sociales, SSTC. 92/91; 90/95; en relación con la edad STC. 75/83; en relación con la raza STC. 13/01), si bien en tales supuestos el canon de control, al enjuiciar la legitimidad de la diferencia y las exigencias de proporcionalidad, resulta mucho más estricto, así como más rigurosa la carga de acreditar el carácter justificado de la diferenciación.

Al respecto tiene declarado que, a diferencia del principio genérico de igualdad, que no postula ni como fin ni como medio la paridad y sólo exige la razonabilidad de la diferencia normativa de trato, las prohibiciones de discriminación contenidas en el art. 14 CE implican un juicio de irrazonabilidad de la diferencia establecida 'ex constitutione', que imponen como fin y generalmente como medio la parificación, de manera que sólo pueden ser utilizadas excepcionalmente por el legislador como criterio de diferenciación jurídica, lo que implica la necesidad de usar en el juicio de legitimidad constitucional un canon mucho más estricto, así como un mayor rigor respecto a las exigencias materiales de proporcionalidad ...También resulta que en tales supuestos la carga de demostrar el carácter justificado de la diferenciación recae sobre quien asume la defensa de la misma y se torna aún más rigurosa que en aquellos casos que quedan genéricamente dentro de la cláusula general de igualdad del art. 14 CE, al venir dado el factor diferencial por uno de los típicos que el art. 14 CE concreta para vetar que en ellos pueda basarse la diferenciación, como ocurre con el sexo, la raza, la religión, el nacimiento y las opiniones.»

STC. 269/94

Ver art. 49.

SECCIÓN PRIMERA
DE LOS DERECHOS FUNDAMENTALES Y DE LAS LIBERTADES PÚBLICAS

Art. 15. Todos tienen derecho a la vida y a la integridad física y moral, sin que, en ningún caso, puedan ser sometidos a tortura ni a penas o tratos inhumanos o degradantes. Queda abolida la pena de muerte, salvo lo que puedan disponer las leyes penales militares para tiempos de guerra.

L.O. 9/85 de 5 de julio, de reforma del art. 417 bis del Código penal.
L.O. 11/1995 de 27 de noviembre de abolición de la pena de muerte en tiempo de guerra
Ley 41/2002, de 14 de noviembre, básica reguladora de la autonomía del paciente y de derechos y obligaciones en materia de información y documentación clínica
LO 2/2010, de 3 de marzo, de salud sexual y reproductiva y de la interrupción voluntaria del embarazo

STC. 53/85 de 11 de abril (**despenalización de la interrupción del embarazo**)

Fto. Jco. 3: «Dicho derecho a la vida, reconocido y garantizado en su doble significación física y moral por el art. 15 de la C.E., es la proyección de un valor superior del ordenamiento jurídico constitucional, la vida humana, y constituye el derecho fundamental esencial y troncal en cuanto es el supuesto ontológico sin el que los restantes derechos no tendrían existencia posible».

Fto. Jco. 5: « La vida humana es un devenir, un proceso que comienza con la gestación, en el curso de la cual una realidad biológica va tomando corpórea y sensitivamente configuración humana, y que termina en la muerte; es un continuo sometido por efectos del tiempo a cambios cualitativos de naturaleza somática y psíquica que tienen un reflejo en el status jurídico público y privado del sujeto vital».
«La gestación ha generado un 'tertium' existencialmente distinto de la madre, aunque alojado en el seno de esta».
«Dentro de los cambios cualitativos en el desarrollo del proceso vital, y partiendo de que la vida es una realidad desde el inicio de la gestación tiene particular relevancia el nacimiento, ya que significa el paso de la vida albergada en el seno materno a la vida albergada en la sociedad... Y previamente al nacimiento, tiene especial trascendencia el momento a partir del cual el 'nasciturus' es ya susceptible de vida independiente de la madre, esto es, de adquirir plena individualidad humana».

«...Si la C.E. protege la vida con la relevancia a que antes se ha hecho mención, no puede desprotegerla en aquella etapa de su proceso que no sólo es condición para la vida independiente del claustro materno, sino que es también un momento del desarrollo de la vida misma; por lo que ha de concluirse que la vida del 'nasciturus', en cuanto éste encarna un valor fundamental, la vida humana, garantizado en el art. 15 de la C.E., constituye un bien jurídico cuya protección encuentra en dicho precepto fundamento constitucional».

«...El sentido objetivo del debate parlamentario corrobora que el 'nasciturus' está protegido por el art. 15 de la C.E., aun cuando no permite afirmar que sea titular del derecho fundamental».

Fto. Jco. 7: «...Esta protección que la C.E. dispensa al 'nasciturus' implica para el Estado con carácter general dos obligaciones: la de abstenerse de interrumpir o de obstaculizar el proceso natural de gestación, y la de establecer un sistema legal para la defensa de la vida que suponga una protección efectiva de la misma... Ello no significa que dicha protección haya de revestir carácter absoluto; pues como sucede en relación con todos los bienes y derechos constitucionalmente reconocidos, en determinados supuestos puede y aún debe estar sujeta a limitaciones...»

Fto. Jco. 8: «Junto al valor de la vida humana y sustancialmente relacionado con la dimensión moral de ésta, nuestra C.E. ha elevado también a valor jurídico fundamental la dignidad de la persona que ... se halla íntimamente vinculada con el libre desarrollo de la personalidad, (art. 10) y los derechos a la integridad física y moral (art. 15), a la libertad de ideas y creencias (art. 16), al honor, a la intimidad personal y familiar y a la propia imagen (art. 18.1). Del sentido de estos preceptos puede deducirse que la dignidad es un valor espiritual y moral inherente a la persona, que se manifiesta singularmente en la autodeterminación consciente y responsable de la propia vida y que lleva consigo la pretensión al respeto por parte de los demás».

«La dignidad está reconocida a todas las personas con carácter general, pero cuanto el intérprete constitucional trata de concretar estos principios no puede ignorar el hecho obvio de la especificidad de la condición femenina y la concreción de los mencionados derechos en el ámbito de la maternidad, derechos que el Estado debe respetar y a cuya efectividad debe contribuir».

Fto. Jco. 9: «...Las causas de exención de la responsabilidad establecidas en el art. 8 del C. Penal... también pueden regir, en su caso, respecto del delito de aborto (arts. 411 y ss. del C.P.). Pero... hemos de considerar si le está constitucionalmente permitido al legislador utilizar una técnica diferente, mediante la cual excluya la punibilidad en forma específica para ciertos delitos.

«La respuesta... ha de ser afirmativa... El legislador puede tomar en consideración situaciones características de conflicto que afectan de una manera específica a un ámbito determinado de prohibiciones penales. Tal es el caso de los supuestos en los cuales la vida del 'nasciturus', como bien constitucionalmente protegido, entra en colisión con derechos relativos a valores constitucionales de muy relevante significación, como la vida y la dignidad de la mujer...»

«Se trata de graves conflictos de características singulares que no pueden contemplarse tan sólo desde la perspectiva de los derechos de la mujer o desde la protección del 'nasciturus'. Ni ésta puede prevalecer incondicionalmente ante aquellos, ni los derechos de la mujer pueden tener primacía absoluta sobre la vida del 'nasciturus', dado que dicha prevalencia supone la desaparición, en todo caso, de un bien no sólo constitucionalmente protegido, sino que encarna un valor central del ordenamiento constitucional. Por ello, en la medida en que no puede afirmarse de ninguno de ellos su carácter absoluto, el intérprete constitucional se ve obligado a ponderar los bienes y derechos en función del supuesto planteado, tratando de armonizarlos si ello es posible, o, en caso contrario, precisando las condiciones y requisitos en que podría admitirse la prevalencia de uno de ellos».

«El legislador que ha de tener siempre presente la razonable exigibilidad de una conducta y la proporcionalidad de la pena en caso de incumplimiento, puede también renunciar a la sanción penal de una conducta que objetivamente pudiera representar una carga insoportable, sin perjuicio de que, en su caso, siga subsistiendo el deber de protección del Estado respecto del bien jurídico en otros ámbitos».

Fto. Jco. 10: «...El término 'necesario'(empleado en el 417.1 bis del Proyecto del C. Penal) sólo puede interpretarse en el sentido de que se produce una colisión entre la vida del 'nasciturus' y la vida o la salud de la embarazada que no puede solucionarse de ninguna otra forma».

«El término 'grave' expresa con claridad la idea de que ha de tratarse de un peligro de disminución importante de la salud y con permanencia en el tiempo, todo ello según los conocimientos de la ciencia médica en cada momento... El término 'salud' se refiere a la salud física o psíquica».

«El término 'probable' expresa la idea de razonable presunción de verdad».

Fto. Jco. 11: «En cuanto a la primera (indicación de grave peligro para la vida de la embarazada) se plantea el conflicto entre el derecho a la vida de la madre y la protección de la vida del 'nasciturus'... Es de observar que si la vida del 'nasciturus' se protegiera incondicionalmente, se protegería más a la vida del no nacido que a la vida del nacido, y se penalizaría a la mujer por defender su derecho a la vida... por consiguiente, resulta constitucional la prevalencia de la vida de la madre».

«En cuanto a la segunda (indicación de grave peligro para su salud), afecta seriamente a su derecho a la vida y a su integridad física. Por ello la prevalencia de la salud de la madre tampoco resulta inconstitucional, máxime teniendo en cuenta que la exigencia del sacrificio importante y duradero de su salud bajo la conminación de una sanción penal puede estimarse inadecuada».

«En cuanto a la indicación (de) que el embarazo sea consecuencia de un delito de violación y siempre que el aborto se practique dentro de las doce primeras semanas, basta considerar que la gestación ha tenido su origen en la comisión de un acto no sólo contrario a la voluntad de la mujer, sino realizado venciendo su resistencia por la violencia, lesionando en grado máximo su dignidad personal y el libre desarrollo de su personalidad, y vulnerando gravemente el derecho de la mujer a su integridad física y moral, al honor, a la propia imagen y a la intimidad personal. Obligarla a soportar las consecuencias de un acto de tal naturaleza es manifiestamente inexigible... Por ello la mencionada indicación no puede estimarse contraria a la C.E.»

«El fundamento de este supuesto (graves taras físicas o psíquicas en el feto), que incluye verdaderos casos límites, se encuentra en la consideración de que el recurso a la sanción penal entrañaría la imposición de una conducta que excede de la que normalmente es exigible a la madre y a la familia... Sobre esta base, entendemos que este supuesto no es inconstitucional».

Fto. Jco. 12: «Por lo que se refiere al aborto terapéutico, este Tribunal estima que la requerida intervención de un Médico para practicar la interrupción del embarazo, sin que se prevea dictamen médico alguno, resulta insuficiente. La protección del 'nasciturus' exige... que, de forma análoga a lo previsto en el caso de aborto eugenésico, la comprobación de la existencia del supuesto de hecho se realice con carácter general por un Médico de la especialidad correspondiente...»

«El legislador debería prever que la comprobación del supuesto de hecho en los casos de aborto terapéutico y eugenésico, así como la realización del aborto, se lleve a cabo en centros sanitarios públicos o privados, autorizados al efecto, o adoptar cualquier otra solución que estime oportuna dentro del marco constitucional.»

«En el caso del aborto ético... entiende este Tribunal que la denuncia previa ...es suficiente para dar por cumplida la exigencia constitucional respecto a la comprobación del supuesto de hecho».

Fto. Jco. 13: «El Tribunal entiende que la solución del legislador no es inconstitucional (se refiere a exigir solamente el consentimiento de la madre), dado que la peculiar relación entre la embarazada y el 'nasciturus' hace que la decisión afecte, primordialmente a aquella».

STC. 120/90 de 27 de junio (derecho a la propia muerte)

Fto. Jco. 7: «Tiene, por consiguiente, el derecho a la vida un contenido de protección positiva que impide configurarlo como un derecho de libertad que incluya el derecho a la propia muerte. Ello no impide, sin embargo, reconocer que, siendo la vida un bien de la persona que se integra en el círculo de su libertad, pueda aquella fácticamente disponer sobre su propia muerte, pero esa disposición constituye una manifestación del 'agere licere', en cuanto que la privación de la vida propia o la aceptación de la propia muerte es un acto que la ley no prohíbe y no, en ningún modo, un derecho subjetivo que implique la posibilidad de movilizar el apoyo del poder público para vencer la resistencia que se oponga a la voluntad de morir, ni, mucho menos, un derecho subjetivo de carácter fundamental en el que esa posibilidad se extienda incluso frente a la resistencia del legislador, que no puede reducir el contenido esencial del derecho.

En virtud de ello, no es posible admitir que la C. garantice en su art. 15 el derecho a la propia muerte y, por consiguiente, carece de apoyo constitucional la pretensión de que la asistencia médica coactiva es contraria a ese derecho constitucionalmente inexistente.

Además, aunque se admitiese la tesis de los recurrentes, tampoco podría apreciarse que, en el caso contemplado, se produce vulneración de ese pretendido derecho a disponer de la propia vida, puesto que el riesgo de perderla que han asumido no tiene por finalidad causarse la muerte, sino la modificación de una decisión de política penitenciaria que tratan de obtener incluso a expensas de su propia muerte.

Puede ser, por tanto, la muerte de los recurrentes consecuencia de su protesta reivindicativa, pero no un resultado directamente deseado que permitiese hablar, en el caso de que existiese, de ejercicio del derecho fundamental a la propia muerte, ni, por consiguiente, que este supuesto derecho puede haber sido vulnerado por la coacción terapéutica.

Una vez establecido que la decisión de arrastrar la propia muerte no es un derecho, sino simplemente manifestación de libertad genérica, es oportuno señalar la relevancia jurídica que tiene la finalidad que persigue el acto de libertad de oponerse a la asistencia médica, puesto que no es lo mismo usar de la libertad para conseguir fines lícitos que hacerlo con objetivos no amparados por la ley, y, en tal sentido, una cosa es la decisión de quien asume el riesgo de morir en un acto de voluntad que sólo a él afecta, en cuyo caso podría sostenerse la ilicitud de la asistencia médica obligatoria o de cualquier otro impedimento a la realización de esa voluntad, y cosa bien distinta es la decisión de quienes, hallándose en el seno de una relación especial penitenciaria, arriesgan su vida con el fin de conseguir que la Administración deje de ejercer o ejerza de distinta forma potestades que le confiere el ordenamiento jurídico; pues, en este caso, la negativa a recibir asistencia médica situa al Estado, en forma arbitraria, ante el injusto de modificar una decisión que es legítima mientras no sea judicialmente anulada, o contemplar pasivamente la muerte de personas que están bajo su custodia y cuya vida está legalmente obligado a preservar y proteger.

Por consiguiente, todo lo que dejamos expuesto nos conduce a la conclusión de que, desde la perspectiva del derecho a la vida, la asistencia médica obligatoria autorizada por la resolución judicial recurrida, no vulnera dicho derecho fundamental, porque en éste no se incluye el derecho a prescindir de la propia vida, ni es constitucionalmente exigible a la Administración penitenciaria que se abstenga de prestar una asistencia médica que, precisamente, va dirigida a salvaguardar el bien de la vida que el art. 15 de la CE. protege.»

Fto. Jco. 8: «Con el cumplimiento de ese deber del Estado no se degrada el derecho a la integridad física y moral de los reclusos, pues la restricción que al mismo constituye la asistencia médica obligatoria se conecta casualmente con la preservación de bienes tutelados por la C. y, entre ellos, el de la vida que, en su dimensión objetiva, es un 'valor superior del ordenamiento jurídico constitucional' y 'supuesto ontológico sin el que los restantes derechos no tendrían existencia posible'.

Por otro lado, la necesidad de cohonestar el derecho a la integridad física y moral de los internos en un Centro penitenciario y la obligación de la Administración de defender su vida y salud, como bienes también constitucionalmente protegidos, encuentra en la resolución judicial recurrida una realización equilibrada y proporcionada que no merece el más mínimo reproche, puesto que se limita a autorizar la intervención médica mínima indispensable, para conseguir el fin constitucional que la justifica, permitiéndola tan sólo en el momento en que, según la ciencia médica, corra 'riesgo serio' la vida del recluso y en la forma que el Juez de Vigilancia Penitenciaria determine, prohibiendo que se suministre alimentación bucal en contra de la voluntad consciente del interno.

Por ello, este derecho constitucional (a la integridad física y moral) resultará afectado cuando se imponga a una persona asistencia médica en contra de su voluntad, que puede venir determinada por los más variados móviles y no sólo por el de morir y, por consiguiente, esa asistencia médica coactiva constituirá limitación vulneradora del derecho fundamental, a no ser que tenga justificación constitucional.»

STC. 65/86 de 22 de mayo (penas inhumanas o degradantes)

Fto. Jco. 4: «...La calificación de una pena como inhumana o degradante depende de la ejecución de la pena y de las modalidades que esta reviste, de forma que por su propia naturaleza la pena no acarree sufrimientos de una especial intensidad (penas inhumanas) o provoquen una humillación o sensación de envilecimiento que alcance un nivel determinado, distinto y superior al que suele llevar aparejada la simple imposición de la condena».

STC. 137/90 de 17 de julio (sobre tortura y tratos degradantes)

Fto. Jco.7: «'tortura' y 'tratos inhumanos o degradantes' son, en su significado jurídico, nociones graduadas de una misma escala que, en todos sus tramos, denotan la causación, sean cuales fueren los fines, de padecimientos físicos o psíquicos ilícitos e infligidos de modo vejatorio para quien los sufre y con esa propia intención de vejar y doblegar la voluntad del sujeto paciente...

Pues bien, de acuerdo con estos criterios, en modo alguno puede calificarse de tortura o tratos inhumanos o degradantes, con el sentido que esos términos revisten en el art. 15, la autorización de una intervención médica como la impugnada por los recurrentes, que, en sí misma, no está ordenada a infligir padecimientos físicos o psíquicos ni a provocar daños en la integridad de quien sea sometido a ellos sino evitar, mientras medicamento sea posible, los efectos irreversibles de la inanición voluntaria, sirviendo, en su caso, de paliativo o lenitivo de su nocividad para el organismo. En esta actuación médica, adecuada a la 'lex artis', no es objetivamente reconocible indicio alguno de vejación o indignidad. Que para efectuar dicha intervención se permita el empleo de medios coercitivos no es aquí determinante, pues, según se ha visto, no es la coercitividad de trato más allá de lo proporcionado, sino su desmedida severidad, su innecesario rigor y su carácter vejatorio lo que a los efectos de la prohibición constitucional resulta relevante.

El hecho de que la alimentación forzada, cuya finalidad es impedir la muerte de los recurrentes, no pueda considerarse constitutiva de trato inhumano o degradante en razón del objetivo que persigue, no impide sin embargo, por sí mismo, que se le pueda tener como tal, sea en razón de los medios utilizados, sea por constituir una prolongación del sufrimiento, sin lograr, pese a ello, evitar la muerte. En este sentido... el empleo de la alimentación por vía oral 'podría ser entendido como una humillación para quién hubiera de sufrirla' (STC. 120/90), del mismo modo que podría serlo la utilización de cualquier otro medio en la que acertase a descubrirse como fin preferente la causación de padecimiento o, al menos, el completo arrumbamiento de la evitación de la muerte».

STC. 7/94

Ver art. 39.

STC. 215/94 de 14 de julio (esterilización de deficientes)

Fto. Jco. 3 «Sobre las garantías que la norma establece (se refiere al inciso del art. 428 del C.Penal que dice así: 'Sin embargo no será punible la esterilización de persona incapaz que adolezca de grave deficiencia psíquica cuando aquélla haya sido autorizada por el Juez a petición del representante legal del incapaz, oído el dictamen de dos especialistas, el Ministerio Fiscal y previa exploración del incapaz.'), lo primero que hay que decir es que tal disposición, referida siempre a un supuesto concreto y excepcional, excluye radicalmente cualquier política gubernamental sobre la esterilización de los deficientes psíquicos... La intervención judicial... es inexcusable para que pueda otorgarse la autorización, no para que tenga que otorgarse, constituyendo la principal garantía a la que están subordinadas todas las demás.»

« La solicitud de quienes ostenten la representación legal del incapaz... es la segunda garantía... Añádase que la petición del representante legal... presupone lógicamente... una previa incapacitación de los mismos (los deficientes psíquicos mayores de edad) declarada jurisdiccionalmente en otro proceso...»

« En tercer lugar... la deficiencia psíquica del incapaz cuya esterilización se interesa debe ser una deficiencia 'grave', y consecuentemente generadora de la imposibilidad de comprender los aspectos básicos de su sexualidad y de la medida de intervención corporal cuya autorización su representante legal promueve. La grave deficiencia psíquica ha de ser verificada por el juzgador no sólo a través de los dictámenes de especialistas que exige el precepto sino también por la propia exploración judicial del incapaz.»

« Finalmente el procedimiento... cuenta con la preceptiva intervención del Mº Fiscal...»

Fto. Jco. 4: « Es indudable que la esterilización... afecta, en cuanto no puede existir el ejercicio de una voluntad propia, al derecho fundamental a la integridad física... (de) los deficientes psíquicos concernidos por aquélla, puesto que se trata de una intervención corporal, resuelta y practicada sin su consentimiento, ablativa de sus potencialidades genéticas e impeditiva, por tanto, del ejercicio de su libertad de procreación, que se deriva del libre desarrollo de la personalidad proclamado en el art. 10.1 de la C.»

«...El problema de la sustitución del consentimiento en los casos de inidoneidad del sujeto para emitirlo, atendida su situación de grave deficiencia psíquica, se convierte, por tanto, en el de la justificación y proporcionalidad de la acción interventora sobre su integridad corporal; una justificación que únicamente ha de residir, siempre en interés del incapaz, en la concurrencia de derechos y valores constitucionalmente reconocidos cuya protección legitime la limitación del derecho fundamental a la integridad física que la intervención entraña.»

«Que quienes padecen una grave deficiencia psíquica no pueden cumplir adecuadamente las obligaciones que a los padres impone el art. 39.3 CE., y que son explicitadas en los deberes y facultades que el C.c. (art. 154) señala a los que ejercen la patria potestad, es algo perfectamente claro. De ahí que el deber constitucional de los padres de prestar asistencia de todo orden a los hijos (art. 39.3 CE.), el reconocimiento, entre otros, del derecho de éstos a la protección de la salud (art. 43.1 CE.), y su derecho también a disfrutar de todos los que la C. establece en su tit. I (art. 49 CE.), aunque no impelen al legislador a adoptar una norma como la que estudiamos, la hacen plenamente legítima desde la vertiente teleológica, toda vez que la finalidad de esa norma, tendente siempre en interés del incapaz a mejorar sus condiciones de vida y su bienestar, equiparándola en todo lo posible al de las personas capaces y al desarrollo de su personalidad sin otras trabas que las imprescindibles que deriven necesariamente de la grave deficiencia psíquica que padece, permite afirmar su justificación y la proporcionalidad del medio previsto para la consecución de estos fines:»

«a) Lo primero, la justificación, porque la esterilización del incapaz, por supuesto sometida siempre a los requisitos y garantías ya examinados que para su autorización judicial impone el art. 428 del CP, le permite no estar sometido a una vigilancia constante que podría resultar contraria a su dignidad (art. 10.1) y a su integridad moral (art. 15), haciendo posible el ejercicio de su sexualidad, si es que intrínsecamente lo permite su padecimiento psíquico, pero sin el riesgo de una posible procreación cuyas consecuencias no puede prever ni asumir conscientemente en razón de su enfermedad psíquica y que, por la misma causa, no podría disfrutar de las satisfacciones y derechos que la paternidad y la maternidad comportan, ni cumplir por sí mismo los deberes (art. 39.3) inherentes a tales situaciones. Pero es que además de los fines expuestos que justifican la medida de la esterilización para ambos sexos y que, en modo alguno pueden calificarse de ilegítimos o innobles, en la mujer se acrecientan o se hacen más convenientes por las consecuencias fisiológicas del embarazo. La paciente de una grave enfermedad psíquica no alcanzará a comprender las mutaciones que experimenta su cuerpo, ni las molestias e incluso sufrimientos que lleva aparejada la gestación y, menos aún, el final traumático y doloroso del parto. Por tanto, si entendemos justificada la esterilización prevista en el inciso cuestionado en ambos sexos, en la mujer deficiente mental está aún más justificada para evitar unas consecuencias que, incomprensibles para ella, pueden dañar más aún su estado psíquico por las consecuencias físicas que produce el embarazo.»

«…es claro que entre la finalidad perseguida por el legislador y el medio previsto para conseguirla, hay esa necesaria proporcionalidad porque el resultado, ciertamente gravoso para el incapaz, no resulta desmedido para alcanzar en condiciones de seguridad y certeza la finalidad que se persigue. Si los fines son legítimos no puede tacharse de desproporcionada una medida que, como la esterilización, es la más segura para alcanzar el resultado que se pretende.»

Fto. Jco. 5: « debe rechazarse que, en modo alguno, la esterilización de persona incapaz… merezca la consideración… del trato inhumano o degradante que prohibe el art. 15 CE.»

«…El Juez proponente sostiene como alternativa al precepto cuestionado la normal vigilancia de los guardadores de la incapaz en orden a prevenir su gravidez y, en último término, el recurso al aborto, admitido en nuestra legislación para los supuestos de embarazo que sea consecuencia de una violación. Según se advierte, el órgano judicial únicamente considera innecesario el precepto legal cuando afecta a las mujeres deficientes; mas aún así, su argumentación no resulta aceptable. En efecto… ni todo acceso carnal con una deficiente grave constituye una violación (…), ni cabe considerar seriamente como alternativa razonable a la esterilización la práctica del aborto, que es una medida más traumática, especialmente para quien, en razón de su padecimiento mental, carece del nivel de comprensión en tal caso preciso.»

«…por lo que atañe a la vigilancia 'normal' de las personas deficientes, e independientemente del albur de su real efectividad, es éste un argumento… que, en definitiva, y sobre la premisa de que la sexualidad no integra el contenido de ningún derecho, conduce a justificar su represión absoluta. Pero semejante represión puede llegar a oponerse a los principios constitucionales de dignidad de la persona y del libre desarrollo de la personalidad (art. 101, CE), cuando no, en la eventualidad de que exista intimidación, al derecho fundamental a la integridad moral (art. 15). La vigilancia a que alude el cuestionante únicamente será legítima, pues, para prevenir cualquier forma de abuso sobre el deficiente o cualquier daño a su salud, no para impedir el ejercicio de su sexualidad.»

STC. 207/1996 de 16 de diciembre (inspecciones e intervenciones corporales)

Fto. Jco. 2: «a) En una primera clase de actuaciones, las denominadas inspecciones y registros corporales, esto es, en aquellas que consisten en cualquier género de reconocimiento del cuerpo humano, bien sea para la determinación del imputado (diligencias de reconocimiento en rueda, exámenes dactiloscópicos o antropomórficos, etc.) o de circunstancias relativas a la comisión del hecho punible (electrocardiogramas, exámenes ginecológicos, etc.) o para el descubrimiento del objeto del delito (inspecciones anales o vaginales etc.) en principio no resulta afectado el derecho a la integridad física, al no producirse, por lo general, lesión o menoscabo del cuerpo, pero si puede verse afectado el derecho fundamental a la intimidad corporal si recaen sobre partes íntimas del cuerpo ...o inciden en la privacidad.

b) Por el contrario, en la segunda clase de actuaciones, las calificadas por la doctrina como intervenciones corporales, esto es, en las consistentes en la extracción del cuerpo de determinados elementos externos o internos para ser sometidos a informe pericial (análisis de sangre, orina, pelos, uñas, biopsias, etc.) o en su exposición a radiaciones (rayos X, T.A.C., resonancias magnéticas, etc.), con objeto también de averiguar determinadas circunstancias relativas a la comisión del hecho punible o la participación en él del imputado, el derecho que se verá, por regla general, afectado es el derecho a la integridad física en tanto implican una lesión o menoscabo del cuerpo, siquiera sea de su apariencia externa. Y atendiendo al grado de sacrificio que impongan de este derecho, las intervenciones corporales podrán ser calificadas como leves o graves: leves, cuando, a la vista de todas las circunstancias concurrentes, no sean, objetivamente consideradas, susceptibles de poner en peligro el derecho a la salud ni de ocasionar sufrimientos a la persona afectada, como por lo general ocurrirá en el caso de la extracción de elementos externos del cuerpo (como el pelo o uñas) o incluso de algunos internos (como los análisis de sangre), y graves, en caso contrario (por ejemplo las punciones lumbares, extracción de líquido encefalorraquídeo, etc.).»

STC. 16/04 de 23 de febrero (ruido y derechos fundamentales)

Fto. Jco. 4: «Desde la perspectiva de los derechos fundamentales implicados, debemos comenzar nuestro análisis recordando la posible afección al derecho a la integridad física y moral. A este respecto, habremos de convenir en que, cuando la exposición continuada a unos niveles intensos de ruido ponga en grave peligro la salud de las personas, esta situación podrá implicar una vulneración del derecho a la integridad física y moral (art. 15 CE). En efecto, si bien es cierto que no todo supuesto de riesgo o daño para la salud implica una vulneración del art. 15 CE, sin embargo cuando los niveles de saturación acústica que deba soportar una persona, a consecuencia de una acción u omisión de los poderes públicos, rebasen el umbral a partir del cual se ponga en peligro grave e inmediato la salud, podrá quedar afectado el derecho garantizado en el art. 15 CE.

Respecto a los derechos del art. 18 CE, debemos poner de manifiesto que, en tanto el art. 8.1 CEDH reconoce el derecho de toda persona "al respeto de su vida privada y familiar, de su domicilio y de su correspondencia", el art. 18 CE dota de entidad propia y diferenciada a los derechos fundamentales a la intimidad personal y familiar y a la inviolabilidad del domicilio. Respecto del primero de estos derechos fundamentales insistimos en que este TC ha precisado que su objeto hace referencia a un ámbito de la vida de las personas excluido tanto del conocimiento ajeno como de las intromisiones de terceros, y que la delimitación de este ámbito ha de hacerse en función del libre desarrollo de la personalidad. De acuerdo con este criterio, hemos de convenir en que uno de dichos ámbitos es el domiciliario por ser aquel en el que los individuos, libres de toda sujeción a los usos y convenciones sociales, ejercen su libertad más íntima. Teniendo esto presente, debemos advertir que, como ya se dijo en la STC. 119/01 ...una exposición prolongada a unos determinados niveles de ruido, que puedan objetivamente calificarse como evitables e insoportables, ha de merecer la protección dispensada al derecho fundamental a la intimidad personal y familiar, en el ámbito domiciliario, en la medida en que impidan o dificulten gravemente el libre desarrollo de la personalidad, siempre y cuando la lesión o menoscabo provenga de actos u omisiones de entes públicos a los que sea imputable la lesión producida.»

Art. 16. 1. Se garantiza la libertad ideológica, religiosa y de culto de los individuos y las comunidades sin más limitación, en sus manifestaciones, que la necesaria para el mantenimiento del orden público protegido por la ley.

2. Nadie podrá ser obligado a declarar sobre su ideología, religión o creencias.

3. Ninguna confesión tendrá carácter estatal. Los poderes públicos tendrán en cuenta las creencias religiosas de la sociedad española y mantendrán las consiguientes relaciones de cooperación con la Iglesia Católica y las demás confesiones.

Acuerdos suscritos entre España y la Sta.Sede, de 3 de enero de 1979, ratificados por Instrumentos de 4 de diciembre de 1979.

Leyes de 24/92, 25/92 y 26/92 de 10 de noviembre por las que se aprueban los Acuerdos de Cooperación del Estado con la Federación de Entidades Religiosas Evangélicas de España; la Federación de Comunidades Israelitas en España y la Comisión Islámica de España.

L.O. 7/1980 de 5 de julio de Libertad Religiosa

STC. 24/82 de 13 de mayo (**libertad religiosa; asistencia religiosa a las FAS.**)

Fto. Jco. 1: «El art. 16.3 de la C. proclama que 'ninguna confesión tendrá carácter estatal' e impide por ende, como dicen los recurrentes, que los valores o intereses religiosos se erijan en parámetros para medir la legitimidad o justicia de las normas y actos de los poderes públicos. Al mismo tiempo, el citado precepto constitucional veda cualquier tipo de confusión entre funciones religiosas y funciones estatales.

Es asimismo cierto que hay dos principios básicos en nuestro sistema político, que determinan la actitud del Estado hacia los fenómenos religiosos y el conjunto de relaciones entre el Estado y las iglesias y confesiones: el primero de ellos es la libertad religiosa, entendida como un derecho subjetivo de carácter fundamental que se concreta en el reconocimiento de un ámbito de libertad y de una esfera de 'agere licere' del individuo; el segundo es el de igualdad, proclamado en los arts. 9 y 14, del que se deduce que no es posible establecer ningún tipo de discriminación o de trato jurídico diverso de los ciudadanos en función de sus ideologías o sus creencias y que debe existir un igual disfrute de la libertad religiosa por todos los ciudadanos. Dicho de otro modo, el principio de libertad religiosa reconoce el derecho de los ciudadanos a actuar con plena inmunidad de coacción del Estado y de cualesquiera grupos sociales, de manera que el Estado se prohíbe a sí mismo cualquier concurrencia, junto a los ciudadanos, en calidad de sujeto de actos o de actitudes de signo religioso y el principio de igualdad, que es consecuencia del principio de libertad en esta materia, significa que las actitudes religiosas de los sujetos de derecho no pueden justificar diferencias de trato jurídico».

Fto. Jco. 4: «El hecho de que el Estado preste asistencia religiosa católica a los individuos de las Fuerzas Armadas no sólo no determina lesión constitucional, sino que ofrece, por el contrario, la posibilidad de hacer efectivo el derecho al culto de los individuos y comunidades. No padece el derecho a la libertad religiosa o de culto, toda vez que los ciudadanos miembros de las susodichas Fuerzas son libres para aceptar o rechazar la prestación que se les ofrece; y hay que entender que asimismo tampoco se lesiona el derecho a la igualdad, pues por el mero hecho de la prestación en favor de los católicos no queda excluída la asistencia religiosa a los miembros de otras confesiones, en la medida y proporción adecuadas, que éstos pueden reclamar fundadamente, de suerte que sólo el Estado que desoyera los requerimientos en tal sentido hechos, incidiría en la eventual violación analizada».

Fto. Jco. 5: «El Acuerdo de 3 de enero de 1979, estableció las normas sobre asistencia religiosa a los miembros católicos de las FAS, por considerar que este punto constituía un capítulo específico entre las materias que deben regularse dentro del compromiso adquirido por la Santa Sede y el Estado español. Y así se establece, en el Acuerdo, que fue aprobado por las Cortes Generales y ratificado por Instrumento de la Jefatura del Estado de 4 de diciembre de dicho año, que la asistencia religiosa-pastoral a los miembros católicos de las FAS se seguiría ejerciendo por medio del Vicariado castrense, al que se considera como diócesis personal y no territorial y que cuenta con la cooperación de los capellanes castrenses como párrocos personales. De esta enunciación se deduce que los Acuerdos de 1979 regularon la asistencia religiosa-pastoral a los miembros católicos de las FAS, sin que ello suponga limitación de la libertad religiosa de los miembros no católicos y que se admite la consideración de los capellanes castrenses como párrocos personales, que queda en ese momento firmemente reglamentada, aunque no se desarrolle el punto específico relativo a si tales capellanes castrenses constituyen un cuerpo de funcionarios del Estado financiados por éste, ni tampoco si dentro de los capellanes castrenses se han de establecer graduaciones paralelas o similares a las militares».

STC. 177/96 de 11 de noviembre (**libertad religiosa en FAS**)

Fto. Jco. 10: «En la sentencia objeto de impugnación se argumenta en justificación de la licitud de la mencionada orden, que, a diferencia de otros actos que integraban la celebración de esa festividad, la parada militar no puede calificarse como un acto religioso o de culto, puesto que la unidad que rinde honores lo hace en representación de las FAS y, por tanto, al margen de las convicciones ideológicas o religiosas de cada uno de sus componentes a título individual.

Esta afirmación debe ser, sin embargo, rechazada. En efecto, el art. 16.3 CE no impide a las FAS la celebración de las festividades religiosas o la participación en ceremonias de esa naturaleza. Pero el derecho de libertad religiosa, en su vertiente negativa, garantiza la libertad de cada persona para decidir en conciencia si desea o no tomar parte en actos de esa naturaleza. Decisión personal, a la que no se pueden oponer las FAS que, como los demás poderes públicos, sí están, en tales casos, vinculadas negativamente por el mandato de neutralidad en materia religiosa del art. 16.3 CE. En consecuencia, aun cuando se considere que la participación del actor en la parada militar obedecía a razones de representación institucional de las FAS en un acto religioso, debió respetarse el principio de voluntariedad en la asistencia y, por tanto, atenderse a la solicitud del actor de ser relevado del servicio, en tanto que expresión legítima de su derecho de libertad religiosa.»

STC. 154/02 de 18 de julio (creencias religiosas; derecho a la vida; menor)

Fto. Jco. 6: «El art. 16 CE reconoce la libertad religiosa, garantizándola tanto a los individuos como a las comunidades ...En su dimensión objetiva, la libertad religiosa comporta una doble exigencia...: por un lado, la de neutralidad de los poderes públicos, ínsita en la aconfesionalidad del Estado; por otro lado, el mantenimiento de relaciones de cooperación de los poderes públicos con las diversas Iglesias. En este sentido, ya dijimos en la STC. 46/2001 ..."que el art. 16.3 CE, tras formular una declaración de neutralidad ...considera el componente religioso perceptible en la sociedad española y ordena a los poderes públicos mantener "las consiguientes relaciones de cooperación con la Iglesia Católica y las demás confesiones", introduciendo de este modo una idea de aconfesionalidad o laicidad positiva que "veda cualquier confusión entre funciones religiosas y estatales» (STC. 177/96).
En cuanto derecho subjetivo, la libertad religiosa tiene una doble dimensión, interna y externa. Así, según dijimos en la STC. 177/96 ...la libertad religiosa "garantiza la existencia de un claustro íntimo de creencias y, por tanto, un espacio de autodeterminación intelectual ante el fenómeno religioso, vinculado a la propia personalidad y dignidad individual", y asimismo, "junto a esta dimensión interna, esta libertad ...incluye también una dimensión externa de "agere licere" que faculta a los ciudadanos para actuar con arreglo a sus propias convicciones y mantenerlas frente a terceros..." Este reconocimiento de un ámbito de libertad y de una esfera de "agere licere" lo es "con plena inmunidad de coacción del Estado o de cualesquiera grupos sociales" (STC. 46/2001) ...y se complementa, en su dimensión negativa por la prescripción del art. 16.2 CE de que nadie puede ser obligado a declarar sobre su ideología, religión y creencias».

Fto. Jco. 9: «...Hemos dicho en la STC. 141/2000 que, "desde la perspectiva del art. 16 CE los menores de edad son titulares plenos de sus derechos fundamentales, en este caso, de sus derechos a la libertad de creencias y a su integridad moral, sin que el ejercicio de los mismos y la facultad de disponer sobre ellos se abandonen por entero a lo que al respecto puedan decidir aquellos que tengan atribuida su guarda y custodia o, como en este caso, su patria potestad, cuya incidencia sobre el disfrute del menor de sus derechos fundamentales se modulará en función de la madurez del niño y los distintos estadios en que la legislación gradúa su capacidad de obrar ...Y concluíamos en dicha STC, respecto de esta cuestión que, en consecuencia, "sobre los poderes públicos, y muy en especial sobre los órganos judiciales, pesa el deber de velar por que el ejercicio de esas potestades por sus padres o tutores, o por quienes tengan atribuida su protección y defensa, se haga en interés del menor, y no al servicio de otros intereses que, por muy lícitos y respetables que puedan ser, deben postergarse ante el "superior" del niño».

Fto. Jco. 14: «...se les exigía (a los padres) una acción suasoria sobre el hijo a fin de que éste consintiera con la transfusión de sangre. Ello supone la exigencia de una concreta y específica actuación de los padres que es radicalmente contraria a sus convicciones religiosas. Más aún, de una actuación que es contradictoria, desde la perspectiva de su destinatario, con las enseñanzas que le fueron transmitidas a lo largo de sus trece años de vida... se les exigía (también) la autorización de la transfusión, a la que se había opuesto el menor en su momento. Ello supone, al igual que en el caso anterior, la exigencia de una concreta y específica actuación radicalmente contraria a sus convicciones religiosas, además de ser también contraria a la voluntad, claramente manifestada, del menor.»

Fto. Jco. 15: «En definitiva, acotada la situación real en los términos expuestos, hemos de estimar que la expresada exigencia a los padres de una actuación suasoria o que fuese permisiva de la transfusión, una vez que posibilitaron sin reservas la acción tutelar del poder público para la protección del menor, contradice en su propio núcleo su derecho a la libertad religiosa yendo más allá del deber que les era exigible en virtud de su especial posición jurídica respecto del hijo menor. En tal sentido, y en el presente caso, la condición de garante de los padres no se extendía al cumplimiento de tales exigencias.»

STC. 66/82 de 12 de noviembre (**eficacia civil resoluciones de Tribunales eclesiásticos**)

Fto. Jco. 2: «En cuanto al reconocimiento legal de eficacia en el orden civil, de las resoluciones dictadas por los Tribunales Eclesiásticos sobre nulidad de matrimonio canónico y decisiones pontificias sobre matrimonio rato y no consumado, se sustenta de una parte en el carácter aconfesional del Estado, art. 16.3 de la C.E., y, de otra, en el párrafo siguiente del propio texto legal que obliga a los poderes públicos a tener en cuenta las creencias religiosas de la sociedad española y mantener las consiguientes relaciones de cooperación. Pues bien, es este principio cooperativo el que se expresa en el Acuerdo entre el Estado español y la Santa Sede de 3 de enero de 1979 en el que se reconoce a la Iglesia Católica, entre otras, las actividades de jurisdicción; y así, el art. VI.2 del mismo autoriza a los contrayentes a acudir a los Tribunales Eclesiásticos solicitando declaración de nulidad o decisión pontificia sobre matrimonio rato y no consumado otorgando a dichas decisiones eclesiásticas la eficacia civil si se declaran ajustadas al Derecho del Estado en resolución del Tribunal civil competente; la disposición transitoria 2ª instaura un régimen transitorio para las causas pendientes que se seguirán tramitando ante los Tribunales Eclesiásticos, y sus Sentencias tendrán efectos civiles a tenor de lo dispuesto en el art. XXIV del Concordato de 1953.

Finalmente, la ley 30/1981 de 7 de julio, contiene la nueva redacción del art. 80 del Código Civil que dispone que las resoluciones de los Tribunales Eclesiásticos sobre nulidad de matrimonio canónico o matrimonio rato y no consumado tendrán eficacia en el orden civil a solicitud de cualquiera de las partes si se declaran ajustadas al Derecho del Estado en resolución dictada por el Juez civil...

Fto. Jco. 3: «La cooperación del Estado con la Iglesia Católica no implica automatismo en el reconocimiento de las resoluciones dictadas por los Tribunales Eclesiásticos...»

STC. 101/83 de 18 de noviembre (**libertad ideológica de cargos públicos**)

Fto. Jco. 5: «La interpretación sistemática de la C. antes efectuada, lleva a la conclusión de que las manifestaciones de la libertad ideológica de los titulares de los poderes públicos, sin la cual no sería posible ni el pluralismo ni el desarrollo del régimen democrático, ha de armonizarse en su ejercicio con el necesario cumplimiento del deber positivo inherente al cargo público de respetar y actuar en su ejercicio con sujeción a la C., y por ello, si se pretendiera modificarla, de acuerdo con los cauces establecidos en la misma. En definitiva, cuando la libertad ideológica se manifiesta en el ejercicio de un cargo público, ha de hacerse con observancia de deberes inherentes a tal titularidad, que atribuye una posición distinta a la correspondiente a cualquier ciudadano.»

ATC. 1.227/88 de 7 de noviembre (**libertad ideológica y desempeño de cargo público**)

Fto. Jco. 5: «En el supuesto de autos, la cuestión consiste en si dicha libertad ideológica alcanza a amparar un comportamiento, la inasistencia generalizada, con eventuales excepciones, a las sesiones parlamentarias, que implica el incumplimiento de un deber que el Reglamento de la Cámara impone a los parlamentarios y que constituye, sin duda, una faceta esencial de la propia función parlamentaria.

Pues bien, así planteadas las cosas es manifiesto que no puede considerarse que la libertad ideológica ampare actitudes que implican precisamente desconocer la obligación principal de un cargo público, puesto que sin duda la asistencia a las sesiones no es tan sólo un mero deber reglamentario, sino al tiempo un requisito inexcusable para el cumplimiento de la globalidad de las tareas parlamentarias. No puede aceptarse, como suponen los recurrentes, que las tareas de un cargo público quedan a discreción del titular del mismo, sino que las mismas derivan de un conjunto normativo que, en el caso de los parlamentarios, va desde la Constitución a los propios Reglamentos parlamentarios».

STC. 122/83 de 16 de diciembre (**libertad ideológica y deber de fidelidad a la CE.**)

Fto. Jco. 5: «Como se ha dicho, lo expuesto (fto. jco. 4 B) se refiere al deber de jurar o prometer el acatamiento a la C. y al Estatuto de Galicia. Pero es lo cierto que la fórmula que para el cumplimiento de tal deber recoge el Reglamento del Parlamento Gallego abarca no sólo el acatamiento, sino también la obligación de 'guardar fidelidad' a la C. y a dicho Estatuto. Y, en realidad, la argumentación de los recurrentes se centra más contra ésta última obligación que contra la primera, frente a la cual, entendida como deber de obediencia a las Leyes, no formulan una oposición rotunda. El nudo de la cuestión planteada en el presente recurso es, por tanto, la 'fidelidad' más que el acatamiento.

Para los recurrentes la fidelidad supone la adhesión interior al contenido concreto de los diversos del texto constitucional y en este sentido vulneraría el derecho a la libertad ideológica reconocida en el art. 16 de la norma fundamental. Pero esta interpretación no es la única posible ni como se dirá a continuación la adecuada en el caso debatido. La fidelidad a la C. y al Estatuto de Galicia pueden entenderse como el compromiso de aceptar las reglas de juego político y el orden jurídico existente en tanto existe y a no intentar su transformación por medios ilegales. La fidelidad en esta vía interpretativa, no entraña prohibición de representar y de perseguir ideales políticos diversos de los encarnados en la C. y Estatuto, siempre que se respeten aquellas reglas de juego; y no supone, por tanto, una renuncia a las libertades individuales consagradas por la C., ni a la libre crítica del ordenamiento jurídico existente, ni de los actos políticos que se realicen, ni a la libre proposición de nuevas Leyes, ni a procurar la reforma de la C. o el Estatuto, tanto más, conviene subrayarlo, cuanto el contenido de la actual C.E. es reformable... Conviene recordar que esa libertad de expresión está protegida por la prerrogativa de la inviolabilidad por los votos y opiniones que los miembros del Parlamento emitan en el ejercicio de su cargo (art. 11.3 del estatuto gallego), libertad que obviamente no viene coartada por la prestación del juramento o promesa debatido. De acuerdo con esta interpretación el deber de fidelidad se confunde prácticamente con el deber de obediencia a la C. y al resto del ordenamiento jurídico que deriva del art. 9.1 de la C., del que arranca también, como se ha advertido, el deber de acatamiento, por lo que son aquí de aplicación las consideraciones que respecto a éste se han hecho anteriormente.»

STC. 47/85 de 27 de marzo (**libertad ideológica e ideario de centro escolar privado**)

Fto. Jco. 3: «... en los Centros docentes privados donde estén establecidos los profesores están obligados a respetar el ideario educativo del Centro... Pero el respeto, entre otros, a los derechos constitucionalizados en el art. 16 implica, asimismo, que la simple disconformidad de un profesor respecto al ideario del Centro no puede ser causa de despido, si no se ha exteriorizado o puesto de manifiesto en alguna de las actividades educativas del Centro.»

STC. 214/91 de 11 de noviembre (**igualdad y dignidad como límites**)

Fto. Jco. 8: «...ni la libertad ideológica (...), ni la libertad de expresión (...), comprenden el derecho a efectuar manifestaciones, expresiones o campañas de carácter racista o xenófobo, puesto que tal como expone el art. 20.4, no existen derechos ilimitados y ello es contrario no sólo al derecho al honor de la persona o personas directamente afectadas, sino a otros bienes constitucionales como el de la dignidad humana (art. 10 CE), que han de respetar tanto los poderes públicos como los propios ciudadanos... La dignidad como rango o categoría de la persona como tal, del que deriva y en el que se proyecta el derecho al honor, no admite discriminación alguna por razón de nacimiento, raza o sexo, opiniones o creencias. El odio y el desprecio a todo un pueblo o a una etnia (...) son incompatibles con el respeto a la dignidad humana, que sólo se cumple si se atribuye por igual a todo hombre, a toda etnia, a todos los pueblos... Por ello, las expresiones y aseveraciones proferidas por el demandado también desconocen la efectiva vigencia de los valores superiores del ordenamiento, en concreto la del valor de igualdad consagrado en el art. 1.1 de la C., en relación con el art. 14... por lo que no pueden considerarse constitucionalmente legítimas. En este sentido, y aún cuando... el requisito constitucional de la veracidad objetiva no opera como límite en el ámbito de las libertades ideológica y de expresión, tales derechos no garantizan, en todo caso, el derecho a expresar y difundir un determinado entendimiento de la historia o concepción del mundo con el deliberado ánimo de menospreciar y discriminar, al tiempo de formularlo, a personas o grupos por razón de cualquier condición o circunstancia personal, étnica o social, pues sería tanto como admitir que, por el mero hecho de efectuarse al hilo de un discurso más o menos histórico, la C. permite la violación de uno de los valores superiores del ordenamiento jurídico, como es la igualdad y uno de los fundamentos del orden político y de la paz social: la dignidad de la persona.»

«Así pues, la conjunción de ambos valores constitucionales, dignidad e igualdad de todas las personas, se hace obligado afirmar que ni el ejercicio de la libertad ideológica ni la de expresión pueden amparar manifestaciones o expresiones destinadas a menospreciar o generar sentimientos de hostilidad contra determinados grupos étnicos, de extranjeros o inmigrantes, religiosos o sociales, pues en un Estado como el español, social, democrático y de Derecho, los integrantes de aquellas colectividades tienen el derecho a convivir pacíficamente y a ser plenamente respetados por los demás miembros de la comunidad social.»

ATC. 359/85 de 29 de mayo (el estudio de Derecho Canónico)

Fto. Jco. 3: «...cabría debatir la existencia de inconstitucionalidad por violación del derecho a la libertad religiosa si los Poderes Públicos impusieran a un no creyente el estudio del contenido ideológico, filosófico o dogmático de una determinada confesión. Cabría entonces indagar si esa imposición se hiciera con carácter apologético o con fines de adoctrinamiento.

Muy distinto es el supuesto de hecho que ahora nos ocupa. El Derecho Canónico en cuanto asignatura basada en la explicación e interpretación de un 'Corpus iuris' como es el Código de Derecho Canónico, no es por su misma naturaleza una disciplina de contenido ideológico, con independencia de que se base en un sustrato dogmático o confesional, cual es la doctrina de la Iglesia Católica. De hecho, muchas disciplinas jurídicas se centran en el estudio de textos legales y teorías jurídicas cuyo sustrato ideológico es identificable.

Ni el pretendido carácter ideológico y doctrinal del Derecho Canónico ni aquella repulsión pueden convertirse en criterios para deducir si en el presente caso se infringe o no la libertad que garantiza el art. 16. En último extremo podría alegarse, como hace la recurrente, que la obligación del estudio del Derecho Canónico en las Universidades Públicas es una reminiscencia del Estado confesional y que, a falta de otra finalidad objetiva, su mantenimiento en el período actual no tiene otra razón o causa que la apología, si bien indirecta, de un credo religioso. Para la experiencia normal de cualquier jurista ello no es así».

Art. 17. 1. Toda persona tiene derecho a la libertad y a la seguridad. Nadie puede ser privado de su libertad, sino con la observancia de lo establecido en este artículo y en los casos y en la forma previstos en la ley.

2. La detención preventiva no podrá durar más del tiempo estrictamente necesario para la realización de las averiguaciones tendentes al esclarecimiento de los hechos, y, en todo caso, en el plazo máximo de setenta y dos horas, el detenido deberá ser puesto en libertad o a disposición de la autoridad judicial.

3. Toda persona detenida debe ser informada de forma inmediata, y de modo que le sea comprensible, de sus derechos y de las razones de su detención, no pudiendo ser obligada a declarar. Se garantiza la asistencia de abogado al detenido en las diligencias policiales y judiciales, en los términos que la ley establezca.

4. La ley regulará un procedimiento de «habeas corpus» para producir la inmediata puesta a disposición judicial de toda persona detenida ilegalmente. Asimismo, por ley se determinará el plazo máximo de duración de la prisión provisional.

LO 6/1984 de 24 de mayo, reguladora del procedimiento de Habeas Corpus.

STC. 98/86 de 10 de julio (no hay zonas intermedias entre libertad y detención)

Fto. Jco. 4: «...debe considerarse como detención cualquier situación en que la persona se vea impedida u obstaculizada para autodeterminar, por obra de su voluntad, una conducta lícita, de suerte que la detención no es una decisión que se adopte en el curso de un procedimiento, sino una pura situación fáctica, sin que puedan encontrarse zonas intermedias entre detención y libertad y que siendo admisible teóricamente la detención pueda producirse en el curso de una situación voluntariamente iniciada por la persona.»

STC. 140/86 de 11 de noviembre (naturaleza orgánica de la ley penal)

Fto. Jco. 5: «El segundo aspecto a considerar es si el derecho a la libertad reconocido por el art. 17.1, se extiende, en los supuestos de privación de esta libertad, no sólo a que se respeten los casos y la forma previstos por la Ley, sino también a que la norma legal, que fija tales casos y formas reúna a su vez ciertas características, derivadas de los mandatos constitucionales, y relativas a su tipo, rango y modo de aprobación...
La respuesta ha de ser afirmativa. El art. 81.1 mencionado prevé que son Leyes Orgánicas 'las relativas al desarrollo de los derechos fundamentales y libertades públicas'. Y no cabe duda de que las normas penales (...) suponen un desarrollo del derecho a la libertad (...). El desarrollo legislativo de un derecho proclamado en abstracto en la C. consiste, precisamente, en la determinación de su alcance y límites en relación con otros derechos y con su ejercicio por las demás personas, cuyo respeto, según el art. 10.1 de la C.E., es uno de los fundamentos del orden político y de la paz social. Pues bien, no existe en un ordenamiento jurídico un límite más severo a la libertad que la privación de la libertad en sí. El derecho a la libertad del art. 17.1, es el derecho de todos a no ser privados de la misma, salvo 'en los casos y en la forma prevista por la Ley': En una Ley que, por el hecho de fijar las condiciones de tal privación, es desarrollo del derecho que así se limita. En este sentido el C. Penal y en general las normas penales, estén en él enmarcadas formalmente, o fuera de él en leyes sectoriales, son garantía y desarrollo del derecho de libertad en el sentido del art. 81.1 de la C.E., por cuanto fijan y precisan los supuestos en que legítimamente se puede privar a una persona de libertad. De ahí que deban tener carácter de Orgánicas.»

Fto. Jco. 6: «El que se requiera que la norma penal se contenga en una L.O. (...) añade una garantía, frente al mismo legislador, a las demás constitucionalmente previstas para proteger el derecho a la libertad. No puede por ello hablarse de un 'derecho al rango' de L.O., como contenido en el art. 17.1, sino más bien de que el derecho en ese artículo reconocido a la libertad y seguridad, incluye todas sus garantías previstas en diversos preceptos constitucionales (el mismo art. 17, los arts. 25.1, 53.1 y 2, y 81.1), cuya vulneración supone la del mismo derecho. La remisión a la Ley que lleva a cabo ese art. ha de entenderse, como dijimos, como una remisión a la L.O.; de manera que la imposición de una pena de privación de libertad prevista en una norma sin ese carácter, viene a constituir una vulneración de las garantías del derecho a la libertad reconocido en el art. 17.1 de la C.E. y, por ello, una violación de ese derecho protegible en la vía de amparo.»

STC. 112/88 de 8 de junio (internamiento de enajenados requiere intervención judicial)

Fto. Jco. 3: «... conforme a la STC. 16/81 de 18 de mayo, el internamiento judicial en un establecimiento psiquiátrico, dispuesto en Sentencia Penal en los casos y forma determinados en el art. 8.1 del C. Penal, no es, en principio, contrario al derecho a la libertad reconocido en el art. 17 de la C. Pero, al establecer en su párrafo segundo que de dicho internamiento no se podrá salir sin la previa autorización del Tribunal sentenciador, dicho art. no consagra una eventual privación de libertad indefinida en el tiempo y a la plena disponibilidad del órgano judicial competente. Esta privación de libertad ha de respetar las garantías que la protección del referido derecho fundamental exige, interpretado de conformidad con los tratados y acuerdos internacionales sobre esta materia ratificados por España... Es preciso recordar que, salvo en caso de urgencia, la legalidad del internamiento de un enajenado... ha de cumplir tres condiciones mínimas, según ha declarado el Tribunal Europeo de Derechos Humanos... en su Sentencia de 24 de octubre de 1979... Estas condiciones son: a) Haberse probado de manera convincente la enajenación mental del interesado... b) que ésta revista un carácter o amplitud que legitime el internamiento y c) dado que los motivos que originariamente justificaron esta decisión pueden dejar de existir, es preciso averiguar el internamiento en interés de la seguridad de los demás ciudadanos, es decir, no puede prolongarse válidamente el internamiento cuando no subsista el transtorno mental que dió origen al mismo...
Resulta, por consiguiente, obligado, en aras del derecho fundamental consagrado en el art. 17.1 C.E., que obliga a interpretar restrictivamente cualquier excepción a la regla general de libertad, el cese del internamiento, mediante la concesión de la autorización precisa, cuando conste la curación o desaparición del estado de peligrosidad...»

STC. 109/87 de 29 de junio (concepto de seguridad)

Fto. Jco. 4: «La seguridad a que se refiere el art. 17.1 de la C. no es la seguridad jurídica comprendida en el art. 9.3 de la Norma fundamental.»

STC. 126/87 de 16 de julio (significado de la seguridad)

Fto. Jco. 4: «El derecho que consagra el art. 17 es un derecho a la seguridad personal y por consiguiente a la ausencia de perturbaciones procedentes de medidas de detención o de otras similares, que puedan restringir la libertad personal o ponerla en peligro.»

STC. 120/90 de 27 de junio (**significado de la libertad**)

Fto. Jco. 11: « la libertad personal protegida por este precepto es la 'libertad física', la libertad frente a la detención, condena o internamiento arbitrarios, sin que pueda cobijarse en el mismo una libertad general de autodeterminación individual, pues esta clase de libertad, que es un valor superior del ordenamiento jurídico, art. 1.1 de la C., sólo tiene la protección del recurso de amparo en aquellas concretas manifestaciones a las que la C. les concede la categoría de derechos fundamentales incluídos en el Capt. segundo de su Tít. I.»

STC. 341/93 de 18 de noviembre de 1993 (**identificación en dependencias policiales**)

Fto. Jco. 4: «Hemos de examinar en primer lugar, por consiguiente, si las diligencias de identificación de dependencias policiales previstas en el art. 20.2 de la LOPSC entrañan o no una 'privación de libertad' en el sentido del art. 17.1 de la CE.

No es determinante a estos efectos, la noción de 'voluntariedad' que, en relación con lo dispuesto en el art. 20.4 de la LOPSC, ha empleado en sus alegaciones el Abogado del Estado para negar que estemos ante una privación de libertad. Sin duda que una comparecencia espontánea o a voluntad propia en dependencias policiales excluiría, de principio, todo asomo de privación de libertad, aunque esta podría llegar a constatarse, claro está, desde el momento en que el sujeto quedara imposibilitado de abandonar aquellas dependencias. Pero el art. 20.2 no hace referencia a una personación de este género. La situación descrita en este precepto es la de un acompañamiento a los agentes, por orden de ellos (requerimiento), hasta 'dependencias próximas' en las que el sujeto habrá de permanecer, si bien 'por el tiempo imprescindible' para realizar las diligencias de identificación y debe hacerse constar que la desatención a aquella orden conminatoria, se imponga o no por la coacción, puede dar lugar a responsabilidades penales o administrativas (arts. 20.4 y 26.h de la LOPSC). Siendo esto así, la actitud del requerido que acata la orden policial, expresa, claro es, una voluntad (la de no resistirse o no negarse a acompañar a los agentes), pero no necesariamente una voluntad libre en el sentido del art. 17.1 CE: volui, sed coactus volui.

La libertad a la que se refiere esta norma constitucional es, en efecto, la de quien orienta, en el marco de normas generales, la propia acción, no la de quien elige entre la obediencia y la resistencia al Derecho o a las órdenes dictadas en su virtud. No cabe pues hablar de libre voluntad para excluir la aplicación del art. 17.1 CE cuando una de las opciones que se le ofrecen al individuo sea jurídicamente necesaria y la otra entrañe, por lo mismo, una contravención y bien claro está que si éste del acatamiento fuera el criterio para reconocer o no una situación de privación de libertad perderían toda objetividad las garantías del art. 17 y se concluiría en hacer de peor condición a la persona que acata la orden que a aquella otra que la desatiende o resiste. Una privación de libertad no deja de serlo por el mero hecho de que el afectado la acepte.

La medida de identificación en dependencias policiales prevista en el art. 20.2 de la LOPSC, supone por las circunstancias de tiempo y lugar (desplazamiento del requerido hasta dependencias policiales próximas en las que habrá de permanecer por el tiempo imprescindible), una situación que va más allá de una mera inmovilización de la persona, instrumental de prevención o de indagación, y por ello ha de ser considerada como una modalidad de privación de libertad. Con toda evidencia, estamos, pues, ante uno de los casos a que se refiere el art. 17.1 CE., cualquiera que sea la disposición de la persona ante la orden recibida...»

Fto. Jco. 5: «...Este precepto (art. 17.1 CE) remite a la Ley ...la determinación de los casos en los que se podrá disponer una privación de libertad, pero ello en modo alguno supone que quede el legislador apoderado para establecer, libre de todo vínculo, cualesquiera supuestos de detención, arresto o medidas análogas. La Ley no podría, desde luego, configurar supuestos de privación de libertad que no correspondan a la finalidad de protección de derechos, bienes o valores constitucionalmente reconocidos o que por su grado de indeterminación crearan inseguridad o incertidumbre insuperable sobre su modo de aplicación efectiva y tampoco podría incurrir en falta de proporcionalidad. Vale aquí recordar lo que ya dijimos en la STC. 178/85, esto es, que debe exigirse 'una proporcionalidad entre el derecho a la libertad y la restricción de esta libertad, de modo que se excluyan, aún previstas en la Ley, privaciones de libertad que, no siendo razonables, rompan el equilibrio entre el derecho y su limitación' (Fto. Jco. 3).
...es lo cierto que la privación de libertad con fines de identificación sólo podrá afectar a personas no identificadas de las que razonable y fundamentalmente pueda presumirse que se hallan en disposición actual de cometer un ilícito penal(...) o a aquellas, igualmente no identificables, que hayan incurrido ya en una infracción administrativa, estableciendo así la ley un instrumento utilizable en los casos en que la necesidad de identificación surja de la exigencia de prevenir un delito o falta o de reconocer, para sancionarlo, a un infractor de la legalidad.
El precepto no deja en lo incierto cuáles sean las personas a las que la medida pueda afectar, y tampoco puede tacharse de introductor de una privación de libertad desproporcionada con arreglo tanto a las circunstancias que la Ley impone apreciar como a los fines a los que la medida queda vinculada. El art. 20.2 LOPSC no es contrario a la CE por haber previsto este caso de privación de libertad... Y no es incompatible, tampoco, con lo dispuesto en el art. 5.1 del Convenio de Roma. Este precepto admite... que se lleguen a disponer privaciones de libertad 'para asegurar el cumplimiento de una obligación establecida por la Ley', y si bien la exigencia de identificación ante el requerimiento de los agentes nunca podría llevar, por sí sola, a la aplicación de lo dispuesto en el art. 20.2 LOPSC, no es menos cierto que tal deber constituye una 'obligación legal', en el sentido dicho, que permite, dadas las circunstancias previstas en este último precepto, asegurar la identificación de las personas afectadas, cuando no haya otro remedio para ello, incluso mediante su privación de libertad.»

Fto. Jco. 6: «Prescribe este precepto (art. 20.2 LOPSC) que las diligencias de identificación en dependencias policiales no se podrán prolongar más allá del 'tiempo imprescindible', expresión análoga, precisamente, a la que emplea el propio art. 17.2 CE y tal vinculación legislativa de la actuación policial de identificación priva de fundamento al reproche frente a la norma basado en la indefinición...
Importa también considerar si resultan aquí aplicables y en qué medida, las garantías establecidas en el número 3 del art. 17, consistentes en la información inmediata al detenido, de modo comprensible, 'de sus derechos y de las razones de su detención', en la exclusión de toda obligación de declarar y en el aseguramiento de la asistencia de Abogado en las diligencias policiales... Que el requerido a acompañar a la fuerza pública debe ser informado, de modo inmediato y comprensible, de las razones de tal requerimiento es cosa que apenas requiere ser argumentada, aunque la Ley (...) nada

dice, de modo expreso, sobre esta información, inexcusable para que el afectado sepa a qué atenerse...

...Ninguna de estas garantías constitucionales, recordatorio del derecho a no declarar y asistencia obligatoria de Abogado, son indispensables para la verificación de unas diligencias de identificación que, vale reiterar, no permiten interrogatorio alguno que vaya más allá de la obtención de los 'datos personales' a los que se refiere el repetido art. 9.3 de la LOPSC».

STC. 107/85 de 7 de octubre (**control de alcoholemia no es detención**)

Fto. Jco. 3: «No es esta situación (la de detención), sin embargo, la de quien, conduciendo un vehículo de motor, es requerido policialmente para la verificación de una prueba orientativa de alcoholemia, porque ni el así requerido queda, sólo por ello, detenido en el sentido constitucional del concepto, ni la realización misma del análisis entraña exigencia alguna de declaración autoincriminatoria del afectado, y sí solo la verificación de una pericia técnica de resultado incierto y que no exorbita, en sí, las funciones propias de quienes tienen como deber la preservación de la seguridad del tránsito, y en su caso... la detención de quien intentare cometer un delito a lo estuviere cometiendo.»

L.O.14/1983 de 12 de diciembre de asistencia letrada al detenido y al preso.

STC. 103/85 de 4 de octubre (**control de alcoholemia y derecho a no declararse culpable**)

Fto.Jco.3: «El deber de someterse al control de alcoholemia no puede considerarse contrario al derecho a no declarar, y no declarar contra sí mismo y a no confesarse culpable, pues no se obliga al detectado a emitir una declaración que exteriorice un contenido, admitiendo su culpabilidad, sino a tolerar que se le haga objeto de una especial modalidad de pericia, exigiéndole una colaboración no equiparable a la declaración comprendida en el ámbito de los derechos proclamados en los arts.17.3 y 24.2 de la C.»

STC. 107/85 de 7 de octubre (**control de alcoholemia y derechos del 17.3**)

Fto.Jco.3: «Los derechos declarados en el art. 17.3 de la norma fundamental corresponden al 'detenido', esto es, a quien haya sido privado provisionalmente de su libertad por razón de la presunta comisión de un ilícito penal y para su puesta a disposición de la autoridad judicial en el plazo máximo de setenta y dos horas, de no haber cesado antes la detención misma según prescribe el nª 2 del mismo art. Las garantías exigidas por el art. 17.3. hallan, pues, su sentido en asegurar la situación de quien privado de su libertad, se encuentra ante la eventualidad de quedar sometido a un procedimiento penal, procurando así la norma constitucional que aquella situación de sujeción no devenga en ningún caso productora de la indefensión del afectado. La realización de esta prueba (se refiere a la de alcoholemia), por lo tanto, así como la comprobación de otro modo por agentes del orden público de la identidad y el estado de los conductores, no requiere de las garantías inscritas en el art. 17.3 de la Norma fundamental, dispuestas específicamente en protección del detenido y no de quienquiera que se halle sujeto a las normas de la policía de tráfico.»

STC. 47/86 de 21 de abril (asistencia de letrado y declaración en sede policial)

Fto.Jco.1: «El art. 118 de la L.E.Cr., al establecer el derecho a la asistencia de Letrado, plasma una exigencia constitucional. Sin embargo, el derecho de defensa que consagra la C. no resulta violado simplemente «porque se haya recibido una declaración en sede policial sin la presencia de Abogado pues, como lo expresa, el texto constitucional, la asistencia de Abogado se garantiza 'en los términos que la ley establezca' (STC. 175/85 de 17 de diciembre), y de la ley procesal se deduce claramente que los actos realizados sin la asistencia de Abogado pueden tener validez hasta que 'la causa llegue al estado en que se necesite el consejo de aquellos o que se haya de intentar algún recurso que hace indispensable su actuación'. En este mismo sentido debe entenderse la jurisprudencia de este T.C. que, precisando el texto constitucional entiende que, si la irregularidad no se ha invocado en su momento, 'la falta de asistencia letrada en la declaración policial sólo podría ser relevante en la medida en que hubiese determinado la indefensión posterior' (STC. 94/83 de 14 de noviembre).»

STC. 196/87 de 11 de diciembre (contenido esencial del derecho de asistencia letrada)

Fto. Jco. 4: «El art. 17.3 de la C. reconoce este derecho al 'detenido' en las diligencias policiales y judiciales como una de las garantías del derecho a la libertad protegido por el n° 1 del propio art., mientras que el art. 24.2 de la C. lo hace en el marco de la tutela judicial efectiva con el significado de garantía del proceso debido, especialmente del penal, según declaran las SSTC. 21/81 de 15 de junio y 48/82 de 5 de julio y, por tanto, en relación con el 'acusado' o 'imputado'.

Esta doble proyección constitucional del derecho a la asistencia letrada no constituye originalidad de nuestra C., sino sistema que guarda esencial paralelismo con los textos internacionales reguladores de los derechos humanos suscritos por España, aunque deba adelantarse que, en materia de asistencia letrada al detenido, nuestra C. es más amplia y generosa, al menos explícitamente, que dichos textos internacionales...»

Fto. Jco. 5: «...procede examinar si la norma legal que impone Abogado nombrado de oficio al detenido incomunicado, negándose el derecho a elegirlo libremente según su voluntad, vulnera el contenido esencial del derecho a la asistencia letrada que garantiza el art. 17.3 de la C. o, dicho en otras palabras, si la confianza del detenido en el Abogado que le asiste en su detención forma parte integrante del contenido esencial de dicho derecho fundamental.

A tal efecto debe aceptarse que en el ejercicio del derecho a la asistencia letrada tiene lugar destacado la confianza que al asistido le inspiren las condiciones profesionales y humanas de su Letrado y, por ello, procede entender que la libre designación de éste viene integrada en el ámbito protector del derecho; es preciso, sin embargo, matizar que el elemento de confianza alcanza especial relieve cuando se trata de la defensa de un acusado en un proceso penal, donde frecuentemente se plantean complejos problemas procesales y sustantivos, pero no ocurre lo mismo en el supuesto de detención en primeras diligencias policiales, constitutiva de una situación jurídica en la que la intervención del Letrado responde a la finalidad, de acuerdo con lo dispuesto en el art. 520 de la LECr., de asegurar, con su presencia personal, que los derechos constitucionales del detenido sean respetados, que no sufra coacción o trato incompatible con su dignidad y libertad de declaración y que tendrá el debido asesoramiento técnico sobre la conducta a observar en los interrogatorios, incluída la de guardar silencio, así como sobre su derecho a comprobar, una vez realizados y concluídos con la presencia activa del Letrado, la fidelidad de lo transcrito en el acta de declaración que se le presenta a la firma.

Estas circunstancias caracterizadoras de la situación del detenido, unida a que el art. 17.3 de la C. habilita al legislador para establecer los términos del derecho a la asistencia letrada del mismo, sin imponerle formas concretas de designación conducen a entender que la relación de confianza, aún conservando cierta importancia, no alcanza, sin embargo, la entidad suficiente para hacer residir en ella el núcleo esencial del derecho, pues no debe olvidarse que, una vez concluído el período de incomunicación, de breve duración por imperativo legal, el detenido recupera el derecho a elegir Abogado de su confianza y que las declaraciones ante la policía, en principio, son instrumentos de investigación que carecen de valor probatorio.

La esencia del derecho del detenido a la asistencia letrada es preciso encontrarlo, no en la modalidad de la designación del Abogado, sino en la efectividad de la defensa, pues lo que quiere la C. es proteger al detenido con la asistencia técnica de un Letrado que le preste su apoyo moral y ayuda profesional en el momento de su detención y esta finalidad se cumple objetivamente con el nombramiento de un Abogado de oficio, el cual garantiza la efectividad de la asistencia de manera equivalente al letrado de libre designación.

Fto. Jco. 7: «...la medida de incomunicación del detenido adoptada bajo las condiciones previstas en la Ley sirven en forma mediata a la protección de valores garantizados por la C. y permiten al Estado cumplir con su deber constitucional de proporcionar seguridad a los ciudadanos, aumentando su confianza en la capacidad funcional de las instituciones estatales. De ello resulta que la limitación temporal del detenido incomunicado en el ejercicio de su derecho de libre designación de Abogado, que no le impide proceder a ella una vez haya cesado la incomunicación, no puede calificarse de medida restrictiva irrazonable o desproporcionada, sino de conciliación ponderada del derecho de asistencia letrada, cuya efectividad no se perjudica, con los valores constitucionales citados, pues la limitación que le impone a ese derecho fundamental se encuentra en relación razonable con el resultado perseguido, ajustándose a la exigencia de proporcionalidad de las leyes.»

STC. 41/82 de 2 de julio (excepcionalidad de la prisión provisional)

Fto. Jco. 2: «La institución de la prisión provisional, situada entre el deber estatal de perseguir eficazmente el delito, por un lado, y el deber estatal de asegurar el ámbito de libertad del ciudadano, por otro, viene delimitada en el texto de la C.E. por las afirmaciones contenidas en el a) art. 1.1... b) el art. 17.1... y c) en el art. 24.2...

Todos los textos, internos e internacionales valoran como esenciales los principios de libertad y seguridad y, en lógica coherencia con el mandato constitucional español reseñado, al consistir la prisión provisional en una privación de libertad, debe regirse por el principio de excepcionalidad, sin menoscabo de su configuración como medida cautelar y adoptada mediante resolución judicial motivada que consta, de modo expreso, en las actuaciones judiciales objeto del presente caso, aún dentro de la provisionalidad inherente al auto de procesamiento y al escrito de calificación del Ministerio Fiscal, que también reviste este carácter.»

STC. 127/84 de 26 de diciembre (**no ampliación plazo de prisión provisional**)

Fto. Jco. 4: «El Auto impugnado (sostiene que) el plazo de treinta meses debe computarse por cada uno de los delitos imputados (y) por tanto... la duración máxima de la prisión provisional habría de computarse multiplicando el plazo fijado por la Ley por el número de delitos imputados... No se puede sostener en esas circunstancias que el plazo máximo y, no se olvide excepcional, que establece la Ley para la prisión provisional haya de contarse para cada delito por separado, y ello por las siguientes razones. En primer término, el art. 17.4 de la C. ordena... que por Ley se establezca el plazo máximo de duración de la prisión provisional. La voluntad del constituyente, concretada por Ley es, sin duda, como se ha dicho, determinar el tiempo fijo que ha de durar la prisión preventiva. Hacer depender esa duración del número de delitos imputados supone, en la práctica, que el plazo máximo fijado por la Ley depende de un elemento incierto como es el número de delitos con que se acuse a una persona. En segundo lugar... la norma constitucional y legal es más precisa que la establecida por los pactos internacionales, que se limitan a exigir un plazo razonable, pero es evidente que violaría esos pactos una interpretación de nuestras normas que fuese contraria a ellos, pues el resultado de multiplicar el plazo máximo legal de la prisión provisional por el número de delitos imputados... conduce por una simple operación aritmética a un resultado notoriamente superior a todo plazo razonable.»

Fto. Jco. 5: «La puesta en libertad a consecuencia de lo dispuesto en el art. 504 de la LECr. no puede quedar condicionada por la imposición de una fianza. Aparte de otras posibles consideraciones así se desprende de la propia lectura del citado art. 504, que no sólo no menciona la posibilidad de prisión provisional bajo fianza, sino que fija imperativamente el deber de poner en libertad al acusado transcurridos los plazos legales. Si a esos efectos se impusiese fianza, el hecho de no presentarla conduciría a que el acusado continuase en prisión o fuese reducido a ella, burlándose así el taxativo precepto del art. 504 de la LECr., y, en consecuencia, el derecho fundamental reconocido en el art. 17.4 de la C.»

STC. 32/87 de 12 de marzo («**favor libertatis**» en supuestos de prisión provisional)

Fto. Jco. 3: «...habrá de admitirse sin dificultad que en la interpretación y aplicación de las normas reguladoras de la prisión provisional debe tenerse en cuenta, ante todo, el carácter fundamental del derecho a la libertad que tales normas restringen y la situación excepcional en que la prisión provisional coloca al imputado en una causa penal. En esta dirección, este Tribunal ha venido reiterando en distintas ocasiones que 'en materia de derechos fundamentales, la legalidad ordinaria ha de ser interpretada 'de la forma más favorable para la efectividad de tales derechos'(SSTC. 34/83, 17/85 y 57/85), doctrina que, por lo que al caso presente concierne, significa que las decisiones judiciales aquí cuestionadas, sin menoscabo de la Ley, deberían haber optado por una interpretación más favorable a la libertad del inculpado. La pertinencia del 'favor libertatis' resultaba tanto más obligada en un supuesto como el presente en el que, habiéndose planteado un problema de sucesión de leyes en el tiempo y careciendo la 'lex posterior' de todo precepto transitorio que determina su propia eficacia normativa en lo tocante a las situaciones de prisión provisional acordadas con anterioridad, los órganos judiciales, ante la duda razonable que esa circunstancia debía por fuerza suscitar acerca del alcance temporal 'pro praeterito o pro futuro' que había de darse a una y a otra de las dos leyes en conflicto, debieron elegir y aplicar sin duda la menos restrictiva a la situación excepcional de prisión provisional o, lo que es igual, la más favorable a la libertad del recurrente en amparo.»

STC. 224/02 de 25 de noviembre (tiempo necesario)

Fto. Jco. 3: «Más concretamente, en cuanto límites temporales de la detención preventiva operan dos plazos, uno relativo y otro máximo absoluto. El primero consiste en el tiempo estrictamente necesario para la realización de las averiguaciones tendentes al esclarecimiento de los hechos que, como es lógico, puede tener una determinación temporal variable en atención a las circunstancias del caso. Para la fijación de tal plazo habrán de tenerse en cuenta estas circunstancias y, en especial, el fin perseguido por la medida de privación de libertad, la actividad de las autoridades implicadas y el comportamiento del afectado por la medida (SSTC. 31/96; 86/96;224/98). Durante el período de detención preventiva, y en atención a lo dispuesto en el art. 17.3 CE, debe llevarse a cabo, necesariamente, la información de derechos del detenido y cabe la posibilidad de que se le tome declaración, si es que no ejercita su derecho a no prestarla. Sin embargo el plazo máximo absoluto presenta una plena concreción temporal y está fijado en las setenta y dos horas computadas desde el inicio de la detención, que no tiene que coincidir necesariamente con el momento en el cual el afectado se encuentra en dependencias policiales.

En la hipótesis más normal de que no coincidan ambos plazos, absoluto y relativo, tendrá preferencia aquel que resulte más beneficioso para el detenido. El plazo relativo se superpone, sin reemplazarlo, al plazo máximo absoluto. En atención a tales plazos la vulneración del art. 17.2 CE se puede producir, no sólo por rebasar el plazo máximo absoluto, es decir, cuando el detenido sigue bajo el control de la autoridad gubernativa o sus agentes una vez cumplidas las setenta y dos horas de privación de libertad, sino también cuando, no habiendo transcurrido ese plazo máximo absoluto, se traspasa el relativo, al no ser la detención ya necesaria por haberse realizado las averiguaciones tendentes al esclarecimiento de los hechos y, sin embargo, no se procede a la liberación del detenido ni se le pone a disposición de la autoridad judicial.»

STC. 94/03 de 19 de mayo (procedimiento de habeas corpus)

Fto. Jco. 3: «Este Tribunal ha tenido la ocasión de pronunciarse en reiteradas ocasiones sobre el reconocimiento constitucional del procedimiento de habeas corpus en el art. 17.4 CE, como garantía fundamental del derecho a la libertad, y en qué medida puede verse vulnerado por las resoluciones judiciales de inadmisión a trámite de la solicitud de habeas corpus, generando una consolidada doctrina que puede resumirse en los siguientes extremos:

a)El procedimiento de habeas corpus ...supone una garantía reforzada del derecho a la libertad para la defensa de los demás derechos sustantivos establecidos en el resto de los apartados del art. 17 CE, cuyo fin es posibilitar el control judicial a posteriori de la legalidad y de las condiciones en las cuales se desarrollan las situaciones de privación de libertad no acordadas judicialmente mediante la puesta a disposición judicial de toda persona que se considere está privada de libertad ilegalmente (SSTC. 263/00; 232/99).

b)El procedimiento de habeas corpus, aun siendo un proceso ágil y sencillo, de cognición limitada, no puede verse reducido en su calidad o intensidad, por lo que es necesario que el control judicial de las privaciones de libertad que se realicen a su amparo sea plenamente efectivo. De lo contrario la actividad judicial no sería un verdadero control, sino un expediente ritual o de carácter simbólico, lo cual, a su vez, implicaría un menoscabo en la eficacia de los derechos fundamentales y, en concreto, de la libertad (SSTC. 224/02; 288/00; 287/00).

c)De acuerdo con la específica naturaleza y finalidad constitucional de este procedimiento, y teniendo en cuenta su configuración legal, adquiere especial relevancia la distinción, explícitamente prevista en los arts. 6 y 8 de la LOHC, entre el juicio de admisibilidad y el juicio de fondo sobre la licitud de la detención objeto de denuncia. Y ello porque, en el trámite de admisión, no se produce la puesta a disposición judicial de la persona cuya privación de libertad se reputa ilegal, tal y como pretende el art. 17.4 CE, ya que la comparecencia ante el juez de dicha persona sólo se produce de acuerdo con el párrafo 1 del art. 7 LOHC, una vez que el juez ha decidido la admisión a trámite mediante el Auto de incoación (283/00).

d)De ese modo, aun cuando la (LOHC) permita realizar un juicio de admisibilidad previo sobre la concurrencia de los requisitos para su tramitación, posibilitando denegar la incoación del procedimiento, previo dictamen del MºFiscal, la legitimidad constitucional de tal resolución liminar debe reducirse a los supuestos en los cuales se incumplan los requisitos formales …a los que se refieren el art. 4 LOHC) …Por ello si se da el presupuesto de la privación de libertad y se cumplen los requisitos formales para la admisión a trámite, no es lícito denegar la incoación del habeas corpus (STC. 224/02…). Así… este Tribunal ha admitido el rechazo liminar en supuestos en los que no se daba el presupuesto de la privación de libertad …o de falta de competencia del órgano judicial…

e)Por ello en los casos en los cuales la situación de privación de libertad exista …si hay alguna duda en cuanto a la legalidad de las circunstancias de ésta, no procede acordar la inadmisión, sino examinar dichas circunstancias, ya que el enjuiciamiento de la legalidad de la privación de libertad, en aplicación de lo previsto en el art. 1 LOHC, debe llevarse a cabo en el juicio de fondo, previa comparecencia y audiencia del solicitante y demás partes, con la facultad de proponer y, en su caso, practicar pruebas, según dispone el art. 7 LOHC, pues en otro caso, quedaría desvirtuado el procedimiento de habeas corpus. De ese modo no es posible fundamentar la improcedencia de la inadmisión de este procedimiento cuando esta se funda en la afirmación de que el recurrente no se encontraba ilícitamente privado de libertad, precisamente porque el contenido propio de la pretensión formulada en el habeas corpus es el de determinar la licitud o ilicitud de dicha privación…

f)Por lo que respecta a la existencia de una situación de privación de libertad, como presupuesto para la admisibilidad del habeas corpus, se ha reiterado que debe cumplirse una doble exigencia. Por un lado, que la situación de privación de libertad sea real y efectiva, ya que, si no ha llegado a existir tal situación, las reparaciones que pudieran proceder han de buscarse por las vías jurisdiccionales adecuadas …Y, por otra parte, que la situación de privación de libertad no haya sido acordada judicialmente, ya que solo en estos supuestos tendría sentido la garantía que instaura el art. 17.4 CE de control judicial de la privación de libertad, de modo que es plenamente admisible el rechazo liminar de la solicitud de habeas corpus contra situaciones de privación de libertad acordadas judicialmente …En tal sentido este Tribunal ya ha afirmado que tienen el carácter de situaciones de privación de libertad no acordadas judicialmente y, por tanto, que con independencia de su legalidad no pueden ser objeto de rechazo liminar las solicitudes de habeas corpus dirigidas contra ellas, además de las detenciones policiales, que resultan los supuestos más normales, las detenciones impuestas en materia de extranjería ...o las sanciones de arresto domiciliario impuestas en expedientes disciplinarios por las autoridades militares...»

Art. 18. 1. Se garantiza el derecho al honor, a la intimidad personal y familiar y a la propia imagen.

2. El domicilio es inviolable. Ninguna entrada o registro podrá hacerse en él sin consentimiento del titular o resolución judicial, salvo en caso de flagrante delito.

3. Se garantiza el secreto de las comunicaciones y, en especial, de las postales, telegráficas y telefónicas, salvo resolución judicial.

4. La ley limitará el uso de la informática para garantizar el honor y la intimidad personal y familiar de los ciudadanos y el pleno ejercicio de sus derechos.

L.O. 1/1982 de 5 de mayo, de protección civil del derecho al honor, a la intimidad personal y familiar y a la propia imagen.

LO 15/99 de 13 de diciembre, de protección de datos de carácter personal.

L.O. 4/97 de 4 de agosto, por la que se regula el uso de videocámaras por las Fuerzas y Cuerpos de seguridad en lugares públicos.

STC. 16/81 de 18 de mayo **(derecho al honor y consecuencias objetivas de una sentencia)**

Fto. Jco. 10: «...estas consecuencias objetivas de una Sentencia no pueden constituir una lesión al honor protegido por el art. 18.1, pues la opinión contraria llevaría al absurdo de que una gran parte de los condenados penalmente podrían invocar dicho derecho para librarse de la condena.»

STC. 50/83 de 14 de junio **(procedimientos judiciales y administrativos y derecho al honor)**

Fto. Jco. 3: «Es obvio, sin embargo, que este derecho no constituye ni puede constituir obstáculo alguno para que, a través de expedientes administrativos o procesos judiciales seguidos con todas las garantías, se pongan en cuestión las conductas sospechosas de haber incurrido en ilicitud, pues el daño que el honor de quien sigue tal conducta pueda sufrir no se origina en esos procedimientos, sino en la propia conducta y ni la C. ni la Ley pueden garantizar al individuo contra el deshonor que nazca de sus propios actos.»

STC. 110/84 de 26 de noviembre **(inspección fiscal e intimidad; el secreto bancario)**

Fto. Jco. 4: «...la cuestión planteada por el recurrente... se desdobla en dos: una, en qué medida el conocimiento de las cuentas bancarias por la Admón. a efectos fiscales debe entenderse comprendido en esta zona de la intimidad constitucionalmente protegida, y otra cuestión, consistente en determinar en qué medida, y aunque aquel conocimiento no esté protegido por el derecho a la intimidad, se puede a través de la investigación fiscal conocer hechos pertenecientes a la esfera de la estricta vida personal y familiar.»

Fto. Jco. 5: «Respecto a la primera cuestión, la respuesta ha de ser negativa, pues admitiendo como hipótesis que el movimiento de las cuentas bancarias esté cubierto por el derecho a la intimidad, nos encontraríamos que ante el Fisco operaría un límite justificado de ese derecho.»

Fto. Jco. 6: «(respecto de la segunda) El argumento central del recurrente es que la LRF... permite una inspección ilimitada y total de las cuentas corrientes y de sus antecedentes, lo que autorizaría a la Inspección a entrar sin limitación alguna en la vida privada del contribuyente, en forma tal que no es ya que afecte en modo más o menos directo a su derecho a la intimidad, sino que en realidad invade su contenido esencial, pues lo hace prácticamente desaparecer... Estos argumentos no son convincentes... La Ley preve para la investigación de las cuentas bancarias un conjunto de requisitos...

Fto. Jco. 7: «De esa larga serie de requisitos merece especial mención el deber de sigilo que pesa sobre quienes tengan conocimiento por razón de su cargo de los datos descubiertos en la investigación...

Fto. Jco. 8: «...el secreto bancario no puede tener otro fundamento que el derecho a la intimidad del cliente reconocido en el art. 18.1 de la C., pues no hay una consagración reforzada y explícita de este tipo de secreto, como la hay del secreto profesional. De forma que lo que se ha dicho antes sobre los límites del derecho a la intimidad es totalmente aplicable al caso en que sea la Entidad de crédito la obligada a facilitar los datos y antecedentes que requiera la Inspección.»

Fto. Jco. 12: «todo los expuesto conduce a la desestimación del recurso, pues la petición de la Inspección Fiscal de que el contribuyente, o en su defecto, la Entidad de crédito afectada facilite las certificaciones de los movimientos de las cuentas del recurrente no supone en sí la vulneración del derecho a la intimidad... ni de ningún otro derecho fundamental ni libertad pública susceptible de amparo. Tampoco puede afirmarse que exista esa vulneración porque la legislación vigente autorice a la Inspección Fiscal a pedir datos y antecedentes de los movimientos investigados, con el alcance y límites antes expuestos.»

ATC. 257/1985 de 17 de abril (personas jurídicas no son titulares del derecho a la intimidad)

Fto. Jco. 2: «El derecho a la intimidad que reconoce el art. 18.1 de la C.E., por su propio contenido y naturaleza, se refiere a la vida privada de las personas individuales, en la que nadie puede inmiscuirse sin estar debidamente autorizado, y sin que en principio las personas jurídicas, como las Sociedades mercantiles, puedan ser titulares del mismo, ya que la reserva acerca de las actividades de estas Entidades, quedarán, en su caso, protegidas por la correspondiente regulación legal, al margen de la intimidad personal y subjetiva constitucionalmente decretada.»

STC. 107/88 de 8 de junio (honor y libre expresión; personas públicas e instituciones públicas)

Fto. Jco. 2: «El reconocimiento constitucional de las libertades de expresión y de comunicar y recibir información ha modificado profundamente la problemática de los delitos contra el honor en aquellos supuestos en que la acción que infiere en este derecho lesión penalmente sancionable haya sido realizada en ejercicio de dichas libertades, pues en tales supuestos se produce un conflicto entre derechos fundamentales, cuya dimensión constitucional convierte en insuficiente el criterio subjetivo del 'animus injuriandi', tradicionalmente utilizado por la jurisprudencia penal en el enjuiciamiento de dicha clase de delitos, pues este criterio se ha asentado hasta ahora en la convicción de la prevalencia absoluta del derecho al honor.»

«El valor preponderante de las libertades públicas del art. 20 de la C., en cuanto se asienta en la función que éstas tienen de garantía de una opinión pública libre indispensable para la efectiva realización del pluralismo político, solamente puede ser protegido cuando las libertades se ejerciten en conexión con asuntos que son de interés general por las materias a que se refieren y por las personas que en ellos intervienen y contribuyan, en consecuencia, a la formación de la opinión pública, alcanzando entonces su máximo nivel de eficacia justificadora frente al derecho al honor, el cual se debilita, proporcionalmente, como límite externo de las libertades de expresión e información, en cuanto sus titulares son personas públicas, ejercen funciones públicas o resultan implicadas en asuntos de relevancia pública, obligada por ello a soportar un cierto riesgo de que sus derechos subjetivos de la personalidad resulten afectados por opiniones o informaciones de interés general, pues así lo requieren el pluralismo político, la tolerancia y el espíritu de apertura, sin los cuales no existe sociedad democrática.»

«En el contexto de estos asuntos de relevancia pública, es preciso tener presente que el derecho al honor tiene en nuestra C. un significado personalista, en el sentido de que el honor es un valor referible a personas individualmente consideradas, lo cual hace inadecuado hablar del honor de las instituciones públicas o de clases determinadas del Estado, respecto de las cuales es más correcto, desde el punto de vista constitucional, emplear los términos de dignidad, prestigio y autoridad moral, que son valores que merecen la protección penal que les dispensa el legislador, pero que no son exactamente identificables con el honor, consagrado en la C. como derecho fundamental, y, por ello, en su ponderación frente a la libertad de expresión debe asignárseles un nivel más débil de protección del que corresponde atribuir al derecho al honor de las personas públicas o de relevancia pública.

Por el contrario, la eficacia justificadora de dichas libertades pierde su razón de ser en el supuesto de que se ejerciten en relación con conductas privadas carentes de interés público y cuya difusión y enjuiciamiento públicos son innecesarios, por tanto, para la formación de la opinión pública libre en atención a la cual se les reconoce su posición prevalente.»

STC. 231/88 de 2 de diciembre (imagen e intimidad personal y familiar)

Fto. Jco. 3: «Los derechos a la imagen y a la intimidad personal y familiar reconocidos en el art. 18.1 de la C.E. aparecen como derechos fundamentales estrictamente vinculados a la propia personalidad, derivados sin duda de la 'dignidad de la persona' que reconoce el art. 10 de la C.E., y que implican la existencia de un ámbito propio y reservado frente a la acción de los demás, necesario, según las pautas de nuestra cultura, para mantener una calidad mínima de la vida humana. Se muestran así esos derechos como personalísimos y ligados a la misma existencia del individuo... Ahora bien, una vez fallecido el titular de estos derechos, y extinguida su personalidad, según determina el art. 32 del C. Civil... lógicamente desaparece también el mismo objeto de la protección constitucional, que está encaminado a garantizar... un ámbito vital reservado que con la muerte deviene inexistente. Por consiguiente, si se mantienen acciones de protección civil (encaminadas como en el presente caso a la obtención de una indemnización) en favor de terceros, distintos del titular de esos derechos de carácter personalísimo, ello ocurre fuera del área de protección de los derechos fundamentales que se encomienda al T.C. mediante el recurso de amparo.

Fto. Jco. 4: «Sin embargo, junto a ello, en la demanda... se invocan derechos a la intimidad personal y familiar cuyo titular no es ya exclusivamente el fallecido, sino genéricamente, su familia... y más específicamente su viuda...
En esos términos, debe estimarse que, en principio, el derecho a la intimidad personal y familiar se extiende, no sólo a aspectos de la vida propia y personal, sino también a determinados aspectos de la vida de otras personas con las que se guarde una especial y estrecha vinculación, como es la familiar; aspectos que, por la relación o vinculo existente con ellas, inciden en la propia esfera de la personalidad del individuo que los derechos del art. 18 de la C.E. protegen. Sin duda será necesario, en cada caso, examinar de qué acontecimientos se trata, y cuál es el vínculo que une a las personas en cuestión; pero al menos no cabe dudar que ciertos eventos que puedan ocurrir a padres, cónyuges o hijos tienen, normalmente, y dentro de las posturas culturales de nuestra sociedad, tal trascendencia para el individuo, que su indebida publicidad o difusión incide directamente en la propia esfera de su personalidad. Por lo que existe al respecto un derecho, propio, y no ajeno, a la intimidad, constitucionalmente protegible.

Fto. Jco. 9: «La emisión durante unos momentos, de unas imágenes que se consideraron noticiables y objeto de interés no puede representar que se conviertan en públicas y que quede legitimada (con continua incidencia en el ámbito de intimidad de la recurrente) la permanente puesta a disposición del público de esas imágenes mediante su grabación en una cinta de vídeo que hace posible la reproducción en cualquier momento y ante cualquier audiencia, de las escenas (en cuestión). Resulta pues irrelevante que esas imágenes procedieran de la realidad o de una emisión de televisión, pues no se juzga aquí la información dada en su momento por TVE., sino la difusión de esas imágenes por 'Prographic S.A.', difusión que se produjo con entidad propia, y sin relación con el origen de la grabación por vídeo ni con las informaciones que en su momento se produjeron.»

STC. 37/89 de 15 de febrero (intimidad personal, registros y cacheos sobre el propio cuerpo)

Fto. Jco. 7: «La C. garantiza la intimidad personal, de la que forma parte la intimidad corporal, de principio inmune, en las relaciones jurídico-públicas que ahora importan, frente a toda indagación o pesquisa que sobre el cuerpo quisiera imponerse contra la voluntad de la persona, cuyo sentimiento de pudor queda así protegido por el ordenamiento, en tanto responda a estimaciones y criterios arraigados en la cultura de la comunidad.

Esta afirmación de principio requiere, claro está, algunas matizaciones. La primera de ellas... es la de que el ámbito de intimidad corporal constitucionalmente protegido, no es coextenso con el de la realidad física del cuerpo humano, porque no es una entidad física, sino cultural y determinada, en consecuencia, por el criterio dominante en nuestra cultura sobre el recato corporal, de tal modo que no pueden entenderse como intromisiones forzadas en la intimidad aquellas actuaciones que, por las partes del cuerpo sobre las que se operan o por los instrumentos mediante las que se realizan, no constituyen, según un sano criterio, violación del pudor o recato de la persona. La segunda es la de que, aún tratándose ya de actuaciones que afectan al ámbito protegido, es también cierto que, ...la intimidad personal puede llegar a ceder en ciertos casos y en cualquiera de sus diversas expresiones, ante exigencias públicas, pues no es éste un derecho de carácter absoluto.

Tal afectación del ámbito de la intimidad es posible sólo por decisión judicial que habrá de prever que su ejecución sea respetuosa de la dignidad de la persona y no constitutiva, atendidas las circunstancias del caso, de trato degradante alguno.»

Fto. Jco. 8: «El derecho fundamental aquí comprendido no ampara, ciertamente, la pretensión de intimidad del imputado o procesado frente a la resolución judicial, que en el caso de una investigación penal, disponga la obtención o identificación, sobre el propio cuerpo, de huellas del posible delito... Ni la intimidad puede, en supuestos tales, afirmarse como obstáculo infranqueable frente a la búsqueda de la verdad material que no pueda ser obtenida de otro modo, ni cabe desconocer, junto a ello, las facultades legales que corresponden al Instructor... para ordenar, en el curso del sumario, la realización de exámenes periciales que, entre otros extremos, puedan versar sobre la descripción de la persona que sea objeto del mismo, en el estado o del modo en que se halle, habilitaciones legislativas (arts. 399 y 478 LECrim.) que no darían base legítima, por su carácter genérico o indeterminado a una actuación policial, pero que sí pueden prestar fundamento a la resolución judicial, aquí exigible, que disponga la afectación, cuando ello sea imprescindible, del ámbito de intimidad corporal del imputado o procesado.»

STC. 207/96 de 16 de diciembre (inspecciones e intervenciones corporales)

Fto. Jco. 3: «Alega ...la recurrente que la diligencia pericial acordada por el Juzgado de Instrucción ha supuesto una afectación (y vulneración) de su derecho fundamental a la intimidad, en una doble vertiente: como derecho a la intimidad corporal y, desde una perspectiva más amplia, como derecho a la intimidad personal.

A) Por lo que se refiere a la primera de las vertientes dicha alegación no puede ser compartida.

En efecto, según declaramos en la STC. 37/89... (y hemos reiterado en las SSTC. 120/90, 137/90 y 57/ 94), si bien la intimidad corporal forma parte del derecho a la intimidad personal garantizado por el art. 18.1 CE, "el ámbito de intimidad corporal constitucionalmente protegido no es coextenso con el de la realidad física del cuerpo humano...".

De acuerdo con la anterior doctrina, resulta, pues, evidente que una intervención corporal consistente la extracción de algunos cabellos de diversas partes de la cabeza y del pelo de las axilas, por la parte externa del cuerpo afectada y por la forma en que está prevista su ejecución (a realizar por el Médico forense), no entra dentro del ámbito constitucionalmente protegido del derecho a la intimidad corporal, ni por lo tanto, puede llegar a vulnerarlo.

B) En cambio, dicha alegación sí puede ser compartida por lo que respecta a la segunda de las manifestaciones indicadas del derecho a la intimidad.

En efecto, el derecho a la intimidad personal ...tiene un contenido más amplio que el relativo a la intimidad corporal. Según doctrina reiterada de este Tribunal, el derecho a la intimidad personal, en cuanto derivación de la dignidad de la persona, "implica la existencia de un ámbito propio y reservado frente a la acción y el conocimiento de los demás, necesario según las pautas de nuestra cultura, para mantener una calidad mínima de la vida humana" y referido preferentemente a la esfera, estrictamente personal, de la vida privada o de lo íntimo.

Otro tipo de diligencias o actos de prueba, como las intervenciones corporales, pueden conllevar, asimismo, no ya por el hecho en sí de la intervención (que, como hemos visto, lo que determina es la afectación del derecho a la integridad física), sino por razón de su finalidad, es decir, por lo que a través de ellas se pretenda averiguar, una intromisión añadida en el ámbito constitucionalmente protegido del derecho a la intimidad personal.

Esto es lo que ocurre cuando, como en el caso presente, y a través de un análisis del cabello, se pretende averiguar si el imputado en un proceso penal es "consumidor de cocaína u otras sustancias tóxicas o estupefacientes, y el tiempo desde que lo pudiera ser", puesto que, con independencia de la relevancia que ello pueda tener a los fines de la investigación penal, y, por tanto, de su posible justificación ...no cabe por menos que admitir que una pericia acordada en unos términos objetivos y temporales tan amplios supone una intromisión en la esfera de la vida privada de la persona, a la que pertenece, sin duda, el hecho de haber consumido en algún momento algún género de drogas, conducta que, si bien en nuestro ordenamiento es en sí misma impune, ello no obstante, el conocimiento por la sociedad de que un ciudadano es consumidor habitual de drogas provoca un juicio de valor social de reproche que lo hace desmerecer ante la comunidad, por lo que la publicidad del resultado pericial afectaría al ámbito constitucionalmente protegido del derecho a la intimidad personal.»

STC. 185/89 de 13 de noviembre (**el derecho al honor y las ideas y valores sociales vigentes**)

Fto. Jco. 4: «El contenido del derecho al honor... es, sin duda, dependiente de las normas, valores e ideas sociales vigentes en cada momento... Por otra parte es un derecho respecto al cual las circunstancias en que se producen los hechos y las ideas dominantes que la sociedad tiene sobre la valoración de aquél son especialmente significativas para determinar si se ha producido o no lesión.

No puede considerarse atentatorio contra el honor del recurrente, de acuerdo con pautas sociales generalmente aceptadas hoy día, que el Ayuntamiento le calificase de persona 'non grata' ...Se trata... de un modo de expresar la Corporación su desagrado por una decisión del actor... no de atribuirle caracteres deshonrosos o de calificarle de indeseable para la colectividad. No puede, por tanto otorgársele más relevancia que la de expresión de una crítica pública en el marco de una polémica sobre un tema de interés general entre una Corporación municipal... y una persona de la localidad que, a su vez, critica la gestión de la Corporación municipal en torno a dicha cuestión.»

STC. 214/91 de 11 de noviembre (colectivo de personas y derecho al honor)

Fto. Jco. 6: «El derecho al honor tiene en nuestra C. un significado personalista, en el sentido de que el honor es valor referible a personas individualmente consideradas... Ahora bien, lo anterior no ha de entenderse en sentido tan radical... pues también es posible apreciar lesión del citado derecho fundamental en aquellos supuestos en los que, aún tratándose de ataques referidos a un determinado colectivo de personas más o menos amplio, los mismos trascienden a sus miembros o componentes siempre y cuando éstos sean identificables, como individuos, dentro de la colectividad. Dicho en otros términos, el significado personalista que el derecho al honor tiene en la C. no impone que los ataques o lesiones al citado derecho fundamental, para que tengan protección constitucional, hayan de estar necesariamente perfecta y debidamente individualizados 'ad personam', pues, de ser así, ello supondría tanto como excluir radicalmente la protección del honor de la totalidad de las personas jurídicas, incluídas las de substrato personalista, y admitir, en todos los supuestos, la legitimidad de los ataques o intromisiones en el honor de personas, individualmente consideradas, por el mero hecho de que los mismos se realicen de forma inominada, genérica o imprecisa.»

STC. 139/95 de 26 de septiembre (personas jurídicas y derecho al honor)

Fto. Jco. 5: «...dada la propia sistemática constitucional, el significado del derecho al honor ni puede ni debe excluir de su ámbito de protección a las personas jurídicas. Bien es cierto que este derecho fundamental se encuentra en íntima conexión originaria con la dignidad de la persona... Pero ello no obsta para que normativamente se sitúe en el contexto del art. 18 de la CE.»

«Resulta evidente, pues, que, a través de los fines para los que cada persona jurídica privada ha sido creada, puede establecerse un ámbito de protección de su propia identidad y en dos sentidos distintos: tanto para proteger su identidad cuando desarrolla sus fines como para proteger las condiciones de ejercicio de su identidad, bajo las que recaería el derecho al honor. En tanto que ello es así, la persona jurídica también puede ver lesionado su derecho al honor a través de la divulgación de hechos concernientes a su entidad, cuando la difame o la haga desmerecer en la consideración ajena.»

STC. 40/1992 de 30 de marzo (honor y prestigio profesional)

Fto. Jco. 3: «conviene precisar que no son necesariamente lo mismo, desde la perspectiva de la protección constitucional, el honor de la persona y su prestigio profesional, distinción que, pese a sus contornos no siempre fáciles de deslindar en los casos de la vida real, no permite confundir sin embargo lo que constituye simple crítica a la pericia de un profesional en el ejercicio de una actividad con un atentado o lesión a su honor y honorabilidad personal. Pero ello no puede llevarnos a negar rotundamente (...) que la difusión de hechos directamente relativos al desarrollo y ejercicio de la actividad profesional de una persona puedan ser constitutivos de una intromisión ilegítima en el derecho al honor cuando excedan de la libre crítica a la labor profesional, siempre que por su naturaleza, características y forma en que se hace esa divulgación lo hagan desmerecer en la consideración ajena de su dignidad como persona.»

STC. 223/92 de 14 de diciembre (**honor y prestigio profesional**)

Fto. Jco. 3 « La opinión que la gente pueda tener de como trabaja cada cual resulta fundamental para el aprecio social... Esto nos lleva de la mano a la conclusión de que el prestigio en este ámbito, especialmente en su aspecto ético o deontológico, ha de reputarse incluído en el núcleo protegible y protegido constitucionalmente del derecho al honor.»

STC. 7/94 de 17 de enero (investigación de la paternidad)

Ver selección en relación al art. 39.

STC. 99/94 de 11 de abril (**derecho a la propia imagen y anonimato**)

Fto. Jco. 5: «No puede deducirse del art. 18 CE. que el derecho a la propia imagen, en cuanto límite del obrar ajeno, comprenda el derecho incondicionado y sin reservas a permanecer en el anonimato. Pero tampoco el anonimato, como expresión de un ámbito de reserva especialmente amplio, es un valor absolutamente irrelevante, quedando desprotegido el interés de una persona a salvaguardarlo impidiendo que su imagen se capte y se difunda.»

Fto. Jco. 7: «...existen actividades que traen consigo, con una relación de conexión necesaria, una restricción en el derecho a la imagen de quien deba realizarlas, por la propia naturaleza de éstas, como lo son las actividades en contacto con el público o accesibles a él. Cuando ello suceda, quien aceptó prestar tareas de esta índole, no puede luego invocar el derecho fundamental para eximirse de su realización, si la restricción que se le impone no resulta agravada por lesionar valores elementales de dignidad de la persona o de intimidad de ésta.»

STC. 117/94 de 25 de abril (**propia imagen y revocación del consentimiento**)

Fto. Jco. 3: «El derecho a la propia imagen... forma parte de los derechos de la personalidad y como tal garantiza el ámbito de libertad de una persona respecto de sus atributos más característicos, propios e inmediatos, como son la imagen física, la voz o el nombre, cualidades definitorias del ser propio y atribuídas como posesión inherente e irreductible a toda persona... El derecho a la intimidad limita la intervención de otras personas y de los poderes públicos en la vida privada, intervención que en el derecho que ahora nos ocupa puede manifestarse tanto respecto de la observación y captación de la imagen y sus manifestaciones como de la difusión o divulgación posterior de lo captado... Sin perjuicio de las salvedades que puedan tener lugar en relación con las imágenes captadas en público, especialmente las de personajes públicos o de notoriedad profesional cuando aquellos derechos colisionen con los del art. 20.1.d) y 4 CE puesto que el relativo a la imagen forma parte de aquéllos, éste es irrenunciable en su núcleo esencial y por ello aunque se permita autorizar su captación o divulgación será siempre con carácter revocable.»
« Cierto que, mediante la autorización del titular, la imagen puede convertirse en un valor autónomo de contenido patrimonial sometido al tráfico negocial y ello inducir a confusión acerca de si los efectos de la revocación se limitan al ámbito de la contrata-

ción o derivan del derecho de la personalidad. Esto es lo que puede determinar situaciones como la que aquí se contempla porque los artistas profesionales del espectáculo (...) que ostentan el derecho a su imagen como cualquier otra persona salvo las limitaciones derivadas de la publicidad de sus actuaciones o su propia notoriedad, consienten con frecuencia la captación o reproducción de su imagen, incluso con afectación a su intimidad, para que pueda ser objeto de explotación comercial; mas debe afirmarse que también en tales casos el consentimiento podrá ser revocado, porque el derecho de la personalidad prevalece sobre otros que la cesión contractual haya creado. Mas, en esos supuestos de cesión voluntaria de la imagen o de ciertas imágenes, el régimen de los efectos de la revocación (...) deberá atender a las relaciones jurídicas y derechos creados, incluso a favor de terceros, condicionando o modulando algunas de las consecuencias de su ejercicio.»

L.O. 4/81 de 1 de junio, de los estados de alarma, excepción y sitio.

STC. 22/84 de 17 de febrero (**inviolabilidad del domicilio y resolución judicial**)

Fto. Jco. 2: «...la protección constitucional del domicilio es una protección de carácter instrumental, que defiende los ámbitos en que se desarrolla la vida privada de la persona. Por ello, existe un nexo de unión indisoluble entre la norma que prohíbe la entrada y el registro en un domicilio (art. 18.2 de la C.) y la que impone la defensa y garantía del ámbito de privacidad (art. 18.1 de la C.). Todo ello obliga a mantener, por lo menos 'prima facie' un concepto constitucional del domicilio de mayor amplitud que el concepto jurídico privado o jurídico-administrativo.»

Fto. Jco. 3: «Existen, ciertamente, fines sociales, que deben considerarse de rango superior a algunos derechos individuales, pero ha de tratarse de fines sociales que constituyan en sí mimos valores constitucionalmente reconocidos y la prioridad ha de resultar de la propia C. Así, por ejemplo, el art. 33 delimita el derecho de propiedad de acuerdo con su función social. No ocurre esto en materia de inviolabilidad del domicilio, donde la C. no dice que deba sacrificarse a cualquier fin social, que, en general, será de rango superior por serlo y únicamente menciona de modo expreso la persecución de un delito flagrante como causa bastante para el sacrificio del derecho, aunque esta norma sea susceptible de desarrollos diferentes.»

Fto. Jco. 5: «El art. 18.2 de la C. contiene dos reglas distintas: una tiene carácter genérico o principal, mientras la otra supone una aplicación concreta de la primera, y su contenido es, por ello, más reducido. La regla primera define la inviolabilidad del domicilio, que constituye un auténtico derecho fundamental de la persona, establecido... para garantizar el ámbito de privacidad de ésta, dentro del espacio limitado que la propia persona elige y que tiene que caracterizarse precisamente por quedar exento o inmune a las invasiones o agresiones exteriores, de otras personas o de la autoridad pública. Como se ha dicho acertadamente, el domicilio inviolable es un espacio en el cual el individuo vive sin estar sujeto necesariamente a los usos y convenciones sociales y ejerce su libertad más íntima. Por ello, a través de este derecho no sólo es objeto de protección el espacio físico en sí mismo considerado, sino lo que en él hay de emanación de la persona y de la esfera privada de ella. Interpretada en este sentido, la regla de la inviolabilidad del domicilio es de contenido amplio e impone una extensa serie de garantías y de facultades, en las que se comprenden las de vedar toda clase de invasiones incluídas las que puedan realizarse sin penetración directa por medio de aparatos mecánicos, electrónicos u otros análogos.

La regla segunda establece un doble condicionamiento a la entrada y al registro, que consiste en el consentimiento del titular o en la resolución judicial. La interdicción fundamental de este precepto es la del registro domiciliar, entendido como inquisición o pesquisa, para lo cual la entrada no es más que un trámite de carácter instrumental. Contempladas desde esta perspectiva las cosas, puede extraerse la conclusión de que en toda actividad de ejecución de Sentencias o decisiones llevadas a cabo por órganos públicos, en que se produce, bien que necesariamente, el ingreso de los órganos ejecutores en un domicilio privado, se realiza en mayor o menor medida una inquisición de éste. De la facultad que el titular del derecho sobre el domicilio tiene de impedir la entrada en él es consecuencia que la resolución judicial o la resolución administrativa que ordenan una ejecución que sólo puede llevarse a cabo ingresando en un domicilio privado, por sí solas no conllevan el mandato y la autorización del ingreso, de suerte que, cuando éste es negado por el titular debe obtenerse una nueva resolución judicial que autorice la entrada y las actividades que una vez dentro del domicilio pueden ser realizadas... Si los agentes judiciales encargados de llevar, por ejemplo, a cabo un deshaucio o un embargo encuentran cerrada la puerta o el acceso de un domicilio, sólo en virtud de una específica resolución judicial pueden entrar. Por consiguiente, el hecho de encontrarse ejecutando una decisión, judicial o administrativa, legalmente adoptada, no permite la entrada y el registro en un domicilio particular. Sin consentimiento del titular o resolución judicial, el acto es ilícito y constituye violación del derecho, salvo el caso de flagrante delito y salvo, naturalmente, las hipótesis que generan causas de justificación como puede ocurrir con el estado de necesidad.»

STC. 137/85 de 27 de octubre (personas jurídicas titulares derecho inviolabilidad domicilio)

Fto. Jco. 3: «...parece claro que nuestro Texto Constitucional, al establecer el derecho a la inviolabilidad del domicilio, no lo circunscribe a las personas físicas, siendo pues extensivo o predicable igualmente en cuanto a las personas jurídicas, del mismo modo que este T.C. ha tenido ocasión de pronunciarse respecto de otros derechos fundamentales, como pueden ser los fijados en el art. 24 de la misma C.E., sobre prestación de tutela judicial efectiva, tanto a personas físicas como a jurídicas.

...pudiendo entenderse que este derecho a la inviolabilidad del domicilio tiene también justificación en el supuesto de personas jurídicas, y posee una naturaleza que en modo alguno repugna la posibilidad de aplicación a estas últimas, las que también pueden ser titulares legítimos de viviendas, las que no pueden perder su carácter por el hecho de que el titular sea uno u otra, derecho fundamental que cumple su sentido y su fin también en el caso de que se incluyan en el círculo de los titulares de ese derecho fundamental a personas jurídicas u otras colectividades.»

STC. 199/87 de 16 de diciembre (intervención judicial antes de entrada en domicilio)

Fto. Jco. 9: «Debe tenerse en cuenta que en el caso de la inviolabilidad del domicilio... la única intervención judicial efectiva en principio es aquella que se adopta antes de la penetración en el domicilio, puesto que la intervención 'a posteriori' se produciría una vez realizada la penetración en el domicilio, y no evitaría en nigún caso el sacrificio del derecho fundamental, sino que aparte de la eventual responsabilidad disciplinaria o penal en caso de extralimitación manifiesta, sólo podría tener algún efecto en la legitimidad de las pruebas conseguidas en una penetración del domicilio que el Juez posteriormente a su realización haya desautorizado.

El art. 16 de la L.O. 9/84 (se refiere a la legislación antiterrorista), no ha establecido así como regla general la falta de autorización judicial previa, ni puede decirse que la sola vigencia de la Ley sea suficiente... para que la fuerza de Policía pueda entrar en cualquier domicilio para proceder a su registro, y en su caso, ocupar los instrumentos y efectos correspondientes. Sólo, de forma excepcional, en supuestos absolutamente imprescindibles y en los que las circunstancias del caso no permitan la oportuna adopción de medidas por la autoridad judicial, por tener que procederse a la inmediata detención de un presunto terrorista, es cuando podrá operar la excepción a la necesidad de previa autorización o mandato judicial... La Ley... sólo ha sacrificado el carácter previo de la intervención judicial en supuestos límite, en aras de hacer efectivos los fines por los que el art. 55.2 permite la suspensión del derecho a la inviolabilidad del domicilio.»

STC. 160/91 de 18 de julio (**parcial rectificación de la STC. 22/84**)

Fto. Jco. 9: «Los recurrentes, no obstante, se refieren a nuestra STC. 22/84 y de ella extraen la consecuencia de que se vulneró su derecho a la inviolabilidad de domicilio, pues sería necesaria una resolución judicial específica para proceder al desalojo y derribo de sus viviendas, lo que plantea la cuestión de si, existiendo una previa resolución judicial firme que ordena la expropiación y consecuente desalojo y derribo de una vivienda, es además necesario una posterior resolución judicial para ejecutarla materialmente.

La respuesta a esa cuestión ha de ser forzosamente negativa; y en este aspecto debemos apartarnos, en los términos previstos en el art. 13 de la LOTC., de la doctrina sentada en la STC. 22/84, en lo que constituía su 'ratio decidendi', acerca de la exigencia de una duplicidad de resoluciones judiciales. Corresponde al Juez, según lo señalado, y de acuerdo con el art. 18.2 CE., llevar a cabo la ponderación preventiva de los intereses en juego como garantía del derecho a la inviolabilidad del domicilio. Y una vez realizada la ponderación, se ha cumplido el mandato constitucional. La introducción de una segunda resolución por un Juez distinto no tiene sentido en nuestro ordenamiento, una vez producida, en el caso de que se trata, una Sentencia firme en la que declara la conformidad a Derecho de una resolución expropiatoria que lleva anejo el correspondiente desalojo.

...Ha de concluirse, pues, que, una vez recaída una resolución judicial que adquiera firmeza y que dé lugar, por su naturaleza y contenido, a una entrada domiciliaria, tal resolución será título bastante para esa entrada, y se habría cumplido la garantía del art. 18 CE.».

STC. 341/93 de 18 de noviembre (**sobre el concepto constitucional de flagrancia**)

Fto. Jco. 8: «Es preciso... reiterar, también, el sentido riguroso que tienen las excepciones dispuestas por la Norma fundamental a la inviolabilidad del domicilio. El art. 18.2 CE no ha deferido a la Ley la previsión de aquellas excepciones y tampoco ha utilizado cláusulas de habilitación genéricas para justificar la entrada policial en domicilio, sino que ha establecido un sólo supuesto, fuera del consentimiento del titular y de la autorización judicial en el que será posible aquella entrada: 'caso de flagrante delito'.

...no corresponde a este TC. determinar con detalle en todos sus extremos, el concepto de flagrancia delictiva, pero sí debe, cuando así se le pida, ...perfilar los contornos esenciales que en la CE muestra tal figura...

A los efectos constitucionales que aquí importan no procede asumir o reconocer como definitiva ninguna de las varias formulaciones legales, doctrinales o jurisprudenciales, que de la flagrancia se han dado en nuestro ordenamiento, pero lo que sí resulta inexcusable, y suficiente a nuestro propósito, es reconocer la arraigada imagen de la flagrancia como situación fáctica en la que el delincuente es 'sorprendido', visto directamente o percibido de otro modo, en el momento de delinquir o en circunstancias inmediatas a la perpetración del ilícito. Si el lenguaje constitucional ha de seguir siendo significativo, y ello es premisa firme de toda interpretación, no cabe sino reconocer que estas connotaciones de la flagrancia (evidencia del delito y urgencia de la intervención policial) están presentes en el art. 18.2 de la Norma fundamental, precepto que, al servirse de esta noción tradicional, ha delimitado un derecho fundamental y, correlativamente, la intervención sobre el mismo del poder público.

...Con reiteración ha dicho este TC. que la garantía constitucional del domicilio queda salvaguardada, al margen del consentimiento del titular, mediante la previa intervención judicial. Esta previa intervención judicial, ha sido excepcionada por la CE con rigor a través de la noción de 'flagrante delito' que no puede entenderse, por ello, a los fines del art. 18.2 CE., sino como la situación fáctica en la que queda excusada aquella autorización judicial, precisamente porque la comisión del delito se percibe con evidencia y exige de manera inexcusable una inmediata intervención. Mediante la noción de 'flagrante delito' la CE. no ha apoderado a las Fuerzas y Cuerpos de Seguridad para que sustituyan con la suya propia la valoración judicial a fin de acordar la entrada en domicilio, sino que ha considerado una hipótesis excepcional en la que, por las circunstancias en las que se muestra el delito, se justifica la inmediata intervención de las F. y C. de Seguridad.

...Se refiere la LOPSC (art. 21.2), en efecto, al 'conocimiento fundado por parte de las F. y C. de Seguridad que les lleve a la constancia de que se está cometiendo o se acaba de cometer algunos de los delitos que menciona, pero estas expresiones legales, 'conocimiento fundado y constancia', en cuanto no integran necesariamente un conocimiento o percepción evidente, van notoriamente más allá de aquello que es esencial o nuclear a la situación de flagrancia. Al utilizar tales términos el precepto permite entradas y registros domiciliarios basados en conjeturas o en sospechas que nunca, por sí mismas, bastarían para configurar una situación de flagrancia. Las expresiones ambiguas e indeterminadas que contiene el art. 21.2 (LOPSC) confieren al precepto un alcance que la CE. no admite.

La interpretación y aplicación legislativa de los conceptos constitucionales definidores de ámbitos de libertad o de inmunidad es tarea en extremo delicada, en la que no puede el legislador disminuir o relativizar el rigor de los enunciados constitucionales que establecen garantías de los derechos ni crear márgenes de incertidumbre sobre su modo de afectación. Ello es no sólo inconciliable con la idea misma de garantía constitucional, sino contradictorio, incluso, con la única razón de ser, muy plausible en sí, de estas ordenaciones legales, que no es otra que la de procurar una mayor certeza y precisión en cuanto a los límites que enmarcan la actuación del poder público, también cuando este poder cumple, claro está, el 'deber estatal de perseguir eficazmente el delito. La eficacia en la persecución del delito, cuya legitimidad es incuestionable, no puede imponerse, sin embargo, a costa de los derechos y libertades fundamentales.»

STC. 10/2002 de 17 de enero (habitación de hotel es domicilio)

Fto. Jco. 6: «En una delimitación negativa de las características que ha de tener cualquier espacio para ser considerado domicilio hemos afirmado que ni el carácter cerrado del espacio ni el poder de disposición que sobre el mismo tenga su titular determinan que estemos ante el domicilio constitucionalmente protegido. Y, en sentido inverso, que tampoco la falta de habitualidad en el uso o disfrute impide en todo caso la calificación del espacio como domicilio. Así, hemos declarado que "no todo recinto cerrado merece la consideración de domicilio a efectos constitucionales", y que, en particular, la garantía constitucional de su inviolabilidad no es extensible a "aquellos lugares cerrados que, por su afectación, como ocurre con los almacenes, las fábricas, las oficinas y los locales comerciales, tengan un destino o sirvan a cometidos incompatibles con la idea de privacidad" (STC. 228/97). Igualmente hemos señalado que "no todo local sobre cuyo acceso posee poder de disposición su titular debe ser considerado como domicilio a los fines de la protección que el art. 18.2 garantiza", pues "la razón que impide esta extensión es que el derecho fundamental aquí considerado no puede confundirse con la protección de la propiedad de los inmuebles ni de otras titularidades reales u obligacionales relativas a dichos bienes que puedan otorgar una facultad de exclusión de los terceros" (STC. 69/99). Y finalmente hemos advertido sobre la irrelevancia a efectos constitucionales de la intensidad, periodicidad o habitualidad del uso privado del espacio si, a partir de otros datos como su situación, destino natural, configuración física, u objetos en él hallados, puede inferirse el efectivo desarrollo de vida privada en el mismo (STC. 94/99).»

Fto. Jco. 8: «Precisado en estos términos el concepto constitucional de domicilio, se ha de otorgar la razón al órgano judicial cuestionante en cuanto a que las habitaciones de los hoteles pueden constituir domicilio de sus huéspedes, ya que, en principio, son lugares idóneos, por sus propias características, para que en las mismas se desarrolle la vida privada de aquellos habida cuenta de que el destino usual de las habitaciones de los hoteles es realizar actividades enmarcables genéricamente en la vida privada ...Desde esta perspectiva, ni la accidentalidad, temporalidad, o ausencia de habitualidad del uso de la habitación del hotel, ni las limitaciones al disfrute de las mismas que derivan del contrato de hospedaje, pueden constituir obstáculos a su consideración como domicilio de los clientes del hotel mientras han contratado con éste su alojamiento en ellas.»

STC. 22/2003 de 10 de febrero (titular del domicilio)

Fto. Jco. 6...No nos corresponde decidir cuál es la interpretación correcta de la legalidad ordinaria, pero sí determinar si la efectuada en el caso resulta admisible desde la perspectiva del derecho fundamental consagrado en el art. 18.2 CE. Por tanto nuestro análisis se centrará en la determinación de quién puede consentir una entrada y registro policial, a los efectos del citado art. 18.2, en los supuestos de cotitulares del domicilio de igual derecho y, en concreto, en los casos de convivencia conyugal o análoga, cuestión que no ha sido abordada expresamente en nuestra jurisprudencia.
7. Para solventar ese problema ha de partirse de que la convivencia presupone una relación de confianza recíproca, que implica la aceptación de que aquél con quien se convive pueda llevar a cabo actuaciones respecto del domicilio común, del que es cotitular, que deben asumir todos cuantos habitan en él y que en modo alguno determinan

la lesión del derecho a la inviolabilidad del domicilio. En definitiva, esa convivencia determinará de suyo ciertas modulaciones o limitaciones respecto de las posibilidades de actuación frente a terceros en el domicilio que se comparte, derivadas precisamente de la existencia de una pluralidad de derechos sobre él. Tales limitaciones son recíprocas y podrán dar lugar a situaciones de conflicto entre los derechos de los cónyuges, cuyos criterios de resolución no es necesario identificar en el presente proceso de amparo.

Como regla general puede afirmarse, pues, que en una situación de convivencia normal, en la cual se actúa conforme a las premisas en que se basa la relación, y en ausencia de conflicto, cada uno de los cónyuges o miembros de una pareja de hecho está legitimado para prestar el consentimiento respecto de la entrada de un tercero en el domicilio, sin que sea necesario recabar el del otro, pues la convivencia implica la aceptación de entradas consentidas por otros convivientes.

A esa situación normal parece responder el texto expreso de la Constitución española. En efecto, el artículo 18.2 CE, tras proclamar que el domicilio es inviolable, declara que "ninguna entrada o registro podrá hacerse en él sin el consentimiento del titular o autorización judicial", excepto en los casos de flagrante delito.

De modo que, aunque la inviolabilidad domiciliaria, como derecho, corresponde individualmente a cada uno de los que moran en el domicilio, la titularidad para autorizar la entrada o registro se atribuye, en principio, a cualquiera de los titulares del domicilio, por lo que pueden producirse situaciones paradójicas, en las que la titularidad para autorizar la entrada y registro pueda enervar la funcionalidad del derecho a la inviolabilidad domiciliaria para tutelar la vida privada del titular del derecho.

8. Sin embargo, el consentimiento del titular del domicilio, al que la Constitución se refiere, no puede prestarse válidamente por quien se halla, respecto al titular de la inviolabilidad domiciliaria, en determinadas situaciones de contraposición de intereses que enerven la garantía que dicha inviolabilidad representa.

Del sentido de garantía del art. 18.2 CE se infiere inmediatamente que la autorización de entrada y registro respecto del domicilio de un imputado no puede quedar librada a la voluntad o a los intereses de quienes se hallan del lado de las partes acusadoras, pues, si así fuese, no habría, en realidad, garantía alguna, máxime en casos como el presente, en que hallándose separados los cónyuges, el registro tuvo lugar en la habitación del marido.

L.O. 7/84 de 15 de octubre, sobre tipificación penal de la colocación de escuchas telefónicas, arts. 192 bis y 497 bis del C. Penal.

STC. 114/84 de 29 de noviembre (contenido esencial del secreto de las comunicaciones)

Fto. Jco. 7: «El derecho al secreto de las comunicaciones... no puede oponerse, sin quebrar su sentido constitucional, frente a quien tomó parte en la comunicación misma así protegida. Rectamente entendido, el derecho fundamental consagra la libertad de las comunicaciones, implícitamente, y, de modo expreso, su secreto, estableciendo en este último sentido la interdicción de la interceptación o del conocimiento antijurídicos de las comunicaciones ajenas. El bien constitucionalmente protegido es así, a través de la imposición a todos del secreto, la libertad de las comunicaciones, siendo cierto que el derecho puede conculcarse tanto por la interceptación en sentido estricto (que suponga aprehensión física del soporte del mensaje, con conocimiento o no del mismo, o captación, de otra forma, del proceso de comunicación) como por el simple conocimiento antijurídico de lo comunicado (apertura de la correspondencia ajena guardada por su destinatario...) ...También puede decirse que el concepto de secreto... no cubre sólo el contenido de la comunicación, sino también, en su caso, otros aspectos de la misma, como, por ejemplo, la identidad subjetiva de los interlocutores o de los corresponsales. La norma constitucional se dirige inequívocamente a garantizar su impenetrabilidad (de la comunicación) por terceros (públicos o privados) ajenos a la comunicación misma. La presencia de un elemento ajeno a aquellos entre los que media el proceso de comunicación, es indispensable para configurar el ilícito constitucional aquí perfilado. No hay secreto para aquél a quien la comunicación se dirige, ni implica contravención de lo dispuesto en el art. 18.3 de la C. la retención por cualquier medio, del contenido del mensaje.

Quien entrega a otro la carta recibida o quien emplea durante su conversación telefónica un aparato amplificador de la voz que permite captar aquella conversación a otras personas presentes no está violando el secreto de las comunicaciones, sin perjuicio de que estas mismas conductas, en el caso de que lo así transmitido a otros entrase en la esfera 'íntima' del interlocutor, pudiesen constituir atentados al derecho garantizado en el art. 18.1 de la C... Quien graba una conversación de otros atenta... al derecho reconocido en el art. 18.3 de la C.; por el contrario, quien graba una conversación con otro no incurre, por este sólo hecho, en conducta contraria al precepto constitucional citado.»

Fto. Jco. 8: «...debe afirmarse que no constituye contravención alguna del secreto de las comunicaciones la conducta del interlocutor que graba ésta... La grabación en sí, al margen de su empleo ulterior, sólo podría constituir un ilícito sobre la base del reconocimiento de un hipotético 'derecho a la voz' que no cabe identificar en nuestro ordenamiento, por más que sí puede existir en algún Derecho extranjero. Tal protección de la propia voz existe sólo en el Derecho español, como concreción del derecho a la intimidad y, por ello, sólo en la medida en que la voz ajena sea utilizada 'ad extra' y no meramente registrada, y aún en este caso cuando dicha utilización lo sea con determinada finalidad (p. ej. publicitarios o de análoga naturaleza).»

STC. 167/02 de 18 de setiembre (control judicial)

Fto. Jco. 2: «Sobre el particular la doctrina de este Tribunal ha sostenido que al ser la intervención de las comunicaciones telefónicas una limitación del derecho fundamental al secreto de las mismas, exigida por un interés constitucionalmente legítimo, es inexcusable una adecuada motivación de las resoluciones judiciales por las que se acuerda, que tiene que ver con la necesidad de justificar el presupuesto legal habilitante de la intervención y la de hacer posible su control posterior en aras del respeto del derecho de defensa del sujeto pasivo de la medida, habida cuenta de que, por la propia finalidad de ésta, dicha sentencia no puede tener lugar en el momento de la adopción de la medida.

En este sentido tenemos dicho que la resolución judicial en la que se acuerda la medida de intervención telefónica o su prórroga debe expresar o exteriorizar las razones fácticas y jurídicas que apoyan la necesidad de la intervención, esto es, cuáles son los indicios que existen acerca de la presunta comisión de un hecho delictivo grave por una determinada persona, así como determinar con precisión el número o números de teléfono y personas cuyas conversaciones han de ser intervenidas, que, en principio, deberán serlo las personas sobre las que recaigan los indicios referidos, el tiempo de duración de la intervención, quiénes han de llevarla a cabo y cómo, y los períodos en los que deba darse cuenta al Juez para controlar su ejecución ...Así pues, también se deben exteriorizar en la resolución judicial, entre otras circunstancias, los datos o hechos objetivos que puedan considerarse indicios de la existencia del delito y la conexión de la persona o personas investigadas con el mismo, indicios que son algo más que simples sospechas, pero también algo menos que los indicios racionales que se exigen para el procesamiento. Esto es sospechas fundadas en alguna clase de dato objetivo.»

Fto.jco 4: «Sobre el principio de proporcionalidad en el ámbito de la intervención de las comunicaciones telefónicas, este Tribunal tiene declarado ...que una medida restrictiva del derecho al secreto de las comunicaciones sólo puede entenderse constitucionalmente legítima, desde la perspectiva de este derecho fundamental, si se realiza con estricta observancia del principio de proporcionalidad, es decir, si ...la medida se autoriza por ser necesaria para alcanzar un fin constitucionalmente legítimo, como, entre otros, para la defensa del orden y prevención de delitos calificables de infracciones punibles graves y es idónea e imprescindible para la investigación de los mismos...»

Fto.jco 5: «El control judicial de la medida de intervención telefónica se integra en el contenido esencial del derecho ex art. 18.3 CE, en cuanto es preciso para su corrección y proporcionalidad ...Ese control judicial puede resultar ausente o deficiente en caso de falta de fijación temporal de los períodos en que debe darse cuanta al Juez de los resultados de la restricción, así como en caso de su incumplimiento por la policía, e igualmente queda afectada la constitucionalidad de la medida, si por otras razones el Juez que la autorizó no efectúa un seguimiento de las vicisitudes del desarrollo y cese de la intervención telefónica, y si no conoce el resultado obtenido en la investigación...»

STC. 292/00 de 30 de noviembre (derecho a la protección de datos)

Fto. Jco. 5: «...el art. 18.4 CE contiene ...un instituto de garantía de los derechos a la intimidad y al honor y al pleno disfrute de los restantes derechos de los ciudadanos que, además, es en sí mismo "un derecho o libertad fundamental, el derecho a la libertad frente a las potenciales agresiones a la dignidad y a la libertad de la persona provenientes de un uso ilegítimo del tratamiento mecanizado de datos, lo que la CE llama la informática, lo que se ha dado en llamar "libertad informática" ...La llamada libertad informática es así derecho a controlar el uso de los mismos datos insertos en un programa informático (habeas data) y comprende, entre otros aspectos, la oposición del ciudadano a que determinados datos personales sean utilizados para fines distintos de aquel legítimo que justificó su obtención (SSTC. 11/98; 94/98).

Fto. Jco. 6: «La función del derecho fundamental a la intimidad del art. 18.1 CE es la de proteger frente a cualquier invasión que pueda realizarse en aquel ámbito de la vida personal y familiar que la persona desea excluir del conocimiento ajeno y de las intromisiones de terceros en contra de su voluntad (STC. 144/99). En cambio, el derecho fundamental a la protección de datos persigue garantizar a esa persona un poder de control sobre sus datos personales, sobre su uso y destino, con el propósito de impedir su tráfico ilícito y lesivo para la dignidad y derecho del afectado. En fin el derecho a la intimidad permite excluir ciertos datos de una persona del conocimiento ajeno ...es decir, el poder de resguardar su vida privada de una publicidad no querida. El derecho a la protección de datos garantiza a los individuos un poder de disposición sobre esos datos. Esta garantía impone a los poderes públicos la prohibición de que se conviertan en fuentes de esa información sin las debidas garantías; y también el deber de prevenir los riesgos que puedan derivarse del acceso o divulgación indebidas de dicha información. Pero ese poder de disposición sobre los propios datos personales nada vale si el afectado desconoce qué datos son los que se poseen por terceros, quiénes los poseen, y con qué fin.

De ahí la singularidad del derecho a la protección de datos, pues, por un lado, su objeto es más amplio que el del derecho a la intimidad, ya que el derecho fundamental a la protección de datos extiende su garantía no sólo a la intimidad en su dimensión constitucionalmente protegida por el art. 18.1 CE, sino a lo que en ocasiones este TC ha definido en términos más amplios como esfera de los bienes de la personalidad que pertenecen al ámbito de la vida privada, inextricablemente unidos al respeto de la dignidad personal ...como el derecho al honor ...e igualmente, en expresión bien amplia del propio art. 18.4 CE, al pleno ejercicio de los derechos de la persona. El derecho fundamental a la protección de datos amplía la garantía constitucional a aquellos de estos datos que sean relevantes para o tengan incidencia en el ejercicio de cualesquiera derechos de la persona, sean o no derechos constitucionales y sean o no relativos al honor, la ideología, la intimidad persona y familiar (o) a cualquier otro bien constitucionalmente protegido.

...el que los datos sean de carácter personal no significa que sólo tengan protección los relativos a la vida privada o íntima de la persona, sino que los datos amparados son todos aquellos que identifiquen o permitan la identificación de la persona, pudiendo servir para la confección de su perfil ideológico, racial, sexual, económico o de cualquier otra índole, o que sirvan para cualquier otra utilidad que en determinadas circunstancias constituya una amenaza para el individuo.

Pero también el derecho fundamental a la protección de datos posee una segunda peculiaridad que lo distingue de otros, como el derecho a la intimidad personal y familiar ...Dicha peculiaridad radica en su contenido, ya que a diferencia de este último, que confiere a la persona el poder jurídico de imponer a terceros el deber de abstenerse de toda intromisión en la esfera íntima de la persona y la prohibición de hacer uso de lo así conocido ...el derecho a la protección de datos atribuye a su titular un haz de facultades consistente en diversos poderes jurídicos cuyo ejercicio impone a terceros deberes jurídicos, que no se contienen en el derecho fundamental a la intimidad, y que sirven a la capital función que desempeña este derecho fundamental: garantizar a la persona un poder de control sobre sus datos personales, lo que sólo es posible y efectivo imponiendo a terceros los mencionados deberes de hacer. A saber: el derecho a que se requiera el previo consentimiento para la recogida y uso de los datos personales, el derecho a saber y ser informado sobre el destino y uso de esos datos y el derecho a acceder, rectificar y cancelar dichos datos. En definitiva el poder de disposición sobre los datos personales (STC. 254/93).»

Fto. Jco. 9: «En cuanto a los límites de este derecho fundamental no estará de más recordar que la CE menciona en el art. 105 b) que la ley regulará el acceso a los archivos y registros administrativos "salvo en lo que afecte a la seguridad y defensa del Estado, la averiguación de los delitos y la intimidad de las personas ...Y en numerosas ocasiones este TC ha dicho que la persecución y castigo del delito constituye, asimismo, un bien digno de protección constitucional, a través del cual se defienden otros como la paz social y la seguridad ciudadana ...Y las SSTC. 110/84 y 143/94 consideraron que la distribución equitativa del sostenimiento del gasto público y las actividades de control en materia tributaria como bienes y finalidades constitucionales legítimas capaces de restringir los derechos del art. 18.1 y 4 CE».

Art. 19. Los españoles tienen derecho a elegir libremente su residencia y a circular por el territorio nacional.

Asimismo, tienen derecho a entrar y salir libremente de España en los términos que la ley establezca. Este derecho no podrá ser limitado por motivos políticos o ideológicos.

STC. 8/86 de 21 de enero (**diferentes consecuencias jurídicas según el lugar de residencia**)

Fto. Jco. 3: «La libertad de elección de residencia que atribuye a los españoles el art. 19 de la C.E. comporta la obligación correlativa de los poderes públicos de no adoptar medidas que obstaculicen o restrinjan ese derecho fundamental, pero ello no significa que las consecuencias jurídicas de la fijación de residencia hayan de ser, a todos los efectos, las mismas en todo el territorio nacional o, al menos, en un mismo municipio. La libertad de elección de residencia implica, como es obvio, la de opción entre los beneficios y perjuicios, derechos y obligaciones y cargas que, materialmente o por decisión de los poderes públicos competentes corresponden a los residentes en un determinado lugar o inmueble por el mero hecho de la residencia, derechos, obligaciones y cargas que pueden ser diferentes en cada caso, en virtud de circunstancias objetivas y de acuerdo con lo dispuesto en el ordenamiento. El hecho de que los residentes en una determinada zona del territorio nacional hayan de soportar obligaciones y cargas mayores que las de otros... no limita o restringe su derecho a la libre elección de residencia...»

STC. 85/89 de 10 de mayo (**presentación ante el Juzgado y libre residencia**)

Fto. Jco. 3: «...como este TC. ha dicho... (ATC. 650/84), la presentación ante el Juzgado por ser una medida cautelar legalmente prevista, aunque ciertamente significa una restricción del derecho de libre elección de residencia, no constituye una vulneración al mismo aquella resolución judicial que, como ocurre en el presente caso, impone tal obligación dentro de los supuestos legales y en forma razonada en términos de Derecho. Todo ello sin olvidar que en este caso se ha permitido al recurrente efectuar la comparecencia ante el Juzgado de la ciudad por él elegida como lugar de residencia».

STC. 94/93 de 22 de marzo (**los extranjeros son titulares del derecho**)

Fto. Jco. 2: «...el presente recurso suscita la cuestión previa de si un extranjero puede ser considerado titular del derecho fundamental de libre circulación... la inexistencia de declaración constitucional que proclame directamente la libertad de circulación de las personas que no ostentan la nacionalidad española no es argumento bastante para considerar resuelto el problema... La dicción literal del art. 19 CE es insuficiente, porque ese precepto no es el único que debe ser considerado; junto a él, es preciso tener en cuenta otros preceptos que determinan la posición jurídica de los extranjeros en España, entre los que destaca el art. 13.1 de la C. Su apartado 1 dispone que los extranjeros gozan en España de las libertades públicas que garantizan el T. I de la C., aun cuando sea en los términos que establezcan los tratados y las leyes... Por consiguiente, resulta claro que los extranjeros pueden ser titulares de los derechos fundamentales a residir y a desplazarse libremente que recoge la C. en su art. 19.»

Fto. Jco. 3: «Cuestión distinta, sin embargo, es el alcance que despliega la protección constitucional a los desplazamientos de extranjeros en España... es pues lícito que las leyes y los tratados modulen el ejercicio de esos derechos en función de la nacionalidad de las personas, introduciendo tratamientos desiguales entre españoles y extranjeros en lo que atañe a entrar y salir de España.»

Art. 20. 1. Se reconocen y protegen los derechos:

a) A expresar y difundir libremente los pensamientos, ideas y opiniones mediante la palabra, el escrito o cualquier otro medio de reproducción.

b) A la producción y creación literaria, artística, científica y técnica.

c) A la libertad de cátedra.

d) A comunicar o recibir libremente información veraz por cualquier medio de difusión. La ley regulará el derecho a la cláusula de conciencia y al secreto profesional en el ejercicio de estas libertades.

2. El ejercicio de estos derechos no puede restringirse mediante ningún tipo de censura previa.

3. La ley regulará la organización y el control parlamentario de los medios de comunicación social dependientes del Estado o de cualquier ente público y garantizará el acceso a dichos medios de los grupos sociales y políticos significativos, respetando el pluralismo de la sociedad y de las diversas lenguas de España.

4. Estas libertades tienen su límite en el respeto a los derechos reconocidos en este Título, en los preceptos de las leyes que lo desarrollen y, especialmente, en el derecho al honor, a la intimidad, a la propia imagen y a la protección de la juventud y de la infancia.

5. Sólo podrá acordarse el secuestro de publicaciones, grabaciones y otros medios de información en virtud de resolución judicial.

L.O. 2/1984 de 26 de enero reguladora del derecho de rectificación.
Ley 4/1980 de 10 de enero, por la que se aprueba el Estatuto de la Radio y la Televisión.
Ley 10/1988 de 3 de mayo de Televisión Privada.
L.O. 1/1982 de 5 de mayo, de protección civil del derecho al honor, a la intimidad personal y familiar y a la propia imagen.

STC. 6/81 de 16 de marzo (**significado de la libre opinión en sociedad libre y Estado social**)

Fto. Jco. 3: «El art. 20 de la C., en sus distintos apartados, garantiza el mantenimiento de una comunicación pública libre, sin la cual quedarían vaciados de contenido real otros derechos que la C. consagra, reducidas a formas hueras las instituciones representativas y absolutamente falseado el principio de legitimidad que enuncia el art. 1.2 de la C. y que es la base de toda nuestra ordenación jurídico-política.

La preservación de esta comunicación pública libre sin la cual no hay sociedad libre ni, por tanto, soberanía popular, exige la garantía de ciertos derechos fundamentales comunes a todos los ciudadanos, y la interdicción con carácter general de determinadas actuaciones del poder (verbi gratia las prohibidas en los apartados 2 y 5 del mismo art. 20), pero también una especial consideración a los medios que aseguran la comunicación social y, en razón de ello, a quienes profesionalmente los sirven. A la luz de estas consideraciones deben examinarse las alegaciones de los recurrentes, quienes comienzan por invocar su condición de periodistas en activo para aducir, a partir de este supuesto y muy concretamente que la suspensión de los periódicos en donde prestaban sus servicios ha violado la libertad de expresión... el derecho a comunicar y recibir libremente información veraz... y, en último término, la reserva de Ley que establece el mismo art. 20 en su apartado 3.»

Fto. Jco. 4: «La libertad de expresión que proclama el art. 20.1 a) es un derecho fundamental del que gozan por igual todos los ciudadanos y que les protege frente a cualquier injerencia de los poderes públicos que no esté apoyada en la Ley, e incluso frente a la propia Ley en cuanto ésta intente fijar otros límites que los que la propia C. (arts. 20.4 y 53.1) admite. Otro tanto cabe afirmar respecto del derecho a comunicar y recibir información veraz (art. 20.1 d), fórmula que, como es obvio, incluye dos derechos distintos, pero íntimamente conectados. El derecho a comunicar que, en cierto sentido, puede considerarse como una simple aplicación diferenciada sólo se encuentra en textos constitucionales recientes, es derecho del que gozan también, sin duda, todos los ciudadanos aunque en la práctica sirva, sobre todo, de salvaguardia a quienes hacen de la búsqueda y difusión de la información su profesión específica; el derecho a recibir es en rigor una redundancia (no hay comunicación cuando el mensaje no tiene receptor posible), cuya inclusión en el texto constitucional se justifica, sin embargo, por el propósito de ampliar al máximo el conjunto de los legitimados para impugnar cualquier perturbación de la libre comunicación social.

Son estos derechos, derechos de libertad frente al poder y comunes a todos los ciudadanos. Quienes hacen profesión de la expresión de ideas u opiniones o de la comunicación de información los ejercen con mayor frecuencia que el resto de sus conciudadanos, pero no derivan de ello ningún privilegio y desde luego no el de transformar en su favor, lo que para el común de los ciudadanos es derecho de libertad, en un derecho de prestación que los legitime para exigir de los poderes públicos la creación o el mantenimiento de medios de comunicación a través de los cuales puedan expresar sus opiniones o comunicar información.

Ciertamente cualquier limitación de estas libertades sólo es válida en cuanto hecha por Ley, no ya porque así lo exijan diversos Pactos Internacionales ratificados por España, sino, sobre todo, porque así lo impone la propia C. que extremando aún más las garantías, exige para esas leyes limitativas una forma especial e impone al propio legislador una barrera infranqueable (art. 53 y 81). Pero esta reserva de Ley sólo incluye las limitaciones o restricciones de la libertad, no los actos de administración por los que un ente público, actuando como titular de un determinado medio de comunicación, acuerda suspender su funcionamiento.

Como actores destacados con el proceso de libre comunicación social, los profesionales de la comunicación pueden invocar derechos cuya configuración concreta es mandato que la C. (art. 20.1, d) in fine) da al legislador pero no se han invocado esos derechos en el presente recurso, ni sirven los mismos para asegurar la permanencia de la actividad profesional, sino sólo el modo de su ejercicio.»

Fto. Jco. 5: «La libertad de los medios de comunicación, sin la cual no sería posible el ejercicio eficaz de los derechos fundamentales que el art. 20 de la C. enuncia, entraña seguramente la necesidad de que los poderes públicos, además de no estorbarla, adopten las medidas que estimen necesarias para remover los obstáculos que el libre juego de las fuerzas sociales pudieran oponerle. La cláusula del Estado social (art. 1.1) y, en conexión con ella, el mandato genérico contenido en el art. 9.2 imponen, sin duda, actuaciones positivas de este género. No cabe derivar, sin embargo, de esta obligación el derecho a exigir el apoyo con fondos públicos a determinados medios privados de comunicación social o la creación o el sostenimiento de un determinado medio del mismo género y de carácter público.»

STC. 30/82 de 1 de junio

Fto. Jco. 4: Ver selección con relación al art. 120.

STC. 127/94

Ver selección en relación con el art. 38

STC. 35/83 de 11 de mayo (contenido del derecho de rectificación)

Fto. Jco. 4: «Este último (el derecho de rectificación) tiene, como es evidente, un carácter puramente instrumental en cuanto que su finalidad se agota en la rectificación de informaciones publicadas por los medios de comunicación y que aquel que solicita la rectificación considere lesivas de derechos propios. Por su naturaleza y su finalidad, el derecho de rectificación, que normalmente sólo puede ejercerse con referencia a datos de hecho (incluso juicios de valor atribuídos a terceras personas), pero no frente a opiniones cuya responsabilidad asume quien las difunde, debe ser regulado y ejercitado en términos que ni frustren su finalidad ni lesionen tampoco el derecho que también la C. garantiza a 'comunicar y recibir libremente información veraz por cualquier medio de difusión'.

En razón de la primera de estas exigencias intrínsecas, el trámite necesario para el ejercicio del derecho debe ser sumario, de manera que en lo posible garantice la rápida publicación de la rectificación solicitada, cuya demora frustraría en muchos casos su finalidad y deben considerarse ilegítimos y lesivos del derecho constitucionalmente garantizado que con la rectificación se pretendiera restablecer, los obstáculos artificiosos dirigidos simplemente a impedir o retrasar el ejercicio del derecho.

En atención a la segunda de las exigencias antes mencionadas, el ejercicio del derecho debe ajustarse a requisitos que, a su vez, ofrezcan al medio difusor de la información una garantía razonable de que la rectificación que se pretende se apoya en elementos de juicio que en alguna medida invalidan la que se hizo pública, está efectivamente destinada a impedir un daño que de otra manera sufriría el derecho o el interés legítimo de quien la solicita y no implica, a su vez, la difusión de noticias de dudosa veracidad o de las que se puedan seguir un perjuicio a la esfera jurídicamente protegida de terceros.»

STC. 168/86 de 16 de diciembre (derecho de información y derecho de rectificación)

Fto. Jco. 5: «...no hay duda de que la rectificación, judicialmente impuesta, en los términos que establece la L.O. 2/1984, de una información que el rectificante considera inexacta y lesiva de sus intereses, no menoscaba el derecho fundamental proclamado por el art. 20.1 d) de la C., ni siquiera en el caso de que la información que haya sido objeto de rectificación pudiera revelarse como cierta y ajustada a la realidad de los hechos.

En efecto, el simple disentimiento por el rectificante de los hechos divulgados no impide al medio de comunicación social afectado difundir libremente la información veraz, ni le obliga a declarar que la información aparecida es incierta o a modificar su contenido, ni puede considerarse tampoco la inserción obligatoria de la réplica como una sanción jurídica derivada de la inexactitud de lo publicado. Por el contrario, la simple inserción de una versión de los hechos distinta y contradictoria ni siquiera limita la facultad del medio de ratificarse en la información inicialmente suministrada o, en su caso, aportar y divulgar todos aquellos datos que la confirmen o la avalen.

El ejercicio del derecho de rectificación tampoco limita el derecho de la colectividad y de los individuos que la componen a recibir libremente información veraz, pues no comporta una ocultación o deformación de la que, ofrecida con anterioridad, lo sea o pueda serlo. Aún más, como ya se ha dicho, la inserción de la rectificación interesada en la publicación o medio de difusión no implica la exactitud de su contenido, pues ni siquiera la decisión judicial que ordene dicha inserción puede acreditar, por la propia naturaleza del derecho ejercitado y los límites procesales en que se desenvuelve la acción de rectificación, la veracidad de aquella. A todo ello cabe añadir que la divulgación de dos versiones diferentes de unos mismos hechos, cuya respectiva exactitud no ha sido declarada por ningún pronunciamiento firme de los órganos judiciales competentes, no restringe tampoco el derecho a recibir la información que sea veraz, es decir, a conocer cuál de aquellas dos versiones se adecúa a la realidad de lo acontecido, ya que, debemos insistir en ello, la investigación de la verdad y la declaración de los hechos ciertos siempre puede instarse y determinarse 'a posteriori' mediante las acciones y procedimientos plenarios que el ordenamiento arbitra al efecto.

La difusión de informaciones contrapuestas, que no hayan sido formalmente acreditadas como exactas o desacreditadas como falsas, con efectos de cosa juzgada, no puede lesionar, por lo expuesto, el derecho reconocido en el art. 20.1, d) de la C., en su doble faceta de comunicar y recibir libremente información veraz. Antes bien, el derecho de rectificación, así entendido, además de su primordial virtualidad de defensa de los derechos e intereses del rectificante, supone, como apunta el Ministerio Fiscal, un complemento a la garantía de la opinión pública libre que establece también el citado precepto constitucional, ya que el acceso a una versión diferente de los hechos publicados favorece, más que perjudica, el interés colectivo en la búsqueda y recepción de la verdad que aquel derecho fundamental protege.»

STC. 31/85 de 31 de enero

Fto. Jco. 3: Ver selección con relación al art. 120.

STC. 120/83 de 15 de diciembre (libre expresión en el marco de las relaciones laborales)

Fto. Jco. 2: «La libertad de expresión no es un derecho ilimitado, pues claramente se encuentra sometido a los límites que el art. 20 de la propia C. establece… dicho ejercicio debe enmarcarse, en cualquier supuesto, en unas determinadas pautas de comportamiento que el art. 7 del C. Civil expresa con carácter general, al precisar que 'los derechos deberán ejercitarse conforme a las exigencias de la buena fé', y que en el supuesto de examen tienen una específica manifestación dentro de la singular relación jurídica laboral que vincula a las partes, no siendo discutible que la existencia de una relación contractual entre trabajador y empresario genera un complejo de derechos obligaciones recíprocas que condiciona, junto a otros, también el ejercicio del derecho a la libertad de expresión, de modo que manifestaciones del mismo que en otro contexto pudieran ser legítimas, no tienen por qué serlo necesariamente dentro del ámbito de dicha relación.

Los condicionamientos impuestos por tal relación han de ser matizados cuidadosamente, ya que no cabe defender la existencia de un genérico deber de lealtad, con su significado omnicomprensivo de sujeción del trabajador al interés empresarial, pues ello no es acorde al sistema constitucional de relaciones laborales y aparece contradicho por la propia existencia del conflicto cuya legitimidad general ampara el texto constitucional; pero ello no exime de la necesidad de un comportamiento mutuo ajustado a las exigencias de la buena fe, como necesidad general derivada del desenvolvimiento de todos los derechos y específica de la relación contractual, que matiza el cumplimiento de las respectivas obligaciones y cuya vulneración convierte en ilícito o abusivo el ejercicio de los derechos, quedando al margen de su protección.»

STC. 88/85 de 19 de julio (libre expresión en el marco de la empresa)

Fto. Jco. 2: «La celebración de un contrato de trabajo no implica en modo alguno la privación para una de las partes, el trabajador, de los derechos que la C. le reconoce como ciudadano, entre otros el derecho a expresar y difundir libremente los pensamientos, ideas y opiniones (art. 20.1 a), y cuya protección queda garantizada frente a eventuales lesiones mediante el impulso de los oportunos medios de reparación, que en el ámbito de las relaciones laborales se instrumenta, por el momento a través del proceso laboral. Ni las organizaciones empresariales forman mundos separados y estancos del resto de la sociedad ni la libertad de Empresa que establece el art. 38 del texto constitucional legitima el que quienes prestan servicios en aquellos por cuenta y bajo la dependencia de sus titulares deban soportar despojos transitorios o limitaciones injustificadas de sus derechos fundamentales y libertades públicas, que tienen un valor central y nuclear en el sistema jurídico constitucional. Las manifestaciones de 'feudalismo industrial' repugnan al Estado social y democrático de Derecho y a los valores superiores de libertad, justicia e igualdad a través de los cuales ese Estado toma forma y se realiza (art. 1.1).»

STC. 6/88 de 21 de enero (**libre expresión del trabajador, buena fe y actos ilícitos**)

Fto. Jco. 9: «El Abogado del Estado ha admitido en sus alegaciones que ningún deber contractual de buena fé obliga al trabajador a callar o no difundir unos hechos que son jurídicamente 'ilícitos' y que pudieran constituir una 'inconstitucional discriminación'... sí que importa subrayar que el deber de buena fe que pesa sobre el trabajador no se puede interpretar en términos tales que vengan a resultar amparados por esa exigencia de honestidad y de lealtad en el cumplimiento de las obligaciones situaciones o circunstancias que, lejos de corresponderse con el ámbito normal y regular de la prestación de trabajo, supondrían desviaciones de tal normalidad, merecedoras, acaso, de la reacción que a todos los ciudadanos cumple para hacer valer el imperio de las normas, cuando se aprecie una contravención del ordenamiento, o para hacer llegar a la opinión pública la existencia de eventuales anomalías que, aún no constitutivas, en sí, de ilicitud alguna, sí pudieran llegar a poner en juego el principio de responsabilidad que pesa sobre todos los poderes públicos.»

STC. 6/88 de 21 de enero (**libre opinión; libre información; veracidad y error**)

Fto. Jco. 5: «En el art. 20 de la C. la libertad de expresión tiene por objeto pensamientos, ideas y opiniones, concepto amplio dentro del que deben incluirse también las creencias y los juicios de valor. El derecho a comunicar y recibir libremente información versa, en cambio, sobre hechos o, tal vez más restringidamente, sobre aquellos hechos que pueden considerarse noticiables. Es cierto que, en los casos reales que la vida ofrece, no siempre es fácil separar la expresión de pensamientos, ideas y opiniones de la estricta comunicación informativa, pues la expresión de pensamientos necesita a menudo apoyarse en la narración de hechos y, a la inversa, la comunicación de hechos o de noticias no se da nunca en un estado químicamente puro y comprende, casi siempre, algún elemento valorativo o, dicho de otro modo, una vocación a la formación de una opinión. Ello aconseja, en los supuestos en que pueden aparecer entremezclados elementos de una y otra significación, atender, para calificar tales supuestos y encajarlos en cada uno de los apartados del art. 20, al elemento que en ellos aparece como preponderante. La comunicación informativa a que se refiere el apartado d) del art. 20.1 de la C., versa sobre hechos y sobre hechos, específicamente, 'que puedan encerrar trascendencia pública' a efectos de que 'sea real la participación de los ciudadanos en la vida colectiva', de tal forma que la libertad de información, y del correlativo derecho a recibirla, 'es sujeto primario la colectividad y cada uno de sus miembros, cuyo interés es el soporte final de este derecho' (STC. 105/83 de 23 de noviembre, fto. jco. 11).
La comunicación que la C. protege es, de otra parte, la que transmita información veraz, pero de ello no se sigue... que quede extramuros del ámbito garantizado, en supuestos como el presente, la información cuya plena adecuación a los hechos no se ha evidenciado en el proceso.
Cuando la C. requiere que la información sea 'veraz' no está tanto privando de protección a las informaciones que puedan resultar erróneas, o sencillamente no probadas en juicio, cuando estableciendo un específico deber de diligencia sobre el informador, a quien se le puede y debe exigir que lo que transmita como 'hechos' haya sido objeto de previo contraste con datos objetivos, privándose, así, de la garantía constitucional a quien, defraudando el derecho de todos a la información, actúe con menosprecio de la veracidad o falsedad de lo comunicado. El ordenamiento no presta su tutela a tal

conducta negligente, ni menos de quien comunique como hechos simples rumores o, peor aun, meras invenciones o insinuaciones insidiosas, pero sí ampara, en su conjunto, la información rectamente obtenida y difundida, aun cuando su total exactitud sea controvertible. En definitiva, las afirmaciones erróneas son inevitables en un debate libre, de tal forma que, de imponerse la 'verdad' como condición para el reconocimiento del derecho, la única garantía de la seguridad jurídica sería el silencio.»

STC. 153/85 de 7 de noviembre (**calificación de películas «S» es modalidad de información**)

Fto. Jco. 5: «El derecho a la producción y creación literaria, artística, científica y técnica, reconocido y protegido en el apartado b) del mencionado precepto constitucional, no es sino una concreción del derecho... a expresar y difundir libremente pensamientos, ideas y opiniones difusión que referida a la obras teatrales presupone no sólo la publicación impresa del texto literario, sino también la representación pública de la obra, que se escribe siempre para ser representada.»

Fto. Jco. 6: «En el caso de la calificación de los espectáculos artísticos y teatrales mediante la asignación del anagrama 'S' a aquellos cuya temática o contenido pueda herir la sensibilidad del espectador medio, la finalidad de la norma no es la protección de la juventud y de la infancia, pues esta finalidad aparece cubierta con la calificación por razón de la edad que el Decreto contiene; por otra parte, la calificación 'S' por sí misma no implica la prohibición de la representación o del acceso a ella, ya que el precepto se limita a indicar que se harán las oportunas advertencias al público. Se trata, por lo tanto, de una información al espectador sobre el contenido de los mencionados espectáculos que, si de una parte no supone limitación alguna a los derechos reconocidos en el art. 20 de la C., de otra viene a potenciar incluso la libertad de decisión del espectador al facilitarse elementos básicos de juicio para llevar a cabo su elección.»

STC. 62/82 de 15 de octubre (**la moral pública y la restricción de los derechos del art. 20**)

Fto. Jco. 3 B): «...la moral pública es susceptible de concreciones diferentes según las distintas épocas y países, por lo que no es algo inmutable desde una perspectiva social. Lo que nos lleva a la conclusión de que la admisión de la moral pública como límite ha de rodearse de las garantías necesarias para evitar que bajo un concepto ético, juridificado en cuanto es un 'mininum' ético para la vida social, se produzca una limitación injustificada de derechos fundamentales y libertades públicas, que tienen un valor central en el sistema jurídico.»
D): «Dado el valor central de los derechos fundamentales en nuestro sistema jurídico, toda restricción a los mismos ha de estar justificada. Como hemos visto anteriormente, a partir del art. 20.4 de la C. y del art. 10.2 del convenio de Roma, el legislador puede fijar restricciones o límites del derecho, entre otras finalidades, para la protección de la moral, dentro de la cual se comprende muy señaladamente ...la protección de la juventud y de la infancia.»

Fto. Jco. 5: «Pasamos ahora a considerar si se ha observado la segunda garantía de que las medidas adoptadas sean necesarias en una sociedad democrática para la protección de alguno de los bienes comprendidos en el art. 10.2 del Convenio de Roma, en este caso de la moral.

La Sala es consciente de la dificultad de determinar en un caso concreto si las medidas adoptadas han sido necesarias, a cuyo efecto hay que tener en cuenta, como ha señalado el Tribunal Europeo de Derechos Humanos en Sentencia de 7 de diciembre de 1976, caso Handysde, que la libertad de expresión constituye uno de los fundamentos esenciales de una sociedad democrática que ...comprende no sólo las información consideradas como inofensivas o indiferentes, o que se acojan favorablemente, sino también aquellas que puedan inquietar al Estado o a una parte de la población pues así resulta del pluralismo, la tolerancia y el espíritu de apertura sin los cuales no existe una sociedad democrática. De ahí se deduce, afirma el Tribunal Europeo, que toda formalidad, condición, restricción o sanción impuesta en esta materia debe ser proporcionada al fin legítimo perseguido.

...la pornografía no constituye para el Ordenamiento jurídico vigente, siempre y en todos los casos, un ataque contra la moral pública en cuanto 'minimum' ético acogido por el Derecho, sino que la vulneración de ese 'minimum' exige valorar las circunstancias concurrentes y, entre ellas, muy especialmente tratándose de publicaciones, la forma de publicidad y de la distribución, los destinatarios, menores o no, e incluso si las fotografías calificadas contrarias a la moral son o no de menores, pues no cabe duda que cuando los destinatarios son menores, aunque no lo sean exclusivamente, y cuando estos son sujeto pasivo y objeto de las fotografías y texto, el ataque a la moral pública, y por supuesto a la debida protección a la juventud y a la infancia, cobra una intensidad superior.»

STC. 104/86 de 17 de julio (**libertades del art. 20 y derecho al honor**)

Fto. Jco. 5: «El derecho al honor no es sólo un límite a las libertades del art. 20.1 a y d), aquí en juego... sino que según el art. 18.1 de la C. es en sí mismo un derecho fundamental. Por consiguiente, cuando del ejercicio de la libertad de opinión y/o del de la libertad de comunicar información por cualquier medio de difusión resulte afectado el derecho al honor de alguien, nos encontraremos ante un conflicto de derechos, ambos de rango fundamental, lo que significa que no necesariamente y en todo caso tal afectación del derecho al honor haya de prevalecer respecto al ejercicio que se haya hecho de aquellas libertades, ni tampoco hayan de ser éstas consideradas como prevalentes, sino que se impone una necesaria y casuística ponderación entre uno y otras. Es cierto que el derecho al honor es considerado en el art. 20.4 (...) como límite expreso de las libertades del 20.1 de la C. y no a la inversa, lo que podría interpretarse como argumento en favor de aquel. Pero también lo es que las libertades del art. 20., como ha dicho este T.C., no sólo son derechos fundamentales de cada ciudadano, sino que significan 'el reconocimiento y garantía de una institución política fundamental, que es la opinión pública libre, indisolublemente ligada con el pluralismo político que es un valor fundamental y un requisito del funcionamiento del Estado democrático'.

Esta dimensión de garantía de una institución pública fundamental, la opinión pública libre, no se da en el derecho al honor, o dicho con otras palabras, el hecho de que el art. 20 de la C. 'garantiza el mantenimiento de una comunicación pública libre sin la cual quedarían vaciados de contenido real otros derechos que la C. consagra, reducidas a formas hueras las instituciones representativas y absolutamente falseado el principio de legitimidad democrática' (STC. 6/81), otorga a las libertades del art. 20 una valoración que trasciende a la que es común y propia de todos los derechos fundamentales.»

STC. 99/02 de 6 de mayo (libertad de expresión, intimidad y honor de personajes públicos)

Fto. Jco. 5: «Con relación a la primera (la libertad de expresión), al tratarse de la formulación de "pensamientos, ideas y opiniones", hemos aseverado que dispone de un campo de acción que viene sólo delimitado por la ausencia de expresiones indudablemente injuriosas o sin relación con las ideas u opiniones que se expongan y que resulten innecesarias para la exposición de las mismas ...Pero la capital importancia que para el Estado social y democrático de Derecho tiene la amplia y robusta garantía del ejercicio de la libertad de expresión ...no puede llevarnos a desconocer el límite que para dicha libertad supone el debido respeto al honor e intimidad ajena, que también son objeto de garantía constitucional. El ejercicio del derecho de crítica no permite emplear expresiones formalmente injuriosas o innecesarias para lo que se desea expresar, que bien pueden constituir intromisiones constitucionalmente ilegítimas en el honor o en la intimidad personal o familiar ajenas.»

Fto. Jco. 6: «En cuanto al derecho a la intimidad, ha declarado reiteradamente nuestra jurisprudencia que "tiene por objeto garantizar al individuo un ámbito reservado de su vida, vinculado con el respeto de su dignidad como persona, frente a la acción y al conocimiento de los demás, sean estos poderes públicos o simples particulares. De suerte que el derecho a la intimidad atribuye a su titular el poder de resguardar ese ámbito reservado, no sólo personal sino también familiar (STC. 231/88 y 197/91), frente a la divulgación del mismo por terceros y una publicidad no querida. No garantiza una intimidad determinada sino el derecho a poseerla, disponiendo a ese fin de un poder jurídico sobre la publicidad de la información relativa al círculo reservado de su persona y su familia, con independencia del contenido de aquello que se desea mantener al abrigo del conocimiento público. Lo que el art. 18.1 CE garantiza es, pues, el secreto sobre nuestra propia esfera de vida personal y, por tanto, veda que sean los terceros, particulares o poderes públicos, quienes decidan cuáles son los contornos de nuestra vida privada (STC. 83/02).

Y en cuanto al derecho al honor, es doctrina reiterada de este Tribunal que integra un concepto jurídico cuya precisión depende de las normas, valores e ideas sociales vigentes en cada momento. De ahí que los órganos judiciales dispongan de un cierto margen de apreciación a la hora de concretar en cada caso qué deba tenerse por lesivo de aquel derecho fundamental. No obstante esa imprecisión del objeto del derecho al honor, este Tribunal ha afirmado que ese derecho ampara a la persona frente a expresiones o mensajes que lo hagan desmerecer en la consideración ajena al ir en su descrédito o menosprecio o que fueran tenidas en el concepto público por afrentosas. Por tal razón hemos dicho que la libertad del art. 20.1 a)CE no da cobertura constitucional a expresiones formalmente injuriosas o innecesarias para el mensaje que se desea divulgar, en las que simplemente su emisor exterioriza su personal menosprecio o animosidad respecto del ofendido (STC. 180/99; 112/00; 49/01).

Ha de recordarse que la extensión de estos derechos puede verse afectada por la relevancia pública sobre lo que se informa u opina, de suerte que "han de sacrificarse en la medida en que resulte necesario para asegurar la información libre en una sociedad democrática... (STC. 171/90 y 200/98). La tutela de estos derechos se debilita, proporcionalmente, como límite externo de las libertades de expresión e información cuando sus titulares son personas públicas o con notoriedad pública, estando obligadas por ello a soportar un cierto riesgo de que sus derechos subjetivos de la personalidad resulten afectados por opiniones sobre cuestiones de interés general, "lo cual es sustancialmente distinto ya sea de la simple satisfacción de la curiosidad humana por conocer la vida de otros, o bien de lo que a juicio de uno de dichos medios puede resultar noticioso en un determinado momento (STC. 134/99); 83/02). Pero, con todo, aparecerán desprovistas de protección constitucional las frases formalmente injuriosas o aquellas que carezcan de interés público por no guardar relación alguna con el asunto de relevancia sobre el que se opina y, por tanto, resulten innecesarias a la esencia del pensamiento, idea u opinión que se expresa (STC. 46/98).»

Fto. Jco. 7: «...el recurrente invoca su libertad de expresión sustentando su impugnación de la sentencia de casación ...en la condición de persona pública o ...con notoriedad pública, de la Sra. A, argumentando que esa condición, y el hecho de que aquellas circunstancias que motivaron su comentario sobre esta persona ya fuesen conocidas, insinuando que lo fueron por el comportamiento de la propia ofendida..., le imponía el deber de tolerar dichos comentarios por muy hirientes e incluso molestos que le resultasen.

Ya hemos dicho en reiteradas ocasiones que los denominados personajes que poseen notoriedad pública ...esto es, aquellas personas que alcanzan cierta publicidad por la actividad profesional que desarrollan o por difundir habitualmente hechos y acontecimientos de su vida privada, o que adquieren un protagonismo circunstancial al verse implicados en hechos que son los que gozan de esa relevancia pública, pueden ver limitados sus derechos con mayor intensidad que los restantes individuos como consecuencia, justamente, de la publicidad que adquiera su figura y sus actos (SSTC. 134/99; 192/99; 112/2000; 49/01;...). Sin embargo, cuando lo divulgado o la crítica vertida vengan acompañadas de expresiones formalmente injuriosas o referidas a cuestiones íntimas cuya revelación o divulgación es innecesaria para la información o la crítica relacionada con la actividad profesional por la que el individuo es conocido o con la información que previamente ha difundido con su comportamiento y relación directa con los hechos de relevancia pública que le han alzado a primer plano de la actualidad, ese personaje es, a todos los efectos, una persona como otra cualquiera que podrá hacer valer su derecho al honor frente a esas opiniones o críticas que considera ofensivas con idéntica extensión e intensidad, como si de un simple particular se tratare (SSTC. 76/95; 3/97; 134/99).»

STC. 235/07 de 7 de noviembre de 2007 (libertad de expresión y dignidad)

Fto. Jco. 4. «...Los derechos garantizados por el art. 20.1 CE, por tanto, no son sólo expresión de una libertad individual básica sino que se configuran también como elementos conformadores de nuestro sistema político democrático. Así, "el art. 20 de la Norma fundamental, además de consagrar el derecho a la libertad de expresión y a comunicar o recibir libremente información veraz, garantiza un interés constitucional: la formación y existencia de una opinión pública libre, garantía que reviste una especial trascendencia ya que, al ser una condición previa y necesaria para el ejercicio de otros derechos inherentes al funcionamiento de un sistema democrático, se convierte, a su vez, en uno de los pilares de una sociedad libre y democrática. Para que el ciudadano pueda formar libremente sus opiniones y participar de modo responsable en los asuntos públicos, ha de ser también informado ampliamente de modo que pueda ponderar opiniones diversas e incluso contrapuestas" (STC. 159/1986, de 16 de diciembre, Fto. Jco. 6).

Consecuencia directa del contenido institucional de la libre difusión de ideas y opiniones es que, según hemos reiterado, la libertad de expresión comprende la libertad de crítica, "aun cuando la misma sea desabrida y pueda molestar, inquietar o disgustar a quien se dirige, pues así lo requieren el pluralismo, la tolerancia y el espíritu de apertura, sin lo cuales no existe 'sociedad democrática'" (por todas, STC. 174/2006, de 5 de junio, Fto. Jco. 4). Por ello mismo hemos afirmado rotundamente que "es evidente que al resguardo de la libertad de opinión cabe cualquiera, por equivocada o peligrosa que pueda parecer al lector, incluso las que ataquen al propio sistema democrático. La Constitución —se ha dicho— protege también a quienes la niegan" (STC. 176/1995, de 11 de diciembre, Fto. Jco. 2). Es decir, la libertad de expresión es válida no solamente para las informaciones o las ideas acogidas con favor o consideradas inofensivas o indiferentes, sino también para aquellas que contrarían, chocan o inquietan al Estado o a una parte cualquiera de la población (STEDH De Haes y Gijsels c. Bégica, de 24 de febrero de 1997, § 49).

Por circunstancias históricas ligadas a su origen, nuestro ordenamiento constitucional se sustenta en la más amplia garantía de los derechos fundamentales, que no pueden limitarse en razón de que se utilicen con una finalidad anticonstitucional. Como se sabe, en nuestro sistema —a diferencia de otros de nuestro entorno— no tiene cabida un modelo de "democracia militante", esto es, un modelo en el que se imponga, no ya el respeto, sino la adhesión positiva al ordenamiento y, en primer lugar, a la Constitución (STC. 48/2003, de 12 de marzo, Fto. Jco. 7). Esta concepción, sin duda, se manifiesta con especial intensidad en el régimen constitucional de las libertades ideológica, de participación, de expresión y de información (STC. 48/2003, de 12 de marzo, Fto. Jco. 10) pues implica la necesidad de diferenciar claramente entre las actividades contrarias a la Constitución, huérfanas de su protección, y la mera difusión de ideas e ideologías. El valor del pluralismo y la necesidad del libre intercambio de ideas como sustrato del sistema democrático representativo impiden cualquier actividad de los poderes públicos tendente a controlar, seleccionar, o determinar gravemente la mera circulación pública de ideas o doctrinas.

De ese modo, el ámbito constitucionalmente protegido de la libertad de expresión no puede verse restringido por el hecho de que se utilice para la difusión de ideas u opiniones contrarias a la esencia misma de la Constitución —y ciertamente las que se difundieron en el asunto que ha dado origen a la presente cuestión de inconstitucionalidad resultan repulsivas desde el punto de vista de la dignidad humana constitucionalmente garantizada— a no ser que con ellas se lesionen efectivamente derechos o bienes de relevancia constitucional. Para la moral cívica de una sociedad abierta y democrática, sin duda, no toda idea que se exprese será, sin más, digna de respeto. Aun cuando la tolerancia constituye uno de los "principios democráticos de convivencia" a los que alude el art. 27.2 CE, dicho valor no puede identificarse sin más con la indulgencia ante discursos que repelen a toda conciencia conocedora de las atrocidades perpetradas por los totalitarismos de nuestro tiempo. El problema que debemos tomar en consideración es el de si la negación de hechos que pudieran constituir actos de barbarie o su justificación tienen su campo de expresión en el libre debate social garantizado por el art. 20 CE o si, por el contrario, tales opiniones pueden ser objeto de sanción estatal punitiva por afectar a bienes constitucionalmente protegidos.

En ocasiones anteriores hemos concluido que "las afirmaciones, dudas y opiniones acerca de la actuación nazi con respecto a los judíos y a los campos de concentración, por reprobables o tergiversadas que sean —y en realidad lo son al negar la evidencia de la historia— quedan amparadas por el derecho a la libertad de expresión (art. 20.1 CE), en relación con el derecho a la libertad ideológica (art. 16 CE), pues, con independencia de la valoración que de las mismas se haga, lo que tampoco corresponde a este Tribunal, sólo pueden entenderse como lo que son: opiniones subjetivas e interesadas sobre acontecimientos históricos" (STC. 214/1991, de 11 de noviembre, Fto. Jco. 8). Esta misma perspectiva ha llevado al Tribunal Europeo de Derechos Humanos, en diversas ocasiones en las que se ponía en duda la colaboración con las atrocidades nazis durante la segunda guerra mundial, a señalar que "la búsqueda de la verdad histórica forma parte integrante de la libertad de expresión" y estimar que no le corresponde arbitrar la cuestión histórica de fondo (Sentencias Chauvy y otros c. Francia, de 23 de junio de 2004, § 69; Monnat c. Suiza, de 21 de septiembre de 2006, § 57).»

Fto. Jco. 5 «...De este modo, el reconocimiento constitucional de la dignidad humana configura el marco dentro del cual ha de desarrollarse el ejercicio de los derechos fundamentales y en su virtud carece de cobertura constitucional la apología de los verdugos, glorificando su imagen y justificando sus hechos cuando ello suponga una humillación de sus víctimas (STC. 176/1995, de 11 de diciembre, Fto. Jco. 5). Igualmente, hemos reconocido que atentan también contra este núcleo irreductible de valores esenciales de nuestro sistema constitucional los juicios ofensivos contra el pueblo judío que, emitidos al hilo de posturas que niegan la evidencia del genocidio nazi, suponen una incitación racista (SSTC. 214/1991, de 11 de noviembre, Fto. Jco. 8; 13/2001, de 29 de enero, Fto. Jco. 7). Estos límites coinciden, en lo esencial, con los que ha reconocido el Tribunal Europeo de Derechos Humanos en aplicación del apartado segundo del art. 10 del Convenio europeo de derechos humanos (CEDH). En concreto, viene considerando (por todas, Sentencia Ergogdu e Ince c. Turquía, de 8 de julio de 1999) que la libertad de expresión no puede ofrecer cobertura al llamado "discurso del odio", esto es, a aquél desarrollado en términos que supongan una incitación directa a la violencia contra los ciudadanos en general o contra determinadas razas o creencias en particular. En este punto, sirve de referencia interpretativa del Convenio la Recomendación núm. R (97) 20 del Comité de Ministros del Consejo de Europa, de 30 de octubre de 1997, que insta a los Estados a actuar contra todas las formas de expresión que propagan, incitan o promueven el odio racial, la xenofobia, el antisemitismo u otras formas de odio basadas en la intolerancia (SSTEDH Gündüz c. Turquía de 4 de diciembre de 2003, § 41; Erbakan c. Turquía, de 6 de julio de 2006).
Junto a ello, la regla general de la libertad de expresión garantizada en el art. 10 CEDH puede sufrir excepciones en aplicación del art. 17 CEDH, que no tiene parangón en nuestro ordenamiento constitucional. En su virtud, el Tribunal Europeo de Derechos Humanos consideró que no puede entenderse amparada por la libertad de expresión la negación del Holocausto en cuanto implicaba un propósito "de difamación racial hacia los judíos y de incitación al odio hacia ellos" (Decisión Garaudy c. Francia, de 24 de junio de 2003). En concreto, en esa ocasión se trató de diversos artículos dedicados a combatir la realidad del Holocausto con la declarada finalidad de atacar al Estado de Israel y al pueblo judío en su conjunto, de modo que el Tribunal tuvo en cuenta decisivamente la intención de acusar a las propias víctimas de falsificación de la historia, atentando contra los derechos de los demás. Posteriormente, ha advertido, obiter dicta, de la diferencia entre el debate todavía abierto entre historiadores acerca de aspectos relacionados con los actos genocidas del régimen nazi, amparado por el art. 10 del Convenio y la mera negación de "hechos históricos claramente establecidos" que los

Estados pueden sustraer a la protección del mismo en aplicación del art. 17 CEDH (SSTDH Lehideux e Isorni c. Francia, de 23 de septiembre de 1998; Chauvy y otros c. Francia, de 23 de junio de 2004, § 69).

En este punto resulta adecuado señalar que, conforme a la reiterada jurisprudencia del Tribunal Europeo de Derechos Humanos, para invocar la excepción a la garantía de los derechos prevista en el art. 17 CEDH no basta con la constatación de un daño, sino que es preciso corroborar además la voluntad expresa de quienes pretenden ampararse en la libertad de expresión de destruir con su ejercicio las libertades y el pluralismo o de atentar contra las libertades reconocidas en el Convenio (STEDH Refah Partisi y otros c. Turquía, de 13 febrero 2003, § 98; Decisión Fdanoka c. Letonia, de 17 junio 2004, § 79). Sólo en tales casos, a juicio del Tribunal europeo, los Estados podrían, dentro de su margen de apreciación, permitir en su Derecho interno la restricción de la libertad de expresión de quienes niegan hechos históricos claramente establecidos, con el buen entendimiento de que el Convenio tan sólo establece un mínimo común europeo que no puede ser interpretado en el sentido de limitar las libertades fundamentales reconocidas por los ordenamientos constitucionales internos (art. 53 CEDH).

De esta manera, el amplio margen que el art. 20.1 CE ofrece a la difusión de ideas, acrecentado, en razón del valor del diálogo plural para la formación de una conciencia histórica colectiva, cuando se trata de la alusión a hechos históricos (STC. 43/2004, de 23 de marzo), encuentra su límite en las manifestaciones vilipendiadoras, racistas o humillantes o en aquéllas que incitan directamente a dichas actitudes, constitucionalmente inaceptables. Como dijimos en la STC. 214/1991, de 11 de noviembre, Fto. Jco. 8, "el odio y el desprecio a todo un pueblo o a una etnia (a cualquier pueblo o a cualquier etnia) son incompatibles con el respeto a la dignidad humana, que sólo se cumple si se atribuye por igual a todo hombre, a toda etnia, a todos los pueblos. Por lo mismo, el derecho al honor de los miembros de un pueblo o etnia, en cuanto protege y expresa el sentimiento de la propia dignidad, resulta, sin duda, lesionado cuando se ofende y desprecia genéricamente a todo un pueblo o raza, cualesquiera que sean". Fundamentada en la dignidad (art. 10.1 y 2 CE) es, pues, el deliberado ánimo de menospreciar y discriminar a personas o grupos por razón de cualquier condición o circunstancia personal, étnica o social el que, en estos casos, priva de protección constitucional a la expresión y difusión de un determinado entendimiento de la historia o concepción del mundo que, de no ser por ello, podría encuadrarse en el ámbito constitucionalmente garantizado por el art. 20.1 CE.»

STC. 159/86 de 16 de diciembre (**derecho de información y apología del terrorismo**)

Fto. Jco. 6: «Esta posición preferencial del derecho fundamental reconocido en el art. 20.1. d) de la C., si de una parte implica... una mayor responsabilidad moral y jurídica en quien realiza la información, de otra exige una rigurosa ponderación de cualquier norma o decisión que coarte su ejercicio. Por ello, cuando la libertad de información entre en conflicto con otros derechos fundamentales e incluso con otros intereses de significativa importancia social y política respaldados, como ocurre en el presente caso, por la legislación penal, las restricciones que de dicho conflicto puedan derivarse deben ser interpretadas de tal modo que el contenido fundamental del derecho en cuestión no resulte, dada su jerarquía institucional, desnaturalizado ni incorrectamente relativizado.»

Fto. Jco. 7:»En el caso que nos ocupa, el conflicto se produce entre la apología del terrorismo, tipificada como delito, y el derecho del Director de un periódico a publicar unos comunicados emitidos por una organización terrorista cuyo contenido apologético no se cuestiona.

Esta conflicto no puede resolverse otorgando 'a priori' un superior rango jerárquico al interés protegido por la Ley Penal frente a la libertad de información. No cabe duda de que la erradicación de la violencia terrorista encierra un interés político y social de la máximo importancia, pero ello no autoriza, sin embargo, a alterar la esencia de un Estado democrático, el cual, para su existencia y desarrollo, presupone el sometimiento de las cuestiones relevantes para la vida colectiva a la crítica o aprobación de una opinión pública libremente constituída. En este sentido cabe afirmar que la lucha antiterrorista y la libertad de información no responden a intereses contrapuestos sino complementarios, orientados al aseguramiento del Estado democrático de Derecho.»

Fto. Jco. 8: «...el derecho de un profesional del periodismo a informar, así como el de sus lectores a recibir información íntegra y veraz, constituye, en último término, una garantía institucional de carácter objetivo, cuya efectividad exige, en principio, excluir la voluntad delictiva de quien se limita a transmitir sin más la información, aunque ésta por su contenido pueda revestir significado penal.»

STC. 107/88 de 8 de junio

Fto. Jco. 2: Ver selección con relación al art. 18.

STC. 165/87 de 27 de octubre (**valor preferente de la libre información; cuando cede**)

Fto. Jco. 10: «Este valor preferente (de la libertad de información sobre el derecho al honor) alcanza su máximo nivel cuando la libertad es ejercitada por los profesionales de la información a través del vehículo institucionalizado de formación de la opinión pública, que es la prensa, entendida en su más amplia acepción. Esto, sin embargo, no significa que la misma libertad no deba ser reconocida en iguales términos a quienes no ostentan igual calidad profesional, pues los derechos de la personalidad pertenecen a todos sin estar subordinados a las características personales del que los ejerce, sino al contenido del propio ejercicio, pero sí significa que el valor preferente de la libertad declina, cuando su ejercicio no se realiza por los cauces normales de formación de la opinión pública, sino a través de medios, tan anormales e irregulares como es la difusión de hojas clandestinas, en cuyo caso debe entenderse, como mínimo, que la relación de preferencia se invierte a favor de este último, debilitando la eficacia justificadora de aquella frente a lesiones referidas a éste.

La misma inversión se produce si la información no se refiere a personalidades públicas que, al haber optado libremente por tal condición, deben soportar un cierto riesgo de una lesión de sus derechos a la personalidad, sino a personas privadas que no participan voluntariamente en la controversia pública, pues en este supuesto el derecho al honor alcanza su más alta eficacia de límite de las libertades reconocidas en el art. 20 de la C., que le confiere el nº 4 del mismo artículo.

A todo ello procede añadir que la libertad de información, al menos la que coincide en el honor de personas privadas, debe enjuiciarse sobre la base de distinguir radicalmente, a pesar de la dificultad que comporta en algunos supuestos, entre información de hechos y valoración de conductas personales y, sobre esta base, excluir del ámbito justificador de dicha libertad las afirmaciones vejatorias para el honor ajeno, en todo caso innecesarias para el fin de la formación pública en atención al cual se garantiza constitucionalmente su ejercicio.»

STC. 171/90 de 12 de noviembre (**doctrina del TC. sobre libertad de información**)

Fto. Jco. 5: «Dada su función institucional, cuando se produzca una colisión de la libertad de información con el derecho a la intimidad y al honor aquella goza, en general, de una posición preferente y las restricciones que de dicho conflicto puedan derivarse a la libertad de información deben interpretarse de tal modo que el contenido fundamental del derecho a la información no resulte, dada su jerarquía institucional desnaturalizado ni incorrectamente relativizado (SSTC. 106 y 159/86).

Si cuando se ejerce el derecho a transmitir información respecto de hechos o personas de relevancia pública adquiere preeminencia sobre el derecho a la intimidad y al honor con los que puede entrar en colisión, resulta obligado concluir que en esa confrontación de derechos, el de la libertad de información, como regla general, debe prevalecer siempre que la información transmitida sea veraz, y esté referida a asuntos públicos que son de interés general por las materias a que se refieren y por las personas que en ellos intervienen, contribuyendo, en consecuencia, a la formación de la opinión pública. En este caso el contenido del derecho de libre información 'alcanza su máximo nivel de eficacia justificadora frente al derecho al honor, el cual se debilita, proporcionalmente, como límite externo de las libertades de expresión e información'.

Ello significa que para indagar si en un caso concreto el derecho de información debe prevalecer será preciso y necesario constatar, con carácter previo, la relevancia pública de la información, ya sea por el carácter público de la persona a la que se refiere o por el hecho en sí en que esa persona se haya visto involucrada, y la veracidad de los hechos y afirmaciones contenidos en esa información. Sin haber constatado previamente la concurrencia o no de estas circunstancias no resulta posible afirmar que la información de que se trate está especialmente protegida por ser susceptible de encuadrarse dentro del espacio que a una persona libre debe ser asegurado en un sistema democrático. Sólo tras indagar si la información publicada está especialmente protegida sería procedente entrar en el análisis de otros derechos, como el derecho a la intimidad o al honor, cuya lesión, de existir sólo deberá ser objeto de protección en la medida en que no esté justificada por la prevalencia de la libertad de información, de acuerdo a la posición preferente que por su valor institucional ha de concederse a esa libertad.

Tal valor preferente, sin embargo, no puede configurarse como absoluto, puesto que, si viene reconocido como garantía de la opinión pública, solamente puede legitimar las intromisiones en otros derechos fundamentales que guarden congruencia con esa finalidad, es decir, que resulten relevantes para la formación de la opinión pública sobre asuntos de interés general, careciendo a tal efecto legitimador, cuando las libertades de expresión e información se ejerciten de manera desmesurada y exorbitante del fin en atención al cual la C.E. le concede su protección preferente. De ello se deriva que la legitimidad de las intromisiones en el honor e intimidad personal requiere, no sólo que la información cumple la condición de la veracidad, sino también que su contenido se desenvuelva en el marco del interés general del asunto al que se refiere; de otra forma, el derecho de información se convertiría en una cobertura formal para, excediendo el discurso público en el que debe desenvolverse, atentar sin límite alguno y con abuso de derecho, al honor y la intimidad de las personas, con afirmaciones, expresiones o valoraciones que resulten injustificadas por carecer de valor alguno para la formación de la opinión pública sobre el asunto de interés general que es objeto de la información. El efecto legitimador del derecho de información que se deriva de su valor preferente, requiere, por consiguiente, no sólo que la información sea veraz, requisito necesario, directamente exigido por la propia CE., pero no suficiente, sino que la información tenga relevancia pública, lo cual conlleva que la información veraz que carece de ella no merece la especial protección constitucional.

El criterio a utilizar en la comprobación de esa relevancia pública de la información varía, según sea la condición pública o privada del implicado en el hecho objeto de la información o el grado de proyección pública que éste haya dado, de manera regular, a su propia persona, puesto que los personajes públicos o dedicados a actividades que persiguen notoriedad pública aceptan voluntariamente el riesgo de que sus derechos subjetivos de personalidad resulten afectados por críticas, opiniones o revelaciones adversas y, por tanto, el derecho de información alcanza, en relación con ellos, su máximo nivel de eficacia legitimadora, en cuanto que su vida y conducta moral participan del interés general con una mayor intensidad que la de aquellas personas privadas que, sin vocación de proyección pública, se ven circunstancialmente involucradas en asuntos de trascendencia pública, a las cuales hay que, por consiguiente, reconocer un ámbito superior de privacidad, que impide conceder trascendencia general a hechos o conductas que la tendrían de ser referidos a personajes públicos. «

STC. 83/2002 de 22 de abril (**libre información, imagen e intimidad de personas públicas**)

Fto. Jco. 4: «El canon de constitucionalidad aplicable al conflicto entre el derecho a la propia imagen del recurrente y el derecho a la libertad de información, invocado por la editora de la revista, no puede ser otro que el fijado... especialmente (en) la STC. 81/01..., recordamos allí la caracterización constitucional del derecho a la propia imagen como "un derecho de la personalidad, derivado de la dignidad humana y dirigido a proteger la dimensión moral de las personas, que atribuye a su titular un derecho a determinar la información gráfica generada por sus rasgos físicos personales que puede tener difusión pública. La facultad otorgada por este derecho, en tanto que derecho fundamental, consiste en esencia en impedir la obtención, reproducción o publicación de la propia imagen por parte de un tercero no autorizado, sea cual sea la finalidad, informativa, comercial, científica, cultural, etc. perseguida por quien la capta o difunde ...Y precisando aún los contornos del mismo, afirmamos que "se trata de un derecho constitucional autónomo que dispone de un ámbito específico de protección frente a reproducciones de la imagen que, afectando a la esfera personal de su titular, no lesionan su buen nombre ni dan a conocer su vida íntima, pretendiendo la salvaguarda de un ámbito propio y reservado, aunque no íntimo, frente a la acción y conocimiento de los demás. Por ello atribuye a su titular la facultad para evitar la difusión incondicionada de su aspecto físico, ya que constituye el primer elemento configurador de la esfera personal de todo individuo, en cuanto instrumento básico de identificación y proyección exterior y factor imprescindible para su propio reconocimiento como sujeto individual...

La aplicación de los anteriores criterios a la reproducción de las fotografías aquí enjuiciada conduce a la conclusión de que su publicación por parte de la revista DM constituye una intromisión ilegítima en el derecho a la propia imagen del recurrente, que no puede encontrar protección en el derecho a comunicar libre información veraz.»

Fto. Jco. 5: «Procede examinar ahora si la publicación de las fotos ...constituyó también una intromisión ilegítima en la intimidad personal y familiar del recurrente...

...si bien los personajes con notoriedad pública inevitablemente ven reducida su esfera de intimidad, no es menos cierto que, más allá de ese ámbito abierto al conocimiento de los demás, su intimidad permanece y, por tanto, el derecho constitucional que la protege no se ve minorado en el ámbito que el sujeto se ha reservado y su eficacia como límite al derecho de información es igual a la de quien carece de toda notoriedad ... De otro lado no toda información que se refiere a una persona con notoriedad pública goza de esa especial protección, sino que para ello es exigible, junto a ese elemento subjetivo del carácter público de la persona afectada, el elemento objetivo de que los hechos constitutivos de la información, por su relevancia pública, no afecten a la intimidad, por restringida que esta sea.

Pues bien la notoriedad pública del recurrente el ámbito de su actividad profesional ... no le priva de mantener, más allá de esta esfera abierta al conocimiento de los demás, un ámbito reservado de su vida como es el que atañe a sus relaciones afectivas, sin que su conducta en aquellas actividades profesionales elimine el derecho a la intimidad de su vida amorosa, si por propia voluntad decide, como en este caso, mantenerla alejada del público conocimiento ya que corresponde a cada persona acotar el ámbito de intimidad personal y familiar que reserva al conocimiento ajeno. De nuevo las circunstancias en que las fotografías fueron captadas, difundidas y presentadas ponen de relieve que, en este caso, no se justifica el descenso de las barreras de reserva impuestas por el propio recurrente: a tal efecto es irrelevante el sólo dato de que las imágenes fueran captadas en una playa, como lugar abierto al uso público, pues ello no elimina la relevante circunstancia de que aquellas fueron obtenidas en el círculo íntimo de las personas afectadas, sin que estas, atendidas todas las circunstancias concurrentes, descuidasen su intimidad personal y familiar, abriéndola al público conocimiento.

Por otra parte, tampoco puede estimarse que la difusión de las controvertidas fotografías estuviera amparada en un interés público constitucionalmente prevalente. Hemos declarado que éste concurre cuando la información que se comunica es relevante para la comunidad, lo cual justifica la exigencia de que se asuman perturbaciones o molestias ocasionadas por la difusión de una determinada noticia (SSTC. 134/99; 154/99; 52/02). En este punto ...resulta decisivo determinar si nos encontramos ante unos hechos o circunstancias susceptibles de afectar al conjunto de los ciudadanos, lo cual es sustancialmente distinto ya sea de la simple satisfacción de la curiosidad humana por conocer la vida de otros, o bien de lo que a juicio de uno de dichos medios puede resultar noticioso en un determinado momento ...En el presente caso, es claro que la revelación de las relaciones afectivas del recurrente, propósito inequívoco del reportaje ...carece en absoluto de cualquier trascendencia para la comunidad porque no afecta al conjunto de los ciudadanos ni a la vida económica o política de país, al margen de la mera curiosidad generada por la propia revista en este caso al atribuir un valor noticioso a la publicación de las repetidas imágenes, el cual no debe ser confundido con un interés público digno de protección constitucional.»

STC. 144/87 de 23 de septiembre (**autorización previa de radioemisiones**)

Fto. Jco. 3: «Es claro que en la medida en que el uso de instrumentos de este género (instalaciones de radioemisora) puede resultar indispensable para la difusión eficaz de ideas o informaciones, su utilización está también protegida por los derechos fundamentales enunciados en los apartados a) y d) del art. 20 de la C. y no puede ser limitada o entorpecida si no es en lo estrictamente necesario para salvaguardar el derecho ajeno o proteger otros bienes jurídicos cuya protección exija inexcusablemente esa limitación, pero en cuanto no exceda de esas fronteras, la autorización previa para emplearlas no es contraria a la C., ni en el presente caso ha sido cuestionada su legitimidad, lo que se arguye es, ...que la clausura de la emisora, por carecer de autorización para su funcionamiento, viola el derecho a que las publicaciones y grabaciones no sean objeto de secuestro si no es por orden judicial y ese derecho no ha sido afectado por la resolución judicial contra la que la demanda se dirige, pues la actuación administrativa autorizada era simple aplicación de unas normas cuya legitimidad constitucional no ha sido puesta en cuestión.»

STC. 63/87 de 20 de mayo (**grupos políticos significativos y representación parlamentaria**)

Fto. Jco. 7: «Que esto sea así en la previsión legislativa (L.O. 2/80 de 18 de enero), que la 'representación' parlamentaria de los grupos políticos que se toma como criterio a estos efectos sea la 'obtenida', como la propia Ley dice, en las 'últimas elecciones generales', no, por lo tanto, la que después haya podido adquirirse en virtud de actos individuales de afiliación, tiene, por otro lado, un sólido fundamento en la 'ratio' misma de la regulación legislativa, orientada a actualizar, en este punto, la previsión genérica que, como vimos, se recoge en el art. 20.3 de la C. Pretende allí la Norma Fundamental que por la Ley se asegure a los grupos sociales y políticos 'significativos' su acceso a los medios públicos de los que ahora se trata y es de todo punto claro que esa cualificación constitucional, la significación por la representación en las Cámaras, no la muestran los grupos políticos sino cuando los mismos se hallen presentes en el Parlamento a resultas de los sufragios que en su día recabaron ante el cuerpo electoral, porque sólo en tal caso esa presencia parlamentaria que la Ley exige será indicativa, significativa en la expresión constitucional, del arraigo o implantación del grupo en cuestión entre el electorado. Fuera de esta hipótesis, que es la común, la ulterior integración de parlamentarios en un grupo político que no presentó candidatos propios en las anteriores elecciones, o que no logró conseguir para ellos el apoyo del cuerpo electoral, podrá ser relevante a efectos de la organización y funcionamiento interno de las Cámaras, según dispongan sus reglamentos, pero no en lo relativo a la determinación de la significación del grupo mismo, que no recabó o no obtuvo de los ciudadanos los sufragios que hubieran podido llevarle como organización en la que se hubieran encuadrado candidatos electos, hasta las instituciones públicas representativas.»

STC. 5/81 de 13 de febrero (**contenido y significado de la libertad de cátedra**)

Fto. Jco. 9: «Aunque tradicionalmente por libertad de cátedra se ha entendido una libertad propia sólo de los docentes en la enseñanza superior o, quizá más precisamente, de los titulares de puestos docentes denominados precisamente 'cátedras' y todavía hoy en la doctrina alemana se entiende, en un sentido análogo, que tal libertad es predicable sólo respecto de aquellos profesores cuya docencia es proyección de la propia labor investigadora, resulta evidente, a la vista de los debates parlamentarios, que son un importante elemento de interpretación, aunque no la determinen, que el constituyente de 1978 ha querido atribuir esta libertad a todos los docentes, sea cual fuere el nivel de enseñanza en el que actúan y la relación que media entre su docencia y su propia labor investigadora.

Se trata, sin embargo, como en principio ocurre respecto de los demás derechos y libertades garantizados por la C., de una libertad frente al Estado o, más generalmente, frente a los poderes públicos, y cuyo contenido se ve necesariamente modulado por las características propias del puesto docente o cátedra cuya ocupación titula para el ejercicio de esa libertad. Tales características vienen determinadas, fundamentalmente, por la acción combinada de dos factores: la naturaleza pública o privada del centro docente en primer término, y el nivel o grado educativo al que tal puesto docente corresponde, en segundo lugar.

En los centros públicos de cualquier grado o nivel la libertad de cátedra tiene un contenido negativo uniforme en cuanto que habilita al docente para resistir cualquier mandato de dar a su enseñanza una orientación ideológica determinada, es decir, cualquier orientación que implique un determinado enfoque de la realidad natural, histórica o social dentro de los que el amplio marco de los principios constitucionales hacen posible. Libertad de cátedra es, en ese sentido, noción incompatible con la existencia de una ciencia o una doctrina oficiales.

Junto a este contenido puramente negativo, la libertad de cátedra tiene también un amplio contenido positivo en el nivel educativo superior que no es necesario analizar aquí. En los niveles inferiores, por el contrario, y de modo, en alguna medida gradual, este contenido positivo de la libertad de enseñanza va disminuyendo puesto que, de una parte, son los planes de estudios establecidos por la autoridad competente, y no el propio profesor, los que determinan cuál haya de ser el contenido mínimo de la enseñanza, y son también estas autoridades las que establecen cuál es el elenco de medio pedagógicos entre los que puede optar el profesor y, de la otra y sobre todo, éste no puede orientar ideológicamente su enseñanza con entera libertad de la manera que juzgue más conforme con sus convicciones.

En un sistema jurídico político basado en el pluralismo, la libertad ideológica y religiosa de los individuos y la aconfesionalidad del Estado, todas las instituciones públicas y muy especialmente los centros docentes, han de ser, en efecto, ideológicamente neutrales. Esta neutralidad, que no impide la organización en los centros públicos de enseñanzas de seguimiento libre para hacer posible el derecho de los padres a elegir para sus hijos la formación religiosa y moral que esté de acuerdo con sus propias convicciones (art. 27.3 C.E.), es una característica necesaria de cada uno de los puestos docentes integrados en el centro, y no el hipotético resultado de la casual coincidencia en el mismo centro y frente a los mismos alumnos de profesores de distinta orientación ideológica cuyas enseñanzas se neutralicen recíprocamente. La neutralidad ideológica de la enseñanza en los centros escolares públicos regulados en la LOECE. impone a los docentes que en ellos desempeñan su función una obligación de renuncia a cualquier forma de adoctrinamiento ideológico, que es la única actitud compatible con el respeto a la libertad de las familias que, por decisión libre o forzadas por las circunstancias, no han elegido para sus hijos centros docentes con una orientación ideológica determinada y explícita.»

Fto. Jco. 10: «En los centros privados, la definición del puesto docente viene dada, además de por las características propias del nivel educativo y, en cuanto aquí interesa, por el ideario que, en uso de la libertad de enseñanza y dentro de los límites antes señalados, haya dado a aquel su titular. Cualquier intromisión de los podres públicos en la libertad de cátedra del profesorado de estos centros es tan plena como la de los profesores de los centros públicos, y ni el art. 15 de la LOECE., ni ningún otro precepto de esta Ley la violan al imponer como límite de la libertad de enseñanza de los profesores el respeto al ideario propio del centro.

La existencia de un ideario, conocida por el profesor al incorporarse libremente al centro o libremente aceptada cuando el centro se dota de tal ideario después de esa incorporación, no le obliga, como es evidente, ni a convertirse en apologista del mismo, ni a transformar su enseñanza en propaganda o adoctrinamiento, ni a subordinar a ese ideario las exigencias que el rigor científico impone a su labor. El profesor es libre como profesor, en el ejercicio de su actividad específica. Su libertad es, sin embargo, libertad en el puesto docente que ocupa, es decir, en un determinado centro y ha de ser compatible, por tanto, con la libertad del centro, del que forma parte el ideario. La libertad del profesor no le faculta por tanto para dirigir ataques abiertos o señalados contra ese ideario, sino sólo para desarrollar su actividad en los términos que juzgue más adecuados y que, con arreglo a un criterio serio y objetivo, no resulten contrarios a aquel. La virtualidad limitante del ideario será, sin duda, mayor en lo que se refiere a los aspectos propiamente educativos o formativos de la enseñanza, y menor en lo que toca a la simple transmisión de conocimientos, terreno en el que las propias exigencias de la enseñanza dejan muy estrecho margen a diferencias de idearios.»

STC. 225/02 de 9 de diciembre (**cláusula de conciencia**)

Fto. Jco. 2: «Ya en este punto, será de recordar, ante todo, la doctrina de este Tribunal sobre la cláusula de conciencia, tal como se recogía en la STC. 199/99 de 8 de noviembre.

a)La jurisprudencia constitucional ha declarado repetidamente que la libertad reconocida en el art. 20.1,d)CE, en cuanto transmisión de manera veraz de hechos noticiables, de interés general y relevancia pública, no se erige únicamente en derecho propio de su titular sino en una pieza esencial en la configuración del Estado democrático, garantizando la formación de una opinión pública libre y la realización del pluralismo como principio básico de convivencia...

b)No es ocioso recordar cómo la progresiva diferenciación de la libertad de información respecto de la de expresión a medida que la transmisión de hechos y noticias ha ido adquiriendo históricamente importancia esencial, supuso no solo el reconocimiento del derecho a la información como garantía de una opinión pública en un Estado democrático, sino la exigencia de evitar que su ejercicio por parte de las empresas de comunicación, generalizadas como medios de transmisión de las noticias, pudiera atentar a la finalidad del derecho o a su ejercicio por parte de aquellos profesionales que prestan servicios en ellas, titulares, a su vez, de la misma libertad de información. Es respecto a dichos profesionales donde encuentra sentido el reconocimiento del derecho a la cláusula de conciencia como garantía de un espacio propio en el ejercicio de aquella libertad frente a la imposición incondicional del de la empresa de comunicación, esto es, frente a lo que históricamente se designaba como "censura interna de la empresa periodística". Pero también como forma de asegurar la transmisión de toda la información por el profesional del medio, contribuyendo así a preservar el pluralismo que justifica el reconocimiento del derecho, reforzando las oportunidades de formación de una opinión pública no manipulada y paliando el "efecto silenciador" que, por su propia estructura, puede producir el "mercado" de la comunicación.

c)Es preciso partir del art. 20.1,d)CE que reconoce el derecho a comunicar o recibir libremente información veraz por cualquier medio de difusión, remitiendo a continuación al legislador la tarea de regular el derecho a la cláusula de conciencia y al secreto profesional en el ejercicio de estas libertades. El derecho a la cláusula de conciencia adquiere con ello en nuestro Derecho relevancia constitucional, particularidad significativa respecto a los Ordenamientos jurídicos próximos, en los cuales aquel derecho sólo se reconoce directa o indirectamente y con un contenido variable en cuento al alcance de la cláusula, bien en la propia ley... (el caso de la) Ley francesa de 1935..., bien en los convenios colectivos de aplicación en las empresas de comunicación, como es el caso italiano...

d)Si bien la jurisprudencia constitucional ha reconocido como titulares de la libertad de información tanto a los medios de comunicación, a los periodistas, así como a cualquier otra persona que facilite la noticia veraz de un hecho y a la colectividad en cuanto receptora de aquella..., ha declarado igualmente que la protección constitucional del derecho alcanza su máximo nivel cuando la libertad es ejercitada por los profesionales de la información a través del vehículo institucionalizado de formación de la opinión pública que es la prensa entendida en su más amplia acepción (STC. 165/87 ...entre otras). Afirmación con la que en modo alguno se quiso decir que los profesionales de la información tuvieran un derecho fundamental reforzado respecto a los demás ciudadanos; sino sólo que, al hallarse sometidos a mayores riesgos en el ejercicio de sus libertades de expresión e información, precisaban, y gozaban de, una protección específica. Protección que enlaza directamente con el reconocimiento a aquellos profesionales del derecho a la cláusula de conciencia y al secreto profesional para asegurar el modo de ejercicio de su fundamental libertad de información».

Art. 21. 1. Se reconoce el derecho de reunión pacífica y sin armas. El ejercicio de este derecho no necesitará autorización previa.

2. En los casos de reuniones en lugares de tránsito público y manifestaciones se dará comunicación previa a la autoridad, que sólo podrá prohibirlas cuando existan razones fundadas de alteración del orden público, con peligro para personas o bienes.

L.O. 9/1983 de 15 de julio, reguladora del derecho de reunión

STC. 91/83 de 7 de noviembre (**derecho de reunión y obligación de proporcionar un local**)

Fto. Jco. 3: «Por ello no puede afirmarse, de forma absoluta e incondicionada, que el derecho de reunión comprende el de que, para su ejercicio, un tercero deba poner a disposición de quienes lo ejercitan un local de su titularidad, ni que la entidad donde prestan su servicio deba soportar, en la misma forma absoluta e incondicionada, el que la reunión se celebre dentro del horario de trabajo.»

STC. 36/82 de 16 de junio (**el derecho de reunión incide en otros derechos o bienes públicos**)

Fto. Jco. 6: «El derecho de reunión, como todo derecho fundamental, tiene sus límites, por no ser un derecho absoluto e ilimitado. Es, indudablemente, un derecho subjetivo de ejercicio colectivo, que al ser realizado, incide en el derecho y en los intereses de otros ciudadanos y en la utilización exclusiva de bienes públicos, posibilitando, a veces, la alteración de la seguridad ciudadana y del orden general, que corresponde garantizar y salvaguardar al poder público. El carácter preeminente de estos valores afectos exige, en una sociedad democrática, que la C. conceda poderes a la autoridad para imponer al ciudadano el deber de comunicar con antelación razonable, como requisito indispensable de la proyectada reunión, para poder conocer su alcance, y determinar la procedencia de previas averiguaciones, facilitar el uso del lugar o modificar su emplazamiento, y tomar las medidas de seguridad que fueren precisas, otorgándole, además. la facultad de producirla si concurren las circunstancias que constitucionalmente así lo determinan.»

STC. 115/87 de 7 de julio (**autorización administrativa previa desnaturaliza el derecho**)

Fto. Jco. 2: «El precepto impugnado permite el ejercicio del derecho de reunión, pero para el caso de las reuniones públicas exige la necesaria autorización del órgano competente (se refiere al art. 7 de la L.O. 7/1985 de 1 de julio sobre derechos y libertades de los extranjeros en España).

La necesidad de una autorización administrativa previa referida al ejercicio del derecho de reunión, no es un requisito puramente rituario o procedimental, sobre todo porque nuestra C. ha optado por un sistema de reconocimiento pleno del derecho de reunión, sin necesidad de autorización previa. Esta libertad de reunión sin autorización se constituye así en una facultad necesaria 'para que el derecho sea reconocible como pertinente al tipo descrito' (STC. 11/81); al imponerse la necesidad de autorización administrativa se está desnaturalizando el derecho de reunión, consagrado en la C. 'sin supeditarlo a la valoración discrecional y al acto habilitante y de poder implícito de la Admón' (STC. 32/82)» Cuando ese acto habilitante es preciso en todo caso, se condicionan hasta tal punto las facultades que lo integran, que el pretendido derecho muda de naturaleza y no puede ser reconocido como tal.»

STC. 66/95 de 8 de mayo (**noción de orden público**)

Fto. Jco. 3: «...Para resolver la cuestión así acotada basta con señalar lo siguiente: primero, que, interpretado ese concepto de orden público con peligro para personas y bienes a la luz de los principios del Estado social y democrático de derecho consagrado por la CE, debe entenderse que esa noción de orden se refiere a una situación de hecho, el mantenimiento del orden en sentido material en lugares de tránsito público, no al orden como sinónimo de respeto a los principios y valores jurídicos y metajurídicos que están en la base de la convivencia social y son fundamento del orden social, económico y político. El contenido de las ideas o las reivindicaciones que pretenden expresarse y defenderse mediante el ejercicio del derecho de manifestación y concentración pública no puede ser sometido a controles de oportunidad política ni a juicios en los que se emplee como canon el sistema de valores que cimentan y dan cohesión al orden social en un momento histórico determinado...

En segundo lugar...las concentraciones tan sólo pueden prohibirse...cuando existan razones fundadas para concluir que de llevarse a cabo se producirá una situación de desorden material en el lugar de tránsito público afectado, entendiendo por tal desorden material el que impide el normal desarrollo de la convivencia ciudadana en aspectos que afectan a la integridad física o moral de personas o a la integridad de bienes públicos o privados. Estos son los dos elementos que configuran el concepto de orden público con peligro para personas y bienes...»

Fto. Jco. 5: «Para comprobar si la medida impeditiva del ejercicio del derecho de reunión supera el juicio de proporcionalidad exigible, es necesario constatar si cumple los siguientes tres requisitos o condiciones: si tal medida es susceptible de conseguir el objetivo propuesto, la garantía del orden público sin peligro para personas y bienes,; si además era necesaria en el sentido de que no existía otra medida más moderada para la consecución de tal propósito con igual eficacia y, finalmente, si la misma era proporcionada, en sentido estricto, es decir, ponderada o equilibrada, por derivarse de ella más beneficios o ventajas para el interés general que perjuicios sobre otros bienes o valores en conflicto.»

STC. 170/2008 de 15 de diciembre (reunión y elecciones)

Fto. Jco. 3. Antes de entrar a analizar el caso que nos ocupa, conviene recordar la doctrina consolidada de este Tribunal sobre el contenido y límites del derecho de reunión (art. 21 CE).

Según tenemos reiterado, el derecho de reunión "es una manifestación colectiva de la libertad de expresión ejercitada a través de una asociación transitoria, siendo concebido por la doctrina científica como un derecho individual en cuanto a sus titulares y colectivo en su ejercicio, que opera a modo de técnica instrumental puesta al servicio del intercambio o exposición de ideas, la defensa de intereses o la publicidad de problemas o reivindicaciones, constituyendo, por lo tanto, un cauce del principio democrático participativo, cuyos elementos configuradores son, según la opinión dominante, el subjetivo —una agrupación de personas—, el temporal —su duración transitoria—, el finalístico —licitud de la finalidad— y el real u objetivo —lugar de celebración—" (STC. 85/1988, de 28 de abril, Fto. Jco. 2; doctrina reiterada en las SSTC. 66/1995, de 8 de mayo, Fto. Jco. 3;196/2002, de 28 de octubre, Fto. Jco. 4; 301/2006, de 23 de octubre, Fto. Jco. 2).

También se ha enfatizado sobre "el relieve fundamental que este derecho —cauce del principio democrático participativo— posee, tanto en su dimensión subjetiva como en la objetiva, en un Estado social y democrático de Derecho como el proclamado en la Constitución" (STC. 301/2006, de 23 de octubre, Fto. Jco. 2; en el mismo sentido STC. 236/2007, de 7 de noviembre, Fto. Jco. 6). De hecho para muchos grupos sociales "este derecho es, en la práctica, uno de los pocos medios de los que disponen para poder expresar públicamente sus ideas y reivindicaciones" (por todas, STC. 301/2006, de 23 de octubre, Fto. Jco. 2). En este sentido, tenemos dicho, reproduciendo jurisprudencia del Tribunal Europeo de Derechos Humanos, que 'la protección de las opiniones y de la libertad de expresarlas constituye uno de los objetivos de la libertad de reunión' (STEDH caso Stankov, de 2 de octubre de 2001, § 85), o también que 'la libertad de expresión constituye uno de los medios principales que permite asegurar el disfrute efectivo del derecho a la libertad de reunión y de asociación' (STEDH caso Rekvényi, de 20 de mayo de 1999, § 58)" (STC. 195/2003, de 27 de octubre, Fto. Jco. 3).

Por lo que se refiere a la limitación del derecho de reunión, este Tribunal Constitucional ha recordado que dicho derecho "no es un derecho absoluto o ilimitado, sino que, al igual que los demás derechos fundamentales, tiene límites (SSTC. 2/1982, de 29 de enero, Fto. Jco. 5; 36/1982, de 16 de junio; 59/1990, de 29 de marzo, FFto. Jco.J 5 y 7; 66/1995, de 8 de mayo, Fto. Jco. 3; y ATC. 103/1982, de 3 de marzo, Fto. Jco. 1), entre los que se encuentra tanto el específicamente previsto en el propio art. 21.2 CE —alteración del orden público con peligro para personas y bienes—, como aquellos otros que vienen impuestos por la necesidad de evitar que un ejercicio extralimitado de ese derecho pueda entrar en colisión con otros valores constitucionales' (Fto. Jco. 2), lo que también se deduce del art. 10.1 CE" (STC. 195/2003, de 27 de octubre, Fto. Jco. 4). El propio Convenio europeo de derechos humanos (CEDH), en su art. 11.2, prevé "la posibilidad de adoptar las medidas restrictivas que 'previstas en la Ley, sean necesarias, en una sociedad democrática, para la seguridad nacional, la seguridad pública, la defensa del orden y la prevención del delito, la protección de la salud o de la moral, o la protección de los derechos y libertades ajenos'", e, interpretando este precepto, "el Tribunal Europeo de Derechos Humanos consideró proporcionada la orden gubernativa de evacuación de una iglesia ante una reunión pacífica y en sí misma no directamente perturbadora del orden público y del derecho de culto, en la que, sin embargo, el estado de salud de los congregados se había degradado y las circunstancias sanitarias eran muy deficientes (STEDH caso Cisse, de 9 de abril de 2002, § 51)" (STC. 195/2003, de 27 de octubre, Fto. Jco. 4).

De ahí que, "en los casos en los que existan 'razones fundadas' que lleven a pensar que los límites antes señalados no van a ser respetados, la autoridad competente puede exigir que la concentración se lleve a cabo de forma respetuosa con dichos límites constitucionales, o incluso, si no existe modo alguno de asegurar que el ejercicio de este derecho los respete, puede prohibirlo. Ahora bien, para que los poderes públicos puedan incidir en el derecho de reunión constitucionalmente garantizado, ya sea restringiéndolo, modificando las circunstancias de su ejercicio, o prohibiéndolo incluso, es preciso, tal y como acaba de señalarse, que existan razones fundadas, lo que implica una exigencia de motivación de la resolución correspondiente (STC. 36/1982, de 16 de junio) en la que se aporten las razones que han llevado a la autoridad gubernativa a concluir que el ejercicio del derecho fundamental de reunión, tal y como se hubo proyectado por su promotor o sus promotores, producirá una alteración del orden público proscrita en el art. 21.2 CE, o bien la desproporcionada perturbación de otros bienes o derechos protegidos por nuestra Constitución" (STC. 195/2003, de 27 de octubre, Fto. Jco. 4).

Además, no basta con que existan dudas sobre si el derecho de reunión pudiera producir efectos negativos, debiendo presidir toda actuación limitativa del mismo el principio o criterio de favorecimiento del derecho de reunión (favor libertatis: SSTC. 66/1995, de 8 de abril, Fto. Jco. 3; 42/2000, de 14 de febrero, Fto. Jco. 2; 195/2003, de 27 de octubre, Fto. Jco. 7; 90/2006, de 27 de marzo, Fto. Jco. 2; 163/2006, de 22 de mayo, Fto. Jco. 2; 301/2006, de 23 de octubre, Fto. Jco. 2). Así también lo ha entendido el Tribunal Europeo de Derechos Humanos, "que ha defendido una interpretación estricta de los límites al derecho de reunión fijados en el art. 11.2 CEDH, de manera que solamente razones convincentes e imperativas pueden justificar las restricciones a esa libertad (STEDH caso Sidiropoulos, de 10 de julio de 1998, § 40)" (STC. 236/2007, de 7 de noviembre, Fto. Jco. 6).

Fto. Jco. 4. La aplicación de la citada doctrina y, en concreto, del principio o criterio de favorecimiento del derecho de reunión, así como la circunstancia de que, como ha reiterado este Tribunal, resulte insuficiente para justificar la modulación o prohibición del citado derecho la mera sospecha o la simple posibilidad de que se produzca la perturbación de otros bienes o derechos protegidos constitucionalmente (por todas, STC. 163/2006, de 22 de mayo, Fto. Jco. 2), conduce al otorgamiento del amparo al aquí recurrente por vulneración del art. 21 CE.

En efecto, hemos declarado que "[e]n rigor, en el ámbito de los procesos electorales, sólo en casos muy extremos cabrá admitir la posibilidad de que un mensaje tenga capacidad suficiente para forzar o desviar la voluntad de los electores, dado el carácter íntimo de la decisión del voto y los medios legales existentes para garantizar la libertad del sufragio" (STC. 136/1999, de 20 de julio, Fto. Jco. 16). Si esta aseveración se ha realizado en relación con manifestaciones llevadas a cabo por las propias formaciones políticas presentes en la contienda electoral, cuanto más cabe afirmarlo de una agrupación de personas que se reúnen con la finalidad del intercambio o exposición de ideas, la defensa de intereses o la publicidad de problemas y reivindicaciones, y no con la intención de la captación de sufragios, objetivo que, junto a la identificación de los sujetos que pueden realizar la campaña electoral, definen la misma (art. 50.2 de la Ley Orgánica del régimen electoral general: LOREG).

No cabe duda que las opiniones derivadas de ese intercambio, exposición, defensa o reivindicación pueden llegar a influir en el ciudadano, pero dicha situación sólo puede ser contemplada como "una mera sospecha o una simple posibilidad". De ahí que sólo cuando se aporten razones fundadas, en expresión utilizada por el art. 21.2 CE, sobre el carácter electoral de la manifestación, es decir, cuando su finalidad sea la captación de sufragios (art. 50.2 LOREG) y ésta no haya sido convocada por partidos, federaciones, coaliciones o agrupaciones, únicas personas jurídicas que pueden realizar campaña electoral junto a sus candidatos (art. 50.3 LOREG), podrá desautorizarse la misma con base en dicho motivo. De lo contrario, como apunta el Fiscal, podríamos llegar al absurdo de que durante la campaña electoral estuvieran absolutamente prohibidas todas las manifestaciones.

Debe tenerse presente que el principio del pluralismo político se encuentra fuertemente vinculado con el derecho de libertad de expresión del que, como ya hemos puesto de relieve, es manifestación colectiva el derecho de reunión, siendo éste, al igual que la mencionada libertad, un derecho que coadyuva a la formación y existencia "de una institución política, que es la opinión pública, indisolublemente ligada con el pluralismo político" (STC. 12/1982, de 31 de marzo, Fto. Jco. 3), de forma tal que se convierte en una condición previa y necesaria para el ejercicio de otros derechos inherentes al funcionamiento de un sistema democrático, como lo son precisamente los derechos de participación política de los ciudadanos. Como afirmaba la STC. 101/2003, de 2 de junio, "sin comunicación pública libre quedarían vaciados de contenido real otros derechos que la Constitución consagra, reducidas a formas hueras las instituciones representativas y absolutamente falseado el principio de legitimidad democrática que enuncia el art. 1.2 CE, que es la base de toda nuestra ordenación jurídico-política (por todas STC. 6/1981, de 16 de marzo; en el mismo sentido SSTC. 20/1990, de 15 de febrero, y 336/1993, de 15 de noviembre)" (STC. 9/2007, de 15 de enero, Fto. Jco. 4).

No puede admitirse, por tanto, que la manifestación convocada por el Colectivo Autónomo de Trabajadores-Mossos d'Esquadra (CAT-ME) se prohíba por su "posible" incidencia en el proceso electoral. Y ello no sólo por las dudas que hace explícitas la propia Junta Electoral Provincial de Barcelona en su acuerdo, al utilizar la expresión "al poder tenir incidència sobre el procés electoral", sino porque en sí es dudoso que tenga capacidad suficiente para influir en las decisiones de los electores. Pues bien en tales circunstancias, debe favorecerse el ejercicio del derecho de reunión aún en detrimento de otros derechos, en especial los de participación política, no sólo por significarse como un derecho esencial en la conformación de la opinión pública, sino por la necesidad de su previo ejercicio para una configuración de la misma libre y sólida, base indispensable para el ejercicio de los mencionados derechos. Por este motivo, el ejercicio del derecho de reunión, del que el derecho de manifestación resulta una vertiente, debe prevalecer, salvo que resulte suficientemente acreditado por la Administración y, en su caso, por los Tribunales, que la finalidad principal de la convocatoria es la captación de sufragios.

De lo expuesto se deduce que no puede tenerse en consideración el argumento esgrimido por el Abogado de la Generalitat sobre la proporcionalidad de la medida que atribuye a la brevísima limitación temporal del derecho de los manifestantes a reserva de que podía ser ejercido a la finalización de la campaña electoral, ni tampoco la alegación sobre que se solicitara la autorización de la convocatoria sin cumplir el plazo legal, ya que lo cierto es que la Administración desautorizó y el órgano judicial ratificó la prohibición de la manifestación, en virtud del motivo ya expuesto y no por su extemporaneidad.

Art. 22. 1. Se reconoce el derecho de asociación.

2. Las asociaciones que persigan fines o utilicen medios tipificados como delito son ilegales.

3. Las asociaciones constituidas al amparo de este artículo deberán inscribirse en un registro a los solos efectos de publicidad.

4. Las asociaciones sólo podrán ser disueltas o suspendidas en sus actividades en virtud de resolución judicial motivada.

5. Se prohíben las asociaciones secretas y las de carácter paramilitar.

LO 1/2002 de 22 de marzo, reguladora del derecho de asociación

STC. 5/81 de 13 de febrero (**doble faceta positiva y negativa del derecho de asociación**)

Fto. Jco. 19: «...el derecho de asociación, reconocido por nuestra C. en su art. 22.1, comprende no sólo en su forma positiva el derecho de asociarse, sino también, en su faceta negativa, el derecho de no asociarse.»

STC. 10/83 de 21 de febrero (**la pertenencia implica aceptar las reglas de la asociación**)

Fto. Jco. 4: «...tal libertad (de asociación) no abarca el derecho de pertenecer a cualquier asociación que se desee sin someterse a las reglas estatutarias por ésta fijadas.»

STC. 115/87 de 7 de julio

Fto. Jco. 3: ver selección con relación al art. 13.

STC. 165/87 de 27 de octubre (**las Asociaciones de vecinos**)

Fto. Jco. 6: «Las Asociaciones de Vecinos constituyen un instrumento de participación de los ciudadanos en la vida pública, especialmente la local, que nuestro ordenamiento jurídico... trata de fomentar como manifestación asociativa democrática dirigida a procurar la defensa de los intereses generales o sectoriales de los vecinos, asumiendo, entre otras, las funciones de informar y concienciar a la opinión pública sobre situaciones que consideren injustas o lesivas al colectivo ciudadano o a alguno de sus miembros, siendo, por tanto, agrupaciones que se constituyen en ejercicio del derecho fundamental de asociación que garantiza el art. 22 de la C., cuyo contenido positivo reside en el derecho de fundar y participar en la asociación, desarrollando la actividad necesaria o conveniente al logro de los fines lícitos en atención a los cuales se constituye, mediante el empleo de medios igualmente lícitos, pero en ningún caso autoriza a los asociados la realización de actos contrarios a la Ley penal, cuyo enjuiciamiento y castigo es consecuencia jurídica de la propia conducta personal que en nada afectan o limitan el derecho de asociación.»

STC. 218/88 de 22 de noviembre (**el derecho a organizar la asociación creada**)

Fto. Jco. 1: «...el derecho de asociación, reconocido en el art. 22 de la C., comprende no sólo el derecho a asociarse, sino también el de establecer la propia organización del ente creado por el acto asociativo dentro del marco de la C. y de las leyes que, respetando el contenido esencial de tal derecho, lo desarrollen o lo regulen.»

STC. 89/89 de 11 de mayo (**colegiación obligatoria y derecho de asociación**)

Fto. Jco. 7: «Si los Colegios Profesionales, por su tradición, por su naturaleza jurídica y fines y por su constitucionalmente permitida regulación por ley, no son subsumibles en la totalidad del sistema general de las asociaciones a las que se refiere el art. 22 C.E., porque aunque siendo en cierto modo asociaciones, constituyen una peculiar o especial clase de ellas, con reglas legales propias (art. 36 C.E.), distintas de las asociaciones de naturaleza jurídico-privada, es claro que no puede serles aplicable el régimen de éstas. El art. 22 C.E., no prohíbe, por tanto, la existencia de entes que, siempre con la común base personal, exijan un específico tratamiento, o bien un suplemento de requisitos postulados por los fines que se persiguen. Es lógico que una conjunción de fines privados y públicos, como es el caso de los Colegios, impliquen también modalidades que no deben siempre verse como restricciones o limitaciones injustificadas de la libertad de asociación, sino justamente como garantía de que unos fines y otros puedan ser satisfechos.»

Fto. Jco. 8: «La colegiación obligatoria, como requisito exigido por la Ley para el ejercicio de la profesión, no constituye una vulneración del principio y derecho de la libertad asociativa, activa o pasiva, ni tampoco un obstáculo para la elección profesional (art. 35 C.E.), dada la habilitación concedida al legislador por el art. 36. Pudo, por tanto, dicho legislador establecerla lícitamente, en razón a los intereses públicos vinculados al ejercicio de determinadas profesiones, como pudo no hacerlo, si la configuración, esencia y fines de los Colegios fueran otros, acomodando requisitos y fines, estructura y exigencia garantizadoras, de acuerdo con el art. 36, y, por lo demás, con la naturaleza de los Colegios.
Se puede afirmar, pues, con aquellas Sentencias del Tribunal Europeo de Derechos Humanos, que la obligación de inscribirse los profesionales en el Colegio y someterse a su disciplina no supone una limitación injustificada, y menos una supresión del derecho

garantizado en el art. 22 de la C.E. y reconocido en el 11 del Convenio Europeo de Derechos Humanos.»

STC. 108/2003 de 2 de junio (colegiación no obligatoria)

Fto. Jco. 3...En lo sustancial dicha Sentencia contiene la siguiente doctrina:

En relación con el requisito de la reserva de ley para imponer la colegiación obligatoria se ha de observar que el cumplimiento o no de dicha reserva no puede ser por sí sólo el elemento directamente determinante, en su caso, de la solución que deba darse a la cuestión atinente a la alegada vulneración de la libertad negativa de asociación. De la descripción de la evolución normativa de los Colegios de Secretarios, Interventores y Tesoreros de Administración local con habilitación de carácter nacional y, en concreto, del Colegio de Valencia, resulta que la existencia del colegio y la previsión de la colegiación obligatoria derivaba, como ocurre en tantos otros casos, de normas preconstitucionales, lo que no implica, de conformidad con la doctrina constitucional de la que se deja constancia, la nulidad de las referidas disposiciones infralegales por el hecho de que posteriormente la Constitución haya exigido un determinado rango para la regulación de tales materias.

El demandante de amparo considera que las resoluciones judiciales impugnadas han vulnerado su derecho a la libertad de asociación (art. 22 CE). El examen de la cuestión planteada requiere traer a colación la conocida doctrina constitucional, perfilada por el Pleno de este Tribunal en la STC. 194/1998, de 1 de octubre, sobre la relación entre los colegios profesionales, la exigencia de la colegiación obligatoria y el derecho de asociación que garantiza el art. 22 CE (FFto. Jco.J 3 y 4). Ahora bien, tal doctrina, en su aplicación ha de adecuarse a las circunstancias del caso teniendo en cuenta que, en definitiva, los miembros del colegio puesto en cuestión son funcionarios públicos, que ejercen su actividad profesional exclusivamente en el ámbito de la Administración pública e integrados en una organización administrativa, por tanto, de carácter público, sin poder desempeñarla privadamente, siendo la propia Administración pública la destinataria inmediata de los servicios prestados por ellos. A las precedentes consideraciones debe añadirse que el poder público ha procedido a una completa delimitación y regulación, tanto del ejercicio de la actividad profesional de los Secretarios, Interventores y Tesoreros de Administración local con habilitación de carácter nacional, como del estatuto propio de quienes la desempeñan.

Por otra parte, la lectura de los fines esenciales de la organización colegial y la del elenco de funciones, plasmación de aquellos fines, que corresponden a los colegios conduce a concluir que, aun reconociendo su importancia y alcance, no presentan una relevancia tal en la ordenación del ejercicio de la profesión, a fin de garantizar el correcto desempeño de la misma, que permita identificar, al menos con la intensidad suficiente, la existencia de intereses públicos constitucionalmente relevantes que pudieran justificar en este caso la exigencia de la colegiación obligatoria.

En este caso, por consiguiente, y a diferencia de otros que han sido objeto de la consideración de este Tribunal, la exigencia de colegiación obligatoria no se presenta como un instrumento necesario para la ordenación de la actividad profesional de los Secretarios, Interventores y Tesoreros de la Administración local con habilitación de carácter nacional a fin de garantizar el correcto desempeño de la misma y los intereses de quienes son los destinatarios de los servicios prestados por dichos profesionales.

Con base en las precedentes consideraciones ha de concluirse que las resoluciones judiciales impugnadas, al aceptar como dato determinante para la solución de la reclamación de cantidad objeto del proceso a quo la adscripción obligatoria del recurrente al Colegio de Secretarios, Interventores y Tesoreros de Administración local con habilitación de carácter nacional de la provincia de Valencia, lesionaron el derecho de éste a la libertad de asociación en su vertiente negativa (art. 22 CE), lo que ha de conducirnos al otorgamiento parcial del amparo solicitado y, consecuentemente, a la anulación de dichas Sentencias.

4. Finalmente debe advertirse que el demandante de amparo considera que también ha resultado vulnerado el principio de igualdad (art. 14 CE), dado que la colegiación obligatoria de los Secretarios, Interventores y Tesoreros de la Administración local con habilitación de carácter nacional no es exigida en todas las Comunidades Autónomas, pues en la normativa de algunas de ellas se excepciona el cumplimiento de tal requisito en relación con los funcionarios o personal que preste servicios en las Administraciones locales radicadas en sus territorios.

Sin necesidad de entrar en otro tipo de consideraciones, es suficiente para desestimar en este extremo la queja del recurrente en amparo con recordar, como este Tribunal ya tiene declarado, que el principio constitucional de igualdad no impone que todas las Comunidades Autónomas ostenten las mismas competencias, ni, menos aún, que tengan que ejercerlas de una manera o con un contenido y unos resultados idénticos o semejantes, pues la autonomía significa precisamente la capacidad de cada nacionalidad o región para decidir cuándo y cómo ejercer sus propias competencias, en el marco de la Constitución y de su Estatuto de Autonomía, y si, como es lógico, de dicho ejercicio derivan desigualdades en la posición jurídica de los ciudadanos residentes en cada una de las distintas Comunidades Autónomas, no por ello resulta necesariamente infringido el principio de igualdad (art. 14 CE).

STC. 179/94

Ver selección con relación al art. 52

Art. 23. 1. Los ciudadanos tienen el derecho a participar en los asuntos públicos, directamente o por medio de representantes, libremente elegidos en elecciones periódicas por sufragio universal.

2. Asimismo, tienen derecho a acceder en condiciones de igualdad a las funciones y cargos públicos, con los requisitos que señalen las leyes.

L.O. 6/02 de 27 de junio, de Partidos políticos
L.O. 5/1985 de 19 de junio, del Régimen Electoral General.
L.O. 2/1980 de 18 de enero, sobre regulación de las distintas modalidades de Referendum.
L.O. 3/1984 de 26 de marzo, reguladora de la Iniciativa Legislativa Popular.
L.O. 2/1988 de 3 de mayo, reguladora de la publicidad electoral en emisoras de Televisión privada.

STC. 5/83 de 4 de febrero

Fto. Jco. 4: ver selección con relación al art. 6.

STC. 10/83 de 21 de febrero (**representación, elección, participación, permanencia en cargos**)

Fto. Jco. 2: «Para resolver sobre esta alegación hay que comenzar por determinar, en lo aquí necesario, el contenido de los derechos que el mencionado art. 23 de la C. consagra. El primero de ellos es, claro está, el derecho de los ciudadanos a participar en los asuntos públicos directamente o por medio de representantes libremente elegidos en elecciones periódicas por sufragio universal. Es obvio que, dado el caso que nos ocupa, huelga aquí todo análisis sobre el derecho de participación de los ciudadanos o sobre las notas de libertad y periodicidad que se predican de las elecciones de representantes. El problema nuclear es el de cuál sea el contenido concreto del derecho a participar mediante representantes o, en otros términos, cuáles son, en cuanto hayan de ser tenidas en cuenta para la decisión de este recurso, las notas esenciales del concepto de representación política. El sentido democrático que en nuestra C. (art. 1.2) reviste el principio del origen popular del poder obliga a entender que la titularidad de los cargos y oficios públicos sólo es legítima cuando puede ser referida, de manera mediata o inmediata, a un acto concreto de expresión de la voluntad popular. Es obvio, sin embargo, que pese a esta identidad de legitimación de todos los titulares de cargos y funciones públicas, sólo se denominan representantes aquellos cuya designación resulta directamente de la elección popular, esto es, aquellos cuya legitimación resulta inmediatamente de la elección de los ciudadanos. La función del representante puede revestir, ciertamente, muy distintas formas y aunque en el entendimiento común y en la opción política de nuestra C. (art. 1.3) la idea de representación va unida a la de mandato libre, no es teóricamente inimaginable un sistema de democracia mediata o indirecta en la que los representantes estén vinculados al mandato imperativo de los representados. No es éste, sin embargo, el problema que aquí se nos plantea, pues en el presente caso no se discute la legitimidad o ilegitimidad constitucional de una norma que sujete los representantes al mandato de los representados de la forma que, con referencia a los miembros de las Cortes Generales prohíbe expresamente el art. 67.2 de nuestra C. El extremo que debe ser analizado es el de si, dada la conexión necesaria e inmediata que, como acabamos de afirmar, existe entre representación y elección popular, cabe considerar constitucionalmente legítima una organización de la representación en la que los representantes pueden ser privados de su función por una decisión que no emana de los propios electores. No requiere este análisis de muy largo desarrollo para llegar a una respuesta inequívocamente negativa. Si todos los poderes del Estado emanan del pueblo, podrá discutirse la conveniencia o, dentro de un sistema representativo concreto, la licitud de la facultad de revocación concedida a los electores, o la oportunidad o la justicia de aquellas normas jurídicas que, de modo general, establezcan, como consecuencia necesaria de ciertos supuestos de hecho, el cese del representante en las funciones que el pueblo le ha conferido. No es, por el contrario, constitucionalmente legítimo otorgar a una instancia que no reúne todas las notas necesarias para ser considerada como un poder público, la facultad de determinar por sí misma ese cese sujetándose sólo a las normas que libremente haya dictado para sí.

El derecho que la C. (art. 23.1) garantiza a todos los ciudadanos de participar en los asuntos públicos mediante representantes libremente elegidos, es un derecho que corresponde a cada ciudadano y que puede ser vulnerado por actos que sólo afecten a cada uno de éstos en particular. La vulneración que resulta del hecho de privar al representante de su función les afecta sin embargo a todos simultáneamente y es también una vulneración del derecho del representante a ejercer la función que le es propia, derecho sin el que, como es obvio, se vería vaciado de contenido el de los representados. Lo propio de la representación, de cualquier modo que esta se construya, tanto basada en el mandato libre como en el mandato imperativo, es el establecimiento de la presunción de que la voluntad del representante es la voluntad de los representados, en razón de la cual son imputados a éstos en su conjunto y no sólo a quienes votaron en su favor o formaron la mayoría, los actos de aquél. El desconocimiento o la ruptura de esa relación de imputación destruye la naturaleza misma de la institución representativa y vulnera, en consecuencia, un derecho fundamental de todos y cada uno de los sujetos que son parte de ella. Al reaccionar contra el acto que lo expulsa de su función, el representante no defiende, por tanto, sólo un derecho propio, pero tampoco, en modo alguno, un derecho ajeno, pues la finalidad que persigue es justamente la de restaurar la unidad de voluntad en que la representación consiste.

En lo que aquí importa este derecho (art. 23.2) implica también el de no ser removidos de los cargos o funciones públicos a los que se accedió si no es por causas y de acuerdo con procedimientos legalmente establecidos. El legislador puede establecer libremente las condiciones que estime más adecuadas, pero su libertad tiene limitaciones que son, de una parte, las generales que imponen el principio de igualdad y los derechos fundamentales que la C. garantiza y, de la otra, cuando se trata de cargos o funciones cuya naturaleza esencial aparece definida por la propia C., las que resultan de la necesidad de salvaguardar esta naturaleza. En el caso de los cargos y funciones públicos de carácter representativo, una regulación legal que sea contraria a la naturaleza de la representación violará también por ello el derecho del representante a permanecer en el cargo.

Cuando esa violación se produce porque la regulación legal cuya aplicación origina el cese en el cargo lesiona el principio de igualdad o derechos fundamentales del propio representante como simple ciudadano, tal violación afectará también, sin duda, al cuerpo electoral, cuya voluntad representa pero, a diferencia de lo que ocurre en el caso anteriormente estudiado, el daño que los ciudadanos, como representados, padezcan, no es lesión de un derecho propio, sino reflejo de la vulneración de un derecho ajeno, pues el trato discriminatorio de que pueden ser objeto el representante o la perturbación que eventualmente sufra en el uso legítimo de sus derechos fundamentales y libertades públicas afecta en primer término a su propio ámbito protegido y sólo indirectamente, y en la medida en que lo desplace de su cargo o función, cuya naturaleza no ha sido desfigurada, a la situación jurídica de los representados.»

Fto. Jco. 3: ver selección relación al art. 6.

Fto. Jco. 4: «Al otorgar al partido la facultad de privar al representante de su condición cuando lo expulsa de su propio seno, como en el presente caso ocurre, el precepto (art. 11.7, Ley de elecciones locales de 17 de julio de 1978) infringe sin embargo, de manera absolutamente frontal, el derecho de los ciudadanos a participar en los asuntos públicos a través de representantes. Una vez elegidos, los representantes no lo son de quienes los votaron, sino de todo el cuerpo electoral, y titulares, por tanto, de una función pública a la que no pueden poner término decisiones de entidades que no son órganos del Estado, en el sentido más amplio del término. Pero aunque se entendiera, violentando el ordenamiento, que representaban sólo la voluntad de sus propios electores y que éstos quisieron otorgar su representación a todos y cada uno de los integrantes de la lista propuesta, de tal modo que la sustitución operaría siempre en favor de personas a quien también los votantes de la lista desearon conceder su representación, seguiría siendo cierto que ésta implica la necesidad de que fueran personas concretas las elegidas y que lo fueron para el desempeño de una función que exige que la libre voluntad del representante y por ende su permanencia en el cargo no quede subordinada a ningún poder que no emane también de la voluntad popular.»

STC. 101/83 de 18 de noviembre (los representantes elegidos y el deber de acatar la C.E.)

Fto. Jco. 3 B): «Cuando los electores ejercitan un derecho fundamental establecido por la C., al amparo de la misma, tal ejercicio ha de efectuarse dentro del marco constitucional y con el alcance previsto en la propia C., que no comprende el de obtener un resultado prohibido por la misma como es que los titulares de los poderes públicos accedan a los cargos sin el deber positivo de actuar con sujeción a la C., es decir, con el debido acatamiento a la misma. Por ello la exigencia del acatamiento no vulnera el derecho fundamental del art. 23, que no comprende el de participar en los asuntos públicos por medio de representantes que no acaten formalmente la C., por lo que es claro que el art. 23.1 no ha sido vulnerado.»

STC. 23/84 de 20 de febrero (derecho de acceso se refiere cargos de representación política)

Fto. Jco. 4: «...el derecho de acceso a los cargos públicos que regulan el art. 23.2, interpretado en conexión con el 23.1 y de acuerdo con tales preceptos, se refiere a los cargos públicos de representación política, que son los que corresponden al Estado y a los entes territoriales en que se organiza territorialmente de acuerdo con el art. 137 de la C. Conclusión inicial que queda confirmada si se parte, como es obligado, del art. 1.1 de la C. que configura al Estado como social y democrático, ya que el derecho que define el mencionado art. 23.2 es un reflejo del estado democrático en el que, art. 1.2, la soberanía reside en el pueblo español del que emanan todos los poderes del Estado. Consecuencia lógica de este principio es el derecho fundamental que examinamos, cuyo ámbito ha de delimitarse en función del mismo, sin que la existencia de Corporaciones públicas no territoriales pueda dar lugar a reconocerles un significado constitucional del mismo nivel.»

STC. 24/1990 de 15 de febrero (no sólo cargos y funciones representativas)

Fto. Jco. 2: «Aunque en alguna decisión aislada (STC. 23/84) llegó a afirmarse que este precepto... hace referencia sólo a los cargos y funciones representativos, a los que se llega por procedimientos electivos, una doctrina consistente, reiterada en numerosísimas sentencias, lo entiende aplicable también a los cargos y funciones de otro orden, siempre, claro está, que se trate de cargos y funciones públicas.»

STC. 32/85 de 6 de marzo (**igualdad de posición de los representantes; mayorías y minorías**)

Fto. Jco. 3: «Como ya hemos declarado en anteriores ocasiones, el derecho a acceder a los cargos y funciones públicas implica también, necesariamente, el de mantenerse en ellos y desempeñarlos de acuerdo con lo previsto en la Ley, que, como es evidente, no podrá regular el ejercicio de los cargos representativos en términos tales que se vacíe de contenido la función que han de desempeñar, o se la estorbe o dificulte mediante obstáculos artificiales, o se coloque a ciertos representantes en condiciones inferiores a otros, pues si es necesario que el órgano representativo decida siempre en el sentido querido por la mayoría, no lo es menos que se ha de asignar a todos los votos igual valor y se ha de colocar a todos los votantes en iguales condiciones de acceso al conocimiento de los asuntos y de participación en los distintos estados del proceso de decisión. Y, naturalmente, si estos límites condicionan la actuación del legislador, con igual fuerza, cuando menos, ha de condicionar la actuación de los propios órganos representativos al adoptar éstos las medidas de estructuración interna que su autonomía les permite.

La pertenencia a la minoría es, en efecto, un dato concreto que no puede ser olvidado, pues, de una parte, el principio que ha de orientar los Acuerdos que se adopten en cuanto a estructura y funcionamiento interno del Ayuntamiento no es, según dijimos, el de igualdad, sino el de proporcionalidad, que no cabe establecer si no es a partir de la relación existente entre mayoría y minoría, y de otra, sólo teniendo presente la situación política relativamente homogénea de todos los recurrentes, se hace perceptible, en virtud de la conexión que cuando se trata de cargos representativos hay que establecer entre los dos apartados del art. 23, el daño que de una lesión al derecho de los representantes resulta también para el derecho de los representados.

Es evidente que las dos desviaciones de la proporcionalidad en las que el Acuerdo municipal incurre lesionan el derecho de los recurrentes, colocando el ejercicio de sus funciones representativas en una situación notablemente desventajosa en relación con la atribuída a los Concejales de la mayoría. En la que llamábamos desviación cuantitativa, esta lesión se patentiza con la simple comparación de las cifras pues... la relación abstracta entre cada miembro de la minoría y cada miembro de la mayoría habría de ser... de dos a tres y no, como ahora, de uno a dos. Es evidente que, como ya dijimos, la proporcionalidad que aquí consideramos no puede ser entendida en forma matemática, pero, de una parte, la amplitud de la desviación matemática, generalizada además a todos los Concejales de la minoría, y de otra, la ausencia de todo intento de razonamiento para justificarla, obligan a considerarla ilegítima y lesiva.

Evidente resulta también la lesión que, en el derecho fundamental al ejercicio de la función representativa en términos de igualdad (aquí proporcionalidad) con el resto de los integrantes del órgano representativo, resulta de la que denominamos desviación cualitativa. Los representantes miembros de la minoría tiene derecho a que la opinión de ésta (que es el instrumento de participación en los asuntos públicos de quienes fueron sus electores) sea oída sobre todos los asuntos que el órgano del que forman parte ha de conocer y resolver y lo sea, además, en los diferentes estadios del proceso de decisión.»

STC. 51/84 de 25 de abril (**el derecho a participar no lo es en todos los asuntos públicos**)

Fto. Jco. 2: «...este es un derecho que se otorga a los ciudadanos individuales. No es un derecho que pueda reconocerse genéricamente a las personas jurídicas. Se trata del derecho fundamental, en que encarna el derecho de participación política... y es la forma de ejercitar la soberanía... Por eso, la participación en los asuntos públicos a que se refiere el art. 23 es en primera línea la que se realiza al elegir los miembros de las Cortes Generales, que son los representantes del pueblo, según el art. 66 de la C. y puede entenderse asimismo que abarca también la participación en el gobierno de las Entidades en que el Estado se organiza territorialmente, de acuerdo con el art. 137 de la C. Por ello, no se trata como es manifiesto, de un derecho a que los ciudadanos participen en todos los asuntos públicos, cualquiera que sea su índole y su condición, pues para participar en los asuntos concretos se requiere un especial llamamiento, o una especial competencia si se trata de órganos públicos, o una especial legitimación, si se trata de Entidades o sujetos de Derecho privado, que la Ley puede, en tal caso, organizar...»

STC. 75/85 de 21 de junio (barrera legal electoral; proporcionalidad; representación)

Fto. Jco. 4: «Una de las características, sin embargo, del precepto constitucional es el muy amplio margen de libertad que confiere al legislador para regular el ejercicio del derecho, esto es, para configurar el sistema mediante el que se produce en la práctica el acceso a tales cargos y funciones públicas, y, más concretamente, al tratarse de cargos directamente elegidos por los ciudadanos, para configurar el correspondiente sistema electoral.

Resulta, en efecto, del art. 23.2 de la C.E., que el derecho a ser elegido se adquiere 'con los requisitos que señalen las leyes', de manera que no puede afirmarse que del precepto, en sí sólo considerado, derive la exigencia de un determinado sistema electoral o, dentro de lo que un sistema electoral abarca, de un determinado mecanismo para la atribución de los cargos representativos objeto de elección, en función de los votos que en la misma se emiten.

Es bien conocida la existencia en los ordenamientos democráticos de una considerable diversidad de tales mecanismos, que han tendido, por vía doctrinal, a agruparse en torno a dos criterios polares, el mayoritario y el proporcional, aunque existen casos también en que la coexistencia de elementos procedentes de uno o de otro criterio conduce a verdaderas fórmulas mixtas en que no resulta fácil la conceptuación final del sistema... el art. 23.2... no impone, por sí mismo, al legislador ninguna de las modalidades ya existentes en el derecho comparado ni cualquier otro sistema.

Es cierto que el mandato constitucional, junto a esa libertad de configuración que viene a reconocer al legislador, también señala a éste de modo expreso la necesidad de que el derecho que proclama sea ejercido 'en condiciones de igualdad', y es, justamente, en esta exigencia en la que no cabe ver sino una concreción del principio que, con carácter general, se reconoce en el art. 14 de nuestra C., donde se apoya buena parte de la argumentación de los demandantes de amparo, y ello por entender que la aplicación de la regla 3 por 100 produce resultados discriminatorios y, por tanto, contrarios a dicho principio.

De ser cierta la argumentación, habría que concluir, sin embargo, que al principio de igualdad se oponen no sólo límites a la proporcionalidad del mismo tipo que el aquí cuestionado, sino, en consecuencia, límites que pudieran suponer una restricción mayor respecto a la aplicación del criterio proporcional y, desde luego, cualquier modalidad del sistema electoral mayoritario.

Semejante conclusión arranca, en realidad, de una rechazable identificación entre la exigencia del trato igualatorio y el criterio electoral de la proporcionalidad, de modo que cualquier desviación de lo que, en abstracto, puede concebirse como aplicación pura de tal criterio por parte del legislador, llegaría, en último término, a ser considerada discriminatoria, de no contar con una expresa apoyatura constitucional.

Debe afirmarse, por el contrario, que el principio democrático de la igualdad se encuentra abierto a las fórmulas electorales más diversas, y ello porque se trata de una igualdad en la Ley, o, como el mismo art. 23.2 de la C. establece, de una igualdad referida a las 'condiciones' legales en que el conjunto de un proceso electoral se desarrolla, por lo que la igualdad, por tanto, no prefigura un sistema electoral y excluye otros, sino que ha de verificarse dentro del sistema electoral que sea libremente determinado por el legislador, impidiendo las diferencias discriminatorias, pero a partir de las reglas de tal sistema, y no por referencia a cualquier otro.

La reflexión anterior es aplicable a cada uno de los momentos en que un proceso electoral puede descomponerse, y en relación a las pretensiones de los distintos sujetos que en tales momentos intervienen. Si se aplica a la fase del escrutinio o, más concretamente, de atribución de los puestos o escaños en los órganos representativos en función de los votos obtenidos, no cabe apreciar que sea discriminatoria la exigencia, para tener derecho a esa transformación de votos en escaños, de obtener, al menos, un cierto porcentaje de votos, pues la misma exigencia de la regla quiebra la igualdad de supuestos a partir de la que sería posible la comparación entre las candidaturas que sí obtengan y las que no ese porcentaje, del mismo modo que, en el caso de un sistema mayoritario, no existiría la posibilidad de comparar, y, por tanto, de afirmar la existencia de discriminación entre candidaturas que sí, y otras que no obtienen la mayoría electoral y, en consecuencia, representación en el correspondiente distrito o circunscripción.

Lo significativo, en todo caso, desde la perspectiva del art. 23.2 de la C., puesto en relación con el art. 14, es que la regla legal se aplica a todas las candidaturas por igual, sin que conste la existencia de obstáculos para que todas ellas concurran a unas mismas elecciones, y en unos mismos distritos o circunscripciones en las mismas condiciones legales y sin que conste, tampoco, la existencia de diferencias injustificadas o irrazonables en la aplicación de esa concreta regla, que es por intrínseca naturaleza enteramente justificada y fundada...

No es aceptable, por último, el argumento de que la discriminación se produce por referencia a las personas que integran las distintas candidaturas, esto es, si se tiene en cuenta que el número de votos que corresponden a candidatos incluidos en listas que no han rebasado el límite del 3 por 100 y, por tanto, no llegan a ser proclamados electos, puede ser, no obstante, superior, como sucede en los casos que nos ocupan, al número de votos correspondientes a candidatos que obtienen esa proclamación al figurar en las listas que sí han superado dicho límite. La comparación es inviable, pues nos encontramos ante magnitudes cualitativamente diversas. En un caso el total de votos conseguidos por unas ciertas candidaturas (las excluidas del reparto de escaños), en el otro caso, uno o varios cocientes, que no son, y aquí está la diferencia esencial, votos efectivamente obtenidos, sino más bien resultados convencionales deducidos, a efectos del reparto, del número total de votos de cada candidatura. Y es que, en un sistema de listas como el vigente en nuestro ordenamiento electoral, no cabe hablar de votos recibidos por candidatos singularmente considerados, sino, en relación a éstos, de cocientes, que son resultados de la operación prevista para determinar, entre las listas que han superado el límite legal, los escaños que corresponden a cada una de ellas.»

Fto. Jco. 5: «Es, sin embargo, bien conocido que no es posible hablar sin mayor precisión, de 'un' sistema proporcional como de algo perfectamente delimitable, de manera unívoca, en todos sus contornos, pues todo lo más que puede apreciarse... es algo que ya fue considerado en STC. 40/81 de 18 de septiembre, según la cual: 'la representación proporcional es la que persigue atribuir a cada partido o a cada grupo de opinión un número de mandatos en relación a su fuerza numérica. Cualesquiera que sean sus modalidades concretas, su idea fundamental es la de asegurar a cada partido político o grupo de opinión una representación, si no matemática, cuando menos sensiblemente ajustada a su importancia real.'

Ni la C. ni en este caso el Estatuto catalán, han pretendido, en efecto, introducir, agotando la regulación de la materia, un sistema 'puro' de proporcionalidad, y si con tal expresión se entiende que la única opción constitucionalmente válida sería la que atribuyese, sin desviaciones, los escaños de modo exactamente proporcional al porcentaje de votos conseguidos, debe decirse que semejante sistema ni existe entre nosotros, desde luego, ni en el Derecho comparado en parte alguna, ni acaso en ningún sistema imaginable. La proporcionalidad es más bien, una orientación o criterio tendencial, porque siempre, mediante su puesta en práctica, quedará modulada o corregida por múltiples factores del sistema electoral, hasta el punto que puede afirmarse que cualquier concreción o desarrollo normativo del criterio, para hacer viable su aplicación, implica necesariamente un recorte a esa 'pureza' de la proporcionalidad abstractamente considerada.

En nuestro ordenamiento, algunos de estos recortes ya aparecen impuestos por la propia C., pues en lo que se refiere a la elección del congreso de Diputados, el apartado 1 de su art. 68, al regular la composición de la Cámara, implica una evidente restricción al despliegue de la proporcionalidad, que ciertamente será mayor o menor, pero que se producirá en cualquier caso, según decida el legislador ir ampliando desde el nº mínimo (300) hasta el nº máximo (400) de diputados que el precepto señala; y esta restricción adquiere más entidad si se tiene en cuenta que, según el apartado 2 del mismo art., el número total de Diputados por el que se opte habrá de distribuirse entre las provincias, a las que se determina como circunscripciones electorales, junto a la necesidad de atribuir un número mínimo inicial de escaños a cada una de ellas.

Alteración de la proporcionalidad de otro tipo, y que en nuestro ordenamiento corresponde por entero al legislador, es la que deriva de la necesidad de instrumentar una fórmula matemática para la atribución de escaños en función de los votos obtenidos...

En la aplicación de esta regla D'Hondt es donde... ha introducido la exigencia aquí cuestionada, de contar, al menos, con el 3 por 100 de los votos, existiendo, por tanto, un evidente propósito del legislador de restringir, para los partidos o grupos políticos cuyo soporte electoral es más reducido, el acceso al Congreso de los Diputados, así como a las Asambleas legislativa de las CC.AA., en la medida que la exigencia se ha extendido a su formación, lo que, si se pone en conexión con los efectos ventajosos ya mencionados para los partidos o grupos más votados, confirma la realidad, que subyace en este conjunto de reglas, de procurar, combinando incentivos y límites, que la proporcionalidad electoral sea compatible con el resultado de que la representación de los electores en tales Cámaras no sea en exceso fragmentaria, quedando encomendada a formaciones políticas de cierta relevancia.

La validez constitucional de esta finalidad es lo que justifica, en último término, el límite del 3 por 100 impuesto por el legislador, y esa validez se aprecia si tenemos en cuenta que el proceso electoral, en su conjunto, no es sólo un canal para ejercer derechos individuales reconocidos por el art. 23 de la C., sino que es también, a través de esta manifestación de estos derechos subjetivos, un medio para dotar de capacidad de decisión política eficaces y aptos para imprimir una orientación general a la acción de aquél.

La experiencia de algunos períodos de nuestra historia contemporánea y la de algunos otros regímenes parlamentarios enseñan, sin embargo, el riesgo que, en relación a tales objetivos institucionales, supone la atomización de la representación política, por lo que no es, por lo tanto, ilegítimo que el ordenamiento electoral intente conjugar el valor supremo que, según el art. 1.1 de la C.E., representa el pluralismo, y su expresión, en este caso, en el criterio de la proporcionalidad, con la pretensión de efectividad en la organización y actuación de los poderes públicos, por lo que la posibilidad de tal limitación de la proporcionalidad electoral resulta tanto más justificada cuanto que, según hemos visto, no cabe, en rigor, hablar de un derecho subjetivo a la misma sobre la base estricta del art. 23.2 de la C.E.

Importa recordar, a estos efectos, que son varios los preceptos constitucionales (arts. 99.3 in fine, 112 y 113) que pueden comprenderse como expresión de una exigencia racionalizadora en la forma de gobierno, y así lo ha entendido este mismo T.C. en su STC. 16/1984 al afirmar que 'junto al principio de legitimidad democrática, de acuerdo con el cual todos los poderes emanan del pueblo y a la forma parlamentaria de gobierno, nuestra C. se inspira en un principio de racionalización de esta forma', por lo que, al servicio de esta experiencia o principio puede perfectamente considerarse que se encuentran también las cláusulas limitativas del escrutinio proporcional del mismo tipo que la que examinamos.

Pero es que además, resulta importante señalar que estos riesgos de fragmentación no se proyectan únicamente sobre el funcionamiento de los órganos representativos, sino, como demuestra también la práctica política, sobre el de las mismas asociaciones a través de las que adquiere realidad la representación y que son, principalmente, como reconoce el art. 6 de nuestra C., los partidos políticos.»

STC. 29/89 de 6 de febrero (irregularidades en las candidaturas)

Fto. Jco. 6: «...este TC. ha sostenido que, aunque no pueden proclamarse candidaturas que hayan incurrido en irregularidades al ser presentadas, estas irregularidades han de ser puestas en conocimiento de los representantes de las candidaturas afectadas para que, si es posible, se proceda a su subsanación. En consecuencia, si la Administración electoral incumple este deber de apreciación de oficio de los defectos y no da ocasión a los interesados para la reparación de unas irregularidades que después llevan al rechazo de las candidaturas, se habría ignorado una garantía dispuesta por la LOREG en el art. 47.2 para la efectividad del derecho fundamental. E incluso en la STC. 59/87, este TC. sostuvo que tal posibilidad de subsanación de las irregularidades (...) no podía ser eludida mediante una distinción entre simples 'irregularidades' y 'defectos sustantivos' o esenciales, distinción que no cuenta con base legal alguna y que resulta contradicha por la permisión que la propia Ley hace (art. 48.1) de modificación de candidaturas a resultas de subsanación y que desconoce, por lo demás, el principio interpretativo según el cual la legalidad aplicable ha de ser entendida en los términos más favorables a la plena efectividad del derecho fundamental. Todavía con mayor rotundidad, en la STC. 86/87 se afirma que la Administración electoral viene obligada a poner en conocimiento de los componentes de las listas presentadas cualquier posible irregularidad al objeto de permitir su subsanación.»

STC. 26/90 de 19 de febrero (derecho al sufragio y anulación de elecciones)

Fto. Jco. 6: «...La anulación o no cómputo de votos válidamente emitidos en unas elecciones supone, sin duda, la negación del ejercicio y efectividad de ese derecho (de sufragio activo y pasivo), no sólo a los votantes cuya voluntad queda suprimida e invalidada, sino también a los destinatarios o receptores de esos votos y, por ende, de la voluntad y preferencia de los electores. El mantenimiento, por tanto, de esa voluntad expresada en votos válidos debe constituir criterio preferente a la hora de interpretar y aplicar las normas electorales. Y desde esta perspectiva, resulta claro que, si bien ha de protegerse al resultado de las votaciones de manipulaciones y falsificaciones que alterarían la voluntad popular, no cabe hacer depender la eficacia de los votos válidamente emitidos de irregularidades o inexactitudes menores, que siempre serán frecuentes en una Administración electoral no especializada e integrada, en lo que se refiere a las mesas electorales, por ciudadanos designados por sorteo.»

STC. 36/90 de 1 de marzo (derecho de acceso y permanencia en cargo)

Fto.jco.1: « Conforme a la doctrina de este TC., los titulares del derecho de acceso en condiciones de igualdad a los cargos representativos y con los requisitos que señalen las leyes son los ciudadanos, por un mandato de dicho precepto (art. 23.2), y no los partidos políticos; y otro tanto ocurre con el subsiguiente derecho a permanecer en los cargos públicos a los que se accedió. Por consiguiente, y a los efectos que ahora nos atañen, ostentan la titularidad del derecho fundamental comprendido en el art. 23.2 de la CE, los propios ciudadanos, primero como candidatos a un cargo representativo y luego como parlamentarios, y, en su caso, incluso los Grupos Parlamentarios en que éstos se integran y que ellos mismos constituyen, en la medida en que resulten menoscabados sus derechos (STC. 105/86 Fto. Jco. 4); de forma que una regulación parlamentaria que fuese contraria a la naturaleza de la presentación o a la igualdad entre representantes violaría el derecho de cada representante a permanecer en el cargo. Quedan al margen de este diseño y del ámbito que ahora nos ocupa las funciones que la legislación electoral otorga a los partidos políticos y, especialmente, la facultad de presentar candidaturas en las que junto al nombre del candidato, figure la denominación del partido que la propone y las consecuencias que de ello se extraen.»

STC. 39/08 de 10 de marzo (ius in officium)

Fto. Jco. 4. Descartada la concurrencia de óbices procesales, procede entrar en el análisis del fondo de las cuestiones planteadas en este proceso constitucional. La lectura conjunta de la Resolución de la Mesa de la Diputación Permanente de la Asamblea de Madrid impugnada y del escrito rector de este recurso de amparo permite avanzar ya la clara desestimación de la vulneración del derecho a la igualdad (art. 14 CE) denunciada por los recurrentes.
En efecto, habiéndose aducido como preceptos constitucionales infringidos por la Resolución parlamentaria controvertida los arts. 14 y 23.2 CE, será preciso recordar que esta última norma constitucional "concreta, sin reiterarlo, el mandato presente en la

regla que, en el artículo 14 de la misma Constitución, establece la igualdad de todos los españoles ante la Ley" [SSTC. 75/1983, de 3 de agosto, Fto. Jco. 3, y 50/1986, de 23 de abril, Fto. Jco. 4; más recientemente, en similares términos, STC. 154/2003, de 17 de julio, Fto. Jco. 6 b)]. De modo que el art. 23.2 CE especifica el derecho a la igualdad en el acceso a las funciones y cargos públicos, siendo éste, por tanto, el precepto que debe ser considerado de modo directo para apreciar si el acto, resolución o norma objeto del proceso constitucional ha quebrantado ese derecho, a no ser que el tratamiento diferenciado controvertido se deba a alguno de los criterios expresamente mencionados en el art. 14 CE (por todas, STC. 191/2007, de 10 de septiembre, Fto. Jco. 3, y las resoluciones allí citadas).

En este caso los recurrentes se limitan a denunciar la vulneración del art. 14 CE sin aportar ningún elemento que permita identificar qué concreto criterio de discriminación de los específicamente prohibidos por el precepto constitucional habría sido empleado en la resolución parlamentaria impugnada. Ha de concluirse, por ello, que la invocación del art. 14 CE no tiene otro propósito que el de reforzar la argumentación desplegada en la demanda de amparo en defensa de las pretensiones deducidas, que gira principalmente en torno al alegato de vulneración del art. 23.2 CE. Esta misma conclusión se refuerza con la lectura de la resolución controvertida, en la que no se aprecia la utilización de ninguno de los criterios específicamente prohibidos por el art. 14 CE para limitar el derecho de los demandantes de amparo a participar en la Comisión de investigación.

5. La doctrina constitucional aplicable la resolución de este caso se sintetiza en las recientes SSTC. 89/2005, de 19 de abril, Fto. Jco. 2; 361/2006, de 18 de diciembre, Fto. Jco. 2, y 141/2007, de 18 de junio, Fto. Jco. 3, y en el ATC. 369/2007, de 12 de septiembre, Fto. Jco. 3.

En todas estas resoluciones se recuerda que el art. 23.2 CE, además del derecho de acceso en condiciones de igualdad a las funciones y cargos públicos incorpora, como "garantía añadida", el derecho de los parlamentarios y de los grupos en que se integran a ejercer sus funciones en condiciones de igualdad y dentro de la legalidad parlamentaria. A este respecto parece oportuno insistir en la caracterización del ius in officium tutelado por el art. 23.2 CE como un derecho de configuración legal, en el sentido de que "compete a los Reglamentos parlamentarios fijar y ordenar los derechos y atribuciones que a los parlamentarios corresponden" (STC. 141/2007, de 18 de junio, Fto. Jco. 3). Como igualmente hemos indicado en esta última resolución citada, el correlato lógico de esta función configuradora que desempeñan los Reglamentos parlamentarios radica en que una vez creados los derechos y facultades de los parlamentarios, se integran en su status representativo; de modo que, conforme a la doctrina de este Tribunal, "la Constitución veta la privación o perturbación al representante político de la práctica de su cargo, introduciendo obstáculos que puedan colocar a unos representantes en condiciones de inferioridad respecto de otros (SSTC. 10/1983; 32/1985, de 6 de marzo, Fto. Jco. 3; 227/2004, de 29 de noviembre, Fto. Jco. 2)" (STC. 141/2007, de 18 de junio, Fto. Jco. 5). Lo dicho no conlleva, por otra parte, que cualquier infracción del estatuto del parlamentario en la Cámara represente por sí sola una lesión del derecho fundamental toda vez que únicamente poseen relevancia constitucional aquellos derechos o facultades que pertenezcan al núcleo de la función representativa parlamentaria, respecto de los cuales cabría apreciar vulneración del art. 23.2 CE "si los propios órganos de las Asambleas impiden o coartan ilegítimamente su práctica o adoptan decisiones jurídicamente reprobables que contraríen la naturaleza de la representación o la igualdad de los representantes (SSTC. 38/1999, de 22 de marzo, Fto. Jco. 2; 107/2001, de 23 de abril, Fto. Jco. 3; 203/2001, de 15 de octubre, Fto. Jco. 2, y ATC. 118/1999, de 10 de mayo)" (STC. 141/2007, Fto. Jco. 3).

No debe perderse de vista, finalmente, la estrecha conexión existente entre esta "garantía añadida" del art. 23.2 CE y el derecho fundamental de los ciudadanos a participar en los asuntos públicos por medio de sus representantes reconocido en el art. 23.1 CE. En efecto, como este Tribunal ha declarado reiteradamente, "puede decirse que 'son primordialmente los representantes políticos de los ciudadanos quienes dan efectividad a su derecho a participar en los asuntos públicos, según hemos declarado también en la STC. 107/2001, de 23 de abril, Fto. Jco. 3' (STC. 177/2002, Fto. Jco. 3), de suerte que 'el derecho del art. 23.2, así como, indirectamente, el que el art. 23.1 CE reconoce a los ciudadanos, quedaría vacío de contenido, o sería ineficaz, si el representante político se viese privado del mismo o perturbado en su ejercicio [SSTC. 38/1999, de 22 de marzo, Fto. Jco. 2; 107/2001, de 23 de abril, Fto. Jco. 3 a); 203/2001, de 15 de octubre, Fto. Jco. 2; 177/2002, de 14 de octubre, Fto. Jco. 3]' [ATC. 181/2003, de 2 de junio, Fto. Jco. 2 a)]" [SSTC. 89/2005, de 19 de abril, Fto. Jco. 2 a), y 361/2006, de 18 de diciembre, Fto. Jco. 2 a)].

STC. 85/03 de 8 de mayo (**agrupaciones electorales**)

Fto. Jco. 24: «...es discutible que ...pueda perseguirse también la continuidad material del partido ...cuando alguna de esas funciones se formaliza en entidades que, además de no ser partidos políticos, son instrumento para el ejercicio de un derecho fundamental distinto del derecho de asociación y del derecho de creación de partidos políticos. Concretamente, son instrumento directo del derecho de participación política (art. 23 CE). Tal es el caso de las agrupaciones de electores, a cuyo través ejercen su derecho de sufragio pasivo los ciudadanos que quieren participar directamente en los asuntos públicos, sin la mediación de los partidos. Aquí la diversidad ontológica entre los dos términos respecto de los cuales se predica la continuidad es tan absolutamente radical que el tránsito entre ellos sólo puede ser fruto de la artificiosidad más forzada.

Partidos políticos y agrupaciones de electores no son realidades equivalentes; ni siquiera equiparables. Unos y otras son instrumentos de participación política. Pero el primero lo es de la participación política de ciudadanos que les son ajenos, en tanto éstas lo son de los individuos que las constituyen, es decir, de los ciudadanos que se agrupan para ejercer su propio derecho de sufragio pasivo. Esta última circunstancia sólo se da en los partidos respecto de quienes son sus promotores o dirigentes; si se quiere, incluso, respecto de sus afiliados. En las agrupaciones, en cambio, es exclusiva de quienes las crean, y precisamente para ello son creadas, agotándose con la convocatoria electoral para la que se crearon. No tienen, pues, la vocación de permanencia de un partido.»

Art. 24. 1. Todas las personas tienen derecho a obtener la tutela efectiva de los jueces y tribunales en el ejercicio de sus derechos e intereses legítimos, sin que, en ningún caso, pueda producirse indefensión.

2. Asimismo, todos tienen derecho al Juez ordinario predeterminado por la ley, a la defensa y a la asistencia de letrado, a ser informados de la acusación formulada contra ellos, a un proceso público sin dilaciones indebidas y con todas las garantías,

a utilizar los medios de prueba pertinentes para su defensa, a no declarar contra sí mismos, a no confesarse culpables y a la presunción de inocencia.

La ley regulará los casos en que, por razón de parentesco o de secreto profesional, no se estará obligado a declarar sobre hechos presuntamente delictivos.

STC. 64/88 de 12 de abril (titularidad del derecho a la tutela judicial efectiva)

Fto. Jco. 1: (ver selección con relación al art. 53)

«Por lo que se refiere al derecho establecido en el art. 24.1 de la C., como derecho de prestación de actividad jurisdiccional de los órganos del Poder Judicial del Estado, ha de considerase que tal derecho corresponde a las personas físicas y a las personas jurídicas, y entre éstas últimas, tanto a las de Derecho Privado como a las de Derecho Público, en la medida en que la prestación de la tutela efectiva de los Jueces y Tribunales tiene por objeto los derechos e intereses legítimos que les corresponden. Y así ha sido establecido por una extensa doctrina jurisprudencial de este T.C., que no es necesario examinar aquí con detalle. Sin embargo, por lo que concierne a este último derecho, este T.C. ha dicho que no se puede efectuar una íntegra traslación a las personas jurídicas de Derecho Público de las doctrinas jurisprudenciales elaboradas en desarrollo del citado derecho fundamental en contemplación directa de derechos fundamentales de los ciudadanos. Por ello hay que entender que, en línea de principio, la titularidad del derecho que establece en el art. 24 de la C. corresponde a todas las personas físicas y a las personas jurídicas a quienes el ordenamiento reconoce capacidad para ser parte en un proceso y sujeta a la potestad jurisdiccional de Jueces y Tribunales, si bien en este último caso el reconocimiento del derecho fundamental debe entenderse dirigido a reclamar del órgano jurisdiccional la prestación a que como parte procesal se tenga derecho.»

STC. 197/88 de 24 de octubre (significado del derecho)

Fto. Jco. 4: «El art. 24.1 de la C. establece una doble garantía para 'todas las personas' en el ejercicio de sus derechos e intereses legítimos, pues no sólo proscribe que los Jueces y Tribunales cierren arbitrariamente los cauces judiciales legalmente previstos a quienes, estando legitimados para ello, pretenden defender sus propios derechos e intereses, sino que también prohíbe al legislador que, con normas excluyentes de la vía jurisdiccional, le impida el acceso al proceso, prohibición, ésta última, que se refuerza por lo prevenido en el art. 106.1 de la C.E., cuando se trata de impetrar justicia frente a la actuación de las Administraciones públicas.

Es desde luego incuestionable que, existiendo una vía judicial preestablecida por la ley, los órganos judiciales deberán respetar el derecho a la tutela judicial que demanden los que estén legitimados para ello, sin que este imperativo pueda ser excepcionado cuando el que reclama la prestación jurisdiccional es un ente público, según ha declarado, entre otras, la STC. 19/83.»

STC. 46/82 de 12 de julio (derecho de acceso al proceso y derecho a garantías procesales)

Fto. Jco. 2: «El art. 24 de la C., en sus dos epígrafes, previene dos supuestos íntimamente relacionados entre sí, pero que merecen un tratamiento diferenciado, ya que el segundo de ellos apunta preferentemente a las llamadas 'garantías procesales'... mientras que el primero... establece una garantía, previa al proceso, que lo asegura, cuando se dan las circunstancias requeridas al efecto. Dicho de otro modo, el art. 24.2 también asegura la tutela efectiva, pero lo hace a través del correcto juego de los instrumentos procesales, mientras que el 24.1 ase-gura la tutela efectiva mediante el acceso mismo al proceso.»

STC. 19/81 de 8 de junio (no comporta derecho a decisión jurisdiccional favorable)

Fto. Jco. 2: «...el art. 24.1 reconoce el derecho de todos a la jurisdicción es decir, a promover la actividad jurisdiccional que desemboque en una decisión judicial sobre las pretensiones deducidas, en el bien entendido que esa decisión no tiene por qué ser favorable a las peticiones del actor, y que aunque normalmente recaiga sobre el fondo puede ocurrir que no entre en él por diversas razones. Entre ellas se encuentra que el órgano judicial instado no se considere competente. Ello supone que el art. 24.1 no puede interpretarse como un derecho incondicional a la prestación jurisdiccional, sino como un derecho a obtenerla siempre que se ejerza por las vías procesales legalmente establecidas...»

STC. 37/82 de 16 de junio (no exige necesariamente fallo sobre el fondo)

Fto. Jco. 3: «...el derecho a la tutela efectiva de los Jueces y Tribunales supone que los recurrentes sean oídos y tengan derecho a una decisión, sea favorable o adversa. Es, sin embargo, evidente que esta decisión no tiene necesariamente que proyectarse sobre el fondo del acto planteado, y que la tutela jurisdiccional resulta otorgada con plena eficacia, cuando la decisión consiste en negar, de forma no arbitraria e irrazonable, la concurrencia de un presupuesto procesal necesario para conocer del fondo del proceso.»

STC. 60/82 de 11 de octubre (inadmisibilidad por falta de legitimación)

Fto. Jco. 1: «...este T.C. ya ha dicho que el derecho a la tutela judicial se satisface 'al obtener una resolución fundada en derecho... que podrá ser de inadmisión, o de desestimación por algún motivo formal,cuando concurra alguna causa de inadmisibilidad y así lo acuerde el Juez o Tribunal en aplicación razonada de la misma' (STC. 11/82), de donde se infiere que la simple existencia de una Sentencia de inadmisión fundada o razonada en Derecho satisface normalmente el derecho a la tutela efectiva de Jueces y Tribunales, y la comprobación en esta sede de tales hechos debe conducir sin más a la desestimación del amparo sin entrar a analizar si la causa de inadmisión apreciada por el Tribunal ordinario se dió o no en el proceso correspondiente. Ahora bien, cuando el objeto de tal proceso previo sea la tutela judicial de los derechos fundamentales y libertades públicas (arts. 14 a 29 y 30.2 de la c. y art. 41.1 LOTC), el proceso previo sea el de la Ley 62/1978, o en su día el previsto por el art. 53.2 de la C., y la falta de inadmisibilidad sea la falta de legitimación, este T.C. no puede contraer el examen del caso a la mera comprobación de que hubo una Sentencia fundada en Derecho, sino que ha de entrar a analizar la concurrencia o no de la falta de legitimación, pues, en el supuesto de que ésta hubiera sido incorrectamente apreciada por el Tribunal ordinario quedarían sin protección ni tutela efectiva el derecho o derechos fundamentales en cada caso debatido y su ejercicio quedaría 'de facto' indebidamente restringido, hipótesis en la cual este T.C. no podría permanecer pasivo...»

STC. 32/82 de 7 de junio (exigencia de cumplimiento del fallo judicial)

Fto. Jco. 2: «El derecho a la tutela efectiva que dicho artículo consagra (24.1) no agota su contenido en la exigencia de que el interesado tenga acceso a los Tribunales de Justicia, pueda ante ellos manifestar y defender su pretensión jurídica en igualdad con las otras partes y goce de la libertad de aportar todas aquellas pruebas que procesalmente fueran oportunas y admisibles, ni se limita a garantizar la obtención de una resolución de fondo fundada en derecho, sea o no favorable a la pretensión formulada, si concurren todos los requisitos procesales para ello. Exige también que el fallo judicial se cumpla y que el recurrente sea repuesto en su derecho y compensado, si hubiere lugar a ello, por el daño sufrido; lo contrario sería convertir las decisiones judiciales y el reconocimiento de los derechos que ellas comportan en favor de alguna de las partes, en meras declaraciones de intenciones.»

STC. 89/86 de 1 de julio (derecho a los medios de prueba)

Fto. Jco. 2: «La indefensión consiste en un impedimento del derecho a alegar y de demostrar en el proceso los propios derechos y, en su manifestación más trascendente, es la situación en la que se impide a una parte, por el órgano judicial, en el curso del proceso, el ejercicio del derecho de defensa, privándola de ejercitar su potestad de alegar y, en su caso, justificar sus derechos e intereses para que le sean reconocidos, o para replicar dialécticamente las posiciones contrarias en el ejercicio del indispensable principio de contradicción. En diversas ocasiones este T.C. ha reconocido las interrelaciones existentes entre la indefensión contemplada en el art. 24.1 de la C. y el derecho a los medios de prueba, y ha entendido como incluída dentro de los medios de defensa, cuya privación o desconocimiento puede constituir indefensión también la posibilidad de aportación de medios de prueba, habiendo afirmado que 'la relación entre el derecho a las pruebas e indefensión, marca el momento de máxima tensión de la eventual lesión del derecho' (STC. 51/85). De este modo la denegación de pruebas en determinadas circunstancias, pudiera haber 'provocado indefensión' (STC. 116/83). De acuerdo con esta doctrina la denegación de prueba puede ser protegida constitucionalmente también al amparo del art. 24.1 de la C., aunque en tal caso su examen ha de realizarse desde la sola perspectiva de la indefensión, y por ello desde una visión global de la posibilidad que la parte, hoy recurrente en amparo, ha tenido de ejercer sus derechos de defensa.»

STC. 199/87 de 16 de diciembre (el juez predeterminado por la ley)

Fto. Jco. 6: «Los arts. 117.3 y 4 de la C. desarrollan el principio consagrado en el art. 24.2... en relación con 'el derecho al Juez ordinario predeterminado por la ley', lo que significa desde luego garantía para el justiciable de una predeterminación del órgano judicial que ha de instruir, conocer y decidir sobre su posible responsabilidad criminal, pero también indica que dicho 'Juez ordinario' es el que se establezca por el legislador. Como ha venido sosteniendo este TC., el derecho constitucional al Juez ordinario predeterminado por la ley exige que el órgano judicial haya sido creado previamente por la norma jurídica, con generalidad y con anterioridad al caso, y que la composición de ese órgano venga determinada por la ley, garantizándose así la independencia e imparcialidad que el derecho a la tutela judicial exige. (...) Según la STC. 47/83... el derecho... consagrado por el art. 24.2 'exige, en primer término, que el órgano judicial haya sido creado previamente por la norma jurídica, que ésta le haya investido de jurisdicción y competencia con anterioridad al hecho motivador de la actuación o proceso judicial y que su régimen orgánico y procesal no permita calificarle de órgano espacial o excepcional, pero exige también que la composición del órgano judicial venga determinada por ley y que en cada caso concreto se siga el procedimiento legalmente establecido para la designación de los miembros que han de constituir el órgano correspondiente. De esta forma se trata de garantizar la independencia e imparcialidad que el derecho en cuestión comporta...»

«...La generalidad de los criterios legales garantiza la inexistencia de Jueces 'ad hoc'; la anterioridad de tales criterios respecto al planteamiento procesal del litigio garantiza que una vez determinado en concreto el juez de un caso en virtud de la aplicación de los criterios competenciales contenidos en las leyes, el Juez del caso no podrá ser desposeído de su conocimiento en virtud de decisiones tomadas por órganos gubernativos.»

STC. 5/04 de 16 de enero (**juez imparcial**)

Fto. Jco. 2: «El derecho al Juez imparcial es uno de los contenidos básicos del art. 24.2 CE, que encuentra su protección constitucional en el derecho a un proceso con todas las garantías, y también, y al propio tiempo, configura un derecho fundamental implícito en el derecho al Juez legal proclamado en el mismo art. 24.2 CE. La imparcialidad y objetividad del Tribunal aparece entonces, no sólo como un requisito básico del proceso debido derivado de la exigencia de actuar únicamente sometidos al imperio de la ley (art. 117 CE), como nota característica de la función jurisdiccional desempeñada por los Jueces y Tribunales, sino que además se erige en garantía fundamental de la Administración de Justicia propia de un Estado social y democrático de Derecho (art. 1.1 CE), que está dirigida a asegurar que la razón última de la decisión jurisdiccional que se adopte sea conforme al Ordenamiento jurídico, y se dicte por un tercero ajeno tanto a los intereses en litigio como a sus titulares.

En consecuencia el art. 24 CE, acorde con lo dispuesto en el art. 6 del Convenio europeo para la protección de los derechos humanos y libertades fundamentales, reconoce el derecho a ser juzgado por un Tribunal independiente y alejado de los intereses de las partes en litigio, de tal modo que la imparcialidad judicial constituye una garantía procesal que condiciona la existencia misma de la función jurisdiccional. La imparcialidad judicial aparece así dirigida a asegurar que la pretensión sea decidida exclusivamente por un tercero ajeno a las partes y a los intereses en litigio, y que se someta exclusivamente al Ordenamiento jurídico como criterio de juicio. Esta sujeción estricta a la ley supone que esa libertad de criterio en que estriba la independencia judicial no sea orientada "a priori" por simpatías o antipatías personales o ideológicas, por convicciones e incluso por prejuicios, o, lo que es lo mismo, por motivos ajenos a la aplicación del Derecho. Esta obligación de ser ajeno al litigio puede resumirse en dos reglas: primera, que el Juez no puede asumir procesalmente funciones de parte; segunda, que no puede realizar actos ni mantener o exteriorizar una previa toma de posición anímica a su favor o en contra.

Con arreglo a tal criterio la jurisprudencia de este Tribunal viene distinguiendo entre una imparcialidad subjetiva, que garantiza que el Juez no ha mantenido relaciones indebidas con las partes, en la que se integran todas las dudas que deriven de las relaciones del Juez con aquellas, y una imparcialidad objetiva, es decir, referida al objeto del proceso, por la que se asegura que el Juez se acerca al "thema decidendi", sin haber tomado postura en relación con él.

En cualquier caso, desde la óptica constitucional, para que en garantía de la imparcialidad un Juez pueda ser apartado del conocimiento de un asunto concreto es siempre preciso que existan dudas objetivamente justificadas; es decir, exteriorizadas y apoyadas en datos objetivos que hagan posible afirmar fundadamente que el Juez no es ajeno a la causa o permitan temer que, por cualquier relación con el caso concreto, no va a utilizar como criterio de juicio el previsto en la ley, sino otras consideraciones ajenas al Ordenamiento jurídico. Ha de recordarse que, aun cuando, en este ámbito las apariencias son muy importantes, porque lo que está en juego es la confianza que en una sociedad democrática los Tribunales deben inspirar a los ciudadanos, no basta con que tales dudas o sospechas sobre su imparcialidad surjan en la mente de quien recusa, sino que es preciso determinar caso a caso si las mismas alcanzan una consistencia tal que permitan afirmar que se hallan objetiva y legítimamente justificadas.»

STC. 48/84 de 4 de abril (**no toda infracción procesal provoca indefensión**)

Fto. Jco. 1: «La idea de indefensión contiene, enunciándola de manera negativa, la definición del derecho a la defensa jurídica, de la que se ha dicho que supone el empleo de medios lícitos necesarios para preservar o restablecer una situación jurídica perturbada o violada consiguiendo una modificación jurídica que sea debida, tras un debate (proceso), decidido por un órgano imparcial (jurisdicción). De esta suerte la idea de indefensión engloba, entendida en un sentido amplio, a todas las demás violaciones de derechos constitucionales que pueden colocarse en el marco del art. 24. Existe, sin embargo, un concepto más estricto de indefensión de orden jurídico-constitucional, que la jurisprudencia de este T.C. ha ido poco a poco perfilando.

El concepto jurídico-constitucional de indefensión que el art. 24 de la C. permite y obliga a construir, no tiene por qué coincidir enteramente con la figura jurídico-procesal de la indefensión. Ocurre así, porque como acertadamente ha sido dicho, la idea de indefensión no puede limitarse, restrictivamente, al ámbito de los que pueden plantearse en los litigios concretos, sino que ha de extenderse a la interpretación desde el punto de vista constitucional de las Leyes reguladoras de los procesos. Por esto, si bien el Derecho Procesal, en aras de sus propias necesidades de estructuración de los procesos y para facilitar el automatismo y la tramitación de los procedimientos judiciales, presenta un contenido marcadamente formal y define la indefensión de un modo igualmente formal, a través, por ejemplo, de la falta de debido emplazamiento o de la falta de otorgamiento de concretos trámites o de concretos recursos, en el marco jurídico-constitucional no ocurre lo mismo. Como la jurisprudencia de este T.C. ha señalado en abundantes ocasiones, la indefensión no se produce si la situación en que el ciudadano se ha visto colocado se debió a una actitud voluntariamente adoptada por él o si le fuere imputable por falta de la necesaria diligencia. La conclusión que hay que sacar de ello es doble: por una parte que no toda infracción de normas procesales se convierte por sí sola en indefensión jurídico-constitucional y por ende en violación de lo ordenado por el art. 24 de la C.; y, por otra parte, que la calificación de la indefensión con relevancia jurídico-constitucional o con repercusión o trascendencia en el orden constitucional ha de llevarse a cabo con la introducción de factores diferentes del mero respeto o, a la inversa, de la infracción de las normas procesales y del rigor formal del procedimiento. En el contexto del art. 24 de la C. la indefensión se caracteriza por suponer una privación o una limitación del derecho de defensa que, si se produce por vía legislativa sobrepasa el límite del contenido esencial prevenido en el art. 53 y si se produce en virtud de concretos actos de los órganos jurisdiccionales entraña mengua del derecho de intervenir en el proceso en el que se ventilan intereses concernientes al sujeto, respecto de los cuales la Sentencia debe suponer modificación de una situación jurídica individualizada así como del derecho de realizar los alegatos que se estimen pertinentes para sostener ante el Juez la situación que se cree preferible y de utilizar los medios de prueba para demostrar los hechos alegados y, en su caso y modo, utilizar los recursos contra resoluciones judiciales.

STC. 16/88 de 15 de febrero (**el acceso a los recursos**)

Fto. Jco. 1: «Asimismo y con alcance general, el T.C. ha sostenido en repetidas ocasiones que el acceso a los recursos jurisdiccionales previstos por el legislador forma parte del derecho a la tutela judicial efectiva...»

ATC. 304/84 de 23 de mayo (**la 'reformatio in peius'**)

Fto. Jco. 3: «La no 'reformatio in peius', también señalada como fundamentadora del presente amparo y que constituye un principio procesal del régimen de los recursos con encaje constitucional a través de la interdicción de indefensión o por las exigencias de las garantías inherentes al proceso a que se refiere el art. 24 C.E., sólo se infringe cuando la condición del recurrente empeora como consecuencia de su misma impugnación, pero no cuando se produce en base a otras apelaciones formuladas de forma concurrente, o, incluso, incidental, que permiten la oportunidad de oponerse a las mismas y utilizar contra ellas los medios de defensa que se estimen convenientes, pues además, no de ser así se produciría la indebida exclusión, incluso a los efectos de ser consideradas, de las pretensiones de quienes también son partes en el proceso.»

STC. 15/87 de 11 de febrero (**la 'reformatio in peius'**)

Fto. Jco. 3: «Este art. 24 no constitucionaliza la regla que prohíbe la 'reformatio in peius' ...pero al proscribir la indefensión excluye toda posibilidad de reforma de la situación jurídica definida en la primera instancia que no sea consecuencia de una pretensión frente a la cual, aquél en cuyo daño se produce tal reforma, no tenga ocasión de defenderse, salvo, claro está, el daño que eventualmente resulte como consecuencia de la aplicación de normas de orden público, cuya recta aplicación es siempre deber del Juez, con independencia de que sea o no pedida por las partes.»

STC. 57/84 de 8 de mayo (**formalismos enervantes e interpretaciones literales**)

Fto. Jco. 3: «El derecho constitucionalmente garantizado, a obtener la tutela efectiva de Jueces y Tribunales, no puede ser comprometido u obstaculizado mediante la imposición de formalismos enervantes o acudiendo a interpretaciones o aplicaciones de reglas disciplinadoras de los requisitos y formas de las secuencias procesales, en sentidos que aunque puedan parecer acomodados al tenor literal del texto en que se encierra la norma, son contrarios al espíritu y a la finalidad de ésta, y desde luego, no ajustados a una consideración de tales reglas reinterpretadas a la luz del art. 24.1 de la C.»

STC. 36/86 de 12 de marzo (requisitos formales y subsanación de defectos)

Fto. Jco. 2: «...los trámites formales no deben ser exigencias cuyo incumplimiento presente siempre el mismo valor obstativo que operaría con independencia, en principio, de cuál sea el grado de inobservancia del requisito, su trascendencia práctica o las circunstancias concurrentes en el caso. Al contrario, han de analizarse teniendo presente la finalidad que pretende lograrse con ellos para, de existir defectos, procederse a una justa adecuación de las consecuencias jurídicas con la entidad real del derecho mismo, medida en función de la quiebra de la finalidad última que el requisito formal pretendía servir. De esta suerte cuando esa finalidad pueda ser lograda sin detrimento alguno de otros derechos o bienes constitucionalmente dignos de tutela, debe procederse a la subsanación del defecto, más que a eliminar los derechos o facultades que se vinculan a su cauce formal, lo que, con mayor razón, debe sostenerse cuando el efecto que pueda producir la inobservancia de un requisito formal sea precisamente el cierre de la vía de recurso. Esta interpretación finalista y su corolario, la proporcionalidad entre la sanción jurídica y la entidad real del defecto, no es sino una consecuencia más de la necesaria interpretación de la legalidad ordinaria en el sentido más favorable a la efectividad de un derecho fundamental.»

Ver selección con relación a los arts. 118 a 121

STC. 29/95 de 6 de febrero (derecho a defenderse por sí mismo)

Fto. Jco 3: «Este TC ha tenido ocasión de proclamarlo, con el apoyo interpretativo, ...del art. 6.3,c) del CEDH, asumiendo la declaración contenida en la Sentencia del TEDH de 25 de abril de 1983 según la cual dicho precepto "garantiza tres derechos al acusado: a defenderse por sí mismo, a defenderse mediante asistencia letrada de su elección y, en determinadas condiciones, a recibir asistencia letrada gratuita", sin que la opción a favor de una de esas tres posibles formas de defensa implique la renuncia o la imposibilidad de ejercer alguna de las otras, siempre que sea necesario, para dar realidad efectiva en cada caso a la defensa en un juicio penal.»

Fto. Jco. 4: «El contenido del derecho a defenderse por sí mismo no se extiende a la facultad de prescindir de la preceptiva defensa técnica ...La propia Comisión Europea de Derechos Humanos así lo ha entendido al apreciar que el art. 6.3,c) CEDH "no garantiza al acusado el derecho a decidir él mismo de qué manera asegurará su defensa", correspondiendo a las Autoridades competentes decidir si el acusado se defenderá por sí mismo o con asistencia de un Abogado elegido por él mismo o nombrado de oficio.»

STC. 101/02 de 6 de mayo (asistencia letrada)

Fto. Jco. 2: «Es jurisprudencia de este Tribunal que entre las garantías que integran el derecho a un proceso justo se incluye el derecho a la defensa y a la asistencia letrada que el art. 24.2 CE consagra de manera singularizada. Este derecho tiene por finalidad, al igual que todas las demás garantías que conforman el derecho en el que se integran, la de asegurar la efectiva realización de los principios de igualdad de las partes y de contradicción, que imponen a los órganos judiciales el deber positivo de evitar desequilibrios entre la respectiva posición procesal de las partes o limitaciones en la defensa que puedan generar a alguna de ellas la indefensión prohibida por el art. 24.1 CE. Parámetros que no varían siquiera cuando la intervención letrada en la instancia es, incluso, facultativa puesto que, aún no siendo preceptiva, constituye un derecho que la parte gobierna en su ejercicio, decidiendo con libertad si servirse o no de un experto en Derecho para defender sus intereses.

En todo caso, también debe señalarse que este Tribunal, en consonancia con el TEDH ... ha señalado que, desde la perspectiva constitucional, la denegación de la asistencia letrada no conlleva sin más una vulneración del art. 24.3 CE. Para que esto suceda es necesario que la falta del Letrado de oficio solicitado, en atención a las circunstancias concurrentes en el caso, haya producido al solicitante una real y efectiva situación de indefensión material, en el sentido de que la autodefensa se haya revelado insuficiente y perjudicial para el litigante impidiéndole articular una defensa adecuada de sus derechos e intereses legítimos en el proceso, es decir, que se haya producido un menoscabo real y efectivo de defensa.»

SSTC. 47/86 de 21 de abril (Fto. Jco. 1) y 196/87 de 11 de diciembre (Ftos. Jcos. 4, 5, 7):

Ver selección con relación al art. 17.

STC. 82/88 de 28 de abril (**naturaleza de los medios de prueba**)

Fto. Jco. 2: «Según ha declarado este T.C., el derecho a la presunción de inocencia reconocido en art. 24.2 se asienta sobre dos ideas esenciales. De un lado, el principio de libre valoración de la prueba en el proceso penal, que corresponde efectuar a los Jueces y Tribunales por imperativo del art. 117.3 de la C., y de otro, que los medios de prueba válidos para desvirtuar la presunción de inocencia son los utilizados en el juicio oral y los preconstituídos de imposible o muy difícil reproducción, siempre que se hayan observado las garantías necesarias para la defensa, así como también las diligencias policiales y sumariales practicadas con las formalidades que la C. y el ordenamiento procesal establecen en garantía de los ciudadanos, siempre que sean reproducidas en el acto del juicio oral en condiciones que permitan a la defensa del acusado someterlas a contradicción...»

STC. 105/88 de 8 de junio (**presunción de inocencia y prueba suficiente**)

Fto. Jco. 3: «...el art. 24.2 de la C. significa que se presume que los ciudadanos no son autores de hechos o conductas tipificadas como delito y que la prueba de la autoría y la prueba de la concurrencia de los elementos del tipo delictivo, corresponden a quienes, en el correspondiente proceso penal, asumen la condición de parte acusadora, sin que pueda imponerse al acusado o procesado una especial actividad probatoria que dependerá siempre de la libre decisión que se adopte respecto de su defensa, pues la C. le reconoce también al acusado el derecho a no declarar contra sí mismo. Significa, además, la presunción de inocencia que en los procesos en que se enjuician acciones delictivas debe existir una prueba de cargo suficiente, realizada a través de medios de prueba que merezcan un enjuiciamiento favorable desde el punto de vista de su legitimidad constitucional.»

STC. 149/01 de 27 de junio (**presunción de inocencia y pruebas ilícitas**)

Fto. Jco. 6: «...se ha de partir de la afirmación de que, ciertamente, el derecho a la presunción de inocencia comporta el derecho a no ser condenado si no es en virtud de pruebas obtenidas con todas las garantías que puedan considerarse constitucionalmente legítimas ...y acreditativas de forma sólida y razonable de los hechos y de la intervención del acusado en los mismos ...Ello es consecuencia de que la valoración de una prueba obtenida con vulneración de un derecho fundamental sustantivo constituye, en primer término, una lesión del derecho a un proceso con todas las garantías, pues "la valoración procesal de las pruebas obtenidas con vulneración de derechos fundamentales implica una ignorancia de las garantías propias del proceso (art. 24.2) y en virtud de su contradicción con ese derecho fundamental y, en definitiva, con la idea de proceso justo ...debe considerarse prohibida por la CE» (STC. 81/88).

Ahora bien, ello no significa que la valoración de toda prueba conectada directa o indirectamente con la pruebas obtenidas con vulneración de un derecho fundamental material esté prohibida constitucionalmente por suponer lesión del derecho al proceso con todas las garantías o porque la condena con base en ellas pueda implicar la lesión del derecho a la presunción de inocencia. Como este Tribunal ha declarado, "es lícita la valoración de pruebas que, aunque se encuentren conectadas desde una perspectiva natural con el hecho constitutivo de la vulneración de un derecho fundamental por derivar del conocimiento adquirido a partir del mismo, puedan considerarse jurídicamente independientes." Por consiguiente, la prohibición de valoración de pruebas derivadas de las obtenidas inicial y directamente con vulneración de derechos fundamentales sustantivos sólo se produce si la ilegitimidad de las pruebas originales se transmite a las derivadas en virtud de lo que hemos denominado conexión de antijuridicidad, ya que las pruebas derivadas son desde su consideración intrínseca constitucionalmente legítimas, pero no se han obtenido mediante la vulneración de ningún derecho fundamental».

Dicha conexión de antijuridicidad, que resulta del examen conjunto del acto lesivo del derecho y su resultado, tanto desde una perspectiva interna como externa ...ha sido afirmada entre la lesión del derecho a la inviolabilidad del domicilio ocasionado en un registro y el acta donde se recoge el resultado del mismo, las declaraciones de los agentes de la autoridad que lo llevaron a cabo y las declaraciones del resto de los testigos presentes en el mismo...

Sin embargo, lo hallado en un registro verificado con vulneración del derecho a la inviolabilidad del domicilio no ha de tenerse por inexistente en la realidad y puede ser incorporado de forma legítima al proceso por otros medios de prueba ...En particular, la declaración del acusado, en la medida en que ni es en sí misma contraria al derecho a la inviolabilidad domiciliaria o al derecho al proceso con todas las garantías, ni es el resultado directo del registro practicado, "es una prueba independiente del acto lesivo de la inviolabilidad domiciliaria».

STC. 47/82 de 12 de julio (**el derecho a formular recusación de juez**)

Fto. Jco. 3: «El art. 24 de la C. consagra el derecho al proceso, que consagra, entre otras garantías, la relativa a que el justiciable sea juzgado por el Juez ordinario predeterminado por la Ley. Por ello, las normas que conducen a la determinación del Juez entroncan con el mencionado art. 24. Entre ellas no se encuentran sólo las que establecen los límites de la jurisdicción y la competencia de los órganos jurisdiccionales. Están también las relativas a la concreta idoneidad de un determinado Juez en relación con un concreto asunto, entre las cuales es preeminente la de imparcialidad, que se mide no sólo por las condiciones subjetivas de ecuanimidad y rectitud, sino también por la de desinterés y neutralidad.

De esta suerte, hay que señalar que el derecho a la utilización de los medios de defensa y el derecho a ser juzgado por el Juez predeterminado por la Ley, comprenden recusar a aquellos funcionarios en quienes se estime que concurren las causas legalmente tipificadas como circunstancias de privación de la idoneidad subjetiva o de las condiciones de imparcialidad y de neutralidad. El derecho a formular recusación comprende, en línea de principio, la necesidad de que la pretensión formulada se sustancie a través del proceso prevenido por la Ley con este fin y a que la cuestión así propuesta no sea enjuiciada por los mismos Jueces objeto de recusación...»

ATC. 18/2006 de 24 de enero (recusación de juez)

Fto. Jco. 3: «...Queremos decir con ello que, salvo que se desvirtúe el contenido de la garantía de imparcialidad, no puede pretenderse la recusación de un Juez por el mero hecho de tener criterio jurídico anticipado sobre los asuntos que debe resolver. No sólo el Tribunal Constitucional sino también el resto de Tribunales jurisdiccionales deben ser integrados por Jueces que no tengan la mente vacía sobre los asuntos jurídicos sometidos a su consideración. Por imperativo constitucional, sólo pueden ser nombrados Magistrados del Tribunal Constitucional quienes reúnan la condición de "juristas de reconocida competencia con más de quince años de ejercicio profesional" (art. 159.2 CE), por lo que no es poco común ni puede extrañar que, antes de integrarse en el colegio de Magistrados, en el ejercicio de sus respectivas profesiones de procedencia, sus miembros se hayan pronunciado voluntaria u obligadamente sobre materias jurídicas que, finalmente, pueden llegar a ser objeto directo o indirecto de la labor de enjuiciamiento constitucional que tienen legalmente atribuida. Lo que precisa la función jurisdiccional son Jueces con una mente abierta a los términos del debate y a sus siempre variadas y diversas soluciones jurídicas que están, normalmente, en función de las circunstancias específicas del caso. Por ello, sólo las condiciones y circunstancias en las que ese criterio previo se ha formado, o la relación con el objeto del litigio o con las partes que permita afirmar inclinación de ánimo, son motivos que permitirán fundar una sospecha legítima de inclinación, a favor o en contra, hacia alguna de éstas.»

STC. 107/89 de 8 de junio (instrucción y juicio oral: distintos órganos jurisdiccionales)

Fto. Jco. 2: «...de las garantías del proceso debido, que reconoce como derecho fundamental el art. 24.2 de la C., forma parte de la del Juez imparcial,la cual constituye no sólo una de las notas esenciales del principio acusatorio, que encuentra su protección constitucional en el derecho a un 'proceso con todas las garantías', sino también y al propio tiempo es un derecho fundamental, implícito en el derecho al Juez legal proclamado en el mismo número 2 del art. 24 de la C.

La necesidad de atribuir la fase de instrucción y la del juicio oral a dos distintos órganos jurisdiccionales conforma hoy, frente al proceso penal inquisitivo del antiguo régimen, la primera nota que ha de concurrir en un proceso penal acusatorio, pues debido a la circunstancia de que la actividad instructora puede comportar una labor esencialmente inquisitiva, a fin de prevenir el prejuzgamiento y evitar que el acusado sea juzgado por un órgano falto de imparcialidad, se hace necesario que aquella función sea encomendada a un órgano, al que se le ha de vedar expresamente la posibilidad de entender del juicio oral, cuyo conocimiento ha de quedar reservado a otro órgano jurisdiccional que no haya efectuado actividad inquisitiva alguna contra el imputado.»

STC. 30/89 de 7 de febrero (derecho a ser informado de la acusación; intérprete)

Fto. Jco. 3: «El derecho a ser informado de la acusación, instrumental e indispensable para ejercer la propia defensa, es reconocido en el art. 24.2 de la C., sin señalar las formas y solemnidades con que la información ha de llevarse a cabo, debiendo por consiguiente realizarse ésta de acuerdo con el tipo de proceso y su relación específica, pero respetando en todo caso el contenido esencial del derecho, consistente en asegurar el conocimiento del acusado acerca de los hechos que se le imputan y de los cargos que contra él se formulan. Por otra parte, la garantía de un proceso justo y el ejercicio de la adecuada defensa comporta también, como premisa necesaria, asegurar la comprensión del acusado sobre el sentido y significado de los actos procesales realizados y de las imputaciones efectuadas, independientemente de la clase de proceso, lo cual supone la intervención de un intérprete cuando sea necesaria para garantizar la efectividad de dichos derechos.»

STC. 5/10 de 7 de abril (dilaciones indebidas)

Fto. Jco. 6. Finalmente, y en cuanto a la denunciada vulneración del derecho a un proceso con todas las garantías y sin dilaciones indebidas (art. 24.2 CE), esta queja no puede ser acogida, con independencia de cualquier otra consideración, por las siguientes razones:
En primer lugar, porque, conforme a reiterada doctrina de este Tribunal, es requisito indispensable para que pueda estimarse vulnerado el derecho a un proceso sin dilaciones indebidas que el recurrente las haya invocado en el procedimiento judicial previo, mediante el requerimiento expreso al órgano judicial supuestamente causante de tales dilaciones para que cese en las mismas. Esta exigencia, lejos de ser un mero formalismo, tiene por finalidad ofrecer a los órganos judiciales la oportunidad de pronunciarse sobre la violación constitucional invocada, haciendo posible su reparación al poner remedio al retraso o a la paralización en la tramitación del proceso, con lo que se preserva el carácter subsidiario del recurso de amparo. De ahí que sólo en aquellos supuestos en los que, tras la denuncia del interesado (carga procesal que le viene impuesta como un deber de colaboración de la parte con el órgano judicial en el desarrollo del proceso), el órgano judicial no haya adoptado las medidas pertinentes para poner fin a la dilación en un plazo prudencial o razonable podrá entenderse que la vulneración constitucional no ha sido reparada en la vía judicial ordinaria, pudiendo entonces ser examinada por este Tribunal (por todas, SSTC. 177/2004, de 18 de octubre, Fto. Jco. 2; 220/2004, de 29 de noviembre, Fto. Jco. 6; 63/2005, de 14 de marzo, Fto. Jco. 12; 153/2005, de 6 de junio, Fto. Jco. 2; y 233/2005, de 26 de septiembre, Fto. Jco. 12). Y en el presente dicha exigencia no se ha cumplido, pues del examen de las actuaciones se desprende que los recurrentes en ningún momento hicieron durante la fase de instrucción una denuncia expresa de concretas paralizaciones de la causa imputables al órgano judicial y constitutivas de dilaciones indebidas. Sólo posteriormente, una vez finalizada la instrucción y cuando ya no era posible adoptar medida alguna para poner fin a las presuntas dila-

ciones, en el escrito de defensa (f. 719) se afirma que una tardanza de más de dos años en instruir la causa vulnera este derecho fundamental, "como en el momento procesal oportuno se justificará"; queja que se reproduce como cuestión previa al acto del juicio (ff. 868 ss.) y en el escrito de conclusiones alternativas (ff. 877ss.), a los efectos de solicitar la aplicación de la atenuante analógica del art. 21.6 CP.

En segundo lugar, porque la denunciada vulneración carece de sentido cuando el proceso penal ya ha finalizado en ambas instancias, dado que la apreciación en esta sede de las pretendidas dilaciones no podría conducir a que se adoptase medida alguna para hacerlas cesar. Y, no siendo posible la restitutio in integrum del derecho fundamental, el restablecimiento del recurrente en la integridad de su derecho con la adopción de las medidas apropiadas, en su caso, para su conservación [art. 55.1 c) LOTC] sólo podrá venir por la vía indemnizatoria. En consecuencia, las demandas de amparo por dilaciones indebidas, formuladas una vez que el proceso ya ha finalizado, carecen de viabilidad y han venido siendo rechazadas por este Tribunal por falta de objeto, circunstancia que también debe de apreciarse en este caso. (por todas, SSTC. 167/2002, de 18 de septiembre, Fto. Jco. 13; 73/2007, de 16 de abril, Fto. Jco. 2; 119/2008, de 13 de octubre, Fto. Jco. 3).

Art. 25. 1. Nadie puede ser condenado o sancionado por acciones u omisiones que en el momento de producirse no constituyan delito, falta o infracción administrativa, según la legislación vigente en aquel momento.

2. Las penas privativas de libertad y las medidas de seguridad estarán orientadas hacia la reeducación y reinserción social y no podrán consistir en trabajos forzados. El condenado a pena de prisión que estuviere cumpliendo la misma gozará de los derechos fundamentales de este Capítulo, a excepción de los que se vean expresamente limitados por el contenido del fallo condenatorio, el sentido de la pena y la ley penitenciaria. En todo caso, tendrá derecho a un trabajo remunerado y a los beneficios correspondientes de la Seguridad Social, así como al acceso a la cultura y al desarrollo integral de su personalidad.

3. La Administración civil no podrá imponer sanciones que, directa o subsidiariamente, impliquen privación de libertad.

LO.1/1979 de 26 de noviembre, General Penitenciaria, modificada por LO. 13/1995 de 18 de diciembre.

STC. 89/83 de 2 de noviembre (**legalidad penal, libertad del juez y «delito continuado»**)

Fto. Jco. 3: «El principio de legalidad comporta seguramente la necesidad de Ley previa que tipifique determinadas conductas y establezca las penas con las que las mismas han de ser sancionadas. A estas garantías criminal y penal pueden agregarse sin esfuerzo, como integradas en el contenido del principio de legalidad penal, las llamadas jurisdiccional y de ejecución. Ni la garantía criminal ni la penal pueden ser entendidas sin embargo, de forma tan mecánica que anule la libertad del Juez para resolver cuando, a efectos de la determinación de la pena aplicable, distintos hechos, penalmente tipificados, han de ser considerados como integrantes de un hecho único, subsumible dentro del mismo tipo en el que cabría incardinar cada uno de aquellos, pero del que resulta un daño cuya magnitud le hace acreedor de una pena del mismo género pero distinta extensión (menor o mayor) de la que correspondería al autor si separadamente se penasen los diferentes hechos que el Juez ha integrado, a efectos penales, en uno sólo. No hay en esta manera de aplicar la ley lesión alguna del art. 25.1 de la C.E., pues el juez ni crea nuevas figuras delictivas, ni aplica penas no previstas en el ordenamiento, graduadas de acuerdo con reglas que también detrae de la Ley. Es por esto comprensible que la utilización de la construcción jurídica denominada 'delito continuado' se haya hecho desde hace largo tiempo, sin que se viera en ella una vulneración del principio de legalidad penal, que nuestra C. eleva al supremo rango, pero que no se ha introducido en nuestro ordenamiento, en el que tiene una vigencia secular. Desde el punto de vista doctrinal es polémica la elaboración y justificación teórica de la categoría, que sólo algunos autores apoyan en la noción de la 'unidad psicológica' o 'dolo unitario' que el T.S. emplea en su sentencia, pero ni la mayor o menor solidez de la construcción dogmática, ni la recepción del figura en la reciente reforma del C. Penal, pueden servir como argumentos para invalidar el uso que el juez penal hace de su libertad de criterio sin lesión del principio de legalidad.»

STC. 25/84 de 23 de febrero (**principio de legalidad penal y ley orgánica**)

Fto. Jco. 3: «La 'legislación' en materia penal o punitiva se traduce en la 'reserva absoluta' de Ley. Ahora bien, que esta reserva de Ley en materia penal implique reserva de Ley Orgánica, es algo que no puede deducirse sin más de la conexión del art. 81.1 con el mencionado art. 25.1 El desarrollo al que se refiere el art. 81.1 y que requiere L.O. tendrá lugar cuando sean objeto de las correspondientes normas sancionadoras los 'derechos fundamentales'...»

STC. 75/84 de 27 de junio (**analogía 'in peius' de las normas penales**)

Fto. Jco. 5: «Tal derecho (art. 25.1), qué es garantía de la libertad de los ciudadanos, no tolera... la aplicación analógica 'in peius' de las normas penales o, dicho en otros términos, exige su aplicación rigurosa, de manera que sólo se pueda anudar la sanción prevista a conductas que reúnen todos los elementos del tipo descrito y sean objetivamente perseguibles.»

STC. 159/85 de 27 de noviembre (**el principio non bis in idem**)

Fto. Jco. 3 « El principio ne bis in idem... no aparece constitucionalmente consagrado de forma expresa. Esta omisión textual no impide reconocer su vigencia en nuestro ordenamiento porque el principio en cuestión, como ha señalado este TC. desde su STC. 2/81... está íntimamente unido a los de legalidad y tipicidad de las infracciones recogidos en el art. 25 de la norma fundamental. Es cierto que la regla ne bis in idem no siempre imposibilita la sanción de unos mismos hechos por autoridades de distinto orden y que los contemplen, por ello, desde perspectivas diferentes (por ejemplo como ilícito penal y como infracción administrativa o laboral), pero no lo es menos que sí impide el que por autoridades del mismo orden, y a través de procedimientos distintos, se sanciones repetidamente la misma conducta. Semejante posibilidad entrañaría, en efecto una inadmisible reiteración en el ejercicio del ius puniendi del Estado e, inseparablemente, una abierta contradicción con el mismo derecho a la presunción de inocencia, porque la coexistencia de dos procedimientos sancionadores para un determinado ilícito deja abierta la posibilidad, contraria a aquel derecho, de que unos mismos hechos, sucesiva o simultáneamente, existan y dejen de existir para los órganos del Estado.»

« Es claro, sin embargo, que por su misma naturaleza, el principio ne bis in idem sólo podrá invocarse en el caso de duplicidad de sanciones, frente al intento de sancionar de nuevo, desde la misma perspectiva de defensa social, unos hechos ya sancionados, o como medio para obtener la anulación de la sanción posterior».

STC. 65/86 de 22 de mayo (**el legislador, no el juez es competente para establecer las penas**)

Fto. Jco. 3: «En principio, el juicio sobre proporcionalidad de la pena, prevista por la Ley con carácter general, con relación a un hecho punible que es presupuesto de la misma, es competencia del legislador. A los Tribunales de Justicia sólo les corresponde, según la C., la aplicación de las leyes y no verificar si los medios adoptados por el legislador para la protección de los bienes jurídicos son o no adecuados a dicha finalidad, o si son o no proporcionados en abstracto. Ello se deduce como es claro, del art. 117 de la C. Consecuentemente, no cabe deducir del art. 25.1 de la C.E. un derecho fundamental a la proporcionalidad abstracta de la pena con la gravedad del delito.»

STC. 140/86 de 11 de noviembre

Ftos. Jcos. 4, 5 y 6: ver selección con relación el art. 17

STC. 127/90 de 5 de julio (**principio de legalidad penal**)

Fto. Jco. 3: «Desde la perspectiva del art. 25.1 de la C., que consagra el derecho fundamental incorporado a la regla 'nullum crimen nulla poena sine lege', resulta necesario tener en cuenta los siguientes principios generales que constituyen un cuerpo de doctrina formulada por la jurisprudencia de este TC.:

A) El derecho a la legalidad penal comprende una doble garantía: por una parte, de carácter formal, vinculada a la necesidad de una ley como presupuesto de la actuación punitiva del Estado en los bienes jurídicos de los ciudadanos, que exige el rango necesario para las normas tipificadoras de las conductas punibles y de previsión de las correspondientes sanciones, que en el ámbito penal estricto, que es del que se trata en el presente supuesto, debe entenderse como de reserva absoluta de ley, e, incluso, respecto de las penas privativas de libertad de ley orgánica; por otra, referida la seguridad a la prohibición que comporta la necesidad de la predeterminación normativa de las conductas y sus penas a través de una tipificación precisa dotada de la suficiente concreción en la descripción que incorpora. En definitiva, en términos de nuestra STC. 133/87, el principio de legalidad penal implica, al menos, la existencia de una le (lex scripta), que la ley sea anterior (lex previa), y que la ley describa un supuesto de hecho determinado (lex certa).

B) Las exigencias expuestas no suponen que sólo resulte constitucionalmente admisible la redacción descriptiva y acabada en la ley penal de los supuestos de hecho penalmente ilícitos. Por el contrario, es posible la incorporación al tipo de elementos normativos (STC. 62/82), y es conciliable con los postulados constitucionales la utilización legislativa y aplicación judicial de las llamadas leyes penales en blanco (STC. 122/87); esto es, normas penales incompletas en las que la conducta o la consecuencia jurídico-penal no se encuentre agotadoramente prevista en ellas debiendo acudirse para su integración a otra norma distinta, siempre que se den los siguientes requisitos: que el reenvío normativo sea expreso y esté justificado en razón del bien jurídico protegido por la norma penal; que la ley, además de señalar la pena, contenga el núcleo esencial de la prohibición y sea satisfecha la exigencia de certeza o... se dé la suficiente concreción para que la conducta calificada de delictiva quede suficientemente precisada con el complemento indispensable de la norma a la que la ley penal se remite, y resulte de esta forma salvaguardada la función de garantía de tipo con la posibilidad de conocimiento de la actuación penalmente conminada.»

STC. 101/88 de 8 de junio (el principio de legalidad administrativa)

Fto. Jco. 3: « Queda, pues, como motivo fundamental y único del presente recurso, el relativo a la presunta vulneración del principio de legalidad administrativa del art. 25.1 de la CE... Este principio, que se funda a su vez en los de libertad (regla general de lo no prohibido) y de seguridad jurídica (saber a qué atenerse), tiene dos aspectos, puestos de relieve y con claridad por la STC. 42/87... y últimamente por la 3/88... que reitera su doctrina sobre la doble garantía del principio: una de alcance material y absoluto, que se refiere a la imperiosa exigencia de la predeterminación normativa de las conductas ilícitas y sanciones correspondientes; y la otra, de carácter formal, que mira al rango necesario de las normas tipificadoras de aquellas conductas y sanciones, por cuanto, como este TC. ha señalado reiteradamente, el término 'legislación vigente'... es expresivo de una reserva de ley en materia sancionadora.»

«Cierto es que en esta segunda vertiente, la formal, puede producirse una relativización del principio de legalidad, en el sentido de permitir un mayor margen de actuación al Ejecutivo en la tipificación de ilícitos y sanciones administrativos, 'bien por razones que atañen al modelo constitucional de distribución de las potestades públicas, bien por el carácter en cierto modo insuprimible de la potestad reglamentaria en ciertas materias (STC. 2/87), bien, por último por las exigencias de prudencia o de oportunidad que pueden variar en los distintos ámbitos de ordenación territoriales (STC. 87/85), o materiales', pero sin olvidar que, en todo caso, 'aquel precepto constitucional determina la necesaria cobertura de la potestad sancionadora de la Administración en una norma de rango legal, habida cuenta del carácter excepcional que los poderes sancionatorios en manos de la Administración presentan'.»

«Pero esta clara exigencia de cobertura legal no excluye la posibilidad de que las leyes contengan remisiones a normas reglamentarias, mas ello siempre que en aquéllas queden suficientemente determinados los elementos esenciales de la conducta antijurídica, de tal manera que sólo sean infracciones las acciones u omisiones subsumibles en la norma con rango de ley, y la naturaleza y límites de las sanciones a imponer. Lo que en todo caso prohibe el art. 25.1 CE. es la remisión al reglamento que haga posible una regulación independiente y no claramente subordinada a la Ley (STC. 83/84), lo que supondría degradar la garantía esencial que el principio de reserva de Ley entraña, como forma de asegurar que la regulación de los ámbitos de libertad que corresponden a los ciudadanos dependa exclusivamente de la voluntad de sus representantes /STC. 42/87). Pero, en todo caso, la prohibición no hay que entenderla de modo tan absoluto que impida admitir 'la colaboración reglamentaria en la normativa sancionadora' (STC. 3/88), como antes se ha indicado.»

STC. 19/88 de 16 de febrero (sobre la reeducación y la reinserción social)

Fto. Jco. 5: «...la conversión en privación de libertad de la pena de multa, contemplada y prohibida para un supuesto concreto por la C., no ha sido excluída como tal, de modo genérico, por las normas constitucionales que ordenan, en este art. 25, los límites del Derecho sancionador.»

Fto. Jco. 9: «El primer argumento, concluyente en el aserto de que la medida a que puede dar lugar la aplicación del precepto cuestionado (se refiere al art. 91 del C. Penal) contradiría el enunciado inicial del art. 25.2 de la C., no puede ser aceptado por este T.C. Dispone allí la Norma fundamental, en efecto, que 'las penas privativas de libertad y las medidas de seguridad estarán orientadas hacia la reeducación y la reinserción social', pero de esta declaración constitucional no se sigue ni el que tales fines reeducadores y resocializadores sean los únicos objetivos admisibles de la privación penal de libertad ni, por lo mismo, el que se haya de considerar contraria a la C. 'la aplicación de una pena que pudiera no responder exclusivamente a dicho punto de vista'. Puede aceptarse de principio que las penas cortas privativas de libertad, y las medidas a ella asimiladas por la Ley, como ésta que consideramos, se prestan con dificultad mayor a la consecución de los fines aquí designados por la C., pero, con independencia de que la posible frustración de tal finalidad habría de apreciarse atendiendo tanto a la duración de cada medida concreta como a su modo de cumplimiento, esta sola posibilidad no puede llevar a la invalidación del enunciado legal. La reeducación y la resocialización que no descartan, como hemos dicho, otros fines válidos de la norma punitiva, han de orientar el modo de cumplimiento de las privaciones penales de la libertad en la medida en que éstas se presten, principalmente por su duración, a la consecución de aquellos objetivos, pues el mandato presente en el enunciado inicial de este art. 25.2 tiene como destinatarios primeros al legislador penitenciario y a la Administración por él creada, según se desprende de una interpretación lógica y sistemática de la regla y sin perjuicio de que la misma pueda resultar trascendente a otros efectos, de innecesaria consideración ahora. No cabe, pues, en su virtud, descartar, sin más, como inconstitucionales todas cuantas medida privativas de libertad, tengan o no el carácter de pena, puedan parecer inadecuadas, por su relativamente corta duración, para cumplir los fines allí impuestos a la Ley y a la Administración penitenciaria.»

STC. 172/89 de 19 de octubre (creación de empleo para la población reclusa)

Fto. Jco. 3: «En el primer aspecto, existe, ciertamente, un específico deber de la Admón. Penitenciaria de crear y proporcionar los puestos de trabajo que permitan sus disponibilidades presupuestarias, y un mandato,incluso, al legislador, conforme al art. 53.3 de la C.E., de que atienda a la necesidad de pleno empleo de la población reclusa, según las posibilidades socioeconómicas y sin perder de vista, precisamente, la indicada finalidad reeducadora y de reinserción social, que por disposición constitucional, tiene la pena. Y, desde el punto de vista subjetivo de quien está cumpliendo pena de prisión, es un derecho de aplicación progresiva, cuya efectividad se encuentra condicionada a los medios de que disponga la Admón. en cada momento, no pudiendo pretenderse, conforme a su naturaleza, su total exigencia de forma inmediata (SSTC. 82/86 y 2/87).

En el segundo aspecto, como derecho a la actividad laboral dentro de la organización prestacional existente, sí debe reconocerse una situación jurídica plenamente identificable con un derecho fundamental del interno, con la doble condición de derecho subjetivo y elemento esencial del ordenamiento jurídico, exigible frente a la Administración Penitenciaria en las condiciones legalmente establecidas (art. 26.2 e) cap. II de la L. Gral. Penitenciaria; art. 182.2 d) y cap. IV, Tit. III del Reglamento Penitenciario), tanto en vía jurisdiccional como, en su caso, en sede constitucional a través del recurso de amparo.

De acuerdo con los citados criterios, reiteradamente expuestos por la jurisprudencia de este T.C., la Admón. Penitenciaria debe superar gradualmente las situaciones de carencia o de imposibilidad de proporcionar a todos los internos un trabajo retribuído, arbitrando las medidas necesarias a su alcance, y observando mientras tanto no se consiga el pleno empleo de la población reclusa, el orden de prelación que el art. 201 del Reglamento penitenciario establece para distribuir los puestos de trabajo disponibles. Pero únicamente tendrá relevancia constitucional el amparo del derecho al trabajo del penado si se pretende un puesto de trabajo existente, al que se tenga derecho dentro del orden de prelación establecido, que no puede ser objeto de una aplicación arbitraria o discriminatoria.»

STC. 21/81 de 15 de junio (**privación de libertad y régimen disciplinario militar**)
Fto. Jco. 8: «La C.E. reconoce la singularidad del régimen disciplinario militar. Del art. 25.3 se deriva 'a sensu contrario' que la Admón. militar puede imponer sanciones que, directa o subsidiariamente, impliquen privaciones de libertad. Y el art. 17.1 establece que nadie puede ser privado de su libertad, sino en los casos y en la forma prevista en la Ley. De ambos arts. se deduce la posibilidad de sanciones disciplinarias que impliquen privación de libertad y la remisión a la Ley para la fijación de los supuestos.»

Art. 26. Se prohíben los Tribunales de Honor en el ámbito de la Administración civil y de las organizaciones profesionales.

Art. 27. 1. Todos tienen el derecho a la educación. Se reconoce la libertad de enseñanza.

2. La educación tendrá por objeto el pleno desarrollo de la personalidad humana en el respeto a los principios democráticos de convivencia y a los derechos y libertades fundamentales.

3. Los poderes públicos garantizan el derecho que asiste a los padres para que sus hijos reciban la formación religiosa y moral que esté de acuerdo con sus propias convicciones.

4. La enseñanza básica es obligatoria y gratuita.

5. Los poderes públicos garantizan el derecho de todos a la educación, mediante una programación general de la enseñanza, con participación efectiva de todos los sectores afectados y la creación de centros docentes.

6. Se reconoce a las personas físicas y jurídicas la libertad de creación de centros docentes, dentro del respeto a los principios constitucionales.

7. Los profesores, los padres y, en su caso, los alumnos intervendrán en el control y gestión de todos los centros sostenidos por la Administración con fondos públicos, en los términos que la ley establezca.

8. Los poderes públicos inspeccionarán y homologarán el sistema educativo para garantizar el cumplimiento de las leyes.

9. Los poderes públicos ayudarán a los centros docentes que reúnan los requisitos que la ley establezca.

10. Se reconoce la autonomía de las Universidades, en los términos que la ley establezca.

L.O. 8/85 de 3 de junio, reguladora del Derecho a la Educación.
LO 10/02 de 23 de diciembre de Calidad de la Enseñanza
LO 6/01 de 21 de diciembre de Universidades

STC. 5/81 de 13 de febrero

Ftos. Jcos. 9 y 10: ver selección con relación al art. 20.

STC. 77/85 de 27 de junio (**ayuda a centros docentes; derecho a la dirección del Centro**)

Fto. Jco. 11: «...el precepto constitucional que se expresa en los términos 'los poderes públicos ayudarán a los Centros docentes que reúnen los requisitos que la Ley establezca' no puede interpretarse como una afirmación retórica, de manera que quede absolutamente en manos del legislador la posibilidad de conceder o no esa ayuda, ya que, como señala el art. 9 de la C.E. 'los poderes públicos están sujetos a la C.' y, por ello, los preceptos de ésta... tienen fuerza vinculante para ellos.

Ahora bien, tampoco puede aceptarse el otro extremo, esto es, el afirmar, como hacen los recurrentes, que del art. 27.9 de la C., se desprende un deber de ayudar a todos y cada uno de los Centros docentes sólo por el hecho de serlo, pues la remisión a la Ley que se efectúa en el art. 27.9 de la C.E., puede significar que esa ayuda se realice teniendo en cuenta otros principios, valores o mandatos constitucionales. Ejemplos de éstos podrían ser el mandato de gratuidad de la enseñanza básica (27.4), la promoción por parte de los poderes públicos de las condiciones necesarias para que la libertad y la igualdad sean reales y efectivas (arts. 21 y 9) o la distribución más equitativa de la renta regional y personal (art. 40). El legislador se encuentra ante la necesidad de conjugar no sólo diversos valores y mandatos constitucionales entre sí, sino mandatos con la insoslayable limitación de los recursos disponibles.»

Fto. Jco. 20: «con respecto al titular del Centro, es forzoso reconocer la existencia de un derecho de los titulares de Centros docentes privados a la dirección de los mismos, derecho incardinado en el derecho a la libertad de enseñanza de los titulares de dichos

Centros. Aparte de que el acto de creación o fundación de un Centro no se agota en sí mismo, sino que tiene evidentemente un contenido que se proyecta en el tiempo y que se traduce en una potestad de dirección del titular. El contenido esencial del derecho a la dirección puede precisarse, de acuerdo con la doctrina de este T.C. (STC. 11/81), tanto desde el punto de visto positivo como desde una delimitación negativa. Desde la primera perspectiva, implica el derecho a garantizar el respeto al carácter propio y de asumir en última instancia la responsabilidad de la gestión, especialmente mediante el ejercicio de facultades decisorias en relación con la propuesta de Estatutos y nombramiento y cese de los órganos de dirección administrativa y pedagógica y del profesorado. Desde el punto de vista negativo, ese contenido exige la ausencia de limitaciones absolutas e insalvables, o que lo despojen de la necesaria protección. De ello se desprende que el titular no puede verse afectado por limitación alguna que, aun respetando aparentemente un suficiente contenido discrecional a sus facultades decisorias con respecto a las materias organizativas esenciales, conduzca en definitiva a una situación de imposibilidad o grave dificultad objetiva para actuar en sentido positivo ese contenido discrecional.

Por ello, si bien caben, en su caso, limitaciones a tal derecho de dirección, habría de dejar a salvo el contenido esencial del mismo a que nos acabamos de referir. Una de estas limitaciones es la que resulta de la intervención estatal, respaldada constitucionalmente por el art. 27.9, para el caso de Centros con respecto a los cuales los poderes públicos realizan una labor de ayuda, particularmente a través de la financiación total o parcial de la actividad, al disponer que 'los poderes públicos ayudarán a los Centros docentes que reúnan los requisitos que la Ley establezca' con lo que, a salvo, repetimos, lo arriba dicho sobre el contenido esencial del derecho en cuestión, supone la posibilidad de establecer condicionamientos y limitaciones legales del mismo respecto de dichos Centros.»

Fto. Jco. 21: «Este derecho a la intervención (art. 27.2) debe considerarse como una variedad del de participación... Por ello, este derecho puede revestir, en principio, las modalidades propias de toda participación, tanto informativa como consultiva, de iniciativa, incluso decisoria, dentro del ámbito propio del control y gestión, sin que deba limitarse necesariamente a los aspectos secundarios de la administración de los Centros. Se deja así por la C.E. a la libertad de configuración del legislador la extensión de esta participación, con los límites consistentes en el respeto del contenido esencial del derecho garantizado (STC. 5/81) y de otros mandatos constitucionales. Más concretamente, el límite máximo del derecho a la intervención en el control y gestión de los Centros sostenidos con fondos públicos estaría, en lo que aquí nos concierne, en el respeto al contenido esencial de los derechos de los restantes miembros de la comunidad escolar y, en este caso, del derecho del titular a la creación y dirección del Centro docente.»

Fto. Jco. 24: «...la facultad de seleccionar al profesorado que se estime más idóneo forma parte del derecho a crear y dirigir Centros docentes que nuestra C. consagra. Tampoco es dudoso, sin embargo, que al garantizar el derecho de los Profesores, los padres y, en su caso, los alumnos, a intervenir en el control y gestión de todos los Centros sostenidos por la Admón. con fondos públicos en los términos que la ley establezca, la C.E. habilita al legislador para condicionar o restringir aquella facultad en los términos que considere más oportunos para dar contenido concreto a este derecho de los restantes miembros de la comunidad escolar. El pluralismo político que la C. consagra como valor superior del ordenamiento jurídico español (art. 1.) permite en este punto distintas soluciones legislativas que sólo tienen el límite de los derechos constitucionalmente consagrados, de manera tal que en este punto concreto el legislador no podrá nunca, de una parte, privar al titular del Centro de las facultades que se derivan del derecho que la C.E. le otorga, ni, de la otra, privar a padres, Profesores y, en su caso, alumnos de algún grado de intervención en la gestión y control de los Centros sostenidos con fondos públicos.»

STC. 86/85 de 10 de julio (el legislador establece criterios de ayuda a centros docentes)

Fto. Jco. 3: «El derecho de todos a la educación, sobre el que en buena parte giran las consideraciones de la resolución judicial recurrida y las de quienes hoy la impugnan, incorpora así, sin duda, junto a su contenido primario de derecho de libertad, una dimensión prestacional, en cuya virtud los poderes públicos habrán de procurar la efectividad de tal derecho y hacerlo, para los niveles básicos de la enseñanza, en las condiciones de obligatoriedad y gratuidad que demanda el apartado 4 del art. 27 de la norma fundamental. Al servicio de tal acción prestacional de los poderes públicos se hallan los instrumentos de planificación y promoción mencionados en el n° 5 del mismo precepto, así como el mandato, en su apartado 9 de las correspondientes ayudas públicas a los Centros docentes que reúnan los requisitos que la Ley establezca. El citado art. 27.9, en su condición de mandato al legislador, no encierra, sin embargo, un derecho subjetivo a la prestación pública. Esta, materializada en la técnica subvencional o, de otro modo, habrá de ser dispuesta por la Ley... Ley de la que nacerá, con los requisitos y condiciones que en la misma se establezcan, la posibilidad de instar dichas ayudas y el correlativo deber de las administraciones públicas de dispensarlas, según la previsión normativa.

El que en el art. 27.9 no se enuncie como tal un derecho fundamental a la prestación pública y el que, consiguientemente, haya de ser sólo en la Ley en donde se articulen sus condiciones y límites, no significa, obviamente, que el legislador sea enteramente libre para habilitar de cualquier modo este necesario marco normativo. La Ley que reclama el art. 27.9 no podrá, en particular, contrariar los derechos y libertades educativas presentes en el mismo art. y deberá, asimismo, configurar el régimen de ayudas en el respeto al principio de igualdad. Como vinculación positiva, también, el legislador habrá de atenerse en este punto a las pautas constitucionales orientadoras del gasto público,porque la acción prestacional de los poderes públicos ha de encaminarse a la procuración de los objetivos de igualdad y efectividad en el disfrute de los derechos que ha consagrado nuestra C. (arts. 1.1, 9.2 y 31.2, principalmente). Desde ésta última advertencia, por lo tanto, no puede, en modo alguno, reputarse inconstitucional el que el legislador, del modo que considere más oportuno en uso de su libertad de configuración, atienda, entre otras posibles circunstancias, a las condiciones sociales y económicas de los destinatarios finales de la educación a la hora de señalar a la Administración las pautas y criterios con arreglo a los cuales habrán de dispensarse las ayudas en cuestión. No hay pues, en conclusión,... un deber de ayudar a todos y cada uno de los Centros docentes, sólo por el hecho de serlo, pues la Ley puede y debe condicionar tal ayuda, de conformidad con la C., en la que se enuncia... la tarea que corresponde a los poderes públicos para promover las condiciones necesarias, a fin de que la libertad y la igualdad sean reales y efectivas.»

Fto. Jco. 4: «...el derecho a la educación, a la educación gratuita en la enseñanza básica, no comprende el derecho a la gratuidad educativa en cualesquiera Centros privados, porque los recursos públicos no han de acudir, incondicionalmente, allá donde vayan las preferencias individuales.»

STC. 26/87 de 27 de febrero (**autonomía universitaria y libertad de cátedra**)

Fto. Jco. 4: «...la autonomía universitaria tiene como justificación asegurar el respeto a la libertad académica es decir, a la libertad de enseñanza y de investigación. Más exactamente, la autonomía es la dimensión institucional de la libertad académica que garantiza y completa su dimensión individual, constituída por la libertad de cátedra. Ambas sirven para delimitar ese 'espacio de libertad intelectual', sin el cual no es posible 'la creación, desarrollo, transmisión y crítica de la ciencia, de la técnica y de la cultura' (art. 1.2 a, LRU) que constituye la última razón de ser de la Universidad.

Hay, pues, un 'contenido esencial' de la autonomía universitaria que está formado por todos los elementos necesarios para el aseguramiento de la libertad académica. En el art. 3.2 de la LRU se enumeran las potestades que comprende y que, en términos generales, coinciden con las habitualmente asignadas a la autonomía universitaria.

Naturalmente que esta conceptuación como derecho fundamental con que se configura la autonomía universitaria, no excluye las limitaciones que al mismo imponen otros derechos fundamentales (como es el de igualdad de acceso al estudio, a la docencia y a la investigación) o la existencia de un sistema universitario nacional que exige instancias coordinadoras; ni tampoco las limitaciones propias del servicio público que desempeña y que pone de relieve el legislador en las primeras palabras del art. 1 de la LRU.»

STC. 55/89 de 23 de febrero (**naturaleza jurídica de los Estatutos de las Universidades**)

Fto. Jco. 4: «...de acuerdo con el art. 12.1 de la LRU, los Estatutos habrán de ser aprobados 'si se ajustan a lo establecido en la presente Ley'. Ello significa... que el control que la Junta de Galicia ha de llevar a cabo es un control de legalidad; no cabe, pues, un control de oportunidad o conveniencia, ni siquiera de carácter meramente técnico dirigido a perfeccionar la redacción de la norma estatutaria.

Por otra parte, los Estatutos, aunque tengan su norma habilitante en la LRU, no son, en realidad normas dictadas en su desarrollo: son reglamentos autónomos en los que plasma la potestad de autoordenación de la Universidad en los términos que permite la Ley. Por ello, como destaca el Consejo de Estado en los Dictámenes a que hacen referencia la recurrente y el ministerio Fiscal en sus respectivos escritos, a diferencia de lo que ocurre con los reglamentos ejecutivos de leyes que para ser legales deben seguir estrictamente el espíritu y la finalidad de la ley habilitante que les sirve de fundamento, los Estatutos se mueven en un ámbito de autonomía en que el contenido de la Ley no sirve sino como parámetro controlador o límite de la legalidad del texto. Y en consecuencia sólo puede tacharse de ilegal alguno de sus preceptos si contradice frontalmente las normas legales que configuran la autonomía universitaria y es válida toda norma estatutaria respecto de la cual quepa alguna interpretación legal.»

STC. 106/90 de 6 de junio (**Estatutos de la Universidad y potestades del Estado CC.AA.**)

Fto. Jco. 7: «a) La autonomía universitaria no incluye el derecho de las universidades a contar con unos y otros concretos centros, imposibilitando o condicionando así las de-

cisiones que al Estado o a las CC.AA. corresponde adoptar en orden a la determinación y organización del sistema universitario en su conjunto y en cada caso singularizado, pues dicha autonomía se proyecta internamente, y ello aun con ciertos límites, en la autoorganización de los medios de que dispongan las Universidades para cumplir y desarrollar las funciones que, al servicio de la sociedad, les han sido asignadas o, dicho en otros términos, la autonomía de las Universidades no atribuye a éstas una especie de 'patrimonio intelectual', resultante del número de centros, Profesores y alumnos que, en un momento determinado, puedan formar parte de las mismas, ya que su autonomía no está más que al servicio de la libertad académica en el ejercicio de la docencia e investigación, que necesariamente tiene que desarrollarse en el marco de las efectivas disponibilidades personales y materiales con que pueda contar cada Universidad, marco este que, en última instancia, viene determinado por las pertinentes decisiones que, en ejercicio de las competencias en materia de enseñanzas universitarias, corresponde adoptar al Estado o, en su caso, a las CC.AA.
En su consecuencia, la pérdida de profesores que se produce por la segregación de los centros en los que prestan sus servicios y su correlativa incorporación a otra Universidad no es en sí misma considerada lesiva de la autonomía universitaria.»

Fto. Jco. 12: «La competencia de las Universidades para elaborar sus propios Estatutos y demás normas de funcionamiento interno es, sin duda, una garantía de la autonomía universitaria, y así lo establece y proclama el art. 3.1 y 2 a) de la LRU, pero ello no supone, en modo alguno que pueda desorbitarse esa competencia del ámbito de funcionamiento interno que le es propio hasta el extremo de configurarla como una facultad tan absoluta que venga a constituir obstáculo insuperable al ejercicio de las potestades que confieren la C. y, en su caso, los EE.AA. al Estado y a las CC.AA. para crear, organizar y modificar las estructuras básicas universitarias en la manera que estimen más adecuada a la buena gestión del servicio público de la enseñanza superior, siempre que con tal ejercicio no se impida a las Universidades su potestad de autonormación interna de dicha estructuras, en cuya previa existencia encuentran su posibilidad de ejercicio y a la cual, por consiguiente, viene ésta condicionada.»

Art. 28. 1. Todos tienen derecho a sindicarse libremente. La ley podrá limitar o exceptuar el ejercicio de este derecho a las Fuerzas o Institutos armados o a los demás Cuerpos sometidos a disciplina militar y regulará las peculiaridades de su ejercicio para los funcionarios públicos. La libertad sindical comprende el derecho a fundar sindicatos y a afiliarse al de su elección, así como el derecho de los sindicatos a formar confederaciones y a fundar organizaciones sindicales internacionales o afiliarse a las mismas. Nadie podrá ser obligado a afiliarse a un sindicato.

2. Se reconoce el derecho a la huelga de los trabajadores para la defensa de sus intereses. La ley que regule el ejercicio de este derecho establecerá las garantías precisas para asegurar el mantenimiento de los servicios esenciales de la comunidad.

L.O. 11/1985 de 2 de agosto de Libertad sindical.
L.O. 2/1986 de 13 de marzo, de Fuerzas y Cuerpos de Seguridad.

R.D.L. 17/1977 de 4 de marzo, reguladora del derecho de huelga y de los conflictos colectivos de trabajo.

STC. 40/85 de 15 de marzo (**garantías y facilidades de los representantes sindicales**)

Fto. Jco. 2: «El derecho a la libertad sindical constitucionalmente consagrado comprende... no sólo el derecho de los trabajadores de organizarse sindicalmente, sino además el derecho de los sindicatos de ejercer aquellas actividades que permiten la defensa y protección de los intereses de los propios trabajadores, de lo que se sigue que para el eficaz ejercicio de sus funciones, los representantes sindicales han de disfrutar de una serie de garantías y facilidades, que siendo una de ellas, precisamente la que aquí se cuestiona, la prevista en el art. 68 e) del E. de los Trabajadores, de acuerdo con la cual, los miembros del Comité de Empresa (y los delegados de personal), como representantes legales de los trabajadores, tendrán, a salvo de lo que se disponga en los Convenios colectivos,la garantía de disponer de un crédito de horas mensuales retribuídas, para el ejercicio de sus funciones de representación, de acuerdo con la escala en tal precepto determinada.

Se trata en suma de una de las garantías integradoras de uno de los núcleos fundamentales de la protección de la acción sindical, residenciada en los representantes sindicales y que tiene la finalidad de otorgarles una protección específica en atención a la compleja posición jurídica que los mismos asumen frente a los empresarios, y de ello será consecuencia que la privación del sistema de protección de que se trata podrá entrañar la violación del derecho de libertad sindical consagrado en el art. 28.1 de la C.E. abriendo la vía del recurso de amparo.»

STC. 98/85 de 29 de julio (**sindicación de autónomos y sindicatos más representativos**)

Fto. Jco. 13: «Los recurrentes impugnan... el criterio de mayor representatividad que ha venido en llamarse de la 'irradiación', del art. 6.2 b), conforme al cual y conforme a la única interpretación que razonablemente puede hacerse, como se dijo, son sindicatos más representativos, y pueden ejercer en un ámbito específico todas las funciones atribuídas a tales sindicatos, aquellos de dicho ámbito que estén afiliados, federados o confederados a una de las organizaciones sindicales más representativas a nivel estatal o de C.A. De hecho, como alegan los recurrentes, el Proyecto permite que determinados sindicatos o entes sindicales que no acrediten la implantación mínima del 10 por ciento prevista en el art. 7.2, en un ámbito territorial o funcional específico, puedan ejercer en dicho ámbito las funciones ligadas a la mayor representatividad.

La introducción del criterio de la irradiación, que no es una creación del derecho español, ha ido adquiriendo una importancia progresiva en los últimos años en todos los ordenamientos que conocen el principio de representatividad. Su valoración como criterio de atribución de la mayor representatividad, y de las funciones ligadas a ella, debe partir de los principios exigidos a todo criterio según se ha establecido por la doctrina de la OIT y especialmente por este T.C. en las SSTC. antes citadas. El criterio en sí mismo no plantea problema constitucional alguno, que sólo surge cuando tal criterio introduce diferencias de trato entre organizaciones sindicales y por qué introduce dichas diferencias. Por ello, la adecuación o no a la doctrina de la representatividad en la que insisten los recurrentes carece de relevancia a efectos constitucionales. El que el legislador, en atención a finalidades que sólo a él compete establecer, haya decidido potenciar la actividad sindical mediante la extensión de un sistema de mayor representatividad, es una decisión política no controlable judicialmente, salvo si se vulnera la obligada igualdad de trato a los sindicatos, que sólo admite aquellas diferencias que estén justificadas, o si se impide el ejercicio de los derechos sindicales de los trabajadores y de sus organizaciones. Esto último, sin embargo,no ocurre en el presente caso, puesto que no impide que quienes no pertenezcan a las organizaciones más representativas puedan igualmente alcanzar la representatividad y ejercer las funciones en los concretos ámbitos de ejercicio; y que la mayor representatividad estatal o comunitaria, que permite irradiarla a las organizaciones afiliadas, arranca de un dato objetivo, que es la voluntad de los trabajadores. No hay, pues, razón suficiente para estimar que el criterio no se ajusta a los mandatos constitucionales. Vista la cosa en su conjunto, el principio de equivalencia entre representatividad e implantación, básico en el Proyecto, tampoco puede considerarse roto, como afirman los recurrentes, sino que aparece complementado mediante el criterio de la irradiación, en aras de la opción del legislador en favor de la potenciación de las organizaciones de amplia base territorial (estatal o comunitaria) y funcional (intersectorial), que asegura la presencia en cada concreto ámbito de actuación de los intereses generales de los trabajadores frente a una posible atomización sindical, en la línea de las consideraciones de la SSTC. citadas al respecto.»

Fto. Jco. 14: «En atención a lo que se acaba de decir, no es irrazonable exigir de los sindicatos más representativos a nivel de C.A. unas condiciones adicionales que garanticen su relevancia no solamente en el interior de la respectiva C.A., sino también en relación con el conjunto nacional y que eviten al mismo tiempo las distorsiones que resultarían de la atribución de los mismos derechos a sindicatos de distinta implantación territorial y que representen a un número muy distinto de trabajadores, según la población laboral de las respectivas C.A. Por lo demás ello está, de un modo complementario, en la línea del criterio de la irradiación antes considerado, con el designio de favorecer, como ya hemos comprobado, la presencia en los distintos ámbitos de actuación, de los intereses generales de los trabajadores y prevenir una posible atomización sindical, considerada como perjudicial para aquellos. La disposición obedece así, a una voluntad del legislador de que los interlocutores sociales, por parte de los trabajadores, lo sean con el peso adecuado a la realidad global del mundo del trabajo en el marco de la economía nacional; opción legislativa que no puede calificarse de discriminatoria, por tener una justificación razonable, no siendo la regulación propuesta desproporcionada para conseguir la finalidad pretendida.»

STC. 141/85 de 22 de octubre (libertad sindical funcionarios de C.S. de Policía y límites)

Fto. Jco. 3: «Las libertades de expresión y sindical tienen sus límites derivados de la condición de funcionario y, concretamente, de funcionario del Cuerpo Superior de Policía, de quien ejercita dichas libertades, de suerte que el funcionario que rebase tales límites puede ser legítimamente sancionado en vía disciplinaria, sin que ello constituya violación de las libertades referidas.
De tal doctrina se deduce que un funcionario del Cuerpo Superior de Policía que ostente representación sindical está obligado, al igual que los restantes funcionarios que carezcan de esa representación al cumplimiento de sus deberes funcionariales, sin que la condición de representante sindical le otorgue exenciones o inmunidades.»

STC. 39/86 de 31 de marzo (**núcleo esencial del 28.1 y trato desigual a sindicatos**)

Fto. Jco. 3 A): «La enumeración de derechos comprendidos en el de libertad sindical que contiene el art. 28.1 de la C. no debe considerarse exhaustiva, sino meramente indicativa pues, aunque dicho precepto no se refiere expresamente a derechos de 'actividad', la conexión con el art. 7 de la C. y los Tratados internacionales suscritos por España en la materia evidencian que la libertad sindical comprende también 'el derecho a que los sindicatos fundados... realicen las funciones que de ellos es dable esperar, de acuerdo con el carácter democrático del Estado y con las coordenadas que a esta institución hay que reconocer' (STC. 70/82, Fto. Jco. 3). Así profundizando en esta línea, que reconoce a los sindicatos una capacidad general para representar a los trabajadores, se ha afirmado que 'la libertad sindical implica la libertad para el ejercicio de la acción sindical comprendiendo en ella todos los medios lícitos, entre los que los Tratados internacionales ratificados por España y, especialmente, los Convenios 87 y 98 de la OIT y las resoluciones interpretativas de las mismas dictadas por su Comité de Libertad Sindical (...) incluyen la negociación colectiva y la huelga, debiendo extenderse también a la incoación de conflictos colectivos' (STC. 37/83, Fto. Jco. 2). La libertad sindical, pues, comprende inexcusablemente también aquellos medios de acción que contribuyen a que el sindicato pueda desenvolver la actividad a que está llamado desde el propio Texto constitucional.

B) No obstante lo anterior, debe tenerse en cuenta que, hablando en términos generales, los derechos citados con anterioridad son un núcleo mínimo e indisponible sin el cual el propio derecho de libertad sindical no seria 'reconciliable'. Es perfectamente claro que los sindicatos pueden recibir del legislador más facultades y derechos que engrosan el núcleo esencial del art. 28.1 de la C. y que no contradicen el Texto constitucional. Y también es perfectamente claro que, en ocasiones, es posible introducir diferencias entre los sindicatos, para asegurar la efectividad de la propia actividad que a aquellos se les encomienda, siempre que las diferencias se introduzcan con arreglo a 'criterios objetivos', que aseguran que en la selección no se van a introducir diferenciaciones caprichosas o arbitrarias porque, en ese caso, la propia diferenciación contradiría el principio de igualdad de trato y quebraría, sin justificación o con justificación insuficiente, el libre e igual disfrute de los derechos constitucionalmente reconocidos. En la medida en que estos derechos adicionales, concedidos a unos sindicatos sí y a otros no, sobrepasan el núcleo esencial de la libertad sindical, que debe ser garantizado a todos, tampoco se vulnera el art. 28.1 de la C. Entre estos se encuentra el derecho de la participación institucional, como quiera que se entienda ésta, y que esto es así, se deriva, también, de las resoluciones interpretativas del Comité de Libertad Sindical, que admite la diferenciación de trato implícita en todo sistema de mayor representatividad sindical si ésta no excede de otorgar privilegios 'en materia de representación en las negociaciones colectivas, consultas con los Gobiernos o, incluso, en materia de designación de delegados ante organismos internacionales' (STC. 53/82, Fto. Jco. 3).»

STC. 11/81 de 8 de abril (**contenido esencial del derecho de huelga; el «lock out»**)

Fto. Jco. 9: «El art. 28.2 de la C... introduce en el ordenamiento jurídico español una importante novedad: la proclamación de la huelga como derecho subjetivo y como derecho de carácter fundamental... De todo ello hay que extraer algunas importantes consecuencias. Ante todo, que no se trata sólo de establecer, frente a anteriores normas prohibitivas, un marco de libertad de huelga, saliendo, además, al paso de posibles prohibiciones, que sólo podrían ser llevadas a cabo en otro orden jurídico-constitucional. La libertad de huelga significa el levantamiento de las específicas prohibiciones, pero significa también que, en un sistema de libertad de huelga el Estado permanece neutral y deja las consecuencias del fenómeno a la aplicación de las reglas del ordenamiento jurídico sobre infracciones contractuales en general y sobre la infracción del contrato de trabajo en particular.

Hay que subrayar, sin embargo, que el sistema que nace del art. 28 de la C. es un sistema de 'derecho de huelga'. Esto quiere decir que determinadas medidas de presión de los trabajadores frente a los empresarios son un derecho de aquellos. Es derecho de los trabajadores colocar el contrato de trabajo en una fase de suspensión y de ese modo limitar la libertad del empresario, a quien se le veda contratar otros trabajadores y llevar a cabo arbitrariamente el cierre de la empresa...

Además de ser un derecho subjetivo la huelga se consagra como un derecho constitucional, lo que es coherente con la idea de Estado social y democrático de Derecho establecido en el art. 1.1 de la C., que entre otras significaciones tiene la de legitimar medios de defensa de los intereses de grupos y estratos de la población socialmente dependientes, y entre los que se cuenta el de otorgar reconocimiento constitucional a un instrumento de presión que la experiencia secular ha mostrado ser necesario para la afirmación de los intereses de los trabajadores en los conflictos socioeconómicos, conflictos que el Estado social no puede excluir, pero a los que sí puede y debe proporcionar los adecuados cauces institucionales; lo es también con el derecho reconocido a los sindicatos en el art. 7 de la C., ya que un sindicato sin derecho al ejercicio de la huelga quedaría, en una sociedad democrática, vaciado prácticamente de contenido; y lo es, en fin, con la promoción de las condiciones para que la libertad y la igualdad de los individuos y grupos sociales sean reales y efectivas (art. 9.2 C.E.). Ningún derecho constitucional, sin embargo, es un derecho ilimitado. Como todos, el de huelga ha de tener los suyos, que derivan, como más arriba se dijo, no sólo de su posible conexión con otros derechos constitucionales, sino también con otros bienes constitucionalmente protegidos. Puede el legislador introducir limitaciones o condiciones de ejercicio del derecho, siempre que con ello no rebase su contenido esencial.»

Fto. Jco. 10: «...no parece descaminado establecer que el contenido esencial del derecho de huelga consiste en una cesación del trabajo, en cualquiera de las manifestaciones o modalidades que puede revestir. Y cabe decirlo así no sólo porque ésta es la más antigua de las formas de hacer huelga y porque es lo que la generalidad reconoce de inmediato cuando se alude a un derecho de este tipo, sino también porque es este un modo que ha permitido la presión para el logro de las reivindicaciones obreras.

Es claro que el derecho de huelga comprende la facultad de declararse en huelga y la facultad de elegir la modalidad de huelga. Mas es claro asimismo que la facultad de elección sólo podrá moverse dentro de aquellos tipos o modalidades que la Ley haya admitido y ya hemos dicho que el legislador puede considerar ilícitos o abusivos algunos tipos, siempre que lo haga justificadamente, que la decisión legislativa no desborde el contenido esencial del derecho, y que los tipos o modalidades que el legislador admita sean bastantes por sí sólos para reconocer que el derecho existe como tal y eficaces para obtener las finalidades de derecho de huelga.

Las anteriores premisas permiten afrontar el problema del art. 7.2 respecto de las llamadas huelgas rotatorias, huelgas de servicios estratégicos y huelgas de celo o reglamento... que 'se considerarán actos ilícitos o abusivos'...

El derecho de los huelguistas es un derecho de incumplir transitoriamente el contrato, pero es también un derecho a limitar la libertad del empresario. Exige por ello una proporcionalidad y unos sacrificios mutuos, que hacen que cuando tales exigencias no se observen, las huelgas puedan considerarse como abusivas. Al lado de las limitaciones que la huelga introduce en la libertad personal del empresario se encuentra el influjo que puede ejercer en los trabajadores que no quieran sumarse a la huelga (art. 6.4) y la incidencia que tiene en los terceros, usuarios de los servicios de la empresa y público en general, a quienes no deben imponerse más gravámenes o molestias que aquellos que sean necesarios. En este sentido puede considerarse que existe abuso en aquellas huelgas que consiguen la ineludible participación en el plan huelguístico de los trabajadores no huelguistas, de manera que el concierto de unos pocos extiende la huelga a todos. Ocurre así singularmente en lo que el art. 7.2 llama huelgas de trabajadores que prestan servicios en sectores estratégicos, pues la propia Ley aclara que es un elemento del tipo la finalidad de interrumpir el proceso o imponer la cesación a todos por decisión de unos pocos.

El abuso se puede cometer también cuando a la perturbación de la producción que la huelga acarrea se la dota de un efecto multiplicador, de manera que la huelga desencadena una desorganización de los elementos de la empresa y de su capacidad productiva que sólo puede ser superada mucho tiempo después de que la huelga haya cesado. Así una huelga de duración formal escasa consigue prolongar sus efectos en el tiempo, posee una duración sustancial muy superior y exige del empresario el costo adicional de la reorganización. El abuso del derecho de huelga puede finalmente consistir en disminuir formal y aparentemente el número de personas que están en huelga disminuyendo el número de personas sin derecho a la contraprestación o al salario, es decir, los huelguistas reales simulan no serlo. Este elemento de simulación es contrario al deber mutuo de lealtad y honradez que la huelga no hace desaparecer.»

Fto. Jco. 11: «Define al derecho de huelga el ser un derecho atribuído a los trabajadores 'uti singuli', aunque tenga que ser ejercitado colectivamente mediante concierto o acuerdo entre ellos. Para aclarar lo que se entiende por ejercicio colectivo debe señalarse que son facultades del derecho de huelga la convocatoria o llamada, el establecimiento de las reivindicaciones, la publicidad o proyección exterior, la negociación y, finalmente la decisión de darla por terminada. Se puede, por ello, decir que si bien la titularidad del derecho de huelga pertenece a los trabajadores y que a cada uno de ellos corresponde el derecho de sumarse o no a las huelgas declaradas, las facultades en que consiste el ejercicio del derecho de huelga, en cuanto acción colectiva y concertada, corresponden tanto a los trabajadores como a sus representantes y a las organizaciones sindicales. No puede decirse en absoluto que el RDL 17/1977 esté impidiendo las llamadas huelgas sindicales.»

Fto. Jco. 12: «El texto del art. 28... pone en muy clara conexión la consagración constitucional y la idea de consecución de igualdad económica y social. La conclusión que de ello se extrae es que no nos encontramos ante el fenómeno de huelga protegido por el art. 28 de la C. cuando se producen perturbaciones en la producción de bienes y de servicios o en el normal funcionamiento de estos últimos que se introducen con el fin de presionar sobre la Administración Pública o sobre los órganos del Estado para conseguir que se adopten medidas gubernativas o que se introduzca una nueva normativa más favorable para los intereses de una categoría...

Caracteriza a la huelga la voluntad deliberada de los huelguistas de colocarse provisionalmente fuera del marco del contrato de trabajo. El derecho constitucional de huelga se concede para que sus titulares puedan desligarse temporalmente de sus obligaciones jurídico-contractuales. Aquí radica una muy importante diferencia que separa la huelga constitucionalmente protegida por el art. 28 y lo que en algún momento se ha podido llamar huelga de trabajadores independientes, de autopatronos o de profesionales, que, aunque en un sentido amplio sean trabajadores, no son trabajadores por cuenta ajena ligados por un contrato de trabajo retribuído. La cesación en la actividad de este tipo de personas, si la actividad empresarial o profesional es libre, se podrá realizar sin necesidad de que ninguna norma les conceda ningún derecho, aunque sin perjuicio de las consecuencias que haya de arrastrar por las perturbaciones que se produzcan.»

Fto. Jco. 14: «El apartado 1 del art. 8 permite que se establezca en un convenio colectivo la renuncia al derecho de huelga durante la vigencia del mismo. Este precepto debe ser esclarecido y, una vez llevado a cabo tal esclarecimiento, no puede, como se verá, considerarse inconstitucional.»

Fto. Jco. 18: El art. 28 de la C. es muy claro en el sentido de que, la ley ha de establecer las garantías precisas para asegurar en caso de huelga el mantenimiento de los servicios esenciales de la comunidad. Esta idea se reitera en el art. 37, cuando dicho precepto alude al derecho de adoptar medidas de conflicto colectivo... Uno y otro precepto significan que el derecho de los trabajadores de defender sus intereses mediante la utilización de un instrumento de presión en el proceso de producción de bienes o servicios, cede cuando con ello se ocasiona o se puede ocasionar un mal más grave que el que los huelguistas experimentarían si su reivindicación o pretensión no tuviera éxito... En la medida en que la destinataria y acreedora de tales servicios es la comunidad entera y los servicios son al mismo tiempo esenciales para ella, la huelga no puede imponer el sacrificio de los intereses de los destinatarios de los servicios esenciales. El derecho de la comunidad a estas prestaciones vitales es prioritario respecto del derecho a la huelga. El límite de este último derecho tiene plena justificación y por el hecho de establecerse tal límite no se viola el contenido esencial del derecho.

...la decisión sobre la adopción de las garantías de funcionamiento de los servicios no puede ponerse en manos de ninguna de las partes implicadas, sino que debe ser sometida a un tercero imparcial. De este modo, atribuir a la autoridad gubernativa la potestad para establecer las medidas necesarias para asegurar el funcionamiento de los servicios mínimos no es inconstitucional, en la medida en que ello entra de lleno dentro de las previsiones del art. 28.2 de la C. y además es la manera más lógica de cumplir con el precepto constitucional.»

Fto. Jco. 22: «El recurso plantea... el problema de las relaciones entre el art. 28 y el art. 37 de la C.

Para resolver este difícil problema algunos comentaristas entienden que hay una innecesaria reiteración parcial que se produce entre ambos preceptos. Sin embargo, la tesis del art. 37 como parcialmente reiterativo del 28, no es, a nuestro juicio, correcta. De la amplia discusión de ambos preceptos, en el momento de elaborarse el texto constitucional, se extrae la indudable consecuencia de que el constituyente quiso separar el derecho de huelga del resto de las posibles medidas de conflicto. Además de ello, se ha recordado siempre, al hacer el comentario de los dos preceptos que el primero de ellos se encuentra dentro de la Sección 1ª del Capt. Segundo que versa sobre los derechos y libertades, mientras que el segundo se encuentra en la Sec. 2ª del Capt. Segundo, que habla simplemente de los derechos de los ciudadanos. Esta colocación sistemática comporta evidentes consecuencias en cuanto al futuro régimen jurídico de uno y otro derecho, el de huelga del art. 28 y el de adopción de medidas de conflicto del art. 37... El hecho de situar en planos distintos las medidas de conflicto colectivo (art. 37) y el derecho de huelga (art. 28), destacando éste y haciéndolo autónomo respecto de aquellas, permite concluir que la C.E. y, por consiguientemente el ordenamiento jurídico de nuestro país no se funda en el principio... de la igualdad de trato o del paralelo entre las medidas de conflicto nacidas en el campo obrero y las que tienen su origen en el sector empresarial. Frente a esta pretendida equiparación se ha señalado, con acierto, que hay muy sensibles diferencias entre los tipos de cesación o de perturbación del trabajo que pueden tener su origen en uno u otro sector. En particular, esta cuestión se plantea... respecto del 'lock-out' que entre nosotros se suele conocer en la actualidad con el nombre de cierre patronal.

...en ocasiones el 'lock-out' es una retorsión, que se utiliza como sanción de la huelga después de que esta ha acabado. Por ejemplo, si después de una huelga de diez días el patrono cerrara cinco. En este caso, en la medida en que se está sancionando económicamente (con la pérdida de unos salarios) el haber hecho huelga o el haber participado en ella, el resultado es jurídicamente inadmisible, porque la utilización de un derecho constitucional no puede nunca ser objeto de sanción. Lo mismo ocurre cuando el 'lock-out' se utiliza como medida por virtud de la cual el empresario trata de hacer inefectiva la decisión de los huelguistas de poner fin a la huelga y volver al trabajo. De aquí se puede extraer la conclusión de que en todos aquellos casos en que el 'lock-out' o cierre patronal vacía de contenido el derecho constitucional de hacer huelga o se alza como barrera que lo impide, el 'lock-out' no puede considerarse como lícito, porque un simple derecho impide un derecho fundamental.»

STC. 26/81 de 17 de julio (**sobre los servicios esenciales**)

Fto. Jco. 10: «De acuerdo con una primera idea, 'servicios esenciales' son aquellas actividades industriales o mercantiles de las que derivan prestaciones vitales o necesarias para la vida de la comunidad. De esta manera, en la definición de los servicios esenciales entrarían el carácter necesario de las prestaciones y su conexión con atenciones vitales. De acuerdo con una segunda concepción, un servicio no es esencial tanto por la naturaleza de la actividad que se despliega como por el resultado que con dicha actividad se pretende. Más concretamente, por la naturaleza de los intereses a cuya satisfacción la prestación se endereza. Para que el servicio sea esencial deben ser esenciales los bienes e intereses satisfechos. Como bienes e intereses esenciales hay que considerar los derechos fundamentales, las libertades públicas y los bienes constitucionales protegidos. A nuestro juicio, esta línea interpretativa, que pone el acento en los bienes y en los intereses de la persona, y no la primera que se mantiene en la superficie de la necesidad de las organizaciones dedicadas a llevar a cabo las actividades, es la que debe ser tenida en cuenta, por ser la que mejor concuerda con los principios que inspira la C.E.»

STC. 27/89 de 3 de febrero (fijación de servicios mínimos)

Fto. Jco. 1: «...la consideración de un servicio como esencial no puede suponer la supresión del derecho de huelga de los trabajadores que hubieran de prestarlo, sino la necesidad de disponer las medidas precisas para su mantenimiento o, dicho de otra forma, para asegurar la prestación de los trabajos que sean necesarios para la cobertura mínima de los derechos, libertades o bienes que satisface dicho servicio, sin que ello exija alcanzar el nivel de rendimiento habitual ni asegurar su funcionamiento normal. La clase y número de trabajos que hayan de realizarse para cubrir esa exigencia y, en definitiva, el tipo de garantías que hayan de disponerse con ese fin, no pueden ser determinados de manera apriorística, sino tras una ponderación y valoración de los bienes o derechos afectados, del ámbito personal, funcional o territorial de la huelga, de la duración y demás características de esa medida de presión y, en fin, de las restantes circunstancias que concurran en su ejercicio y que puedan ser de relevancia para alcanzar el equilibrio más ponderado entre el derecho de huelga y aquellos otros bienes (comunidad afectada, existencia o no de servicios alternativos, etc.) sin olvidar la oferta de preservación o mantenimiento de servicios que realicen los sujetos convocantes o trabajadores afectados (STC. 26/81).»

Fto. Jco. 4: «Las consideraciones anteriores bastarían para declarar la inconstitucionalidad y, por tanto, la nulidad de la decisión administrativa que aquí se impugna, pero merece la pena detenerse aún en otra de las quejas suscitadas por la entidad demandante de amparo, por su indudable conexión con la que acabamos de examinar. Se trata de la inobservancia de los requisitos de motivación y fundamentación que, según es doctrina reiterada de este T.C., deben acompañar a toda medida restrictiva del derecho de huelga, a fin de que los convocantes e interesados conozcan los motivos de esa restricción y de que puedan defenderse frente a la misma ante los órganos judiciales (SSTC. 26/81, 51/86 y 53/86).»

Art. 29. 1. Todos los españoles tendrán el derecho de petición individual y colectiva, por escrito, en la forma y con los efectos que determine la ley.

2. Los miembros de las Fuerzas o Institutos armados o de los Cuerpos sometidos a disciplina militar podrán ejercer este derecho sólo individualmente y con arreglo a lo dispuesto en su legislación específica.

LO 4/2001, de 12 de noviembre, reguladora del Derecho de Petición.

STC. 81/80 de 5 de noviembre (derecho de petición no cabe ante el T. Constitucional)

Fto. Jco. 2: «Derecho de petición que en absoluto puede ejercitarse ante el T.C., que tiene sus competencias tasadas y delimitadas por el texto constitucional y su L.O. reguladora entre las que no está la de acoger y resolver 'peticiones' presentadas por los ciudadanos.»

STC. 242/93 de 14 de julio (definición constitucional del derecho de petición)

Fto. Jco. 1: «La petición en que consiste el derecho en cuestión tiene un mucho de instrumento para la participación ciudadana, aún cuando lo sea por vía de sugerencia, y algo del ejercicio de la libertad de expresión como posibilidad de opinar. Concepto residual, pero no residuo histórico, cumple una función reconocida constitucionalmente, para individualizar la cual quizá sea más expresiva una delimitación negativa. En tal aspecto excluye cualquier pretensión con fundamento en la alegación de un derecho subjetivo o un interés legítimo especialmente protegido, incluso mediante la acción popular en el proceso penal o la acción pública en el contencioso-contable o en el ámbito del urbanismo. La petición en el sentido estricto que aquí interesa no es una reclamación en la vía administrativa, ni una demanda o un recurso en la judicial, como tampoco una denuncia, en la acepción de la palabra ofrecida por la LEcrim o las reguladoras de la potestad sancionadora de la Administración en sus diversos sectores. La petición, en suma, vista ahora desde su anverso, puede incorporar una sugerencia o una información, una iniciativa, `expresando súplicas o quejas, pero en cualquier caso ha de referirse a decisiones discrecionales o graciables, sirviendo a veces para poner en marcha ciertas actuaciones institucionales como la del Defensor del pueblo o el recurso de inconstitucionalidad de las Leyes, sin cauce propio jurisdiccional o administrativo, por no incorporar una exigencia vinculante para el destinatario...»

Fto. Jco. 2: « Conviene anticipar, al respecto, que el contenido de este derecho como tal es mínimo y se agota en la mera posibilidad de ejercitarlo, formulando la solicitud sin que de ello pueda derivarse perjuicio alguno al interesado, garantía o cautela que está en el origen histórico de este derecho y ha llegado a nuestros días. Ahora bien, hoy el contenido comprende algo más, aún cuando no mucho más, e incluye la exigencia de que el escrito al cual se incorpore la petición sea admitido, le dé el curso debido o se reexpida al órgano competente si no lo fuera el receptor y se tome en consideración. Desde la perspectiva del destinatario, se configuran dos obligaciones, una al principio, exteriorizar el hecho de la recepción, y otra, al final, comunicar al interesado la resolución que se adopte (...), sin que ello `incluya el derecho a obtener respuesta favorable a lo solicitado.»

SECCIÓN 2ª
DE LOS DERECHOS Y DEBERES DE LOS CIUDADANOS

Art. 30. 1. Los españoles tienen el derecho y el deber de defender a España.

2. La ley fijará las obligaciones militares de los españoles y regulará, con las debidas garantías, la objeción de conciencia, así como las demás causas de exención del servicio militar obligatorio, pudiendo imponer, en su caso, una prestación social sustitutoria.

3. Podrá establecerse un servicio civil para el cumplimiento de fines de interés general.

4. Mediante ley podrán regularse los deberes de los ciudadanos en los casos de grave riesgo, catástrofe o calamidad pública.

Ley 17/1999, de 18 de mayo, de Régimen del Personal de las Fuerzas Armadas
Ley 22/1998, de 6 de julio, reguladora de la Objeción de conciencia y de la prestación social sustitutoria.
L.O. 8/1984 de 26 de diciembre, de régimen de recursos en caso de objeción de conciencia.
Ley 2/1985 de 21 de enero de Protección Civil.
L.O. 4/1981, de los estados de alarma, excepción y sitio.

STC. 15/82 de 23 de abril (**contenido esencial de la objeción de conciencia**)

Fto. Jco. 6: «Por otra parte, tanto la doctrina como el derecho comparado afirman la conexión entre la objeción de conciencia y la libertad de conciencia. Para la doctrina, la objeción de conciencia constituye una especificación de la libertad de conciencia, la cual supone no sólo el derecho a formar libremente la propia conciencia, sino también a obrar de modo conforme a los imperativos de la misma. En la L.F. de Bonn el derecho a la objeción de conciencia se reconoce en el mismo art. que la libertad de conciencia y asimismo en la resolución 337, de 1967, de la Asamblea Consultiva del Consejo de Europa se afirma de manera expresa que el reconocimiento de la objeción de conciencia deriva lógicamente de los derechos fundamentales del individuo garantizados en el art. 9 de la Convención Europea de Derechos Humanos, que obliga a los Estados miembros a respetar las libertades individuales de conciencia y religión.

Y, puesto que la libertad de conciencia es una concreción de la libertad ideológica, que nuestra C. reconoce en el art. 16, puede afirmarse que la objeción de conciencia es un derecho reconocido explícita e implícitamente en el ordenamiento constitucional español, sin que contra la argumentación expuesta tenga valor alguno el hecho de que el art. 30.2 emplee la expresión 'la Ley regulará', la cual no significa otra cosa que la necesidad de la 'interpositio legislatoris' no para reconocer, sino, como las propias palabras indican, para 'regular' el derecho en términos que permitan su plena aplicabilidad y eficacia.»

Fto. Jco. 7: «Ahora bien, a diferencia de lo que ocurre con otras manifestaciones de la libertad de conciencia, el derecho a la objeción de conciencia no consiste fundamentalmente en la garantía jurídica de la abstención de una determinada conducta, la del servicio militar en este caso, pues la objeción de conciencia entraña una excepcional exención a un deber, el deber de defender a España, que se impone con carácter general en el art. 30.1 de la C. y que con ese mismo carácter debe ser exigido por los poderes públicos. La objeción de conciencia introduce una excepción a ese deber que ha de ser declarada efectivamente existente en cada caso, y por ello el derecho a la objeción de conciencia no garantiza en rigor la abstención del objetor, sino su derecho a ser declarado exento de un deber que, de no mediar tal declaración, sería exigible bajo coacción. Asimismo, el principio de igualdad exige que el objetor de conciencia no goce de un tratamiento preferencial en el cumplimiento de ese fundamental deber de solidaridad social. Técnicamente, por tanto, el derecho a la objeción de conciencia reconocido en el art. 30.2 de la C. no es el derecho a no prestar el servicio militar, sino el derecho a ser declarado exento del deber general de prestarlo y a ser sometido, en su caso, a una prestación social sustitutoria. A ello hay que añadir que el criterio de conformidad a los dictados de la conciencia es extremadamente genérico y no sirve para delimitar de modo satisfactorio el contenido del derecho en cuestión y resolver los potenciales conflictos originados por la existencia de otros bienes igualmente constitucionales.

Por todo ello, la objeción de conciencia exige para su realización la delimitación de su contenido y la existencia de un procedimiento regulado por el legislador en los términos que prescribe el art. 30.2 de la C.... ya que sólo si existe tal regulación puede producirse la declaración en la que el derecho a la objeción de conciencia encuentra su plenitud.

El legislador español, sin embargo, no ha dado aún cumplimiento a ese mandato constitucional. Hasta el momento presente la única norma vigente en la materia es el R.D. 3.011/1976 de 23 de diciembre... que contempla únicamente la objeción de carácter religioso (y que) resulte insuficiente en su aplicación a la nueva situación derivada de la C....»

Fto. Jco. 8: «De ello no se deriva, sin embargo, que el derecho del objetor esté por entero subordinado a la actuación del legislador. El que la objeción de conciencia sea un derecho que para su desarrollo y plena eficacia requiera la 'interpositio legislatoris' no significa que sea exigible tan sólo cuando el legislador lo haya desarrollado, de modo que su reconocimiento constitucional no tendría otra consecuencia que la de establecer un mandato dirigido al legislador sin virtualidad para amparar por sí mismo pretensiones individuales. Como ha señalado reiteradamente este T.C., los principios constitucionales y los derechos y libertades fundamentales vinculan a todos los poderes públicos (arts. 9.1 y 53.1) y son origen inmediato de derechos y obligaciones y no meros principios programáticos; el hecho mismo de que nuestra norma fundamental en su art. 53.2 prevea un sistema especial de tutela a través del recurso de amparo, que se extiende a la objeción de conciencia, no es sino una confirmación del principio de su aplicabilidad inmediata. Este principio general no tendrá más excepciones que aquellos casos en que así lo imponga la propia C. o en que la naturaleza misma de la norma impida considerarla inmediatamente aplicable, supuestos que no se dan en el derecho a la objeción de conciencia.

Es cierto que cuando se opera con esa reserva de configuración legal el mandato constitucional puede no tener, hasta que la regulación se produzca, más que un mínimo contenido que en el caso presente habría de identificarse con la suspensión provisional de la incorporación a filas, pero ese mínimo contenido ha de ser protegido, ya que de otro modo el amparo previsto en el art. 53.2 de la C. carecería de efectividad y se produciría la negación radical de un derecho que goza de la máxima protección constitucional en nuestro ordenamiento jurídico. La dilación en el cumplimiento del deber que la C. impone al legislador no puede lesionar el derecho reconocido en ella...»

STC. 160/87 de 27 de octubre (**es un derecho constitucional autónomo**)

Fto. Jco. 3: «Se trata, pues, de un derecho constitucional reconocido por la Norma suprema en su art. 30.2, protegido, sí, por el recurso de amparo (art. 53.2), pero cuya relación con el art. 16 (libertad ideológica) no autoriza ni permite calificarlo de fundamental. A ello obsta la consideración de que su núcleo o contenido esencial, aquí su finalidad concreta, consiste en constituir un derecho a ser declarado exento del deber general de prestar el servicio militar (no simplemente a no prestarlo), sustituyéndolo, en su caso, por una prestación social sustitutoria. Constituye, en este sentido, una excepción al cumplimiento de un deber general, solamente permitida por el art. 30.2, en cuanto que sin ese reconocimiento constitucional no podría ejercerse el derecho, ni siquiera al amparo del de libertad ideológica o de conciencia (art. 16 C.E.) que, por sí mismo, no sería suficiente para liberar a los ciudadanos de deberes constitucionales o 'subconstitucionales' por motivos de conciencia, con el riesgo anejo de relativizar los mandatos jurídicos. Es justamente su naturaleza excepcional, derecho a una exención de norma general, a un deber constitucional, como es el de la defensa de España, lo que le caracteriza como derecho constitucional autónomo, pero no fundamental, y lo que legitima al legislador para regularlo por Ley ordinaria 'con las debidas garantías, que, si por un lado son debidas al objetor, vienen asimismo determinadas por las exigencias defensivas de la Comunidad como bien constitucional.»

Fto. Jco. 4: «En una sociedad democrática, en un estado social y democrático de Derecho, que se construye sobre el consenso mayoritario expresado libremente, la permisión de una conducta que se separa de la norma general e igual para todos ha de considerarse como excepcional... porque de lo que se trata, el derecho del objetor, es de obtener la exención del cumplimiento de una norma, convirtiendo esa conducta en lícita, legítima o legal.

Por un lado, el legislador, la Comunidad, no puede satisfacerse con la simple alegación de una convicción personal que, por excepcional, ha de ser contrastada para la satisfacción del interés común. De otro, el objetor, para la recognoscibilidad de su derecho, ha de prestar la necesaria colaboración si quiere que su derecho sea efectivo para facilitar la tarea de los poderes públicos en ese sentido (art. 9.2), colaboración que ya comienza, en principio, por la renuncia del titular del derecho a mantenerlo, frente a la coacción externa, en la intimidad personal en cuanto nadie está 'obligado a declarar sobre su ideología religión o creencias' (art. 16.2). La idea de que el derecho, incluso el fundamental, repudia toda regulación legal no parece conformarse con la técnica constitucional: el propio art. 16 ya admite la entrada legislativa al determinar que las libertades que reconoce pueden ser limitadas por el orden público protegido por la ley, lo que es independiente, por otra parte, de la mínima regulación legal precisa para que el derecho sea viable, como antes se ha indicado.»

Fto. Jco. 5: «Es verdad que es el objetor de conciencia, y sólo él, el que 'declara', manifiesta o expresa su condición de objetor, es decir, su oposición al servicio militar por los motivos que le afecten en conciencia. Pero eso no basta para que, automáticamente, sin más, se le tenga por tal, pues el fuero de la conciencia ha de conciliarse con el fuero social o colectivo. Por eso es cierto también que el CNOC (Consejo Nacional de Objeción de Conciencia), se limita a reconocer o no la condición de objetor, no a declarar el derecho. La lectura atenta del art. 4.1 de la Ley así lo demuestra... al decir que el Consejo 'declarará haber lugar o no al reconocimiento de la condición de objetor'. No que declare la objeción, sino que, a través del trámite correcto, reconozca la existencia de la condición de objetor, por motivos válidos de conciencia, aptos para la exención del servicio militar. Por eso... esas normas previstas en la Ley no limitan la esencia del derecho, redundando sólo en su desarrollo. Porque tampoco bastaría, como pretende el Defensor del Pueblo, con la simple constancia o toma de razón por el Consejo de la declaración. El derecho o efectividad del derecho es lo que está en juego, dada su peculiar condición, y es esa eficacia la que reconoce el Consejo, cuya actuación, por ello, no es constitutiva, sino declarativa, tras la pertinente comprobación y cooperación del objetor. No cabe, por tanto, declarar la inconstitucionalidad de los citados preceptos.

Es obvio que si la necesaria declaración del objetor, por los motivos que fueren, no supone vulnerar el derecho tampoco lo implicará la petición del Consejo dirigida al objetor para que amplie los razonamientos de la solicitud... La posible colisión con los derechos reconocidos en los arts. 16.2 y 18.1 de la C.E., desaparece por el mismo ejercicio del derecho a la objeción, que en sí lleva la renuncia del objetor a mantener en el ámbito secreto de su conciencia sus reservas ideológicas a la violencia y/o a la prestación del servicio militar, bien entendido que sin esa voluntad del objetor dirigida a extraer consecuencias jurídicas, y por tanto exteriores a su conciencia, de su objeción nadie podrá entrar en su intimidad ni obligarle a declarar sobre su ideología, religión o creencias. La intimidad personal y el derecho a no declarar íntimas convicciones es algo que el objetor ha de valorar y ponderar en el contexto de las garantías que la C. le reconoce y decidir, nunca mejor dicho, en conciencia, pero a sabiendas también de la especial naturaleza del derecho a la objeción y de las garantías que asimismo compete exigir a la comunidad y en su nombre al Estado.

En cuanto a su duración, el Defensor del pueblo insiste en que la regulación legal atenta al principio de igualdad, con lo que, en realidad, viene a plantear un problema de igualdad de trato. Habrá que probar, por tanto, que se dé o no una efectiva discriminación ante supuestos de hecho sustancialmente iguales y que la distinción no estuviera justificada o carente de fundamento objetivo y razonable, lo cual no es el caso del recurso, porque aquellos supuestos de que se parte, servicio militar, prestación civil sustitutoria, no son similares, ni cabe equiparar la 'penosidad' de uno y otro, ni tampoco olvidar que la prestación sustitutoria constituye, en sí, un mecanismo legal dirigido a establecer un cierto equilibrio con la exención del servicio de armas, exención que obviamente se extiende a un hipotético tiempo de guerra, que excluye la asimilación matemática, no ciertamente razonable.»

Art. 31. 1. Todos contribuirán al sostenimiento de los gastos públicos de acuerdo con su capacidad económica mediante un sistema tributario justo inspirado en los principios de igualdad y progresividad que, en ningún caso, tendrá alcance confiscatorio.

2. El gasto público realizará una asignación equitativa de los recursos públicos y su programación y ejecución responderán a los criterios de eficiencia y economía.

3. Sólo podrán establecerse prestaciones personales o patrimoniales de carácter público con arreglo a la ley.

STC. 110/84.

Ver selección con relación al art. 18.

STC. 45/89 de 20 de febrero

Fto. Jco. 7; ver selección con relación al art. 39

STC. 76/90 de 26 de abril (**fundamento constitucional de la actividad inspectora**)

Fto. Jco. 3: «Pero antes de iniciar el enjuiciamiento de los citados preceptos legales conviene traer a colación una breve consideración general sobre el deber de contribuir al sostenimiento de los gastos públicos que a todos impone el art. 31.1 de la C., pues sólo a partir de esta consideración, que es un 'prius' lógico cuando de infracciones y sanciones tributarias se trata, puede entenderse cabalmente la singular posición en que la C. sitúa, respectivamente, a los poderes públicos en cuanto titulares de la potestad tributaria, y a los ciudadanos, en cuanto sujetos pasivos y, en su caso, sujetos infractores del deber de contribuir... Esta recepción constitucional del deber de contribuir al sostenimiento de los gastos públicos según la capacidad económica de cada contribuyente configura un mandato que vincula tanto a los poderes públicos como a los ciudadanos e incide en la naturaleza misma de la relación tributaria. Para los ciudadanos este deber constitucional implica, más allá del genérico sometimiento a la C. y al resto del ordenamiento jurídico que el art. 9.1, de la norma fundamental impone, una situación de sujeción y de colaboración con la administración tributaria en orden al sostenimiento de los gastos públicos cuyo indiscutible y esencial interés público justifica la imposición de limitaciones legales al ejercicio de los derechos individuales. Para los poderes públicos este deber constitucional comporta también exigencias y potestades específicas en orden a la efectividad de su cumplimiento por los contribuyentes.

Este T.C. ha tenido ya ocasión de declarar, en concreto, que para el efectivo cumplimiento del deber que impone el art. 31.1 de la C. es imprescindible la actividad inspectora y comprobatoria de la Admón. tributaria, ya que de otro modo 'se produciría una distribución injusta en la carga fiscal', pues 'lo que unos no paguen debiendo pagar, lo tendrán que pagar otros con más espíritu cívico o con menos posibilidades de defraudar', de ahí la necesidad y la justificación de una 'actividad inspectora especialmente vigilante y eficaz, aunque pueda resultar a veces incómoda y molesta' (STC. 110/84, fto. jco. 3). La ordenación y despliegue de una eficaz actividad de inspección y comprobación del cumplimiento de las obligaciones tributarias no es, pues, una opción que quede a la libre disponibilidad del legislador y de la Administración sino que, por el contrario, es una exigencia inherente a un 'sistema tributario justo' como el que la C. propugna en el art. 31.1: en una palabra, la lucha contra el fraude fiscal es un fin y un mandato que la C. impone a todos los poderes públicos, singularmente al legislador y a los órganos de la Admón. tributaria. De donde se sigue asimismo que el legislador ha de habilitar las potestades o los instrumentos jurídicos que sean necesarios y adecuados para que, dentro del respeto debido a los principios y derechos constitucionales, la Admón. esté en condiciones de hacer efectivo el cobro de las deudas tributarias, sancionando en su caso los incumplimientos de las obligaciones que correspondan a los contribuyentes o las infracciones cometidas por quienes están sujetos a las normas tributarias.»

Fto. Jco. 6 B): «En lo que concierne a la supuesta vulneración del art. 31.1 de la C. por la extensión que el art. 82 b) (Ley 10/1985 de 26 de abril, de modificación parcial de la Ley General Tributaria) hace del principio de progresividad al momento sancionador, ha de decirse que la impugnación incurre en una errónea interpretación de la estructura y contenido normativo de dicho precepto constitucional. Se establece en el mismo, entre otros extremos, que los principios de igualdad y progresividad habrán de inspirar el sistema tributario, pero no se dice que la eficacia de tales principios quede reducida al momento de ordenar el ingreso público ni se prohíbe expresamente (como es obligado en las interdicciones constitucionales) que la progresividad pueda ser tenida en cuenta a la hora de regular las sanciones tributarias. Más bien debe afirmarse que, desde el momento en que el art. 31.1 de la C. atribuye a aquellos principios una función inspiradora del entero sistema tributario justo, su aplicación al ámbito sancionador no puede suscitar especiales reparos, pues dentro de un sistema tributario justo encuentra natural acomodo la regulación del régimen de infracciones y sanciones. Finalmente, como antes se ha dicho, el criterio de capacidad económica puede permitir tanto el incremento de las multas como su reducción con lo que debe convenirse con el Abogado del Estado que realmente estamos ante un modelo de multas fijas y proporcionales (art. 801. LGT) y no estrictamente progresivas. Todo lo cual obliga a rechazar la impugnación.»

STC. 6/83 de 4 de febrero

Fto Jco. 4: Ver selección con relación al art. 133.

STC. 19/87 de 17 de febrero

Fto. Jco. 4: Ver selección con relación al art. 133.

Art. 32. 1. El hombre y la mujer tienen derecho a contraer el matrimonio con plena igualdad jurídica.

2. La ley regulará las formas de matrimonio, la edad y capacidad para contraerlo, los derechos y deberes de los cónyuges, las causas de separación y disolución y sus efectos.

STC. 1/81 de 26 de enero (**resoluciones de tribunales eclesiásticos sobre separaciones**)

Fto. Jco.: «En la legalidad actual carecen los Tribunales Eclesiásticos de facultades para que sus resoluciones produzcan efectos civiles en los casos de procesos canónicos de separación. Desde la vigencia del Acuerdo con la Santa Sede (que lleva fecha de 3 de enero de 1979, ratificado por instrumento de 4 de diciembre), sólo las separaciones decididas por los Jueces estatales producen los efectos en el orden jurídico civil, a salvo la transitoriedad contemplada en el apartado 2 de las transitorias del Acuerdo...»

Fto. Jco. 7: «Desde el Acuerdo con la Sta. Sede que hemos dicho los procesos de separación matrimonial, para que produzcan efectos civiles, tendrán que seguirse ante los jueces ordinarios, siguiendo lo dispuesto en el art. 117.3 de la C.E. y el art. 51 de la LEC. Se ha incorporado con ello España a lo que era un hecho general, bien por la vía expresa de lo concordado, bien por el contenido implícito respecto a las causas canónicas, acabando con la singularidad que, en este punto, significaba nuestro sistema. Es común ahora que todos los procesos de separación, referidos a los dos tipos o formas de matrimonio, están atribuídos a la jurisdicción estatal, aunque ciertamente, los casados canónicamente podrán acudir a la Autoridad Eclesiástica para obtener la separación canónica, si bien sin efectos civiles y sí intraeclesiales. Por modo expreso ha quedado derogado el art. XXIV del Concordato y sustituído, en lo que se refiere a la nulidad de matrimonio canónico o a la decisión sobre matrimonio rato y no consumado, por la fórmula del art. VI del Acuerdo...»

STC. 66/82 de 12 de noviembre

Fto. Jco. 2: Ver selección con relación al art. 16.

STC. 128/87 de 16 de julio (igualdad en tareas domésticas)

Fto. Jco. 9: «Procede... examinar si, entre las trabajadoras con hijos menores y los trabajadores varones en la misma situación, existen unas diferencias que justifiquen que a las primeras se les de un tratamiento especial, al hacerse cargo el INP (ahora INSALUD) de los costes de guardería, sin extender tal prestación a los segundos.

...No puede admitirse, como justificación de la diversidad de trato, que las esposas de los trabajadores casados pueden atender a los hijos pequeños, por lo cual esos trabajadores no necesitarán que se les subvencione los gastos de guardería, mientras que las trabajadoras con hijos sí lo necesitarán para compensar la imposibilidad de prestar tal atención debido a su trabajo. Ello supondría partir de la premisa de que, mientras las mujeres de los trabajadores habrán de permanecer en el hogar familiar atendiendo a los hijos menores, y ello sin ninguna excepción (de forma que en ningún caso, procederá, respecto de estos trabajadores, la mencionada prestación por guardería), en el caso de la mujer trabajadora los padres de los hijos menores no realizarán actividades domésticas de cuidado de los mismos (por lo que, en todo caso, procederá, respecto a esas trabajadoras, la mencionada prestación por el concepto de guardería). Obviamente, esta perspectiva, que excluye, aparte de situaciones de separación o enfermedad, la posibilidad de actividades extradomésticas de la mujer casada (laborales o de cualquier otro tipo), y la prestación de colaboración en el cuidado de los hijos de la trabajadora por parte del padre, no puede considerarse justificación suficiente, pues no se adecua a las previsiones igualitarias entre hombres y mujeres contenidas en la CE., contrarias a la discriminación por razón de sexo, tanto en forma general (art. 14), como en áreas específicas, tales como el matrimonio, el trabajo y el cuidado de los hijos comunes, convirtiendo en inadmisible una posición que parte de la dedicación exclusiva de la mujer a las tareas domésticas, y de la exclusión absoluta del hombre de las mismas, como resulta de la justificación a que hemos aludido.»

STC. 184/90 de 15 de noviembre (matrimonio y convivencia extramatrimonial estable)

Fto. Jco. 3: «Es claro que en la CE. el matrimonio y la convivencia extramatrimonial no son realidades equivalentes. El matrimonio es una institución social garantizada por la CE., y el derecho del hombre y de la mujer a contraerlo es un derecho constitucional, cuyo régimen jurídico corresponde a la Ley por mandato constitucional. Nada de ello ocurre con la unión de hecho o 'more uxorio', que ni es una institución jurídicamente garantizada ni hay un derecho constitucional expreso a su establecimiento. El vínculo matrimonial genera 'ope legis' en la mujer y el marido una pluralidad de derechos y deberes que no se produce de modo jurídicamente necesario entre el hombre y la mujer que mantienen una unidad de convivencia estable no basada en el matrimonio. Tales diferencias constitucionales entre matrimonio y unión de hecho pueden ser legítimamente tomadas en consideración por el legislador a la hora de regular las pensiones de supervivencia...

En consecuencia, siendo el derecho a contraer matrimonio un derecho constitucional, cabe concluir que el legislador puede, en principio, establecer diferencias de tratamiento entre la unión matrimonial y la puramente fáctica y que, en concreto, la diferencia de trato en la pensión de viudedad entre los cónyuges y quienes conviven de hecho sin que nada les impida contraer matrimonio no es arbitraria o carente de fundamento. Además de las arriba señaladas, que por sí solas justifican tal diferencia de tratamiento normativo, razones de certidumbre y seguridad jurídica, y la propia coherencia con la decisión libremente adoptada en la unión de hecho de excluir la relación matrimonial y los deberes y derechos que de la misma dimanan, abundan en la consideración de que no pueda entenderse caprichoso o irrazonable que el legislador no incluya a los unidos por vía de hecho en una pensión como la de viudedad que ha sido prevista en función de la existencia de un vínculo matrimonial entre causante y beneficiario. Y por lo mismo no cabe reprochar como arbitraria ni discriminatoria la exigencia de que el núcleo de convivencia institucionalizada entre hombre y mujer como casados le conste formalmente al Estado para que éste conceda la pensión de viudedad.»

STC. 184/90 de 15 de noviembre y STC. 222/92 de 11 de diciembre

Ver selección con relación al art. 39

Art. 33. 1. Se reconoce el derecho a la propiedad privada y a la herencia.

2. La función social de estos derechos delimitará su contenido, de acuerdo con las leyes.

3. Nadie podrá ser privado de sus bienes y derechos sino por causa justificada de utilidad pública o interés social, mediante la correspondiente indemnización y de conformidad con lo dispuesto por las leyes.

Ley de 16 de diciembre de 1954 sobre Expropiación Forzosa.

STC. 111/83 de 2 de diciembre (**expropiación Rumasa**)

Fto. Jco. 9: «La expropiación que estamos considerando es, sin duda, un caso singular, no responde a esquemas generales y tampoco puede llevarse, sin hacer quebrar la institución, a modelos expropiatorios de signo sancionatorio, pero atiende a una situación extraordinaria de grave incidencia en el interés de la comunidad, comprometido por el riesgo de la estabilidad del sistema financiero y la preservación de otros intereses, que reclamaron, junto a una acción inmediata que no podía posponerse a la utilización de mecanismos legislativos ordinarios, la actuación global a través de la técnica expropiatoria. El supuesto no es el de la expropiación privativa de bienes con destino posterior a un fin al que se afectan esos bienes, ni tampoco una operación destinada a reservar al sector público recursos o servicios, o, por último, una operación con motivación y justificación sancionadora. La excepcionalidad de la situación creada, comprometedora de la estabilidad del sistema financiero, según el juicio de las autoridades económicas, no autoriza a compartir temores por la extensión de la técnica utilizada, a otras situaciones, bien ajenas a la excepcionalidad de la que ahora tratamos, pues no concurriendo en ellas las características de la presente no podrían resolverse por la vía expropiatoria 'ope legis', puesta en marcha mediante un Decreto-Ley. Es justamente la indicada situación extraordinaria y urgente la que legitima la expropiación dentro de la exigencia de una norma habilitante para cumplir con el primero de los requisitos de la expropiación forzosa cual es la declaración de utilidad pública o de interés social, no reservada necesariamente a Ley formal en el sistema del régimen general expropiatorio, y, desde luego, no reservada a Ley formal en la C. (art. 33.3). La necesidad de la ocupación, y aún la urgencia de la ocupación inmediata, incluso con el efecto expropiatorio transmisivo de la propiedad, excepcionalmente justificado por la concurrencia de un supuesto que a la vez de su urgencia no hace posible que opere la regla sustancial y, por lo común, general del pago como 'conditio iuris' del efecto transmisivo, no es materia reservada a Ley formal en el art. 33.3, que remite a las Leyes, en la regulación de la legislación expropiatoria general, que admite, con la atribución a la Admón. del acuerdo de necesidad de ocupación, mecanismos también en manos del Ejecutivo para decretar la urgente ocupación. Que no se acudiera a esta regulación (art. 52 de la LEF.) y se arbitrara la solución legislativa mediante la fórmula del Decreto-Ley puede explicarse por lo demás, por lo insuficiente de aquella regulación para la singularidad del caso, pero sin que esto altere, desde el marco del art. 86.1 de la C.E., que tal regulación de la necesidad de la ocupación, segundo momento de la cobertura legal expropiatoria, la solución del problema en lo que atañe a la no exigencia de Ley en sentido formal para disponer lo que fue el contenido del art. 2 del Decreto-ley 2/1983, luego trasladado a la Ley 7/1983, también en su art. 2. El que la singularidad del caso haga quebrar la regla del previo pago, y la más formal que real del depósito previo prevista para los supuestos precisos de la ocupación urgente que dice el art. 52 de la LEF., con no ser problema específico de la expropiación en cuanto cubierta por el Decreto-ley, pues es común al contenido de la Ley 7/1983, lo que sería bastante para excusar su estudio porque entrañaría un enjuiciamiento de esta Ley, es claro que no respondería por la singularidad de la expropiación que tratamos a las exigencias institucionales del previo pago. Seguramente la conclusión a que acabamos de llegar se refuerza, desde otra línea argumental, si observamos que todo el estudiado complejo expropiatorio se asume en la Ley 7/1983, de modo que desde el análisis de esta ley aquellos efectos son una anticipación justificada por lo excepcional y urgente situación, de lo que en esta Ley se dispone.»

STC. 166/86 de 19 de diciembre (**garantías de la propiedad frente a expropiación**)

Fto. Jco. 13: «La expropiación forzosa se concibe en los orígenes del Estado liberal como último límite del derecho natural, sagrado e inviolable, a la propiedad privada y se reduce, inicialmente, a operar sobre los bienes inmuebles con fines de construcción de obras públicas. La transformación que la idea del Estado social introduce en el concepto del derecho de propiedad privada al asignarle una función social con efectos delimitadores de su contenido y la complicación cada vez más intensa de la vida moderna, especialmente notable en el sector económico, determinan una esencial revisión del instituto de la expropiación forzosa, que se convierte, de límite negativo del derecho absoluto de propiedad, en instrumento positivo puesto a disposición del poder público para el cumplimiento de sus fines de ordenación y conformación de la sociedad a imperativos crecientes de justicia social, frente al cual el derecho de propiedad privada, tan sólo garantiza a su titular, ante el interés general, el contenido económico de su propiedad, produciéndose paralelamente un proceso de extensión de la expropiación forzosa a toda clase de derechos e intereses patrimoniales y a toda categoría de fines públicos y sociales.

La potestad expropiatoria, así concebida, vino y viene considerándose función administrativa encomendada, consiguientemente, a los órganos de la Admón., aunque ello ha dejado de ser obstáculo alguno para que se admita, por las razones ya expuestas, que el legislador ejercite singularmente esa potestad cuando lo justifique una situación excepcional y ello es perfectamente trasladable a nuestra C., la cual no establece reserva de la materia de expropiación a favor de la Admón. y, por tanto, no puede abrigarse duda, desde el punto de vista formal, que las expropiaciones 'ope legis' son, en cuanto Leyes singulares, constitucionalmente legítimas, si bien requieren, por ser expropiatorias, que respeten las garantías del art. 33.3 de la C.E.

... Son, por tanto, tres las garantías de la propiedad privada frente al poder expropiatorio de los poderes públicos: 1) un fin de utilidad pública o interés social, o 'causa expropiandi'; 2) el derecho del expropiado a la correspondiente indemnización y 3) la realización de la expropiación de conformidad con lo dispuesto en las Leyes. Estas garantías se analizan en los tres apartados siguientes en su relación respectiva con la expropiación forzosa.

A) ... Los términos en que se expresa el art. 33.3 de la C., al hablar de 'causa justificada de utilidad pública o interés social' sin contener referencia alguna al destino final de los bienes y derechos expropiados, permiten afirmar que la concepción constitucional de la 'causa expropiandi' incluye tanto a las expropiaciones forzosas en que el fin predetermine el destino de los bienes y derechos, como aquellas otras en que el fin admite varios posibles destinos.

Por otro lado, entre la 'causa expropiandi' y la determinación de los bienes y derechos que deban ser objeto de la expropiación existe siempre una relación necesaria, dado que tan sólo son incluíbles en la expropiación aquellos que sirvan a su fin legitimador y ello convierte en injustificada la expropiación de bienes o derechos que no sean estrictamente indispensables al cumplimiento de dicho fin.

Las leyes singulares de expropiación, al igual que toda clase de expropiaciones, requieren una específica finalidad de utilidad pública o interés social, si bien es preciso que esta finalidad venga apoyada en un supuesto de hecho singular y excepcional que guarde adecuación con la naturaleza, igualmente singular y excepcional, que tienen las expropiaciones legislativas y, en tal sentido, su 'causa expropiandi' funciona como criterio de razonabilidad y proporcionalidad de la media legislativa expropiatoria...

B) ... El art. 33.3 de la C. no exige el previo pago de la indemnización y esto, unido a la garantía de que la expropiación se realice 'de conformidad con lo dispuesto por las Leyes', hace que dicho art. consienta tanto las expropiaciones en que la ley impone el previo pago de la indemnización como las que no lo exigen, no siendo, por tanto, inconstitucional la Ley que relega el pago de la indemnización a la última fase del procedimiento expropiatorio. En esta clase de expropiaciones, de las cuales son prototipo las llamadas urgentes, el momento en que se produzca el efecto traslativo de la propiedad o titularidad de los bienes y derechos expropiados no depende del previo pago de la indemnización, careciendo, por tanto, de relevancia constitucional el momento en que se opere dicha transmisión de propiedad y, en su consecuencia, que ésta se produzca de manera inmediata en el mismo momento en que se acuerda la expropiación.

C) La tercera garantía del art. 33.3 de la C. es la consistente en que la expropiación se 'realice de conformidad con lo dispuesto por las Leyes', es decir, la llamada garantía del procedimiento expropiatorio. ...su naturaleza excepcional y singular (de las Leyes singulares de expropiación) no autoriza al legislador a prescindir de la garantía del procedimiento expropiatorio establecido en las Leyes generales de expropiación, al cual deben igualmente someterse; pero ello no es obstáculo para que la propia singularidad del supuesto de hecho que legitima la expropiación legislativa autorice al legislador para introducir en el procedimiento general las modificaciones que exija dicha singularidad excepcional, siempre que se inserten como especialidades razonables que no dispensan de la observancia de las demás normas de los procedimientos contenidos en la legislación general.»

STC. 37/87 de 26 de marzo (**propiedad: derecho, deberes, límites**)

Fto. Jco. 2: «Se trata de un derecho reconocido (derecho de propiedad privada), como ha declarado este TC. en STC. 111/83 fto. jco. 8, desde la vertiente institucional y desde la vertiente individual, siendo, desde este último punto de vista, un derecho subjetivo que 'cede para convertirse en un equivalente económico, cuando el bien de la comunidad... legitima la expropiación'.

En efecto la referencia a la 'función social' como elemento estructural de la definición misma del derecho a la propiedad privada o como factor determinante de la delimitación legal de su contenido pone de manifiesto que la C. no ha recogido una concepción abstracta de este derecho como mero ámbito subjetivo de libre disposición o señorío sobre el bien objeto del dominio reservado a su titular, sometido únicamente en su ejercicio a las limitaciones generales que las Leyes impongan para salvaguardar los legítimos derechos o intereses de terceros o del interés general. Por el contrario, la C. reconoce un derecho a la propiedad privada que se configura y protege, ciertamente, como un haz de facultades individuales sobre las cosas, pero también, y al mismo tiempo, como un conjunto de deberes y obligaciones establecidos, de acuerdo con las Leyes, en atención a valores o intereses de la colectividad, es decir, a la finalidad o utilidad social que cada categoría de bienes objeto de dominio esté llamada a cumplir. Por ello, la fijación del 'contenido esencial' de la propiedad privada no puede hacerse desde la exclusiva consideración subjetiva del derecho o de los intereses individuales que a éste subyacen, sino que debe incluir igualmente la necesaria referencia a la función social, entendida no como mero límite externo a su definición o a su ejercicio, sino como parte integrante del derecho mismo. Utilidad individual y función social definen, por tanto, inescindiblemente el contenido del derecho sobre cada categoría o tipo de bienes.

Al filo de esta perspectiva, que es la adoptada por la C., resulta oportuno hacer notar que la incorporación de exigencias sociales al contenido del derecho de propiedad privada, que se traduce en la previsión legal de intervenciones públicas no meramente ablatorias en la esfera de las facultades y responsabilidades del propietario, es un hecho hoy generalmente admitido. Pues, en efecto, esa dimensión social de la propiedad privada, en cuanto institución llamada a satisfacer necesidades colectivas, es en todo conforme con la imagen que de aquel derecho se ha formado la sociedad contemporánea y, por ende, debe ser rechazada la idea de que la previsión legal de restricciones a las otrora tendencialmente ilimitadas facultades de uso, disfrute, consumo y disposición o la imposición de deberes positivos al propietario hagan irreconocible el derecho de propiedad como perteneciente al tipo constitucionalmente descrito. Por otra parte no cabe olvidar que la incorporación de tales exigencias a la definición misma del derecho de propiedad responde a principios establecidos e intereses tutelados por la propia C., y de cuya eficacia normativa no es posible sustraerse a la hora de pronunciarnos sobre la vulneración o no por la Ley impugnada del contenido esencial o mínimo del derecho a la propiedad agraria que ésta delimita y regula. En este orden de cosas, hay que recordar: que el art. 128.1 de la C. subordina toda la riqueza del país, 'en sus distintas formas y sea cual fuere su titularidad', al interés general; que el art. 40 impone a todos los poderes públicos la obligación de promover las 'condiciones favorables para el progreso social y económico y para una distribución de la renta regional y personal más equitativa', así como realizar una política orientada al pleno empleo; que el art. 45 ordena a los poderes públicos para que velen 'por la utilización racional de todos los recursos naturales, con el fin de proteger y mejorar la calidad de vida y defender y restaurar el medio ambiente, apoyándose en la indispensable solidaridad colectiva'; o que, finalmente, el art. 130 exige asimismo de los poderes públicos que atiendan a la 'modernización y desarrollo de todos los sectores económicos y, en particular, de la agricultura y la ganadería'. Es claro en consecuencia que, de acuerdo con las Leyes, corresponde a los poderes públicos competentes en cada caso delimitar el contenido del derecho de propiedad en relación con cada tipo de bienes.

Es cierto, en cualquier caso, que la traducción institucional de tales exigencias colectivas no puede llegar a anular la utilidad meramente individual del derecho y que, por tanto, la definición de la propiedad que en cada caso se infiera de las Leyes o de las medidas adoptadas en virtud de las mismas, puede y debe ser controlada por este T.C. o por los órganos judiciales, en el ámbito de sus respectivas competencias. Pero, de nuevo en este supuesto, la referencia a que ha de atender el control jurídico por una u otra jurisdicción habrá de buscarse en el contenido esencial o mínimo de la propiedad privada entendido como recognoscibilidad de cada tipo de derecho dominical en el momento histórico de que se trate y como practicabilidad o posibilidad efectiva de realización del derecho, sin que las limitaciones o deberes que se impongan al propietario deban ir más allá de lo razonable.

Como corolario de estas reflexiones iniciales, que juzgamos imprescindibles para situar la impugnación planteada en su verdadera perspectiva constitucional, no es ocioso añadir ahora que la propiedad privada, en su doble dimensión como institución y como derecho individual, ha experimentado en nuestro siglo una transformación tan profunda que impide concebirla hoy como una figura jurídica reconducible exclusivamente al tipo abstracto descrito en el art. 348 del C. Civil, que los recurrentes citan en apoyo de su alegato de inconstitucionalidad. Por el contrario, la progresiva incorporación de finalidades sociales relacionadas con el uso o aprovechamiento de los distintos tipos de bienes sobre los que el derecho de propiedad puede recaer ha producido una diversificación de la institución dominical en una pluralidad de figuras o situaciones jurídicas reguladas con un significado y alcance diverso. De ahí que se venga reconociendo con general aceptación doctrinal y jurisprudencial la flexibilidad o plasticidad actual del dominio que se manifiesta en la existencia de diferentes tipos de propiedades dotadas de estatutos jurídicos diversos, de acuerdo con la naturaleza de los bienes sobre los que cada derecho de propiedad recae.

En lo que concierne a la restricción o modalización de las facultades dominicales o imposición de deberes positivos al titular, la transformación antes dicha ha afectado de una manera más intensa a la propiedad inmobiliaria, tanto a la que recae sobre suelos susceptibles de aprovechamiento urbanístico, como a la propiedad de tierras agrícolas o forestales lo que es fácilmente explicable, entre otras razones, por el carácter no renovable o naturalmente limitado en su extensión de este tipo de bienes y por la trascendencia económica que ofrece como soporte físico de las actividades productivas. Por ello, y aunque nuestro Texto constitucional no contenga ninguna previsión específica en relación con la propiedad agraria, al contrario de lo que ocurre con otros tipos de bienes inmuebles o recursos naturales (arts. 45 y 47), debe rechazarse de entrada, por infundada, la pretensión de los recurrentes de identificar el contenido esencial de la misma atendiendo exclusivamente a lo que el C. Civil, declinando el siglo XIX, dispuso con carácter general en su art. 348, porque tal pretensión no tiene para nada en cuenta las modulaciones y cambios que ha venido sufriendo desde entonces el instituto de la propiedad privada, en general, y de la propiedad agraria, en particular.

... no hay razón para entender que infrinja dicho contenido esencial, ahora constitucionalmente garantizado, aquella regulación legal que, restringiendo las facultades de decisión del propietario con relación al uso, destino y aprovechamiento de los fondos rústicos, imponga a éste o permita imponerle determinados deberes de explotación y, en su caso, de mejora, orientados a la obtención de una mejor utilización productiva de la tierra, desde el punto de vista de los intereses generales, siempre que queda salvaguardada la rentabilidad del propietario o de la empresa agraria. Y por la misma razón no puede compartirse la tesis de que una regulación de la propiedad rústica que, atendiendo a estos principios, no haga impracticable ni prive de protección a los intereses individuales inherentes al dominio delimitado por su función social sea en sí misma contraria al derecho reconocido en el art. 33 de la C., pues tal intervención normativa no entraña una desnaturalización de aquel derecho constitucional que lo haga irreconocible como perteneciente al tipo descrito, tanto desde el punto de vista histórico como por relación al conjunto de intereses que la propiedad privada incorpora como institución jurídica.»

Fto. Jco. 3: «Resulta... evidente que el art. 33.2 de la propia C. flexibiliza la reserva de Ley en lo que concierne a la delimitación del contenido de la propiedad privada en virtud de su función social, que debe ciertamente regularse por la Ley, pero también por la Admón. 'de acuerdo con las Leyes' cuando éstas recaben la colaboración reglamentaria de aquella. Prohíbe esta concreta reserva de Ley toda operación de deslegalización de la materia o todo intento de regulación del contenido del derecho de propiedad privada por reglamentos independientes o 'extra legem', pero no la remisión del legislador a la colaboración del poder normativo de la Admón. para completar la regulación legal y lograr así la plena efectividad de sus mandatos, remisión inexcusable por lo demás cuando, como es el caso arquetípico de la propiedad inmobiliaria las características naturales del bien objeto de dominio y su propia localización lo hacen susceptible de diferentes utilidades sociales, que pueden y deben traducirse en restricciones y deberes diferenciados para los propietarios y que, como regla general, sólo por vía reglamentaria pueden establecerse.»

Fto. Jco. 4: «Ciertamente no sería constitucional una expropiación que, afectando parcialmente a algunas de las facultades del propietario reconocidas por la Ley, privase en realidad de todo contenido útil al dominio sin una indemnización adecuada a esta privación total del derecho, que puede, desde luego, medirse desde el punto de vista del aprovechamiento económico o rentabilidad de la nuda propiedad o de las facultades que el propietario conserve tras la operación expropiatoria, teniendo siempre en cuenta que tal utilidad individual o tales facultades no pueden ser absolutas e ilimitadas, en razón de las exigencias de la función social de la propiedad. Si así fuera, la tesis de los recurrentes sería irreprochablemente correcta, pues es claro que la regulación constitucional de la expropiación no supone una negación del derecho de propiedad privada, sino sólo su sacrificio concreto ante la presencia de intereses públicos o sociales superiores, con respecto del contenido económico del derecho sacrificado, que se transforma en el derecho a obtener una indemnización por el valor del bien o derecho del que el titular ha sido forzosamente privado.»

STC. 227/88 de 29 de noviembre

Ver selección con relación al art. 132

Art. 34. 1. Se reconoce el derecho de fundación para fines de interés general, con arreglo a la ley.
2. Regirá también para las fundaciones lo dispuesto en los apartados 2 y 4 del artículo 22.

Ley 50/1992 de 26 de diciembre, de Fundaciones.

STC. 49/88 de 22 de marzo (**derecho de fundación; Cajas de Ahorro**)

Fto. Jco. 5: «Este último precepto (art. 34 C.E.) se refiere sin duda al concepto de fundación admitido de forma generalizada entre los juristas y que considera la fundación como la persona jurídica constituída por una masa de bienes vinculados por el fundador o fundadores a un fin de interés general. La fundación nace, por tanto, de un acto de disposición de bienes que realiza el fundador, quien los vincula a un fin por él determinado y establece las reglas por las que han de administrarse al objeto de que sirvan para cumplir los fines deseados de manera permanente, o al menos duradera. Tanto la manifestación de voluntad como la organización han de cumplir los requisitos que marquen las leyes, las cuales prevén, además, un tipo de acción administrativa (el protectorado) para asegurar el cumplimiento de los fines de la fundación y la recta administración de los bienes que la forman... Obsérvese también que el reconocimiento del derecho de fundación figura en el Texto constitucional inmediatamente después del art. que recoge el derecho a la propiedad y a la herencia. Ello permite entender que aquel derecho es una manifestación más de la autonomía de la voluntad respecto a los bienes, por cuya virtud una persona puede disponer de su patrimonio libremente, dentro de los límites y con las condiciones legalmente establecidas, incluso creando una persona jurídica para asegurar los fines deseados. Sentado esto, procede verificar la antes señalada tesis central de los recurrentes de que las Cajas son fundaciones en el sentido del art. 34 de la C.»

Fto. Jco. 6: «En su origen, las Cajas, aparecen unidas o estrechamente vinculadas a la institución puramente benéfica de los Montes de Piedad y ellas mismas se configuran como establecimientos de beneficencia, pero junto a esa finalidad benéfica aparecen pronto caracteres que le dan una fisonomía propia, al ser al mismo tiempo entidades de crédito... La evolución, como es notorio, se ha acelerado en los últimos años, en que el aspecto benéfico-social de las Cajas ha quedado obscurecido, aunque sin desaparecer, por su relevante función como entidades de crédito. Esta evolución se ha reflejado también en la legislación que le es aplicable. El Decreto de 26 de julio de 1957 atribuye el protectorado al ministerio de Hacienda, en lugar de asumirlo el Ministerio de Trabajo, al que antes correspondía. La Ley de Bases de Ordenación del Crédito y la Banca de 14 de abril de 1962 incluye las Cajas en el sistema crediticio español. Las Cajas de Ahorro son tratadas por el legislador y por la Admón. como intermediarios financieros, entre los cuales las incluyen de forma expresa la Ley 13/1985 de 25 de mayo.

No es necesario insistir más en esta evolución cuyo resultado actual es notorio. Pero sí conviene señalar que la transformación sufrida por las Cajas no permite considerarlas hoy como fundaciones en el sentido que la doctrina generalmente admitida, y con ella el art. 34 de la C., da a este concepto. Si es propia de la fundación, como se ha dicho, la vinculación de una masa de bienes a unos fines establecidos por el fundador o fundadores resulta que, en la actualidad, en las Cajas, sea cual sea su origen, ni la mayor parte de los recursos de que disponen proceden del fundador, sino que son recursos ajenos, ni los fines que hoy persiguen son principalmente benéficos o benéfico-sociales sino los propios de una entidad de crédito. No cabe, por tanto, aceptar la tesis de los recurrentes que identifiquen las Cajas con fundaciones en el sentido del art. 34 de la C.E.»

Fto. Jco. 7: «Los recurrentes, quizá para salvar esas dificultades, acuden a dos ideas que conviene examinar. Una es la de Fundación-Empresa, y otra la de la autonomía estatutaria de las fundaciones. Respecto a la primera debe señalarse que el concepto de fundación-empresa en sus diversas modalidades constituye una de tantas importaciones de la doctrina alemana que se han realizado o se intentan realizar en nuestro Derecho. No es, por supuesto, tarea de este T.C. determinar si es posible y, en caso afirmativo, en qué condiciones, esa importación. Basta con señalar, a los efectos que aquí interesan, no sólo que la doctrina no es unánime sobre cuáles serían las condiciones y las medidas legislativas para llevarla a cabo, especialmente cuando se trata de la llamada fundación-empresa 'funcional' aplicada a un tipo de empresas tan peculiar como son las entidades de crédito, sino que en todo caso resultaría discutible en qué medida tal concepto encajaría en el de fundación protegida por el art. 34 de la C. En cuanto a la denominada autonomía estatutaria de las fundaciones parece que con este término se designa la potestad que deberían tener las Cajas, como entidades de carácter fundacional, para darse sus propias reglas de organización. Pero también hay que señalar que esa potestad no deriva necesariamente del carácter fundacional de una entidad. Como se ha dicho, la fundación implica que el fundador puede imponer las normas por las que ha de regirse la persona jurídica que él crea. A lo largo del tiempo cabe que los órganos de la fundación puedan, con la intervención del protectorado en lo que sea necesario, adaptar su organización y los fines señalados originariamente a las nuevas circunstancias legales o sociales. En las Cajas, sin embargo, no se trata de una adaptación, por flexible que ésta se conciba, sino, como se ha dicho, de un cambio cualitativo al haberse transformado su inicial actividad crediticia de carácter benéfico (crédito barato a las clases menesterosas) en actividad crediticia sometida a las leyes del mercado comunes a ellas y a los demás intermediarios financieros. La voluntad fundacional, cuya protección es la finalidad del art. 34 de la C., ha quedado así diluída con el paso del tiempo y no puede ser sustituída, al amparo de ese mismo artículo por una supuesta voluntad de la institución.»

Fto. Jco. 8: «En realidad el problema de la naturaleza fundacional de las Cajas actualmente existentes puede enfocarse desde un punto de vista distinto al que supondría su encaje en el art. 34 de la C., con independencia del origen de cada Caja, y que surge de la conveniencia de encuadrar las Cajas en el sistema de personas jurídicas que establece nuestro Derecho. El razonamiento sería el siguiente: puesto que el art. 35 del C. Civil clasifica las personas jurídicas en corporaciones, asociaciones y fundaciones, y dado que las Cajas no son ni corporaciones ni asociaciones, sólo es posible encuadrarlo en la categoría de las fundaciones, a las que se asemejarían por el hecho de que no consiste en una unión de personas, que en cierto modo aparecen como los propietarios de sus bienes, sino de una organización de los bienes mismos como ocurre en las fundaciones de tipo tradicional. Esta aplicación de una categoría jurídica a un supuesto distinto para el que fue pensada es posible, siempre que no se extraigan de ella consecuencias abusivas y se la considere sólo como un medio de resolver un problema dogmático, cual sería en este caso la naturaleza jurídica de las Cajas.»

Fto. Jco. 9: «...tampoco cabe afirmar que la creación actual de Cajas constituya el ejercicio del derecho de fundación reconocido en el art. 34 de la Norma Suprema. Lo que se cree será una entidad de crédito sometida a una severa reglamentación no sólo para su autorización... sino para sus fines y actuación, y en que el fondo dotacional, aún siendo como se ha dicho, considerable, formará sólo una parte de sus recursos, que habrán de nutrirse en el futuro de depósitos de terceros. En estas circunstancias, crear una Caja de Ahorros no supone la creación de una persona jurídica dotada fundamentalmente de bienes del fundador para los fines de interés general que el mismo fundador determine, sino la creación de una persona jurídica que se nutrirá en gran parte de recursos ajenos y que servirá a fines estrictamente establecidos legalmente. Tampoco, en consecuencia, nos encontramos en esta hipótesis con el modelo de fundación tradicional, sino, de manera análoga a lo que ocurre con las fundaciones ya existentes, con la aplicación de la figura jurídica de la fundación a unas instituciones de características peculiares.»

Fto. Jco. 10: «De todo lo expuesto se deduce que no cabe aceptar la tesis de los recurrentes según la cual del derecho de fundación reconocido en el art. 34 de la C. resultaría el derecho de las Cajas para dotarse de su propia organización o incluso del fundador o fundadores para imponerles la que estimen conveniente. Sin negar que las Cajas tengan un cierto carácter fundacional o puedan calificarse dogmáticamente de fundaciones a los efectos de encajarlas en una de las figuras jurídicas reconocidas por nuestro Derecho, lo cierto es que son, en todo caso, fundaciones de carácter muy peculiar en que domina su condición de entidades de crédito, que es lo que les da su fisonomía actual.»

Art. 35. 1. Todos los españoles tienen el deber de trabajar y el derecho al trabajo, a la libre elección de profesión y oficio, a la promoción a través del trabajo y a una remuneración suficiente para satisfacer sus necesidades y las de su familia, sin que en ningún caso pueda hacerse discriminación por razón de sexo.

2. La ley regulará un estatuto de los trabajadores.

RD Legislativo 1/1995, de 24 de marzo, por el que se aprueba el texto refundido del Estatuto de los Trabajadores.

STC. 22/81 de 2 de julio (**dimensión individual y colectiva del derecho; jubilación forzosa**)

Fto. Jco. 8: «El derecho al trabajo no se agota en la libertad de trabajar, supone también el derecho a un puesto de trabajo y como tal presenta un doble aspecto: individual y colectivo, ambos reconocidos en los arts. 35.1 y 40.1 de nuestra C., respectivamente. En su aspecto individual, se concreta en el igual derecho de todos a un determinado puesto de trabajo si se cumplen los requisitos necesarios de capacitación, y en el derecho a la continuidad o estabilidad en el empleo, es decir, a no ser despedidos si no existe una justa causa. En su dimensión colectiva el derecho al trabajo implica además un mandato a los poderes públicos para que lleven a cabo una política de pleno empleo, pues en otro caso el ejercicio del derecho al trabajo por una parte de la población lleva consigo la negación de ese mismo derecho para otra parte de la misma.

La política de empleo basada en la jubilación forzosa es una política de reparto o redistribución de trabajo y como tal supone la limitación del derecho al trabajo de un grupo de trabajadores para garantizar el derecho al trabajo de otro grupo. A través de ella se limita temporalmente al primero el ejercicio del derecho individual al trabajo mediante la fijación de un período máximo en que ese derecho puede ejercitarse, con la finalidad de hacer posible al segundo el ejercicio de ese mismo derecho. La limitación del derecho que la política de empleo a través de la jubilación forzosa lleva implícita no tiene, por consiguiente, su origen y justificación en la realización de una política económica de pleno empleo; de aquí que no pueda afirmarse que con ella se limita un derecho reconocido en el art. 35 de la C. en aras de un principio orientador de política económica recogido en el art. 40 de la misma.»

Fto. Jco. 9: «Esta política de empleo supone la limitación de un derecho individual consagrado constitucionalmente en el art. 35; pero esa limitación resulta justificada, pues tiene como finalidad un límite reconocido en la Declaración Universal de Derechos Humanos en su art. 29.2, el reconocimiento y respeto a los derechos de los demás se apoya en principios y valores asumidos constitucionalmente, como son la solidaridad, la igualdad real y efectiva y la participación de todos en la vida económica del país (art. 9 C.E.).

Por otra parte, dicha limitación puede quedar también justificada por su contribución al bienestar general, otro de los límites reconocidos en la Declaración Universal de Derechos humanos y en el Pacto internacional de Derechos económicos, sociales y culturales, si se tienen en cuenta las consecuencias sociales de carácter negativo que pueden ir unidas al paro juvenil.

Como consecuencia de todo lo anterior, puede afirmarse que la fijación de una edad máxima de permanencia en el trabajo sería constitucional siempre que con ella se asegurase la finalidad perseguida por la política de empleo: es decir, en relación con una situación de paro, si se garantizase que con dicha limitación se proporciona una oportunidad de trabajo a la población en paro, por lo que no podría suponer, en ningún caso, una amortización de puestos de trabajo.

Ahora bien, tal limitación supone un sacrificio personal y económico que en la medida de lo posible debe ser objeto de compensación, pues para que el tratamiento desigual que la jubilación forzosa supone resulte justificado no basta con que sirva a la consecución de un fin constitucionalmente lícito; es preciso, además, que con ello no se lesione desproporcionadamente un bien que se halla constitucionalmente protegido. Este es el sentido que ha de atribuirse a la compensación prevista en la disposición adicional quinta al asegurar que el límite máximo de edad sólo será efectivo si el trabajador ha completado los períodos de carencia para la jubilación. Desde el punto de vista de la jubilación forzosa es patente el especial relieve que a tal efecto cobra la mejora de los sistemas de seguridad social.

En consecuencia, la tercera línea argumental es suficiente para apoyar la constitucionalidad de la fijación de una edad laboral máxima, pero solamente si ésta se establece dentro del marco de una política de empleo con los condicionamientos señalados anteriormente.»

STC. 31/84 de 7 de marzo (**igualdad salarial; edad; sexo; Estatuto de los Trabajadores**)

Fto. Jco. 9: «Un Estado social y democrático de Derecho, que propugna entre los valores superiores de su ordenamiento jurídico la justicia y la igualdad, y en el que se encomienda a todos los Poderes públicos el promover las condiciones para que la igualdad del individuo y de los grupos en que se integra sean reales y efectivas, ha de complementar aquel sistema de determinación del mínimo salarial estableciendo desde los Poderes a los que compete la gobernación unos techos salariales mínimos que respondiendo a aquellos valores de justicia e igualdad den efectividad al también mandato constitucional contenido en el art. 35.1. En este marco de exigencias constitucionales ha de situarse el art. 27 del Estatuto de los Trabajadores y a ellas ha de someterse la potestad expresa y específica al Gobierno de fijar un salario mínimo interprofesional. En concreto, puede decirse que mediante esta intervención estatal se atiende a un interés social que, sin embargo, no disminuye el papel de las partes sociales en la consecución de otros mínimos salariales por encima de los indisponibles del mínimo interprofesional. Tanto la regulación mínima estatal como en la que deja a la responsabilidad de la autonomía colectiva de las partes sociales, ha de operarse respetando el principio de igualdad de remuneraciones, con exclusión de todo trato discriminatorio que implique violación de ese principio, que tiene su formulación, con la más específica del art. 35.1, referida al sexo, en la general del art. 14 de la C.E. Puede decirse que el principio de igualdad implica la eliminación en el conjunto de los factores y condiciones retributivos, para un mismo trabajo o para un trabajo al que se le atribuye igual valor, de cualquier discriminación basada en las circunstancias personales o sociales, que mencionadas concretamente unas (como es por razón del sexo en el art. 35, y con ella otras en el art. 14) y aludidas otras en la genérica fórmula con la que se cierra el art. 14, son susceptibles de generar situaciones de discriminación. Tendremos que considerar si la edad es una de las circunstancias subsumibles en la fórmula genérica, a lo que, por lo demás, el legislador ha dado una respuesta positiva en el art. 17 del E. de los Trabajadores y de inmediato si la utilización del factor de la edad como criterio diferenciador de tratamiento del contenido retributivo de la relación laboral es de los proscriptos desde los postulados constitucionales.»

Fto. Jco. 10: «...El que la categoría de los menores reclame en el mundo laboral una acción pública dirigida a la protección con modulaciones de un principio absoluto de igualdad, o el que el principio de igualdad de retribuciones esté presente en el art. 35.1 desde la perspectiva de los trabajadores de uno u otro sexo, no debe llevar a negar protección constitucional a la categoría de los trabajadores menores, desde la afirmación de la discriminación impedida por el mandato constitucional contenido en el art. 14. La conclusión aquí desde lo que antes decíamos de que el principio de igualdad de remuneraciones implica la eliminación en el conjunto de los factores y condiciones retributivas, para un mismo trabajo, o para un trabajo al que se atribuye igual valor, de cualquier discriminación, es que el trabajador tiene derecho a igualdad de trabajo, igualdad de salario, no pudiendo operar, partiendo de esta igualdad, la edad como circunstancia diferenciadora. Este principio explícito en el art. 35.1 de la C.E. para el trabajo de la mujer y traducido en el precepto que se contiene en el art. 28 del E. de los Trabajadores bajo la rúbrica de 'igualdad salarial', es extensible al caso de la edad desde las consideraciones que preceden para negar que pueda justificarse entre trabajadores que realicen un trabajo igual diferencias de tratamiento retributivo. El que se aduzcan argumentaciones como la de que es presumible un rendimiento más bajo del trabajador menor, o que una situación de menos necesidades justifica un menor salario, o que un nivel salarial más bajo facilita el empleo, no son razones para hacer quebrar la regla de que a trabajo igual, igual salario.»

STC. 83/84 de 24 de julio

Fto. Jco. 3: Ver selección con relación al art. 38.

STC. 108/86 de 29 de julio (derecho al trabajo y edad de jubilación de Magistrados)

Fto. Jco. 21: «Este derecho (derecho al trabajo) no supone el de continuar en el ejercicio de una función pública hasta una determinada edad, ni menos aún, si cabe, el de hacerlo indefinidamente. La aplicación de esa norma constitucional (art. 35.1) al ámbito de la función pública, que tiene una regulación específica en dichos arts. de la Norma fundamental y, especialmente, en lo que se refiere los jueces y Magistrados, en los arts. 117.1 y 2 y 122 de la C. (en los que expresamente se cita la jubilación como motivo del cese en la función, según se ha dicho repetidas veces) no puede hacerse de forma automática.»

STC. 89/90 de 11 de mayo

Fto. Jco. 8: Ver selección con relación al art. 22.

STC. 122/89 de 6 de julio (autorización o licencia y libre elección de profesión)

Fto. Jco. 3: «...Es así posible que, dentro del respeto debido al derecho al trabajo y a la libre elección de profesión u oficio (art. 35 C.E.), y como medio necesario para la protección de intereses generales, los poderes públicos intervengan el ejercicio de ciertas actividades profesionales, sometiéndolas a la previa obtención de una autorización o licencia administrativa o a la superación de ciertas pruebas de aptitud.»

Art. 36. La ley regulará las peculiaridades propias del régimen jurídico de los Colegios Profesionales y el ejercicio de las profesiones tituladas. La estructura interna y el funcionamiento de los Colegios deberán ser democráticos.

Ley 74/1978 de 26 de diciembre, de Colegios profesionales.

STC. 89/89 de 11 de mayo (**naturaleza y función de los Colegios Profesionales**)

Fto. Jco. 4: «El art. 36 de la C.E. no se refiere a la naturaleza jurídica de los Colegios Profesionales, manteniéndose por ello viva, y explicable, la preocupación de la doctrina en torno de aquella. Puede afirmarse, sin embargo, que la inmensa mayoría se pronuncia en favor de una concepción mixta o bifronte que, partiendo de una base asociativa, nacida de la misma actividad profesional titulada consideran los Colegios como corporaciones que cumplen a la vez fines públicos y privados, pero integrados siempre en la categoría o concepto de Corporación, al que, al hablar de las personas jurídicas, ya se refería el art. 35 del C. Civil, que separa 'las Corporaciones, Asociaciones y Fundaciones del interés público reconocidas por la Ley', de las 'Asociaciones de interés particular, ya sean civiles, mercantiles o industriales...', distinguiendo así las Asociaciones de interés público, las Asociaciones de interés particular y las Corporaciones, siendo éstas siempre de carácter público o personas jurídicas públicas, porque pese a la base común asociativa de todas las personas jurídicas, persiguen fines más amplios que las de simple interés particular o privado, concediéndoseles por ello legalmente ciertas atribuciones o potestades, especie de delegación del poder público, para que puedan realizar aquellos fines y funciones, que no sólo interesan a las personas asociadas o integradas, sino a las que no lo están, pero que pueden verse afectadas por las actuaciones del ente.

No por eso, sin embargo, se ha llegado a concluir que esas Corporaciones se integran en la Administración, ni tampoco que puedan ser consideradas como entes públicos descentralizados, pero sí que es justamente por cumplir, al lado de los privados, fines públicos, por lo que se hace preciso la intermediación legal.»

Fto. Jco. 5: «Los Colegios Profesionales, en efecto, constituyen una típica especie de Corporación, reconocida por el Estado, dirigida no sólo a la consecución de fines estrictamente privados, lo que podría conseguirse con la simple asociación, sino esencialmente a garantizar que el ejercicio de la profesión, que constituye un servicio al común, se ajuste a las normas o reglas que aseguren tanto la eficacia como la eventual responsabilidad en tal ejercicio, que, en principio, por otra parte, ya ha garantizado el Estado con la expedición del título habilitante. Todo ello supone un conjunto normativo estatutario, elaborado por los miembros del Colegio y sancionado por el poder público, que permitirá, a la vez, la posibilidad de recursos y la legitimación para interponerlos, tanto por los colegiados, como por personas ajenas al Colegio, pero no ajenas al ejercicio de la profesión, sean clientes, sean interesados extracontractuales, en su caso, es decir, según la profesión de que se trate.

La C. no ha modificado ni alterado esta concepción legal, pese a la novedad que supone en la historia constitucional haber introducido la nuestra una norma como la del art. 36. Antes bien reconoce y sanciona la intermediación de la Ley, con un importante matiz justificativo, al señalar 'las peculiaridades propias del régimen jurídico de los Colegios Profesionales', con lo que parece ya distinguirlos de las restantes personas jurídicas y asociaciones, sean de interés público o privado. Unicamente, constitucionalizando la norma, ordena que la 'estructura interna y el funcionamiento de los Colegios deberán ser democráticos', precepto este sí aplicable o común a otras asociaciones (sindicatos y asociaciones empresariales, partidos políticos y organizaciones profesionales para la defensa de intereses económicos. Distinción que, por otra parte, resulta también de la comparación del art. 36 con los arts. 6 y 7, en cuanto estos dos últimos, y no el 36, sancionan la libertad de creación, y del ejercicio de la actividad, de los partidos, sindicatos y asociaciones empresariales.

...Es el legislador, por tanto, dentro de los límites constitucionales y de la naturaleza y fines de los Colegios, quien puede optar por una configuración determinada (STC. 42/86), dado, además, que la reserva legal citada no es equiparable a la que se prevé en el art. 53.1 C.E. respecto de los derechos y libertades en cuanto al respeto de su contenido esencial, puesto que en los Colegios Profesionales, no hay contenido esencial que preservar (STC. 83/83), salvo la exigencia de estructura y funcionamiento democrático. Otra cosa es que el legislador, al hacer uso de la habilitación que le confiere el art. 36 C.E., deberá hacerlo de forma tal que restrinja lo menos posible, y de modo justificado, tanto el derecho de asociación, como el de libre elección profesional y de oficio, y que al decidir, en un caso concreto la creación de un Colegio Profesional, en cuanto tal, haya de tener en cuenta que, al afectar la existencia de este a los derechos fundamentales mencionados, sólo será constitucionalmente lícita cuando esté justificada por la necesidad de servir un interés público.»

Fto. Jco. 6: «Por su parte la doctrina de este T.C. es ya reiterada en lo que se refiere a la calificación jurídica de los C. Prof. a partir de la STC. 23/1984, en la cual, partiendo del pluralismo, de la libertad asociativa y de la existencia de entes sociales, se alude a la de otros entes de base asociativa representativos de intereses profesionales y económicos que pueden llegar a ser considerados como Corporaciones de derecho público en determinados supuestos. La STC. 123/87 se hace eco de esta doctrina y afirma su consideración de corporaciones sectoriales de base privada, esto es, corporaciones públicas por su composición y organización que, sin embargo, realizan una actividad en gran parte privada, aunque tengan delegadas por la ley funciones públicas, lo que le lleva a afirmar que los Estatutos del Colegio constituyen una norma de organización ajena a la libertad de asociación de que trata el art. 22 de la C.E. Y en fin la STC. 20/88 de 18 de febrero, reitera esta calificación y configura los C. Prof. como personas jurídico-públicas o Corporaciones de Derecho Público cuyo origen, organización y funciones no dependen sólo de la voluntad de los asociados, sino también, y en primer término, de las determinaciones obligatorias del propio legislador, añadiendo que el sentido del art. 36 de la C. no es otro que el de singularizar a los C. Prof. como entes distintos de las asociaciones que puedan libremente crearse al amparo del art. 22, remitiendo la C. a la Ley para que ésta regule las peculiaridades de aquellos.»

Ftos. Jcos. 7 y 8: Ver selección con relación al art. 22.

ATC. 93/80 de (**amparo frente a actos de los Colegios Profesionales**)

Fto. Jco. 2: «Los actos de los Colegios profesionales, en la materia de que ahora se trata, están sometidos al régimen contencioso-administrativo... Frente a este acto podía acudirse al amparo constitucional para la protección de los derechos y libertades que dice el art. 53.2 de la CE., porque los Colegios profesionales, entes públicos de carácter corporativo, están comprendidos entre los eventuales sujetos de los que puede proceder una violación de aquellos derechos, según se dice en el art. 41.2 de la LOTC.

STC. 5/96 de 16 de enero (**creación de asociaciones profesionales**)

Fto. Jco. 10: «...en la STC. 12/1987, se declaró que los estatutos de los Colegios Profesionales constituyen una norma de organización ajena a la libertad de asociación de que trata el art. 22 CE. y que la colegiación obligatoria `no impone límite o restricción al derecho de asociarse o sindicarse, participando en la fundación de organizaciones sindicales o afiliarse a las existentes´; mientras que en la STC. 166/92 se declaró que `la colegiación, máxime siendo obligatoria no excluye ni puede imposibilitar el ejercicio de los derechos de asociación´.

«A la vista de cuanto antecede, debe concluirse que el reconocimiento constitucional de los C.Prof. ex art. 36 CE. no puede ser concebido como un límite, en positivo, al derecho fundamental de asociación, aunque pueda configurar la legitimación de un deber de colegiación».

STC. 76 /03 de 23 de abril (**colegiación obligatoria y reserva de ley**)

Fto. Jco. 4: «En relación con el requisito de la reserva de ley para imponer la colegiación obligatoria, se ha de observar que el cumplimiento o no de dicha reserva no puede ser por sí solo el elemento directamente determinante, en su caso, de la solución que deba darse a la cuestión atinente a la alegada vulneración de la libertad negativa de asociación.

...debemos recordar que el Pleno de este Tribunal ha declarado con carácter general en la STC. 194/98 que la CE exige, ex art. 36 que "sea el legislador quien deba determinar qué profesiones quedan fuera del principio general de libertad, valorando cuáles de esas profesiones requieren, por atender a los fines mencionados, la incorporación a un colegio profesional, así como, en su caso, la importancia que al respecto haya de otorgar a la exigencia de una previa titulación para el ejercicio profesional". De modo que es el legislador el que debe decidir cuándo el ejercicio de una profesión exige una colegiación obligatoria, ya que "la exigencia de adscripción forzosa a un colegio profesional supone, de un lado, una limitación al principio general de libertad y, más en concreto, del libre ejercicio de la profesión y, de otro, una excepción a la regla general de la libertad negativa de asociación que forma parte del contenido constitucionalmente garantizado por el art. 22 CE».

...Tras resaltar entonces que en muchos supuestos la exigencia de colegiación obligatoria viene determinada por normas infralegales, afirmó (este TC) que "éste dato por sí mismo no implica la nulidad de la referida disposición estatutaria, puesto que la existencia del Colegio y la previsión de colegiación obligatoria derivaba de normas preconstitucionales, que no devienen nulas por el hecho de que posteriormente la CE haya exigido un determinado rango para la regulación de tales materias, pues la reserva de ley del art. 36 o del art. 53.2 no puede aplicarse retroactivamente ...Y la disposición transitoria primera de la Ley 2/74 de colegios profesionales, estableció que continuarían vigentes las disposiciones reguladoras existentes. Asimismo, concluyó, el dato sólo de que los Estatutos hubieran sido reformados tras la entrada en vigor de la CE, manteniendo la exigencia de colegiación, no supone tampoco vicio de nulidad en la medida en que el art. 3.2 de dicha ley así lo establece».

Art. 37. 1. La ley garantizará el derecho a la negociación colectiva laboral entre los representantes de los trabajadores y empresarios, así como la fuerza vinculante de los convenios.

2. Se reconoce el derecho de los trabajadores y empresarios a adoptar medidas de conflicto colectivo. La ley que regule el ejercicio de este derecho, sin perjuicio de las limitaciones que pueda establecer, incluirá las garantías precisas para asegurar el funcionamiento de los servicios esenciales de la comunidad.

RDL. 17/1977, de 4 de marzo, regulador del derecho de huelga y de los conflictos colectivos de trabajo.

L.O. 11/1985, de 2 de agosto, de libertad sindical; Real Decreto Legislativo 1/1995, de 24 de marzo, por el que aprueba el texto refundido de la Ley del Estatuto de los Trabajadores.

STC. 11/81 de 8 de abril

Ftos. Jcos. 18 y 22: Ver selección con relación al art. 28.

STC. 26/81 de 17 de julio

Fto. Jco. 10: Ver selección con relación al art. 28.

STC. 27/89 de 3 de febrero

Fto. Jco. 1: Ver selección con relación al art. 28.

STC. 37/83 de 11 de mayo (**libertad sindical y negociación colectiva**)

Fto. Jco. 2: «La libertad sindical implica la libertad para el ejercicio de la acción sindical, comprendiendo en ella todos los medios lícitos, entre los que los Tratados internacionales ratificados por España y, muy especialmente, los Convenios núms. 87 y 98 de la OIT y las resoluciones interpretativas de los mismos dictadas por su Comité de libertad sindical, así como la STC. de 8 de abril de 1981, incluyen la negociación colectiva y la huelga, debiendo extenderse también a la incoación de conflictos colectivos, pues sería paradójico que quien puede defender los intereses de los trabajadores mediante la negociación o la huelga no pudiera hacerlo mediante la utilización de los procedimientos legalmente previstos para el planteamiento y solución pacífica de los conflictos colectivos. De esta forma el art. 37.2 de la C. se conjuga con el 37.1 y con el 28.2 para definir el ámbito de la libertad sindical.»

STC. 73/84 de 27 de junio (sobre la fuerza vinculante de los Convenios)

Fto. Jco. 2: «El art. 37.1 de la C.E. establece que la Ley garantizará el derecho a la negociación colectiva laboral entre los representantes de los trabajadores y empresarios, así
como la fuerza vinculante de los Convenios. Posteriormente, la legítima opción legislativa en favor de un Convenio colectivo dotado de eficacia personal general, que en
todo caso no agota la virtualidad del precepto constitucional, ha conducido a someter
la negociación a unas reglas precisas limitadoras de la autonomía de la voluntad especialmente rigurosas en lo que se refiere a la determinación de los sujetos negociadores,
que en relación a los Convenios de ámbito superior a la Empresa se concretan en la exigencia de que sean Sindicatos, Federaciones o Confederaciones sindicales que cuenten
con un mínimo del 10 por ciento de los miembros del comité o delegados de personal
del ámbito geográfico o funcional a que se refiere el Convenio, y asociaciones empresariales que cuenten con el 10 por ciento de los empresarios afectados por el ámbito de
aplicación del Convenio, art. 87.2 de Estatuto de los Trabajadores, disposición que se
complementa en el núm. 3 del mismo artículo con el reconocimiento expreso del derecho de todo Sindicato, Federación o Confederación sindical y toda asociación empresarial que reúna el requisito de legitimidad a formar parte de la comisión negociadora.
La legitimación negocial, tal y como aparece regulada en el E. de los Trabajadores, posee
un preciso significado que impide valorarla desde la perspectiva del derecho privado,
pues el Convenio, que constituye el resultado de la negociación, no es sólo un contrato,
sino una norma que rige las condiciones de trabajo de los sometidos a su ámbito de
aplicación, estén o no sindicados y pertenezcan o no a las organizaciones firmantes. Los
requisitos de legitimación traducen el doble significado de constituir una garantía de la
representatividad de los participantes y expresar un derecho de los más representativos
a participar en las negociaciones, en orden a asegurar la representación de los intereses
del conjunto de los trabajadores y empresarios, sin duda porque se piensa que quienes
reúnen aquellos requisitos son representativos de un sector de los afectados de forma
que las tendencias significativas de éstos van a tener una efectiva participación en la
determinación de las condiciones a que han de ajustarse las relaciones de trabajo.»

STC. 58/85 de 30 de abril (los Convenios colectivos y el sistema de fuentes del derecho)

Fto. Jco. 3: «Ciertamente que la integración de los Convenios Colectivos en el sistema
formal de fuentes del Derecho, resultado del principio de unidad del ordenamiento
jurídico, supone, entre otras consecuencias que no hace al caso señalar, el respeto por
la norma pactada del derecho necesario establecido por la Ley, que, en razón de la superior posición que ocupa en la jerarquía normativa, puede desplegar una virtualidad
limitadora de la negociación colectiva y puede, igualmente, de forma excepcional reser-
varse para sí determinadas materias que quedan excluídas por tanto de la contratación
colectiva. Pero lo que no resulta posible… es asimilar las relaciones entre ley y Convenio a las que se instauran entre norma delegante y norma delegada. A los efectos de
la resolución de la cuestión, no interesa exponer el complejo cuadro de interrelaciones
existentes entre estos dos tipos de normas; sí conviene indicar no obstante, que el mandato que el art. 37.1 de la C. formula a la Ley de garantizar la 'fuerza vinculante de los
Convenios' no significa que esta fuerza venga atribuída 'ex lege'. Antes al contrario, la
misma emana de la C., que garantiza con carácter vinculante los Convenios, al tiempo
que ordena garantizarla de manera imperativa al legislador ordinario. La facultad que

poseen 'los representantes de los trabajadores y empresarios' de regular sus intereses recíprocos mediante la negociación colectiva es una facultad no derivada de la Ley, sino propia que encuentra su expresión jurídica en el texto constitucional. De otra parte la garantía constitucional de la fuerza vinculante implica, en su versión primera y esencial, la atribución a los Convenios Colectivos de una eficacia jurídica en virtud de la cual el contenido normativo de aquellos se impone a las relaciones individuales de trabajo incluídas en sus ámbitos de aplicación de manera automática, sin precisar el auxilio de técnicas de contractualización ni necesitar el complemento de voluntades individuales. Por ello resulta del todo ajeno a la configuración constitucional de la negociación colectiva la exigencia de una aceptación individual de lo pactado, con independencia de que en la práctica, como sucede en ocasiones, haga aconsejable la participación de los propios afectados en la negociación colectiva a través de fórmulas que los negociadores decidan y sin que, en ningún caso, puedan considerarse como jurídicamente condicionantes del Convenio o se las pueda asignar efectos integrativos en lo que concierne a la eficacia propia del pacto.»

Fto. Jco. 6: «El tema de la regulación por la negociación colectiva de los derechos individuales constituye, de seguro, una de las cuestiones más complejas y delicadas en el Derecho del Trabajo y que no es dable resolver aduciendo meramente la imposibilidad de la disposición de derechos personalísimos por sujetos ajenos a su titular. Semejante conclusión está implícita en la propia definición del derecho como personalísimo, y lo que importa es precisar si un concreto derecho es o no susceptible de ordenación por la negociación colectiva.

Desde un punto de vista general, los problemas derivados de las relaciones entre autonomía colectiva y autonomía individual han de solventarse mediante la conjunción de dos principios básicos: Primero, que la negociación colectiva no pueda anular la autonomía individual, pues esta, garantía de la libertad personal, ha de contar con un margen de actuación incluso en unos ámbitos como los de la Empresa en los que la exigencia de índole económica, técnica o productiva reclaman una conformación colectiva de condiciones uniformes; y segundo, que no puede en modo alguno negarse la capacidad de incidencia del Convenio en el terreno de los derechos o intereses individuales, pues ello equivaldría a negar toda virtualidad a la negociación colectiva, en contra de la precisión constitucional que la configura como un instrumento esencial para la ordenación de las relaciones de trabajo, y contradiría el propio significado del Convenio en cuya naturaleza está el predominio de la voluntad colectiva sobre la individual y de los intereses de la colectividad sobre los concretos de los individuos que la componen, siendo en ocasiones preciso la limitación de algunos de éstos para la efectiva promoción de aquellos. Incluso más aún. En un sistema constitucional de relaciones laborales como el español, asentado sobre el pluralismo social, la libertad sindical y la libertad de empresa en el marco de la economía de mercado, la satisfacción de una serie de intereses individuales se obtiene por sus titulares a través de la negociación colectiva, la cual no sólo no es incompatible con ámbitos de libertad personal, sino que los asegura, actuando como garantía básica de situaciones jurídicas individualizadas y contribuyendo decisivamente tanto a la mejora de las condiciones de trabajo y de vida de los trabajadores como al bienestar social general.»

STC. 136/87 de 22 de julio (límites de la negociación colectiva)

Fto. Jco. 5: «... las partes negociadoras de un Convenio Colectivo no gozan de libertad absoluta para delimitar su ámbito de aplicación. Antes al contrario, la negociación colectiva de eficacia general... está sujeta a muy diversos límites y requisitos legales, pues no en balde produce efectos entre 'todos los empresarios y trabajadores incluídos dentro de su campo de aplicación', como prescribe el art. 82.3 del E. de los Trabajadores; limitaciones que tienen su fundamento constitucional en el art. 37.1 de la Norma suprema, que encomienda a la ley el papel de garantizar 'el derecho a la negociación colectiva laboral', y que como ya declarara la STC. 73/84 de 27 de junio, a propósito de los sujetos legitimados para negociar 'escapan al poder de disposición de las partes negociadoras'. Esos límites alcanzan también a la determinación del ámbito de aplicación del Convenio Colectivo, aspecto éste que debe ser resuelto por las partes negociadoras respetando en todo caso los imperativos legales.»

STC. 210/90 de 20 de diciembre (posición del convenio en relación a la Ley)

Fto. Jco. 2: «Desde un plano más general, puede recordarse, no obstante, que en anteriores ocasiones este TC. ha señalado que la Ley ocupa en la jerarquía normativa una superior posición a la del convenio colectivo, razón por la cual éste debe respetar y someterse a lo dispuesto con carácter necesario por aquella, así como, más genéricamente, a lo establecido en las normas de mayor rango jerárquico».

Art. 38. Se reconoce la libertad de empresa en el marco de la economía de mercado. Los poderes públicos garantizan y protegen su ejercicio y la defensa de la productividad, de acuerdo con las exigencias de la economía general y, en su caso, de la planificación.

Ley 16/1989 de 17 de julio, de Defensa de la Competencia.

STC. 37/81 de 16 de noviembre (limita la incidencia del legislador en sistema ecónomico)

Fto. Jco. 2: «...Tal precepto (art. 38 C.E.), en muy directa conexión con otros de la misma C. y, señaladamente, con el 128 y el 131, en conexión con los cuales debe ser interpretado, viene a establecer los límites dentro de los que necesariamente han de moverse los poderes constituídos al adoptar medidas que incidan sobre el sistema económico de nuestra sociedad. El mantenimiento de esos límites, como el de aquellos que definen los demás derechos y libertades consagrados en el Capt. II del Tit. I de la C. está asegurado en ésta por una doble garantía, la de la reserva de ley y la que resulta de la atribución a cada derecho o libertad de un núcleo del que ni siquiera el legislador puede disponer, de un contenido esencial (art. 53.1). No determina la C. cual sea este contenido esencial... y las controversias que al respecto puedan suscitarse han de ser resueltas por este Tribunal al que, como intérprete supremo de la C. (...) corresponde, en último término, y para cada caso concreto, llevar a cabo esa determinación.»

STC. 83/84 de 24 de julio (**sobre la regulación específica de las distintas profesiones**)

Fto. Jco. 3: «El derecho constitucionalmente garantizado en el 35.1 no es el derecho a desarrollar cualquier actividad, sino el de elegir libremente profesión u oficio, ni en el art. 38 se reconoce el derecho a acometer cualquier empresa, sino sólo el de iniciar y sostener en libertad la actividad empresarial, cuyo ejercicio está disciplinado por normas de muy distinto orden. La regulación de las distintas profesiones, oficios o actividades empresariales en concreto, no es, por tanto, una regulación del ejercicio de los derechos constitucionalmente garantizados en los arts. 35.1 y 38. No significa ello, en modo alguno, que las regulaciones limitativas queden entregadas al arbitrio de los reglamentos, pues el principio general de libertad que la C. (art. 1.1) consagra autoriza a los ciudadanos a llevar a cabo todas aquellas actividades que la ley no prohíba, o cuyo ejercicio no subordine a requisitos o condiciones determinadas, y el principio de legalidad (art. 9.3 y 103.1) impide que la Admón. dicte normas sin la suficiente habilitación legal.»

STC. 88/86 de 1 de julio (**defensa de la concurrencia como defensa del mercado libre**)

Fto. Jco. 4: «El reconocimiento de la economía de mercado por la C. como marco obligado de la libertad de empresa y el compromiso de proteger el ejercicio de ésta... por parte de los poderes públicos supone la necesidad de una actuación específicamente encaminada a defender tales objetivos constitucionales. Y una de las actuaciones que pueden resultar necesarias es la consistente en evitar aquellas prácticas que pueden afectar o dañar seriamente a un elemento tan decisivo en la economía de mercado como es la concurrencia entre Empresas, apareciendo así la defensa de la competencia como una necesaria defensa, y no como restricción, de la libertad de Empresa y de la economía de mercado, que se verían amenazadas por el juego incontrolado de las tendencias naturales de éste.»

STC. 37/87 de 26 de marzo (**la función social de la propiedad y la libre empresa**)

Fto. Jco. 5: «...Parten (los recurrentes) también aquí... de una concepción abstracta y virtualmente ilimitada de este derecho constitucional que pretenden deducible del citado art. 38 y la confrontan con la interpretación que, a su entender, ha de darse a lo que establecen los referidos preceptos de la Ley impugnada (Ley 8/84 de 3 de julio del Parlamento de Andalucía, de Reforma Agraria, arts. 2, 18.2 y 5, 25 y 26).»
«...Importa dejar dicho que no parece dudoso que, por lo que se refiere a la actividad empresarial agrícola, su ejercicio ha de quedar condicionado por las restricciones que a la libertad de explotación, o no explotación, de la tierra, y por los deberes positivos que en relación con la misma se impongan por la Admón., de acuerdo con las leyes, en virtud de la función social de la propiedad rústica. En efecto, puesto que tales restricciones y deberes tienen como finalidad obtener un adecuado aprovechamiento de la tierra, no tendría sentido, antes bien sería contradictorio, que, pudiendo recaer sobre el propietario, no fueran lícitas respecto del empresario, coincida o no con aquél. En otros términos, las limitaciones a la actividad empresarial agrícola son, desde el punto de vista que ahora nos ocupa, indisociables de las limitaciones a las facultades de uso y disfrute de la propiedad rústica, determinadas por la función social de esta última.»
«Desde el punto de vista de lo que prescribe el art. 38 de la C. la función social de la propiedad, al configurar el contenido de este derecho mediante la imposición de debe-

res positivos a su titular, no puede dejar de delimitar a su vez el derecho del empresario agrícola para producir o no producir, para invertir o no invertir.»

«Que esta última ratio de las medidas forzosas de mejora de las explotaciones agrícolas implica la sustitución, al menos en parte, del criterio empresarial del particular por el de la Admón., no parece discutible (se refiere a que la no presentación por el interesado de un plan de mejora o el rechazo del que presenta dará lugar a que sea la Admón. la que redacte dicho plan). Pero a ello debe añadirse que la licitud «constitucional de tales medidas, así como la subsiguiente expropiación si el Plan de Mejora forzosa no es aceptado o no es cumplido por el empresario agrícola, viene dada por su carácter de sanción legal a un previo incumplimiento de los deberes que definen la función social que las fincas rústicas están llamadas a satisfacer. En resumen, la libertad de empresa que reconoce el art. 38 de la C. no puede exonerar del cumplimiento de la función social de la propiedad, de lo que se sigue que las limitaciones legítimamente derivadas de esta última no infringen en ningún caso el contenido esencial de la libertad de empresa.»

STC. 49/88 de 22 de marzo **(libre empresa y autonomía organizativa de Cajas de Ahorro)**

Fto. Jco. 12: «Como cuarto motivo de impugnación aducen los recurrentes la supuesta violación por la Ley impugnada (Ley 31/85 de 2 de agosto, de regulación de las Normas Básicas sobre Organos Rectores de las Cajas de Ahorro) de la libertad de empresa reconocida en el art. 38 de la C. Parten para ello de la consideración de las Cajas como entidades privadas que actúan en el ámbito financiero, participando de los caracteres de la empresa, e invocan la pretendida naturaleza de fundación-empresa que, a su entender tienen las Cajas. Y para lo que aquí importa, sostienen que el contenido esencial de la libertad de empresa comprende la autonomía organizativa. No es necesario recordar lo que ya se dijo sobre la figura de la fundación-empresa aplicada a las Cajas, pero sí conviene advertir de nuevo que las Cajas son en la actualidad entidades de crédito y se dedican a una actividad de especial delicadeza y riesgo no sólo para quienes la realizan sino también para quienes operan con ellas y para la estabilidad económica en general. Quiénes toman las decisiones relativas a esta actividad y cómo se toman, es decir, la organización de la entidad, no es cuestión que quepa aislar de la actividad misma. Ahora bien, en la atípica institución que es la Caja no es posible que las tomen los que asumen el riesgo de la gestión de la empresa, o sea sus propietarios, puesto que por su naturaleza carece de propietarios. Tampoco parece coherente que la adopten quienes no asumen ese riesgo. No resulta por ello contrario al precepto constitucional invocado por los poderes públicos, a quienes corresponde velar por el interés general, establezcan con mayor o menor precisión la composición de los órganos rectores de las Cajas. Conviene también recordar que dicho precepto se refiere a las empresas privadas, es decir, a organizaciones que tienen una finalidad de lucro, y garantiza, en término la existencia de una economía de mercado. Pero las Cajas no pueden tener aquella finalidad ni persiguen distribuir beneficios, sino que el excedente de sus rendimientos lo han de dedicar a obra social, con lo que de nuevo vuelve a aparecer el interés público en su gestión y su carácter atípico, pues se trataría, en todo caso, de entidades sin fin de lucro, lo que ciertamente no responde al concepto tradicional de empresa. Aún podría añadirse que en la misma Banca privada la Ley restringe la libertad de organización que tienen las otras empresas al imponerles la forma de sociedad anónima y establecer otros requisitos sin duda atendiendo a la ya señalada trascendencia económica y especiales riesgos de su gestión.»

STC. 127/94 de 5 de mayo (libertad de empresa y TV como servicio público)

Fto. Jco. 6 D): «Por otra parte, la estricta libertad de empresa (art. 38 CE), sin sometimiento a intervención administrativa alguna, y especialmente cuando existen inevitables obstáculos fácticos en nuestras sociedades a la misma existencia del mercado, no garantiza en grado suficiente el derecho fundamental de los ciudadanos en cuanto espectadores a recibir una información libre y pluralista a través de la televisión, dada la tendencia al monopolio de los medios informativos y el ámbito nacional de las emisiones que la Ley regula. Del mismo modo que no lo asegura el monopolio público televisivo. En este contexto, la noción de servicio público es una técnica que, al igual que otras constitucionalmente posibles, puede permitir al legislador ordenar una adecuada concurrencia de las televisiones públicas y las distintas televisiones privadas.»

«Es por lo demás cierto que la vigencia de la libertad de empresa no resulta constitucionalmente resquebrajada por el hecho de limitaciones derivadas de las reglas que disciplinen, proporcionada y razonablemente el mercado... y entre otras por el sometimiento a una autorización administrativa que tutele distintos bienes constitucionales y los derechos de otros).»

CAPÍTULO III
De los principios rectores de la política social y económica

Art. 39. 1. Los poderes públicos aseguran la protección social, económica y jurídica de la familia.

2. Los poderes públicos aseguran, asimismo, la protección integral de los hijos, iguales éstos ante la ley con independencia de su filiación, y de las madres, cualquiera que sea su estado civil. La ley posibilitará la investigación de la paternidad.

3. Los padres deben prestar asistencia de todo orden a los hijos habidos dentro o fuera del matrimonio, durante su minoría de edad y en los demás casos en que legalmente proceda.

4. Los niños gozarán de la protección prevista en los acuerdos internacionales que velan por sus derechos.

Ver selección con relación al art. 32

STC. 45/89 de 20 de febrero (igualdad y rentas separadas en matrimonio)

Fto. Jco. 7: «La violación del art. 39.1 C.E. que el sistema de acumulación de rentas implica se produce en primer término y, sobre todo, por las mismas razones que obligan a considerar que tal sistema es incompatible con el principio de igualdad. Si la carga tributaria que pesa sobre una persona integrada en una unidad familiar es mayor que la que pesa sobre otro contribuyente con idéntico nivel de renta, pero no integrado en una unidad de este género (o lo que es lo mismo, mayor que la que pesaría sobre esa misma persona si no constituyera parte de una familia, a efectos fiscales), es evidente que no sólo se lesiona el principio de igualdad, sino que directamente se va en contra del mandato constitucional que ordena la protección de la familia, a la que, al obrar así, no sólo no se protege, sino que directamente se la perjudica. Existen, además, otros efectos del sistema por los que también éste resulta cuestionable desde una misma perspectiva. Se trata, sobre todo, de la incidencia que el sistema mismo tiene sobre la división del trabajo en el seno del matrimonio y, en particular, sobre el acceso de los cónyuges al mercado de trabajo, es decir, en la práctica, sobre la influencia que el sistema pueda ejercer sobre la opción de la mujer entre el trabajo en el hogar o su incorporación al mercado de trabajo, pues partimos del supuesto de que cualquier norma que incida sobre la vida de la familia debe ser respetuosa con la concepción de ésta que alienta en la C., de la que forma parte la igualdad entre los cónyuges. Esa igualdad se verá seguramente alterada cuando la libertad de elección u oficio de uno de los cónyuges se vea condicionada por las consecuencias económicas que, en razón de la norma tributaria, se seguirán de su elección y, aunque carecemos de estudios sociológicos que claramente lo establezcan, parece poco dudoso que el sistema de acumulación de rentas, en cuanto que incrementa la carga tributaria de la familia, desestimula, por decir lo menos, el trabajo fuera del hogar del posible perceptor de la segunda renta que es, en la mayor parte de los casos, la esposa. El uso que de la acumulación de renta se ha hecho en otros países con la finalidad expresa de 'devolver la mujer al hogar' avala claramente esta deducción. También desde este punto de vista, pues, el precepto que ahora analizamos se concilia difícilmente con el art. 39.1 en relación con el 32, ambos de la C.E., cuyo respeto exige, en primer lugar, la neutralidad del sistema tributario respecto de la situación recíproca de los cónyuges.

Esta idea de neutralidad es también la que, de acuerdo con el principio de igualdad, debe inspirar el régimen tributario de los sujetos integrados en una unidad familiar, de manera tal que su gravamen no se vea incrementado como consecuencia de la integración.

La existencia de transferencias de capacidad económica entre los cónyuges o entre éstos y otros miembros de la unidad familiar, así como la existencia de fuentes de renta de titularidad compartida y otras razones (y, entre ellas, muy especialmente, la obediencia al mandato constitucional de protección a la familia) dotan de fundamento suficiente a la diferenciación establecida en la Ley del Impuesto entre los sujetos integrados en una unidad familiar y los que no lo están y, en consecuencia, obligan a considerar que la imposición conjunta no es en sí misma contraria a la C. por arbitraria o irrazonable, como ya antes veíamos. Esta resulta transgredida, sin embargo, cuando el tratamiento fiscal distinto que, como consecuencia de esa diferenciación, reciben los cónyuges resulta más gravoso que el que recibirían si no lo fueran, pues la diferencia establecida no autoriza en modo alguno a extraer de ella consecuencias que no son congruentes con su propia razón de ser. Esta es sin duda, la finalidad que persiguen los diversos sistemas que el Derecho comparado ofrece... pues en todos ellos, con una u otra técnica, se intenta asegurar una tributación per cápita de los cónyuges que no exceda de la que les correspondería de no haber contraído matrimonio.»

STC. 184/90 de 15 de noviembre (**matrimonio y unión de hecho: distintas consecuencias jurídicas**)

Fto. Jco. 3: «...es claro que dicho precepto (art. 39) no establece ni postula por sí solo una paridad de trato en todos los aspectos y en todos los órdenes de las uniones matrimoniales y no matrimoniales. Por ello no serán necesariamente incompatibles con el art. 39.1 de la C. aquellas medidas de los poderes públicos que otorguen un trato distinto y más favorable a la unidad familiar basada en el matrimonio que a otras unidades convivenciales, ni aquellas otras medidas que faciliten o favorezcan el ejercicio del derecho constitucional a contraer matrimonio, siempre, claro es, que con ello no se coarte ni se dificulte irrazonablemente al hombre y a la mujer que decidan convivir `more uxorio'... Sin embargo el razonamiento anterior no conduce a afirmar que toda medida que tenga como únicos destinatarios a los cónyuges, con exclusión de quienes conviven establemente en unión de hecho, sea siempre y en todos los casos incompatible con la igualdad jurídica y la prohibición de discriminación que la C. garantiza en su art. 14».

STC. 222/92 de 11 de diciembre (familia matrimonial y no matrimonial)

Fto. Jco. 5: «Ningún problema de constitucionalidad existiría si el concepto de familia presente en el art. 39.1 de la C. hubiera de entenderse referido, en términos exclusivos y excluyentes, a la familia fundada en el matrimonio. No es así, sin embargo. Nuestra C. no ha identificado la familia a la que manda proteger con la que tiene su origen en el matrimonio, conclusión que se impone no sólo por la regulación bien diferenciada de una institución y otra (arts. 32 y 39), sino también, junto a ello, por el mismo sentido amparador o tuitivo con el que la Norma fundamental considera siempre a la familia y, en especial, en el repetido art. 39, protección que responde a imperativos ligados al carácter social de nuestro Estado, y a la atención, por consiguiente, de la realidad efectiva de los modos de convivencia que en la sociedad se expresen. El sentido de estas normas constitucionales no se concilia, por tanto, con la constricción del concepto de familia a la de origen matrimonial, por relevante que sea en nuestra cultura, en los valores y en la realidad de los comportamientos sociales, esa modalidad de vida familiar. Existen otras junto a ella, como corresponde a una sociedad plural...»

«Sin duda que la garantía institucional del matrimonio entraña, además de su existencia necesaria en el ordenamiento, la justificación de la existencia de su específico régimen civil, esto es, del conjunto de derechos, obligaciones y expectativas jurídicas que nacen a raíz de haberse contraído un matrimonio. Cuestión ya distinta es, sin embargo, si el matrimonio, más allá de esta regulación civil que le es propia, puede constituirse en supuesto de hecho de otras normas jurídicas que, en sectores distintos del ordenamiento, atribuyan derechos o, en general, situaciones de ventaja. Planteada en tales términos, esta pregunta no admite respuestas radicales o genéricas, pues tan cierta es la relevante diferenciación de partida entre unas situaciones y otras (matrimoniales y no matrimoniales) como la imposibilidad de zanjar toda duda al respecto con el argumento de que cualquiera ha de asumir las consecuencias, favorables y desfavorables, de no haber ejercido el derecho a no contraer matrimonio, aunque no sea más que por la consideración obvia de no es éste un derecho de ejercicio individual, pues no hay matrimonio sin consentimiento mutuo. La C., pues, no da una respuesta unívoca o general para este tipo de problemas, aunque sí impone que las diferenciaciones normativas que tomen como criterio la existencia de una unión matrimonial se atemperen, según su diverso significado y alcance, al contenido dispositivo de la propia Norma fundamental.»

STC. 7/94 de 17 de enero (investigación de la paternidad)

Fto. Jco. 2: «En efecto, el derecho a la integridad física no se infringe cuando se trata de realizar una prueba prevista por la Ley y acordada razonadamente por la Autoridad judicial en el seno de un proceso. Tampoco se vulnera el derecho a la intimidad cuando se imponen determinadas limitaciones como consecuencia de deberes y relaciones jurídicas que el ordenamiento regula, como es el caso de la investigación de la paternidad y de la maternidad mediante pruebas biológicas en un juicio sobre filiación. Así lo ha declarado este TC. en los AA.TC 103/90 y 221/90... en donde hemos resaltado que en esta clase de juicios se produce una colisión entre los derechos fundamentales de las distintas partes implicadas; y que no hay duda de que, en los supuestos de filiación, prevalece el interés social y de orden público que subyace en las declaraciones de paternidad, en las que están en juego los derechos de alimentos y sucesorios de los hijos, objeto de especial protección por el art. 39.2 CE. lo que trasciende a los derechos alegados por el individuo afectado, cuando está en juego, además, la certeza de un pronunciamiento judicial. Sin que los derechos constitucionales a la intimidad y a la integridad física puedan convertirse en una suerte de consagración de la impunidad, con desconocimiento de las cargas y deberes resultantes de una conducta que tiene una íntima relación con el respeto de posibles vínculos familiares.»

Fto. Jco. 3: «La resolución judicial que, en el curso de un pleito de filiación, ordena llevar a cabo un reconocimiento hematológico de alguna de las partes no vulnera los derechos del afectado a su intimidad y a su integridad, cuando reúne los requisitos delineados por nuestra jurisprudencia al interpretar los arts. 18.1 y 15 CE.:
A) Primero, consistir en una intromisión en el ámbito protegido del ciudadano que no es, por sí sola, inaceptable... Es indudable que no puede considerarse degradante, ni contraria a la dignidad de la persona, la verificación de un examen hematológico por parte de un profesional de la medicina, en circunstancias apropiadas. Un examen de sangre no constituye, per se, una injerencia prohibida... Y la extracción de unas gotas de sangre... no constituye, según un sano criterio, violación del pudor o recato de una persona.
B) En segundo lugar, debe existir una causa prevista por la Ley que justifique la medida judicial de injerencia... La finalidad de la norma que permite la práctica de las pruebas biológicas no es otra que la defensa en primer lugar de los intereses del hijo, tanto en el orden material como en el moral, y destaca como primario el derecho del hijo a que se declare su filiación biológica...
C) En tercer lugar, las pruebas biológicas en la medida en que conllevan la práctica de una intervención corporal tan solo se justifican cuando sean indispensables para alcanzar los fines constitucionalmente protegidos, de tal suerte que, cuando la evidencia sobre la paternidad pueda obtenerse a través de otros medios probatorios menos lesivos para la integridad física, no está autorizado el órgano judicial a disponer la práctica obligatoria de los análisis sanguíneos.
D) En ningún caso puede disponerse por el Juez la práctica de una intervención corporal destinada a la investigación de la paternidad cuando pueda suponer para quien tenga la obligación de soportarla un grave riesgo o quebranto para su salud. En cualquier caso la ejecución de tales intervenciones corporales se habrá de efectuar por personal sanitario y en centros hospitalarios públicos.
E) Por último, la medida judicial que ordena realizar las pruebas biológicas debe guardar una adecuada proporción entre la intromisión que conlleva en la intimidad y la integridad física o moral del afectado por ellas, y la finalidad a la que sirve... Ponderación que ha de plasmarse en la motivación de la necesidad de la medida que ha de razonarse en la decisión judicial.»

Art. 40. 1. Los podres públicos promoverán las condiciones favorables para el progreso social y económico y para una distribución de la renta regional y personal más equitativa, en el marco de una política de estabilidad económica. De manera especial realizarán una política orientada al pleno empleo.

2. Asimismo, los poderes públicos fomentarán una política que garantice la formación y readaptación profesionales; velarán por la seguridad e higiene en el trabajo y garantizarán el descanso necesario, mediante la limitación de la jornada laboral, las vacaciones periódicas retribuidas y la promoción de centros adecuados.

Ley 51/1980 de 8 de octubre, Básica de Empleo, modificada por Ley 31/1984, de 2 de agosto, de protección por desempleo, a su vez modificada por Ley 22/1992, de 30 de junio, de medidas urgentes sobre fomento del empleo y protección por desempleo, y por LO. 10/1994 de 19 de mayo.

Ley 4/1983 de 29 de junio, de fijación de la jornada máxima de cuarenta horas semanales y vacaciones mínimas de treinta días.

Ley 1/1986 de 7 de enero, de creación del Consejo General de Formación Profesional.

STC. 22/81 de 2 de julio

Ftos. Jcos. 8 y 9: Ver selección con relación al art. 35.

STC. 64/90 de 5 de abril

Ver selección con relación al art. 139.

Art. 41. Los poderes públicos mantendrán un régimen público de Seguridad Social para todos los ciudadanos, que garantice la asistencia y prestaciones sociales suficientes ante situaciones de necesidad, especialmente en caso de desempleo. La asistencia y prestaciones complementarias serán libres.

Real Decreto Legislativo 1/1994, de 20 de junio, por el que se aprueba el Texto Refundido de la Ley General de la Seguridad Social.

STC. 103/83 de noviembre (**estado de necesidad como objeto de protección**)

Fto. Jco. 4: «El art. 41 de la C. establece la obligación de los poderes públicos de mantener un régimen de seguridad social para todos los ciudadanos, que garantice la asistencia y las prestaciones sociales suficientes en 'situaciones de necesidad'. La adopción de este término no se opone a la idea de perjuicio. La referencia a una 'situación de necesidad' o a un 'estado de necesidad' obedece a la voluntad de superar la primitiva perspectiva legal, donde era prioritaria la noción de 'riesgo' o 'contingencia', que se produjo en la Ley de Bases de la Seguridad Social de 1963, aún cuando todavía subsista parcialmente una atención diferenciada del estado de necesidad según el riesgo de que deriva: accidente de trabajo o no.

Acoger el estado o situación de necesidad como objeto y fundamento de la protección, implica una tendencia a garantizar a los ciudadanos un mínimo de rentas, estableciendo una línea por dejado de la cual comienza a actuar la protección. El hecho es, sin embargo, que esta tendencia no aparece plasmada en nuestra normativa legal, que no se basa en la protección frente a la pobreza, sino en la compensación frente a un daño, como es un exceso de gastos o un defecto de ingresos originado por la actualización de una determinada contingencia (muerte, incapacidad, etc.).»

Fto. Jco. 6: «Es verdad que el art. 41 de la C. dice que 'los poderes públicos etc...'. Sin embargo, no puede ser discutido que del hecho de que el art. 41 sólo en las situaciones de necesidad la protección se otorga. El derecho del art. 41 es un mínimum constitucionalmente garantizado. El legislador puede, a impulso de motivaciones de orden de política jurídica o de política social, ampliar el ámbito de la protección.

STC. 134/87 de 21 de julio (correspondencia limitada entre cotización y percepción)

Fto. Jco. 4: «El TC. ha señalado en esas Sentencias (STC. 103/83 y 121/83) que existe, sin duda, una cierta correspondencia entre cotización y prestación, pero que no es de índole estrictamente matemática ni puede equipararse con la que deriva de una relación contractual, como ocurre en el seguro privado. El régimen de prestaciones de la Seguridad Social no es, en efecto, un régimen contractual, del que lo diferencian radicalmente las notas de universalidad, obligatoriedad y uniformidad. Se trata de un régimen legal que tiene como límites, entre otros, el respeto al principio de igualdad, la prohibición de la arbitrariedad y el derecho a la asistencia y a prestaciones sociales suficientes para situaciones de necesidad que la C. garantiza en su art. 41, situaciones éstas, que aquí no podrían alegarse, dada la cuantía de las pensiones afectadas. Por ello y sin negar que, como ya se dijo en la citada STC. 121/83, el régimen de la S. Social se asienta en alguna medida en el principio contributivo, conviene tener en cuenta que la relación entre cotización y prestación que se da en una relación contractual no puede trasladarse en forma automática al régimen legal de la S. Social. De un lado, porque la conexión inmediata y directa entre la cotización y la pensión propia del régimen contractual no existen en el régimen general de la S. Social, en que las prestaciones a que el asegurado tiene derecho son diversas (por ejemplo, asistencia sanitaria, jubilación, viudedad), sin que de la limitación o reducción de una de ellas pueda concluirse que se ha producido una privación de derechos si el bloque de derechos y prestaciones del asegurado se mantiene en su conjunto. Por otra parte, la relación dual entre el asegurado y la Empresa aseguradora propia del régimen contractual desaparece en el régimen legal de la S. Social, donde las Empresas o Entidades para las que se trabaja y el mismo Estado participan junto a los contratantes con aportaciones que resultan determinantes de la cuantía de la pensión. De todo ello resulta que los afiliados a la S. Social no ostentan un derecho subjetivo a una cuantía determinada de las pensiones futuras, es decir, de las pensiones respecto a las cuales no se ha producido el hecho que las causa. Por tanto, la norma cuestionada, en cuanto limita el importe de las pensiones causadas durante el año 1984 a un máximo determinado, no invade derechos subjetivos de los interesados, por lo que no incurre en los motivos de inconstitucionalidad alegados en este aspecto por el TCT.»

Fto. Jco. 5: «De ninguno de estos dos preceptos (arts. 41 y 50 CE.) puede deducirse... que la C. obligue a que se mantengan todas y cada una de las pensiones iniciales en su cuantía prevista ni que todas y cada una de las ya causadas experimenten un incremento anual. El art. 41 aparte de garantizar un régimen de S. Social pública, asegura la cobertura suficiente para situaciones de necesidad, especialmente en caso de desempleo. Y ya se ha dicho que no puede afirmarse que pensiones iguales o superiores a 187.950 pts. mensuales no cubran las situaciones de necesidad. Respecto al art. 50, el concepto de 'pensión adecuada' no puede considerarse aisladamente, atendiendo a cada pensión singular, sino que debe tener en cuenta el sistema de pensiones en su conjunto, sin que pueda prescindirse de las circunstancias sociales y económicas de cada momento y sin que quepa olvidar que se trata de administrar medios económicos limitados para un gran número de necesidades sociales. Lo mismo cabe decir de la garantía de actualización periódica, que no supone obligadamente el incremento anual de todas las pensiones. Al fijar un límite a la percepción de nuevas pensiones o al negar la actualización durante un tiempo de las que superan ese límite, el legislador no rebasa el ámbito de las funciones que le corresponden en la apreciación de aquellas circunstancias socioeconómicas que condicionan la adecuación y actualización del sistema de pensiones. Esa valoración, con independencia de que se estime más o menos acertada en cada caso, no puede prescindir del deber de solidaridad entre todos los ciudadanos y, en el supuesto que nos ocupa, debe recordarse una vez más que las pensiones limitadas se encuentran entre las más altas de nuestro sistema de S. Social. Ni cabe aducir, que, dado que esas pensiones proporcionalmente altas son pocas, su limitación tiene poca influencia en las finanzas públicas y en poco o nada benefician a los pensionistas más modestos. Tal razonamiento supone, con su simple enunciado, la negación misma del principio de solidaridad, una de cuyas exigencias esenciales es, precisamente, el sacrificio de los intereses de los más favorecidos frente a los más desamparados con independencia, incluso, de las consecuencias puramente económicas de esos sacrificios. Así ciertas declaraciones constitucionales, como el de ser España un Estado social y democrático de Derecho que propugna entre otros valores superiores de su ordenamiento la justicia (art. 1.1), o el deber de promover las condiciones favorables para el progreso social y económico y para una distribución de la renta regional y personal más equitativa (art. 40.1), lejos de apoyar las tesis sustentadas por el TCT. pueden ser invocados precisamente en su contra cuando se mantienen y actualizan las pensiones más bajas y se limitan las más altas, en atención, a los recursos limitados que a todos ellos pueden dedicarse.»

STC. 37/94 de 10 de febrero (**la garantía institucional de la Seguridad Social**)

Fto. Jco. 4: «La garantía institucional del sistema de S. Social, en cuanto impone el obligado respeto a los rasgos que la hacen recognoscible en el estado actual de la conciencia social lleva aparejado el carácter público del mencionado sistema. Ahora bien, ese rasgo debe apreciarse en relación con la estructura y el régimen del sistema en su conjunto, sin distorsionar la evaluación, centrándola en aspectos concretos de éste desvinculados del conjunto al que pertenecen; sin cerrar la interpretación de ciertos conceptos de relevancia constitucional, ni tampoco haciéndoles encajar indebidamente en los moldes que en un determinado momento proporciona la ley ordinaria, tratando de descartar que pueda haber otros posibles. Lo que verdaderamente ha de ser tutelado por imperativo constitucional es que no se pongan en cuestión los rasgos estructurales de la institución S. Social a la que pertenecen.»

«Desde esta perspectiva, el carácter público del sistema de S. Social no queda cuestionado por la incidencia en él de formas de gestión o responsabilidad privadas, de importancia relativa en el conjunto de la acción protectora de aquél...»

Art. 42. El Estado velará especialmente por la salvaguardia de los derechos económicos y sociales de los trabajadores españoles en el extranjero, y orientará su política hacia su retorno.

Art. 43. 1. Se reconoce el derecho a la protección de la salud.

2. Compete a los poderes públicos organizar y tutelar la salud pública a través de medidas preventivas y de las prestaciones y servicios necesarios. La ley establecerá los derechos y deberes de todos al respecto.

3. Los poderes públicos fomentarán la educación sanitaria, la educación física y el deporte. Asimismo facilitarán la adecuada utilización del ocio.

L.O. 4/1986 de 14 de abril, de medidas especiales en materia de salud pública.
Ley 14/1986 de 25 de abril, General de Sanidad.
Ley 10/1990 de 15 de octubre, del Deporte
Ley 25/1990, de 20 de diciembre, del Medicamento
Ley 41/2002, de 14 de noviembre, básica reguladora de la autonomía del paciente y de derechos y obligaciones en materia de información y documentación clínica.

Art. 44. 1. Los poderes públicos promoverán y tutelarán el acceso a la cultura, a la que todos tienen derecho.

2. Los poderes públicos promoverán la ciencia y la investigación científica y técnica en beneficio del interés general.

Ley 13/1986 de 14 de abril, de Fomento y Coordinación General de la Investigación científica y Técnica.

Art. 45. 1. Todos tienen el derecho a disfrutar de un medio ambiente adecuado para el desarrollo de la persona, así como el deber de conservarlo.

2. Los poderes públicos velarán por la utilización racional de todos los recursos naturales, con el fin de proteger y mejorar la calidad de la vida y defender y restaurar el medio ambiente, apoyándose en la indispensable solidaridad colectiva.

3. Para quienes violen lo dispuesto en el apartado anterior, en los términos que la ley fije, se establecerán sanciones penales o, en su caso, administrativas, así como la obligación de reparar el daño causado.

Ley 20/1986, de 14 de mayo, básica de residuos tóxicos y peligrosos.

Ley 4/1989, de 27 de marzo, de Conservación de los Espacios naturales y de la Flora y Fauna silvestres.

STC. 64/82 de 4 de noviembre (protección explotación minera y medio ambiente)

Fto. Jco. 2: «El art. 45 recoge la preocupación ecológica surgida en las últimas décadas en amplios sectores de opinión que ha plasmado también en numerosos documentos internacionales. En su virtud no puede considerarse como objetivo primordial y excluyente la explotación al máximo de los recursos naturales, el aumento de la producción a toda costa, sino que se ha de armonizar la 'utilización racional' de esos recursos con la protección de la naturaleza, todo ello para el mejor desarrollo de la persona y para asegurar una mejor calidad de vida. Estas consideraciones son aplicables a las industrias extractivas como a cualquier otro sector económico y supone, en consecuencia, que no es aceptable la postura del representante del Gobierno... de que exista una prioridad absoluta del fomento de la producción minera frente a la protección del medio ambiente. Recuérdese también que 'la calidad de vida' que cita el art. 45 y uno de cuyos elementos es la obtención de un medio ambiente adecuado para promoverla está proclamada en el preámbulo de la C. y recogida en algún otro art., como el 129.2. Sin embargo, debe advertirse que la C. impone asimismo 'el deber de atender al desarrollo de todos los sectores económicos' (art. 130.1), deber al que hace referencia el art. 55.1 del Estatuto de Cataluña. Ese desarrollo es igualmente necesario para lograr aquella mejora. La conclusión que se deduce del examen de los preceptos constitucionales lleva a la necesidad de compaginar en la forma que en cada caso decida el legislador competente la protección de ambos bienes constitucionales: el medio ambiente y el desarrollo económico.

En cuanto a las técnicas apropiadas para llevar a cabo la protección del medio ambiente corresponde su elección al legislador, máxime cuando el mismo art. 45 del texto constitucional habla expresamente, como se ha visto, de 'defender y restaurar el medio ambiente'. La técnica de la restauración está por tanto, expresamente reconocida en la C.»

Fto. Jco. 5: «...lo que interesa examinar aquí es si la imposición con la finalidad de proteger el medio ambiente, que constituye como tantas veces se ha dicho el objetivo de la Ley (12/81 de 24 de diciembre, del Parlamento de Cataluña, por la que se establecen normas adicionales de protección de espacios de especial interés natural afectados por actividades extractivas), de requisitos y cargas para el otorgamiento de las autorizaciones, permisos y concesiones mineras, no previsto en la legislación general del Estado, desborda el marco de la legislación básica de éste en la materia. La respuesta debe ser negativa en cuanto tales requisitos y cargas están dirigidos a la protección de un bien constitucional como es el medio ambiente, siempre que esas cargas y requisitos no alteren el ordenamiento básico minero, sean razonables, proporcionados al fin propuesto y no quebranten el principio de solidaridad consagrado en los arts. 2 y 138 de la C. con carácter general, en el 45 con relación específica a la protección del medio ambiente y recogido también en el Preámbulo del Estatuto de Cataluña.»

Fto. Jco. 6: Ver selección con relación al art. 128.

Fto. Jco. 7: «Problemas específicas plantea también el art. 6.4 de la Ley del Parlamento Catalán, que autoriza a la Administración de la Generalidad a denegar la autorización en dos supuestos que deben considerarse por separado. Uno es que la explotación sea de poco valor económico o de baja rentabilidad a causa de los elevados costes de restauración. el otro consistente en que sea técnicamente imposible esa restauración en los términos establecidos por la Ley. Respecto al primer supuesto no resulta que la facultad de denegar sea necesaria para alcanzar la finalidad confesada de la Ley, ya que el sistema de fianzas que la misma establece parece suficiente para asegurar la protección del medio ambiente...»

Fto. Jco. 8: «Distinto es el segundo de los supuestos contemplados en el art. 6.4, a saber, el que sea técnicamente imposible la restauración. En estas hipótesis no puede calificarse de desproporcionada, en principio, la denegación de la autorización, ni de inconstitucional el precepto. Lo que puede plantearse en casos concretos es el conflicto entre los dos intereses cuya compaginación se propugna a lo largo de esta Sentencia: la protección del medio ambiente y el desarrollo del sector económico minero. Ello supone ponderar en cada caso la importancia para la economía nacional de la explotación minera de que se trata y del daño que pueda producir al medio ambiente, y requiere también entender que la restauración exigida podrá no ser siempre total y completa, sino que ha de interpretarse con criterio flexible como parece deducirse del mismo preámbulo de la Ley al decir que su finalidad es que 'la zona afectada quede bien integrada en el conjunto natural que la rodea'. Este criterio de ponderación de los intereses en presencia cobra particular relieve cuando el Estado en defensa de la economía nacional haya declarado o declare en cualquier de las formas legalmente posibles la prioridad de determinadas actividades extractivas. En esta circunstancia es de presumir que el fomento de esas actividades declaradas prioritarias requiere considerarlas prioritarias respecto del medio ambiente en tanto el Estado no declare en forma expresa esta última prioridad y sin perjuicio de que se tengan en cuenta las circunstancias de cada caso concreto. En esos supuestos el deber de restauración deberá ajustarse a las posibilidades de llevarlo a cabo sin detrimento de la explotación, siendo aconsejable una adecuada colaboración entre la Admón. del Estado y la de la C.A. que ayude a buscar soluciones equitativas.»

STC. 36/94 de 10 de febrero (medio ambiente y ordenación del territorio)

Fto. Jco. 3: «No puede excluirse que en estas normas (de protección de la naturaleza y los valores naturales y paisajísticos de un espacio concreto) se establezcan limitaciones al uso tanto del dominio marítimo-terrestre como de los terrenos situados en zonas colindantes. La competencia de ordenación del territorio, aunque debe ponderar los efectos sobre el medio ambiente, no atrae hacia sí las normas relativas a la protección de la naturaleza, ni todo lo relativo a la preservación de los ecosistemas, que, por otra parte y contra lo que afirman los recurrentes, no se limitan a la preservación del medio para asegurar las actividades de pesca, caza y agricultura. Al igual que las demás actuaciones con incidencia territorial, estas competencias en materia de medio ambiente pueden condicionar el ejercicio de la competencia sobre ordenación del territorio. Sin embargo, a pesar de este contenido propio y de la posibilidad de condicionar el ejercicio de la competencia de ordenación territorial, desde estos títulos no puede invadirse el ámbito reservado a esta última, llevando a cabo directamente la ordenación del suelo.»

Art. 46. Los poderes públicos garantizarán la conservación y promoverán el enriquecimiento del patrimonio histórico, cultural y artístico de los pueblos de España y de los bienes que lo integran, cualquiera que sea su régimen jurídico y su titularidad. La ley penal sancionará los atentados contra este patrimonio.

Ley 16/1985 de 25 de junio, del Patrimonio Histórico.

STC. 17/1991 de 31 de enero (**competencias estatales y autonómicas**)

Fto. Jco. 3. Debe, pues, afirmarse la existencia de una competencia concurrente del Estado y las Comunidades Autónomas en materia de cultura con una acción autonómica específica, pero teniéndola también el Estado «en el área de preservación del patrimonio cultural común, pero también en aquello que precise de tratamientos generales o que haga menester esa acción pública cuando los fines culturales no pudieran lograrse desde otras instancias» (STC. 49/1984 ambas citadas). La integración de la materia relativa al patrimonio histórico-artístico en la más amplia que se refiere a la cultura permite hallar fundamento a la potestad del Estado para legislar en aquélla. Y si la cuestionada Ley 13/1985, de 25 de junio, pretende, como hemos dicho, establecer el estatuto peculiar de estos bienes, en ese amplio designio se comprende, en primer lugar, lo relativo a «los tratamientos generales» a los que se refiere la citada STC. 49/1984 y entre ellos, específicamente, aquellos principios institucionales que reclaman una definición unitaria, puesto que se trata del Patrimonio Histórico Español en general (Preámbulo y art. 1.1). Hay que agregar que la delimitación de las competencias exclusivas autonómicas permite al Estado regular aquellas materias que no hayan sido estatutariamente asumidas por cada una de ellas. Por último, la atribución de competencia exclusiva al Estado para la «defensa del patrimonio cultural, artístico y monumental español contra la exportación y la expoliación y respecto de museos, archivos y bibliotecas de titularidad estatal sin perjuicio de su gestión por las Comunidades Autónomas» (art. 149.1.2 C.E.). comporta la necesidad de regular el ámbito concreto de esa actividad de protección y, en relación con la misma, aquellos aspectos que le sirven de presupuesto necesario.

No cabe sin embargo extender la competencia estatal a ámbitos no queridos por el constituyente, por efecto de aquella incardinación general del patrimonio histórico artístico en el término cultural, pues por esta vía se dejarían vacíos de contenido los títulos del bloque de la constitucionalidad que se limitan a regular una porción definida del amplio espectro de la misma. Existe en la materia que nos ocupa un título de atribución al Estado definido en el art. 149.1.28 C.E. al que se contrapone el que atribuye competencias a las Comunidades fundado en los Estatutos de Autonomía. De ahí que la distribución de competencias Estado-Comunidades Autónomas en cuanto al Patrimonio Cultural, Artístico y Monumental haya de partir de aquel título estatal pero articulándolo con los preceptos estatutarios que definen competencias asumidas por las Comunidades Autónomas en la materia. El Estado ostenta, pues, la competencia exclusiva en la defensa de dicho patrimonio contra la exportación y la expoliación, y las Comunidades Autónomas recurrentes en lo restante, según sus respectivos Estatutos; sin que ello implique que la eventual afectación de intereses generales o la concurrencia de otros títulos competenciales del Estado en materia determinada no deban también tenerse presentes como límites que habrá que ponderar en cada caso concreto. (Así los títulos que resultan, v. gr. de los números 6 y 8 del art. 149.1.)

Art. 47. Todos los españoles tienen derecho a disfrutar de una vivienda digna y adecuada. Los poderes públicos promoverán las condiciones necesarias y establecerán las normas pertinentes para hacer efectivo este derecho, regulando la utilización del suelo de acuerdo con el interés general para impedir la especulación.

La comunidad participará en las plusvalías que genere la acción urbanística de los entes públicos.

STC. 152/88 de 20 de julio (**contenido social de la política de vivienda**)

Fto. Jco. 2: «La política de vivienda, junto a su dimensión estrictamente económica, debe tener un señalado acento social, en atención al principio rector que establece el art. 47 de la Norma fundamental, siendo así que uno y otro aspecto, el económico y social, se revelan difícilmente separables. Sin embargo, el art. 47 no constituye por sí mismo un título competencial autónomo en favor del Estado, sino un mandato o directriz constitucional que ha de informar la actuación de todos los poderes públicos (art. 53 CE), en el marco de sus respectivas competencias.»

Art. 48. Los poderes públicos promoverán las condiciones para la participación libre y eficaz de la juventud en el desarrollo político, social, económico y cultural.

Ley 18/1983 de 16 de noviembre, del Consejo de la Juventud de España.

Art. 49. Los poderes públicos realizarán una política de previsión, tratamiento, rehabilitación e integración de los disminuidos físicos, sensoriales y psíquicos, a los que prestarán la atención especializada que requieran y los ampararán especialmente para el disfrute de los derechos que este Título otorga a todos los ciudadanos.

Ley 13/1982 de 7 de abril, de integración social de los Minusválidos.

STC. 269/94 de 3 de octubre (**minusvalías físicas y reserva de plazas en la función pública**)

Fto. Jco. 4: «No siendo cerrado el elenco de factores diferenciales enunciado en el art. 14 CE. es claro que la minusvalía física puede constituir una causa real de discriminación. Precisamente porque puede tratarse de un factor de discriminación con sensibles repercusiones para el empleo de los colectivos afectados, tanto el legislador como la normativa internacional (Convenio 159 de la OIT) han legitimado la adopción de medidas promocionales de la igualdad de oportunidades de las personas afectadas por diversas formas de discapacidad que, en síntesis, tienden a procurar la igualdad sustancial de sujetos que se encuentran en condiciones desfavorables de partida para muchas facetas de la vida social en las que está comprometido su propio desarrollo como personas. De ahí la estrecha conexión de este mandato contenido en el art. 9.2 CE. y, específicamente, con su plasmación en el art. 49 CE. Lógicamente, la legitimidad constitucional de medidas de esta naturaleza equiparadora de situaciones sociales de desventaja, sólo puede ser valorada en el mismo sentido global, acorde con las dimensiones del fenómeno que trata de paliarse, en que se han adoptado, adecuándose a su sentido y finalidad. Por ello no resulta admisible un argumento que tiende a ignorar la dimensión social del problema y sus remedios, tachando a éstos de ilegítimos por su impacto desfavorable, sobre sujetos individualizados en los que no concurren los factores de discriminación cuyas consecuencias se ha tratado de evitar.»

Art. 50. Los poderes públicos garantizarán, mediante pensiones adecuadas y periódicamente actualizadas, la suficiencia económica a los ciudadanos durante la tercera edad. Asimismo, y con independencia de las obligaciones familiares, promoverán su bienestar mediante un sistema de servicios sociales que atenderán sus problemas específicos de salud, vivienda, cultura y ocio.

STC. 134/87 de 21 de julio

Ftos. Jcos. 4 y 5: Ver selección con relación al art. 41.

STC. 114/87 de 7 de julio (**distintos sistemas de pensiones**)

Fto. Jco. 3: «…En consecuencia, corresponde al legislador determinar el alcance del derecho de los ciudadanos a obtener y la correlativa obligación de los poderes públicos de otorgar una pensión durante la tercera edad, estableciendo los requisitos y condiciones que se precisen para hacer efectivo ese derecho. En el ejercicio de su potestad, el legislador puede, sin duda, contemplar una pluralidad de situaciones jurídicas diversas y regularlas de manera diferente, sin que la C. le constriña al establecimiento de un único sistema prestacional fundado en principios idénticos, ni a la regulación de unos mismos requisitos o la previsión de iguales circunstancias determinantes del nacimiento del derecho a la pensión de retiro o de la pérdida del mismo. En tal sentido, es claro que existe una diferencia esencial entre los supuestos legales en que tal derecho se adquiere o consolida mediante la exacción de cuotas obligatorias durante un cierto período de tiempo y aquellos otros en que esta contraprestación previa no se impone, como es el caso de los militares voluntarios a que se refiere la Ley de 13 de mayo de 1932. Desde el punto de vista de la causación o pérdida de los derechos pasivos, no es por tanto exigible que la ley establezca una regulación homogénea, toda vez que unas y otras situaciones no son jurídicamente equiparables.»

Art. 51. 1. Los poderes públicos garantizarán la defensa de los consumidores y usuarios, protegiendo, mediante procedimientos eficaces, la seguridad, la salud y los legítimos intereses económicos de los mismos.

2. Los poderes públicos promoverán la información y la educación de los consumidores y usuarios, fomentarán sus organizaciones y oirán a éstas en las cuestiones que puedan afectar a aquéllos, en los términos que la ley establezca.

3. En el marco de lo dispuesto por los apartados anteriores, la ley regulará el comercio interior y el régimen de autorización de productos comerciales.

Ley 26/1984 de 19 de julio, General para la Defnesa de los Consumidores y Usuarios.

STC. 88/86 de 1 de julio (**principio rector; concurrencia de poderes públicos**)

Fto. Jco. 4: «Junto a esta forma de intervención del Estado en la regulación del mercado, que deriva de los mismos términos del art. 38, pueden encontrarse otras, de relevancia para el caso que nos ocupa, que se fundan en preceptos constitucionales específicos, como el art. 51, en sus apartados 1 y 3... La defensa del consumidor aparece así como un principio rector de la política social y económica, cuya garantía la C. impone a los poderes públicos. La misma naturaleza de este objetivo, por la variedad de ámbitos en que incide, hace que, en un Estado descentralizado como el nuestro, esta garantía no pueda estar concentrada en una sola instancia, ya sea central o autonómica... siendo más bien la resultante de la suma de las actuaciones normativas, enderezadas a este objetivo, de los distintos poderes públicos que integran el Estado, con base en su respectivo acervo competencial.»

STC. 14/92 de 10 de febrero (**principios rectores y libertad del legislador**)

Fto. Jco. 11: «El art. 51.1 enuncia un principio rector de la política social y económica y no un derecho fundamental. Pero de ahí no se sigue que el legislador pueda contrariar el mandato de defender a los consumidores y usuarios, ni que este TC. no pueda contrastar las normas legales, o su interpretación o aplicación con tales principios. Los cuales, al margen de su mayor o menor generalidad de contenido, enuncian proposiciones vinculantes en términos que se desprenden inequívocamente de los arts. 9 y 53 de la C. Ahora bien, es también claro que, de conformidad con el valor superior del pluralismo político (art. 1.1 CE.), el margen que estos principios dejan al legislador es muy amplio. Así ocurre con el art. 51.1 de la CE., que determina unos fines y unas actuaciones de gran latitud, que pueden ser realizados con fórmulas de distinto contenido y alcance. Pero en cualquier caso son normas que deben informar la legislación positiva y la práctica judicial».

Art. 52. La ley regulará las organizaciones profesionales que contribuyan a la defensa de los intereses económicos que les sean propios. Su estructura interna y funcionamiento deberán ser democráticos.

STC. 179/94 de 16 de junio (sobre las Cámaras de Comercio)

Fto. Jco. 4: «La C... reconoce el derecho de asociación (que) incluye la llamada libertad negativa de asociación, es decir, el derecho a no asociarse...»

Fto. Jco. 5: «La C., sin embargo,... admite expresamente la legitimidad de la genéricamente llamada Administración corporativa, es decir, de las 'corporaciones no territoriales', 'corporaciones sectoriales de base privada', o 'entes públicos asociativos', entendiendo por tales, en términos generales, a diversas agrupaciones sociales, creadas por voluntad de la ley en función de diversos intereses sociales, fundamentalmente profesionales, dotadas frecuentemente de personalidad jurídico-pública, y acompañadas, también frecuentemente, del deber de afiliarse a las mismas. Así lo hace, ante todo, en su art. 36 respecto de los Colegios Profesionales, como una de las manifestaciones más características de esta Administración corporativa.»

«Ciertamente, el legislador puede dotarles del carácter de 'Corporaciones de Derecho Público', puede asignarles algunas funciones jurídico-públicas más o menos relevantes, pero esencialmente siguen siendo formaciones o agrupaciones sociales. En relación con estas 'organizaciones', y al hilo de su caracterización como Corporaciones de Derecho Público, la ley ha impuesto con frecuencia a los ciudadanos que se hallan comprendidos dentro del ámbito social, fundamentalmente profesional, sobre el que respectivamente se proyectan, la obligación de afiliarse o incorporarse a las mismas... Sobre todo... la ley ha impuesto la obligación de contribuir al sostenimiento de estas organizaciones sociales, bien imponiendo el deber legal de satisfacer las cuotas o derramas que las propias organizaciones determinen, bien incluso, en algunos casos, en forma de exacciones parafiscales.»

Fto. Jco. 7: «...En términos de nuestra ya citada STC. 67/85 (cuyo tenor literal se reitera en la reciente STC. 89/89, referente a la adscripción obligatoria en Colegios profesionales), las excepciones al principio general de libertad de asociación han de justificarse en cada caso porque respondan a medidas necesarias para la consecución de fines públicos, y con los límites precisos para que ello no suponga una asunción (ni incidencia contraria a la C.) de los derechos fundamentales... En consecuencia, la limitación de la libertad del individuo afectado consistente en su integración forzosa en una agrupación de base 'asociativa', sólo será admisible cuando venga determinada tanto por la relevancia del fin público que se persigue, como por la imposibilidad, o al menos dificultad, de obtener tal fin sin recurrir a la adscripción forzada a un ente corporativo. A partir de estas consideraciones concluíamos entonces en la inconstitucionalidad parcial de la Ley de Cataluña de Cámaras Profesionales Agrarias y, poco después, declarábamos derogada por la C. la regulación de las Cámaras Agrarias (STC. 139/89).»

Fto. Jco. 8: «De esta doctrina constitucional cabe extraer... tres criterios mínimos y fundamentales a la hora de determinar si una determinada asociación de creación legal, de carácter público y adscripción obligatoria, puede superar un adecuado control de constitucionalidad.»

«En primer lugar no puede quedar afectada la libertad de asociación en su sentido ordinario o positivo... La adscripción obligatoria a una entidad corporativa no puede ir acompañada de una prohibición paralela de asociarse libremente.»

«En segundo lugar, el recurso a esta forma de actuación administrativa... no puede ser convertida en la regla sin alterar el sentido de un Estado social y democrático de Derecho basado en el valor superior de la libertad...»

«En tercer lugar, la adscripción obligatoria... en cuanto tratamiento excepcional... debe encontrar suficiente justificación, ya sea en disposiciones constitucionales, ya sea en las características de los fines de interés público que persigan, de las que resulte, cuando menos, la dificultad de obtener tales fines sin recurrir a la adscripción forzosa a un ente corporativo.»

Fto. Jco. 10: «En cuanto a la posible justificación del tratamiento excepcional, que respecto del principio de libertad supone la adscripción obligatoria a las Cámaras de Comercio, no es posible encontrarla en las disposiciones constitucionales... Nada dice el precepto en cuestión (art. 52) sobre el carácter público o privado de tales organizaciones y menos aún sobre la adscripción obligatoria a las mismas de los profesionales de los diversos sectores...»

«A la misma conclusión hay que llegar respecto de la relevancia de los fines públicos perseguidos o la dificultad de obtenerlos de un modo distinto al de una asociación de creación legal, de carácter público y de adscripción obligatoria.»

«...la finalidad de estas Corporaciones de Derecho Público no es otra que el fomento y la representación de los intereses del comercio, la industria y la navegación... (que) es, sin lugar a dudas, una finalidad jurídicamente relevante, en el sentido de que merece y, además, recibe la protección del ordenamiento jurídico. Ello no obstante, no significa que el hecho de recibir la tutela del ordenamiento jurídico los convierta automáticamente en intereses públicos o generales, que por su condición de tal puedan justificar la creación legal de un ente corporativo para su defensa y la adscripción obligatoria al mismo... Se trata de intereses sectoriales que, en principio, no justifican la obligatoriedad de este tipo de corporaciones.»

«...Las funciones que se asignan a las Cámaras de Comercio son muchas y de muy variada índole... Ahora bien... ninguna de ellas justifica la adscripción obligatoria por cuanto no resulta imposible, ni tampoco difícil, ejercer esas funciones a través de técnicas que no constriñan la libertad de asociación de los profesionales del sector profesional de que se trata. Ni las funciones consultivas, ni las certificantes, ni las de llevanza del censo de empresas ni, finalmente, las del apoyo y estímulo a la exportación son actividades cuyo cumplimiento no sea fácilmente atendible sin necesidad de acudir a la adscripción forzosa a una Corporación de Derecho Público.»

STC. 107/96 de 12 de junio (adscripción obligatoria a C. de Comercio)

Fto. Jco. 8: «La STC. 179/94 ...subraya reiteradamente ...que el régimen legal que contempla es el derecho de la Ley de 29 de junio de 1911 y que, por tanto, deja fuera de su consideración la Ley 3/1993»

Fto. Jco. 9: «Como ha puesto de relieve la doctrina constitucional, el principio general de libertad y la libertad negativa de asociación, por un lado, y la legitimidad constitucional de la Administración corporativa, en la que se encomiendan funciones jurídico-públicas a ciertas agrupaciones sociales (arts. 9.2, 36 y 52 CE), por otro, "generan cierto grado de tensión interpretativa en el interior de la CE que no puede ser resuelto desde uno de sus extremos, sino, por el contrario, y como venimos operando, a partir de una interpretación sistemática y global de los preceptos constitucionales implicados; dicho de otro modo, sólo puede ser resuelto desde el principio de unidad de la CE.

Y en esta línea este Tribunal ha elaborado un criterio constitucional, explicitado sobre la base de los mencionados preceptos, que viene a dar complemento de expresión a la CE: La afiliación obligatoria a los entes corporativos se justifica, en lo que ahora importa, por las características de los fines de interés público que se persigan y de las que ha de resultar, cuando menos, la dificultad de obtener tales fines sin recurrir a aquella afiliación.

Ha de concluirse, pues, y esto es lo que se destaca, que el criterio constitucional no se limita a indagar si hay o no dificultad para que una cierta actividad o función pueda desarrollarse sin la adscripción obligatoria, sino que, más profundamente, impone un estudio sobre si resulta o no difícil que los fines perseguidos, los efectos pretendidos puedan obtenerse, conseguirse sin la adscripción obligatoria.»

Fto. Jco. 11: «...Y así las cosas, este Tribunal examinando los fines de seguridad jurídica perseguidos con la recopilación de costumbres y usos normativos mercantiles o de eficacia en la actuación administrativa a que se aspira con la función de asesoramiento y sugerencia de reformas o de promoción de la competitividad exterior pretendida con el Plan Cameral, no encuentra base para concluir que, manifiestamente, tales fines podrían obtenerse sin dificultad por una pluralidad de asociaciones o por la propia Administración precisamente en los mismos términos que se esperan de unas Cámaras dentro de las que convive intereses, experiencias y conocimientos que abarcan todo el círculo de protagonistas de un importante sector de la vida económica.»

CAPÍTULO IV
De las garantías de las libertades y derechos fundamentales

Art. 53. 1. Los derechos y libertades reconocidos en el Capítulo II del presente Título vinculan a todos los poderes públicos. Sólo por ley, que en todo caso deberá respetar su contenido esencial, podrá regularse el ejercicio de tales derechos y libertades, que se tutelarán de acuerdo con lo previsto en el artículo 161, 1, a).

2. Cualquier ciudadano podrá recabar la tutela de las libertades y derechos reconocidos en el artículo 14 y la Sección 1ª del Capítulo II ante los Tribunales ordinarios por un procedimiento basado en los principios de preferencia y sumariedad y, en su caso, a través del recurso de amparo ante el Tribunal Constitucional. Este último recurso será aplicable a la objeción de conciencia reconocida en el artículo 30.

3. El reconocimiento, el respeto y la protección de los principios reconocidos en el Capítulo III informarán la legislación positiva, la práctica judicial y la actuación de los poderes públicos. Sólo podrán ser alegados ante la Jurisdicción ordinaria de acuerdo con lo que dispongan las leyes que los desarrollen.

Ley 29/1998 de 13 de julio reguladora de la Jurisdicción Contencioso-administrativa.
L.O. 2/1979 de 3 de octubre del Tribunal Constitucional.

STC. 11/81 de 8 de abril (doble vía de aproximación a la noción de 'contenido esencial')

Fto. Jco. 8: «Para tratar de aproximarse de algún modo a la idea de 'contenido esencial', que en el art. 53 de la C. se refiere a la totalidad de los derechos fundamentales y que puede referirse a cualesquiera derechos subjetivos, sean o no constitucionales, cabe seguir dos caminos. El primero es tratar de acudir a lo que se puede llamar la naturaleza jurídica o el modo de concebir o de configurar cada derecho. Según esta idea hay que tratar de establecer una relación entre el lenguaje que utilizan las disposiciones normativas y lo que algunos autores han llamado el metalenguaje o ideas generalizadas y convicciones generalmente admitidas entre los juristas, los jueces y, en general, los especialistas en Derecho. Muchas veces el 'nomen' y el alcance de un derecho subjetivo son previos al momento en que tal derecho resulta recogido y regulado por un legislador concreto. El tipo abstracto del derecho preexiste conceptualmente al momento legislativo y en este sentido se puede hablar de una recognoscibilidad de ese tipo abstracto en la regulación concreta. Los especialistas en Derecho pueden responder si lo que el legislador ha regulado se ajusta o no a lo que generalmente se entiende por un derecho de tal tipo. Constituyen el contenido esencial de un derecho subjetivo aquellas facultades o posibilidades de actuación necesarias para que el derecho sea recognoscible como pertinente al tipo descrito y sin las cuales deja de pertenecer a ese tipo y tiene que pasar a quedar comprendido en otro desnaturalizándose, por decirlo así. Todo ello referido al momento histórico de que en cada caso se trata y a las condiciones inherentes en las sociedades democráticas, cuando se trate de derechos constitucionales.

El segundo posible camino para definir el contenido esencial de un derecho consiste en tratar de buscar lo que una importante tradición ha llamado los intereses jurídicamente protegidos como núcleo y médula de los derechos subjetivos. Se puede entonces hablar de una esencialidad del contenido del derecho que es absolutamente necesaria para que los intereses jurídicamente protegibles que dan vida al derecho, resulten real, concreta y definitivamente protegidos. De este modo se rebasa o desconoce el contenido esencial cuando el derecho queda sometido a limitaciones que lo hacen impracticable, lo dificultan más allá de lo razonable o lo despojan de la necesaria protección.

Los dos caminos propuestos para tratar de definir lo que puede entenderse por 'contenido esencial' de un derecho subjetivo no son alternativos, ni menos todavía antitéticos, sino que, por el contrario, se pueden considerar como complementarios, de modo que, al enfrentarse con la determinación del contenido esencial de cada concreto derecho pueden ser conjuntamente utilizados para contrastar los resultados a los que por una u otra vía pueda llegarse.»

STC. 35/83 de 11 de mayo

Fto. Jco. 3: Ver selección con relación al art. 9.1.

STC. 83/84 de 24 de julio (reserva de ley y remisíon a reglamento)

Fto. Jco. 4: «Este principio de reserva de Ley entraña, en efecto, una garantía esencial de nuestro Estado de Derecho, y como tal ha de ser preservado. Su significado último es el de asegurar que la regulación de los ámbitos de libertad que corresponden a los ciudadanos dependa exclusivamente de la voluntad de sus representantes, por lo que tales ámbitos han de quedar exentos de la acción del ejecutivo y, en consecuencia, de sus productos normativos propios, que son los reglamentos. El principio no excluye, ciertamente, la posibilidad de que las Leyes contengan remisiones a normas reglamentarias, pero sí que tales remisiones hagan posible una regulación independiente y no claramente subordinada a la Ley, lo que supondría una degradación de la reserva formulada por la C. en favor del legislador.

Esto se traduce en ciertas exigencias en cuanto al alcance de las remisiones o habilitaciones legales a la potestad reglamentaria, que pueden resumirse en el criterio de que las mismas sean tales que restrinjan efectivamente el ejercicio de esa potestad a un complemento de la regulación legal que sea indispensable por motivos técnicos o para optimizar el cumplimiento de las finalidades propuestas por la C. o por la propia Ley. Y este criterio aparece contradicho con evidencia mediante cláusulas legales, del tipo de la que ahora se cuestiona, en virtud de las que se produce una verdadera deslegalización de la materia reservada, esto es, una total abdicación por parte del legislador de su facultad para establecer reglas limitativas, transfiriendo esta facultad al titular de la potestad reglamentaria, sin fijar ni siquiera cuáles son los fines u objetivos que la reglamentación ha de perseguir.»

STC. 140/86 de 11 de noviembre (**la reserva de ley como garantía**)

Fto. Jco. 6: «...es claro que a la hora de establecer garantías para los diversos derechos enunciados en la C., el rango de la norma aplicable, es decir, que se trate de una norma con rango de Ley o con rango inferior y, en su caso, el tipo de Ley a que se encomienda la regulación o desarrollo de un derecho, Ley orgánica u ordinaria, representan un importante papel por cuanto las características 'formales' de la norma (como son la determinación de su autor y el procedimiento para su elaboración y aprobación), suponen evidentemente límites y requisitos para la acción normativa de los poderes públicos que son otras tantas garantías de los derechos constitucionalmente reconocidos.»

STC. 247/2007 de 12 de diciembre (**Ley estatal o Ley autonómica**)

Fto. Jco. 4:»Al respecto, conviene apuntar ya la idea de que la igualdad de las posiciones jurídicas fundamentales de todos los españoles se garantiza por Ley de las Cortes Generales (arts. 81.1 y 149.1.1 CE), pero las Leyes autonómicas, garantizada esa igualdad fundamental en la materia de que se trate, pueden también incidir en dichas posiciones jurídicas, si han asumido competencias sobre las mismas: «La interpretación del art. 53 de la Constitución en el marco general de ésta obliga a entender, en consecuencia, que, si bien la regulación del ejercicio de los derechos y libertades reconocidos en el Capítulo Segundo del Título I de la Constitución requiere siempre una norma de rango legal, esta norma sólo ha de emanar precisamente de las Cortes Generales cuando afecte a las condiciones básicas que garanticen la igualdad de todos los españoles en el ejercicio de los derechos y en el cumplimiento de los deberes constitucionales. Cuando la norma legal, aunque con incidencia sobre el ejercicio de derechos, no afecte a las condiciones básicas de tal ejercicio, puede ser promulgada por las Comunidades Autónomas cuyos Estatutos les atribuyan competencia legislativa sobre una materia cuya regulación implique necesariamente, en uno u otro grado, una regulación del ejercicio de derechos constitucionalmente garantizados» (STC. 37/1981, de 16 de noviembre, Fto. Jco. 2).»

SSTC. 4/81 de 2 de febrero; 11/81 de 8 de abril; 17/81 de 1 de junio; 86/82 de 23 de diciembre.

Ver selección con relación al art. 161.

SSTC. 25/81 de 14 de julio; 84/82 de 23 de diciembre; 199/87 de 16 de diciembre; 42/85 de 15 de marzo.

Ver selección con relación al art. 162 y con relación al art. 1.

SSTC. 16/81 de 18 de mayo; 11/82 de 29 de marzo; 105/83 de 23 de noviembre

Ver selección con relación al art. 161.

SSTC. 19/83 de 14 de marzo; 53/83 de 20 de junio; 86/85 de 10 de julio.

Ver selección con relación al art. 162.

STC. 62/82 de 15 de octubre.

Fto. Jco. 3: Ver selección con relación al art. 20.

STC. 80/82 de 20 de diciembre (**vinculatoriedad inmediata de los arts. 14 a 38**)

Fto. Jco. 1: «Decisiones reiteradas de este T.C. en cuanto intérprete supremo de la C. han declarado ese indubitable valor de la C. como norma. Pero si es cierto que tal valor necesita ser modulado en lo concerniente a los arts. 39 a 52 en los términos del art. 53.3 de la C.E., no puede caber duda a propósito de la vinculatoriedad inmediata (es decir sin necesidad de mediación del legislador ordinario) de los arts. 14 a 38, componentes del capt. segundo del tít. primero, pues el párrafo primero del art. 53 declara que los derechos y libertades reconocidos en dicho capt. 'vinculan a todos los poderes públicos'. Que el ejercicio de tales derechos haya de regularse sólo por ley y la necesidad de que ésta respete su contenido esencial, implican que esos derechos ya existen, con carácter vinculante para todos los poderes públicos entre los cuales se insertan obviamente 'los Jueces y Magistrados integrantes del Poder judicial', desde el momento mismo de la entrada en vigor del texto constitucional.»

STC. 154/88 de 21 de julio (**R. de amparo electoral**)

Fto. Jco. 3: «...resulta perfectamente congruente con la protección especial que la C. dispensa al derecho fundamental consagrado en su art. 23.1 que el art. 38.4 de la vigente L.O. electoral disponga la aplicación del procedimiento preferente y sumario dispuesto en el art. 53.2 de la CE. a los recursos jurisdiccionales que se deduzcan frente a las decisiones de la Oficina del Censo Electoral fuera del período electoral en materia de listas electorales. Y que quepa también por la vía configurada en el art. 43 LOTC. recurso de amparo frente a una exclusión indebida de las mencionadas listas, del mismo modo que respecto al sufragio pasivo aparece expresamente previsto en el art. 49 de aquella L.O. electoral.»

STC. 214/90 de 20 de diciembre (**R. de amparo y actos del Parlamento**)

Fto. Jco. 2: «Quiere esto decir que la doctrina de los 'interna corporis acta' sólo resulta de aplicación en la medida en que no exista lesión de tales derechos y libertades (los recurribles en amparo), pues únicamente en cuanto vulneran un derecho fundamental y no por una simple infracción de las normas reglamentarias de las Cámaras son recurribles en amparo dichos actos, de acuerdo con lo dispuesto en el art. 42 de la LOTC. Así, si un acto parlamentario afecta a un derecho o libertad de los tutelables mediante el amparo constitucional, desborda la esfera de la inmunidad jurisdiccional inherente a los 'interna corporis' y se convierte en un acto sometido, en lo tocante a este extremo, al enjuiciamiento que corresponda a este TC.»

STC. 71/89 de 20 de abril (**no toda infracción procesal tiene relevancia constitucional**)

Fto. Jco. 4: «La C. y la LOTC. establecen el recurso de amparo como instrumento procesal encaminado a remediar violaciones de los derechos fundamentales, entendidas como tales las que, de manera real y efectiva, ocasionen lesión de los mismos, pues es obvio que no todas aquellas infracciones de las leyes que desarrollan derechos o regulan su ejercicio constituyen por sí solas auténticas violaciones que necesiten ser corregidas y así lo ha declarado reiteradamente este T.C. en numerosas resoluciones, de las que aún estando la mayor parte de ellas referidas a la indefensión, es dable obtener la doctrina general de que las infracciones de las normas procedimentales que las leyes establezcan en garantía de derechos fundamentales tan sólo alcanzan relevancia constitucional cuando de ellas se deriva un resultado de lesión material en el derecho fundamental de que se trate.»

STC. 66/85 de 23 de mayo (**interpretación en sentido más favorable a derechos**)

Fto. Jco. 2: «El lugar privilegiado que en la economía general de nuestra C. ocupan los derechos fundamentales y libertades públicas que en ella se consagran, está fuera de toda duda. De ello resulta no sólo la inconstitucionalidad de todos aquellos actos del poder, cualquiera que sea su naturaleza y rango, que los lesionen, sino también la necesidad, tantas veces proclamada por este T.C., de interpretar la Ley en la forma más favorable a la maximalización de su contenido.»

STC. 19/82 de 5 de mayo (**los principios del Capt. III obligan a los poderes públicos**)

Fto. Jco. 6: «...el art. 53.3 de la C. (...) impide considerar a tales principios como normas sin contenido y que obliga a tenerlos presentes en la interpretación tanto de las restantes normas constitucionales como de las leyes.»

STC. 71/82 de 30 de noviembre (**lo dispuesto en el art. 53.3 obliga al legislador**)

Fto. Jco. 13: «Los principios proclamados en los apartados 1 y 3 del art. 51, y lo que dispone el art. 53.3, los dos de la C., son previsiones constitucionales que obligan al legislador.»

STC. 45/89 de 20 de febrero (especial naturaleza de los principios del Capt. III)

Fto. Jco. 4: »...hay que reconocer, en primer término, que la naturaleza de los principios rectores de la política social y económica que recoge el Cap.III del Tit. I de nuestra C. hace improbable que una norma legal cualquiera pueda ser considerada inconstitucional por omisión, esto es, por no atender, aisladamente considerada, el mandato, a los poderes públicos y en especial al legislador, en el que cada uno de esos principios por lo general se concreta. No cabe excluir que la relación entre alguno de esos principios y los derechos fundamentales (señaladamente el de igualdad) haga posible un examen de este género, ni, sobre todo, que el principio rector sea utilizado como criterio para resolver sobre la constitucionalidad de una acción positiva del legislador, cuando ésta se plasma en una norma de notable incidencia sobre la entidad constitucionalmente protegida.»

STC. 64/88 de 12 de abril (titularidad de los derechos y legitimación recurso de amparo)

Fto. Jco. 1: «...hay que señalar que el art. 53 de la C. circunscribe la tutela de las libertades y derechos reconocidos en el art. 14 y en la Sección Primera del Capítulo Segundo, a los ciudadanos y a la misma conclusión conduce el art. 41.2 de la LOTC, según el cual el recurso de amparo constitucional protege a todos los ciudadanos frente a 'las violaciones de los derechos y libertades originadas por disposiciones, actos jurídicos o simple vía de hecho de los Poderes Públicos del Estado, las CC.AA. y demás entes públicos de carácter territorial, corporativo o institucional'. Es cierto que la doctrina de este TC., desde sus inicios, ha admitido el recurso de amparo constitucional en favor de quienes sean titulares de los derechos fundamentales y de las libertades públicas, sin limitarlo a los ciudadanos 'strictu sensu', de suerte que el problema de la titularidad o capacidad de derechos fundamentales y el de la titularidad de la acción de amparo constitucional, aunque teóricamente diferenciables, termina, desde este punto de vista, por confundirse.

El referido problema de la capacidad de derechos fundamentales es de difícil planteamiento y de difícil solución. Debe dejarse de lado, en este momento, la distinción entre los derechos fundamentales que corresponden a todas las personas (arts. 15 y 17) y aquellos otros que sólo aparecen reconocidos en favor de los españoles o de los ciudadanos (arts. 14, 19 y 23). Es indiscutible que, en línea de principio, los derechos fundamentales y las libertades públicas son derechos individuales que tienen al individuo por sujeto activo y al Estado por sujeto pasivo en la medida en que tienden a reconocer y proteger ámbitos de libertades o prestaciones que los Poderes Públicos deben otorgar o facilitar a aquellos. Se deduce así, sin especial dificultad, del art. 10 CE., que en su apartado 1º vincula los derechos inviolables con la dignidad de la persona y con el desarrollo de la personalidad y, en su apartado 2º, los conecta con los llamados derechos humanos... Es cierto, no obstante, que la plena efectividad de los derechos fundamentales exige reconocer que la titularidad de los mismos no corresponde sólo a los individuos aisladamente considerados, sino también en cuanto se encuentran insertos en grupos y organizaciones, cuya finalidad sea específicamente la de defender determinados ámbitos de libertad o realizar los intereses y los valores que forman el sustrato último del derecho fundamental. Así el art. 16 garantiza la libertad ideológica, religiosa y de culto no sólo a los individuos, sino también a las Comunidades, y no debe encontrarse dificultad para ampliar esta misma idea en otros campos. En este sentido la jurisprudencia de este

TC. ha señalado que el derecho de los ciudadanos a participar en los asuntos públicos lo pueden ejercer los partidos políticos, que el derecho de asociación lo pueden ejercer no sólo los individuos que se asocian, sino también las Asociaciones ya constituídas, y que el derecho a la libertad de la acción sindical corresponde no sólo a los individuos que fundan Sindicatos o se afilian a ellos, sino también a los propios Sindicatos. En un sentido más general, la STC. 137/85 de 15 de octubre, ha reconocido la titularidad de derechos fundamentales a las personas jurídicas de Derecho Privado, especialmente en lo que concierne al derecho del art. 18.2 y, con carácter general, siempre que se trate, como es obvio, de derechos que, por su naturaleza, puedan ser ejercitados por este tipo de personas. A la misma conclusión puede llegarse en lo que concierne a las personas jurídicas de Derecho Privado, siempre que recaben para sí mismas ámbitos de libertad, de los que deben disfrutar sus miembros, o la generalidad de los ciudadanos, como puede ocurrir singularmente respecto de los derechos reconocidos en el art. 20 cuando los ejercitan corporaciones de Derecho Público.»

STC. 241/92

Ver selección con relación al art. 125.

STC. 284/00 de 27 de noviembre (**carácter subsidiario del amparo**)

Fto. Jco. 2 Ahora bien, antes de entrar en el fondo de tal cuestión y teniendo en cuenta el carácter subsidiario de la jurisdicción de amparo, se hace preciso recordar que entre los requisitos que se exigen para poder acudir a esta sede jurisdiccional, y como el primero de ellos, figura el agotamiento de todos los recursos utilizables dentro de la vía judicial [art. 44.1 a) LOTC]. Debe tenerse presente que el art. 53.2 CE atribuye la tutela de los derechos fundamentales, primariamente, a los Tribunales ordinarios (SSTC. 138/1985, de 25 de septiembre, Fto. Jco. 3, 186/1987, de 23 de noviembre, Fto. Jco. 1, 185/1990, de 15 de noviembre, Fto. Jco. 4, 289/1993, de 4 de octubre, Fto. Jco. 3, entre otras), por lo que la articulación de la jurisdicción constitucional con la ordinaria ha de «preservar el ámbito que al Poder Judicial reserva la Constitución (art. 117)» (SSTC. 112/1983, de 5 de diciembre, Fto. Jco. 2,122/1996, de 8 de julio, Fto. Jco. 2, 211/1999, de 29 de noviembre, Fto. Jco. 2). El respeto a la precedencia temporal de la tutela de los Tribunales ordinarios exige que se apuren las posibilidades que los cauces procesales ofrecen en la vía judicial para la reparación del derecho fundamental que se estima lesionado, de suerte que cuando aquellas vías no han sido recorridas el recurso de amparo resultará inadmisible (STC. 122/1996, Fto. Jco. 2, por todas). Según tenemos reiteradamente afirmado, esta exigencia, lejos de constituir una formalidad vacía, supone un elemento esencial para respetar la subsidiariedad del recurso de amparo y, en última instancia, para garantizar la correcta articulación entre este Tribunal y los órganos integrantes del Poder Judicial, a quienes primeramente corresponde la reparación de las posibles lesiones de derechos invocadas por los ciudadanos, de manera que la jurisdicción constitucional sólo puede intervenir una vez que, intentada dicha reparación, la misma no se ha producido (por todas, STC. 112/1983, de 5 de diciembre), quedando agotada la vía judicial (STC. 76/1998, de 31 de marzo, Fto. Jco. 2). Este presupuesto procesal, legalmente exigido, nos obliga a examinar ya de oficio, ya a instancia de parte que las demandas de amparo se interponen una vez agotados los recursos procedentes, lo que a su vez requiere determinar los recursos que caben en cada caso. Esto no quiere decir que este Tribunal se convierta en el intérprete de la legalidad procesal (STC. 76/1998, Fto. Jco. 2), pues no se trata de que el quejoso, con carácter previo al recurso de amparo, tenga que interponer «cualquier recurso imaginable, sino sólo aquellos que, siendo procedentes según las normas procesales concretamente aplicables, permitan una reparación adecuada de la sedicente lesión del derecho fundamental en juego» (SSTC. 134/1995, de 25 de septiembre, Fto. Jco. 1, 15/1996, de 30 de enero, Fto. Jco. 4, 5/1997, de 13 de abril, Fto. Jco. 2, entre otras).

Art. 54. Una ley orgánica regulará la institución del Defensor del Pueblo, como alto comisionado de las Cortes Generales, designado por éstas para la defensa de los derechos comprendidos en este Título, a cuyo efecto podrá supervisar la actividad de la Administración, dando cuenta a las Cortes Generales.

L.O. 3/1981 de 6 de abril del Defensor del Pueblo; Ley 36/1985 de 6 de noviembre, por la que se regulan las relaciones entre la Institución del Defensor del Pueblo y las figuras similares en las distintas CC.AA.

STC. 142/88 de 12 de julio (**competencias Justicia de Aragón**)

Fto. Jco. 3: «El art. 2, 3 de la Ley 4/85 de 27 de junio de las Cortes de Aragón reguladora del Justicia de Aragón, ...dispone literalmente lo siguiente: 'Del mismo modo el Justicia de Aragón, en el cumplimiento de su misión, podrá dirigirse a toda clase de autoridades, Organismos, funcionarios y dependencias de cualquier Admón. con sede en la C.A.' ...Pues bien... no puede atribuirse al término utilizado 'dirigirse a', más de lo que él mismo significa y deducir de él un sometimiento de la Admón. del Estado a la supervisión del Justicia de Aragón. El precepto se limita a autorizar o hacer posible que el Justicia se ponga en comunicación con cualquier órgano o dependencia de las Administraciones presentes en la C.A., bien a efectos de solicitar de ellas la información o ayuda que puedan resultar necesarias para el desempeño de la función que le atribuye el aptdo. a) del art. 33.1 de EAA.: 'la protección y defensa de los derechos individuales y colectivos reconocidos en este Estatuto', respecto de la Admón. que está colocada bajo su supervisión o bien para el cumplimiento de las otras misiones que se le asignan...: La tutela del ordenamiento jurídico aragonés y la defensa del estatuto.»

«...Si a lo expuesto se añade lo que indica el párrafo cuarto de la Exposición de motivos, que circunscribe la competencia del Justicia a las actuaciones de la Admón. de la C.A. y de los Entes locales en las materias transferidas a la C.A., y a la voluntad de la ley que señala el párrafo sexto respecto de sus actuaciones 'de no interferir en las competencias de otros poderes públicos, sean o no aragoneses', habrá de concluirse que no es inconstitucional el art. 2, 3 de la Ley impugnada.

Fto. Jco. 5: «El art. 2.2 de la Ley 4/85 de 27 de junio (que faculta al Justicia para supervisar) 'la actuación de los Entes locales aragoneses en todo lo que afecte a materias en las que el EAA atribuya competencia a la C.A. de Aragón' ...no es inconstitucional... siempre que se interprete que las facultades de supervisión del Justicia de Aragón sobre la actuación de los Entes Locales aragoneses sólo podrán ejercerse en materias en las que el Estatuto de Autonomía atribuya competencias a la C.A.', y respecto de las que ésta haya, además, transferido o delegado en los entes locales. Sólo así puede entenderse que el Justicia se mantiene dentro del ámbito de actuación de supervisión de la actividad de la Admón. de la C.A....»

STC. 157/88 de 15 de septiembre (cooperación Defensor del Pueblo y figuras similares)

Fto. Jco. 4: «Lo que hace el art. 2.1 de la Ley 36/85 es determinar supuestos de cooperación entre el Defensor del Pueblo y las similares figuras autonómicas, y que no regula, pues no es su objeto, el ámbito competencial ni del Defensor del Pueblo ni de dichas instituciones autonómicas... El art. 2.1 de la Ley 36/85 establece que la protección de los derechos y libertades reconocidos en el Tit. I de la C. y 'la supervisión, a estos efectos, de la actividad de la Admón. Pública propia de cada C.A., así como de las Administraciones de los Entes locales, cuando actúen en ejercicio de competencias delegadas por aquella', podrá realizarse, sin mengua de las facultades que al Defensor del Pueblo le atribuyen la C. y su L.O., en régimen de cooperación entre el Defensor del pueblo y el Comisionado parlamentario autonómico, mediante la celebración de los pertinentes acuerdos de colaboración.»

STC. 150/90 de 4 de octubre

Fto. Jco. 1: ver selección art. 162

CAPÍTULO V
De la suspensión de los derechos y libertades

Art. 55. 1. Los derechos reconocidos en los artículos 17, 18.2 y 3, artículos 19, 20.1, a) y d), y 5, artículos 21, 28.2, y artículo 37.2, podrán ser suspendidos cuando se acuerde la declaración del estado de excepción o de sitio en los términos previstos en la Constitución. Se exceptúa de lo establecido anteriormente el apartado 3 del artículo 17 para el supuesto de declaración de estado de excepción.

2. Una ley orgánica podrá determinar la forma y los casos en los que, de forma individual y con la necesaria intervención judicial y el adecuado control parlamentario, los derechos reconocidos en los artículos 17.2, y 18.2 y 3, pueden ser suspendidos para personas determinadas, en relación con las investigaciones correspondientes a la actuación de bandas armadas o elementos terroristas.

La utilización injustificada o abusiva de las facultades reconocidas en dicha ley orgánica producirá responsabilidad penal, como violación de los derechos y libertades reconocidos por las leyes.

L.O. 4/1981, de 1 de junio, de los estados de alarma, excepción y sitio.
L.O. 4/1988, de 25 de mayo, de reforma de la LEcrim.

STC. 199/87 de 16 de diciembre (investigación actividades terroristas)

Fto. Jco. 4: «El lugar que en un estado excepcional asume la situación de emergencia que se pretende combatir con el mismo, en el caso de este art. 55.2 viene asumido por la presencia de una 'actuación de bandas armadas o elementos terroristas', frente a la cual el Estado no basta a dar respuesta con los instrumentos ordinariamente puestos a su disposición para garantía de la seguridad y tranquilidad públicas y del orden constitucional. La emergencia o, cuanto menos, la situación que legitima al legislador para crear el marco normativo que permite este tipo de suspensión es precisamente la que deriva de las actividades delictivas cometidas por 'bandas armadas o elementos terroristas' que crean un peligro efectivo para la vida y la integridad de las personas y para la subsistencia del orden democrático constitucional. El terrorismo característico de nuestro tiempo, como violencia social o política organizada, lejos de limitar su proyección a unas eventuales actuaciones individuales susceptibles de ser configuradas como 'terroristas', se manifiesta ante todo como una actividad propia de organizaciones o grupos, de 'bandas', en las que usualmente concurrirá el carácter de 'armadas'. Característico de la actividad terrorista resulta el propósito, o en todo caso el efecto, de difundir una situación de alarma o de inseguridad social, como consecuencia del carácter sistemático, reiterado, y muy frecuentemente indiscriminado de esta actividad delictiva. De ahí que no quepa excluir la posibilidad de que determinados grupos u organizaciones criminales, sin objetivo político alguno, por el carácter sistemático y reiterado de su actividad, por la amplitud de los ámbitos de población afectados, pueden crear una situación de alarma y, en consecuencia, una situación de emergencia en la seguridad pública que autoriza (o legitima) a equipararlos a los grupos terroristas propiamente dichos, como objeto de las medidas excepcionales previstas en el art. 55.2 de la C. Ello se comprueba además con la lectura de la discusión parlamentaria del precepto constitucional, en la que se constata un tratamiento común de formas delictivas que suponen, en su intención o en su resultado, un ataque directo a la sociedad y al propio Estado social y democrático de Derecho.

El concepto de 'bandas armadas' ha de ser interpretado así restrictivamente y en conexión, en su trascendencia y alcance, con el de 'elementos terroristas' mencionado en el precepto constitucional. En esta misma línea la jurisprudencia penal también ha definido de forma restrictiva el tipo delictivo... haciendo referencia no sólo a la nota de permanencia o estabilidad del grupo, y a su carácter armado, sino también a su entidad suficiente para producir un terror en la sociedad y un rechazo de la colectividad, por su gran incidencia en la seguridad ciudadana.

...La manifestación pública, en términos de elogio o de exaltación, de un apoyo o solidaridad moral o ideológica con determinadas acciones delictivas, no puede ser confundida con tales actividades, ni entenderse en todos los casos como inductora o provocadora de tales delitos.

...La C. no ha hecho de la 'suspensión individual' de ciertos derechos fundamentales un instrumento de protección extraordinaria de la seguridad del Estado, genéricamente concebida, sino que le asignó una finalidad muy concreta: La investigación de las actuaciones de las bandas armadas o elementos terroristas. En la discusión parlamentaria se constata, sin embargo, una equiparación explícita, en cuanto ataque al sistema democrático y a la sustitución de la forma de Gobierno y de Estado elegida libremente por los ciudadanos, entre terrorismo y rebelión... Por definición, la rebelión se realiza por un grupo que tiene el propósito de uso ilegítimo de armas de guerra o explosivos, con una finalidad de producir la destrucción o eversión del orden constitucional... Por ello a tales rebeldes en cuanto integran el concepto de banda armada del art. 55.2 de la C., les resulta legítimamente aplicable la suspensión de derechos a la que habilita el precepto constitucional.»

Fto. Jco. 6: Ver selección con relación al art. 117.

Ftos. Jcos. 9 y 10: Ver selección con relación al art. 18.

TÍTULO II
De la Corona

Art. 56. 1. El Rey es el Jefe del Estado, símbolo de su unidad y permanencia, arbitra y modera el funcionamiento regular de las instituciones, asume la más alta representación del Estado Español en las relaciones internacionales, especialmente con las naciones de su comunidad histórica, y ejerce las funciones que le atribuyen expresamente la Constitución y las leyes.

2. Su título es el de Rey de España y podrá utilizar los demás que correspondan a la Corona.

3. La persona del Rey es inviolable y no está sujeta a responsabilidad. Sus actos estarán siempre refrendados en la forma establecida en el artículo 64, careciendo de validez sin dicho refrendo, salvo lo dispuesto en el artículo 65,2.

Art. 57. 1. La Corona de España es hereditaria en los sucesores de S.M. Don Juan Carlos I de Borbón, legítimo heredero de la dinastía histórica. La sucesión en el trono seguirá el orden regular de primogenitura y representación, siendo preferida siempre la línea anterior a las posteriores; en la misma línea, el grado más próximo al más remoto; en el mismo grado, el varón a la mujer, y en el mismo sexo, la persona de más edad a la de menos.

2. El Príncipe heredero, desde su nacimiento o desde que se produzca el hecho que origine el llamamiento, tendrá la dignidad de Príncipe de Asturias y los demás títulos vinculados tradicionalmente al sucesor de la Corona de España.

3. Extinguidas todas las líneas llamadas en Derecho, las Cortes Generales proveerán a la sucesión en la Corona en la forma que más convenga a los intereses de España.

4. Aquellas personas que teniendo derecho a la sucesión en el trono contrajeren matrimonio contra la expresa prohibición del Rey y de las Cortes Generales, quedarán excluidas en la sucesión a la Corona por sí y sus descendientes.

5. La abdicaciones y renuncias y cualquier duda de hecho o de derecho que ocurra en el orden de sucesión a la Corona se resolverán por una ley orgánica.

RD. 54/1977, de 21 de enero, sobre Títulos y denominaciones que corresponden al Heredero de la Corona.

Art. 58. La Reina consorte o el consorte de la Reina no podrán asumir funciones constitucionales, salvo lo dispuesto para la Regencia.

Art. 59. 1. Cuando el Rey fuere menor de edad, el padre o la madre del Rey y, en su defecto, el pariente mayor de edad más próximo a suceder en la Corona, según el orden establecido en la Constitución, entrará a ejercer inmediatamente la Regencia y la ejercerá durante el tiempo de la minoría de edad del Rey.

2. Si el Rey se inhabilitare para el ejercicio de su autoridad y la imposibilidad fuere reconocida por las Cortes Generales, entrará a ejercer inmediatamente la Regencia el Príncipe heredero de la Corona, si fuere mayor de edad. Si no lo fuere, se procederá de la manera prevista en el apartado anterior, hasta que el Príncipe heredero alcance la mayoría de edad.

3. Si no hubiere ninguna persona a quien corresponda la Regencia, ésta será nombrada por las Cortes Generales, y se compondrá de una, tres o cinco personas.

4. Para ejercer la Regencia es preciso ser español y mayor de edad.

5. La Regencia se ejercerá por mandato constitucional y siempre en nombre del Rey.

Art. 60. 1. Será tutor del Rey menor la persona que en su testamento hubiese nombrado el Rey difunto, siempre que sea mayor de edad y español de nacimiento; si no lo hubiese nombrado, será tutor el padre o la madre, mientras permanezcan viudos. En su defecto, lo nombrarán las Cortes Generales, pero no podrán acumularse los cargos de Regente y de tutor sino en el padre, madre o ascendientes directos del Rey.

2. El ejercicio de la tutela es también incompatible con el de todo cargo o representación política.

Art. 61. 1. El Rey, al ser proclamado ante las Cortes Generales, prestará juramento de desempeñar fielmente sus funciones, guardar y hacer guardar la Constitución y las leyes y respetar los derechos de los ciudadanos y de las Comunidades Autónomas.

2. El Príncipe heredero, al alcanzar la mayoría de edad, y el Regente o Regentes al hacerse cargo de sus funciones, prestarán el mismo juramento, así como el de fidelidad al Rey.

Art. 62. Corresponde al Rey:

a) Sancionar y promulgar las leyes.

b) Convocar y disolver las Cortes Generales y convocar elecciones en los términos previstos en la Constitución.

c) Convocar a referéndum en los casos previstos en la Constitución.

d) Proponer el candidato a Presidente de Gobierno y, en su caso, nombrarlo, así como poner fin a sus funciones en los términos previstos en la Constitución.

e) Nombrar y separar a los miembros del Gobierno, a propuesta de su Presidente.

f) Expedir los decretos acordados en el Consejo de Ministros, conferir los empleos civiles y militares y conceder honores y distinciones con arreglo a las leyes.

g) Ser informado de los asuntos de Estado y presidir, a estos efectos, las sesiones del Consejo de Ministros, cuando lo estime oportuno, a petición del Presidente del Gobierno.

h) El mando supremo de las Fuerzas Armadas.

i) Ejercer el derecho de gracia con arreglo a la ley, que no podrá autorizar indultos generales.

j) El Alto Patronazgo de las Reales Academias.

Ley 1/1988, de 14 de enero, que modifica la Ley de 18 de junio de 1870, reguladora del derecho de gracia.

Art. 63. 1. El Rey acredita a los embajadores y otros representantes diplomáticos. Los representantes extranjeros en España están acreditados ante él.

2. Al Rey corresponde manifestar el consentimiento del Estado para obligarse internacionalmente por medio de tratados, de conformidad con la Constitución y las leyes.

3. Al Rey corresponde, previa autorización de las Cortes Generales, declarar la guerra y hacer la paz.

Art. 64. 1. Los actos del Rey serán refrendados por el Presidente del Gobierno y, en su caso, por los Ministros competentes. La propuesta y el nombramiento del Presidente del Gobierno, y la disolución prevista en el artículo 99, serán refrendados por el Presidente del Congreso.

2. De los actos de Rey serán responsables las personas que los refrenden.

STC. 5/87 de 27 de enero (**sobre la naturaleza jurídica del refrendo**)

Fto. Jco. 2: «...cualquier forma de refrendo de los actos del Monarca distinta de la establecida en el art. 64 de la C.E., o que no encuentre en éste su fundamento, debe ser considerada contraria a lo preceptuado en el art. 56.3 de la misma y, por consiguiente, inconstitucional.»

«La institución del refrendo aparece, pues, caracterizada en nuestra C. por las siguientes notas: a) Los actos del Rey deben ser siempre refrendados, con la salvedad prevista en el propio art. 56.3; b) en ausencia de refrendo dichos actos carecen de validez; c) el refrendo debe realizarse en la forma fijada en el art. 64, y d) la autoridad refrendante en cada caso asume la responsabilidad del acto del Rey».

Fto. Jco. 3: «Alegan las representaciones del Gobierno y el Parlamento vascos (que)... la imputabilidad de la responsabilidad constituye el elemento clave, de tal modo que a la hora de determinar a quien corresponde refrendar un acto del Rey será decisivo tener en cuenta quien resultará responsable de este acto, careciendo de sentido, en el contexto de una Monarquía parlamentaria racionalizada... el refrendo de actos del Rey por quienes no han intervenido previamente en su contenido. De ahí que, en su opinión, haya de entenderse que los sujetos a que se refiere el art. 64.1 de la C.E. sólo pueden refrendar aquellos actos que entren dentro de su ámbito competencial de acuerdo con las funciones que la C. les atribuye, entre los que no se encuentra indudablemente el nombramiento de Presidente de una C.A.»

«Esta alegación no puede... ser compartida por este Tribunal. En primer término, confunde el sentido original y aún hoy esencial del refrendo, esto es, el sentido traslaticio de responsabilidad inherente al mismo, con la función que ha venido a desempeñar en la esfera de la potestad ejecutiva. Es cierto que el refrendo ministerial de los actos del Rey, que, combinado con el principio de responsabilidad política, desempeñó una función esencial en el período de formación y consolidación del régimen parlamentario, fue perdiendo su sentido inicial en la medida en que con el desarrollo de dicho régimen la voluntad real dejó de determinar el contenido de los actos del Monarca y el refrendante se convirtió en la autoridad que sustancialmente había dado contenido al acto refrendado, que sólo formalmente cabía ya calificar como 'del Rey'. Pero esta evolución, prácticamente inevitable en el ámbito de la potestad ejecutiva, no tenía por qué producirse en el caso de los demás actos públicos del Rey, igualmente sujetos a refrendo ministerial, incardinados en la esfera de otros poderes. En estos supuestos la autoridad refrendante se limita, con su firma, a responder de la adecuación del acto real al ordenamiento jurídico-constitucional, sin haber intervenido en la menor medida en la determinación de su contenido. Así, de forma muy característica y por lo que se refiere a nuestro país, en los actos de sanción y promulgación de las leyes, en los que el refrendo del Presidente del Gobierno sigue confinado a la estricta misión traslaticia de responsabilidad, respondiendo aquél con su firma únicamente de la legitimidad constitucional del acto real.»

«...Con independencia de que pueda juzgarse razonable la opinión expresada por las representaciones del Gobierno y del Parlamento vascos, el hecho es que el constituyente se ha mantenido fiel, como regla general, a la forma tradicional del refrendo ministerial de los actos del Rey, cualquiera sea la esfera en que éstos incidan... Y lo cierto es que el Rey lleva a cabo actos derivados de una propuesta, o una actividad anterior, de órganos muy diversos, como pueden ser el Congreso, el Senado, el Gobierno, el Consejo General del Poder Judicial o los órganos de la CC.AA., y la C.E. no impone que se determine previamente a quién corresponde la autoría efectiva de tales propuestas o actuaciones para deducir de ello quien debe refrendar cada acto del Rey».

«El refrendo resulta así... un instituto autónomo en el proceso de formación de los actos jurídicos, en el que no aparece como elemento esencial la participación activa del refrendante en el contenido de los mismos. En el contexto constitucional la responsabilidad (...) aparece derivada del refrendo, y no a la inversa, como pretenden las representaciones del Gobierno y el Parlamento vascos».

«Tampoco cabe pretender (...) que de las excepciones contenidas en el inciso segundo del art. 64.1 de la C.E. pueda deducirse que en la regulación del refrendo de los actos del Rey se ha incorporado un principio de conexión del refrendo con los autores del contenido de los mismos, que sería susceptible de extensión o ampliación a otros actos del Rey por el legislador ordinario, ya sea estatal o autonómico.»

«En realidad, de los términos de los arts. 56.3 y 64 de la Norma fundamental se deduce que se trata de excepciones tasadas, y su contenido permite suponer que la razón fundamental que ha llevado a establecerlas no es la voluntad de conferir el refrendo de los respectivos actos del Rey a órganos más próximos, y por ello más idóneos, a aquel que en cada caso ha dado contenido al acto, sino la de abordar la regulación de supuestos, considerados en el constitucionalismo histórico como 'situaciones límite', en los que no existe un Presidente de Gobierno investido de la confianza de las Cortes.»

Fto. Jco. 6: «De modo análogo, en el refrendo por el Presidente del Gobierno del Real Decreto por el que el Rey nombrara al Presidente de la C.A. no debe verse una competencia del Presidente del Gobierno en el ámbito propio de la Comunidad, ni, en consecuencia, una injerencia suya en la esfera competencial autonómica. Por la misma razón que no cabe ver competencia alguna del Presidente del Gobierno en el ámbito de la Justicia Constitucional o del Poder Judicial porque aquel refrende el Real Decreto de nombramiento de los miembros del Tribunal Constitucional, del Presidente del Tribunal Supremo o de los miembros del Consejo general del Poder Judicial. Al igual que en estos actos, el Presidente del Gobierno refrenda el nombramiento de Presidente de las CC.AA. porque la C.E. impone como regla general que sea él quien asuma la responsabilidad de los actos del Rey.»

Art. 65. 1. El Rey recibe de los Presupuestos del Estado una cantidad global para el sostenimiento de su Familia y Casa, y distribuye libremente la misma.

2. El Rey nombra y releva libremente a los miembros civiles y militares de su Casa.

STC. 112/1984 de 28 de noviembre (**la Guardia Real y la Administración Pública**)

Fto. Jco. 2: »...la Guardia Real (está) comprendida en la organización de la Casa del Rey que es una organización estatal, pero que no se inserta en ninguna de las Administraciones Públicas... La nítida separación de la organización de la Casa Real respecto de las Administraciones Públicas, con fundamento constitucional en el art. 65 de la C., y lo que esto comporta respecto a la independencia que debe rodear a la gestión de dicha Casa, admite una regulación del estatuto jurídico del personal de la Casa, y que los actos que en aplicación de esa regulación procedan de los órganos a los que se encomienda la gestión puedan someterse al control jurisdiccional, a través de la vía contencioso-administrativa y, en el caso de que se acuse la violación de un derecho o libertad fundamental, tengan acceso al recurso de amparo constitucional.»

TÍTULO III
De las Cortes Generales

CAPÍTULO PRIMERO
De las Cámaras

Art. 66. 1. Las Cortes Generales representan al pueblo español y están formadas por el Congreso de los Diputados y el Senado.

2. La Cortes Generales ejercen la potestad legislativa del Estado, aprueban sus Presupuestos, controlan la acción del Gobierno y tienen las demás competencias que les atribuya la Constitución.

3. Las Cortes Generales son inviolables.

Reglamento del Congreso de los Diputados, de 10 de febrero de 1982.
Reglamento del Senado, de 26 de mayo de 1982.

STC. 27/81 de 20 de julio

Ftos. Jcos. 2 y 3: Ver selección con relación al art. 134.

STC. 76/83 de 5 de agosto

Fto. Jco. 4: Ver selección con relación a los arts. 9 y 147.

STC. 108/86 de 29 de julio (**funciones de las Cortes atribuidas por Ley**)

Fto. Jco. 12: «...la recta interpretación del último inciso del art. 66.2 de la Norma suprema no es que las Cortes sólo puedan tener las funciones expresamente contenidas en la C., sino que ésta les asigna algunas que forzosamente han de cumplir y que la ley no puede atribuir a ningún otro órgano, sin que ello suponga que, por ley, no pueda reconocérseles otras, que no estén específicamente mencionadas en la C.»

STC. 166/86 de 19 de diciembre (**ley general y ley singular**)

Fto. Jco. 11: «En la C.E. no existe precepto, expreso o implícito, que imponga una determinada estructura formal a las Leyes, impeditiva de que éstas tengan un carácter singular, si bien consagra principios, que obligan a concebir dichas Leyes con la naturaleza excepcional más arriba apuntada, en cuanto que de ellos se derivan límites que pasamos a examinar con la debida separación.

A) La vocación a la generalidad que su propia estructura interna impone a las Leyes viene protegida, en nuestra Ley fundamental, por el principio de igualdad en la Ley establecido en su art. 14, pero este principio no prohíbe al legislador contemplar la necesidad o la conveniencia de diferenciar situaciones distintas y darles un tratamiento diverso, porque la esencia de la igualdad consiste, no en proscribir diferenciaciones o singularizaciones, sino en evitar que éstas carezcan de justificación objetivamente razonable, enjuiciada en el marco de la proporcionalidad de medios al fin discernible en la norma diferenciadora. Esto equivale a decir que la prohibición de desigualdad arbitraria o injustificada no se refiere al alcance subjetivo de la norma, sino a su contenido y, en su virtud, que la Ley singular, supuesto el más intenso de Ley diferenciadora, debe responder a una situación excepcional igualmente singular y que su canon de constitucionalidad es la razonabilidad y proporcionalidad de la misma al supuesto de hecho sobre el que se proyecta.

Según ello, la Ley singular sólo será compatible con el principio de igualdad cuando la singularidad de la situación resulte inmediatamente de los hechos, de manera que el supuesto de la norma venga dado por ellos y sólo quepa al legislador establecer las consecuencias jurídicas necesarias para alcanzar el fin que se propone. El control de constitucionalidad opera así en un doble plano, para excluir la creación arbitraria de supuestos de hecho, que sólo resultarían singulares en razón de esa arbitrariedad y para asegurar la razonabilidad, en función del fin propuesto, de las medidas adoptadas.

B) La función legislativa tiene por objeto ordinario la producción de normas dirigidas a la ordenación justa y racional de la comunidad y la función ejecutiva el de actuar en atención a un fin concreto de interés general y de ello se desprende que el contenido material de las Leyes singulares es al menos en parte, actividad ejecutiva o de administración y, en su consecuencia, que dichas Leyes constituyen intervención del legislador en el ámbito de poder del gobernante y administrador.

Procede, sin embargo, señalar que la evolución histórica del sistema constitucional de división de poderes ha conducido a una flexibilización que permite hoy hablar, salvo en reservas materiales de Ley y en actividades de pura ejecución, de una cierta fungibilidad entre el contenido de las decisiones propias de cada una de dichas funciones, admitiéndose pacíficamente que su separación ya no se sustenta en la generalidad de una y singularidad de la otra y que, según se deja ya dicho, es lícito al legislador adoptar decisiones singulares cuando así lo requieran situaciones singulares, al igual que es lícito a la Administración completar la función normativa de aquel mediante el ejercicio de su poder reglamentario.

A pesar de ello no puede desconocerse que la C. encomienda la potestad legislativa del Estado a las Cortes Generales, ...y la ejecución al Gobierno... y, por tanto, esta separación debe ser normalmente respetada a fin de evitar el desequilibrio institucional que conlleva la intromisión de uno de dichos poderes en la función propia del otro.

En su consecuencia... la adopción de Leyes singulares debe estar circunscrita a aquellos casos excepcionales que, por su extraordinaria trascendencia y complejidad, no son remediables por los instrumentos normales de que dispone la Administración, constreñida a actuar con sujeción al principio de legalidad, ni por los instrumentos normativos ordinarios, haciéndose por ello necesario que el legislador intervenga singularmente, al objeto exclusivo de arbitrar solución adecuada, a una situación singular.

De aquí se obtiene un segundo límite a las Leyes singulares, que es, en cierta medida, comunicable con el fundamento en el principio de igualdad, en cuanto que esa excepcionalidad exorbitante a la potestad ejecutiva resulta válida para ser utilizada como criterio justificador de la singularidad de la medida legislativa.

C) Los derechos fundamentales no consienten, por su propia naturaleza, Leyes singulares que tengan el específico objeto de condicionar o impedir su ejercicio; dichos derechos son materia reservada a Leyes generales y reducto inmune a medidas legislativas singulares.

Este acotamiento del objeto material de las leyes singulares no impide, ciertamente, que éstas, por su cualidad de Leyes formales contra la cual no caben acciones judiciales, incidan en la tutela judicial del derecho afectado por la Ley singular; esa incidencia plantea un problema de constitucionalidad que, a causa del carácter instrumental del derecho a la tutela jurisdiccional, se presenta estrechamente vinculado con la naturaleza del derecho sobre el que recaiga la medida legislativa singular, siendo, por tanto, el momento apropiado para su resolución aquél en que se analice el contenido de la Ley singular, pues es entonces cuando se podrá determinar cuál es el grado de incidencia que ésta ocasiona en el sistema de defensa judicial que protege al derecho objeto de la misma.»

STC. 194/89 de 16 de noviembre (**libertad del legislador en el marco de la CE**)

Fto. Jco. 2: «La segunda (precisión metodológica) se refiera a la libertad del legislador postconstitucional y a los límites de la jurisdicción constitucional... La C., como marco normativo, suele dejar al legislador márgenes más o menos amplios dentro de los cuales aquél puede convertir en ley sus preferencias ideológicas, sus opciones políticas y sus juicios de oportunidad. Como ya dijimos en una de nuestras primeras Sentencias (STC. 11/81), 'la C. es un marco de coincidencias suficientemente amplio como para que dentro de él quepan opciones políticas de muy diferente signo'. El legislador es libre dentro de los límites que la C. establece para elegir la regulación de tal o cual derecho o institución jurídica que considere más adecuada a sus propias preferencias políticas. Quien no puede dejarse llevar a este terreno es el T.C.... Las preferencias ideológicas y políticas son legítimas para el legislador y, en cuando ciudadano, para el recurrente, pero no debe introducirse por ningún resquicio en nuestro razonamiento...»

Fto. Jco. 3: «...El legislador no es un mero ejecutor de la C. (STC. 209/87 Fto. Jco. 3), sino que actúa con libertad dentro de los márgenes que ésta le ofrece, y siendo la ley expresión de la voluntad popular, este TC. debe ejercer sus competencias, como hemos dicho en varias ocasiones, 'de forma tal que no imponga constricciones indebidas al poder legislativo y respete sus opciones políticas' (STC. 108/86, Fto. Jco. 18), pues 'la labor de interpretación de la C. no consiste necesariamente en cerrar el paso a las opciones o variantes imponiendo autoritariamente una de ellas (STC. 11/81, fto. jco. 7). En un Estado democrático y pluralista como el nuestro caben diversas opciones igualmente legítimas acerca de Instituciones como la que nos ocupa, esto es, cuando la C. ha dejado varias posibilidades abiertas al legislador orgánico para configurarlas.»

STC. 24/90 de 15 de febrero (**las Cortes son la representación del pueblo**)

Fto. Jco. 2: «...el derecho de sufragio activo y el pasivo son aspectos indisociables de una misma institución, nervio y sustento de la democracia: El sufragio universal, libre, igual, directo y secreto, conforme al cual se realizan las elecciones generales para las dos Cámaras de las que se componen las Cortes Generales, que en su doble condición de representantes del pueblo español en quien reside la soberanía, y de titulares de la potestad legislativa, hacen realidad el principio de toda democracia representativa, a saber, que los sujetos a las normas sean, por vía de la representación parlamentaria, los autores de las normas, o dicho de otro modo, que los ciudadanos sean actores y autores del ordenamiento jurídico.»

STC. 97/02 de 25 de abril (diversa posición de ambas Cámaras)

Fto. Jco. 4: «Frente al sistema tradicional de nuestro bicameralismo, Comisión Mixta de Diputados y Senadores, el art. 90.2 CE atribuye un destacado protagonismo al Congreso, que tiene la decisión final sobre las discrepancias del Senado respecto de los textos remitidos por aquél. Así la STC. 234/2000 ...señala que el art. 90 CE, ...se configura como uno de los varios preceptos constitucionales en los que se plasma la diferente posición que ocupan el Congreso de los Diputados y el Senado en el procedimiento legislativo ordinario, así como de las relaciones entre una y otra Cámara en el ejercicio de la potestad legislativa que el art. 66.2 CE residencia en las Cortes Generales, todo lo cual responde, en definitiva, a la característica configuración del modelo bicameral adoptado por nuestra CE.

Ciertamente, como pone de relieve la representación procesal del Senado, la relación entre los arts. 66 y 90 CE no es de jerarquía. Sin embargo, la lectura de sus textos pone de relieve el contraste entre la generalidad del primero y la especialidad del segundo: mientras que el art. 66.2 ...atribuye globalmente la potestad legislativa del Estado a las Cortes Generales, es decir, al Congreso de los Diputados y al Senado, el art. 90.2 ...concreta las funciones que, dentro del procedimiento legislativo, en lo que ahora importa, corresponde específicamente a cada una de las Cámaras: por una parte, regula la actuación que al Senado corresponde en el curso de dicho procedimiento, "la materia objeto de regulación por el art. 90 CE no es sino la tramitación en el Senado de los proyectos de ley" (STC. 234/2000 Fto. Jco.. 8), y, por otra, especifica los concretos supuestos de discrepancia del Senado que dan lugar a una ulterior lectura en el Congreso, supuestos estos que son sólo dos: "El Senado... puede, mediante mensaje motivado, oponer su veto o introducir enmiendas"...

Precepto este (el art. 90) aplicable no sólo a los proyectos de ley, sino también a las proposiciones del ley, pues aunque la Comisión Mixta suprimió la referencia a éstas en la redacción definitiva que dio al texto, la evidente semejanza de ambas figuras pone de relieve la identidad de razón para su régimen jurídico.»

Art. 67. 1. Nadie podrá ser miembro de las dos Cámaras simultáneamente, ni acumular el acta de una Asamblea de Comunidad Autónoma con la de Diputado al Congreso.

2. Los miembros de las Cortes Generales no estarán ligados por mandato imperativo.

3. Las reuniones de Parlamentarios que se celebren sin convocatoria reglamentaria no vincularán a las Cámaras, y no podrán ejercer sus funciones ni ostentar sus privilegios.

STC. 10/83 de 21 de febrero

Fto. Jco. 2: Ver selección con relación al art. 23.

Art. 68. 1. El Congreso se compone de un mínimo de 300 y un máximo de 400 Diputados, elegidos por sufragio universal, libre, igual, directo y secreto, en los términos que establezca la ley.

2. La circunscripción electoral es la provincia. Las poblaciones de Ceuta y Melilla estarán representadas cada una de ellas por un Diputado. La ley distribuirá el número total de Diputados, asignando una representación mínima inicial a cada circunscripción y distribuyendo los demás en proporción a la población.

3. La elección se verificará en cada circunscripción atendiendo a criterios de representación proporcional.

4. El Congreso es elegido por cuatro años. El mandato de los Diputados termina cuatro años después de su elección o el día de la disolución de la Cámara.

5. Son electores y elegibles todos los españoles que estén el pleno uso de sus derechos políticos.

La ley reconocerá y el Estado facilitará el ejercicio del derecho de sufragio a los españoles que se encuentren fuera del territorio de España.

6. Las elecciones tendrán lugar entre los treinta días y sesenta días desde la terminación del mandato. El Congreso electo deberá ser convocado dentro de los veinticinco días siguientes a la celebración de las elecciones.

LO. 5/1985, de 19 de junio, de régimen Electoral General.

STC. 101/83

Fto. Jco. 3: Ver selección con relación al art. 9.

STC. 75/85 de 21 de junio

Ftos. Jcos. 4 y 5: Ver selección con relación al art. 23.

STC. 26/90 de 19 de febrero (**elector y votante nombran realidades distintas**)

Fto. Jco. 6: «...el término 'elector' es utilizado en la LOREG en múltiples ocasiones como claramente distinto y diferenciado del de votante. Así, en su art. 30.c) se refiere a un fichero nacional de electores (...), y en otros muchos arts. utiliza el concepto de elector para definir a quienes ostentan la capacidad y cumplen los requisitos para ser votantes, independientemente de que ejerzan o no su derecho (arts. 72, 85.1, 86.2, 87, 88.1), mientras que emplea el término votantes para designar a quienes hagan uso de su derecho en la práctica (86.4, 88.2 y 4, 97.2). Ha de destacarse que la CE., en su art. 68.5 dispone que son electores y elegibles todos los españoles que estén en pleno uso de sus derechos políticos, configurando al término, pues, en virtud de una capacidad y no de un ejercicio. Finalmente, la misma previsión del art. 105.4 de la LOREG relativa a los interventores («cuando el número de votos que figure en un acta excede el de los electores de la mesa, con la salvedad del voto emitido por los interventores, la Junta tampoco hará cómputo de ellos») muestra que el concepto de 'electores' se entiende referido a los inscritos en el censo con capacidad para votar, pues de lo contrario tal salvedad no tendría sentido. Los interventores que emiten su voto son 'votantes', y por ello, siempre sería irregular un número superior de votos al de votantes, sin necesidad de la salvedad indicada, que sólo cobra sentido si 'elector' significa algo distinto de 'votante'.»

STC. 119/90 de 21 de junio (el juramente de acatamiento de la CE.)

Fto. Jco. 7: «El requisito del juramento o promesa es una supervivencia de otros momentos culturales y de otros sistemas jurídicos a los que era inherente el empleo de ritos o fórmulas verbales ritualizadas como fuentes de creación de deberes jurídicos y de compromisos sobrenaturales. En un Estado democrático que relativiza las creencias y protege la libertad ideológica; que entroniza como uno de sus valores superiores el pluralismo político; que impone el respeto a los representantes elegidos por sufragio universal en cuanto poderes emanados de la voluntad popular, no resulta congruente una interpretación de la obligación de prestar acatamiento a la C. que antepone un formalismo rígido a toda otra consideración, porque de ese modo se violenta la misma C. de cuyo acatamiento se trata, se olvida el mayor valor de los derechos fundamentales (en concreto los del art. 23) y se hace prevalecer una interpretación de la C. excluyente frente a otra integradora.

Los Diputados son representantes del pueblo español considerado como unidad, pero el mandato que cada uno de ellos ha obtenido es producto de la voluntad de quienes lo eligieron determinada por la exposición de un programa político jurídicamente lícito (y por tal ha de ser tenido mientras no haya una decisión judicial en contrario) en el que puede haberse incluído de modo tácito o expreso (y los recurrentes afirman sin contradicción que ellos lo hicieron de modo expreso) el compromiso de afirmar públicamente que sólo por imperativo legal acatan la C. La fidelidad a este compromiso político, que ninguna relación guarda con la obligación derivada de un supuesto mandato imperativo, ni excluye, obviamente, el deber de sujeción a la C. que ésta misma impone en su art. 9.1, no puede ser desconocida ni obstaculizada, como se ha hecho en este caso mediante la prohibición de agregar a la fórmula reglamentaria la expresión 'por imperativo legal' en el momento mismo de prestar el juramento o promesa de acatamiento, pues como es evidente... ni siquiera la interpretación rigorista del requisito reglamentario anuda consecuencia alguna a la expresión, antes o después de ese momento, en el hemiciclo o fuera de él, de la misma motivación que pretende recoger la adición introducida por los recurrentes en la fórmula de su promesa.»

Art. 69. 1. El Senado es la Cámara de representación territorial.

2. En cada provincia se elegirán cuatro Senadores por sufragio universal, libre, igual, directo y secreto por los votantes de cada una de ellas, en los términos que señale una ley orgánica.

3. En las provincias insulares, cada isla o agrupación de ellas, con Cabildo o Consejo Insular, constituirá una circunscripción a efectos de elección de Senadores, correspondiendo tres a cada una de las islas mayores —Gran Canaria, Mallorca y Tenerife— y uno a cada una de las siguientes islas o agrupaciones: Ibiza-Formentera, Menorca, Fuerteventura, Gomera, Hierro, Lanzarote y La Palma.

4. La poblaciones de Ceuta y Melilla elegirán cada una de ellas dos Senadores.

5. La Comunidades Autónomas designarán además un Senador y otro más por cada millón de habitantes de su respectivo territorio. La designación corresponderá a la Asamblea legislativa o, en su defecto, al órgano colegiado superior de la Comunidad Autónoma, de acuerdo con lo que establezcan los Estatutos, que asegurarán, en todo caso, la adecuada representación proporcional.

6. El Senado es elegido por cuatro años. El mandato de los Senadores termina cuatro años después de su elección o el día de la disolución de la Cámara.

L.O. 5/1985 de 19 de junio, de Régimen Electoral General.

STC. 75/85 de 21 de junio

Ftos. Jcos. 4 y 5: Ver selección con relación al art. 23.

STC. 40/81 de 18 de diciembre (senadores tendrán condición de vascos; representación proporcional)

Fto. Jco. 1: «Tampoco procede declarar inconstitucional el aptdo. 1 del art. 2 de la Ley impugnada, por lo que ya hemos dicho de la especificidad de los Senadores designados en virtud del art. 69.5 CE. El requisito de que los candidatos 'ostenten la condición política de vascos 'es del mismo tipo que el de ser miembros del Parlamento de la C.A., establecido por el E.A. de Cataluña (art. 34.1), con la diferencia de que en el caso que nos ocupa tal requisito no se basa directamente en el EA. vasco, sino en una ley ordinaria del Parlamento vasco, prevista por el E.A. para señalar el 'procedimiento' de la designación. Es cierto que la disposición estatutaria, en el sentido literal en que hace particular hincapié el Abogado del Estado, limita el alcance de dicha ley, al ceñirse al 'procedimiento 'de la designación, por lo que parece excluir la introducción de una condición de esta índole. Ahora bien, semejante interpretación es excesivamente formalista, al pasar por alto la remisión, anteriormente mencionada, que el art. 69.5 CE hace a lo que 'establezcan los EEAA' en este punto, dando lugar con ello a que la regulación del EA. de los Senadores designados por las CCAA no caiga íntegramente bajo la legislación electoral general. Por ello no vemos una razón suficiente para interpretar aquí la fórmula del art. 28.2 de EA. vasco en un sentido limitativo. Antes bien, exigir la condición política de vascos para dichos Senadores está en conexión directa con su carácter de Senadores designados por el Parlamento de la CA. vasca. Porque si bien las Cortes Generales, y por consiguiente, el Senado, representan al pueblo español, en quien reside la soberanía nacional y del que emanan todos los poderes del Estado, el Senado, por su parte, lo hace específicamente como 'Cámara de representación territorial' integrada por miembros directamente elegidos por el cuerpo electoral de las provincias y por miembros designados por las CCAA. en cuanto tales. La limitación impuesta por la Ley impugnada en su art. 2.1 a los candidatos a Senadores del País vasco, de tener la condición política de vascos, es razonable y lógico, y pudo haber sido establecida en el EA. lo mismo que el EA. catalán estableció otra limitación. En todo caso, la inadmisibilidad de tales limitaciones vendría dada... por el hecho de que fuesen discriminatorias, lo que obviamente no es la que la Ley impugnada establece en su art. 2.1.»

Fto. Jco. 2: «No ofrece dudas que el punto de referencia para la proporcionalidad de la representación sea la composición de la propia Cámara electoral, como específicamente señalan los EEAA. de Cataluña (art. 34.1) y de Galicia (art. 10.1, c). Como es sabido, la representación proporcional es la que persigue atribuir a cada partido o a cada grupo de opinión un número de mandatos en relación con su fuerza numérica. Cualesquiera que sean sus modalidades concretas, su idea fundamental es la de asegurar a cada partido político o grupo de opinión una representación, si no matemática, cuando menos sensiblemente ajustada a su importancia real. Ahora bien, es sabido asimismo que la proporcionalidad en la representación, difícil de alcanzar de suyo, lo es tanto más cuanto menor sea el abanico de posibilidades dado por el número de puestos a cubrir en relación con el de las fuerzas concurrentes. Si ello es así en las elecciones parlamentarias o municipales, las dificultades de alcanzar la mayor proporcionalidad posible se incrementarán en elecciones internas de asambleas restrictas que han de designar un número muy reducido de representantes, como es el caso del Parlamento vasco y en general de las Asambleas legislativas o, en su defecto, de los órganos colegiados superiores de las CCAA. Consecuencia de ello es que la 'adecuada representación proporcional' exigida sólo podrá serlo imperfectamente en el marco de una discrecionalidad que la haga flexible, siempre que no altere su esencia. Será preciso, en todo caso, evitar la aplicación pura y simple de un criterio mayoritario o de mínima corrección.»

STC. 76/89 de 27 de abril (designación proporcional de senadores en Extremadura)

Fto. Jco. 4: «La segunda línea argumental utilizada por el recurrente, que aduce como subsidiaria, hace referencia a que, según su criterio, al haberse atribuído los dos Senadores representantes de la CA al PSOE siendo la correlación de fuerzas 34 Diputados para dicho partido y 31 para el resto de los grupos políticos, no se han respetado las exigencias de proporcionalidad que imponen los arts. 69.5 CE., 20.1.d) del EA. de Extremadura y 174.2 del Regl. de la Asamblea de dicha CA., por lo que mediante aquella atribución, habría resultado vulnerado el derecho fundamental ex art. 23 CE.

...A la hora de la distribución de los escaños existente entre las fuerzas políticas concurrentes, nuestro ordenamiento no contempla al grupo mayoritario frente al resto de los demás grupos políticos, sino que la distribución se hace en atención a los votos obtenidos por cada una de las candidaturas.

Es claro, pues, que la confrontación para determinar si en la designación de los dos Senadores se ha seguido el criterio proporcional que exige la normativa vigente, ha de hacerse entre el PSOE, que tuvo 34, y la Federación de Partidos de A.P., que obtuvo 17 escaños, a la que pertenece el demandante en amparo.

Teniendo en cuenta el número de escaños obtenidos por uno y otro grupo político no existe la menor duda de que en la atribución de los dos Senadores de designación comunitaria se han respetado las exigencias derivadas del principio de proporcionalidad, desvirtuándose, en consecuencia, por su base la pretensión del actor. En efecto... en el caso debatido se ha aplicado la regla D'Hondt, que es la adoptada por nuestro sistema electoral general (art. 163 LOREG). En aplicación de la misma, se ha asignado el primer Senador al Grupo socialista; el cociente de dividir su número de escaños por el de Senadores (dos) resultó igual al número de Diputados del Grupo popular y, ante este empate, a 17, resultó designado el que pertenecía al grupo con más escaños que, además, había obtenido en las elecciones autonómicas más del doble de votos que la F. de partidos de AP.

Esta solución no contradice el criterio de proporcionalidad y la asignación del escaño, en caso de empate, al grupo que obtuvo mayor número de votos en aplicación de lo prevenido en la LOREG, art. 173.1.d).»

STC. 4/92 de 13 de enero (**designación proporcional de senadores en Madrid**)

Fto. Jco. 3: «Es cierto sin duda, que ni la CE. ni el EA. de la CA. de Madrid ni el Reglamento de la Asamblea ni Ley autonómica alguna concretan el procedimiento de designación de los Senadores de la CA. de Madrid, hasta el punto de predeterminar una regla concreta de proporcionalidad; a diferencia de lo que ocurre en otras muchas CCAA, donde con mejor técnica y seguridad jurídica, se prevé una regulación del método de designación dotada de las suficientes dosis de predeterminación normativa y fijeza de la regla. Resta, por tanto, en el caso que nos ocupa, un amplio margen de la decisión a la Cámara, para distribuir el número de Senadores con arreglo a cualesquiera de los criterios de proporcionalidad existentes.

La ausencia de una regulación expresa de la fórmula de reparto proporcional, tanto en el EA, como en el Reglamento de la Cámara, hace decir al Mº Fiscal que 'ante la ausencia de una norma legal de proporcionalidad en esta específica materia, caso de no ordenarse por la Cámara un criterio determinado, no puede seguirse otro que el general de nuestro sistema electoral', esto es, la llamada regla D'Hondt. Tal tesis no puede en modo alguno ser admitida, puesto que, en primer lugar, la regla D'Hondt opera precisamente como un correctivo de la regla de la proporcionalidad pura, y como tal es una modulación de la regla de proporcionalidad que no puede ser objeto de aplicación extensiva y analógica allí donde el precepto se refiera sin más y sin matices a la proporcionalidad. Por otro lado, el carácter supletorio del art. 163 LOREG opera ciertamente para las elecciones para la Asamblea de Madrid, a las que es aplicable además directamente la regla D'Hondt... regla que se ha aplicado precisamente para la distribución de escaños entre los grupos parlamentarios tras las correspondientes elecciones. Ni una ni otra ley (LOREG y Ley 11/86 electoral de la CA. de Madrid) son de aplicación, sin embargo, a la presente designación, por parte de la Asamblea, de los Senadores, de acuerdo a lo previsto en el art. 69.5 CE, que se remite al respecto a los correspondientes EEAA, imponiéndoles precisamente como único límite la necesidad de asegurar la adecuada representación proporcional. La ausencia de previsión normativa en el ordenamiento autonómico no puede suponer, en consecuencia, la necesaria aplicación subsidiaria de una regla prevista para las elecciones generales y autonómicas, pero no para una designación de Senadores por parte de la Asamblea de una CA.»

STC. 40/81 de 18 de diciembre (**mandato de los senadores designados por las CC.AA.**)

Fto. Jco. 3: «Siendo los Senadores del art. 69.5 designados por las respectivas CC.AA., éstas pueden optar y efectivamente han optado, dentro del marco de su autonomía a que antes hemos hecho referencia, e independientemente de que sus Senadores deban o no ser miembros de las respectivas Asambleas legislativas, entre la vinculación del mandato senatorial con la legislatura de la Asamblea legislativa (Estatuto catalán y Ley Vasca 4/1981) o con la legislatura del Senado (Estatuto gallego). Este T.C. no tiene por qué pronunciarse sobre la mayor o menor idoneidad de una u otra opción. Por lo que atañe a su constitucionalidad, estima que en ausencia de la regulación constitucional sistemática de los Senadores representantes de las CC.AA. que antes hemos comprobado al analizar los arts. 69.5, 69.6 y 70.1 de la C., la remisión ya mencionada del 69.5 a 'lo que establezcan los Estatutos', para su designación, (supuesto el respeto de lo establecido en el art. 70.1) y la coherencia con la concepción autonómica que obviamente inspiró su institución, le conducen a admitirla para ambas, sin que se deba excluir de este juicio la del párrafo segundo del art. 6 de la Ley impugnada por la circunstancia de que una vinculación análoga a la del mencionado Estatuto se haga aquí con rango de Ley de Parlamento comunitario y la de que la condición de Senador no presuponga en este caso, aunque tampoco la excluya, la condición de miembro del Parlamento comunitario.

c) En cuanto al párrafo tercero del art. 6 de la Ley 4/1981 del Parlamento Vasco, según el cual 'en el supuesto de que la legislatura del Senado concluyese por cualquiera de las causas establecidas por la Ley, los nuevos Senadores a designar por el Parlamento Vasco deberán ser los mismos que hubieren sido elegidos por éste y continuarán en su mandato hasta finalizar la legislatura del Parlamento Vasco'... tal disposición es una consecuencia de la vinculación del mandato de los Senadores Vascos a la legislatura del Parlamento que los designó, ya que ésta designación... consiste en una elección cuyo resultado refleja una correlación de fuerzas políticas que puede ser distinta en la legislatura siguiente. Con ello el Parlamento Vasco asume una autovinculación admisible, que en cierto modo, encierra un elemento de permanencia. Es de observar... que sólo se autolimita la legislatura en que se produce la designación. El inciso final de este art. 6 no significa que los Senadores del País Vasco no cesan por la finalización del Senado, sino que, acabado el mandato del Senado antes de acabar el del Parlamento Vasco, se compromete éste a seguir representado por los Senadores anteriormente designados. Este T.C. no ve razón alguna para considerar que este párrafo es contrario a la C.»

Art. 70. 1. La ley electoral determinará las causas de inelegibilidad e incompatibilidad de los Diputados y Senadores, que comprenderán, en todo caso:

a) A los componentes del Tribunal Constitucional.

b) A los altos cargos de la Administración del Estado que determine la ley, con la excepción de los miembros del Gobierno.

c) Al Defensor del Pueblo.

d) A los Magistrados, Jueces y Fiscales en activo.

e) A los militares profesionales y miembros de las Fuerzas y Cuerpos de Seguridad y Policía en activo.

f) A los miembros de las Juntas Electorales.

2. La validez de las actas y credenciales de los miembros de ambas Cámaras estará sometida al control judicial, en los términos que establezca la ley electoral.

L.O. 5/1985, de 19 de junio, de Régimen Electoral General.

STC. 45/83 de 25 de mayo (**elegibilidad y recurso de amparo**)

Fto. Jco. 1: «La elegibilidad en los cargos que dice el art. 70, forma parte de un derecho que al estar incluído en el art. 23.2 goza de la protección procesal constitucional que establece el 53.2, todos de la C.E. y que, por tanto, puede hacerse valer por la vía del art. 43 o por la del art. 44, los dos de la LOTC., según el poder público del que proceda la que se reputa lesión a tal derecho.»

STC. 72/84 de 14 de junio (reserva Ley electoral: causas de inelegibilidad e incompatibilidad)

Fto. Jco. 3: «El art. 70 de la C. contiene efectivamente una reserva en favor de la Ley Electoral para la regulación de las causas de inelegibilidad e incompatibilidad de Diputados y Senadores. El texto de este art., al decir que 'la Ley Electoral determinará...', no está simplemente dotando a esa Ley de un contenido mínimo preceptivo, como puede ocurrir en otros casos en que se utiliza una dicción gramatical parecida. Está diciendo que esa materia ... sólo puede ser regulada en la Ley Electoral... La C. opta por establecer un elenco de causas fijo y remitir las restantes a la obra del legislador, pero no en cualquier Ley, aunque a éste se le dote del carácter de Ley Orgánica, sino, precisamente a la Ley Electoral.»

Fto. Jco. 4: «...para que una Ley merezca el calificativo de electoral es necesario que contenga por lo menos el núcleo central de la normativa atinente al proceso electoral, materia en la que se comprende lo relativo a quiénes pueden elegir, a quiénes se puede elegir y bajo qué condiciones, para qué espacio de tiempo y bajo qué criterios organizativos desde el punto de vista procedimental y territorial. Utilizando una nomenclatura que es cara a nuestra C. puede decirse que existe un contenido esencial de la Ley Electoral, que no se cumple cuando el legislador se limita a establecer las incompatibilidades de Diputados y Senadores, sino cuando regula las antes referidas materias.»

Fto. Jco. 5: «La Ley Electoral está prevista en la C. como una de las Leyes necesariamente llamadas a desarrollarla...

...en abstracto, es admisible que la Ley Electoral se haga por partes o que se modifique por partes, pero esta posibilidad no es sostenible en la coyuntura histórica del inicial desarrollo de la C., pues confeccionar parcialmente la Ley Electoral significa modificar sólo parcialmente a través de una Ley Orgánica, el Real Decreto-ley 20/1977.

...Si la C. no establece lo contrario, y lo contrario ha de entenderse siempre excepcional, corresponde a la oportunidad política decidir si la legislación se hace por partes o de una sola vez. Sin embargo, no puede aplicarse el mismo criterio a aquellos otros casos en que por las razones que fueran la C. establezca la unidad de legislación para una sola materia o para un conjunto de problemas y situaciones enlazadas y próximas entre sí, sin perjuicio de que una vez establecida esta legislación pueda modificarse parcialmente.»

STC. 80/87 de 27 de mayo (inelegibilidad y sanción penal)

Fto. Jco. 3: «El que el art. 6 de la LOREG, en su apartado segundo, mencione sólo algunas causas de inelegibilidad derivadas de sanciones penales, no significa que hayan quedado derogadas las restantes previstas en el C. Penal y que integran el contenido de determinadas penas, como inhabilitación absoluta, inhabilitación especial para el derecho de sufragio y otras. Tal es el caso de la pena de suspensión de cargo público, cuyos propios efectos, regulados por el art. 38 del C. Penal, implican la imposibilidad de obtener otro de funciones análogas durante el tiempo de la condena, por lo que constituye una causa de inelegibilidad para cualquier cargo de funciones análogas a aquel de cuyo ejercicio se haya suspendido al penado.»

STC. 27/90 de 22 de febrero (contenido del 70.2 y T. Constitucional)

Fto. Jco. 3: «...si bien el art. 70.2 CE. establece que 'la validez de las actas etc. etc...', ni este precepto constitucional ni ningún otro, excluye la revisión que puede realizar este TC en el recurso de amparo previsto en el art. 53.2 CE., para ofrecer a los derechos fundamentales susceptibles del mismo la protección exigible para su plena efectividad. Y es que como declaró este TC en una de sus primeras sentencias 26/81), nada que concierna al ejercicio por los ciudadanos de los derechos que la CE. les reconoce, podrá considerarse nunca ajeno a este TC'.

Art. 71. 1. Los Diputados y Senadores gozarán de inviolabilidad por las opiniones manifestadas en el ejercicio de sus funciones.

2. Durante el período de su mandato los Diputados y Senadores gozarán asimismo de inmunidad y sólo podrán ser detenidos en caso de flagrante delito. No podrán ser inculpados ni procesados sin la previa autorización de la Cámara respectiva.

3. En las causas contra Diputados y Senadores será competente la Sala de lo Penal del Tribunal Supremo.

4. Los Diputados y Senadores percibirán una asignación que será fijada por las respectivas Cámaras.

R.C.D. arts. 6-22; R.S. arts. 20-25

STC. 36/81 de 12 de noviembre (inmunidad y diputados autonómicos)

Fto. Jco. 1: «La Ley 2/1981 de 12 de febrero del parlamento Vasco contempla la doble institución de la inviolabilidad y la inmunidad de los miembros de dicho Parlamento. A efectos de evitar confusiones terminológicas como consecuencia de la diversidad que existe en el campo del Derecho constitucional comparado, dejaremos constancia de la distinción entre las dos instituciones principales contenidas en la Ley 2/1981 de referencia. De un lado la inviolabilidad reconocida en el art. 71.1 de nuestra C. de 1978 como aquella prerrogativa de que gozarán los senadores y diputados respecto de 'las opiniones manifestadas en el ejercicio de sus funciones', lo que supone que no pueden ser sometidos a procedimiento alguno tanto por las referidas opiniones como por los votos que emitan en el seno de la Cámara de que forman parte. La inviolabilidad así entendida y con dicha terminología la encontramos recogida ya en la C. de 1812 en su art. 128 referido a los Diputados.»

«La distinción entre inviolabilidad e inmunidad aparece ya nítidamente en la C. de 1837, tratándose en arts. separados y se contiene así en las C. de 1845, 1869, en el Proyecto de 1873, 1876 y 1931. Siguiendo con la tradición española, la C. de 1978 concibe la inmunidad en el sentido de que durante su mandato los Diputados y Senadores 'solo podrán ser detenidos en caso de flagrante delito'. Asimismo, 'no podrán ser inculpados ni procesados sin la previa autorización de la Cámara respectiva'.»

«Ambas instituciones, inviolabilidad e inmunidad, aparecen como vemos recogidas y referidas sólo a los Diputados y Senadores en la C. de 1978 que, sin embargo, no acoge como hace, por ejemplo, la C. Italiana en su art. 122 respecto a la inviolabilidad, la menor referencia a los miembros de las Asambleas Legislativas de las CC.AA.; cuestión que es, por otro lado, objeto de regulación en los Estatutos de Autonomía correspondientes. Por lo que al País vasco se refiere, se hace especial mención en el art. 26.6 del Estatuto de Autonomía aprobado por la L.O. 3/1979, de 18 de diciembre... (que define) la inviolabilidad de los parlamentarios al decir textualmente que 'Los miembros del Parlamento Vasco serán inviolables por los votos y opiniones que emitan en el ejercicio de su cargo'.»

STC. 51/85 de 10 de abril (**inviolabilidad: interpretación restrictiva y concreción funcional**)

Fto. Jco. 6: «...El ejercicio de la función senatorial o parlamentaria en general ¿se circunscribe a la actividad oficial o, por el contrario, puede el representante parlamentario ejercitar la función que le ha sido conferida por cualquier cauce abierto a los demás ciudadanos sin perder por ello su función el carácter que le corresponda por razón de la materia y objeto de la actividad, continuando, por ende, cubierto por la inviolabilidad?»

«El art. 71.1 de la C. dispone que 'los Diputados y Senadores gozarán de inviolabilidad por las opiniones manifestadas en el ejercicio de sus funciones', garantizando así la 'freedom of speech' de los parlamentarios, genéricamente reconocida en los diferentes sistemas constitucionales democráticos. Al margen ahora la discutida naturaleza, en el ámbito penal, de esta prerrogativa (causa de inimputabilidad para algunos, eximente de antijuridicidad desde otra perspectiva), es claro que la misma se orienta a la preservación de un ámbito cualificado de libertad en la crítica y en la decisión sin el cual el ejercicio de las funciones parlamentarias podría resultar mediatizado y frustrado por ello el proceso de libre formación de voluntad del órgano.»

«Esta garantía de los parlamentarios no decae por la extinción del mandato (arts. 10 y 21, respectivamente del RCD y R.S., pero sí requiere de una correcta delimitación material y funcional. Respecto de la primera parece evidente que la garantía no ampara cualesquiera actuaciones de los parlamentarios y sí solo sus declaraciones de juicio o de voluntad (opiniones según el art. 71.1 de la C.). En cuanto a la concreción funcional del ámbito de la prerrogativa, sin embargo, podrían presentarse, de principio, algunas dudas y, en especial, la relativa a si la inviolabilidad cubre toda la actuación de 'relevancia política' del parlamentario o si, más estrictamente, la protección dispensada por esta garantía no alcanza sino a la conducta de su titular en tanto que miembro del órgano colegiado, cesando, por lo tanto, cuando el sujeto desplegase ya su conducta, incluso con trascendencia política, al margen de las funciones parlamentarias.»

«Con alguna excepción muy singular, la comprensión más estricta de la prerrogativa es unánimemente compartida por la doctrina española, siendo también la dominante en la literatura extranjera. En el Derecho español, por las razones y con las precisiones que a continuación se apuntan esta parece ser, ciertamente, la interpretación más correcta.»

«El nexo entre inviolabilidad y ejercicio de funciones propias a la condición de parlamentario está claramente expuesto por el propio art. 71.1 de la C. A no ser que la expresión 'funciones' que recoge esta norma se entendiera en un sentido inespecífico (de corte sociológico y no jurídico), las mismas debieran identificarse en las que son propias del Diputado o Senador en tanto que sujetos portadores del órgano parlamentario, cuya autonomía, en definitiva, es la protegida a través de esta garantía individual. El Diputado o Senador ejercitaría, pues, sus funciones sólo en la medida en participase en actos parlamentarios y en el seno de cualesquiera de las articulaciones orgánicas de las Cortes Generales. Que esto es así lo confirman los Reglamentos de las cámaras, y específicamente el R.S. (el del Congreso, art. 10, se limita a reiterar, por lo que aquí importa, la fórmula constitucional)...»

«De otra parte, y como confirmación constitucional de esta interpretación, ha de tenerse en cuenta lo dispuesto en el art. 67.3 de la Norma fundamental, de acuerdo con el cual 'las reuniones de parlamentarios que se celebren sin convocatoria reglamentaria no vincularán a las Cámaras, y no podrán ejercer sus funciones ni ostentar sus privilegios'. Es cierto que este precepto no se limita a contemplar, en su último inciso, la prerrogativa que se considera (se refiere también, por ejemplo, a la protección penal de las Asambleas y a la inmunidad de la sede parlamentaria), pero es también patente que su sentido es el de vincular el reconocimiento de lo que llama 'privilegios' parlamentarios al funcionamiento regular de las asambleas y sus órganos. Refuerza esta tesis el hecho de que la inviolabilidad por las opiniones vertidas se vea necesariamente contrapesada por la sujeción a la disciplina parlamentaria.»

«...Desde una perspectiva finalista de la garantía que se considera, la interpretación no puede ser muy distinta. Las prerrogativas parlamentarias han de ser interpretadas estrictamente para no devenir privilegios que puedan lesionar derechos fundamentales de terceros (en este caso, por ejemplo, los reconocidos por el art. 24.1 de la C.). Tal entendimiento estricto debe hacerse a partir de una comprensión del sentido de la prerrogativa misma y de los fines que ésta procura. Desde este enfoque, como se ha señalado doctrinalmente, las prerrogativas parlamentarias son 'sustracciones al Derecho común conectadas a una función', y sólo en tanto esta función jurídica se ejerza, pueden considerase vigentes. Salvando todas las diferencias, hay que reiterar lo que dijo ya este Tribunal en su STC. 61/82 de 13 de octubre, Fto. Jco. 5, sobre la institución del 'antejuicio', cuando precisó que la legitimidad «de la garantía se ha de reconocer, en la medida en la que su estructura la haga adecuada a su objetivo 'sin que en ningún caso pueda ser desvirtuada para convertirla en origen de privilegio'.»

«El interés, a cuyo servicio se encuentra establecida la inviolabilidad es el de la protección de la libre discusión y decisión parlamentarias ...decayendo tal protección cuando los actos hayan sido realizados por su autor en calidad de ciudadano (de 'político' incluso), fuera del ejercicio de competencias y funciones que le pudieran corresponder como parlamentario. Así, las funciones relevantes para el art. 71.1 de la C. no son indiferenciadamente todas las realizadas por quien sea parlamentario, sino aquellas imputables a quien, siéndolo, actúa jurídicamente como tal.»

«Con carácter general, esta debe ser la interpretación del ámbito funcional en que se proyecta la garantía de la inviolabilidad. Un entendimiento estricto que, por lo demás, no impide las necesarias matizaciones, reconociendo (como se ha hecho alguna vez en la experiencia parlamentaria extranjera) que la prerrogativa puede amparar, también, los actos 'exteriores' a la vida de las Cámaras, que no sean sino reproducción literal de un acto parlamentario.»

STC. 9/90 de 18 de enero (suplicatorio y procesos civiles)

Fto. Jco. 3: «No es necesario esfuerzo alguno para identificar la finalidad a la que responde el requisito de procedibilidad introducido por la L.O. 3/85 (se refiere al art. 2.2: 'iniciado un proceso civil en aplicación de la presente Ley, no podrá seguirse contra un Diputado o Senador sin la previa autorización del Congreso de los Diputados o del Senado'), puesto que es el mismo legislador el que, en el preámbulo de la Ley, explica que la autorización parlamentaria previa tiene por objeto proteger a los Diputados y Senadores de la constante amenaza de demandas civiles a que pueden verse sometidos a consecuencia de las opiniones que expresen en estrecha conexión con sus funciones parlamentarias, que no se produzcan dentro de las Cámaras y a las que no alcanzaría el principio de la inviolabilidad.»

«Sería suficiente centrar nuestra atención en esta última frase para obtener, sin más razonamiento la inconstitucionalidad de esa exigencia de autorización previa, pues en ella se pone de manifiesto que el legislador, de manera consciente, amplía, más allá de los límites establecidos en la C., el privilegio excepcional de la inviolabilidad que consagra en su art. 71, al que se remite, puesto que reconoce, expresamente, que la finalidad del requisito procesal es la de extender la inviolabilidad a supuestos excluídos por la C. del ámbito de esa garantía y, además, lo hace aplicando a la misma el instrumento de la autorización parlamentaria o suplicatorio, que nuestra Norma suprema sólo permite utilizar como garantía de la inmunidad y que es por ello y según veremos, incompatible con la naturaleza y alcance de la inviolabilidad.»

Fto. Jco. 4: «...la inviolabilidad es una garantía sustantiva que, en cuanto excluye la responsabilidad jurídica de Diputados y Senadores por las opiniones manifestadas en el ejercicio de su función parlamentaria, no requiere la interposición de una autorización previa que, al carecer de expresa consagración constitucional, solamente podría introducirse a través de una especie de vía analógica que consiente la interpretación estricta que merecen todas las prerrogativas, las cuales, de acuerdo con lo razonado, no suministran fundamento constitucional para condicionar o impedir la prestación de la función jurisdiccional con autorizaciones previas para proceder en el orden civil contra parlamentarios.»

Fto. Jco. 5: «En resumen, se introduce... una autorización previa que dicho precepto constitucional (art. 71) sólo consiente en los procesos penales, creándose así una institución híbrida, compuesta a partir de elementos conceptuales de la inviolabilidad a los que se añade un instrumento autorizatorio, propio y exclusivo de la inmunidad, que carece de encaje constitucional y conlleva una irrazonable y desproporcionada limitación del derecho a la tutela judicial en cuanto impide el ejercicio independiente de la jurisdicción y, por tanto, resulta desprovista de la debida justificación, tanto desde la perspectiva del art. 71 de la C. como desde la que corresponde al art. 24.1 de la misma.»

STC. 36/81 de 12 de noviembre (inmunidad diputados Parlamento Vasco)

Fto. Jco. 1: Ya transcrito íntegramente por su relación con la inviolabilidad.

Fto. Jco. 4: «Es de señalar que la Ley 2/81 (de 12 de febrero del Parlamento Vasco) impugnada modifica sustancialmente el sistema sancionado en el EAPV en la parte relativa a la inmunidad de los miembros del Parlamento de dicha C.A. En efecto, mientras que el EAPV referido garantiza exclusivamente en relación con el 'status' de tales parlamentarios que 'no podrán ser detenidos ni retenidos, sino en caso de flagrante delito', art. 26.6... lo que supone el reconocimiento de una inmunidad parcial o limitada en relación con los actos delictivos cometidos por aquellos, la Ley 2/81 amplía esa prerrogativa, de manera que la convierte en una inmunidad plena o completa, ya que según su art. 2.1, los miembros del parlamento Vasco 'no podrán ser inculpados ni procesados, sin la previa autorización del Parlamento Vasco'... En la medida en que... la C.A. del País Vasco ha dictado una Ley sin acudir al trámite de la modificación del E.A., ha vulnerado tanto la C., arts. 147.3 y 152.1, como el propio EAPV, arts. 46 y 47, siendo, en consecuencia, dicha Ley inconstitucional y antiestatutaria.»

STC. 124/2001 de 4 de junio (**alcance de la inmunidad**)

Fto. Jco. 4. Enmarcada la queja del recurrente en amparo en el ámbito del derecho a acceder en condiciones de igualdad a las funciones y cargos públicos (art. 23.2 CE), la cuestión a dilucidar estriba en determinar si la interpretación y aplicación que en este caso ha hecho la Sala Segunda del Tribunal Supremo de la prerrogativa de la inmunidad de los Diputados y Senadores infringe el art. 71.2 CE y vulnera, en consecuencia, aquel derecho fundamental. Para ello, hemos de partir necesariamente de la doctrina constitucional sobre el alcance y finalidad de la mencionada prerrogativa parlamentaria.

La inmunidad de la que gozan los Diputados y Senadores durante el período de su mandato ex art. 71.2 CE, como este Tribunal ha declarado en la STC. 206/1992, de 27 de noviembre, se encuentra conectada con la proclamación del art. 66.3 CE de que "Las Cortes Generales son inviolables" y se concreta, ante todo, en la exención de cualquier posible detención, si no es "en caso de flagrante delito", con la que concluye el inciso primero de aquel precepto constitucional, y en la especificación en su segundo inciso de que "no podrán ser inculpados ni procesados sin la previa autorización de la Cámara respectiva". De este modo, dijimos entonces y hemos de reiterar ahora, "nuestra Constitución ha venido a incorporar un instituto que, en la medida en que pueda suponer una paralización, siquiera temporal, de la acción de la justicia y, en su caso, del derecho fundamental a la tutela de los Jueces, aparece, prima facie, como una posible excepción a uno de los pilares básicos del Estado de Derecho, el sometimiento de todos al 'imperio de la Ley como expresión de la voluntad popular' (Preámbulo de la Constitución, párrafo tercero)" (Fto. Jco. 3). Por tal razón, señalamos que la comprensión de la prerrogativa en el sistema de la Constitución aparece como una tarea previa e inexcusable, realizando a tal fin una serie de observaciones, algunas de las cuales, con la doctrina constitucional precedente, conviene ahora traer a colación.

Tras recoger, como primera observación, que "la inmunidad como prerrogativa de los miembros de las Cortes Generales forma parte de nuestro Texto constitucional, con idéntica legitimidad a la del resto de las instituciones constitucionales", se declaró seguidamente que la inmunidad, al igual que otras prerrogativas parlamentarias, "pero con más razón en ésta, no es un privilegio, es decir, un derecho particular de determinados ciudadanos, que se vieran, así, favorecidos respecto del resto" (Fto. Jco. 3). En este sentido, cabe recordar que ya en la STC. 90/1985, de 22 de julio, se había dicho que "la inmunidad parlamentaria no puede concebirse como un privilegio personal, esto es, como un instrumento que únicamente se establece en beneficio de las personas de Diputados o Senadores, [pues] la existencia de tal tipo de privilegios pugnaría entre otras cosas, con los valores de 'justicia' e 'igualdad' que el art. 1.1 reconoce como 'superiores de nuestro ordenamiento jurídico'" (Fto. Jco. 6).

La siguiente observación, en estrecha conexión con la anterior, que entonces se hizo y ahora conviene recordar estribaba en que el carácter objetivo de las prerrogativas parlamentarias "se refuerza, en efecto, en el caso de la inmunidad, de tal modo que la misma adquiere el sentido de una prerrogativa institucional" (STC. 206/1992, de 27 de noviembre, Fto. Jco. 3). En cuanto expresión más característica de la inviolabilidad de las Cortes Generales, "la inmunidad... se justifica en atención al conjunto de funciones parlamentarias respecto de las que tiene, como finalidad primordial, su protección..., de ahí que el ejercicio de la facultad concreta que de la inmunidad deriva se haga en forma de decisión que la totalidad de la Cámara respectiva adopta". Y "esta protección a que la inmunidad se orienta no lo es, sin embargo, frente a la improcedencia o a la falta de fundamentación de las acciones penales dirigidas contra los Diputados y Senadores", sino frente a la amenaza de tipo político consistente en la eventualidad de que la vía penal sea utilizada, injustificada o torticeramente, con la intención de perturbar el funcionamiento de las Cámaras o de alterar la composición que a las mismas ha dado la voluntad popular (STC. 90/1985, de 22 de julio, Fto. Jco. 6; doctrina que reitera la STC. 206/1992, de 27 de noviembre, Fto. Jco. 3). En esta misma línea, se declaró en la STC. 243/1988, de 19 de diciembre, concretando las afirmaciones anteriores, que la inmunidad "es una prerrogativa de naturaleza formal que protege la libertad personal de los representantes populares contra detenciones y procesos judiciales que pueden desembocar en privación de libertad, en tanto que, por manipulaciones políticas, se impida al parlamentario asistir a las reuniones de las Cámaras y, a consecuencia de ello, se altere indebidamente su composición y funcionamiento" [Fto. Jco. 3 b); doctrina que reitera la STC. 206/1992, de 27 de noviembre, Fto. Jco. 3].

En este sentido institucional de la prerrogativa, único susceptible de preservar su legitimidad, insistió la tan mencionada STC. 206/1992, de 27 de noviembre, al declarar que dicha prerrogativa no había sido establecida por el constituyente "para generar zonas inmunes al imperio de la Ley", así como que quedaría desnaturalizada como prerrogativa institucional "si quedase a merced del puro juego del respectivo peso de las fracciones parlamentarias", reiterando, una vez más, que responde "al interés superior de la representación nacional de no verse alterada ni perturbada, ni en su composición, ni en su funcionamiento, por eventuales procesos penales que puedan incoarse frente a sus miembros, por actos producidos tanto antes como durante su mandato, en la medida en que de dichos procesamientos o inculpaciones pueda resultar la imposibilidad de un parlamentario de cumplir efectivamente sus funciones" (Fto. Jco. 3).

Es en este contexto donde se sitúa la necesidad de obtener la autorización de las Cámaras respectivas como condición de procedibilidad para inculpar o procesar a cualquiera de sus miembros. Lo que la Constitución ha querido es que sean las propias Cámaras las que aprecien y eviten por sí mismas, en cada caso concreto y atendiendo a sus circunstancias, la eventualidad de que la vía penal sea utilizada con la intención de perturbar el funcionamiento de las Cámaras o alterar la composición que les ha dado la voluntad popular, es decir, si la inculpación o procesamiento puede producir el resultado objetivo de alterar indebidamente su composición o funcionamiento, realizando algo que no pueden llevar a cabo los órganos jurisdiccionales, como es una valoración del significado político de tales acciones (SSTC. 90/1985, de 22 de julio, Fto. Jco. 6; 206/1992, de 27 de noviembre, Fto. Jco. 3).

Han de concluirse las precedentes consideraciones, recordando, asimismo, que las prerrogativas parlamentarias han de ser interpretadas estrictamente a partir de una comprensión del sentido de la prerrogativa misma y de los fines que ésta procura, esto es, tanto en el sentido lógico de sujeción a los límites objetivos que le impone la Constitución, como en el teleológico de razonable proporcionalidad al fin al que responden [SSTC. 51/1985, de 10 de abril, Fto. Jco. 6; 243/1988, de 19 de diciembre, Fto. Jco. 3 a); 22/1997, de 11 de febrero, Fto. Jco. 5]. Así, el problema que en cada caso se suscite ha de ser considerado a la luz de la doctrina constitucional expuesta, de manera que la observancia de la prerrogativa cuestionada se cohoneste con la finalidad a la que sirve [SSTC. 22/1997, de 11 de febrero, Fto. Jco. 7; 68/2001, de 17 de marzo, Fto. Jco. 2 b)].

STC. 243/88 de 19 de diciembre (inmunidad y procesos civiles)

Fto. Jco. 3: «La inmunidad es... una prerrogativa de naturaleza formal que protege la libertad personal de los representantes populares contra detenciones y procesos judiciales que puedan desembocar en privación de libertad, evitando que, por manipulaciones políticas, se impida al parlamentario asistir a las reuniones de las Cámaras y, a consecuencia de ello, se altere indebidamente su composición y funcionamiento... Al servicio de este objetivo se establece la autorización del órgano parlamentario para proceder contra sus miembros, que es un instrumento propio de la inmunidad, cuyo campo de actuación, por su finalidad, se limita al proceso penal, una vez desaparecida de nuestro ordenamiento jurídico la prisión por deudas y la privación de libertad derivada de actos administrativos.»

Fto. Jco. 4: «...La única prerrogativa parlamentaria que puede justificar la suspensión de las actuaciones judiciales, en tanto la Cámara se pronuncia concediendo o denegando la 'previa autorización', es la de la inmunidad... Sin embargo, la inmunidad parlamentaria se manifiesta inapropiada para impedir el curso de una demanda civil interpuesta contra un parlamentario, pues el sentido propio de las palabras empleadas por el art. 71 de la C., los antecedentes históricos y legislativos de esa prerrogativa de los miembros de las Cámaras y la razón misma de la institución excluyen, con absoluta claridad, que su protección se extienda a procesos que no sean penales, es decir, que no entrañen la eventualidad de que sean utilizados con la intención de perturbar el funcionamiento de la Cámara o alterar su composición, mediante la posible privación de la libertad del parlamentario.»

STC. 186/1989 de 13 de noviembre (inmunidad y derecho a la tutela judicial de terceros)

Fto. Jco. 2: «...no hay base constitucional para condicionar o impedir la prestación de la función jurisdiccional con autorizaciones previas para proceder en el orden civil contra parlamentarios, sin perjuicio de la inviolabilidad sustancial que pueda corresponder a los parlamentarios... Se sigue de ello que no es tanto el contenido del acto parlamentario, sino la exigencia misma de ese acto lo que ha vulnerado el derecho a la tutela judicial del solicitante de amparo 'al hacerse depender la tramitación de su demanda de un presupuesto procesal privilegiado y excepcional que no encuentra legitimidad en la C.'»

STC. 51/85 de 10 de abril (competencia de la Sala de lo Penal del T.S.)

Fto. Jco. 3: «Además, es de tener en cuenta que, en supuestos como el que nos ocupa, la necesidad de que en las causas contra Diputados y Senadores sea competente la Sala de lo Penal del T.S., que es el «órgano jurisdiccional superior en todos los órdenes, salvo lo dispuesto en materias de garantías constitucionales» (art. 123.1 de la C.), está impuesta por el art. 71.3 de la C. Determinadas personas gozan, ex Constitutione, en atención a su cargo, de una especial protección que contrarresta la imposibilidad de acudir a una instancia superior, pudiendo afirmarse que esas particulares garantías que acompañan a Senadores y Diputados disculpan la falta de un segundo grado jurisdiccional, por ellas mismas y porque el órgano encargado de conocer en las causas en que puedan hallarse implicados es el superior en la vía judicial ordinaria.»

Art. 72. 1. Las Cámaras establecen sus propios Reglamentos, aprueban autónomamente sus presupuestos y, de común acuerdo, regulan el Estatuto del Personal de las Cortes Generales. Los Reglamentos y su reforma serán sometidos a una votación final sobre la totalidad, que requerirá la mayoría absoluta.

2. Las Cámaras eligen sus respectivos Presidentes y los demás miembros de sus Mesas. Las sesiones conjuntas serán presididas por el Presidente del Congreso y se regirán por un Reglamento de las Cortes Generales aprobado por mayoría absoluta de cada Cámara.

3. Los Presidentes de las Cámaras ejercen en nombre de las mismas todos los poderes administrativos y facultades de policía en el interior de sus respectivas sedes.

R.C.D. 10 de febrero de 1982 y Texto Refundido del R.S. de 3 de mayo de 1994.

STC. 101/83 de 18 de noviembre (los Reglamentos de las Cámaras y la CE.)

Fto. Jco. 3: «...los Reglamentos de las Cámaras se encuentran directamente incardinados a la C. (arts. 72, 79 y 80, entre otros), siendo el contenido propio de tales normas el de regular, con sujeción a la C., su propia organización y funcionamiento, en el que ha de incluirse lógicamente la constitución del órgano como tal. De aquí que desde una perspectiva constitucional, a la que ha de ceñirse exclusivamente el enjuiciamiento del T.C. no pueda negarse que los Reglamentos de las Cámaras, dada la función que cumplen en el sistema jurídico, son normas en cuyo contenido puede comprenderse la exteriorización del deber positivo de acatamiento contenido en la C., para los titulares de los poderes públicos, sin perjuicio de que tal requisito pueda también exteriorizarse, con carácter más general, en una Ley.»

ATC. 183/84 de 21 de marzo (actos internos de la Cámara)

Fto. Jco. 2: «La norma impugnada es, en efecto, un acto interno de la Cámara producido por la Presidencia de ésta y que tiene por finalidad la regulación de las relaciones que existen entre la Cámara y sus propios miembros. No es por tanto una norma que deba regular las relaciones de la Cámara con terceros vinculados con ella por relaciones contractuales o funcionariales, sino un acto puramente interno de un órgano constitucional. Característica propia de estos es la independencia y el aseguramiento de ésta obliga a entender que, si bien sus decisiones, como sujetas que están a la C. y a las Leyes, no están exentas del control jurisdiccional, sólo quedan sujetas a este control cuando afectan a relaciones externas del órgano o se concretan en la redacción de normas objetivas y generales susceptibles de ser objeto del control de inconstitucionalidad, pero ello sólo, naturalmente, a través de las vías que para ello se ofrecen.» (y no como en este caso se trataba, de la vía del amparo constitucional).

ATC. 12/86 de 15 de enero (**infracción de Reglamento y control de constitucionalidad**)

Fto. Jco. 2: «...es necesario señalar que no toda infracción de los Reglamentos de las Cámaras y, en concreto, de aquellas normas que regulan las facultades de los parlamentarios en el curso del procedimiento constituyen otras tantas violaciones de derechos fundamentales, ya que no es correcto incluir en el bloque de constitucionalidad relativo al art. 23 las normas de aquellos Reglamentos sobre el ejercicio de las funciones de los miembros de las Cámaras legislativas...»

«La organización de los debates y el procedimiento parlamentario es cuestión remitida en la C., como se desprende de su art. 72, a la regulación y actuación independiente de las Cámaras legislativas y los actos puramente internos que adopten las mismas no podrían ser enjuiciados por este Tribunal, en cuanto que presuntamente lesivos de los reglamentos parlamentarios, sin menoscabar aquella independencia... Quiere con ello decirse que, sólo en cuanto lesionen un derecho fundamental reconocido en la C. y no por infracción pura y simple de un precepto del Reglamento de la Cámara, son recurribles en amparo tales actos internos, en virtud de lo dispuesto en el art. 42 de la LOTC.»

ATC. 296/85 de 8 de mayo (**actos parlamentarios y recurso de amparo**)

Fto. Jco. 1: «Respecto de los 'actos parlamentarios', el art. 42 de la LOTC únicamente admite el recurso de amparo contra los que no tienen 'valor de Ley'. Para poder ser recurrido un acto de esta procedencia y naturaleza, a través de la vía del art. 42, es menester que haya alcanzado 'firmeza', lo que sólo se alcanza una vez que se hayan agotado las instancias internas y, si fuere procedente, las vías externas establecidas contra tales actos, esto es, la contenciosa-administrativa, donde podrá instarse, antes del amparo, la reparación del derecho constitucional vulnerado.»

Fto. Jco. 2: «Si se entendiera que lo impugnado no es un 'acto singular' y que tiene el carácter de una disposición general, integrado en un estatuto con valor de Ley, aunque emanada de la Mesa, esto es, de un órgano interno de la Asamblea, no estaría comprendido en la hipótesis del art. 42 de la LOTC, pues el amparo previsto en esta disposición es contra 'decisiones o actos sin valor de Ley', no pudiendo interponerse un recurso directo contra los actos con valor de Ley, lo que no obsta a la impugnación de los actos que se dicten en aplicación de tal disposición, pero sólo una vez que hayan ganado firmeza, para lo que requiere el agotamiento de la vía contenciosa-administrativa.»

ATC. 659/87 de 27 de mayo (control del TC. sobre actos parlamentarios)

Fto. Jco. 2: «El control jurisdiccional que este Tribunal puede llevar a cabo se realiza sólo sobre los actos mediante los que los órganos estatales actúan sus competencias pero no sobre la decisión adoptada en virtud de criterios políticos y de oportunidad acerca de la ocasión idónea para el ejercicio de sus competencias. Se trata, a estos efectos, de decisiones de carácter interno no justiciables.»

«Resulta así claro que este Tribunal no puede sustituir la decisión que en uso de sus atribuciones tomó la Cámara, decisión propia de una voluntad política, de tramitar o no una proposición de Ley. La autonomía e independencia del órgano parlamentario impide así una supervisión jurisdiccional de este tipo de actos del Congreso, formalmente correcto mediante el cual se decide colegiadamente la toma en consideración de una determinada proposición de Ley, por ser un acto parlamentario libre, en cuanto al fin, resultaría impracticable el examen de la conformidad a Derecho (a la C. en este caso) de la decisión así adoptada por la Cámara.»

STC. 118/88 de 20 de junio ('interna corporis acta'; control jurisdiccional y derechos)

Fto. Jco. 2: «...la jurisprudencia constitucional en aras del respeto a la autonomía de las Cámaras en orden a su propio funcionamiento, ha llevado a calificar determinados actos parlamentarios como 'interna corporis', los cuales, por su naturaleza, resultarían excluídos del conocimiento, verificación y control, por parte de los Tribunales, tanto los ordinarios como de este Tribunal...»

«...Pero ello no excluye, sin embargo, la posibilidad de examinar si aquellos actos han vulnerado en concreto los derechos fundamentales y libertades públicas... para cuya protección queda abierta la vía del recurso de amparo... La doctrina de los 'interna corporis acta' sólo es aplicable en la medida en que no existe lesión de tales derechos y libertades, impidiendo el conocimiento de este Tribunal de lo que no sea su posible lesión.»

Fto. Jco. 3: «La asimilación de los reglamentos parlamentarios a las leyes y disposiciones normativas con fuerza de ley permite su impugnación directa y completa y un control pleno de su constitucionalidad a través del recurso de inconstitucionalidad, aunque impide eventuales recursos de amparo directos contra la norma, para examinar la eventual lesión por la misma de los derechos fundamentales del ciudadano, sin perjuicio, al igual que ocurre con la norma legal, de la impugnación en amparo de los actos de aplicación de la norma presuntamente lesiva de esos derechos fundamentales. El problema que aquí interesa es del alcance que haya de darse al concepto de reglamentos parlamentarios, a efectos del art. 27 (LOTC) y, consecuentemente, también del art. 42 (LOTC).»

«Una interpretación estricta y formal del art. 27.2 d) de la LOTC podría llevar a entender que sólo serían susceptibles de recurso de inconstitucionalidad los Reglamentos de las Cámaras y de las Cortes Generales, aprobados por la mayoría absoluta de las mismas, y que sólo éstos quedarían excluídos del amparo del citado art. 42. Sin embargo este Tribunal ha llevado a cabo una interpretación más amplia, de carácter sustancial o finalista, que permite también incluir en el concepto a que se refiere el art. 27.2 d) de la LOTC (y correlativamente excluir del art. 42 de dicha ley) disposiciones normativas, con vocación de insertarse en la reglamentación parlamentaria, que, incluso dictadas con ocasión de un caso concreto han podido entenderse incorporadas al Reglamento de la cámara por lo que, sólo como parte del mismo, podrían considerarse constitucionalmente lesivas, habiendo de someterse, en consecuencia, al control constitucionalmente establecido para los Reglamentos parlamentarios.»

Fto. Jco 4: «Esta doctrina de asimilación, a efectos de su impugnación, de estas resoluciones normativas a los reglamentos parlamentarios, ha de aplicarse también a la resolución del Presidente del Congreso de los Diputados sobre acceso a materias clasificadas. En favor de ello existen importantes razones, tanto genéricas, que llevan a una interpretación extensiva del art. 27.2 d) de la LOTC, como específicas, en relación con el contenido mismo de la disposición.»

«La primera de estas razones es la de que, de acuerdo al art. 32.2 del R.C., este tipo de resoluciones que dicta la Presidencia de la Cámara, con el requisito del acuerdo concurrente de la mesa y de la Junta de portavoces, trata de suplir omisiones en el texto del Reglamento, integrando y completando la insuficiencia de éste, mediante nuevas reglas que sin modificarlo ni poderlo infringir, se añaden, integran o incorporan al ordenamiento reglamentario de la Cámara y producen materialmente los mismos efectos que los preceptos del propio Reglamento. La habilitación que confiere el art. 32.2 del R.C. es para suplir omisiones o para interpretarlo, no para desarrollarlo o especificar sus prescripciones, por lo que, aún con las debidas distancias, nos encontramos ante un supuesto cercano al de integración normativa o de 'delegación receptiva', de modo que la resolución supone ejercicio de facultad normativa delegada para suplir o interpretar, sin modificar regulaciones existentes, el R. de la Cámara, pasando a integrarse en la reglamentación parlamentaria de la materia, en este caso acceso a los secretos oficiales dentro del Congreso de los Diputados, materia típica de los Reglamentos parlamentarios, como muestran la experiencias comparadas.»

«En segundo lugar, y desde el punto de vista de las garantías jurídicas, la inclusión de este tipo de normas dentro del ámbito del recurso de inconstitucionalidad es la única vía para permitir el que las mismas puedan ser objeto de control por este Tribunal en razón de cualquier infracción constitucional, y no sólo por la violación de derechos fundamentales de los recurrentes en amparo. Una interpretación 'pro actione', y para evitar la creación de ámbitos normativos exentos de cualquier tipo de control, ha llevado precisamente a este Tribunal, a un análisis sistemático de los arts. 42 y 27.2 d) de la LOTC que ha permitido una interpretación extensiva de ese art. 27.2 d) que incluye a todas estas Resoluciones que, en este caso en ejercicio del art. 32.2 del R.C., integran y completan los Reglamentos de las Cámaras. Esta es la solución más favorable a la posibilidad de revisión amplia de estas Resoluciones, aunque se limite el número de sujetos legitimados para impugnarla. Por otro lado, no excluye la posibilidad de recurso de amparo frente a ellas, aunque indirecto, en la medida que cualquier acto singular de aplicación de las mismas, en cuanto lesivo de un derecho fundamental de un Diputado, podría ser impugnado en amparo por éste... En tal ocasión podría cuestionarse además este Tribunal la constitucionalidad de la norma misma, a través del procedimiento del art. 55.2 de la LOTC.»

STC. 44/95 de 13 de febrero (**resoluciones intraparlamentarias**)

Fto. Jco. 2: «...tras la STC. 119/90, debe concluirse que las resoluciones intraparlamentarias de desarrollo reglamentario son susceptibles de impugnación a través del recurso de amparo constitucional, por lo que, cabe añadir, el recurso de inconstitucionalidad queda reservado únicamente para el eventual control de constitucionalidad de los Reglamentos de las Asambleas... De este modo, mejor se salvaguarda la autonomía constitucionalmente garantizada de las Cámaras parlamentarias, pues, sólo cuando las normas internas dictadas para suplir o interpretar el Reglamento sean contrarias a sus contenidos, vulnerando los derechos fundamentales de los parlamentarios recurrentes, será posible la fiscalización constitucional de las mismas por parte de este Tribunal.»

STC. 139/88 de 8 de julio (**sobre el Estatuto del Personal de las Cortes Generales**)

Fto. Jco. 2: «...la C. en su art. 72.1, establece una reserva formal y material a favor del 'Estatuto del Personal de las Cortes Generales', de manera que ese Estatuto aparece como una norma directamente vinculada a la C., es decir, como una norma primaria, o acto normativo primario, que, por ello mismo, determina que la regulación a él encomendada quede fuera del alcance de cualquier otra norma jurídica. Así pues el Estatuto del Personal de las Cortes Generales, por imperativo constitucional, goza de una efectiva fuerza de Ley, al menos en su vertiente pasiva, por cuanto que ninguna otra forma del ordenamiento puede proceder a la regulación que a él le ha sido reservada y en exclusiva atribuída por la C. En suma estamos en presencia de una norma cuya posición en el actual sistema de fuentes del Derecho no puede ya explicarse en términos del tradicional principio de jerarquía normativa, debiéndose acudir a otros criterios entre los que el de la competencia juega un papel decisivo.»

Fto. Jco. 4: «...dado que el Acuerdo que modificara el Estatuto del Personal de las Cortes generales es una norma de la que no puede conocer la jurisdicción contenciosa-administrativa por tener valor y fuerza de Ley, tampoco este T.C. puede en este momento adentrarse en el enjuiciamiento del mismo dado que no lo permite el art. 42 de la LOTC, sin perjuicio de que contra dicho Acuerdo pueda, en su caso, articularse el correspondiente procedimiento de declaración de inconstitucionalidad o, con ocasión de la impugnación de un acto dictado en su aplicación (que sí sería admisible como recurso de amparo por la vía del art. 42 LOTC), pudiera darse trámite a lo dispuesto en el art. 55.2 de la LOTC, lo que, sin embargo, no resulta factible en el presente supuesto dada la impugnación directa que se lleva a cabo del referido Estatuto.»

STC. 141/90 de 20 de septiembre (**remoción y proporcionalidad en la Mesa**)

Fto. Jco. 4: «El principio de racionalización, que trata de impedir crisis gubernamentales prolongadas (STC. 16/84), si bien puede entenderse como límite que se impone también a la facultad de autonormación del Parlamento Foral al dictar su propio Reglamento, en relación a las cuestiones de confianza y censura del Presidente de la Diputación Foral, sin embargo, del mismo no cabe derivar la exigencia de estabilidad de los miembros de la Mesa o exclusión de su posibilidad de remoción.

...la falta de una regulación constitucional o estatutaria ha de entenderse más bien en el sentido de que los Reglamentos Parlamentarios tienen una amplia disponibilidad para regularla, como normación originaria no predeterminada en principio por normas constitucionales o estatutarias, quedando a su discreción el disponer la continuidad hasta el agotamiento de la legislatura de los miembros de la Mesa del Parlamento o la posibilidad de remoción de sus miembros, al no existir ninguna regla ni principio constitucional decisivo al respecto.

Del art. 9.2 CE y de la efectividad de los principios de pluralismo y de participación representativa a que la demanda alude, no puede derivarse una solución unívoca al tema, y por ello tiene razón el Parlamento de Navarra cuando afirma que los principios de pluralismo y de representación participativa pueden justificar también la posibilidad de cese o remoción de los miembros de la Mesa por la voluntad de quienes los eligieron, facilitándose así una mayor participación.»

Fto. Jco. 5: «Los Diputados recurrentes, también consideran contrario a la CE. que el precepto reglamentario no haya optado por una fórmula de censura 'constructiva' sobre todo en caso del Presidente de la Cámara, ya que la previsión de una propuesta 'destructiva' de remoción sin propuesta de nuevo candidato, alteraría la estabilidad institucional.

Ya se ha dicho que el principio de racionalización tenido en cuenta en la LORAFNA al regular la moción de censura parlamentaria, trata de impedir una crisis gubernamental prolongada; esa finalidad no puede entenderse que exista en relación con la composición de los miembros de la Mesa Parlamentaria o su Presidente al no estar en juego los riesgos de inestabilidad derivados de una crisis de gobierno... Las facultades originarias de autorregulación del Parlamento no estaban limitadas por ninguna exigencia del bloque de constitucionalidad que impusiera la necesidad del carácter 'constructivo' de la remoción de un miembro de la misma, incluído su Presidente.»

Fto. Jco. 6: «Por otro lado no debe olvidarse que el principio de representación proporcional está en la base de nuestro sistema parlamentario, no sólo para el Congreso de los Diputados (art. 68.3 CE.), sino también para el Parlamento de Navarra (art. 15.2 LORAFNA). La elección del criterio de representación proporcional para asegurar el pluralismo, ha de encontrar también reflejo en la estructuración de los órganos del Parlamento. La larga tradición de nuestro sistema parlamentario, según la cual la Mesa del Parlamento se integra por distintas fuerzas o grupos parlamentarios, para permitir la participación en la misma también de miembros de las minorías, aun no habiendo sido recogida expresamente por la CE., debe entenderse como una exigencia derivada de la misma, para asegurar el pluralismo democrático y la proporcionalidad representativa. Por ello los procesos de remoción no podrían ser utilizados legítimamente para desequilibrar o para excluir la proporción necesaria de mayorías y minorías en la composición plural de la Mesa, la cual ha de ser tenida en cuenta también en el momento de la cobertura de vacantes que se produzcan, sea cual sea su causa u origen.»

STC. 208/03 de 1 de diciembre (**potestades de la Mesa**)

Fto. Jco. 4. La doctrina constitucional relevante para dilucidar si la decisión de la Mesa del Congreso de los Diputados de inadmitir a trámite la iniciativa propuesta ha vulnerado el derecho a acceder en condiciones de igualdad a los cargos y funciones públicos con los requisitos que señalen las Leyes (art. 23.2 CE), en relación con el derecho de los ciudadanos a participar en los asuntos públicos (art. 23.1 CE), ha sido sintetizada en las SSTC. 177/2002, de 14 de octubre (Fto. Jco. 3), y 40/2003, de 27 de febrero (Fto. Jco. 2), así como en el ATC 181/2003, de 2 junio (Fto. Jco. 2), síntesis a la que nos atenemos en la presente exposición.

a) En todas estas resoluciones se comienza recordando que, de conformidad con la doctrina constitucional elaborada por este Tribunal (con cita expresa de la SSTC. 5/1983, de 4 de febrero, Fto. Jco. 3; 10/1983, de 21 de febrero, Fto. Jco. 2; 28/1984, de 28 de febrero, Fto. Jco. 2; 32/1985, de 6 de marzo, Fto. Jco. 3; 161/1988, de 20 de septiembre, Fto. Jco. 6), el art. 23.2 CE, que reconoce el derecho de los ciudadanos "a acceder en condiciones de igualdad a las funciones y cargos públicos, con los requisitos que señalen las leyes", no sólo garantiza el acceso igualitario a las funciones y cargos públicos, sino también que los que hayan accedido a los mismos se mantengan en ellos y los desempeñen de conformidad con lo que la Ley disponga. Esta garantía añadida resulta de particular relevancia cuando la petición de amparo se formula por los representantes parlamentarios en defensa del ejercicio de sus funciones, ya que en tal supuesto "resulta también afectado el derecho de los ciudadanos a participar en los asuntos públicos a través de sus representantes, reconocido en el art. 23.1 CE (SSTC. 161/1988, de 20 de septiembre, Fto. Jco. 6; 181/1989, de 3 de noviembre, Fto. Jco. 4; 205/1990, de 13 de diciembre, Fto. Jco. 4; 177/2002, de 14 de octubre, Fto. Jco. 3)" [STC. 40/2003, Fto. Jco. 2 a)]. Igualmente se hace hincapié en la directa conexión que este Tribunal ha establecido entre el derecho de un parlamentario ex art. 23.2 CE y el que la Constitución atribuye a los ciudadanos a participar en los asuntos públicos (art. 23.1 CE), pues "puede decirse que son primordialmente los representantes políticos de los ciudadanos quienes dan efectividad a su derecho a participar en los asuntos públicos, según hemos declarado también en la STC. 107/2001, de 23 de abril, Fto. Jco. 3" (STC. 177/2002, Fto. Jco. 3), de suerte que "el derecho del art. 23.2, así como, indirectamente, el que el art. 23.1 CE reconoce a los ciudadanos, quedaría vacío de contenido, o sería ineficaz, si el representante político se viese privado del mismo o perturbado en su ejercicio [SSTC. 38/1999, de 22 de marzo, Fto. Jco. 2; 107/2001, de 23 de abril, Fto. Jco. 3 a); 203/2001, de 15 de octubre, Fto. Jco. 2; 177/2002, de 14 de octubre, Fto. Jco. 3]" [ATC 181/2003, Fto. Jco. 2 a)].

b) Ahora bien, lo expuesto no debe hacer perder de vista que el derecho que nos ocupa es un derecho de configuración legal, configuración que comprende los Reglamentos parlamentarios, a los que compete fijar y ordenar los derechos y atribuciones que a los parlamentarios corresponden, los cuales, una vez creados, quedan integrados en el status propio del cargo, con la consecuencia de que podrán sus titulares, al amparo del art. 23.2 CE, reclamar la protección del ius in officium que consideren ilegítimamente constreñido o ignorado por actos del poder público, incluidos los provenientes del propio órgano en el que se integren; y, en concreto, podrán hacerlo ante este Tribunal por el cauce del recurso de amparo, según lo previsto en el art. 42 de nuestra Ley Orgánica [SSTC. 161/1988, de 20 de septiembre, Fto. Jco. 7; 38/1999, de 22 de marzo, Fto. Jco. 2; 27/2000, de 31 de enero, Fto. Jco. 4; 107/2001, de 23 de abril, Fto. Jco. 3 a); 203/2001, de 15 de octubre, Fto. Jco. 2; 177/2002, de 14 de octubre, Fto. Jco. 3]" [STC. 40/2003, Fto. Jco. 2 a) y ATC 181/2003, Fto. Jco. 2 a)].

Sin embargo no cualquier acto que infrinja la legalidad del ius in officium lesiona el derecho fundamental, pues sólo poseen relevancia constitucional a estos efectos los derechos o facultades atribuidos al representante que pertenezcan al núcleo de su función representativa parlamentaria, como son, indudablemente, el ejercicio de la función legislativa o de control de la acción del Gobierno, siendo vulnerado el art. 23.2 CE si los propios órganos de las Asambleas impiden o coartan su práctica o adoptan decisiones que contraríen la naturaleza de la representación o la igualdad de los representantes. Tales circunstancias imponen a los órganos parlamentarios una interpretación restrictiva de todas aquellas normas que puedan suponer una limitación al ejercicio de aquellos derechos o atribuciones que integran el status constitucionalmente relevante del representante público y el deber de motivar las razones de su aplicación, so pena, no sólo de vulnerar el derecho fundamental del representante de los ciudadanos a ejercer su cargo (art. 23.2 CE), sino también de infringir el de éstos a participar en los asuntos públicos (art. 23.1 CE). En este sentido, además de las resoluciones que tomamos como guía en la presente exposición de la doctrina constitucional en la materia, interesa mencionar las SSTC. 38/1999, de 22 de marzo, Fto. Jco. 2; 107/2001, de 23 de abril, Fto. Jco. 3 a); 203/2001, de 15 de octubre, Fto. Jco. 2; y el ATC 118/1999, de 10 de mayo.

c) Por lo que se refiere a la incidencia en el ius in officium del cargo parlamentario de las decisiones adoptadas por las Mesas de las Cámaras en ejercicio de su potestad de calificación y de admisión a trámite de los escritos y documentos a ellas dirigidas, este Tribunal ha declarado, en lo que ahora estrictamente interesa, que ninguna tacha de inconstitucionalidad merece la atribución a las Mesas parlamentarias del control de la regularidad legal de los escritos y documentos parlamentarios, sean éstos los dirigidos a ejercer el control del Ejecutivo, sean los de carácter legislativo, siempre que tras ese examen de la iniciativa a la luz del canon normativo del Reglamento parlamentario no se esconda un juicio sobre la oportunidad política en los casos en que ese juicio esté atribuido a la Cámara parlamentaria en el correspondiente trámite de toma en consideración o en el debate plenario. Y ello porque el órgano que sirve de instrumento para el ejercicio por los ciudadanos de la soberanía participando en los asuntos públicos por medio de representantes es la propia Cámara, no sus Mesas, que cumplen la función jurídico-técnica de ordenar y racionalizar el funcionamiento de las Cámaras para su mayor eficiencia, precisamente como tal foro de debate y participación en la cosa pública.

Por tal razón a la Mesa sólo le compete, en principio, por estar sujeta al Ordenamiento jurídico, en particular a la Constitución y a los Reglamentos parlamentarios que regulan sus atribuciones y funcionamiento, y en aras de la mencionada eficacia del trabajo parlamentario, verificar la regularidad jurídica y la viabilidad procesal de la iniciativa, esto es, examinar si la iniciativa cumple los requisitos formales exigidos por la norma reglamentaria. Ello no impide necesariamente que el Reglamento parlamentario extienda el examen de la iniciativa más allá de la estricta verificación de sus requisitos formales. En efecto, como dijimos en la STC. 38/1999, de 22 de marzo, Fto. Jco. 3 b), "el Reglamento parlamentario, no obstante lo dicho, puede permitir, o en su caso establecer, incluso, que la Mesa extienda su examen de la iniciativa más allá de la estricta verificación de sus requisitos formales, siempre, claro está, que los escritos y documentos parlamentarios girados a la Mesa, sean de control de la actividad de los Ejecutivos o sean de carácter legislativo, vengan justamente limitados por la Constitución, el bloque de la constitucionalidad o el Reglamento parlamentario pertinente, como es el caso de la calificación en ciertos Derechos autonómicos de lo que han de considerarse mociones o interpelaciones, o el de la iniciativa legislativa popular que tiene vedadas ciertas materias por imposición del art. 87.3 CE (SSTC. 95/1994, 41/1995 y 124/1995; ATC 304/1996)". Posteriormente se han pronunciado en el mismo sentido las SSTC. 107/2001, de 23 de abril, Fto. Jco. 3 b); 203/2001, de 15 de octubre, Fto. Jco. 3; 177/2002, de 14 de octubre, Fto. Jco. 3; y 40/2003, Fto. Jco. 2 b).

d) En suma, al margen de los supuestos indicados, cuya razonabilidad y proporcionalidad como límite del derecho del parlamentario pueden ser apreciadas en todo caso por este Tribunal, "la Mesa de la Cámara, al decidir sobre la admisión de la iniciativa, no podrá en ningún caso desconocer que es manifestación del ejercicio del derecho del parlamentario que la formula y que, por ello, cualquier rechazo arbitrario o no motivado causará lesión de dicho derecho y, a su través, según hemos indicado, del fundamental del Diputado a desarrollar sus funciones sin impedimentos ilegítimos (STC. 203/2001, de 15 de octubre, Fto. Jco. 3; que reitera, STC. 177/2002, de 14 de octubre, Fto. Jco. 3)" [ATC 181/2003, de 2 de junio, Fto. Jco. 2 b)].

R.C.D. arts. 2-4 y 30-38; R.S. arts. 4-13 y 35-42.

Art. 73. 1. Las Cámaras se reunirán anualmente en dos periodos ordinarios de sesiones: el primero, de septiembre a diciembre, y el segundo, de febrero a junio.

2. Las Cámaras podrán reunirse en sesiones extraordinarias a petición del Gobierno, de la Diputación Permanente o de la mayoría absoluta de los miembros de cualquiera de las Cámaras. Las sesiones extraordinarias deberán convocarse sobre un orden del día determinado y serán clausuradas una vez que éste haya sido agotado.

R.C.D. art. 71.1 y R.S. arts. 36.1 y 69.1.
R.C.D. art. 61.2 y R.S. art. 70.

Art. 74. 1. Las Cámaras se reunirán en sesión conjunta para ejercer las competencias no legislativas que el Título II atribuye expresamente a las Cortes Generales.

2. Las decisiones de las Cortes Generales previstas en los artículos 94, 1, 145, 2 y 158, 2, se adoptarán por mayoría de cada una de las Cámaras. En el primer caso, el procedimiento se iniciará por el Congreso, y en los otros dos, por el Senado. En ambos casos, si no hubiera acuerdo entre Senado y Congreso, se intentará obtener por una Comisión Mixta compuesta de igual número de Diputados y Senadores. La Comisión presentará un texto que será votado por ambas Cámaras. Si no se aprueba en la forma establecida, decidirá el Congreso por mayoría absoluta.

R.C.D. arts. 166 y ss.
R.S. arts. 137-140.

Art. 75. 1. Las Cámaras funcionarán en Pleno y por Comisiones.

2. Las Cámaras podrán delegar en las Comisiones Legislativas Permanentes la aprobación de proyectos o proposiciones de ley. El Pleno podrá, no obstante, recabar en cualquier momento el debate y votación de cualquier proyecto o proposición de ley que haya sido objeto de esta delegación.

3. Quedan exceptuados de lo dispuesto en el apartado anterior la reforma constitucional, las cuestiones internacionales, las leyes orgánicas y de bases y los Presupuestos Generales del Estado.

R.C.D. arts. 40-53 y 148 y 149
R.S. arts. 49-68 y 130-132.

STC. 93/98 (proporcionalidad en las comisiones)

Fto. Jco. 3. Una vez despejadas las objeciones planteadas por el Parlamento balear en relación con el cumplimiento de los requisitos procesales de admisibilidad de la demanda de amparo, procede ya examinar la cuestión de fondo suscitada por los recurrentes. Entienden, como hemos recogido en los antecedentes, que los Acuerdos impugnados vulneran el art. 23.2 C.E., de una parte, porque atentan contra los criterios de proporcionalidad en la representación política; y de otra, porque obedecen a interpretación voluntarista y arbitraria del art. 39.1 del Reglamento de la Cámara en orden al número de miembros que han de formar las Comisiones.

En cuanto a lo primero, es doctrina de este Tribunal contenida, entre otras, en la STC. 32/1985, fundamento jurídico 2., que «la inclusión del pluralismo político como un valor jurídico fundamental (art. 1.1 C.E.) y la consagración constitucional de los partidos políticos como expresión de tal pluralismo, cauces para la formación y manifestación de la voluntad popular e instrumentos fundamentales para la participación política de los ciudadanos (art. 6), dotan de relevancia jurídica (y no sólo política) a la adscripción política de los representantes y que, en consecuencia, esa adscripción no puede ser ignorada, ni por las normas infraconstitucionales que regulen la estructura interna del órgano en que tales representantes se integran, ni por el órgano mismo, en las decisiones que adopte en ejercicio de la facultad de organización que es consecuencia de su autonomía. Estas decisiones, que son, por definición, decisiones de la mayoría, no pueden ignorar lo que (...) podemos llamar derechos de las minorías». Así, pues, como resulta de esta Sentencia, la proporcionalidad en la composición de las Comisiones viene exigida por la propia Constitución.

Ahora bien, como ha declarado este Tribunal desde la STC. 40/1981, la proporcionalidad en la representación es difícil de alcanzar totalmente o de forma ideal, siendo mayor la dificultad cuanto menor sea el abanico de posibilidades, «dado por el número de puestos a cubrir en relación con el de fuerzas concurrentes» y, desde luego, cuando se trata de «elecciones internas de asambleas que han de designar un número muy reducido de representantes». Consecuencia de esta doctrina es que «la adecuada representación proporcional sólo puede ser, por definición, imperfecta y dentro de un margen de discrecionalidad o flexibilidad, siempre y cuando no se altere su esencia» (STC. 36/1990, fundamento jurídico 2.; en el mismo sentido, SSTC. 32/1985, 75/1985 y 4/1992).

No se trata, pues, como parecen entender los recurrentes, de una proporción rígida que haya de llevar necesariamente y como imposición constitucional, a una exactitud matemática, sino que, como declaramos en la STC. 36/1990, «la proporcionalidad enjuiciable en amparo, en cuanto constitutiva de discriminación, no puede ser entendida de forma matemática, sino que debe venir anudada a una situación notablemente desventajosa y a la ausencia de todo criterio objetivo o razonamiento que la justifique». Circunstancias una y otra que no cabe apreciar en el presente caso: ni las desviaciones porcentuales sitúan a los recurrentes en la posición «notablemente desventajosa» que denuncian; ni obedece a que se haya prescindido de unos criterios objetivos que, señalados por los recurrentes a quienes correspondía acreditarlo (STC. 36/1990), condujeran a una discriminación fruto de las características personales de los mismos; sino que ésta deriva de la lógica del sistema. Por ello, en esta misma STC. 36/1990 (fundamento jurídico 2.), que resolvió un caso similar al ahora planteado, se dijo, que la situación desventajosa en que se hallaba la recurrente en Comisión respecto a la que ocupaba en el Pleno, «se debe a la misma lógica interna de un sistema objetivo de distribución de puestos en un colectivo con un número más reducido de representantes, y no puede anudarse a una decisión arbitraria y constitutiva de discriminación de los órganos de la Cámara».

A esta misma conclusión y por iguales razones hemos de llegar en el presente caso. No se ha producido en la composición de las Comisiones, desde una perspectiva constitucional, la desproporción que se denuncia.

Art. 76. 1. El Congreso y el Senado, y, en su caso, ambas Cámaras conjuntamente, podrán nombrar Comisiones de investigación sobre cualquier asunto de interés público. Sus conclusiones no serán vinculantes para los Tribunales, ni afectarán a las resoluciones judiciales, sin perjuicio de que el resultado de la investigación sea comunicado al Ministerio Fiscal para el ejercicio, cuando proceda, de las acciones oportunas.

2. Será obligatorio comparecer a requerimiento de las Cámaras. La ley regulará las sanciones que puedan imponerse por incumplimiento de esta obligación.

R.C.D. art. 52.

R.S. arts. 59 y 60.

L.O. 5/1984 de 24 de mayo, de comparecencia ante las Comisiones de Investigación del Congreso y del Senado o de ambas Cámaras.

Art. 77. 1. Las Cámaras pueden recibir peticiones individuales y colectivas, siempre por escrito, quedando prohibida la presentación directa por manifestaciones ciudadanas.

2. Las Cámaras pueden remitir al Gobierno las peticiones que reciban. El Gobierno está obligado a explicarse sobre su contenido, siempre que las Cámaras lo exijan.

R.C.D. arts. 46.2 y 49.

R.S. arts. 49.2 y 192-199.

Art. 78. 1. En cada Cámara habrá una Diputación Permanente compuesta por un mínimo de veintiún miembros, que representarán a los grupos parlamentarios, en proporción a su importancia numérica.

2. Las Diputaciones Permanentes estarán presididas por el Presidente de la Cámara respectiva y tendrán como funciones la prevista en el artículo 73, la de asumir la facultades que correspondan a las Cámaras, de acuerdo con los artículos 86 y 116, en caso de que éstas hubieren sido disueltas o hubiere expirado su mandato y la de velar por los poderes de las Cámaras cuando éstas no estén reunidas.

3. Expirado el mandato o en caso de disolución, las Diputaciones Permanentes seguirán ejerciendo sus funciones hasta la constitución de las nuevas Cortes Generales.

4. Reunida la Cámara correspondiente, la Diputación Permanente dará cuenta de los asuntos tratados y de sus decisiones.

R.C.D. arts. 56-59 y 151.
R.S. 45-48.

Art. 79. 1. Para adoptar acuerdos, las Cámaras deben estar reunidas reglamentariamente y con asistencia de la mayoría de sus miembros.

2. Dichos acuerdos, para ser válidos, deberán ser aprobados por la mayoría de los miembros presentes, sin perjuicio de las mayorías especiales que establezcan la Constitución o las leyes orgánicas y las que para elección de personas establezcan los Reglamentos de las Cámaras.

3. El voto de Senadores y Diputados es personal e indelegable.

R.C.D. arts. 78-89.
R.S. arts. 92-100.

Art. 80. Las sesiones plenarias de las Cámaras serán públicas, salvo acuerdo en contrario de cada Cámara, adoptado por mayoría absoluta o con arreglo al Reglamento.

R.C.D. arts. 63-66.
R.S. arts. 72-75.

CAPÍTULO SEGUNDO
De la elaboración de las leyes

Art. 81. 1. Son leyes orgánicas las relativas al desarrollo de los derechos fundamentales y de las libertades públicas, las que aprueben los Estatutos de Autonomía y el régimen electoral general y las demás previstas en la Constitución.

2. La aprobación, modificación o derogación de las leyes orgánicas exigirá mayoría absoluta del Congreso, en una votación final sobre el conjunto del proyecto.

R.C.D. arts. 130-132.

STC. 5/81 de 13 de febrero (LO. y Lo.; reserva material de LO.; congelación del rango)

Fto. Jco. 20: «Los posibles conflictos entre Ley orgánica y Ley ordinaria han de resolverse distinguiendo, en primer término, si la Ley ordinaria procede, como la orgánica, de las Cortes Generales o si, por el contrario, emana del órgano legislativo de una C.A.

En el primer caso, dada la existencia de ámbitos reservados a cada tipo de Ley, sólo se planteará el conflicto si ambas leyes inciden sobre una misma materia, en cuya hipótesis la L.O. habrá de prevalecer sobre la ordinaria, ya que no puede ser modificada por ésta (art. 81.2, C.E.). En el segundo supuesto el conflicto habrá de resolverse en virtud del principio de competencia para determinar qué materias han quedado constitucional y estatutariamente conferidas a los órganos legislativos de las CC.AA. y cuales corresponden a las Cortes Generales del Estado.

Fto. Jco. 21: «...A) Cuando en la C. se contiene una reserva de Ley ha de entenderse que tal reserva lo es en favor de L.O., y no una reserva de Ley ordinaria, sólo en los supuestos que de modo expreso se contienen en la norma fundamental (art. 81.1 y conexos). La reserva de L.O. no puede interpretarse de forma tal que cualquier materia ajena a dicha reserva por el hecho de estar incluída en una L.O. haya de gozar definitivamente del efecto de congelación de rango y de la necesidad de una mayoría cualificada para su ulterior modificación (art. 81.2), pues tal efecto puede y aún debe ser excluído por la misma L.O. o por Sentencia del T.C. que declaren cuáles de los preceptos de aquella no participan de tal naturaleza. Llevada a su extremo, la concepción formal de la L.O. podría producir en el ordenamiento jurídico una petrificación abusiva en beneficio de quienes en un momento dado gozasen de la mayoría parlamentaria suficiente y en detrimento del carácter democrático del Estado, ya que nuestra C. ha instaurado una democracia basada en el juego de las mayorías, previendo tan sólo para supuestos tasados y excepcionales una democracia de acuerdo basada en mayorías cualificadas o reforzadas.

Por ello hay que afirmar que si es cierto que existen materias reservadas a L.O. (art. 81.1 C.E.), también lo es que las L.O. están reservadas a estas materias y que, por tanto, sería disconforme con la C. la L.O. que invadiera materias reservadas a la Ley ordinaria.

B) Lo que en la C. no existe es lo que podríamos denominar reserva reglamentaria, esto es, la imposición de que determinadas cuestiones hayan de ser reguladas por norma reglamentaria y no por otras con rango de Ley. Como no existe esa reserva en favor de Reglamento, el legislador al elaborar una L.O., podrá sentirse inclinado a incluir en ella el tratamiento de cuestiones regulables también por la vía reglamentaria, pero que en atención a razones de conexión temática o de sistematicidad o de buena política legislativa considere oportuno incluir junto a las materias estrictamente reservadas a la L.O.

c) ...cuando... en una misma L.O. concurran materias estrictas y materias conexas, hay que afirmar que en principio éstas también quedarían sujetas al régimen de congelación de rango señalado en el art. 81.2 de la C. y que así debe ser en defensa de la seguridad jurídica (art. 9.3). Pero este régimen puede ser excluído por la propia L.O. en relación con algunos de sus preceptos, indicando cuales de ellos contienen sólo materias conexas y pueden ser alterados por una Ley ordinaria de las Cortes Generales o, en su caso, por leyes de las CC. AA. Si tal declaración no se incluyera en la L.O., o si su contenido no fuese ajustado a Derecho a juicio del T.C., será la Sentencia correspondiente de éste la que, dentro del ámbito propio de cada recurso de inconstitucionalidad, deba indicar qué preceptos de los contenidos en una L.O. pueden ser modificados por Leyes ordinarias del Estado o de las CC.AA., contribuyendo de este modo tanto a la depuración del ordenamiento como a la seguridad jurídica, que puede quedar gravemente afectada por la inexistencia o por la imperfección de las citadas normas de articulación.»

STC. 38/83 de 16 de mayo (alcance del 'régimen electoral general')

Fto. Jco. 2: «Para los recurrentes la expresión 'régimen electoral general' ...comprende, tan sólo, el régimen jurídico de las elecciones para designar a los parlamentarios que han de componer el Congreso y el Senado... Sin embargo esto no es así, porque si bien, en un primer análisis, la expresión 'régimen electoral general' puede suscitar la duda, pronto se despeja, si la interpretación se la hace arrancar de los arts. 140, 68.1 y 23.1 de la C. Y es que el art. 140 (al igual que el 68.1) reserva a la Ley el régimen de las elecciones locales, en los aspectos que dice, Ley que por la misma exigencia del art. 23.1, y la precisión que hace el art. 81.1 entendido en relación con los arts. 68 y 140, ha de ser una L.O. Se reserva así a la L.O. el régimen electoral general, tanto de las elecciones que tienen en los arts. 67 a 70 sus líneas constitucionales como de las elecciones que las tienen en el art. 140. El contenido de la L.O. no se ciñe así al solo desarrollo del art. 23.1, sino que es más amplio, comprendiendo lo que es primario y nuclear en el régimen electoral, pues el art. 81 ha comprendido en la reserva de L.O. el régimen electoral general, ampliando lo que en virtud de otra reserva (la del desarrollo de los derechos fundamentales), corresponde también a la L.O.»

Fto. Jco. 3: «...el alcance y contenido del 'régimen electoral general'... viene dado por lo que resulta del bloque de constitucionalidad, formado de acuerdo con la C. y los EE.AA.
La consideración de este bloque permite afirmar que frente a la expresión régimen electoral general se contemplan diversos regímenes electorales especiales y particulares: así la elección de Senadores por las CC.AA. queda deferida a sus Estatutos; la elección del legislativo de cada C.A. queda deferida a los Estatutos para los de mayor nivel de autonomía (art. 152 C.), y ha sido asumida por cada C.A. en los respectivos Estatutos sin excepción y con independencia de tal nivel; en cuanto al régimen electoral local de los municipios y provincias en que se organiza territorialmente el Estado, se contempla separadamente el régimen local y se asume como materia específica en la C.A. del País Vasco lo relativo a la legislación electoral interior que afecte a las Juntas Generales y Diputaciones Forales...
El régimen electoral general está compuesto por las normas electorales válidas para la generalidad de las instituciones representativas del Estado en su conjunto y en el de las entidades territoriales en que se organiza, a tenor del art. 137 de la C.E., salvo las excepciones que se hallen establecidas en la C. o en los Estatutos.»

STC. 135/2006 de 27 de abril (**LO. y derechos fundamentales**)

Fto. Jco. 2: «Sobre el primer aspecto recordamos que este Tribunal ha advertido, desde la temprana STC. 5/1981, de 13 de febrero (cuya doctrina hemos reiterado en la reciente STC. 124/2003, de 19 de junio, Fto. Jco. 11), sobre la necesidad de aplicar un criterio estricto o restrictivo para determinar el alcance de la reserva, no sólo en lo referente al término "desarrollar" sino también a la "materia" objeto de reserva, a fin de evitar petrificaciones del Ordenamiento y de preservar la regla de las mayorías parlamentarias no cualificadas (STC. 173/1998, Fto. Jco. 7). Habida cuenta del objeto del proceso constitucional, no fue preciso reiterar en aquella ocasión que la remisión a los derechos fundamentales y las libertades públicas que se efectúa en el art. 81.1 CE debe ceñirse a los regulados en la sección primera del capítulo segundo del título primero de la Constitución (por todas, STC. 116/1999, de 17 de junio, Fto. Jco. 4). En cambio, tuvimos ocasión de hacer hincapié en que "requiere Ley Orgánica únicamente la regulación de un derecho fundamental o de una libertad pública que desarrolle la Constitución de manera directa y en elementos esenciales para la definición del derecho fundamental, ya sea en una regulación directa, general y global del mismo o en una parcial o sectorial, pero, igualmente, relativa a aspectos esenciales del derecho, y no, por parcial, menos directa o encaminada a contribuir a la delimitación y definición legal del derecho"; esto es, "lo que está constitucionalmente reservado a la Ley Orgánica es la regulación de determinados aspectos esenciales para la definición del derecho, la previsión de su ámbito y la fijación de sus límites en relación con otras libertades constitucionalmente protegidas" (STC. 173/1998, Fto. Jco. 7; en similares términos, posteriormente, SSTC. 129/1999, de 1 de julio, Fto. Jco. 2, y 53/2002, de 27 de febrero, Fto. Jco. 12). La delimitación del alcance de la reserva de ley orgánica debe inspirarse en un criterio estricto que permita acotar con rigor el espacio que puede ocupar este tipo de legislación, destinado a establecer el "desarrollo normativo inmediato de la Constitución en aquellos aspectos básicos o fundamentales del orden constitucional ... complemento indispensable o necesario de la obra del constituyente" (STC. 173/1998, Fto. Jco. 7). En particular, la utilización de ese criterio lleva a circunscribir la reserva de ley orgánica "a las normas que establecen restricciones de esos derechos o libertades o las desarrollan de modo directo, en cuanto regulan aspectos consustanciales a los mismos, excluyendo por tanto aquellas otras que simplemente afectan a elementos no necesarios sin incidir directamente sobre su ámbito y límites" (ibidem). Posteriormente, en la STC. 292/2000, de 30 de noviembre, Fto. Jco. 11, prestamos especial atención a la distinción entre la imposición de límites a un derecho fundamental, actividad normativa reservada a la ley orgánica (art. 81.1 CE), y la regulación del ejercicio del derecho, tarea que compete al legislador ordinario en virtud de lo dispuesto en el art. 53.1 CE, lo que no significa que la ley orgánica que desarrolle derechos fundamentales tenga como único ámbito la imposición de límites (y así se reconoce, entre otras, en la STC. 173/1998, Fto. Jco. 8). Acerca de la correspondencia de la reserva de ley orgánica con el sistema de distribución de competencias, perspectiva desde la que contemplamos la "materia" reservada, en la STC. 173/1998 hemos advertido "que la técnica de la reserva de ley tiene hoy, como tuvo en su origen y en su evolución histórica, una naturaleza distinta de la que poseen las reglas de atribución de competencia. El contenido y la finalidad de ambas figuras ha sido y es sustancialmente diverso. Por ello, como hemos reiterado desde la STC. 5/1981, la reserva de ley orgánica del art. 81.1 CE no contiene, en puridad, ningún título competencial habilitante a favor del Estado" (Fto. Jco. 7). Lo que no impide apreciar la notable incidencia que esta reserva tiene en el orden competencial, pues "en virtud del art. 81.1 CE, sólo el Estado puede dictar esta forma de leyes en desarrollo de los derechos fundamentales y libertades públicas y que las Comunidades Autónomas al ejercer sus competencias deben respetar el contenido de las mismas so pena de incurrir en un vicio de inconstitucionalidad por vulneración del art. 81.1 CE" (ibidem).

La constatación de ese hecho, junto a la necesidad de preservar la unidad sistemática del orden constitucional, que quedaría afectada si lo establecido en el art. 81 CE desvirtuase íntegramente lo dispuesto en el art. 149 CE o si un precepto ordenador del sistema de fuentes pudiera sobreponerse a la norma articuladora de los ámbitos materiales correspondientes al Estado y a las Comunidades Autónomas (STC. 137/1986, de 6 de noviembre, Fto. Jco. 3, expresamente citado en la STC. 173/1998, Fto. Jco. 7), ha llevado a este Tribunal Constitucional a establecer tres criterios de interpretación fundamentales: "de un lado, que el ámbito de la reserva de Ley Orgánica no es coextenso al de las competencias atribuidas al Estado —así se establece de forma implícita en la práctica totalidad de las resoluciones de este Tribunal que han abordado este tema— ... de otro lado, que, en aplicación de un elemental criterio de interpretación sistemática, al fijar el alcance de la reserva de Ley Orgánica debe cohonestarse con el contenido de los preceptos del llamado bloque de la constitucionalidad que distribuyen las competencias entre el Estado y las Comunidades Autónomas" (STC. 173/1998, Fto. Jco. 7). Y, por último, que esa definición sistemática se ha traducido en la reserva al Estado ex art. 81.1 CE de "la regulación de los aspectos esenciales, el desarrollo directo del derecho fundamental considerado en abstracto o 'en cuanto tal', en tanto que se atribuye la regulación de la 'materia' sobre la que se proyecta el derecho al legislador ordinario, estatal o autonómico, con competencias sectoriales sobre la misma (SSTC. 127/1994, 61/1997 y, en relación concretamente con el derecho de asociación, SSTC. 67/1985 y 157/1992)" (ibidem).

Cierto es que este último criterio no puede aplicarse mecánicamente, pues "con suma frecuencia resulta difícil distinguir dónde acaba el desarrollo del derecho en cuanto tal y dónde comienza la regulación de la materia sobre la que éste se proyecta" (STC. 173/1998, Fto. Jco. 7). Pero no es menos cierto que, en lo que ahora estrictamente interesa, "aun admitiendo que entre la regulación del derecho de asociación y la del régimen jurídico de las asociaciones existe una zona de difícil delimitación y que, en consecuencia, en algunos casos la inclusión en una u otra categoría dependerá del grado más o menos intenso de proximidad con uno u otro ámbito, este criterio ha de ser el punto de partida inexcusable para delimitar lo reservado a la Ley Orgánica y lo que corresponde a los títulos competenciales relacionados con la materia de asociaciones y muy especialmente lo que corresponde al legislador ordinario, sea estatal o autonómico, con competencias en estas materias" (ibidem).»

STC. 247/07 de 12 de diciembre (ley orgánica y Estatuto de Autonomía)

Fto. Jco. 6 ...Por lo demás, en el sistema de relaciones existente entre los Estatutos de Autonomía y las leyes orgánicas previstas en la Constitución no puede desconocerse tampoco la diferente posición de los Estatutos respecto de las leyes orgánicas como consecuencia de la rigidez que los caracteriza. Su procedimiento de reforma, que no puede realizarse a través de su sola aprobación por las Cortes Generales, determina la superior resistencia de los Estatutos sobre las leyes orgánicas, de tal forma que éstas (salvo las de su propia reforma ex art. 147.3 CE), por la razón señalada, no pueden modificarlos formalmente.

STC. 25/84 de 23 de febrero (**naturaleza orgánica de la legislación penal**)

Fto. Jco. 3: «La 'legislación' en materia penal o punitiva se traduce en la 'reserva absoluta' de Ley. Ahora bien, que esta reserva de Ley en materia penal implique reserva de L.O., es algo que no puede deducirse sin más de la conexión del art. 81.1 con el mencionado art. 25.1. El desarrollo al que se refiere el art. 81.1 y que requiere L.O. tendrá lugar cuando sean objeto de las correspondientes normas sancionadoras los 'derechos fundamentales'...»

STC. 77/85 de 27 de junio

Fto. Jco. 14. Ver selección con relación al art. 97.

STC. 137/86 de 6 de noviembre (**colaboración internormativa**)

Fto. Jco. 3: «En términos generales puede decirse que la reserva enunciada en el art. 81.1 de la C. para el desarrollo de los derechos fundamentales y de las libertades públicas no es incompatible con la colaboración internormativa entre la fuente a favor de la cual la reserva se establece y otras fuentes de producción reconocidas en la C., para alcanzar, de este modo, una disciplina integral y articulada del ámbito de que se trate. Es claro que cuando la fuente infraconstitucional de 'cabecera' sea... una L.O., no serán trasladables, en un todo, los criterios ordenadores de las relaciones entre Ley ordinaria y reglamento y ello no sólo porque las Leyes orgánicas y ordinarias, no se sitúan, propiamente, en distintos planos jerárquicos, sino, sobre todo, porque las primeras quedan constitucionalmente informadas por un principio de especialidad, de tal modo que no podrán extender su normación más allá del ámbito que en cada caso les haya sido reservado, sin perjuicio de la eventual incorporación de normas ordenadoras de materias conexas.

...no existe, de principio, imposibilidad constitucional para que la L.O. llame a la ordinaria a integrar en algunos extremos sus disposiciones de 'desarrollo', dando así lugar, y con las mismas garantías constitucionalmente exigibles (STC. 83/84 fto. jco. 4), a una colaboración entre normas que no diferirá... de la relación que en los casos de reserva de Ley pueda establecerse entre esta última fuente y el Reglamento. En realidad la C. sólo impide que esta colaboración internormativa se establezca, a través de fórmulas delegantes, con los Decretos Legislativos gubernamentales (art. 82.1), de tal manera que, cuando la remisión presente en la L.O. lo es a la Ley formal, no existiría, sólo por ello, obstáculo para el reconocimiento de su regularidad constitucional. El problema es, más bien, el de cual sea el carácter de tal remisión y el de la sujeción que la misma entrañe sobre el legislador ordinario, pues ciertamente habría de reputarse ilegítimo todo reenvío en blanco o con condiciones tan laxas que viniesen a defraudar la reserva constitucional en favor de la L.O. Si esto no se produce... la colaboración entre Leyes, orgánica y ordinaria, para disciplinar la materia reservada a la primera no parece pueda excluirse de principio.»

Existen casos, cuando se trata de la reserva para el 'desarrollo de los derechos fundamentales y de las libertades públicas', en que, por lo demás, tal tipo de remisión será difícil de obviar. Cuando no se está ante derechos de libertad, sino prestacionales o de participación… 'el desarrollo' de los derechos es también, inevitablemente, ordenación del ámbito institucional o vital en el que los derechos han de existir y puede no acomodarse a los criterios de política legislativa que se consideran atendibles la plena integración de todas estas normaciones en el texto que adquirirá la especial rigidez de la L.O. En estos términos, la opción del legislador orgánico en favor de la remisión al ordinario puede ser… una técnica sustitutiva de la igualmente constitucional consistente en la inclusión en la propia L.O. de normaciones ajenas ya al ámbito reservado (materias conexas).»

STC. 140/86 de 11 de noviembre

Fto. Jco. 5: Ya recogido en relación al art. 17.1.

Art. 82. 1. Las Cortes Generales podrán delegar en el Gobierno la potestad de dictar normas con rango de ley sobre materias determinadas no incluidas en el artículo anterior.

2. La delegación legislativa deberá otorgarse mediante una ley de bases cuando su objeto sea la formación de textos articulados o por una ley ordinaria cuando se trate de refundir varios textos legales en uno solo.

3. La delegación legislativa habrá de otorgarse al Gobierno de forma expresa para materia concreta y con fijación del plazo para su ejercicio. La delegación se agota por el uso que de ella haga el Gobierno mediante la publicación de la norma correspondiente. No podrá entenderse concedida de modo implícito o por tiempo indeterminado. Tampoco podrá permitir la subdelegación a autoridades distintas del propio Gobierno.

4. Las leyes de bases delimitarán con precisión el objeto y alcance de la delegación legislativa y los principios y criterios que han de seguirse en su ejercicio.

5. La autorización para refundir textos legales determinará el ámbito normativo a que se refiere el contenido de la delegación, especificando si se circunscribe a la mera formulación de un texto único o si se incluye la de regularizar, aclarar y armonizar los textos legales que han de ser refundidos.

6. Sin perjuicio de la competencia propia de los Tribunales, las leyes de delegación podrán establecer en cada caso fórmulas adicionales de control.

R.C.D. arts. 152-153.

STC. 1/82 de 28 de enero (**no confusión concepto 'bases'**)

Fto. Jco. 1: «…las bases a que se refieren… los párrafos 11 y 13 del art. 149.1 de la C.E., no tienen nada que ver con la delegación legislativa de que tratan los arts. 82 y 83 de la C.»

STC. 51/82 de 19 de julio (**TC. y control Decretos Legislativos**)

Fto. Jco. 1: »El ejercicio por parte del Gobierno de la potestad de dictar normas con rango de ley previa delegación legislativa está sometida a unos requisitos formales contenidos en el art. 82 de la C.E., que tienden a delimitarlo, encuadrándolo en un marco necesariamente más estrecho que aquel en el que se mueven las Cortes Generales en cuanto órgano legislador soberano. De la anterior consideración se derivan dos importantes consecuencias... a) que un precepto determinado que si emanara directamente de las Cortes no sería inconstitucional a no ser por oposición material a la C., puede serlo si procede del Gobierno a través de un Decreto legislativo por haber ejercitado aquel de modo irregular la delegación legislativa; b) que el T.C. cuando se someta a su control de constitucionalidad por la vía procesal adecuada... un determinado Decreto-legislativo, debe conocer del mismo en razón de la competencia que le atribuyen los arts. 163 de la C. y 27.2 b) de la LOTC. y ha de resolver en base a criterios estrictamente jurídico-constitucionales cimentados en la necesidad de determinar, de una parte, si se han respetado los requisitos formales para el ejercicio de la potestad legislativa por vía delegada y, de otra, si el precepto o preceptos cuya constitucionalidad se cuestione es, por razón de su contenido, contrario a la C. Es cierto que la competencia del T.C. en esta materia ha de ejercerse sin perjuicio de la de otros Tribunales e incluso la eventual existencia de otras formas adicionales de control.»

ATC. 69/83 de 17 de febrero (**inaplicación del exceso por el Juez**)

Fto. Jco. 3: «Por lo demás, pertenecen al ámbito normal de poderes del Juez, también del Magistrado de Trabajo, el inaplicar los Decretos legislativos en lo que exceden de la delegación, o más propiamente, el no conferir al exceso el valor de Ley.»

STC. 47/84 de 4 de abril (**control de los excesos por el Juez ordinario**)

Fto. Jco. 3: «El control de los excesos de la delegación legislativa corresponde no sólo al T.C., sino también a la jurisdicción ordinaria. La competencia de los Tribunales ordinarios para enjuiciar la adecuación de los Decretos legislativos a las Leyes de delegación se deduce del art. 82.6 de la C...
Por lo tanto, la nulidad de la norma originada por el exceso en la delegación, y la resultante inaplicación de la misma, pudo apreciarse en la instancia...»

STC. 205/93 de 17 de junio (**configuración constitucional del decreto legislativo**)

Fto. Jco. 3: «La C. establece de manera muy precisa las condiciones bajo las cuales el Parlamento puede habilitar al Gobierno para que éste dicte normas con fuerza de ley. No sólo exige una delegación expresa excluyendo la posibilidad de delegaciones tácitas o implícitas, y prevé un límite temporal para el ejercicio de la delegación, que se agota con su uso, sino que además impone que la delegación legislativa habrá de determinar expresamente la materia concreta, el objeto y alcance de la delegación legislativa y los principios y criterios que han de seguirse en su ejercicio.
La delegación legislativa ha de fijar los límites del poder normativo delegado, y ha de contener así una preclusión de la actividad legislativa delegada. El término delegación empleado por la C. implica el carácter derivado del poder que se atribuye al Gobierno,

que tiene su fuente en el poder delegante, y que no puede separarse ni excederse de los límites que el mismo establece.

La ley delegante habilita y, al mismo tiempo limita el desarrollo de la actividad legislativa del Gobierno. La determinación del objeto, alcance, principios y criterios por parte de la Ley de Bases, circunscriben el campo de la delegación legislativa para asegurar que la delegación no se ejercite de modo divergente al objeto y a la finalidad que la determina. Mientras que el ejercicio directo de la función legislativa supone un margen de decisión sujeto sólo a mandatos constitucionales, el ejercicio delegado de la función legislativa supone que el Gobierno no sólo está sujeto a la C., sino también a la delimitación precisa que la Ley de Bases ha de hacer sobre el objeto y alcance de la delegación y sobre los principios y criterios que han de seguirse en su ejercicio, los cuales al ser establecidos en la Ley de Bases permiten ser objeto del correspondiente debate parlamentario.

El art. 82.2 distingue dos supuestos de delegación legislativa, el de la refundición de varios textos legales en uno sólo, en el que la capacidad de innovación se encuentra limitada sólo a la labor de regularización, aclaración y armonización de textos legales (art. 82.5) y el supuesto de Ley de Bases para la formulación de un texto articulado,... que se enmarca con frecuencia en un proceso de reforma legislativa. En estos casos, la ley delegante, en cuanto incide sobre materias que ya son objeto de regulación legal, establece el alcance de las exigencias de la reforma que el legislador delegante quiere introducir, dando a conocer así al poder delegado los cambios que sobre la legislación precedente debe llevar a cabo a través del Decreto Legislativo.»

STC. 166/07 de 4 de julio (**alcance de la refundición**)

Fto. Jco. 8 ...Conviene recordar que la autorización al Gobierno contenida en la disposición final segunda de la Ley 27/1995, de 11 de octubre, para elaborar un texto que refundiese las disposiciones legales vigentes en materia de propiedad intelectual no se circunscribía a la mera formulación de un texto único, sino que incluía la facultad, conforme al art. 82.5 CE, de regularizar, aclarar y armonizar los textos legales que hubieran de ser refundidos. Ha de reconocerse en esta línea que, si bien es verdad que de los dos supuestos de delegación legislativa que distingue el art. 82.2 CE, el de la refundición de varios textos legales en uno solo (art. 82.5 CE), y el supuesto de Ley de bases para la formulación de un texto articulado (art. 82.4 CE), éste último, "que se enmarca con frecuencia en un proceso de reforma legislativa" (STC. 205/1993, de 17 de junio, Fto. Jco. 3), supone un mayor margen para la actuación del Gobierno, pero no es menos cierto que la labor refundidora que el Legislador encomienda al Gobierno aporta también un contenido innovador, sin el cual carecería de sentido la delegación legislativa. De este modo, el texto refundido, que sustituye a partir de su entrada en vigor a las disposiciones legales refundidas, las cuales quedan derogadas y dejan de ser aplicables desde ese momento, supone siempre un juicio de fondo sobre la interpretación sistemática de los preceptos refundidos, sobre todo en el segundo tipo de refundición prevista en el art. 82.5 CE, es decir, el que incluye la facultad "de regularizar, aclarar y armonizar los textos legales que han de ser refundidos", pues ello permite al Gobierno, como hemos dicho en la STC. 13/1992, de 6 de febrero, Fto. Jco. 16, la explicitación de normas complementarias a las que son objeto de la refundición, con el fin de colmar lagunas, y en todo caso le habilita para llevar a cabo una depuración técnica de los textos legales a refundir, aclarando y armonizando preceptos y eliminando discordancias y antinomias detectadas en la regulación precedente, para lograr así que el texto refundido resulte coherente y sistemático.

Art. 83. Las leyes de bases no podrán en ningún caso:
a) Autorizar la modificación de la propia ley de bases.
b) Facultar para dictar normas con carácter retroactivo.

Art. 84. Cuando una proposición de ley o una enmienda fuere contraria a una delegación legislativa en vigor, el Gobierno está facultado para oponerse a su tramitación. En tal supuesto, podrá presentarse una proposición de ley para la derogación total o parcial de la ley de delegación.

STC. 99/87 de 11 de junio (**delimitación entre enmienda y proposición de Ley**)

Fto. Jco. 1: «No existe ni en la C. ni en los Reglamentos de ambas Cámaras norma alguna que establezca una delimitación material entre enmienda y proposición de Ley. Ni por su objeto, ni por su contenido, hay límite alguno a la facultad que los miembros de las Cámaras tienen para presentar enmiendas, exceptuados los que... fijan los arts. 84 y 134.6 de la C. para asegurar un ámbito de acción propia al Gobierno.
Es cierto que tanto el RCD. (art. 31.1, 4° y 2) como el RS. (art. 36.1 c) y 2) atribuyen a las respectivas Mesas la facultad de calificar los 'escritos y documentos de índole parlamentaria', pero es claro que esta calificación sólo podría alterar la que el propio autor del escrito o documentos haya hecho cuando efectivamente puede apoyar esta rectificación en algún precepto reglamentario y sólo en esta medida podría eventualmente ser impugnada ante este T.C.»

Art. 85. Las disposiciones del Gobierno que contengan legislación delegada recibirán el título de Decretos Legislativos.

Art. 86. 1. En caso de extraordinaria y urgente necesidad, el Gobierno podrá dictar disposiciones legislativas provisionales que tomarán la forma de Decretos-leyes y que no podrán afectar al ordenamiento de las instituciones básicas del Estado, a los derechos, deberes y libertades de los ciudadanos regulados en el Título I, al régimen de las Comunidades Autónomas, ni al Derecho electoral general.
2. Los Decretos-leyes deberán ser inmediatamente sometidos a debate y votación de totalidad al Congreso de los Diputados, convocado al efecto si no estuviere reunido, en el plazo de los treinta días siguientes a su promulgación. El Congreso habrá de pronunciarse expresamente dentro de dicho plazo sobre su convalidación o derogación, para lo cual el Reglamento establecerá un procedimiento especial y sumario.

3. Durante el plazo establecido en el apartado anterior, las Cortes podrán tramitarlos como proyectos de ley por el procedimiento de urgencia.

R.C.D. art. 151.

STC. 29/82 de 31 de mayo (concepto y exigencias jurídicas del Decreto Ley)

Fto. Jco. 1: «El Gobierno podrá también dictar normas con rango de Ley, previa delegación de las Cortes Generales (Decretos legislativos) o en los supuestos de extraordinaria y urgente necesidad (Decretos-Leyes), pero esta posibilidad se configura, no obstante, como una excepción al procedimiento ordinario de elaboración de las leyes y en consecuencia está sometida en cuanto a su ejercicio a la necesaria concurrencia de determinados requisitos que lo legitiman.»

Fto. Jco. 2: «Aprobado por el Gobierno un Decreto-Ley y publicado en el BOE. empieza a surtir efectos en el ordenamiento jurídico en el que provisionalmente se inserta como una norma dotada con fuerza y valor de Ley...
La doble vía que a estos efectos fiscalizadores prevé el art. 86 de la C., en sus apartados segundo y tercero, ha venido a decantarse en la práctica parlamentaria en el sentido del necesario y previo pronunciamiento sobre la totalidad del Decreto-Ley. Pero una vez convalidado éste, se posibilita el acudir a tramitarlo como proyecto de Ley por el procedimiento de urgencia (art. 86.3), si bien es cierto que nada se opone a una interpretación alternativa de ambas vías, quedando este punto al criterio de oportunidad que pueda establecer en el futuro el Congreso de los Diputados.
Ello supone que si, de acuerdo con la práctica actual, una vez obtenido el pronunciamiento favorable a la totalidad que exige el art. 86.2, se decide acudir también a la tramitación del Decreto-Ley por la vía del art. 86.3, el resultado final del procedimiento legislativo será una Ley formal del Parlamento, que sustituye en el ordenamiento jurídico, tras su publicación, al Decreto-Ley y cuya residenciabilidad ante el T.C. es posible en los términos y con el alcance que tanto la C. como la LOTC. prevén.
Ahora bien, en aquellos supuestos en que el Congreso de los Diputados se haya limitado a ejercitar sus competencias fiscalizadoras contempladas en el apartado 2º del art. 86 de la C.E., sin acudir a la vía del nº 3, no puede considerarse que el Decreto-Ley se haya convertido en Ley formal del Parlamento, tras el acuerdo de convalidación, sino únicamente que se ha cumplido con el requisito constitucional del que dependía la pervivencia en el tiempo, con fuerza y valor de Ley, de la disposición producto del ejercicio de la potestad normativa y extraordinaria que al Gobierno le reconoce la C.E. En otras palabras, el Decreto-Ley no se transforma en Ley, es decir, no cambia su naturaleza jurídica. Esta situación es la misma en que se encuentra el Decreto-Ley en los supuestos en que se acuda a su tramitación como proyecto de Ley en el lapso de tiempo que transcurre entre la convalidación de totalidad como Decreto-Ley (art. 86.2) y la publicación en el BOE. de la Ley resultante de la referida tramitación como proyecto de Ley por procedimiento de urgencia (art. 86.3).

Fto. Jco. 3: «...el T.C. puede invalidar... los preceptos contenidos en un Decreto-ley que versen sobre materias excluidas, o que de cualquier otra forma choquen por su contenido con prescripciones integradas en el bloque normativo a que se refiere el art. 28 de la LOTC. No se agota con ello, sin embargo, el ámbito de control de constitucionalidad de este género de disposiciones con fuerza de Ley.,

El peso que en la apreciación de lo que haya de considerarse como extraordinaria y urgente necesidad es forzoso conceder al juicio puramente político de los órganos a los que incumbe la dirección política del Estado, no puede ser obstáculo para extender también el examen sobre la competencia habilitante al conocimiento del T.C., en cuanto sea necesario para garantizar un uso del Decreto-ley adecuado a la C.

El T.C. podrá, en supuestos de uso abusivo o arbitrario, rechazar la definición que los órganos políticos hagan de una situación determinada como caso de extraordinaria y urgente necesidad, de tal naturaleza que no pueda ser atendida por la vía del procedimiento legislativo de urgencia. Es claro que el ejercicio de esta potestad de control del T.C. implica que dicha definición sea explícita y razonada y que exista una conexión de sentido entre la situación definida y las medidas que en el Decreto-Ley se adoptan.

Así pues, sin perjuicio del posible y ulterior control jurídico-constitucional que corresponde a este T.C., en principio, y con el razonable margen de discrecionalidad, es competencia de los órganos políticos determinar cuándo la situación, por consideraciones de extraordinaria y urgente necesidad, requiere el establecimiento de una norma por vía de Decreto-ley. No les autoriza esta competencia, sin embargo, para incluir en el Decreto-Ley cualquier género de disposiciones: ni aquellas que por su contenido y de manera evidente, no guarden relación alguna, directa ni indirecta, con la situación que se trata de afrontar ni, muy especialmente, aquellas que, por su estructura misma, independientemente de su contenido, no modifican de manera instantánea la situación jurídica existente, pues de ellas difícilmente podrá predicarse la justificación de la extraordinaria y urgente necesidad.

De esta forma, la ineludible exigencia constitucional de la existencia de un presupuesto habilitante para dictar un Decreto-Ley, se vincula a éste como justificación de su constitucionalidad, y puede ser contrastada tanto en vía parlamentaria, como ante este T.C., permitiendo en este último supuesto un pronunciamiento previo y diferenciado, del que igualmente pueda formularse sobre el contenido específico de la norma.»

Fto. Jco. 5: «…las medidas requeridas para hacer frente a una situación de extraordinaria y urgente necesidad han de ser concretas y de eficacia inmediata y, por tanto, dado su carácter, no pueden alterar la estructura del ordenamiento. No es imposible que en algún caso esa necesidad urgente y extraordinaria haya de ser resuelta mediante una modificación de estructura, pero siendo esto excepcional, habrá de demostrarse en cada caso que ello es indispensable.

Por otra parte, las razones de extraordinaria y urgente necesidad, que excepcionalmente pueden habilitar al Gobierno… para abordar el tratamiento innovativo de determinadas materias reguladas por Ley formal, no amparan bajo ningún punto de vista la inclusión de un precepto exclusivamente deslegalizador, que remite al futuro la regulación de la materia deslegalizada, máxime cuando no se fija un plazo perentorio para dictar tal regulación, que habría de ser inferior al necesario para tramitar la deslegalización como proyecto de Ley por el procedimiento de urgencia.»

STC. 6/83 de 4 de febrero (extraordinaria y urgente necesidad)

Fto. Jco. 5: «…nuestra C. ha adoptado una solución flexible y matizada respecto del fenómeno del Decreto-ley, que, por una parte, no lleva a su completa proscripción en aras del mantenimiento de una rígida separación de los poderes, ni se limita a permitirlo en forma totalmente excepcional en situaciones de necesidad absoluta, entendiendo por tales aquellas en que puede existir un peligro inminente para el orden constitucional. Nuestra C. ha contemplado el Decreto-Ley como un instrumento normativo, del que es posible hacer uso para dar respuesta a las perspectivas cambiantes de la vida actual, siempre que su utilización se realice bajo ciertas cautelas. Lo primero quiere decir que la necesidad justificadora de los Decretos-Leyes no se puede entender como una necesidad absoluta que suponga un peligro grave para el sistema constitucional o para el orden público entendido como normal ejercicio de los derechos fundamentales y libertades públicas y normal funcionamiento de los servicios públicos, sino que hay que entenderlo con mayor amplitud como necesidad relativa respecto de situaciones concretas de los objetivos gubernamentales, que, por razones difíciles de prever requieren una acción normativa inmediata en un plazo más breve que el requerido por la vía normal o por el procedimiento de urgencia para la tramitación parlamentaria de las Leyes. Apoyan esta interpretación dos tipos de consideraciones: por una parte el que nuestra C. separe el tratamiento de las situaciones que pueden considerarse como de extraordinaria y urgente necesidad, que dan lugar a estados de alarma, excepción y sitio, que define el art. 116, y que regule, en cambio, en otra sede sistemática diferente la necesidad justificadora de los Decretos-Leyes; y por otra parte, el hecho de que el ámbito de actuación del Decreto-Ley como instrumento normativo no se defina de manera positiva, sino que se restrinja de modo negativo mediante una lista de excepciones. Por todo ello hay que concluir que la utilización del Decreto-ley, mientras se respeten los límites del art. 86 de la C., tiene que reputarse como una utilización constitucionalmente lícita en todos aquellos casos en que hay que alcanzar los objetivos marcados por la gobernación del país, que, por circunstancias difíciles o imposibles de prever, requieren una acción normativa inmediata o en que las coyunturas económicas exigen una rápida respuesta. La convalidación que el Congreso de los Diputados puede realizar de un Decreto-Ley no produce una sanción del mismo, si éste fuera originariamente nulo por haberse producido con extralimitación, pues la 'sanción' sólo podría producirse mediante su transformación en Ley una vez segura la correspondiente tramitación parlamentaria. Lo que el art. 86.2 de la C. llama convalidación es más genuinamente una homologación respecto de la existencia de la situación de necesidad justificadora de la iniciativa normativa encauzada por ese camino.»

STC. 111/83 de 2 de diciembre (**problemática del 86.3; decreto ley y derechos**)

Fto. Jco. 2: «Como bien se comprende, se trata aquí ciertamente de un recurso directo y de un enjuiciamiento de un Decreto-ley, mas no del fenómeno general de la sustitución de una norma por otra mediante la fórmula derogatoria que tiene su reconocimiento general en el art. 2.2 del C. Civil. El fenómeno es el singular del art. 86.3: en un procedimiento legislativo que tiene su origen en un Decreto-ley se culmina con una Ley que sustituye, con los efectos retroactivos inherentes a su objeto, al Decreto-Ley. El Decreto-Ley llevaba dentro de sí, al acudirse a la vía del art. 86.3, el límite de su vigencia. Con estas precisiones es de donde debe examinarse si la conversión del Decreto-Ley en Ley, priva de contenido al proceso o, en otra hipótesis, que es la que compartimos, reduce su ámbito litigioso.

Fto. Jco. 3: «El 'iter' legislativo del art. 86.3, por el contrario, lleva a una Ley, en su propio sentido de acto imputable al legislativo, por la vía de un procedimiento que aún teniendo en su origen el Decreto-Ley, no arrastra necesariamente la impugnación hecha valer contra éste. La constitucionalidad de la Ley, en todo caso, y también en la hipótesis del art. 86.3, podrá someterse al procedimiento impugnatorio que dice el art. 29.1 a) de la LOTC, más para ello será menester que los legitimados para ello... promuevan el recurso... Así planteadas las cosas, y aunque extinguido el Decreto-Ley mediante la promulgación de una Ley destinada a reemplazarle, la cuestión es si subsiste la razón de la impugnación de aquél. Que el control del Decreto-Ley en cuanto tal no está impedido por el hecho de la novación operada por la Ley, siguiendo lo que dispone el art. 86.3, es algo fuera de duda, pues ha de considerarse constitucionalmente legítimo que en defensa de la C., para velar por la recta utilización del instrumento previsto para los casos que señala el art. 86.1, los sujetos u órganos legitimados para promover el recurso de inconstitucionalidad, concreten al Decreto-Ley, sin atraer al proceso la Ley ulterior, la impugnación. El interés constitucional que mueve a los recurrentes es así el de ajustar el uso del instrumento Decreto-Ley al marco del art. 86.1, interés constitucional que, por un lado, no puede considerarse satisfecho por la derivación del Decreto-ley hacia el cauce del art. 86.3, y, por otro, no puede quedar sin enjuiciamiento acudiendo a la idea de gravar a los recurrentes con la carga de impugnar la Ley, como presupuesto para enjuiciar los vicios que el Decreto-Ley pudiera tener en cuanto tal. Pudiera acaso pensarse que una eficacia retroactiva de la Ley que diera cobijo a los efectos producidos por el Decreto-Ley puede privar de sentido la impugnación dirigida, y ceñida por la voluntad de los Parlamentarios recurrentes, al Decreto-Ley, mas esto no es así, pues sin cuestionar ahora si un vicio en origen por utilización del instrumento del Decreto-Ley contra lo que previene el art. 86.1, puede comunicar efectos invalidatorios, es lo cierto que el velar por el recto ejercicio de la potestad de emitir Decretos-Leyes, dentro del marco constitucional, es algo que no puede eludirse por la utilización del procedimiento del art. 86.3.»

Fto. Jco. 8: «Por otra parte, la tesis partidaria de una expansión de la limitación contenida en el art. 86.1 de la C.E., se sustenta en una idea tan restrictiva del Decreto-Ley que lleva en su seno el vaciamiento de la figura y la hace inservible para regular con mayor o menor incidencia cualquier aspecto concerniente a materias incluidas en el Tit. I de la C. sin más base interpretativa que el otorgamiento al verbo 'afectar' de un contenido literal amplísimo; como con tan exigua base se conduce a la inutilidad absoluta del Decreto-Ley, pues es difícil imaginar alguno cuyo contenido no afectase a algún derecho comprendido en el Tit. I, es claro que tal interpretación, fácilmente reducible 'ad absurdum', tampoco puede ser aceptada... la cláusula restrictiva del art. 86.1 de la C.E. (no podrán afectar...) debe ser entendida de modo tal que ni reduzca a la nada el Decreto-Ley, que es un instrumento normativo previsto por la C.... ni permita que por Decreto-Ley se vaya en contra del contenido o elementos esenciales de alguno de tales derechos. Esta vía interpretativa exige también que se tenga muy en cuenta la configuración constitucional del derecho afectado en cada caso e incluso la colocación en el texto constitucional dentro de las diversas secciones y capítulos de su Tit. I, dotados de mayor o menor rigor protector a tenor del art. 53 de la C.E.»

STC. 60/86 de 20 de mayo (decreto-ley e instituciones básicas del Estado)

Fto. Jco. 4: «El tercer motivo de inconstitucionalidad que esgrimen los recurrentes es la vulneración por parte del Decreto Ley impugnado de la prohibición de afectar con esta técnica legislativa el ordenamiento de las instituciones básicas del Estado, entre las que se hallan, en su opinión, el Gobierno y la Administración del Estado.

...Aunque referida a otra limitación material del ámbito del D-L... la doctrina anterior (se refiere a la sentada en la STC. 111/83 Fto. Jco. 8 a propósito de los derechos, deberes y libertades) es 'mutatis mutandis' igualmente aplicable a la limitación relativa al ordenamiento de las instituciones básicas del Estado. La prohibición constitucional haría referencia en este supuesto a los elementos estructurales, esenciales o generales de la organización y funcionamiento de las instituciones estatales básicas, pero no, en cambio, a cualesquiera otros aspectos accidentales o singulares de las mismas.»

STC. 23/93 de 21 de enero (decreto-ley y régimen de CC.AA.)

Fto. Jco. 2: «Se plantea en el presente R.I. si los arts. recurridos del Decreto-Ley van más allá de las limitaciones constitucionalmente impuestas al contenido de este tipo de normas, que establece el art. 86.1 C.E. a «alterar el régimen de las CC.AA.» y la inadecuación del D-L. para fijar las bases de las normativas previstas en el art. 149.1.18 C.E.

En relación a la primera objeción, ha de tenerse en cuenta que el art. 86.1 CE. utiliza un término «régimen de las CC.AA.» más extenso y comprensivo que el mero de Estatuto de Autonomía, por lo que dicha expresión ha de ser interpretada, como ha dicho la STC. 29/86, «en el sentido de que el D-L. no puede afectar al régimen constitucional de las CCAA., incluída la posición institucional que les otorga la C.» De ese régimen constitucional forman parte los Estatutos, que no pueden ser alterados por un D-L., pero también se incluyen otras leyes estatales atributivas de competencias, que forman parte del bloque de constitucionalidad, así como las leyes atributivas de competencia del art. 150.1 CE., las leyes de armonización del art. 150.3, y las L.O. a que se refiere el art. 150.2 CE. Por tanto, el D-L. no puede regular objetos propios de aquellas leyes que, conforme al art. 28.1 LOTC., han sido aprobadas, dentro de marco constitucional, para delimitar competencias del Estado y de las diferentes CCAA. o para regular o armonizar el ejercicio de las competencias de éstas.

Más allá de ese «régimen constitucional»... no existe obstáculo constitucional alguno para que el D-L., en el ámbito de la competencia legislativa que corresponde al Estado, pueda regular materias en las que una CA. tenga competencias, pero en las que incida una competencia legislativa del Estado, siempre que esa regulación no tenga como fin atribuir competencias o delimitar positivamente la esfera de competencias de las CCAA.

Ciertamente, el ejercicio de las competencias de un ente puede afectar en alguna medida a las del otro. Pero cuando la C. veda al D-L. «afectar» al régimen de las CCAA., se refiere a una delimitación directa y positiva de las competencias mediante tal instrumento normativo, y no a cualquier regulación que indirectamente «incida» en las competencias autonómicas. De otro modo, se vaciarían prácticamente de contenido los ámbitos de regulación sobre los que el D-L. puede proyectarse, puesto que es muy difícil encontrar un objeto normativo en el que no incida de uno u otro modo alguna competencia autonómica.»

Art. 87. 1. La iniciativa legislativa corresponde al Gobierno, al Congreso y al Senado, de acuerdo con la Constitución y los Reglamentos de las Cámaras.

2. Las Asambleas de las Comunidades Autónomas podrán solicitar del Gobierno la adopción de un proyecto de ley o remitir a la Mesa del Congreso una proposición de ley, delegando ante dicha Cámara un máximo de tres miembros de la Asamblea encargados de su defensa.

3. Una ley orgánica regulará las formas de ejercicio y requisitos de la iniciativa popular para la presentación de proposiciones de ley. En todo caso se exigirán no menos de 500.000 firmas acreditadas. No procederá dicha iniciativa en materias propias de ley orgánica, tributarias o de carácter internacional ni en lo relativo a la prerrogativa de gracia.

RCD. arts. 108, 109, 126 y 127.
RS. 104 y 108.
L.O. 3/1984, de 26 de marzo, reguladora de la Iniciativa Legislativa popular.

ATC. 659/87 de 27 de mayo (**sobre la toma en consideración**)

Fto. Jco. 2: «En relación con la iniciativa legislativa que la C. reconoce a cada una de las Cámaras, existe el instituto de la toma en consideración de las propuestas formuladas al efecto por los Diputados o por los grupos en que se integran (...), la resolución parlamentaria que recaiga sobre estas propuestas (rechazándolas o convirtiéndolas en iniciativa de la Cámara) es manifestación del libre ejercicio por cada asamblea de sus atribuciones constitucionales. A ello no empece la previsión contenida en el art. 42 LOTC que viene a regular una modalidad de recurso de amparo en caso de actos parlamentarios que violen los derechos y libertades susceptibles de amparo constitucional. Esta posibilidad de juicio constitucional sobre posibles violaciones de los derechos y libertades fundamentales por parte del Parlamento no supone, sin embargo, como este TC. ha afirmado en reiteradas decisiones, ni una interferencia judicial en la normal actividad parlamentaria ni mucho menos abrir una vía para corregir las lagunas o insuficiencias del propio ordenamiento.

Es cierto que la LO. 3/84 abre la vía de un recurso de amparo, frente a la decisión de un órgano parlamentario de rechazar una proposición de ley de iniciativa legislativa popular pero precisamente aquí se trata de proteger el derecho a la iniciativa popular, constituyendo la excepción a la regla, excepción no prevista para el caso de las proposiciones de ley de Diputados o grupos parlamentarios.

En este caso de propuestas de Diputados o grupos parlamentarios el rechazo o aceptación de la propuesta, convirtiéndolas en iniciativa de la Cámara, constituye un paso dentro del procedimiento legislativo, integrándose en el mismo. En ese acto, cuyo contenido negativo determina la imposibilidad de continuar el procedimiento legislativo, se exterioriza una voluntad del órgano legislativo, la cual puede consistir también en el rechazo de una proposición de ley. No cabe entender que cualquier denegación dentro de un largo ' iter procedimental' para la elaboración de una ley, ya sea éste de rechazo de una proposición de ley, ya sea la negativa a la petición de retirar un proyecto de ley o de aceptar una enmienda, etc. pudiera considerarse que podrían lesionar derechos fundamentales residenciables en amparo de aquellos a los que en su caso pudiera aplicarse la norma legislativa que eventualmente pudiera ser aprobada, lo contrario supondría desconocer los mecanismos propios del sistema parlamentario y del juego correspondiente de mayorías y minorías. Por eso en lo que se refiere al proceso de elaboración de las leyes, se trate de la fase de que se trate, la intervención del TC. no es posible, en tanto que se respeten los derechos de participación política de los Diputados y grupos parlamentarios.»

STC. 76/94 de 14 de marzo (límites a la participación directa)

Fto. Jco. 3: «...el derecho a participar directamente en los asuntos públicos, como todos los derechos que la C. establece, no puede sino ejercerse en la forma jurídicamente prevista en cada caso. Lo contrario, lejos de satisfacer las exigencias de la soberanía popular, supondría la imposibilidad misma de la existencia de ordenamiento a cuya obediencia todos, ciudadanos y poderes públicos, vienen constitucionalmente obligados (art. 9.1)... el hecho de que el ordenamiento excluya determinadas materias de la iniciativa legislativa popular no vulnera ningún principio ni regla constitucional. Nuestra C. en su art. 1.3, proclama la Monarquía parlamentaria como forma de gobierno o forma política del Estado español y, acorde con esta premisa, diseña un sistema de participación política de los ciudadanos en el que priman los mecanismos de democracia representativa sobre los de participación directa. Siendo esto así ninguna vulneración del orden constitucional puede advertirse en el hecho de que el propio Texto constitucional, al regular las características de los instrumentos de participación directa, restrinja su alcance y condiciones de ejercicio y, más concretamente, que la iniciativa legislativa sobre determinadas materias, por lo delicado de su naturaleza o por las implicaciones que entrañan, quede reservado a la mediación de los representantes políticos.»

STC. 124/95 de 22 de agosto (proposiciones de ley y control de la Mesa)

Fto. Jco.3. Las proposiciones de Ley promovidas por los Grupos Parlamentarios no solo son una forma —sin duda, la más señalada y expresiva— de participación de los parlamentarios en la potestad legislativa de las Cámaras parlamentarias. Son también un cauce instrumental al servicio de la función representativa característica de todo Parlamento, operando como un instrumento eficaz en manos de los distintos grupos políticos que integran el Pleno de la Cámara, y que les permite obligar a que éste se pronuncie acerca de la oportunidad de la iniciativa presentada, forzando a las distintas fuerzas político-parlamentarias a manifestar públicamente su postura y las razones políticas o de otra índole (incluida la eventual inconstitucionalidad de la misma), por las que han decidido apoyar o rechazar la propuesta legislativa sometida a su consideración.

Con independencia, pues, de que la iniciativa prospere ante el Pleno y llegue a ser un primer texto de trabajo para la elaboración de la futura Ley, su solo debate en el plenario cumple la muy importante función de permitir a los ciudadanos representados tener conocimiento de lo que sus representantes piensan sobre una determinada materia, así como sobre la oportunidad o no de su regulación legal, y extraer sus propias conclusiones acerca de como aquéllos asumen o se separan de lo manifestado en sus respectivos programas electorales.

De esta doble naturaleza de las proposiciones de Ley de origen parlamentario, como instrumento para poner en movimiento el procedimiento legislativo, pero, también, como vía adecuada para forzar el debate político y obligar a que los distintos grupos políticos tengan que tomar expreso partido sobre la oportunidad de regular mediante Ley una determinada materia —decisión que, además, es de la exclusiva competencia del Pleno de la Cámara (art. 94 del Reglamento, se deriva la exigencia de que la Mesa, en tanto que órgano de administración y gobierno interior, limite sus facultades de calificación y admisión de las mismas al exclusivo examen del cumplimiento de los requisitos formales reglamentariamente exigidos, pues, de lo contrario, no solo estaría asumiendo bajo un pretendido juicio técnico una decisión política que sólo al Pleno corresponde, sino que, además, y desde la óptica de la representación democrática, estaría obstaculizando la posibilidad de que se celebre un debate público entre las distintas fuerzas políticas con representación parlamentaria, cuyo efecto representativo ante los electores se cumple con su mera existencia, al margen, claro está, de que la iniciativa, en su caso, prospere.

Por esta razón, la indebida inadmisión a trámite de una proposición de Ley no es, como pretende el Letrado de la Asamblea Regional de Murcia, una mera infracción del Reglamento, constitucionalmente irrelevante. Antes bien, esa denegación injustificada afecta al núcleo mismo de la representación, pues al impedirse a los parlamentarios proponentes el lícito ejercicio de su derecho de iniciativa como parte de su ius in officium (SSTC. 181/1989 y 205/1990, entre otras) y con vulneración, por tanto, del art. 23.2 de la Constitución, también se vulnera el derecho de los ciudadanos a verse representados y a participar indirectamente en los asuntos públicos (ex art. 23.1 C.E.), mediante el conocimiento de la opinión política de sus representantes sobre la materia objeto de iniciativa y la conveniencia de su regulación legal, aunque aquella opinión sólo llegue a expresarse indirectamente mediante el voto afirmativo o negativo a una enmienda de «no ha lugar a deliberar» (art. 96.1 del Reglamento).

Art. 88. Los proyectos de ley serán aprobados en Consejo de Ministros, que los someterá al Congreso, acompañados de una exposición de motivos y de los antecedentes necesarios para pronunciarse sobre ellos.

R.C.D. arts. 109-123; R.S. arts. 104-126.

STC. 108/86 de 29 de julio (**defectos en la presentación de un proyecto de ley**)

Fto. Jco. 3: «La ausencia de un determinado antecedente sólo tendrá trascendencia si se hubiere privado a las Cámaras de un elemento de juicio necesario para su decisión, pero, en este caso, el defecto, que tuvo que ser conocido de inmediato, hubiese debido ser denunciado ante las mismas Cámaras y los recurrentes no alegan en ningún momento que esto ocurriese. No habiéndose producido esa denuncia, es forzoso concluir que las Cámaras no estimaron que el informe era un elemento de juicio necesario para su decisión, sin que este Tribunal pueda interferirse en la valoración de la relevancia que un elemento de juicio tuvo para los parlamentarios.»

Fto. Jco. 4: «En cuanto al segundo defecto señalado por los recurrentes y que consistiría en la falta de remisión al Congreso por el Gobierno de la Exposición de Motivos y de la Memoria explicativa del proyecto de LOPJ, debe indicarse que no denuncian los recurrentes la falta de tal remisión, sino que ésta se hiciese, a su juicio, tardíamente, lo que habría provocado una reducción del plazo para presentar enmiendas. Ello vulneraría, de nuevo, lo dispuesto en el art. 88 de la C... El defecto indicado sólo tendría relevancia si hubiese menoscabado los derechos de los Diputados o grupos parlamentarios del Congreso, y siendo los hechos, en el caso de ser ciertos, plenamente conocidos por ellos sin que mediase protesta por su parte hay que entender que los afectados no consideraron que existiese lesión a sus derechos, y que, si defecto hubo, fue convalidado por la misma Cámara, por lo que este Tribunal no puede entrar a examinar su existencia o relevancia.»

Art. 89. 1. La tramitación de las proposiciones de ley se regulará por los Reglamentos de las Cámaras, sin que la prioridad debida a los proyectos de ley impida el ejercicio de la iniciativa legislativa en los términos regulados por el artículo 87.

2. Las proposiciones de ley que, de acuerdo con el artículo 87, tome en consideración el Senado, se remitirán al Congreso para su trámite en éste como tal proposición.

RCD. 124-129.
RS. arts. 104-136.

STC. 99/87 de 11 de junio (**pluralismo, procedimiento legislativo, inconstitucionalidad**)

Fto. Jco.: 1. «a) Aunque el art. 28.1 de nuestra LOTC no menciona los Reglamentos Parlamentarios entre aquellas normas cuya infracción puede acarrear la inconstitucionalidad de la Ley, no es dudoso que, tanto por la invulnerabilidad de tales reglas de procedimiento frente a la acción del legislador como, sobre todo, por el carácter instrumental que esas reglas tienen respecto de uno de los valores superiores de nuestro ordenamiento, el del pluralismo político, la inobservancia de los preceptos que regulan el procedimiento legislativo podría viciar de inconstitucionalidad la ley cuando esa inobservancia altere de modo sustancial el proceso de formación de la voluntad en el seno de las Cámaras.»

Art. 90. 1. Aprobado un proyecto de ley ordinaria u orgánica por el Congreso de los Diputados, su Presidente dará inmediata cuenta del mismo al Presidente del Senado, el cual lo someterá a la deliberación de éste.

2. El Senado en el plazo de dos meses, a partir del día de la recepción del texto, puede, mediante mensaje motivado, oponer su veto o introducir enmiendas al mismo. El veto deberá ser aprobado por mayoría absoluta. El proyecto no podrá ser sometido al Rey para sanción sin que el Congreso ratifique por mayoría absoluta, en caso de veto, el texto inicial, o por mayoría simple, una vez transcurridos dos meses desde la interposición del mismo, o se pronuncie sobre las enmiendas, aceptándolas o no por mayoría simple.

3. El plazo de dos meses de que el Senado dispone para vetar o enmendar el proyecto se reducirá al de veinte días naturales en los proyectos declarados urgentes por el Gobierno o por el Congreso de los Diputados.

RCD. arts. 120 a 123.
RS. arts. 121, 122.

STC. 97/02 de 25 de abril (necesidad de veto explícito)

Fto. Jco. 4: «En último término, no puede olvidarse que uno de los fines a que responde el art. 90 CE es precisamente el logro de una cierta celeridad en la tramitación senatorial: en primer término, prescribe que el Presidente del Congreso "dará inmediata cuenta" del proyecto aprobado al Presidente del Senado y, en segundo lugar, establece el plazo de dos meses, que pueden reducirse a veinte días, para la actuación del Senado; propósito de celeridad este en cuya línea se inscribe la limitación de los supuestos de regreso del texto al Congreso, lo que hace difícil una interpretación extensiva de aquellos.
...ha de concluirse que el art. 90 CE traza un supuesto de hecho en el que se establecen las discrepancias del Senado con el Congreso, oposición de veto o introducción de enmiendas, con virtualidad constitucional para provocar la consecuencia jurídica que es la nueva lectura en el Congreso.

Fto. Jco. 5 «La conclusión que acaba de establecerse impide cualquier interpretación del Reglamento del Senado que pretenda ampliar los supuestos de discrepancia de esta Cámara con el Congreso de los Diputados que han de dar lugar a una nueva consideración del texto en éste, dado que, en primer lugar, y sobre todo, la autonomía parlamentaria está subordinada a la CE y, en segundo término, los Reglamentos que de ella se derivan tienen virtualidad en el seno de cada una de las Cámaras, sin que por tanto el de una de ellas pueda imponer a la otra un determinado itinerario en su actuación.»

Fto. Jco. 6: «Ciertamente, el veto integra un rechazo frontal y global al proyecto o proposición remitidos por el Congreso, es decir, una enmienda a la totalidad. Este es el sentido del veto previsto en el art. 90.2 CE. Pero está sometido al régimen jurídico expresamente delineado en ese precepto. Acudiendo otra vez al debate parlamentario de la CE, puede observarse que el Anteproyecto no establecía una diferenciación de veto y enmiendas en el ámbito senatorial, lo que dio lugar a que se formularan enmiendas al que entonces era el art. 82.3, hoy 90.2 CE, y sobre esa base la Comisión del Congreso, en la sesión de 2 de junio de 1978, le dio una nueva redacción, en lo que ahora importa, definitiva, dirigida precisamente a deslindar los supuestos de veto y enmiendas, exigiendo para aquél la mayoría absoluta, lo que excluye la calificación de veto para un rechazo del texto remitido por el Congreso que no se apoye en la mayoría absoluta del Senado. Y, en esta línea, puede apreciarse que el Reglamento del Senado, que regula el veto, no se refiere a las enmiendas a la totalidad, que quedan sometidas al régimen jurídico de aquel, en tanto que el del Congreso prescribe, para el veto senatorial, que el "debate se ajustará a lo establecido para los de totalidad" art. 122.1, equiparando veto y enmienda a la totalidad. De todo ello deriva que la enmienda a la totalidad en el Senado es justamente el veto para el que la CE exige mayoría absoluta.»

STC. 119/11 de 5 de julio (**conexión material entre enmienda y texto enmendado**)

Fto. Jco. 6. A los efectos de revisar la jurisprudencia sobre este particular sentada por el Pleno de este Tribunal en las SSTC. 99/1987 y 194/2000, y de clarificarla a la vista de la STC. 23/1990 y de los AATC 275/1993 y 118/1999, se ha avocado el presente recurso de amparo al Pleno del Tribunal [art. 10.1 n) LOTC], en virtud de lo establecido en el art. 13 LOTC. Esta clarificación y revisión resultan especialmente convenientes al tratarse de resoluciones de distinta naturaleza y, por tanto, autoridad doctrinal, Sentencias y Autos, y dictados tanto en recursos de inconstitucionalidad como en recursos de amparo.

...Con carácter general, la necesidad de una correlación material entre la enmienda y el texto enmendado se deriva, en primer lugar, del carácter subsidiario que, por su propia naturaleza, toda enmienda tiene respecto al texto enmendado. Además, la propia lógica de la tramitación legislativa también aboca a dicha conclusión, ya que, una vez que una iniciativa legislativa es aceptada por la Cámara o Asamblea Legislativa como objeto de deliberación, no cabe alterar su objeto mediante las enmiendas al articulado, toda vez que esa función la cumple, precisamente, el ya superado trámite de enmiendas a la totalidad, que no puede ser reabierto.

En efecto, la enmienda, conceptual y lingüísticamente, implica la modificación de algo preexistente, cuyo objeto y naturaleza ha sido determinado con anterioridad; sólo se enmienda lo ya definido. La enmienda no puede servir de mecanismo para dar vida a una realidad nueva, que debe nacer de una, también, nueva iniciativa. Ello, trasladado al ámbito legislativo, supone que, a partir de un proyecto de ley, la configuración de lo que pretende ser una nueva norma se realiza a través de su discusión parlamentaria por la Cámara en el debate de totalidad como decisión de los representantes de la voluntad popular de iniciar la discusión de esa iniciativa, que responde a unas determinadas valoraciones de quienes pueden hacerlo sobre su oportunidad y sobre sus líneas generales; tomada esa primera decisión, se abre su discusión parlamentaria para perfilar su contenido concreto y específico a través del debate pudiendo, ahora sí, introducir cambios mediante el ejercicio del derecho de enmienda y legitimando democráticamente la norma que va a nacer primero mediante la discusión pública y luego a través de la votación o votaciones de la norma, según su naturaleza, como manifestación de la voluntad general democráticamente configurada.

...Por tanto, incluso en los supuestos en que el Reglamento de la Cámara legislativa correspondiente, como es el del Senado, guarde silencio sobre la posibilidad de que la Mesa respectiva verifique un control de homogeneidad entre las enmiendas presentadas y la iniciativa legislativa a enmendar, esta exigencia se deriva del carácter subsidiario que toda enmienda tiene respecto al texto enmendado, de la lógica de la tramitación legislativa y de una lectura conjunta de las previsiones constitucionales sobre el proceso legislativo. Por otra parte, la conclusión de que la Constitución impone, aun implícitamente, la existencia de determinados límites materiales en la actividad legislativa, no resulta novedosa sino que también se ha derivado, por ejemplo, en relación con las Leyes de presupuestos (por todas, SSTC. 27/1981, de 20 de julio, Fto. Jco. 2, o 274/2000, de 15 de noviembre, Fto. Jco. 4).

7. Todo lo anterior debe completarse con algunas ideas adicionales: la primera es que para determinar si concurre o no esa conexión material o relación de homogeneidad entre la iniciativa legislativa y la enmienda presentada, el órgano al que reglamentariamente corresponda efectuar ese análisis contará con un amplio margen de valoración.

...El representante de la voluntad popular, manifestación fundamental del principio democrático (art. 1.1 CE), debe contar con un margen de actuación amplio y flexible precisamente para acercar sus actuaciones a las exigencias que ese propio principio democrático impone. Por ello, en éstas, como en otras muchas decisiones, los órganos de gobierno de las Cámaras deben contar con un amplio margen de apreciación para determinar la existencia de conexión material entre enmienda y proyecto o proposición de ley objeto de debate. Pero esta tarea, cuando lo que se plantea es precisamente una falta absoluta de conexión, no puede reducirse a una simple decisión injustificada sino a una valoración motivada, aunque sea sucintamente, sobre la existencia o no de dicha conexión mínima, pues sólo cuando sea evidente y manifiesto que no existe tal conexión deberá rechazarse la enmienda, puesto que, en tal caso, se pervertiría la auténtica naturaleza del derecho de enmienda, ya que habría pasado a convertirse en una nueva iniciativa legislativa.

En segundo lugar hay que tener presente que esta valoración debe hacerse en el seno de un procedimiento, el procedimiento legislativo en el que las dos Cámaras no están situadas en una misma posición. Por tanto, la aplicación de esta doctrina en cada caso no puede hacerse sin valorar que el Congreso y el Senado no actúan ni en el mismo momento ni son exactamente las mismas sus facultades formales dentro del proceso de adopción de la ley. En tercer lugar, aun asumiendo que en determinadas circunstancias pueden existir razones de urgencia que propicien acelerar la aprobación de una concreta iniciativa legislativa, existe la posibilidad de acudir a otros mecanismos, como, cuando resulte jurídicamente viable, al Decreto-ley o a las tramitaciones legislativas por los procedimientos de urgencia o en lectura única.

8. En el presente caso, como se deriva de las actuaciones y se ha expuesto con más detenimiento en los antecedentes, la Mesa del Senado rechazó inadmitir las enmiendas presentadas, aun reconociendo su absoluta desconexión material con el proyecto de ley a enmendar, con el argumento de que el art. 90.2 CE y los arts. 106 y 107 del Reglamento del Senado no contienen ninguna limitación material en ese sentido.

En atención a la doctrina expuesta, que aquí dada la naturaleza del presente recurso debemos circunscribir al problema que plantean las enmiendas en el Senado, debe concluirse que la decisión de la Mesa del Senado, negándose a realizar el juicio de homogeneidad de las enmiendas con el texto a enmendar solicitado por los Senadores recurrentes, supuso una infracción de la legalidad parlamentaria. Esta infracción se ve confirmada, además, por el hecho patente de la más absoluta desconexión entre el proyecto de Ley Orgánica complementaria de la Ley de arbitraje, cuyo única finalidad era modificar la Ley Orgánica del Poder Judicial para atribuir determinadas competencias en materia de arbitraje a los Juzgados de lo Mercantil y la enmiendas admitidas a trámite por la Mesa del Senado, cuyo objeto era modificar el Código penal añadiendo tres tipos penales relacionados con la convocatoria ilegal de elecciones generales, autonómicas o locales o consultas populares por vía de referéndum y el allegar fondos o bienes de naturaleza pública, subvenciones o ayudas públicas a asociaciones ilegales o partidos políticos disueltos o suspendidos así como a los partidos, entes o grupos parlamentarios que los sucedan, cuestiones manifiestamente ajenas a la determinación de una competencia procesal en materia de arbitraje.

9. Ahora bien, como se exponía anteriormente, la vulneración del art. 23.2 CE aducida por los recurrentes exige, y así se ha señalado reiteradamente por este Tribunal, además de la ya argumentada infracción de la legalidad parlamentaria, que dicha infracción haya afectado al núcleo de su función representativa estrictamente conectada con el

citado derecho fundamental del art. 23.2 CE y antes con el principio democrático del art. 1.1 CE, del que es una de sus manifestaciones más evidentes y constitucionalmente relevantes.

...Para cerrar el razonamiento hay que destacar que el derecho de enmienda que pertenece a los parlamentarios, en este caso a los Senadores, no es un mero derecho reglamentario sino un auténtico contenido central de su derecho de participación del art. 23.2 CE. En efecto, el derecho de participación, el ius in officium afecta a toda una serie de situaciones de los parlamentarios en las que los órganos rectores de las Cámaras deben respetar la función representativa no por tratarse de facultades meramente subjetivas de quienes desarrollan esa función sino como facultades que lo que permiten es ejercer correctamente a los representantes populares dicha representación participando en la función legislativa. Esto impone hacer posible la presentación de propuestas legislativas, la discusión en el debate parlamentario público sobre los temas sobre los que versa ese debate interviniendo en el mismo la mejora de los textos mediante la introducción de enmiendas, y respetar su derecho a expresar su posición mediante el derecho de voto. Lo que no cabe es articular un debate de forma que la introducción de más enmiendas haga imposible la presentación de alternativas y su defensa.

Los Reglamentos parlamentarios, de acuerdo con la Constitución, deben articular los procedimientos pero siempre respetando el ejercicio del ius in officium en todas sus fases.

En el presente caso la ya señalada lesión del procedimiento legislativo, al negarse la Mesa del Senado a valorar la existencia de homogeneidad entre la enmiendas propuestas y la iniciativa a enmendar y al constatarse la absoluta falta de homogeneidad, no puede considerarse inane a los efectos del derecho fundamental reconocido en el art. 23.2 CE. Con la admisión a trámite como enmiendas de unas propuestas de modificación del Código penal que no guardaban relación material alguna con el contenido de la Ley de arbitraje remitida por el Congreso de los Diputados, los recurrentes vieron restringidas sus posibilidades de deliberación sobre un nuevo texto que planteaba una problemática política por completo ajena a la que hasta el momento había rodeado al debate sobre la Ley de arbitraje, frente a la que no pudieron tomar una postura que se concretase en propuestas de enmienda o veto. Es más, al violentar la posición institucional del Senado, entendida como conjunto de competencias y facultades, se ha lesionado también el derecho de los Senadores recurrentes a ejercer sus funciones en el marco del procedimiento legislativo establecido por la Constitución. La calificación como enmiendas de lo que, por carecer de relación alguna de homogeneidad con el texto enmendado, suponía en verdad una iniciativa legislativa nueva, impidió a los recurrentes utilizar los mecanismos previstos en el art. 90.2 CE, que constituyen la esencia de su función representativa como Senadores.

STC. 234/00 de 3 de octubre (declaración de urgencia por el Gobierno)

Fto. Jco. 11: «La divergencia ...sobre la facultad que al Gobierno confiere el art. 90.3 CE radica en la existencia o no de un límite temporal para su ejercicio, límite que aquella representación (la del Senado) fija en la entrada del proyecto de ley en el Congreso de los Diputados, momento a partir del cual, en su opinión, el Gobierno no puede declarar urgentes los proyectos de ley a efectos de su tramitación en el Senado.

Frente a la afirmación de este límite temporal ...se erige, ante todo, el propio tenor del art. 90.3 CE. El mencionado precepto constitucional, como resulta de su texto, se limita a reducir a veinte días naturales el plazo del que ordinariamente dispone el Senado, para vetar o enmendar los proyectos de ley declarados urgentes, confiriendo la facultad de tal declaración al Gobierno o al Congreso de los Diputados alternativamente, como denota el uso de la conjunción disyuntiva que emplea para designar a los órganos titulares de dicha atribución. Del propio tenor del art. 90.3, pues, no resulta el límite temporal que se aduce a la facultad del Gobierno para declarar la urgencia de los proyectos de ley con los efectos que a tal declaración se anudan en el precepto constitucional.

Tal limitación temporal, por otra parte, no resulta tampoco de un examen teleológico o finalista del mecanismo puesto a disposición, en este caso, del Gobierno para abreviar el tiempo normal de tramitación en el Senado de los proyectos de ley al objeto de agilizar su tramitación parlamentaria y de este modo obtener, en un plazo más reducido al establecido con carácter general, aquellas medidas legislativas que propone a las Cámaras. En la urgencia, pues, que el Gobierno atribuye a un determinado Proyecto de ley estriba la razón y el fundamento último de la facultad que al Gobierno confiere el art. 90.3, siendo claro ...que dicha urgencia puede ser percibida por el Gobierno, tanto en el momento de depositar el proyecto de ley en el Congreso de los Diputados como en un momento posterior, iniciada ya la tramitación parlamentaria del mismo, como consecuencia de cambios de circunstancias. Así pues, no existe, en principio, razón o justificación alguna, atendiendo a la finalidad de la facultad conferida al Gobierno en el art. 90.3, para deducir el límite temporal que se aduce.

Por fin, no puede menos de hacerse mención a la práctica parlamentaria seguida en el Senado ...que se recoge en la "Nota sobre la declaración de urgencia por el Gobierno de textos legislativos para su tramitación en el Senado" ...En aquella Nota ...se relatan los numerosos precedentes habidos entre la I y la V legislatura ...en los que el Gobierno ...declaró la urgencia ...sin que se opusiera por la Cámara a la facultad gubernamental el límite temporal que ahora se le opone.»

Art. 91. El Rey sancionará en el plazo de quince días las leyes aprobadas por las Cortes Generales, y las promulgará y ordenará su inmediata publicación.

Art. 92. 1. Las decisiones políticas de especial transcendencia podrán ser sometidas a referéndum consultivo de todos los ciudadanos.

2. El referéndum será convocado por el Rey, mediante propuesta del Presidente del Gobierno, previamente autorizada por el Congreso de los Diputados.

3. Una ley orgánica regulará las condiciones y el procedimiento de las distintas modalidades de referéndum previstas en esta Constitución.

L.O. 2/1980 de 18 de enero, sobre regulación de las distintas modalidades de referéndum. RCD. art. 161.

CAPÍTULO TERCERO
De los Tratados Internacionales

Art. 93. Mediante ley orgánica se podrá autorizar la celebración de tratados por los que se atribuya a una organización o institución internacional el ejercicio de competencias derivadas de la Constitución. Corresponde a las Cortes Generales o al Gobierno, según los casos, la garantía del cumplimiento de estos tratados y de las resoluciones emanadas de los organismos internacionales o supranacionales titulares de la cesión.

RCD. arts. 154-160.
RS. arts. 144-147.

STC. 28/91 de 14 de febrero (**alcance del tratado de adhesión a la C.E.**)

Fto. Jco. 4: «En resumidas cuentas, a partir de la fecha de su adhesión, el Reino de España se halla vinculado al Derecho de las CEE, originario y derivado, el cual… constituye un ordenamiento jurídico propio, integrado en el sistema jurídico de los Estados miembros y que se impone a sus órganos jurisdiccionales.

Ahora bien, la vinculación señalada no significa que por mor del art. 93 se haya dotado a las normas de Derecho comunitario europeo de rango y fuerza constitucionales, ni quiere en modo alguno decir que la eventual infracción de aquellas normas por una disposición española entrañe necesariamente una conculcación del citado art. 93 de la CE. Este precepto constituye ciertamente el fundamento último de tal vinculación, dado que la aceptación de la misma, instrumentada en el Tratado de Adhesión, que es su fundamento inmediato, expresa la soberanía estatal. Ello no permite olvidar, sin embargo, que el precepto constitucional, de índole orgánico-procedimental, se limita a regular el modo de celebración de una determinada clase de Tratados internacionales, lo que determina que únicamente tales Tratados puedan ser confrontados con el art. 93 CE en un juicio de constitucionalidad, por el hecho de ser dicha norma suprema la fuente de validez formal de los mismos.

Así, en el caso que nos ocupa, producida la adhesión a las CEE. mediante un Tratado de esta naturaleza, autorizado a través de la LO 10/85 y una vez utilizado, por tanto, el mecanismo del art. 93, dicha norma constitucional no resulta afectada por la eventual disconformidad en que pueda incurrir la legislación nacional, estatal y autonómica, respecto del ordenamiento comunitario cuestión ésta que escapa al objeto y contenido de esa norma. Ni siquiera el inciso final de este precepto constitucional podría servir de apoyo a tal afectación, como …parece pretender la parte recurrente, ya que una cosa es la previsión de que las Cortes o el Gobierno garanticen el cumplimiento del Tratado de Adhesión y del Derecho comunitario (…)y otra bien distinta que la infracción del Derecho comunitario europeo por leyes o normas posteriores al Tratado de Adhesión implique 'eo ipso' la vulneración de dicho inciso final del art. 93 CE, pues, como ya se ha señalado, este precepto determina simplemente los órganos estatales a los que, según el tipo de actividad que demanda la puesta en práctica de las decisiones comunitarias, se encomienda la garantía del cumplimiento de la legislación comunitaria europea.»

Fto. Jco. 5: «la eventual infracción de la legislación comunitaria europea por Leyes o normas estatales o autonómicas posteriores no convierte en litigio constitucional lo que sólo es un conflicto de normas infraconstitucionales que ha de resolverse en el ámbito de la jurisdicción ordinaria».

STC. 64/91 de 22 de marzo (garantía de aplicación del Dcho.comunitario y jurisdicción ordinaria)

Fto. Jco. 4: «Tiene razón el Abogado del Estado al decir que no corresponde al TC. controlar la adecuación de la actividad de los poderes públicos nacionales al Derecho comunitario europeo. Este control compete a los órganos de la jurisdicción ordinaria, en cuanto aplicadores que son del ordenamiento comunitario y, en su caso, al T. de Justicia de las CEE a través del recurso por incumplimiento (art. 170 TCEE). La tarea de garantizar la recta aplicación del Derecho comunitario europeo por los poderes públicos nacionales es, pues, una cuestión de carácter infraconstitucional y por lo mismo excluída tanto del ámbito del proceso de amparo como de los demás procesos constitucionales.»

Declaración del TC. de 1 de julio de 1992 (alcance del art. 93 y Reforma de la CE.)

Fto. Jco. 4: «El art. 93 permite atribuciones o cesiones para 'el ejercicio de competencias derivadas de la C.' y su actualización comportará, ha comportado ya, una determinada limitación o constricción, a ciertos efectos, de atribuciones y competencias de los poderes públicos españoles (limitación de derechos soberanos, en expresión del TJC, caso Costa/Enel, STJC. de 15 de julio de 1964). Para que esa limitación se opere es indispensable, sin embargo, que exista efectivamente una cesión del ejercicio de competencias (no de su titularidad) a organizaciones o instituciones internacionales, lo que no ocurre con la estipulación objeto de nuestra resolución, pues en ella no se cede o transfiere competencias, sino que, simplemente, se extiende a quienes no son nacionales unos derechos que según el art. 13.2 no podría atribuírseles.

Se pone ya de relieve, con esta última advertencia, que el contenido de la estipulación examinada no se corresponde con el supuesto previsto en el art. 93 CE.; ello sin perjuicio de que la vía constitucional citada sea la que proceda emplear, atendidos otros contenidos del TUE., para autorizar la prestación del consentimiento del Estado en dicho Tratado, una vez reformada la CE., por lo que al art. 13.2 se refiere. Basta con constatar, en lo que ahora importa, que el texto objeto de esta consulta no entraña una cesión competencial, sino un compromiso directo para el Reino de España en orden a acomodar el propio ordenamiento electoral a una atribución de derechos subjetivos, operada por el Tratado, atribución que resulta inconciliable con el dictado del art. 13.2 de la Norma fundamental.

Por lo demás, tampoco el art. 93 CE. se prestaría a ser empleado como instrumento para contrariar o rectificar mandatos o prohibiciones contenidos en la Norma fundamental, pues, ni tal precepto es cauce legítimo para la 'reforma implícita o tácita constitucional, ni podría ser llamada atribución del ejercicio de competencias, en coherencia con ello, una tal contradicción, a través del Tratado, de los imperativos constitucionales.

Que lo primero es como queda dicho no requiere ahora argumentación muy prolija, pues el tenor literal y el sentido mismo del art. 95.1, aplicable a todo tipo de Tratados, excluyen con claridad el que mediante cualquiera de ellos puedan llegar a ser contradichas o excepcionadas las reglas constitucionales que limitan, justamente, el ejercicio de todas las competencias que la CE. confiere, algunas de las cuales pueden ser cedidas 'quoad exercitium', en virtud de lo dispuesto en su art. 93. Los poderes públicos españoles no están menos sujetos a la CE. cuando actúan en las relaciones internacionales o supranacionales que al ejercer 'ad intra' sus atribuciones, y no otra cosa ha querido preservar el art. 95, precepto cuya función de garantía no debe resultar contrariada o disminuída por lo prevenido en el art. 93 de la misma Norma fundamental. Se ha de procurar, más bien, una interpretación que concilie ambas previsiones constitucionales; lo que supone afirmar, de una parte, que los enunciados de la CE. no pueden ser contradichos sino mediante su reforma expresa (por los cauces del Tit. X) y reconocer también, de la otra, que cabe autorizar mediante LO, la ratificación de Tratados que, según quedó dicho, transfieran o atribuyan a organizaciones internacionales el ejercicio de competencias 'ex Constitutione', modulándose así, por lo tanto, el ámbito de aplicación, no el enunciado, de las reglas que las han instituído y ordenado. Este es, sin duda, un efecto previsto por la CE. y en cuanto tal, legítimo, pero ninguna relación guarda con el que depararía la colisión textual y directa entre la propia Norma fundamental y una o varias de las estipulaciones de un Tratado.

En virtud del art. 93 las Cortes Generales pueden, en suma, ceder o atribuir el ejercicio de competencias derivadas de la CE., no disponer de la C. misma, contrariando o permitiendo contrariar, sus determinaciones, pues, ni el poder de revisión constitucional es una 'competencia' cuyo ejercicio fuera susceptible de cesión, ni la propia CE. admite ser reformada por otro cauce que no sea el de su Tit. X, esto es, a través de los procedimientos y con las garantías allí establecidas y mediante la modificación expresa de su propio texto. Esta es la conclusión que impone el dictado del art. 95.1, sin que sea ocioso recordar aquí que la operación consistente en excepcionar enunciados constitucionales a través de un Tratado, quebrando así la generalidad de las disposiciones de la CE., llegó a ser planteada, y no fue acogida, en el proceso constituyente (art. 55.3 del Anteproyecto de C. y, con otro alcance, enmienda núm. 343 de las presentadas en el Senado al Proyecto de C.).»

STC. 79/92 de 28 de mayo (**aplicación Tratados y CCAA**)

Fto. Jco. 1: «Ni el Estado ni las CCAA pueden considerar alterado su propio ámbito competencia en virtud de esa conexión comunitaria. La ejecución de los Convenios y Tratados internacionales en lo que afecta a las materias atribuídas a la competencia de las CCAA no supone, como resulta evidente, atribución de una competencia nueva, distinta de las que en virtud de otros preceptos ya ostenta la respectiva CA. De otro lado, el Estado no puede ampararse por principio en su competencia exclusiva sobre las relaciones internacionales para extender su ámbito competencial a toda actividad que constituya desarrollo, ejecución o aplicación de los Convenios y Tratados internacionales, y, en particular, del Derecho derivado de la Comunidad Europea. Si así fuera, dada la progresiva ampliación de la esfera material de intervención de la CE, habría de producirse un vaciamiento notable del área de competencias que la C y los EEAA atribuyen a las CCAA.

En definitiva, la ejecución del Derecho comunitario corresponde a quien materialmente ostente la competencia, según las reglas de Derecho interno, puesto que 'no existe una competencia específica para la ejecución del Derecho comunitario´.

STC. 45/96 de 25 de marzo (interpretación judicial de derecho comunitario)

Fto. Jco. 5: «Es de señalar, en primer término, que no puede privarse a los Tribunales nacionales de la facultad de interpretar tanto las normas internas como las comunitarias, pues, como de aplicación directa entre nosotros ...les corresponde su selección e interpretación (art. 117.3 CE), aún sin perjuicio de las competencias que al efecto ostenten las instancias jurisdiccionales comunitarias.»

Art. 94. 1. La prestación del consentimiento del Estado para obligarse por medio de tratados o convenios requerirá la previa autorización de las Cortes Generales, en los siguientes casos:

a) Tratados de carácter político.

b) Tratados o convenios de carácter militar.

c) Tratados o convenios que afecten a la integridad territorial del Estado o a los derechos y deberes fundamentales establecidos en el Título I.

d) Tratados o convenios que impliquen obligaciones financieras para la Hacienda Pública.

e) Tratados o convenios que supongan modificación o derogación de alguna ley o exijan medidas legislativas para su ejecución.

2. El Congreso y el Senado serán inmediatamente informados de la conclusión de los restantes tratados o convenios.

Art. 95. 1. La celebración de un tratado internacional que contenga estipulaciones contrarias a la Constitución exigirá la previa revisión constitucional.

2. El Gobierno o cualquiera de las Cámaras puede requerir al Tribunal Constitucional para que declare si existe o no esa contradicción.

Declaración de 1 de julio de 1992 (**Tratado de Maastricht, función del TC y reforma de la CE.**)

Fto. Jco. 1: «Mediante la vía prevista en su art. 95.2 la Norma fundamental atribuye al TC. la doble tarea de preservar la CE. y de garantizar, al tiempo, la seguridad y estabilidad de los compromisos a contraer por España en el orden internacional. Como intérprete supremo de la CE., el TC. es llamado a pronunciarse sobre la posible contradicción entre ella y un Tratado cuyo texto, ya definitivamente fijado, no haya recibido aún el consentimiento del Estado (art. 78.1 LOTC). Si la duda de constitucionalidad se llega a confirmar, el Tratado no podrá ser objeto de ratificación sin la previa revisión constitucional (art. 95.1 CE). De este modo, la CE. ve garantizada, a través del procedimiento previsto en su Tit. X, su primacía, adquiriendo también el Tratado, en la parte del mismo que fue objeto de examen una estabilidad jurídica plena, por el carácter vinculante de la Declaración del TC. (art. 78.2 LOTC.), como corresponde al sentido de este examen preventivo.

Aunque aquella supremacía quede en todo caso asegurada por la posibilidad de impugnar (arts. 27.2, 31 y 32.1 LOTC.) o cuestionar (art. 35 LOTC.) la constitucionalidad de los tratados una vez que formen parte del ordenamiento interno (art. 96.1 CE), es evidente la perturbación que, para la política exterior y las relaciones internacionales del Estado, implicaría la eventual declaración de inconstitucionalidad de una norma pactada: El riesgo de una perturbación de este género es lo que la previsión constitucional intenta evitar. Esta doble finalidad es, en consecuencia, la que ha de tenerse en cuenta para interpretar, tanto el art. 95 CE., como el 78 LOTC...

...ha de comenzar por precisarse que lo que de nosotros puede solicitarse es una Declaración, no un dictamen; una decisión, no una mera opinión fundada en derecho. Este TC. no deja de serlo para transformarse ocasionalmente, por obra del requerimiento, en cuerpo consultivo. Lo que el requerimiento incorpora es, al igual que acontece en las cuestiones de inconstitucionalidad, la exposición de una duda razonable, pero lo que de nosotros se solicita no es un razonamiento que la resuelva, sino una decisión vinculante.»

Art. 96. 1. Los tratados internacionales válidamente celebrados, una vez publicados oficialmente en España, formarán parte del ordenamiento interno. Sus disposiciones sólo podrán ser derogadas, modificadas o suspendidas en la forma prevista en los propios tratados o de acuerdo con las normas generales del Derecho internacional.

2. Para la denuncia de los tratados y convenios internacionales se utilizará el mismo procedimiento previsto para su aprobación en el artículo 94.

TÍTULO IV
Del Gobierno y de la Administración

Art. 97. El Gobierno dirige la política interior y exterior, la Administración civil y militar y la defensa del Estado. Ejerce la función ejecutiva y la potestad reglamentaria de acuerdo con la Constitución y las leyes.

Ley 50/1997, de 27 de noviembre, de Organización, competencia y funcionamiento del Gobierno.

Para todo el Título IV Ley 30/1992 de 26 de noviembre, de Régimen jurídico de las Administraciones Públicas y del Procedimiento Administrativo Común.

STC. 18/82 de 4 de mayo (**relaciones de colaboración Ley/Reglamento**)

Fto. Jco. 3: «Ante todo, es menester huir de interpretaciones meramente literales, pues tanto los conceptos de 'legislación' como de 'ejecución' son lo suficientemente amplios para que deba rechazarse la interpretación que asimila sin más, legislación al conjunto de normas escritas con fuerza o valor de Ley, y la interpretación que asimila 'ejecución' al conjunto de actos concretos de ejecución relativos a una determinada materia.

En este contexto, y a salvo de la reserva de Ley, no puede desconocerse el carácter que la moderna doctrina atribuye a la potestad reglamentaria como una técnica de colaboración de la Administración con el poder legislativo, como un instrumento de participación de la Administración en la ordenación de la sociedad, que relativiza la distinción entre los productos normativos de la Administración con mero valor reglamentario y los que adquieren fuerza de Ley y acentúan, por el contrario, el elemento de la delegación legislativa que habilita a la Administración para ejercer facultades normativas.

La distinción entre Ley y reglamento acentúa los perfiles en el terreno de la eficacia y de los instrumentos de control, pero pierde importancia cuando se contempla desde la perspectiva de la regulación unitaria de una materia, que es la que tiene presente el constituyente al reservar al Estado la legislación laboral, pues desde esta perspectiva, si no siempre, es evidente que en muchas ocasiones aparecen en íntima colaboración la Ley y el Reglamento, dependiendo el ámbito objetivo de cada uno de estos instrumentos de la mayor o menor pormenorización del texto legal y de la mayor o menor amplitud de la habilitación implícitamente concedida para su desarrollo reglamentario. En todo caso resulta cierto, que la materia cuya ordenación jurídica el legislador encomienda al reglamento puede en cualquier momento ser regulada por aquél, pues en nuestro ordenamiento no se reconoce el principio de reserva reglamentaria.»

Fto. Jco. 4: «Este aspecto de colaboración entre la Ley y el Reglamento en la ordenación de una materia, sin embargo, sólo adquiere verdadera virtualidad en relación con aquellos reglamentos en los que se acentúa la idea de ejecución o desarrollo de la Ley, y al propio tiempo, la exigencia de una más específica habilitación legal. Existe en nuestro derecho una tradición jurídica que dentro de los reglamentos, como disposiciones generales de la Administración con rango inferior a una Ley, y aún reconociendo que en todos ellos se actúa el ejercicio de la función ejecutiva en sentido amplio, destaca como 'reglamentos ejecutivos' aquellos que están directa y concretamente ligados a una Ley, a un artículo o artículos de una Ley o a un conjunto de Leyes, de manera que dicha Ley es completada, desarrollada, pormenorizada, aplicada y cumplimentada o ejecutada por el Reglamento. Son reglamentos que el Consejo de Estado ha caracterizado como aquellos 'cuyo cometido es desenvolver una Ley preexistente o que tiene por finalidad establecer normas para el desarrollo, aplicación y ejecución de una Ley'. Pero junto a estos, existen los reglamentos de organización que, todo lo más alcanzan a normar las relaciones de la Administración con los administrados en la medida en que ello es instrumentalmente necesario por integrarse éstos de una u otra forma en la organización administrativa, pero no los derechos y obligaciones de éstos en aspectos básicos o con carácter general. Sin tratar la cuestión de si dichos reglamentos tienen verdaderamente carácter independiente, cuestión que aquí no es necesario resolver, hay que admitir que los mismos no aparecen necesariamente como complementarios de la Ley.»

STC. 83/84 de 24 de julio

Fto. Jco. 4: Ver selección con relación al art. 53.

STC. 77/85 de 27 de junio (**relaciones LO./Reglamento**)

Fto. Jco. 14: «En cuanto al reproche de inconstitucionalidad basado en la imposibilidad de regular por Reglamento materias sobre las cuales versa la reserva de L.O. del art. 81 de la C.E. como es la relativa a derechos fundamentales, no es aceptable la argumentación de los recurrentes porque las peculiaridades de la L.O., en modo alguno justifican el que respecto de ese tipo de fuente se hayan de considerar alteradas las relaciones entre Ley y Reglamento ejecutivo, relaciones que pueden darse en todos aquellos casos en los que la CE. reserva a la Ley, a la L.O. también, la regulación de una materia determinada. La posibilidad constitucional de una tal relación, en la que el Reglamento es llamado por la Ley para integrar de diverso modo sus mandatos, no queda excluída en el caso de las reservas a L.O. presentes en el art. 81.1 y en otros preceptos de la CE., y siempre, como es claro y exigible para cualquier caso de reserva, que la remisión a Reglamento no suponga deferir a la normación del Gobierno el objeto mismo reservado, que es el 'desarrollo' de un derecho fundamental en el caso que ahora consideramos. Cuando este 'desarrollo' lo haya realizado cumplidamente el legislador, como sucede en el presente proyecto de L.O., la remisión al Reglamento no será, sólo por ello, inconstitucional, y hasta ha de decidirse que esa misma remisión resultará, en muchos casos, debida u obligada por la naturaleza de las cosas, pues no hay Ley en la que se pueda dar entrada a todos los problemas imaginables, muchos de los cuales podrán tener solución particular y derivada en normas reglamentarias.»

STC. 45/90 de 15 de marzo (**actuaciones políticas y administrativas del Gobierno**)

Fto. Jco. 2: «...no toda la actuación del Gobierno, cuyas funciones se anuncian en el art. 97... está sujeta al Derecho Administrativo. Es indudable, por ejemplo, que no lo está, en general, la que se refiere a las relaciones con otros órganos constitucionales, como son los actos que regula el Tit. V CE., o la decisión de enviar a las Cortes un proyecto de ley, u otras semejantes, a través de las cuales el Gobierno cumple también la función de dirección política que le atribuye el mencionado art. 97 CE. A este género de actuaciones del Gobierno, diferente de la actuación administrativa sometida a control judicial pertenecen las decisiones que otorgan prioridad a unas u otras parcelas de la acción que le corresponde, salvo que tal prioridad resulte obligada en ejecución de lo dispuesto por las leyes. Por ello, la falta de respuesta a una genérica reclamación o solicitud de 'dación de medios materiales y personales a la Administración de Justicia en el País Vasco', aún entendida como un rechazo implícito de la misma, no puede considerarse como una actuación administrativa presunta, sometida al control judicial.»

Art. 98. 1. El Gobierno se compone del Presidente, de los Vicepresidentes, en su caso, de los Ministros y de los demás miembros que establezca la ley.

2. El Presidente dirige la acción del Gobierno y coordina las funciones de los demás miembros del mismo, sin perjuicio de la competencia y responsabilidad directa de éstos en su gestión.

3. Los miembros del Gobierno no podrán ejercer otras funciones representativas que las propias del mandato parlamentario, ni cualquier otra función pública que no derive de su cargo, ni actividad profesional o mercantil alguna.

4. La ley regulará el Estatuto e incompatibilidades de los miembros del Gobierno.

Ley 6/1997 de 14 de abril, de Organización y Funcionamiento de la Administración General del Estado.

Ley 12 /1995, de 11 de mayo, de incompatibilidades de los miembros del Gobierno de la Nación y de los altos cargos de la Administración General del Estado.

Art. 99. 1. Después de cada renovación del Congreso de los Diputados, y en los demás supuestos constitucionales en que así proceda, el Rey, previa consulta con los representantes designados por los Grupos políticos con representación parlamentaria, y a través del Presidente del Congreso, propondrá un candidato a la Presidencia del Gobierno.

2. El candidato propuesto conforme a lo previsto en el apartado anterior expondrá ante el Congreso de los Diputados el programa político del Gobierno que pretenda formar y solicitará la confianza de la Cámara.

3. Si el Congreso de los Diputados, por el voto de la mayoría absoluta de sus miembros, otorgare su confianza a dicho candidato, el Rey le nombrará Presidente. De no alcanzarse dicha mayoría, se someterá la misma propuesta a nueva votación cuarenta y ocho horas después de la anterior, y la confianza se entenderá otorgada si obtuviere la mayoría simple.

4. Si efectuadas las citadas votaciones no se otorgase la confianza para la investidura, se tramitarán sucesivas propuestas en la forma prevista en los apartados anteriores.

5. Si transcurrido el plazo de dos meses, a partir de la primera votación de investidura, ningún candidato hubiere obtenido la confianza del Congreso, el Rey disolverá

ambas Cámaras y convocará nuevas elecciones con el refrendo del Presidente del Congreso.

RCD. arts. 170 a 172.

STC. 16/84 de 6 de febrero

Fto. Jco. 6. Ver selección con relación al art. 152.

Art. 100. Los demás miembros del Gobierno serán nombrados y separados por el Rey, a propuesta de su Presidente.

Art. 101. 1. El Gobierno cesa tras la celebración de elecciones generales, en los casos de pérdida de la confianza parlamentaria previstos en la Constitución, o por dimisión o fallecimiento de su Presidente.

2. El Gobierno cesante continuará en funciones hasta la toma de posesión del nuevo Gobierno.

Art. 102. 1. La responsabilidad criminal del Presidente y los demás miembros del Gobierno será exigible, en su caso, ante la Sala de lo Penal del Tribunal Supremo.

2. Si la acusación fuere por traición o por cualquier delito contra la seguridad del Estado en el ejercicio de sus funciones, sólo podrá ser planteada por iniciativa de la cuarta parte de los miembros del Congreso, y con la aprobación de la mayoría absoluta del mismo.

3. La prerrogativa real de gracia no será aplicable a ninguno de los supuestos del presente artículo.

RCD. art. 169

Art. 103. 1. La Administración Pública sirve con objetividad los intereses generales y actúa de acuerdo con los principios de eficacia, jerarquía, descentralización, desconcentración y coordinación, con sometimiento pleno a la Ley y al Derecho.

2. Los órganos de la Administración del Estado son creados, regidos y coordinados de acuerdo con la ley.

3. La ley regulará el estatuto de los funcionarios públicos, el acceso a la función pública de acuerdo con los principios de mérito y capacidad, las peculiaridades del

ejercicio de su derecho a sindicación, el sistema de incompatibilidades y las garantías para la imparcialidad en el ejercicio de sus funciones.

Ley 10/1983, de 16 de agosto, de Organización de la Administración Central del Estado; Ley 53/1984 de 26 de diciembre, sobre Incompatibilidades del Personal al servicio de las Administraciones Públicas; L.O. 1/1985 de 18 de enero, sobre incompatibilidades del Personal al servicio del TC., del CGPJ, T. de Cuentas, Administración de Justicia y Consejo de Estado, y componentes del Poder Judicial; Ley 30/1984 de 2 de agosto, de Libertad Sindical; Ley 30/1984, de 2 de agosto, de medidas para la reforma de la Función Pública, modificada por Ley 23/1988 de 28 de julio;

STC. 22/84 de 17 de febrero (**ejecución de actos administrativos y derechos fundamentales**)

Fto. Jco. 4: «...el art. 103 reconoce como uno de los principios a los que la Administración Pública ha de atenerse, el de eficacia 'con sometimiento pleno a la Ley y al Derecho'. Significa ello una remisión a la decisión del legislador ordinario respecto de aquellas normas, medios e instrumentos en que se concrete la consagración de la eficacia. Entre ellas no cabe duda de que se puede encontrar la potestad de autotutela o de autoejecución practicable genéricamente por cualquier Administración Pública con arreglo al art. 103 de la CE. y por ende puede ser ejercida por las autoridades municipales, pues, aun cuando el art. 140 de la CE. establece la autonomía de los municipios, la administración municipal es una administración pública en el sentido del antes referido art. 103. Una vez admitida la conformidad con la Constitución de la potestad administrativa de autotutela, en virtud de la cual se permite que la Administración emane actos declaratorios de la existencia y límites de sus propios derechos con eficacia ejecutiva inmediata, hay en seguida que señalar que la Administración que, a través de sus órganos competentes procede a la ejecución forzosa de actos administrativos, tiene en los actos de ejecución que respetar los derechos fundamentales de los sujetos pasivos de la ejecución.»

STC. 60/86 de 20 de mayo (**reserva de ley y organización de la Administración**)

Fto. Jco. 2: «Tampoco tiene fundamento constitucional la invocación que los recurrentes hacen del art. 103.2 del Texto fundamental para negar legitimidad al Decreto-Ley en lo que concierne a los demás órganos de la Admón. Central del Estado (se refiere al R.Decreto-Ley 22/82 de 7 de diciembre, sobre medidas urgentes de reforma administrativa). En este punto, dada la fórmula contenida en dicho precepto, 'de acuerdo con la ley', que no es otra que la llamada reserva relativa de Ley que permite compartir la regulación de una materia entre la Ley o norma con fuerza y valor de Ley, y el Reglamento, lo que ha hecho el Decreto-Ley impugnado ha sido elevar de rango normativo y congelar legalmente buena parte de la materia de organización que con anterioridad estaba deslegalizada, operación perfectamente legítima según la C., habida cuenta de la inexistencia en nuestro sistema de producción normativa de un principio de reserva reglamentaria, tal como, por lo demás, hemos declarado ya en nuestras SSTC. 5/81 y 18/82.
No obstante, el art. 7 del Decreto-Ley remite a la regulación por Real Decreto la creación, supresión, modificación o refundición de determinados órganos inferiores a los

propios Departamentos ministeriales en los que aquellos se integran. Pero esta medida de integración normativa no es tampoco una operación inconstitucional, pues la reserva relativa de Ley que se contiene en la fórmula del art. 103.2... lo permite sin ninguna duda. Se trata de una remisión constitucionalmente legítima, ya que la C. no ha reservado expresa y directamente a la Ley la creación modificación y supresión de tales órganos.»

STC. 85/83 de 25 de octubre (selección de funcionarios; publicidad de convocatorias)

Fto. Jco. 8: «Que el art. 103 de la C.E. es aplicable a todas las Administraciones Públicas es algo que no puede ponerse en cuestión, mas de ello no puede colegirse que sus exigencias comportan un determinado esquema uniforme de las Comisiones seleccionadoras o un determinado sistema de publicación. Será preciso que el régimen de tales comisiones garantice la capacidad de sus miembros para que su juicio sea libre sin ceder a consideraciones externas y que su nivel de preparación técnica sea lo suficiente para realizar la función seleccionadora y con la adecuada presencia local, mas dentro de estas coordenadas, cabe más de una respuesta a la hora de reglamentar la composición de las Comisiones a las que se encomienda un papel principal en el procedimiento de ingreso en la función pública. En cuanto a la publicación, es cierto que constituye requisito esencial de la convocatoria y que debe servir al objetivo de provocar la concurrencia y facilitar la divulgación, pero dentro de estos criterios la instrumentación no es necesariamente, única, como, por lo demás, revela la propia reglamentación cuestionada, en la que junto a la doble publicación (B.O. de la provincia y BOE.) se establece la publicación única y aún una publicación alternativa. La publicidad es un elemento indispensable de exteriorización de la convocatoria. Pero la instrumentación única de una publicidad que como modelo uniforme y general se imponga a todas las administraciones agotaría, por lo demás, una parcela, dentro de la materia de la función pública local, en la que en principio, concurren competencias normativas del Estado y del País Vasco.»

STC. 99/87 de 11 de junio (reserva de ley; Estatuto de Funcionarios; jubilación)

Fto. Jco. 3: «...en el art. 103.3 de la C. se establece, efectivamente, una reserva para la regulación por Ley de diversos ámbitos de la Función Pública, entre los que se cuenta el 'Estatuto de Funcionarios Públicos'. Esta materia queda, así, sustraída a la normación reglamentaria, mas no en el sentido de que las disposiciones del Gobierno no puedan, cuando así lo requiera la Ley, colaborar con ésta para complementar o particularizar, en aspectos instrumentales y con la debida sujeción, la ordenación legal de la materia reservada, pues esta colaboración que, en términos de política legislativa, habrá de resultar pertinente en muchos casos, no será contradictoria con el dictado de la C. cuando la remisión al reglamento lo sea, estrictamente, para desarrollar y complementar una previa determinación legislativa.
En este ámbito, por lo tanto, habrá de ser sólo la Ley la fuente introductora de las normas reclamadas por la C., con la consecuencia de que la potestad reglamentaria no podrá desplegarse aquí innovando o sustituyendo a la disciplina legislativa, no siéndole tampoco posible al legislador disponer de la reserva misma a través de remisiones incondicionadas o carentes de límites ciertos y estrictos, pues ello entrañaría un desapoderamiento del Parlamento en favor de la potestad reglamentaria que sería contraria a la norma constitucional creadora de la reserva. Incluso con relación a los ámbitos

reservados por la C. a la regulación por Ley no es, pues, imposible una intervención auxiliar o complementaria del reglamento, pero siempre (STC. 83/84, fto. jco. 4), que estas remisiones 'sean tales que restrinjan, efectivamente, el ejercicio de esa potestad reglamentaria a un complemento de la regulación legal, que sea indispensable por motivos técnicos o para optimizar el cumplimiento de las finalidades propuestas por la C. o por la propia Ley, etc. etc.'

Desde esta perspectiva... no puede afirmarse, sin más, que el límite de la reserva de Ley presente en el art. 103.3 de la C. impida, en términos absolutos, todo tipo de remisión legislativa al reglamento. Para determinar en principio, la legitimidad constitucional de tales remisiones han de tenerse presentes las consideraciones que acaban de reseñarse y, en lo que ahora importa, el ámbito mismo reservado a la Ley por el art. 103.3 de la C., esto es, 'el Estatuto de los funcionarios públicos, ect. etc.'

En el primer inciso de su art. 103.3, la C. ha reservado a la Ley la regulación de la situación personal de los funcionarios públicos y de su relación de servicio o 'régimen estatutario', por emplear la expresión que figura en el art. 149.1.18 de la misma Norma Fundamental. Es éste, desde luego, un ámbito cuyos contornos no pueden definirse en abstracto y 'a priori', pero en el que ha de entenderse comprendida, en principio, la normación relativa a la adquisición y pérdida de la condición de funcionario, a las condiciones de promoción en la carrera administrativa y a las situaciones que en ésta puedan darse, a los derechos y deberes y responsabilidad de los funcionarios y a su régimen disciplinario, así como a la creación e integración, en su caso, de Cuerpos y Escalas funcionariales y al modo de provisión de puestos de trabajo al servicio de las Administraciones Públicas, pues habiendo optado la C. por un régimen estatutario, con carácter general, para los servidores públicos... habrá de ser también la Ley la que determine en qué casos y con qué condiciones puedan reconocerse otras posibles vías para el acceso al servicio de la Administración Pública. Las normas que disciplinen estos ámbitos serán, en el concepto constitucional ordenadoras del Estatuto de los funcionarios públicos, pues todas ellas interesarán directamente a las relaciones entre éstos y las Administraciones a las que sirven, configurando así el régimen jurídico en el que pueda nacer y desenvolverse la condición de funcionario y ordenando su posición propia en el seno de la Administración. Esta normación, en virtud de la reserva constitucional a la que se viene haciendo referencia, habrá de ser dispuesta por el legislador en términos tales que, de conformidad con lo antes observado, sea reconocible en la Ley misma una determinación material suficiente de los ámbitos así incluídos en el Estatuto funcionarial, descartándose, de este modo, todo apoderamiento explícito o implícito a la potestad reglamentaria para sustituir a la norma de Ley en la labor que la C. le encomienda.

Fto. Jco. 6: «Es indudable que en el campo de la relación funcionarial, el funcionario adquiere y tiene derechos subjetivos que la ley ha de respetar, y en ese sentido es claro que ostenta, desde que ingresa en la función pública, el derecho a la jubilación o al pase a determinada situaciones administrativas, también en la Ley estatutaria prevista. Pero una cosa es o son esos derechos y otra la pretensión de que aparezcan como inmodificables en su contenido concreto.

El funcionario que ingresa en la Admón. Pública se coloca en una situación jurídica objetiva definida legal y reglamentariamente y, por ello, modificable por uno u otro instrumento normativo de acuerdo con los principios de reserva de Ley y de legalidad, sin que, consecuentemente, pueda exigir que la situación estatutaria quede congelada en los términos en que se hallaba regulada al tiempo de su ingreso, o que se mantenga la situación administrativa que se está disfrutando o bien, en fin, que el derecho a pensión, causado por el funcionario, no pueda ser incompatiblizado por Ley, en orden a su disfrute por sus beneficiarios, en atención a razonables y justificadas circunstancias, porque ello se integra en las determinaciones unilaterales lícitas del legislador, al margen de la voluntad de quien entra al servicio de la Admón., quien, al hacerlo, acepta el régimen que configura la relación estatutaria funcionarial. Por otro lado no hay que olvidar que, por parte de cada funcionario, se ostenta el derecho a la jubilación y al disfrute (o a solicitarlo, en su caso), de las situaciones administrativas legalmente reconocidas, pero no el derecho, sino la expectativa frente al legislador a que la edad de jubilación o el catálogo de situaciones continuen inmodificadas por el legislador, en modo que permanecieran tal y como él las encontró al tiempo de su acceso a la Función Pública».

STC. 67/89 de 18 de abril (antigüedad y acceso a función pública)

Fto. Jco. 1: «...ha de recordarse que el principio de igualdad en el acceso a las funciones y cargos públicos consagrado en el art. 23.2 de la CE., que ha de ponerse en necesaria conexión con los principios de mérito y capacidad en el acceso a las funciones públicas del art. 103.3 de la C. (STC. 193/87), se refiere a los requisitos que señalen las leyes, lo que concede al legislador un amplio margen en la regulación de las pruebas de selección de funcionarios y en la determinación de cuáles han de ser los méritos y capacidades que se tomarán en consideración. Esta libertad está limitada por la necesidad de no crear desigualdades que sean arbitrarias en cuanto ajenas, no referidas o incompatibles con los principios de mérito y capacidad...

Fto. Jco. 2: «...Este TC. ha afirmado que del art. 23.2 de la C. deriva el que las reglas de procedimiento para el acceso a los cargos de funciones públicas y, entre ellas, las convocatorias de concursos y oposiciones «se establezcan en términos generales y abstractos y no mediante referencias individualizadas y concretas» (STC. 50/86). Ello significa dar relevancia constitucional a un criterio que había venido siendo exigido por nuestra jurisprudencia contencioso-administrativa, desde la muy conocida STS. de 7 -X-1971, que aplicó la teoría de la desviación de poder a un concurso establecido con el «preconcebido propósito» de nombrar a determinada persona. De ahí que se exija que los requisitos o méritos se establezcan «con carácter general» (STC. 42/81), siendo constitucionalmente inaceptable que «se produzcan acepciones o pretericiones ad personam en el acceso a las funciones públicas (STC. 148/86)...»
«Todo mérito crea la posibilidad de que se conozca a priori el conjunto de quienes lo ostentan (un riesgo mayor cuando se trata de este mérito concreto), pero ello no autoriza a pensar que la toma en consideración de ese mérito se haya hecho para favorecer a personas concretas. Ello sólo sucederá si el mérito en cuestión no tiene una fundamentación objetiva...»
«...La valoración de los méritos de los funcionarios en situación precaria, exigida por la LFP de Extremadura, valorándose su antigüedad o los servicios prestados, no constituye, ni directa ni indirectamente, la referencia individualizada, singular, específica y concreta... de por sí lesiva, de derecho a la igualdad.»

STC. 27/91 de 14 de febrero (pruebas específicas)

Fto. Jco. 5 A): «...las disposiciones impugnadas se limitan a habilitar la práctica de pruebas específicas para el personal contratado o interino, sin que el carácter específico pueda o deba suponer ninguna restricción a la exigencia de mérito y capacidad para el acceso definitivo, como funcionarios de carrera de este personal. La previsión legal de pruebas específicas para consolidar una situación precaria precedente no puede ser entendida, a la luz de los arts. 23.2 y 103.3 CE., como autorización a la Administración para establecer o regular estas pruebas sin respetar los conceptos de mérito y capacidad, requisitos constitucionales que no impiden el reconocimiento o evaluación del mérito consistente en el tiempo efectivo de servicios, pero que en ningún caso puede convertir ese tiempo efectivo de servicios en título de legitimación exclusivo que permita el acceso a una función pública de carácter permanente, al tener que respetarse en todo caso, también para los interinos y contratados, los principios constitucionales de mérito y capacidad.»

STC. 178/89 de 2 de noviembre (incompatibilidades y principio de eficacia)

Fto. Jco. 3: «En la C.... no existe un 'sistema' de incompatibilidades. En este sentido conviene resaltar que de la referencia a las incompatiblidades de determinados titulares de órganos constitucionales o de relevancia constitucional... no puede deducirse en absoluto un principio de interpretación restrictiva en lo que respecta al ámbito de las incompatibilidades de los servidores de la Admón. Pública. Y es que no puede homologarse este supuesto con aquellos, porque uno y otro responden a finalidades diversas. La finalidad de las incompatibilidades de los titulares de órganos constitucionales o de relevancia constitucional, que expresamente enumera la propia Carta fundamental y que, en su caso, detalla la correspondiente LO., es, según los casos, garantizar la separación de funciones o la transparencia pública en la correspondiente gestión o, incluso, la imparcialidad del órgano en cuestión. Pero la garantía de la imparcialidad no es la única finalidad constitucionalmente posible en el caso de las incompatibilidades de los empleos públicos.

Porque es cierto que a 'las garantías para la imparcialidad en el ejercicio de sus funciones' se refiere el art. 103.3 de la C. como objeto de regulación mediante Ley, pero no es menos cierto que el propio precepto distingue esa regulación de la del propio 'sistema de incompatibilidades'. O dicho con otras palabras: Con base en una interpretación literal y sistemática del art. 103.3 de la C. puede llegarse fácilmente a la conclusión de que sistema de incompatibilidades y garantías de imparcialidad no son dos ámbitos o círculos absolutamente coincidentes. De modo que si bien la garantía de la imparcialidad puede ser una de las finalidades del sistema o régimen legal de incompatibilidades de los empleados públicos, constitucionalmente no tiene por qué ser, como pretenden los recurrentes, la única finalidad de dicho régimen legal.

No han tenido en cuenta los demandantes, en efecto, un principio esencial, sancionado constitucionalmente en el art. 103.1 de la propia Carta fundamental, que debe presidir, junto con otros que ahora no hacen al caso, toda la actuación de la Administración Pública y, por tanto, la de su elemento personal: el principio de eficacia. Un principio que debe presidir, como es obvio, lo que es previo a la actividad adminsitrativa, la 'organización' y, en consecuencia, el apartado burocrático o, dicho de otro modo, el régimen de la función pública, entendida ésta en sentido amplio.

Si la C. proclama expresamente en su art. 1.1, que España se constituye en un Estado social y democrático de Derecho, una de sus consecuencias es, sin duda, la plasmación real de sus valores en una organización que, legitimada democráticamente, asegure la eficacia en la resolución de los conflictos sociales y la satisfacción de las necesidades de la colectividad, para lo que debe grantizarse la existencia de unas Adminstraciones Públicas capaces de cumplir los valores y los principios consagrados constitucionalmente.

Si resulta que no sólo la imparcialidad, sino también la eficacia, es un principio, sancionado en el mismo precepto constitucional, aunque en otro apartado, que ha de presidir la organización y la actividad de la Administración Pública, el legislador puede tenerlo perfectamente en cuenta a la hora de diseñar el régimen o sistema de incompatibilidades, extrayendo del mismo modo todas sus consecuencias. Así, el llamado 'principio de incompatibidad económica' o el principio, en cierto modo coincidente con él, de 'dedicación a un sólo puesto de trabajo', no vulneran en modo alguno la C., ya que no están vinculados únicamente, ni tienen por qué estarlo, de modo exclusivo y excluyente, a la garantía de imparcialidad. Tales principios responden a otro principio constitucional, concretamente al de eficacia, que es, además, un mandato para la Admón., en la medida en que ésta ha de actuar 'de acuerdo con él'.

Es, pues, también el principio de eficacia, y no sólo el de imparcialidad, el que explica en buena parte y justifica constitucionalmente el régimen de incompatibilidades establecido en la Ley impugnada, en la que no pueden reconocerse así los excesos o extralimitaciones que le atribuyen los demandantes.

Que el legislador persiga, en definitiva la 'dedicación exclusiva' a la función pública por parte de los empleados públicos no es una finalidad ajena a la exigencia de profesionalidad de los servidores públicos, exigencia conectada directamente al principio constitucional de eficacia de la Administración.

Bien entendido que si la eficacia es uno de los principios a que puede responder un régimen de incompatibilidades, como es el caso del diseñado por la Ley 53/1984, tal principio no tiene por qué ser necesariamente el único junto con el de imparcialidad. Dicho régimen puede también estar presidido por otros principios igualmente sancionados a nivel constitucional. O tratar de alcanzar otras finalidades, igualmente legítimas, constitucionalmente hablando, entre las que pueden estar las señaladas en el art. 40 de la C.

Tratar de alcanzar, así, el objetivo de una mejor distribución del empleo público con el consiguiente efecto final favorable para quienes se hallen en una posición menos ventajosa en el mercado de trabajo no sólo no es contrario a la C., sino ajustado a ésta, aunque de ello puedan derivarse, como es obvio, restricciones para quienes disfrutan, o pudieran hipotéticamente disfrutar, de más de un empleo».

Fto. Jco. 5: «La libertad de conformación del legislador en lo que rspecta al régimen de incompatibilidades de los empleados públicos es, por lo demás, muy amplia, de modo que, siempre que aquél respete los principios que se derivan de la C., puede optar por muy variadas soluciones, que irán, en función de criterios exclusivamente políticos, de un modelo muy estricto a otro más laxo, dependiendo de cual sea la orientación de la mayoría parlamentaria que sustente la Ley en cuestión».

Art. 104. 1.Las Fuerzas y Cuerpos de seguridad, bajo la dependencia del Gobierno, tendrán como misión proteger el libre ejercicio de los derechos y libertades y garantizar la seguridad ciudadana.

2. Una ley orgánica determinará las funciones, principios básicos de actuación y estatutos de las Fuerzas y Cuerpos de seguridad.

LO. 2/1986 de 13 de marzo, de Fuerzas y Cuerpos de seguridad.

STC. 31/85 de 5 de marzo (**F. y c. de seguridad y disciplina militar**)

Fto. Jco. 5 b): «Siendo cierta tal distinción (arts. 8 y 104, se refiere a la existente entre Fuerzas Armadas y Fuerzas y Cuerpos de seguridad), debe señalarse sin embargo que la calificación como Administración Civil, a todos los efectos, de los Cuerpos y Fuerzas de seguridad del Estado, no se deduce de la C. en la forma aducida por el actor. En efecto, el art. 25.3 contempla el aspecto sancionador de la disciplina militar, disciplina a la que se refiere con carácter general, al regular la libertad sindical, el art. 28.1 de la propia C., al indicar que la Ley podrá limitar o exceptuar el ejercicio de este derecho a las Fuerzas o Institutos armados o a los demás Cuerpos sometidos a disciplina militar. De donde resulta que la C. contempla como ajustado a la misma el que la Ley puede sujetar a la disciplina militar a los Institutos armados o a otros Cuerpos, por lo que no puede afirmarse que la aplicación del régimen disciplinario sancionador de carácter militar a los Cuerpos y Fuerzas de Seguridad del Estado sea contrario a la C., aun cuando ello suponga excluirlos en este aspecto de la Administración Civil. Por ello la procedencia de aplicar este régimen es un problema de mera legalidad...»

STC. 81/83 de 10 de octubre (**jerarquía y subordinación en C.S. de Policía**)

Fto. Jco. 3: «La estructura interna del Cuerpo Superior de Policía... y la misión que el art. 104.1 de la C.E. atribuye, entre otros, a dicho Cuerpo, obligan a afirmar que la crítica a los superiores, aunque se haga en uso de la calidad de representante y autoridad sindical y en defensa de los sindicatos, deberá hacerse con la mesura necesaria para no incurrir en vulneración a este respeto debido a los superiores y para no poner en peligro el buen funcionamiento del servicio y de la institución policial. Todos los derechos, al ser ejercidos, entran en concurrencia con otros bienes y derechos también dignos de tutela. El normal funcionamiento del Cuerpo Superior de Policía exige que sus miembros estén 'sujetos' en su actuación profesional a los principios de jerarquía y subordinación (principio sexto de Orden de 30 de septiembre de 1981, acorde, según su preámbulo... con la 'Declaración sobre la Policía', contenida en la resolución 690 del Consejo de Europa) para hacer posible la garantía de la seguridad ciudadana y la protección de los derechos y deberes de los citados ciudadanos y que el art. 104.1 de la C.E. atribuye a las Fuerzas y Cuerpos de seguridad...»

STC. 141/85 de 22 de octubre

Fto. Jco. 3: Ver selección con relación al art. 28.

STC. 194/89 de 16 de noviembre (naturaleza militar de la Guardia civil)

Fto. Jco. 3: «La C. no define, ni tan siquiera menciona, a la Guardia Civil, y es claro que el silencio siempre es más permisivo que cualquier definición. Ni en el art. 8.1... ni en el 104... se incluye a la Guardia Civil. La mención expresa de la Guardia Civil en el art. 8.1 hubiera significado una opción del constituyente restrictiva del margen de disposición del legislador posconstitucional, pero de la no mención no se sigue que el legislador tenga vedado por la C. atribuir 'naturaleza militar' al citado Instituto, sino, por el contrario, el reconocimiento de un ámbito de disponibilidad del legislador en orden a la definición y configuración de la Guardia Civil. Por otra parte, no puede decirse que la C. establezca como dos bloques institucionales rígidos e incomunicables, los incluídos en los arts. 8 y 104, pues el propio texto constitucional prevé y permite (arts. 28.1 y 29.2) la existencia de Institutos armados y de Cuerpos sometidos a la disciplina militar distintos a las FAS., reconociendo así un 'tertium genus' o una figura intermedia entre aquellas y las Fuerzas y Cuerpos de seguridad no sometidas a disciplina militar... el legislador ha elegido una vía distinta consistente en incluir a la Guardia Civil entre las Fuerzas y Cuerpos de seguridad, pero con un régimen estatutario peculiar derivado de su definición como 'Instituto armado de naturaleza militar'. Respecto a esta definición legal... se trata de una opción entre otras posibles, dejada por el constituyente a la libre disponibilidad del legislador posconstitucional».

STC. 55/90 de 28 de marzo (función de las Fuerzas de Policía)

Fto. Jco. 5: «De la CE. se deduce que las Fuerzas de Policía están al servicio de la comunidad para garantizar al ciudadano el libre y pacífico ejercicio de los derechos que la CE. y la Ley les reconocen, y este es el sentido del art. 104.1 CE. que puede considerarse directamente heredero del art. 12 de la Declaración de Derechos del Hombre y del Ciudadano, configurando a la Policía como un servicio público para la comunidad, especializado en la prevención y lucha contra la criminalidad, el mantenimiento del orden y la seguridad pública y la protección del libre ejercicio de los derechos y libertades. El art. 104.1 CE. trata de asegurar la adaptación del sistema policial, de sus funciones y de sus principios básicos al orden constitucional, subrayando, en un plano positivo, y en la misma línea que el art. 53 CE., la función de garantía de libertades y derechos fundamentales que también corresponde a la Policía pero, al mismo tiempo, negativamente destacando que la actuación de las fuerzas de la Policía debe respetar también y garantizar las libertades y derechos fundamentales del ciudadano.

El art. 104.1 CE. refleja un necesario y no siempre fácil equilibrio en relación con la actuación de las fuerzas de la Policía, que son un instrumento necesario para asegurar la libertad y la seguridad de los ciudadanos, pero que, al mismo tiempo, por la posibilidad de uso legítimo de la fuerza y de medidas de coacción supone, en el caso de extralimitaciones, una puesta en peligro de la libertad y seguridad de aquellos, así como de otros derechos y bienes constitucionales de la persona (vida, integridad física, intimidad, inviolabilidad del domicilio, etc.). Un orden constitucional democrático es incompatible con el uso de métodos represivos ilegítimos y por ello mismo exige una protección adecuada del ciudadano frente al peligro de eventuales extralimitaciones, lo que incluye también la posibilidad de acudir a la vía judicial para reaccionar frente a los excesos y abusos, con trascendencia penal, por parte de los miembros de las F. y C. de Seguridad, en el uso, en principio legítimo, de la fuerza y de los medios de coacción.

El legislador ha de ponderar, por tanto, los valores constitucionales en juego, de modo que la protección de los medios de actuación de las Fuerzas de Policía no puede suponer un sacrificio de bienes y derechos constitucionales y del propio respeto al Estado de Derecho, ni una limitación efectiva de la posibilidad de verificar judicialmente los abusos o extralimitaciones, por excepcionales que puedan ser, en que eventualmente incurran los miembros de las FP. en el ejercicio de sus funciones.

Según el Abogado del Estado las normas cuestionadas tratan de otorgar una mayor protección en favor de quienes tienen encomendada la prevención y persecución de hechos punibles, y están legitimados a tal fin para el ejercicio de la fuerza o medio de acción directa. Es cierto que las FP. están expuestas al peligro de que traten de instrumentarse en su contra denuncias o querellas infundadas o abiertamente maliciosas, que dificultarían la propia acción policial, pero dicho peligro no puede repararse o reducirse mediante el sacrificio de bienes y derechos que puedan estar constitucionalmente afectados por una acción policial plenamente ilícita. Ello significa que las normas cuestionadas sólo serán constitucionalmente legítimas si no suponen obstáculo, dificultad o limitación alguna para la averiguación y, en su caso, sanción de infracciones penales en que puedan incurrir los miembros de las F. y C. de Seguridad en el ejercicio de sus funciones. Más exactamente, dados los valores y bienes constitucionales en juego, sí aseguran efectivamente la protección y el respeto por las F. y C. de Seguridad el libre ejercicio de los derechos y libertades y la garantía de la seguridad ciudadana (art. 104.1).

Ha de aceptarse, pues, la alegación del Abogado del Estado de que los preceptos cuestionados han de ponerse en relación con el art. 104.1 CE., aunque esa puesta en relación supone que la proporcionalidad y racionalidad de la diferencia de trato que disponen estas reglas especiales de competencia sólo es aceptable en la medida en que no ponga en peligro, sino al contrario, aseguren la necesaria conexión de la actuación policial con los valores, principios y derechos constitucionales.»

Art. 105. La ley regulará:

a) La audiencia de los ciudadanos, directamente o a través de las organizaciones y asociaciones reconocidas por la ley, en el procedimiento de elaboración de las disposiciones administrativas que les afecten.

b) El acceso de los ciudadanos a los archivos y registros administrativos, salvo en lo que afecte a la seguridad y defensa del Estado, la averiguación de los delitos y la intimidad de las personas.

c) El procedimiento a través del cual deben producirse los actos administrativos, garantizando, cuando proceda, la audiencia del interesado.

STC. 61/85 de 8 de mayo (**participación en audiencia y en concepto de 'interesado'**)

Fto. Jco. 3: «La audiencia de los ciudadanos directamente o a través de organizaciones y asociaciones no constituye ni a aquéllos ni a éstas en interesadas en el sentido de partes procedimentales necesarias. Se trata de un caso de participación funcional en la elaboración de disposiciones de carácter general, directamente o mediante organizaciones de representación de intereses, a las que, aun participando en el procedimiento... no se les asigna el carácter de parte procedimental (o interesado), con lo que esto entraña a los efectos de su llamada al ulterior proceso contencioso-administrativo».

Art. 106. 1. Los Tribunales controlan la potestad reglamentaria y la legalidad de la actuación administrativa, así como el sometimiento de ésta a los fines que la justifican.

2. Los particulares, en los términos establecidos por la ley, tendrán derecho a ser indemnizados por toda lesión que sufran en cualquiera de sus bienes y derechos, salvo en los casos de fuerza mayor, siempre que la lesión sea consecuencia del funcionamiento de los servicios públicos.

Ley 29/1998 de 13 de julio, reguladora de la Jurisdicción Contencioso-Administrativa.

STC. 127/87 de 16 de julio (**la función legislativa no está comprendida**)

Fto. Jco. 3: «...la actividad legislativa queda fuera de las previsiones del citado artículo constitucional (106.2) referentes al funcionamiento de los servicios públicos, concepto éste en que no cabe comprender la función del legislador».

ATC 246/2000 de 27 de octubre (**reglamentos y recurso de amparo**) ver art. 161

Art. 107. El Consejo de Estado es el supremo órgano consultivo del Gobierno. Una ley orgánica regulará su composición y competencia.

LO. 3/1980 de 22 de abril del Consejo de Estado, modificada por LO. 13/83 de 26 de noviembre.

STC. 204/92 de 26 de diciembre (**relación con órganos consultivos de CC.AA.**)

Fto. Jco. 4: «La intervención preceptiva de un órgano consultivo de las características del Consejo de Estado sea o no vinculante, supone en determinados casos una importantísima garantía del interés general y de la legalidad objetiva y, a consecuencia de ello, de los derechos y legítimos intereses de quienes son parte de un determinado procedimiento administrativo. En razón de los asuntos sobre los que recae y de la naturaleza del propio órgano, se trata de una función muy cualificada que permite al legislador elevar su intervención preceptiva, en determinados procedimientos, sean de la competencia estatal o de la autonómica, a la categoría de norma básica del régimen jurídico de las Administraciones públicas o parte del procedimiento administrativo común. Sin embargo, esta garantía procedimental debe cohonestarse con las competencias que las CC.AA. han asumido para regular la organización propia de las CC.AA. que se derivan del principio de autonomía organizativa (arts. 147.2.c y 148.1.1 CE.) Ningún precepto constitucional, y menos aún el que se refiere al Consejo de Estado, impide que en el ejercicio de esa autonomía organizativa las CC.AA. puedan establecer, en su propio ámbito, órganos consultivos equivalentes al Consejo de Estado en cuanto a su organización y competencias, siempre que estas se ciñan a la esfera de atribuciones y actividades de los respectivos Gobiernos y Administraciones autonómicas...»

Fto. Jco. 5: «La aplicación de aquellos principios, esenciales para el correcto funcionamiento del Estado en las Autonomías debe llevar a concluir que la intervención del órgano consultivo autonómico excluye la del Consejo de Estado, salvo que la CE., los EE.AA., o la Ley Autonómica, establezcan lo contrario para supuestos determinados.» En consecuencia, y por lo que aquí respecta, no sólo hay que reconocer las competencias de las CC.AA. para crear, en virtud de sus potestades de autoorganización, órganos consultivos propios de las mismas características y con idénticas o semejantes funciones a las del Consejo de Estado, sino, por la misma razón estimar posible constitucionalmente la sustitución del informe preceptivo de éste último por el de un órgano superior consultivo autonómico, en relación al ejercicio de las competencias de la respectiva CA., en tanto que especialidad derivada de su organización propia.

Pero... en donde o en tanto semejantes órganos consultivos autonómicos... no existan... las garantías procedimentales mencionadas exigen mantener la intervención preceptiva del Consejo de Estado, en tanto que órgano al servicio de la concepción global del Estado que la CE. establece.»

TÍTULO V
De las relaciones entre el Gobierno y las Cortes Generales

Art. 108. El Gobierno responde solidariamente en su gestión política ante el Congreso de los Diputados.

Art. 109. Las Cámaras y sus Comisiones podrán recabar, a través de los Presidentes de aquéllas, la información y ayuda que precisen del Gobierno y de sus Departamentos y de cualesquiera autoridades del Estado y de las Comunidades Autónomas.

RCD. art. 44.
RS. arts. 66 y 67.

STC. 181/89 de 3 de noviembre (conexión con el art. 23.2 CE.)

Fto. Jco. 5: «Es cierto que el derecho de información de los Diputados únicamente puede ejercitarse por éstos, pero no lo es menos que, en supuestos como el presente, no existe motivo válido alguno para negar que, justamente con miras a dotar de efectividad a aquel derecho, los Diputados se acompañen de técnicos especialistas en la materia sobre la que verse la documentación interesada, siempre y cuando tales técnicos estén acreditados ante la Cámara como asesores del Grupo Parlamentario en el que los Diputados se integran.

Al no haberlo entendido así el Acuerdo de la Mesa del Parlamento de Cataluña que se examina en este proceso, no sólo ha infringido el art. 13.2 del Reglamento de la Cámara, sino también el derecho fundamental proclamado en el art. 23.2 de la CE...»

STC. 177/02 de 14 de octubre (función de control)

Fto. Jco. 7. A este respecto hay que comenzar indicando que la potestad que a las Comisiones del Congreso de los Diputados confiere el art. 44 RCD para recabar, por conducto del Presidente del Congreso, la información y documentación procedente del Gobierno y de las Administraciones públicas (apartado 1) y, en general, las presencias y comparecencias previstas en los siguientes apartados del precepto (2, 3 y 4), constituye una manifestación de la función de control del Gobierno que, a las Cortes Generales de manera general, y al Congreso de los Diputados en particular, atribuyen, respectivamente, los arts. 66.2 y 108 CE. Por lo que a las presencias o comparecencias ante las comisiones se refiere, esa función de control del Gobierno resulta evidente cuando se solicita la presencia de sus miembros para que informen sobre asuntos relacionados con sus respectivos departamentos (art. 44.2 RCD), lo cual se encuentra expresamente previsto en el art. 110.1 CE. Pero es también esa misma función de control la que las comisiones ejercitan cuando se trata del resto de las presencias o comparecencias que pueden solicitar, en virtud del referido artículo, de autoridades o funcionarios públicos competentes por razón de la materia objeto del debate (art. 44.3 RCD) —cuyo fundamento se encuentra en el art. 109 CE— y, en general, de otras personas competentes en la materia (art. 44.4 RCD). Así pues, para el ejercicio del control del Gobierno por parte de las comisiones, el art. 44 RCD prevé la presencia o comparecencia de varios tipos de personas, si bien diferenciando muy nítidamente la condición o calidad en la que comparecen: en cuanto que miembros del Gobierno en sentido estricto, en cuanto que autoridades y funcionarios públicos, y, finalmente, en cuanto que particulares con capacidad, por razón de su competencia en la materia, de informar o asesorar a la comisión; todo ello con independencia de la obligatoriedad que haya en cada caso de comparecer, cuestión ésta no suscitada en ningún momento por los recurrentes en amparo.

Art. 110. 1. Las Cámaras y sus Comisiones pueden reclamar la presencia de los miembros del Gobierno.

2. Los miembros del Gobierno tienen acceso a las sesiones de las Cámaras y a sus Comisiones y la facultad de hacerse oír en ellas, y podrán solicitar que informen ante las mismas funcionarios de sus Departamentos.

RCD. art. 40.3.
RS. art. 23.1.

Art. 111. 1. El Gobierno y cada uno de sus miembros están sometidos a las interpelaciones y preguntas que se le formulen en las Cámaras. Para esta clase de debate los Reglamentos establecerán un tiempo mínimo semanal.

2. Toda interpelación podrá dar lugar a una moción en la que la Cámara manifieste su posición.

R.C.D. arts. 180 a 190.
R.S. arts. 160-173.

STC. 220/91 de 25 de noviembre (**conexión con el art. 23**)

Fto. Jco. 5: «los actos a través de los cuales se articulan las peticiones de información y preguntas de los parlamentarios a los miembros del gobierno y, en general todos aquellos que se produzcan en el ámbito de las relaciones entre Gobierno y Parlamento, incluídos los autonómicos, agotan normalmente sus efectos en el campo estrictamente parlamentario, dando lugar, en su caso, al funcionamiento de los instrumentos de control político, que excluye, generalmente, tanto la fiscalización judicial como la de este TC., al que no le corresponde el control de cualquier clase de alteraciones o irregularidades que se produzcan en las relaciones políticas o institucionales entre el Legislativo y el Ejecutivo; sin embargo, la doctrina general anterior no excluye que, excepcionalmente, en el desarrollo de esa clase de relaciones pueda vulnerarse el ejercicio del derecho fundamental que a los parlamentarios les garantiza el art. 23 de la C.E., bien por el Ejecutivo, bien por los propios órganos de las Cámaras, si se les impide o coarta el ejercicio de la función parlamentaria. Es importante destacar que esto no supone constitucionalizar todos los derechos y facultades que constituyen el Estatuto del parlamentario, sino tan sólo aquellos que pudiéramos considerar pertenecientes al núcleo esencial de la función representativa parlamentaria, como son, principalmente, los que tienen relación directa con el ejercicio de las potestades legislativa y de control de la acción del gobierno, debiendo, además, sostenerse que, mientras los obstáculos a las facultades que integran la función parlamentaria provenientes de los propios órganos de las Cámaras son, en principio, susceptibles de revisión en amparo, las respuestas o actuaciones del Ejecutivo en réplica a tal ejercicio constituyen, también en principio, ejercicio de las funciones gubernamentales propias, susceptibles de control político y parlamentario, y en última instancia electoral, pero no revisables, en general, desde consideraciones de corrección jurídica, so riesgo de pretender una judicialización inaceptable de la vida política, no exigida en modo alguno por la C., y poco conveniente con el normal funcionamiento de la actividad política de las Cámaras legislativas y del Gobierno.»

Art. 112. El Presidente del Gobierno, previa deliberación del Consejo de Ministros, puede plantear ante el Congreso de los Diputados la cuestión de confianza sobre su programa o sobre una declaración de política general. La confianza se entenderá otorgada cuando vote a favor de la misma la mayoría simple de los Diputados.

R.C.D. arts. 173 y 174.

Art. 113. 1. El Congreso de los Diputados puede exigir la responsabilidad política del Gobierno mediante la adopción por mayoría absoluta de la moción de censura.

2. La moción de censura deberá ser propuesta al menos por la décima parte de los Diputados, y habrá de incluir un candidato a la Presidencia del Gobierno.

3. La moción de censura no podrá ser votada hasta que transcurran cinco días desde su presentación. En los dos primeros días de dicho plazo podrán presentarse mociones alternativas.

4. Si la moción de censura no fuere aprobada por el Congreso, sus signatarios no podrán presentar otra durante el mismo período de sesiones.

R.C.D. arts. 175 a 179.

Art. 114. 1. Si el Congreso niega su confianza al Gobierno, éste presentará su dimisión al Rey, procediéndose a continuación a la designación del Presidente del Gobierno, según lo dispuesto en el artículo 99.

2. Si el Congreso adopta una moción de censura, el Gobierno presentará su dimisión al Rey y el candidato incluido en aquélla se entenderá investido de la confianza de la Cámara a los efectos previstos en el artículo 99. El Rey le nombrará Presidente del Gobierno.

R.C.D. art. 178.

Art. 115. 1. El Presidente del Gobierno, previa deliberación del Consejo de Ministros, y bajo su exclusiva responsabilidad, podrá proponer la disolución del Congreso, del Senado o de las Cortes Generales, que será decretada por el Rey. El Decreto de disolución fijará la fecha de las elecciones.

2. La propuesta de disolución no podrá presentarse cuando esté en trámite una moción de censura.

3. No procederá nueva disolución antes de que transcurra un año desde la anterior, salvo lo dispuesto en el artículo 99, apartado 5.

Art. 116. 1. Una ley orgánica regulará los estados de alarma, de excepción y de sitio, y las competencias y limitaciones correspondientes.

2. El estado de alarma será declarado por el Gobierno mediante decreto acordado en Consejo de Ministros por un plazo máximo de quince días, dando cuenta al Congreso de los Diputados, reunido inmediatamente al efecto y sin cuya autorización no podrá ser prorrogado dicho plazo. El decreto determinará el ámbito territorial a que se extienden los efectos de la declaración.

3. El estado de excepción será declarado por el Gobierno mediante decreto acordado en Consejo de Ministros, previa autorización del Congreso de los Diputados. La autorización y proclamación del estado de excepción deberá determinar expresamente los efectos del mismo, el ámbito territorial a que se extiende y su duración, que no podrá exceder de treinta días, prorrogables por otro plazo igual, con los mismos requisitos.

4. El estado de sitio será declarado por la mayoría absoluta del Congreso de los Diputados, a propuesta exclusiva del Gobierno. El Congreso determinará su ámbito territorial, duración y condiciones.

5. No podrá procederse a la disolución del Congreso mientras estén declarados algunos de los estados comprendidos en el presente artículo, quedando automáticamente convocadas las Cámaras si no estuvieren en período de sesiones. Su funcionamiento, así como el de los demás poderes constitucionales del Estado, no podrán interrumpirse durante la vigencia de estos estados.

Disuelto el Congreso o expirado su mandato, si se produjere alguna de las situaciones que dan lugar a cualquiera de dichos estados, las competencias del Congreso serán asumidas por su Diputación Permanente.

6. La declaración de los estados de alarma, de excepción y de sitio no modificará el principio de responsabilidad del Gobierno y de sus agentes reconocidos en la Constitución y en las leyes.

L.O. 4/1981 de 1 de junio, de los estados de alarma, excepción y sitio.
R.C.D. arts. 162 a 165.

TÍTULO VI
Del poder judicial

Art. 117. 1. La justicia emana del pueblo y se administra en nombre del Rey por Jueces y Magistrados integrantes del poder judicial, independientes, inamovibles, responsables y sometidos únicamente al imperio de la ley.

2. Los Jueces y Magistrados no podrán ser separados, suspendidos, trasladados ni jubilados, sino por alguna de las causas y con las garantías previstas en la ley.

3. El ejercicio de la potestad jurisdiccional en todo tipo de procesos, juzgando y haciendo ejecutar lo juzgado, corresponde exclusivamente a los Juzgados y Tribunales determinados por las leyes, según las normas de competencia y procedimiento que las mismas establezcan.

4. Los Juzgados y Tribunales no ejercerán más funciones que las señaladas en el apartado anterior y las que expresamente les sean atribuidas por ley en garantía de cualquier derecho.

5. El principio de unidad jurisdiccional es la base de la organización y funcionamiento de los Tribunales. La ley regulará el ejercicio de la jurisdicción militar en el ámbito estrictamente castrense y en los supuestos de estado de sitio, de acuerdo con los principios de la Constitución.

6. Se prohíben los Tribunales de excepción.

LO. 6/1985 de 1 de julio, del Poder Judicial.

STC. 108/86 de 26 de julio (**independencia, inamovilidad y jubilación de jueces**)

Fto. Jco. 6: «Respecto al primero de estos principios, el de la independencia del Poder Judicial, no hay duda de que constituye una pieza esencial de nuestro ordenamiento como del de todo Estado de Derecho, y la misma C. lo pone gráficamente de relieve al hablar expresamente de 'poder' judicial, mientras que tal calificativo no aparece al tratar de los demás poderes tradicionales del Estado, como son el legislativo y el ejecutivo. El Poder Judicial consiste en la potestad de ejercer la jurisdicción, y su independencia se predica de todos y cada uno de los jueces en cuanto ejercen tal función, quienes precisamente integran el poder judicial o son miembros de él porque son los encargados de ejercerla.

Naturalmente la independencia judicial (es decir, la de cada Juez o Tribunal en el ejercicio de su jurisdicción) debe ser respetada tanto en el interior de la organización judicial (art. 2 de la LOPJ) como por 'todos' (art. 13 de la misma Ley). La misma C. prevé diversas garantías para asegurar esa independencia. En primer término, la inamovilidad, que es su garantía esencial (art. 117.2); pero también la reserva de L.O. para determinar la constitución, funcionamiento y gobierno de los Juzgados y Tribunales, así como el estatuto jurídico de los Jueces y Magistrados (art. 122.1) y su régimen de incompatibilidades (art. 127.2). No es necesario ni posible entrar aquí en un examen detallado de la especial situación del poder judicial y de sus integrantes en la C., aunque conviene señalar que esa independencia tiene como contrapeso la responsabilidad y el estricto acantonamiento de los Jueces y Magistrados en su función jurisdiccional y las demás que expresamente les sean atribuídas por Ley en defensa de cualquier derecho (art. 117.4) disposición esta última que tiende a garantizar la separación de poderes.»

Fto. Jco. 7: «La concepción expuesta de la independencia del Poder judicial es compartida en sus líneas generales, por todos los países de nuestra área jurídico-política. Pero algunos de esos países han incorporado a sus C. garantías específicas a fin de que esa independencia no se vea perturbada por medios más indirectos o sutiles. Tal fue el caso de Italia en su C. de 1948, o de Portugal en la suya de 1976, y siguiendo en parte su ejemplo, el de España en su vigente C.

Ftos. Jcos. 8, 10, 12 y 13. Ver la selección recogida en relación con el art. 122.

Fto. Jco. 15: «En cuanto a la primera de estas cuestiones, es decir la supuesta vulneración del principio de inamovilidad judicial... debe señalarse que no se advierte aquí en que puede consistir la violación del art. 117.2 que, en lo que aquí importa, establece que los Jueces y Magistrados no podrán ser jubilados sino por algunas de las causas y con las garantías previstas en la Ley. Entre esas causas de jubilación se comprende la fijación de un límite de edad, y ésta ha sido establecida por la Ley, de forma que la garantía establecida en el art. 117.2 ha sido cumplida, porque el precepto lo que evita es que la jubilación pueda ser regulada reglamentariamente o concedida según los casos individuales. La garantía de la inamovilidad viene dada no sólo en cuanto se establece una reserva de Ley Orgánica (art. 122.1), sino en cuanto esa Ley ha de regular las causas de jubilación y, en el caso que aquí interesa, la edad, con carácter abstracto y general. Precisamente este carácter hace que el art. 286 de la LOPJ no pueda considerarse como una medida que afecte a la inamovilidad judicial, que sólo se vería coartada si la Ley autorizase a jubilar a los jueces según criterios discrecionales (concediendo prórrogas no preceptivas), por ejemplo, lo que evidentemente no ocurre.»

Fto. Jco. 16: «...Antes de examinar esas alegaciones conviene precisar cuál es la situación administrativa de los jueces y magistrados de carrera en nuestro sistema jurídico. No es necesario para ello discurrir en qué medida deben ser considerados como funcionarios públicos o las notas diferenciales existentes entre quienes lo son de la Admón. del Estado y los que integran la carrera judicial. Lo que interesa aquí destacar es que, en todo caso, su situación debe calificarse como estatutaria y en forma que los derechos y deberes que componen el 'status' de los jueces debe ser fijado por Ley, y más concretamente L.O. (art. 122.2 de la C.). Ello supone que dicho 'status' no puede ser regulado por la Administración, en vía reglamentaria,... ni depende de la voluntad del interesado. Merece destacarse, incluso, que la situación estatutaria de los Jueces es más rigurosa que la de los funcionarios de la Admón. Civil del Estado, a los que se les reconoce el derecho a la sindicación (art. 103.3 de la C.), con los efectos que ello puede acarrear, derecho que se niega expresamente a los miembros de la Magistratura (art. 127.1). El que el Estatuto de los jueces esté fijado por la Ley significa que la Ley define los elementos que lo componen, y que puede modificarlos dentro, naturalmente, del marco de la C. Esta no surge, ciertamente, en una situación de vacío jurídico, por lo que hay que entender que las referencias que en ella se hacen a posiciones jurídicas resultantes de esa organización obligan al legislador a respetar esos elementos fundamentales, aunque, naturalmente, no sus contenidos concretos. La existencia de una carrera judicial o de un derecho a la jubilación de sus integrantes, por ejemplo, son elementos que no están en la disponibilidad del legislador, que sí puede, en cambio, modificar sus condiciones, entre ellas, el momento en que ha de producirse la jubilación. De todo ello resulta que quien accede a la función pública como Juez no es titular de un derecho subjetivo a ser jubilado a la edad establecida para ello en el momento de su acceso, sino una expectativa a ser a tal edad, lo que acarrea evidentes consecuencias a las que se alude a continuación.»

Fto. Jco. 26: Ver selección en relación con el art. 122.

STC. 1/81 de 26 de enero (principio de exclusividad jurisdiccional)

Fto. Jco. 1: «Se acusa a estas decisiones judiciales de vulnerar por modo inmediato y directo los principios de... exclusividad jurisdiccional que se afirma en el art. 117.3. Si el fundamento único, en lo que hace relación a la exclusividad jurisdiccional, fuera el precepto que acabamos de citar, no podría plantearse este tema por la vía del amparo constitucional... Sin embargo el tema pudiera llevarse al art. 24.1 de la C.E., pues si el Juez, debiendo conocer con plenitud jurisdiccional de la cuestión que hemos dicho (la de los efectos civiles que en punto a las relaciones paterno filiales produce la separación matrimonial) deja de hacerlo, o por vías de estricta ejecución impone con la fuerza de las decisiones judiciales, sin el propio ejercicio de la potestad jurisdiccional, lo que ha decidido el Tribunal Eclesiástico, puede alegar que se ha vulnerado el derecho a la jurisdicción constitucionalizado en el art. 24.1.»

STC. 265/88 de 22 de diciembre (eficacia resoluciones eclesiásticas en orden civil)

Fto. Jco. 4: «Por lo demás, el automatismo en el presente caso de la concesión de efectos civiles a una decisión acordada en el ámbito de la jurisdicción canónica está reñido con la plenitud y exclusividad de que gozan los Jueces y Tribunales en el ejercicio de su potestad jurisdiccional, conforme establece el art. 117.3 C.E., lo que encuentra adecuado reflejo en el art. VI.2 del Acuerdo sobre Asuntos Jurídicos pactado con la Santa Sede, al establecer que las resoluciones eclesiásticas tendrán eficacia en el orden civil si se declaran ajustadas al Derecho del Estado en resolución dictada por el Tribunal civil competente.»

STC. 75/82 de 13 de diciembre (ámbito restrictivo de la jurisdicción militar)

Fto. Jco. 2: «En este sentido y prescindiendo de la hipótesis del estado de sitio, que aquí no interesa, resulta claro el carácter eminentemente restrictivo con que se admite la jurisdicción militar, reducida al 'ámbito estrictamente castrense'...

Fto. Jco. 4: «Es, en consecuencia, evidente su finalidad de limitar la jurisdicción militar al 'ámbito estrictamente castrense' a que se refiere el art. 117.5 de la C. y de acuerdo con éste sólo puede interpretarse en el sentido de que 'ratione loci' la jurisdicción militar no es competente más que cuando se lesionan bienes jurídicos de carácter militar para cuya tutela se extiende precisamente aquella jurisdicción a los procedimientos que se sigan 'contra cualquier personal', sea militar o paisano. La extensión de la jurisdicción militar a estos casos se explica por cuanto la lesión de esos bienes jurídicos puedan afectar a la defensa nacional encomendada a las FF.AA., y ha de entenderse siempre, con arreglo al citado art. 117.5 de la C. que queda restringida a los casos en que existan esos motivos.

De esas consideraciones y del carácter restrictivo que impone a la jurisdicción militar el tantas veces citado art. 117.5 de la C., de cuya lectura resulta que esa jurisdicción es de carácter especial y que normalmente hay que presumir la competencia de la jurisdicción ordinaria se deduce que no basta para la atribución de una causa a la jurisdicción militar la simple invocación de que haya motivos que la justifiquen sino que es necesario que se razone y se justifique que tales motivos existen y en el caso concreto que nos ocupa que el conocimiento de un delito por razón del lugar en que se cometieron los hechos, está justificado porque esos hechos afectaban 'al buen régimen, al servicio o a la seguridad de las FF.AA. 'En el Auto impugnado en ningún momento se alude a una posible lesión de esos intereses militares, ni de la simple descripción de los hechos puede inferirse razonablemente que existiesen. Ello es evidente en lo que se refiere al buen régimen y a la seguridad, y en cuanto al servicio, no es tampoco perceptible, por cuanto precisamente responsables del delito objeto de la causa criminal era un servicio de policía, es decir, un servicio que con arreglo a la legislación vigente supone de ordinario la pérdida del fuero militar.»

STC. 180/85 de 19 de diciembre (**peculiaridades Derecho penal y procesal militar**)

Fto. Jco. 2: «...la jurisdicción militar (art. 117.5 de la C.) no puede organizarse sin tener en cuenta determinadas peculiaridades que originan diferencias tanto substantivas como procesales, que, si dispuestas en el respeto a las garantías del justiciable y del condenado previstas en la C., no resultarán contradictorias con su art. 14 cuando respondan a la naturaleza propia de la institución militar. Estas peculiaridades del Derecho penal y procesal militar resultan genéricamente, como se declaró en STC. 97/85, Fto. Jco. 4, de la organización profundamente jerarquizada del Ejército, en el que la unidad y disciplina desempeñan un papel crucial para alcanzar los fines encomendados a la institución en el art. 8 de la C. En el supuesto que ahora consideramos, la inaplicabilidad del beneficio de suspensión de condena a los militares y a los agregados a los Ejércitos se orienta, de modo manifiesto, a preservar y reforzar, mediante una mayor severidad para con el condenado, aquellas exigencias específicas de unidad y disciplina, respondiendo este trato de disfavor a la diferente incidencia y daño que la comisión del ilícito habrá de causar en la integridad de la institución según que quien lo haya perpetrado esté o no en ella integrado. El fin así procurado por la norma y la delimitación personal que al mismo se liga, no aparece desprovisto de razón suficiente, no siendo apreciable, por ello la discriminación que se dice producida con la aplicación de esta norma (art. 245 CJM).»

STC. 93/86 de 7 de julio (**F. de Policía y jurisdicción militar**)

Fto. Jco. 9: «...la revisión en su caso de las sanciones disciplinarias impuestas en el seno de las Fuerzas de Policía, como distintas de las FAS no puede corresponder a la jurisdicción militar, sino a la jurisdicción ordinaria, y abona, en el presente caso, esta conclusión el que, al recurrirse frente a la sanción impuesta, no ante la jurisdicción militar, sino ante la Audiencia Territorial de Bilbao, ésta admitiera tal recurso, sin declarar su incompetencia al abrigo del art. 82, a) de la LJCA; que tal supuesta excepción de incompetencia no se adujera en ningún momento por la representación de la Admón., y que la Audiencia dictara Sentencia entrando a conocer del fondo del asunto planteado, revisando la sanción impuesta. La actuación, pues, de los órganos judiciales se ajustó a lo previsto en el art. 117.5 de la C.E. y su concepción restrictiva del ámbito de la jurisdicción militar.»

Fto. Jco. 10: «Siendo pues... competente la jurisdicción ordinaria para la revisión de las sanciones administrativas disciplinarias impuestas fuera del ámbito estrictamente castrense, en el que no se incluyen las Fuerzas de policía, resulta igualmente competente tal jurisdicción para conocer del procedimiento de 'habeas corpus'... revisor de la legalidad de una privación de libertad en virtud de una sanción disciplinaria impuesta en aplicación del régimen disciplinario policial. En consecuencia, es el Juez de Instrucción señalado en el art. 2 de la Ley reguladora del Procedimiento de Habeas Corpues el competente para incoar el procedimiento en estos casos...»

STC. 199/87 de 16 de diciembre (**Tribunales excepcionales y TSJ., TCT., y Audiencia Nacional**)

Fto. Jco. 6: «La C. prohíbe Jueces excepcionales o no ordinarios, pero permite al legislador una determinación de las competencias de acuerdo a los intereses de la justicia, y teniendo en cuenta experiencias propias y ajenas. Resulta evidente que el legislador estatal al establecer la planta orgánica de los Tribunales ha de tener en cuenta y respetar la estructura autonómica del Estado y el reconocimiento constitucional de la existencia de los Tribunales Superiores de Justicia, pero la actuación de estos presupone la radicación en el territorio de la Comunidad del órgano competente en primer instancia. Existen supuestos que, en relación con su naturaleza, con la materia sobre la que versan, por la amplitud del ámbito territorial en que se producen, y por su transcendencia para el conjunto de la sociedad, pueden hacer llevar razonablemente al legislador a que la instrucción y enjuiciamiento de los mismos pueda llevarse a cabo por un órgano judicial centralizado, sin que con ello se contradiga el art. 152.1 de la C. ni los preceptos estatutarios que aquí se alegan, ni tampoco el art. 24.2 de la C. En efecto, tanto los Juzgados Centrales de Instrucción como la Audiencia Nacional son orgánica y funcionalmente, por su composición y modo de designación, órganos judiciales 'ordinarios', y así ha sido reconocido por la Comisión Europea de Derechos Humanos en su informe de 16 de octubre de 1986 sobre el caso Barbera y otros, en el que se afirma: 'la Comisión comprueba que la Audiencia Nacional es un Tribunal ordinario instituído por un Real Decreto-Ley y compuesto de Magistrados nombrados por el Consejo General del Poder Judicial'.»

STC. 105/2000 de 13 de abril (**administración de justicia**)

Fto. Jco. 2: «Nuestra doctrina acerca de la distribución de competencias en materia de Administración de Justicia está contenida fundamentalmente en las SSTC. 108/1986, de 29 de julio, 56/1990, de 29 de marzo, y 62/1990, de 30 de marzo. De ellas hemos de destacar dos aspectos esenciales que van a constituir el hilo rector de todo nuestro razonamiento:
a) En primer lugar, que el art. 149.1.5 CE reserva al Estado la competencia exclusiva en materia de Administración de Justicia. Ello ha exigido distinguir entre Administra-

ción de Justicia en sentido estricto y en sentido amplio. La reiteración de los criterios sentados sobre esta cuestión resulta necesaria para la aplicación de esta doctrina a la impugnación de la reforma de la LOPJ operada por la Ley Orgánica 16/1994, de 8 de noviembre. Así, en la STC. 56/1990 (Fto. Jco. 6) decíamos que: "A la vista del proceso de aprobación de los Estatutos de Autonomía y de la propia Constitución, puede afirmarse que la distinción entre un sentido amplio y un sentido estricto en el concepto de Administración de Justicia no es algo irrelevante jurídicamente. Esa diferencia, presente en toda la organización y regulación de la función jurisdiccional, como reconoce el propio Abogado del Estado, tiene, al menos, valor para distinguir entre función jurisdiccional propiamente dicha y ordenación de los elementos intrínsecamente unidos a la determinación de la independencia con que debe desarrollarse por un lado, y otros aspectos que, más o menos unidos a lo anterior, le sirven de sustento material o personal, por otro. Esta distinción está presente tanto en el proceso constituyente, como en el estatuyente y en el de aprobación, primero, de la Ley Orgánica del Consejo General del Poder Judicial, y luego de la Ley Orgánica del Poder Judicial, entre otros motivos, por la transformación que la Constitución introdujo en la organización y gobierno del Poder Judicial; la consagración de un auténtico sistema de autogobierno organizado, siguiendo la línea del Derecho Comparado europeo, en torno a la existencia de un órgano específico hacía necesario, antes de proceder a un reparto de poder territorial, delimitar el campo de autogobierno que garantizara la independencia respecto de otras funciones accesorias o de auxilio no incluidas ni en la función de juzgar y hacer ejecutar lo juzgado, ni en ese autogobierno garantía de la independencia funcional.Este dato explica, no sólo la secuencia normativa en la materia, sino también que se acudiera a una técnica peculiar de asunción de competencias como es la subrogatoria; ésta, a la postre, supone una previa definición de campos por el legislador estatal para asumir luego las Comunidades Autónomas lo que se reserve al ejecutivo estatal. Dicho de otra manera, la introducción de un nuevo sistema de autogobierno llevó a los poderes públicos a aplazar la decisión sobre el alcance de las facultades de los distintos entes territoriales hasta que se realizara una previa operación de deslinde: qué afectaba al autogobierno y qué no afectaba al autogobierno.

Partiendo del anterior dato, la construcción realizada por las Comunidades Autónomas recurrentes adquiere pleno sentido. El art. 149.1.5 de la Constitución reserva al Estado como competencia exclusiva la 'Administración de Justicia'; ello supone, en primer lugar, extremo éste por nadie cuestionado, que el Poder Judicial es único y a él le corresponde juzgar y hacer ejecutar lo juzgado, y así se desprende del art. 117.5 de la Constitución; en segundo lugar, el gobierno de ese Poder Judicial es también único, y corresponde al Consejo General del Poder Judicial (art. 122.2 de la Constitución). La competencia estatal reservada como exclusiva por el art. 149.1.5 termina precisamente allí. Pero no puede negarse que, frente a ese núcleo esencial de lo que debe entenderse por Administración de Justicia, existen un conjunto de medios personales y materiales que, ciertamente, no se integran en ese núcleo, sino que se colocan, como dice expresamente el art. 122.1, al referirse al personal, 'al servicio de la Administración de Justicia', esto es, no estrictamente integrados en ella. En cuanto no resultan elemento esencial de la función jurisdiccional y del autogobierno del Poder Judicial, cabe aceptar que las Comunidades Autónomas asuman competencias sobre esos medios personales y materiales. Ciertamente, deslindar los elementos básicos del autogobierno era una tarea difícil de realizar en el momento en que se aprobaron los Estatutos de Autonomía y eso explica que se dejara ese deslinde al legislador orgánico, sin perjuicio del hipotético control de constitucionalidad de este Tribunal. Lo que la cláusula subrogatoria supone es aceptar el deslinde que el Estado realiza entre Administración de Justicia en sentido estricto y 'Administración de la Administración de Justicia'; las Comunidades Autónomas asumen así una competencia por remisión a ese deslinde, respetando como núcleo inaccesible el art. 149.1.5 de la Constitución, con la excepción de lo dispuesto en el art. 152.1, segundo párrafo".

b) El segundo aspecto a resaltar es que la distribución de competencias en esta materia presenta la particularidad de que las Comunidades Autónomas han asumido competencias en materia de Administración de Justicia en virtud de las llamadas "cláusulas subrogatorias". En efecto, en los Estatutos de Autonomía del País Vasco (art. 13.1), Cataluña (art. 18.1), Galicia (art. 20.1), Andalucía (art. 52.2), Principado de Asturias (art. 41.1), Cantabria (art. 43.1, reformado por Ley Orgánica 2/1994, de 25 de marzo), La Rioja (art. 34.1, modificado por Ley Orgánica 2/1999, de 7 de enero), Región de Murcia (art. 39.1), Comunidad Valenciana (art. 39.1), Aragón (art. 32.1.a), Castilla-La Mancha (art. 27.a), Canarias (art. 27.1), Navarra (art. 60.1), Extremadura (art. 47), Islas Baleares (art. 52.1), Comunidad de Madrid (art. 50.1) y Castilla y León (art. 24.2, reformado por Ley Orgánica 11/1994, de 24 de marzo) se prevé que las respectivas Comunidades Autónomas ejerzan, en relación con la Administración de Justicia, las facultades que la Ley Orgánica del Poder Judicial y la Ley Orgánica del Consejo General del Poder Judicial reconozcan, reserven o atribuyan al Gobierno del Estado. Pues bien, en el Fto. Jco. 8 de la STC. 56/1990 especificábamos los límites generales a la operatividad de las cláusulas subrogatorias como técnica de atribución de competencia a las Comunidades Autónomas:

"A) En primer lugar, y por obvio que resulte, hay que recordar que las competencias que asumen las Comunidades Autónomas por el juego de la cláusula subrogatoria no pueden entrar en el núcleo de la Administración de Justicia en sentido estricto, materia inaccesible por mandato del art. 149.1.5 CE, sin perjuicio de la excepción relativa a la demarcación judicial, tema sobre el que posteriormente se volverá.

B) En segundo término, tampoco pueden las Comunidades Autónomas actuar en el ámbito de la 'administración de la Administración de Justicia' en aquellos aspectos que la LOPJ reserva a órganos distintos del Gobierno o de alguno de sus departamentos.

C) En tercer lugar, y esto lo aceptan las Comunidades recurrentes, la asunción de las facultades que corresponden al Gobierno encuentra un límite natural: El propio ámbito de la Comunidad Autónoma. Dicho de otra forma, el alcance supracomunitario de determinadas facultades del Gobierno [excluye] la operatividad de la cláusula subrogatoria; como ejemplos se citan, entre otros, el de la dependencia del Centro de Estudios Judiciales, adscripción del Instituto de Toxicología o la cooperación internacional.

D) En cuarto lugar, la remisión se realiza a las facultades del Gobierno lo que, en consecuencia, identifica las competencias asumidas como de naturaleza de ejecución simple y reglamentaria, excluyéndose, en todo caso, las competencias legislativas.

E) En quinto lugar, al analizar cada uno de los supuestos concretos de invasión de competencias, el marco de enjuiciamiento no puede ser sólo la competencia residual sobre 'administración de la Administración de Justicia'; ello porque en cada caso habrá que determinar si existen otros títulos competenciales con incidencia en la materia".

Resumiendo, en lo que ahora interesa, puede decirse que las cláusulas subrogatorias no entrarán en aplicación cuando la LOPJ, en uso de la libertad de opción del legislador, atribuya determinadas facultades al Consejo General del Poder Judicial. Tampoco en aquellas otras materias, aun atribuidas al Gobierno de la Nación o a sus Departamentos Ministeriales, respecto de las que exista otro título competencial con incidencia en ellas suficiente para reservarlas al Estado.»

ATC. 26/2007 de 5 de febrero (imparcialidad judicial)

Fto. Jco. 3: «Sentada la procedencia de aplicar en el presente proceso el régimen legal de las causas de recusación, debemos traer a colación nuestra reiterada doctrina sobre la garantía de imparcialidad antes de analizar a la luz de la misma los concretos motivos en los que la parte recusante funda la denunciada ausencia de imparcialidad del Magistrado recusado.

Tenemos reiterado que la imparcialidad y objetividad de todo Tribunal aparece, no sólo como un requisito básico del proceso debido, derivado de la exigencia de que los órganos jurisdiccionales actúen únicamente sometidos al imperio de la Ley (art. 117 CE), como nota característica de la función jurisdiccional desempeñada por los Jueces y Tribunales, sino que además se erige en garantía fundamental de la Administración de Justicia propia de un Estado social y democrático de Derecho (art. 1.1 CE).

La garantía de un Tribunal independiente y alejado de los intereses de las partes en litigio constituye una garantía procesal que condiciona la existencia misma de la función jurisdiccional. La imparcialidad judicial aparece así dirigida a asegurar que la pretensión sea decidida exclusivamente por un tercero ajeno a las partes y a los intereses en litigio y que se someta exclusivamente al ordenamiento jurídico como criterio de juicio. Esta sujeción estricta a la Ley supone que esa libertad de criterio en que estriba la independencia judicial no sea orientada a priori por simpatías o antipatías personales o ideológicas, por convicciones e incluso por prejuicios, o, lo que es lo mismo, por motivos ajenos a la aplicación del Derecho. Esta obligación de ser ajeno al litigio puede resumirse en dos reglas: primera, que el Juez no puede asumir procesalmente funciones de parte; segunda, que no puede realizar actos ni mantener con las partes relaciones jurídicas o conexiones de hecho que puedan poner de manifiesto o exteriorizar una previa toma de posición anímica a su favor o en contra.

Con arreglo a tal criterio la jurisprudencia de este Tribunal viene distinguiendo entre una imparcialidad subjetiva, que garantiza que el Juez no ha mantenido relaciones indebidas con las partes, en la que se integran todas las dudas que deriven de las relaciones del Juez con aquéllas, y una imparcialidad objetiva, es decir, referida al objeto del proceso, por la que se asegura que el Juez se acerca al thema decidendi sin haber tomado postura en relación con él (SSTC, por todas, 145/1988, de 12 de junio, Fto. Jco. 5; 137/1994, de 9 de mayo, Fto. Jco. 8; 47/1998, de 2 marzo, Fto. Jco. 4; 162/1999, de 27 de septiembre, Fto. Jco. 5; 69/2001, de 17 de marzo, FFto. Jco.J 16 y 21; 154/2001, de 2 de julio, Fto. Jco. 3; 155/2002, de 22 de julio, Fto. Jco. 2; 156/2002, de 23 de julio, Fto. Jco. 2; 38/2003, de 27 de febrero, Fto. Jco. 3; 85/2003, de 8 de mayo, Fto. Jco. 7; 5/2004,de 16 de enero, Fto. Jco. 2; SSTEDH de 17 de enero de 1970, caso Delcourt; de 1 de octubre de 1982, caso Piersack; de 24 de octubre de 1984, caso De Cubber; de 24 de mayo de 1989, caso Hauschildt; de 22 de junio de 1989, caso Langborger; de 25 de noviembre de 1993, caso Holm; de 20 de mayo de 1998, caso Gautrin y otros; de 16 de septiembre de 1999, caso Buscemi).

En cualquier caso, desde la óptica constitucional, para que en garantía de la imparcialidad un Juez pueda ser apartado del conocimiento de un asunto concreto es siempre preciso que existan dudas objetivamente justificadas; es decir, exteriorizadas y apoyadas en datos objetivos que hagan posible afirmar fundadamente que el Juez no es ajeno a la causa o permitan temer que, por cualquier relación con el caso concreto, no va a utilizar como criterio de juicio el previsto en la Ley, sino otras consideraciones ajenas al Ordenamiento jurídico. Ha de recordarse que, aun cuando en este ámbito las apariencias son muy importantes, porque lo que está en juego es la confianza que los Tribunales deben inspirar a los ciudadanos en una sociedad democrática, no basta con que tales dudas o sospechas sobre su imparcialidad surjan en la mente de quien recusa, sino que es preciso determinar caso a caso si las mismas alcanzan una consistencia tal que permitan afirmar que se hallan objetiva y legítimamente justificadas (SSTC, por todas, 162/1999, de 27 de septiembre, Fto. Jco. 5; 69/2001, de 17 de marzo, FFto. Jco.J 14.a y 16; 5/2004,de 16 de enero, Fto. Jco. 2; SSTEDH de 1 de octubre de 1982, caso Piersack, § 30; de 26 de octubre de 1984, caso De Cubber, § 26; de 24 de mayo de 1989, caso Hauschildt, § 47; de 29 de agosto de 1997, caso Worm, § 40; de 28 de octubre de 1998, caso Castillo Algar, § 45; de 17 de junio de 2003, caso Valero, § 23).»

Art. 118. Es obligado cumplir las sentencias y demás resoluciones firmes de los Jueces y Tribunales, así como prestar la colaboración requerida por éstos en el curso del proceso y en la ejecución de lo resuelto.

Ver selección de Sentencias con relación al art. 24.

STC. 32/82 de 7 de junio (**ejecución de sentencias y legalidad presupuestaria**)

Fto. Jco. 2: «El derecho a la tutela efectiva (art. 24.1 C.E.) no agota su contenido en la exigencia de que el interesado tenga acceso a los Tribunales de Justicia, pueda ante ellos manifestar y defender su pretensión jurídica en igualdad con las otras partes y goce de la libertad de aportar todas aquellas pruebas que procesalmente fueran oportunas y admisibles, ni se limita a garantizar la obtención de una resolución de fondo fundada en derecho, sea o no favorable a la pretensión formulada, si concurren todos los requisitos procesales para ello. Exige también que el fallo judicial se cumpla y que el recurrente sea repuesto en su derecho y compensado, si hubiere lugar a ello, por el daño sufrido; lo contrario sería convertir las decisiones judiciales y el reconocimiento de los derechos que ellas comportan en favor de algunas de las partes, en meras declaraciones de intenciones.»

Fto. Jco. 3: «El Abogado del Estado señala... que la ejecución de las sentencias que condenan a la Admón. al pago de una cantidad de dinero da lugar a una tensión entre dos principios constitucionales; el de seguridad jurídica que obliga al cumplimiento de las Sentencias, y el de legalidad presupuestaria, que supedita dicho cumplimiento a la existencia de una partida presupuestaria asignada a este fin.
El respeto que de forma especial los poderes públicos han de otorgar a las libertades y derechos fundamentales, y la singular relevancia que para el interés público tiene el cumplimiento de las resoluciones judiciales, obliga a que la Admón. pública y, en su caso, los Tribunales adopten las medidas necesarias a fin de garantizar que el mencionado derecho constitucional adquiera plena efectividad, por lo que en ningún caso el principio de legalidad presupuestaria puede justificar que la Admón. posponga la

ejecución de las sentencias más allá del tiempo necesario para obtener, actuando con la diligencia debida, las consignaciones presupuestarias en el caso de que éstas no hayan sido previstas...»

STC. 54/83 de 21 de junio (cumplimiento de sentencia opuesto a preceptos legales)

Fto. Jco. 3: «...la resolución que el Juzgado haya de adoptar para exigir el cumplimiento de su fallo, ha de precisar el apoyo de la previa declaración de inconstitucionalidad. Para exigir ese cumplimiento el Juez se basa en el art. 118 de la C... Y cuando a la ejecución de lo resuelto se opone otra autoridad invocando unos preceptos legales, que el Juez estima contrarios a la C., aquel puede plantear la cuestión de inconstitucionalidad ante este T.C. antes de reiterar su decisión y exigir su cumplimiento, como lo ha hecho en el presente caso.

STC. 61/84 de 16 de mayo (retraso en el cumplimiento y lesión de derechos)

Fto. Jco. 4: «Como quiera que en el caso presente la Admón. Pública ha llevado a cabo las actividades necesarias con el fin de que en los presupuestos del Estado se consignen los correspondientes créditos, con el fin de que la Sentencia pueda ser cumplida y como tampoco aparece una conducta de la Admón. que obstaculice los trámites precisos para que el pago se haga y el órgano jurisdiccional, que dictó la Sentencia, lejos de mostrar pasividad, se ha ocupado de que la Sentencia sea cumplida, en el momento actual no puede reconocerse lesión de los derechos de los recurrentes...»

STC. 67/84 de 7 de junio (Estado de derecho y ejecución de sentencias)

Fto. Jco. 2: «La ejecución de las Sentencias, en sí misma considerada, es una cuestión de capital importancia para la efectividad del Estado social y democrático de Derecho que proclama la C. art. 1, que se refleja, dentro del propio Título Preliminar, en la sujeción de los ciudadanos y los Poderes Públicos a la C. y al resto del ordenamiento jurídico, cuya efectividad, en caso de conflicto, se produce normalmente por medio de la actuación del Poder Judicial, arts. 117 y ss. de la C., que finaliza con la ejecución de sus Sentencias y resoluciones firmes. Por ello difícilmente puede hablarse de la existencia de un Estado de Derecho cuando no se cumplen las Sentencias y demás resoluciones judiciales firmes, y de aquí que el art. 118 de la C. establezca que 'es obligado cumplir...' Cuando ese deber de cumplimiento y de colaboración, que constituye una obligación en cada caso concreto en que se actualiza, se incumple por los Poderes Públicos, ello constituye un grave atentado al Estado de Derecho, y por ello, el sistema jurídico ha de estar organizado de tal forma que dicho incumplimiento, si se produjera, no pueda impedir en ningún caso la efectividad de las Sentencias y resoluciones judiciales firmes.
...la ejecución de las Sentencias y resoluciones judiciales firmes corresponde a los titulares de la potestad jurisdiccional, 'haciendo ejecutar lo juzgado' (art. 117.3 C.E.), según las normas de competencia y procedimiento que las Leyes establezcan, lo que le impone el deber de adoptar las medidas oportunas para llevar a cabo esa ejecución (STC. 26/83 de 13 de abril, Fto. Jco. 3). Cuando para hacer ejecutar lo juzgado, el órgano judicial adopta una resolución que ha de ser cumplida por un ente público, este ha de llevarla a cabo con la necesaria diligencia, sin obstaculizar el cumplimiento de lo acordado, por imponerlo así el art. 118 de la C.E.; y cuando tal obstaculización se produzca, el Juez ha

de adoptar las medidas necesarias para la ejecución, de acuerdo con las Leyes, que han de ser interpretadas... de conformidad con la C. y en el sentido más favorable para la efectividad del derecho fundamental. Si tales medidas no se adoptan con la intensidad necesaria, y legalmente posible, para remover la obstaculización producida, el órgano judicial vulnera el derecho fundamental a la ejecución de las Sentencias, que le impone el deber de adoptar las medidas oportunas para llevárla a cabo. Por otra parte, tales medidas han de adoptarse sin que se produzcan dilaciones indebidas, pues de otra forma se vulneraría el art. 24.2 de la C., que si bien... no se confunden con el derecho a la ejecución de las Sentencias del 24.1, se encuentra en íntima relación con el mismo, pues es claro que el retraso injustificado en la adopción de las medidas indicadas, afecta en el tiempo a la efectividad del derecho fundamental, de tal forma que, como afirma la STC. 6/81 de 14 de julio, Fto. Jco. 3, debe plantearse como un posible ataque al derecho a la tutela judicial efectiva las dilaciones injustificadas que puedan acontecer en cualquier proceso.»

Art. 119. La justicia será gratuita cuando así lo disponga la ley y, en todo caso, respecto de quienes acrediten insuficiencia de recursos para litigar.

Ley 1/1996 de enero de asistencia jurídica gratuita.
Ver selección de Sentencias con relación al art. 24.

STC. 3/83 de 25 de enero (**interpretación progresiva de la gratuidad**)

Fto. Jco. 5: «...en tanto no se produzca la necesaria reforma legislativa, y a efectos de conseguir un tratamiento adecuado de dichas situaciones excepcionales de falta de liquidez o de medios de las empresas, y ante la imposibilidad de conseguir en estos casos la declaración de pobreza del empresario por la rigidez de las normas que actualmente la regulan... lo que resulta procedente realizar es que los Tribunales ordinarios y, en su caso, este T.C. al decidir los recursos de amparo efectúen una interpretación progresiva y casuística de acuerdo con el art. 24 de la C. y con el contenido del art. 3 del C. Civil, y especialmente ponderando el art. 119 de la C. que impone la gratuidad de la justicia, no sólo cuando lo disponga la Ley, sino en todo caso, respecto de quienes acrediten insuficiencia de recursos para litigar, expresión que por su generalidad y amplitud acoge entre otras posibles soluciones la aceptación de medidas que puedan ser distintas de la estricta y gravosa consignación en metálico, cuando no existe una posibilidad material de efectuarla o suponga un grave quebranto, aceptando otros medios sustitutivos menos estrictos y suficientemente garantizadores de la ejecución posterior de la Sentencia en favor de los trabajadores...»

STC. 138/88 de 8 de julio (**tramitación del incidente de justicia gratuita**)

Fto. Jco. 2: «Lo que ha de considerarse comprendido en el derecho a una tutela efectiva sin indefensión es la imposibilidad de que una persona quede procesalmente indefensa por carecer de recursos para litigar, supuesto para el que, además, el art. 119 de la C. garantiza la gratuidad de la justicia. Y es manifiesto que tal situación no ha ocurrido aquí, puesto que la actora contó desde el primer momento con Abogado y Procurador de oficio para presentar la demanda de menor cuantía, como efectivamente hizo, y que fueron nombrados, tras expediente tramitado ante el Juzgado de Primera Instancia n° 1 de Vitoria... Asimismo, durante toda la substanciación de la primera instancia conservó la representación de oficio y dispuso de asistencia letrada,sin que conste si el Letrado que sustituyó al primero era también de oficio o estaba libre y voluntariamente designado por la parte.

Dicho esto hay que precisar que, además, en el supuesto que contemplamos la no tramitación del incidente de justicia gratuita se debió en buena parte a la inactividad de la solicitante de amparo durante toda la substanciación de la primera instancia. La recurrente se limitó a solicitar dicho beneficio por otrosí de la demanda principal, pero sin que luego instase la declaración de pobreza. Fue entonces cuando se produjo, en su caso, la infracción procesal, sin que la actora se alzase contra la misma, por lo que su queja resulta ahora extemporánea. Cabe suponer que la explicación tanto de la inactividad judicial como de la falta de reacción de la actora se encuentre en la circunstancia indicada de que ésta disfrutaba ya, por habilitación, judicial, de Abogado y Procurador de oficio. Ahora bien si, pese a su petición inicial, consideró entonces innecesario fundar su derecho al beneficio de justicia gratuita mediante el correspondiente incidente y no reaccionó frente a la no substanciación del mismo, no puede ahora reclamar que tal circunstancia o sus posibles consecuencias hayan vulnerado sus derechos fundamentales, pues la queja resulta ya fuera de lugar y se formula frente a una inactividad judicial consentida en su momento. Decae así, por tanto, no solamente la protesta frente a la no tramitación del incidente, sino también respecto a las consecuencias que la actora atribuye, con mayor o menor fundamento, a dicha circunstancia, como la condena en costas o el que su recurso de apelación quedase desierto por decisión de la Audiencia Territorial de Bilbao.»

ATC. 753/88 de 20 de junio (no es derecho residenciable en amparo)

Fto. Jco. 1: «El art. 119 CE. no reconoce ningún derecho fundamental cuya violación sea residenciable en vía de amparo. En consecuencia, la única dimensión constitucional posible de la presente demanda queda reducida a la presunta vulneración del derecho a la tutela judicial efectiva.

De acuerdo con el art. 24.1 CE. se impone el reconocimiento del derecho a la justicia gratuita cuando constituye un instrumento indispensable para quien carece de medios económicos pueda acceder a los Jueces y Tribunales; esto es, cuando de la concesión de la gratuidad del proceso, y consecuente nombramiento de Abogado y Procurador por el turno de oficio, dependa la obtención de la obligada tutela judicial que el precepto constitucional garantiza.

Corresponde, sin embargo, con carácter general, a los propios órganos de la jurisdicción ordinaria examinar y resolver motivadamente si concurren los requisitos legales establecidos para dicho reconocimiento en los arts. 1 y ss. de la Ley de Enjuiciamiento Civil, sin que sus decisiones sean revisables en amparo, salvo que, con independencia de la situación fáctica contemplada (...) hagan una aplicación de dichas normas procesales que sea incompatible con el contenido y exigencias del mencionado derecho fundamental.»

ATC. 43/89 de 30 de enero (gratuidad en el proceso de amparo)

Fto. Jco. único: «La pretensión del recurrente en amparo, de gozar del beneficio de justicia gratuita en el presente proceso, es cierto que en principio, carece de una adecuada prueba documental que justifique con plenitud las circunstancias para su otorgamiento, pero ha de considerarse de acuerdo con las normas de este TC. en relación con esta materia que el mismo gozó de ese beneficio tanto ante el Juzgado Instructor como ante la Audiencia Provincial sin que exista indicio alguno de posteriores aconteceres que pudieran haber modificado la situación económica del hoy instante en amparo, por lo que y dado que el mismo obtuvo su concesión en la vía judicial precedente, de conformidad con lo preceptuado en el art. 2 del acuerdo del Pleno de este TC. de fecha 20 de diciembre de 1982 regulador de tal beneficio, que prescribe 'que los que hayan sido defendidos por pobres en la vía judicial precedente a que se refieren los arts. 43 y 44 de la LOTC., gozarán de este beneficio en el proceso de amparo, a cuyo fin lo justificarán con el primer escrito que presenten', y habiendo sido defendido como pobre, en legal sentido, el actor tanto en la fase sumarial de instrucción y decisoria, en el proceso monitorio, como en la apelación ante la A. Provincial, así lo manifestó en su primer escrito ante este TC., por lo que procede otorgarle la concesión del beneficio legal de justicia gratuita en el presente proceso constitucional.»

STC. 16/94 de 20 de enero (significado de la gratuidad de la justicia)

Fto. Jco. 3: «La primera constatación que debe hacerse respecto de este precepto (art. 119) es la de que en él no se proclama la gratuidad de la administración de justicia. No obstante, este precepto tampoco se limita a habilitar al legislador para que libremente establezca los regímenes de gratuidad que estime oportunos o, si lo prefiere, para que no establezca ninguno. El art. 119 CE. consagra, en los términos que a continuación veremos, un derecho a la gratuidad de la justicia. Se trata de un derecho que posee en nuestro ordenamiento una larga tradición histórica, que ya fue elevado a rango constitucional en la C. de 1931 y que adquiere unas características específicas y un relieve especial en el Estado Social de Derecho proclamado en la C. de 1978. Al igual que los derechos fundamentales a la tutela judicial efectiva, a la igualdad de armas procesales y a la asistencia letrada, de los que la gratuidad es instrumento y concreción, este derecho es no sólo garantía de los intereses de los particulares, sino también de los intereses generales de la justicia en tanto que tiende a asegurar los principios de contradicción e igualdad procesal entre las partes y a facilitar así al órgano procesal la búsqueda de una sentencia ajustada a Derecho, aunque sin duda su finalidad inmediata radica en permitir el acceso a la justicia, para interponer pretensiones u oponerse a ellas, a quienes no tienen medios económicos suficientes para ello y, más ampliamente, trata de asegurar que ninguna «persona quede procesalmente indefensa por carecer de recursos para litigar» (STC. 138/88).»

«El art. 119... proclama, pues, un derecho a la gratuidad de la justicia pero en los casos y en la forma en que el legislador determine. Es un derecho prestacional y de configuración legal cuyo contenido y concretas condiciones de ejercicio, como sucede con otros de esta naturaleza, corresponde delimitarlos al legislador atendiendo a los intereses públicos y privados implicados y a las concretas disponibilidades presupuestarias.»

«Sin embargo... al llevar a cabo la referida configuración legal el legislador no goza de una libertad absoluta, sino que, en todo caso, debe respetar un contenido constitucional indisponible. A esta limitación no escapan los derechos... en los que el contenido prestacional y, en consecuencia, su propia naturaleza, vienen matizados por el hecho de tratarse de derechos que,... son concreción y garantía de ejercicio de otros derechos fundamentales, algunos de contenido no prestacional.»

Fto. Jco. 4: «...la adopción (por el legislador) de un criterio objetivo estricto para la justicia gratuita plena, completado con un mecanismo más flexible de justicia gratuita parcial en el que se ponderan circunstancias personales y familiares, resulta una opción plenamente admisible desde el punto de vista constitucional. La C. no exige la adopción de ningún tipo concreto de criterio. En cuanto a la forma concreta en la que el legislador ha plasmado estos criterios, ingresos o recursos inferiores al doble del salario mínimo interprofesional para la justicia gratuita plena, y entre el doble y el 43 cuádruple de esta cifra para obtener la gratuidad parcial siempre que se acrediten determinados gastos, debe considerarse que respeta el contenido mínimo indisponible del art. 119 CE.».

Art. 120. 1. Las actuaciones judiciales serán públicas, con las excepciones que prevean las leyes de procedimiento.

2. El procedimiento será predominantemente oral, sobre todo en materia criminal.

3. Las sentencias serán siempre motivadas y se pronunciarán en audiencia pública.

Ver selección de Sentencias con relación al art. 24.

STC. 30/82 de 1 de junio (**publicidad de los juicios y medios de comunicación**)

Fto. Jco. 4: «...el principio de la publicidad de los juicios... implica que éstos sean conocidos más allá del círculo de los presentes en los mismos, pudiendo tener una proyección general. Esta proyección no puede hacerse efectiva más que con la asistencia de los medios de comunicación social, en cuanto tal presencia les permite adquirir la información en su misma fuente y transmitirla a cuantos, por una serie de imperativos de espacio, de tiempo, de distancia, de quehacer, etc., están en la imposibilidad de hacerlo. Este papel de intermediario natural desempeñado por los medios de comunicación social entre la noticia y cuantos no están, así, en condiciones de conocerla directamente, se acrecienta con respecto a acontecimientos que por su entidad pueden afectar a todos y por ello alcanzan una especial resonancia en el cuerpo social, como ocurre indiscutiblemente con el desarrollo de la vista de la causa que nos ocupa.

Consecuencia de ello es que, dadas las limitaciones de cabida del recinto, hubo de establecerse una selección en orden a la asistencia a la vista, concediéndose acreditaciones sobre la base de criterios objetivos. En este sentido no resulta adecuado entender que los representantes de los medios de comunicación social, al asistir a las sesiones de un juicio público, gozan de un privilegio gracioso y discrecional, sino que lo que se ha calificado como tal es un derecho preferente atribuído en virtud de la función que cumplen, en aras del deber de información constitucionalmente garantizado. En conclusión cabe decir que el derecho de información no depende de la acreditación, y que ésta no es sino un medio de organizar el acceso a la Sala.»

STC. 13/85 de 31 de enero (secreto de sumario protege actuaciones judiciales)

Fto. Jco. 3: «La regla que dispone el secreto de las actuaciones sumariales es, ante todo, una excepción a la garantía isntitucional inscrita en el art. 120.1 de la C… La admisión que hace esta misma disposición constitucional de excepciones a la publicidad no puede entenderse como un apoderamiento en blanco al legislador, porque la publicidad procesal está inmediatamente ligada a situaciones jurídicas subjetivas de los ciudadanos que tienen la condición de derechos fundamentales: Derecho a un proceso público, en el art. 24.2 de la C., y derecho a recibir libremente información, según puede derivarse de la STC. 30/82… Esta ligazón entre garantía objetiva de la publicidad y derechos fundamentales lleva a exigir que las excepciones a la publicidad previstas en el art. 120.1 de la C. se acomoden en la previsión normativa, y en su aplicación judicial concreta, a las condiciones fuera de las cuales la limitación constitucionalmente posible deviene vulneración del derecho. Son estas condiciones, por lo que aquí importa, la previsión de la excepción en cuestión en norma con rango de Ley (art. 53.1 de la C.), la justificación de la limitación misma en la protección de otro bien constitucionalmente relevante y, en fin, la congruencia entre la media prevista o ampliada y la procuración de dicho valor así garantizado… Tal secreto (del sumario) implica, por consiguiente, que no puede transgredirse la reserva sobre su contenido por medio de 'revelaciones indebidas' (art 301.2 de la LECr.) o a través de un conocimiento ilícito y su posterior difusión. Pero el secreto del sumario no significa, en modo alguno, que uno o varios elementos de la realidad social (sucesos singulares o hechos colectivos cuyo conocimiento no resulte limitado o vedado por otro derecho fundamental según lo expuesto por el art. 20.4 de la C.E.) sean arrebatados a la libertad de información, en el doble sentido de derecho a informarse y derecho a informar, con el único argumento de que sobre aquellos elementos están en curso unas determinadas diligencias sumariales. De ese modo, el mal entendido secreto de sumario equivaldría a crear una atípica e ilegítima 'materia reservada' sobre los hechos mismos acerca de los cuales investiga y realiza la oportuna instrucción el órgano judicial, y no sobre las 'actuaciones' del órgano judicial que constituyen el sumario (art. 299 de la LECr.).»

STC. 96/87 de 10 de junio (finalidad del principio de publicidad)

Fto. Jco. 2: «…el principio de publicidad estatuído por el art. 120.1 de la C., tiene una doble finalidad: Por un lado proteger a las partes de una justicia sustraída al control público, y por otro, mantener la confianza de la comunidad en los Tribunales constituyendo en ambos sentidos tal principio una de las bases del debido proceso y uno de los pilares del Estado de Derecho. El art. 24.2 de la C. ha otorgado a los derechos vinculados a la exigencia de la publicidad el carácter de derechos fundamentales, lo que abre para su protección la vía excepcional del recurso de amparo. En los mismos términos se encuentra reconocido el derecho a un proceso público en el art. 6.1 del Convenio Europeo de Derechos Humanos, habiendo sostenido al respecto el Tribunal Europeo de Derechos Humanos, en idéntica dirección que la que acabamos de señalar que 'la publicidad del procedimiento de los órganos judiciales… protege a las partes contra una justicia secreta que escape al control público; por lo que constituye uno de los medios de preservar la confianza en los Jueces y Tribunales'… De acuerdo con ello, la publicidad del proceso ocupa una posición institucional en el Estado de Derecho que la convierte en una de las condiciones de la legitimidad constitucional de la administración de justicia.

…la publicidad del proceso no puede restringirse sino por los motivos expresos que la ley autorice y, en consecuencia, las facultades que las leyes procesales otorgan a los Tribunales no pueden desconocer el principio de publicidad, razón por la cual deben ser interpretadas de tal manera que dejen a salvo su vigencia. Por lo tanto, debe señalarse… que el art. 268 de la LOPJ, a cuyo tenor se autoriza la constitución del órgano judicial fuera de su sede, contiene una norma encaminada a dotar de eficacia el procedimiento, cuya aplicación debe hacerse sin merma de las garantías constitucionales del proceso.»

Fto. Jco. 3: «Prescindiendo de la posibilidad existente de celebrar la vista a puerta cerrada por las razones de orden público a que alude el art. 680 de la LECr., el hecho es que en el presente caso la decisión de celebrarla en el Centro penitenciario donde se habían producido los hechos imputados a guardianes del mismo, y en presencia de un público compuesto por personas con vinculación funcional con los acusados, llevaba consigo una considerable limitación de las garantías que, como hemos señalado antes, conlleva la publicidad del juicio.

En el presente caso, ya las medidas de control impuestas para el acceso, por lo demás justificadas, dada la naturaleza del establecimiento, creaban una reducción fáctica del libre acceso en el que se celebraba el proceso, no compatible con el principio de publicidad.»

STC. 101/85 de 4 de octubre (**pruebas en juicio oral; principio de contradicción; atestado**)

Fto. Jco. 2: «En este sentido las diligencias anteriores, encaminadas a la averiguación del delito y a la identificación de los delincuentes, no constituyen pruebas de cargo; sólo se convierten en prueba al practicarse o reproducirse en el juicio oral, y únicamente a lo alegado y probado en él queda vinculado el Tribunal Penal. Por ello el atestado policial, aunque elemento importante tanto en la fase sumarial como en la interpretación y articulación lógica de las pruebas practicadas en el juicio oral, no puede en modo alguno sustituir a éstas.

La restricción de la prueba testifical al juicio oral responde al principio de contradicción que inspira el procedimiento penal español, y viene a formar parte del contenido de los derechos mínimos que las normas internacionales reconocen al acusado con el fin de garantizar un proceso penal adecuado.»

STC. 137/88 de 7 de julio (**pruebas en juicio oral**)

Fto. Jco. 2: «Es doctrina consolidada de este T. desde su STC. 31/81… que únicamente pueden considerarse auténticas pruebas que vinculen a los órganos de la justicia penal en el momento de dictar Sentencia aquellas a las que se refiere el art. 741 de la LECr., esto es, las practicadas en el juicio oral. En efecto, conforme a lo que se declara en su propia exposición de motivos, la citada Ley, frente al sistema inquisitivo precedente, introdujo en nuestro ordenamiento procesal penal los principios de publicidad, oralidad e inmediación, que en la actualidad no sólo constituyen elementos consustanciales del sistema acusatorio en que se inscribe nuestro proceso, sino que tienen el valor que les otorga el reconocimiento constitucional efectuado en el art. 120.1 y 2 de la Norma fundamental. Conforme a ellos, el procedimiento probatorio ha de tener lugar necesariamente en el debate contradictorio que, en forma oral, se desarrolla ante el mismo Tribunal que ha de dictar Sentencia, de suerte que la convicción de éste sobre los hechos enjuiciados se alcance en contacto directo con los medios aportados a tal fin por las partes...

Por el contrario, las diligencias sumariales son actos de investigación encaminados a la averiguación del delito e identificación del delincuente... y que... no constituyen en sí mismas pruebas de cargo.»

STC. 61/83 de 11 de julio (**fundamentación jurídica de las resoluciones**)

Fto. Jco. 3: «...este derecho fundamental (tutela efectiva) comprende el de obtener una resolución fundada en Derecho, lo cual quiere decir que la resolución que se adopte ha de estar motivada, según establece además el art. 120.3 de la C., quedando el razonamiento adecuado confiado al órgano jurisdiccional competente. Existen supuestos, sin embargo, como cuando se omite todo razonamiento respecto a algunas de las pretensiones, en que, en relación a las mismas, no puede sostenerse que se ha citado una resolución fundada en Derecho por lo que se produce la vulneración del derecho fundamental establecido en el art. 24 de la C.»

STC. 111/85 de 11 de octubre (**T.C. fundamenta fallos**)

Fto. Jco. 1: «En fecha 29 de julio del presente año, la Sala ha dictado Sentencia n° 95/85, denegando el amparo en relación a diversos recursos acumulados, todos los cuales eran idénticos al que ahora debe ser resuelto, pues versaban también sobre supuestos de jubilación forzosa al cumplir los sesenta y cuatro años de edad como consecuencia de lo dispuesto en el III Convenio Colectivo de RENFE para 1982. Si ello desaconseja reproducir en este caso las consideraciones efectuadas, a las que ahora debemos remitirnos, no nos exime de la obligación de fundamentar, aunque sea someramente, el pronunciamiento, tanto por un elemental principio de cortesía procesal con quien acudió al T. en demanda de amparo como por la necesidad de cumplir el mandato del art. 120.3 de la C., que ordena que las Sentencias sean motivadas.»

STC. 174/85 de 17 de diciembre (**significado de la 'motivación'**)

Fto. Jco. 7: «...cuando el art. 120.3 de la C. requiere que las Sentencias sean 'motivadas', elevando así a rango constitucional lo que antes era simple imperativo legal, ha de entenderse que esta motivación en el caso de la prueba indiciaria tiene por finalidad expresar públicamente no sólo el razonamiento jurídico por medio del cual se aplican a unos determinados hechos, declarados sin más probados, las normas jurídicas correspondientes y que fundamentan el fallo, sino también las pruebas practicadas y los criterios racionales que han guiado su valoración, pues en este tipo de pruebas es imprescindible una motivación expresa para determinar, como antes se ha dicho, si nos encontramos ante una verdadera prueba de cargo, aunque sea indiciaria, o ante un simple conjunto de sospechas o posibilidades, que no pueden desvirtuar la presunción de inocencia... no se trata de coartar la libre apreciación de la prueba... pues no se impone al juzgador regla alguna sobre el valor de cada medio de prueba, es decir que no se vuelve a ningún sistema de prueba legal o tasada, sino que se le pide únicamente que exprese los criterios que han presidido la valoración de los indicios para llevarle a considerar probados los hechos constitutivos de delito. Tampoco se trata de que el juzgador tenga que detallar en la Sentencia los diversos momentos de su razonamiento, sino las líneas generales de ese razonamiento.»

Fto. Jco. 8: «De lo que se trata es de asegurar a la acusada la garantía formal de que el razonamiento hecho por el Tribunal conste expresamente en la Sentencia, pues sólo de este modo es posible verificar si el Tribunal ha formado su convicción sobre una prueba de cargo capaz de desvirtuar la presunción de inocencia...»

STC. 116/86 de 8 de octubre (la motivación requiere una argumentación)

Fto. Jco. 5: «...dicho precepto (art. 24 de la C.) impone a los Jueces y Tribunales la obligación de dictar, tras el correspondiente debate procesal, una resolución fundada en Derecho, y esta obligación no puede considerarse cumplida con la mera emisión de una declaración de conocimiento o de voluntad del órgano jurisdiccional en un sentido o en otro. Cuando la C. art. 120.3 y la Ley exigen que se motiven las Sentencias imponen que la decisión judicial esté precedida por una exposición de los argumentos que la fundamentan. Este razonamiento expreso permite a las partes conocer los motivos por los que su pretendido derecho puede ser restringido o negado, facilitando al tiempo y, en su caso, el control por parte de los órganos judiciales superiores. Pero la exigencia de motivación suficiente es sobre todo una garantía esencial del justiciable mediante la cual, sin perjuicio de la libertad del Juez en la interpretación de las normas, se puede comprobar que la solución dada al caso es consecuencia de una exégesis racional del ordenamiento y no el fruto de la arbitrariedad.»

STC. 4/94 de 17 de enero (congruencia en las sentencias)

Fto. Jco. 2: «De la constante y reiterada doctrina que este TC. ha establecido... en relación con el vicio inconstitucional de incongruencia de las resoluciones judiciales... debemos destacar, a los efectos de este recurso, los siguientes elementos conceptuales: a) el derecho a la tutela judicial obliga a los órganos judiciales a resolver las pretensiones de las partes de manera congruente con los términos en que vengan planteadas, sin cometer, por tanto, desviaciones que supongan modificación o alteración del debate procesal (incongruencia activa); b) el incumplimiento total de dicha obligación, es decir, el dejar inconstadas dichas pretensiones constituye vulneración del derecho a la tutela judicial (incongruencia omisiva) siempre que el silencio judicial no pueda razonablemente interpretarse como desestimación tácita, y c) no se produce incongruencia omisiva... cuando la falta de respuesta judicial se refiera a pretensiones, cuyo examen venga subordinado a la decisión que se adopta respecto de otras pretensiones planteadas en el proceso que, siendo de enjuiciamiento preferente, determinen... que su estimación haga innecesario o improcedente pronunciarse sobre éstas, como ocurre, en el ejemplo típico de estimación de un defecto formal que impida o prive de sentido entrar en la resolución de la cuestión de fondo.»

Art. 121. Los daños causados por error judicial, así como los que sean consecuencia del funcionamiento anormal de la Administración de Justicia, darán derecho a una indemnización a cargo del Estado, conforme a la ley.

Ver selección de Sentencias con relación al art. 24.

STC. 36/84 de 14 de marzo (**dilación indebida e indemnización**)

Fto. Jco. 5: «Si la dilación indebida constituye, de acuerdo con una doctrina casi unánime, el supuesto típico de funcionamiento anormal es forzoso concluir que, si bien el derecho a ser indemnizado puede resultar del mandato del art. 121, no es en sí mismo un derecho invocable en la vía del amparo constitucional, la lesión del derecho a un proceso sin dilaciones indebidas genera, por mandato de la C., cuando no puede ser remediada de otro modo, un derecho a ser indemnizado por los daños que tal lesión produce. La Ley podrá regular el alcance de tal derecho y el procedimiento para hacerlo valer, pero su existencia misma nace de la C. y ha de ser declarada por nosotros. En el presente caso, sin embargo, el recurrente no hace petición alguna de indemnización, ni, en consecuencia, ha sido parte en el litigio la Administración del Estado, a la que, como es obvio, no podríamos por tanto condenar al pago de cantidad alguna. Nuestro pronunciamiento ha de limitarse, por tanto, a declarar la existencia de la lesión del derecho constitucionalmente garantizado, y de la conexión entre tal lesión y el supuesto contemplado en el art. 121 de la C., sin perjuicio de que, a partir de ello, el lesionado procure, a través de otras vías, el resarcimiento a que se crea titulado.»

STC. 5/85 de 23 de febrero (**dilación indebida puede ser funcionamiento anormal**)

Fto. Jco. 9: «El quebrantamiento del derecho a un proceso sin dilaciones indebidas es un supuesto... del funcionamiento anormal de la Administración de Justicia, que dice el art. 121 de la C.E.; el retraso podrá constituir una irregularidad procesal o comprenderse en la definición constitucional de 'funcionamiento anormal', o integrar un caso de violación constitucional, según los parámetros que hemos analizado en su momento. No toda dilación puede llevarse al terreno del art. 24.2 de la C.E., pero cuando alcanza la entidad subsumible en este precepto constitucional, el restablecimiento admite fórmulas indemnizatorias.»

STC. 128/89 de 17 de julio (**derecho a indemnización no es derecho fundamental**)

Fto. Jco. 2: «...es doctrina consolidada por este T.C. (entre otras SSTC. 36/84, 40/88 y 50/89) que, aunque la C. configura la indemnización por error judicial o por funcionamiento anormal de la Administración de Justicia como un derecho, no lo ha configurado como un derecho fundamental (sin perjuicio de que pueda constituir una forma de reparación, caso de vulneración de los derechos reconocidos en el art. 24 C.E.), lo que hace imposible, de conformidad con lo dispuesto en el art. 53 de la C.E., su alegación y resolución en esta vía de amparo de forma autónoma e independiente a la infracción de algún derecho fundamental.»

Fto. Jco. 4: «...El derecho... reconocido en el art. 121 de la C. no ha sido configurado como un derecho fundamental, ni supone, como estiman los recurrentes, una concreción, sin más, del derecho fundamental a un proceso público sin dilaciones indebidas. Es cierto que la dilación indebida constituye, de acuerdo con una doctrina casi unánime, el supuesto típico de funcionamiento anormal de la Admón. de Justicia, y que la lesión del derecho a un proceso sin dilaciones genera, por mandato de la C., cuando no pueda ser remediada de otro modo, un derecho a ser indemnizado por los daños que tal lesión produce, pero ello no significa, por el contrario, que el mero hecho de formular una pretensión indemnizatoria al amparo de lo dispuesto en el art. 121 de la C., como hicieron los hoy recurrentes, suponga y configure, por sí solo, y sin necesidad de ser apreciada previamente, la lesión del derecho fundamental a un proceso sin dilaciones indebidas reconocido en el art. 24.2 de la C.»

Art. 122. 1. La ley orgánica del poder judicial determinará la constitución, funcionamiento y gobierno de los Juzgados y Tribunales, así como el estatuto jurídico de los Jueces y Magistrados de carrera, que formarán un Cuerpo único, y del personal al servicio de la Administración de Justicia.

2. El Consejo General del Poder Judicial es el órgano de gobierno del mismo. La ley orgánica establecerá su estatuto y sus funciones, en particular en materia de nombramientos, ascensos, inspección y régimen disciplinario.

3. El Consejo General del Poder Judicial estará integrado por el Presidente del Tribunal Supremo, que lo presidirá, y por veinte miembros nombrados por el Rey por un período de cinco años. De éstos, doce entre Jueces y Magistrados de todas las categorías judiciales, en los términos que establezca la ley orgánica; cuatro a propuesta del Congreso de los Diputados, y cuatro a propuesta del Senado, elegidos en ambos casos por mayoría de tres quintos de sus miembros, entre abogados y otros juristas, todos ellos de reconocida competencia y con más de quince años de ejercicio en su profesión.

L.O. 6/1985 de 1 de julio del Poder Judicial

STC. 45/86 de 17 de abril (**el CGPJ. no es representante procesal del P. Judicial**)

Fto. Jco. 5: «El CGPJ está legitimado en el conflicto de atribuciones para defender las que constitucional y legalmente le corresponden. Defendiendo sus atribuciones propias el CGPJ desarrolla, indirectamente, una importante labor de garantía de la posición de independencia, no de las funciones de los órganos del Poder Judicial. La propia existencia del Consejo es una garantía más de las que el ordenamiento establece para asegurar y garantizar la independencia del Poder Judicial, de forma que al hacer valer sus propias competencias, el Consejo defiende también y reafirma esa misma independencia, pero únicamente puede hacerla en la medida que la misma se conecta a las atribuciones y competencias del propio Consejo.

No hay nada ni en la C., ni en la anterior L.O. del CGPJ, ni en la actual LOPJ, que autorice a sostener la pretensión de representación procesal por el CGPJ, como tal. Los órganos en que se expresa el Poder Judicial... no tienen acceso al conflicto de atribuciones, pues los órganos judiciales en sí mismos considerados no son 'órganos constitucionales' a los efectos de plantear conflictos de atribuciones... Además al configurarse constitucionalmente como su 'órgano de gobierno', no podría ser, ni siquiera a efectos procesales, 'representante' del Poder Judicial, pues ello estaría en contradicción con el principio constitucional de 'independencia de Jueces y Magistrados... y ese presunto carácter representativo habría de admitirse también del lado pasivo, sujetando así al miembro integrante del Poder Judicial a instancias o actuaciones del propio Consejo.»

STC. 60/86 de 20 de mayo (la LOPJ. regula toda situación administrativa de jueces)

Fto. Jco. 5: «Este (art. 122.1) remite no a cualquier L.O., sino muy precisamente a la LOPJ, entendida por tanto como un texto normativo unitario, el régimen estatutario de los Jueces y Magistrados, globalmente considerado, sin diferenciar dentro del mismo las tareas estrictamente jurisdiccionales de las de otra naturaleza que los Jueces y Magistrados pueden también llevar a cabo en otros oficios o cargos públicos. Siendo esto así, no es posible desgajar las situaciones administrativas de los Jueces y Magistrados que ocupen cargos de confianza política en Departamentos ministeriales para regularlas por Decreto-Ley, como si se tratase de una materia extraña al Estatuto jurídico de aquellos.»

STC. 108/86 de 29 de julio (papel del CGPJ. y nombramiento miembros)

Fto. Jco. 7: «Así las funciones que obligadamente ha de asumir el Consejo son aquellas que más pueden servir al Gobierno para intentar influir sobre los Tribunales: de un lado, el posible favorecimiento de algunos Jueces por medio de nombramientos y ascensos; de otra parte, las eventuales molestias y perjuicios que podrían sufrir con la inspección y la imposición de sanciones. La finalidad del Consejo es, pues, privar al Gobierno de esas funciones y transferirlas a un órgano autónomo y separado. Es, desde luego, una solución posible en un Estado de Derecho, aunque, conviene recordarlo frente a ciertas afirmaciones de los recurrentes, no es su consecuencia necesaria ni se encuentra, al menos con relevancia constitucional, en la mayoría de los ordenamientos jurídicos actuales.»

Fto. Jco. 8: «Las consideraciones anteriores permiten entrar en lo que es realmente en este punto el meollo de las alegaciones de los recurrentes, y que consiste en sostener que la independencia judicial y la existencia constitucional del Consejo comportan el reconocimiento por la C. de una autonomía de la Judicatura, entendida como conjunto de todos los Magistrados y los Jueces de carrera, y, en consecuencia, la facultad de autogobierno de ese conjunto de Magistrados y Jueces cuyo órgano sería precisamente el Consejo. Pero ni tal autonomía y facultad de autogobierno se reconocen en la C. ni se derivan lógicamente de la existencia, composición y funciones del Consejo. Para llegar a la primer conclusión basta la simple lectura del Texto constitucional, en el que, como se ha dicho, lo que se consagra es la independencia de cada Juez a la hora de impartir justicia, sin que la calidad de 'integrantes o miembros' del poder Judicial que se les atribuye en preceptos ya citados tenga otro alcance que el de señalar que sólo los Jueces, individualmente o agrupados en órganos colegiados, pueden ejercer jurisdicción 'juzgando y haciendo ejecutar lo juzgado'. Tampoco se impone la existencia de un autogobierno de los Jueces de una deducción lógica de la regulación constitucional del Consejo. Como se ha dicho, lo único que resulta de esa regulación es que ha querido crear un órgano autónomo que desempeñe determinadas funciones, cuya asunción por el Gobierno podría enturbiar la imagen de la independencia judicial, pero sin que de ello se derive que ese órgano sea expresión del autogobierno de los Jueces. La C. obliga, ciertamente, a que doce de sus Vocales sean elegidos 'entre' Jueces y Magistrados de todas las categorías, mas esta condición tiene como finalidad principal que un número mayoritario de Vocales del Consejo tengan criterio propio por experiencia directa sobre los problemas que los titulares de los órganos judiciales afrontan en su quehacer diario, de la misma forma que, al asignar los restantes ocho puestos a Abogados y otros juristas de reconocida competencia con más de quince años de ejercicio en su profesión, se busca que aporten su experiencia personas conocedoras del funcionamiento de la justicia desde otros puntos de vista distintos del de quienes la administran.»

Fto. Jco. 10: «...la verdadera garantía de que el Consejo cumpla el papel que le ha sido asignado por la C. en defensa de la independencia judicial no consiste en que sea el órgano de autogobierno de los Jueces sino en que ocupe una posición autónoma y no subordinada a los demás poderes públicos. Los recurrentes entienden que nada se ganaría independizando del Gobierno las funciones que asume el Consejo si éstas terminasen desempeñándose por personas ligadas a otro poder, concretamente el legislativo. Por esa vía atacan la atribución de la propuesta de 'todos' los consejeros a las Cortes Generales, de forma que la LOPJ rompería en este punto incluso la 'paridad de rango' que deben tener los distintos órganos constitucionales al subordinar, al menos en cierto modo, el órgano de gobierno del Poder Judicial al Parlamento. Sin entrar en consideraciones sobre el lugar que ocupan las Cortes en un sistema parlamentario y sin negar que el sistema elegido por la LOPJ ofrezca sus riesgos... debe advertirse que esos riesgos no son consecuencia obligada del sistema. En efecto, para que la argumentación de los recurrentes tuviese un peso decisivo sería necesario que la propuesta por las Cámaras de los veinte Vocales del Consejo convirtiese a éstos en delegados o comisionados del Congreso y del Senado, con toda la carga política que esta situación comportaría. Pero, en último término, la posición de los integrantes de un órgano no tiene por qué depender de manera ineludible de quienes sean los encargados de su designación sino que deriva de la situación que les otorgue el ordenamiento jurídico. En el caso del Consejo, todos sus Vocales, incluídos los que forzosamente han de ser propuestos por las Cámaras y los que lo sean por cualquier otro mecanismo, no están vinculados al órgano proponente, como lo demuestra la prohibición del mandato imperativo (art. 119.2 de la LOPJ) y la fijación de un plazo determinado de mandato (cinco años), que no coincide con el de las Cámaras y durante los cuales no pueden ser removidos más que en los casos taxativamente determinados en la L.O.»

Fto. Jco. 11: «...Lo que la C. dice, respecto a la propuesta de los doce Vocales no atribuída a las Cámaras, es que se llevará a cabo 'en términos que establezca la L.O.'. Desde el punto de vista que ahora se examina, no es posible sostener, como hacen los recurrentes, que el poder legislativo, al cumplir el mandato constitucional, actúe como poder constituyente al regular un órgano constitucional cuya configuración está predeterminada por la C., precisamente porque no existe tal predeterminación.»

Fto. Jco. 12: «Una cuestión distinta es la que promueven los recurrentes al afirmar que el art. 112.1 y 3 de la LOPJ viola los supuestos límites que la C. asigna a las Cortes Generales en materia de propuestas o nombramientos. Para los recurrentes esa violación resulta del art. 66.2 de la C., interpretado en el sentido de que a las Cortes Generales compete fundamentalmente la función normativa, la aprobación de presupuestos y el control del Gobierno, de forma que otras facultades son excepcionales y, de acuerdo con el tenor literal del art. citado sólo pueden serles otorgadas cuando expresamente les vengan reconocidas por la C. Dado que ésta sólo concede a las Cámaras la facultad de proponer a ocho de los Vocales del Consejo, los recurrentes sostienen que las Cámaras no pueden proponer más que a esos ocho, de forma que extender esa facultad a los otros doce Vocales supondría una extralimitación de las competencias de las Cortes y sería inconstitucional... En realidad ese argumento se desdobla en dos. Uno es general: las Cortes no tienen más competencias que las contenidas expresamente en el art. 66.2 de la C. y, por remisión, en otros preceptos de la misma; el otro argumento es particular, en cuanto se refiere concretamente a la propuesta de los Vocales del Consejo: el n° de ocho Vocales que cita el art. 122.3 de la Norma suprema representa un tope que las Cortes no pueden traspasar. Respecto al argumento general, es lo cierto que parte de una interpretación del art. 66.2 no concordante con la práctica legislativa, pues las Cortes no han tenido reparos en atribuirse por Ley la facultad de nombrar o proponer el nombramiento de componentes de diversos órganos, como es el Consejo de Admón. de RTVE, el Tribunal de Cuentas o la Junta Electoral Central, sin que nadie haya puesto en tela de juicio por inconstitucionales esas leyes. Ello es debido a que la recta interpretación del último inciso del art. 66.2 de la Norma suprema no es que las Cortes sólo puedan tener las funciones expresamente contenidas en la C., sino que ésta les asigna algunas que forzosamente han de cumplir y que la ley no puede atribuir a ningún otro órgano, sin que ello suponga que, por ley, no pueda reconocérsele otras, que no estén específicamente mencionadas en la C. El segundo argumento consiste en entender que en este caso concreto y con independencia de lo que ocurra con carácter general, el art. 122.3 de la C. fija el número exacto de Vocales que pueden proponer las Cortes, de forma que el resto de Vocales del Consejo no puede ser nombrado por ellas, sino que habrá de serlo por otro procedimiento. El razonamiento de los recurrentes se completa afirmando que ese otro procedimiento tiene que ser el del nombramiento por los Jueces y Magistrados, pues cualquier otro conduciría al absurdo, como sería admitir que fuesen nombrados por El Gobierno, o los Partidos políticos o los Colegios de Abogados o Asociaciones de usuarios y consumidores... debe señalarse que no es convincente el argumento de reducción al absurdo, pues... cabe pensar en procedimientos que no sean ni su atribución a las Cámaras ni a los Jueces y Magistrados, y que no serían inconstitucionales en cuanto no resultasen arbitrarios o contradictorios con la naturaleza del Consejo.

...queda en pie el primero de los razonamientos aducidos por los recurrentes, según el cual el número de ocho Vocales a proponer por las Cámaras representaría un límite infranqueable a su facultad de propuesta (art. 122.3 C.), y ello con independencia de a quién o a quienes pudiera reconocerse la facultad de proponer los otros doce. Esta cuestión plantea innegables dificultades. Si se acude, en primer término, al texto mismo del artículo debatido, resulta que su examen no ofrece apoyo suficiente para una respuesta categórica al problema planteado, pues aunque es cierto que no establece explícitamente limitación alguna, también lo es que existen razones para sostener que esa limitación está implícita en la fórmula empleada que, de otro modo, sería de una inútil complicación. En efecto, si lo que se pretendió asegurar fue únicamente que las Cámaras incluyesen en sus propuestas un número determinado de Jueces y Magistrados, hubiese bastado con indicarlo así, sin acudir a una compleja redacción en la que, de una parte, se establece la exigencia de que doce de los veinte miembros del Consejo sean Jueces o Magistrados y, de la otra, en proposición distinta, se atribuye a las Cámaras la facultad de proponer otros ocho miembros que no posean necesariamente tal calidad.»

Fto. Jco. 13: «Tampoco los antecedentes de la elaboración del texto arrojan luz suficiente para resolver el problema de manera que no deje lugar a dudas.»
Un resultado en cierto modo análogo es el que se alcanza al intentar la interpretación de la norma contenida en el art. 122.3 según su espíritu y finalidad. El fin perseguido es, de una parte, el de asegurar la presencia en el Consejo de las principales actitudes y corrientes de opinión existentes en el conjunto de Jueces y Magistrados en cuanto tales, es decir, con independencia de cuales sean sus preferencias políticas como ciudadanos y, de la otra, equilibrar esta presencia con la de otros juristas que, a juicio de ambas Cámaras, puedan expresar la proyección en el mundo del Derecho de otras corrientes de pensamiento existentes en la sociedad. La finalidad sería así... la de asegurar que la composición del Consejo refleje el pluralismo existente en el seno de la sociedad y, muy en especial, en el seno del poder judicial. Que esta finalidad se alcanza más fácilmente atribuyendo a los propios Jueces y Magistrados la facultad de elegir a doce de los miembros del Consejo es cosa que ofrece poca duda: pero ni cabe ignorar el riesgo... de que el procedimiento electoral traspase al seno de la Carrera Judicial las divisiones ideológicas existentes en la sociedad, ni sobre todo, puede afirmarse que tal finalidad se vea absolutamente negada al adoptarse otro procedimiento y, en especial, el de atribuir también a las Cortes la facultad de propuesta de los miembros del Consejo procedentes del Cuerpo de Jueces y Magistrados, máxime cuando la Ley adopta ciertas cautelas, como es la de exigir una mayoría calificada de tres quintos en cada Cámara (art. 112.3 LOPJ). Ciertamente se corre el riesgo de frustrar la finalidad señalada de la Norma constitucional si las Cámaras, a la hora de efectuar las propuestas, olvidan el objetivo perseguido y, actuando con criterios admisibles en otros terrenos, pero no en éste, atienden sólo a la división de fuerzas existentes en su propio seno y distribuyen los puestos a cubrir entre los distintos partidos en proporción a la fuerza parlamentaria de éstos. La lógica del Estado de partidos empuja a actuaciones de este género, pero esa misma lógica obliga a mantener al margen de la lucha de partidos ciertos ámbitos de poder y entre ellos, y señaladamente, el Poder Judicial. La existencia y aún la probabilidad de ese riesgo, creado por un precepto que hace posible, aunque no necesaria, una actuación contraria al espíritu de la Norma constitucional, parece aconsejar su sustitución, pero no es fundamento bastante para declarar su invalidez, ya que es doctrina constante de este T.C. que la validez de la Ley ha de ser preservada cuando su texto no impide una interpretación adecuada a la C.»

Fto. Jco. 26: «El 'status' de los Jueces y Magistrados, es decir, el conjunto de derechos y deberes de los que son titulares como tales Jueces y Magistrados, ha de venir determinado por Ley y más precisamente por L.O. (art. 122.1). Ello no supone necesariamente que no quepa en términos absolutos ningún tipo de regulación infralegal que afecte a este 'status'. Exigencias de carácter práctico pueden imponer que regulaciones de carácter secundario y auxiliar puedan ser dispuestas por vía reglamentaria. Pero en el bien entendido que tal tipo de disposiciones no pueden incidir en el conjunto de derechos y deberes que configuran el estatuto de los Jueces y sí sólo regular, como se ha dicho, condiciones accesorias para su ejercicio. El tipo de reglamento que contenga esas condiciones podrá entrar en el ámbito de aquellos cuya aprobación es facultad del Consejo, según el art. 110 de la LOPJ, que debe ser interpretado en forma amplia, por constituir una garantía de las funciones que la misma Ley asigna al Consejo para la protección de la independencia judicial. También es posible, en ciertos casos, que la potestad reglamentaria corresponda al Gobierno, aunque siempre dentro de los límites indicados. No es posible ni necesario señalar a priori en qué casos corresponderá al Consejo o al Gobierno esa potestad. Basta recordar que en caso de uso indebido de la misma existen cauces legales para resolver las discrepancias que surjan.»

STC. 31/10 DE 28 de junio (**Consejo de Justicia de Cataluña**)

Fto. Jco. 47. El capítulo II del título III del Estatuto tiene por objeto el Consejo de Justicia de Cataluña. En el antecedente 45 se han resumido las consideraciones alegadas por las partes en relación con los preceptos impugnados al respecto, que son los arts. 97, 98.1 y 2 y 99.1 EAC, a los que se imputa por los Diputados recurrentes la invasión de la materia reservada al legislador orgánico en el art. 122.2 CE y al Estado en el art. 149.1.5 CE. Imputaciones a las que las restantes partes personadas han contestado subrayando las salvedades contempladas en el Estatuto a favor del dominio propio de la Ley Orgánica del Poder Judicial.

Atendida la configuración constitucional del Poder Judicial a la que nos hemos referido en los Fundamentos precedentes, es notorio que el Estatuto catalán incurre en un evidente exceso al crear en el art. 97 un Consejo de Justicia de Cataluña al que se califica como "órgano de gobierno del poder judicial en Cataluña" y cuyos actos lo serían de un "órgano desconcentrado del Consejo General del Poder Judicial", siendo así que el Poder Judicial (cuya organización y funcionamiento están basados en el principio de unidad ex art. 117.5 CE) no puede tener más órgano de gobierno que el Consejo General del Poder Judicial, cuyo estatuto y funciones quedan expresamente reservados al legislador orgánico (art. 122.2 CE). En esas condiciones, es obvia la infracción de los arts. 122.2 CE y 149.1.5 CE, según es doctrina reiterada (por todas, STC. 253/2005, de 11 de octubre, Fto. Jco. 5), pues ningún órgano, salvo el Consejo General del Poder Judicial, puede ejercer la función de gobierno de los órganos jurisdiccionales integrados en el Poder Judicial, exclusivo del Estado, ni otra ley que no sea la Orgánica del Poder Judicial puede determinar la estructura y funciones de aquel Consejo dando cabida, en lo que ahora interesa, y en su caso, a eventuales fórmulas de desconcentración que, no siendo constitucionalmente imprescindibles, han de quedar, en su existencia y configuración, a la libertad de decisión del legislador orgánico con los límites constitucionales antes expresados.

Ahora bien, la impropiedad constitucional de un órgano autonómico cualificado en los términos del art. 97 EAC no significa fatalmente la inconstitucionalidad misma del órgano en cuestión, pues sólo si todas y cada una de sus concretas atribuciones se correspondieran, además, con esa cualificación impropia, sería inevitable la inconstitucionalidad y nulidad de un órgano cuya existencia únicamente tendría razón de ser para el ejercicio de unos cometidos constitucionalmente inaceptables. El art. 97 EAC es, por tanto, inconstitucional en la medida en que califica al Consejo de Justicia de Cataluña como "órgano de gobierno del poder judicial" que "[a]ctúa como órgano desconcentrado del Consejo General del Poder Judicial". La pervivencia del Consejo de Justicia de Cataluña, una vez excluida su inconstitucional conceptuación, dependerá del juicio que merezcan las atribuciones que se le confieren en el art. 98 EAC. En todo caso, la inconstitucionalidad de principio advertida ya en el art. 97 EAC ha de implicar, por conexión o consecuencia, la de los arts. 98.3 y 100.1 EAC, no impugnados, en cuanto el primero parte de la posibilidad de que el Consejo de Justicia dicte resoluciones en materia de nombramientos, autorizaciones, licencias y permisos de Jueces y Magistrados y toda vez que la recurribilidad en alzada de determinados actos del Consejo de Justicia de Cataluña ante el Consejo General del Poder Judicial resulta lógicamente de la definición de aquél como órgano desconcentrado de este último. Por tanto, el art. 97 EAC, así como el apartado 3 del art. 98 EAC y el apartado 1 del art. 100 EAC, son inconstitucionales y nulos.

Art. 123. 1. El Tribunal Supremo, con jurisdicción en toda España, es el órgano jurisdiccional superior en todos los órdenes, salvo lo dispuesto en materia de garantías constitucionales.

2. El presidente del Tribunal Supremo será nombrado por el Rey, a propuesta del Consejo General del Poder Judicial, en la forma que determine la ley.

STC. 16/81 de 18 de mayo (**delimitación funciones T.C. y T.S.**)

Fto. Jco. 2: «En los recursos de amparo interpuestos contra supuestas violaciones de derechos fundamentales o libertades públicas derivadas de acciones u omisiones de los órganos judiciales sólo le corresponde (al T.C.) decidir si existieron o no tales violaciones. Por el contrario es ajeno a sus funciones valorar la forma en que los órganos del Poder Judicial y en particular el Tribunal Supremo interpretan y aplican las Leyes, en tanto no se violen las garantías constitucionales, pues tal interpretación y aplicación, con esa salvedad y la relativa a la jurisdicción militar contenida en el art. 117.5, que aquí no interesa, está atribuída por la C. a los Juzgados y Tribunales ordinarios según el art. 117.3, y respecto del T.S. según el art. 123 de la C.»

STC. 79/86 de 16 de junio (**T.S. y recurso de casación**)

Fto. Jco. 2: «El recurso de casación es un recurso extraordinario, del cual su finalidad principal, aunque no única, es la unificación interpretativa de las normas jurídicas ordinarias, contribuyendo así a la fijeza del ordenamiento con vistas a la seguridad jurídica. De acuerdo con ese objetivo, el legislador ha limitado su interposición y lo ha rodeado de requisitos y presupuestos especiales para que el órgano de casación, es decir, el T.S., limite a su vez su tarea al fin previsto, sin traspasarla a funciones de Juez de instancia siquiera fuera última. Sólo en casos especiales la Ley permite al Tribunal de casación convertirse en Juez y realizar un control concreto entrando en el tema de la cuestión suscitada en el proceso.»

STC. 62/90 de 30 de marzo (**T.S. y Constitución**)

Fto. Jco. 11 b): «La atribución al TS. de la competencia para conocer los recursos de casación fundados en infracción de precepto constitucional, está justificada en el carácter de órgano supremo que le atribuye el art. 123.1 CE. y en la necesidad de una interpretación y aplicación unitaria de los preceptos constitucionales que sólo puede lograrse a través de la jurisprudencia de dicho Alto Tribunal, ya que a tal efecto resulta insuficiente, dado su ámbito objetivo, el recurso de amparo constitucional, limitado a los derechos fundamentales de los arts. 14 a 29, además del derecho a la objeción de conciencia del art. 30.2...»

STC. 81/86 de 20 de julio (**el T.S. interpreta y aplica leyes**)

Fto. Jco. 2. «...la interpretación de las correspondientes normas procesales es de la incumbencia del T.S., tal como previenen los arts. 117.3 y 123 de la C.E., y no compete a este T.C. revisar aquella interpretación o aplicación de las aludidas normas al caso concreto, salvo que manifiestamente carezcan de fundamento o justificación una u otra, pues sólo en este caso la inadmisión del recurso de casación equivaldría a una denegación de la tutela judicial contraria al derecho constitucional que se invoca.»

STC. 144/88 de 12 de julio (**relaciones T.C. y T.S.**)

Fto. Jco. 1: «El recurso de amparo antes este T.C., que no puede modificar los hechos declarados probados por los Tribunales ordinarios... los sujeta también, en último término, a nuestro control, pero ello sólo para el caso de que hayan aplicado leyes contrarias a la C. o hayan interpretado de modo incompatible con ésta las que, en otra interpretación, no lo serían. Salvo en este supuesto, no nos corresponde a nosotros, sino al T.S. (art. 123.1 de la C.E.) determinar cual es la interpretación correcta de las normas jurídicas.»

Fto. Jco. 3: «Que tal univocidad, la homogeneidad en la interpretación, sea un objeto a alcanzar en un Estado de Derecho e incluso una finalidad que el legislador debe perseguir para dar realidad al principio de seguridad jurídica que consagra el art. 9.3 de nuestra C., es, naturalmente cosa fuera de toda duda. Pero la consecución del objetivo, la obtención de la finalidad han de conseguirse sin mengua de la independencia judicial, que es también un componente esencial de la noción de Estado de Derecho y un principio estructural consagrado (art. 117.1) por nuestra C. Por eso el Juez no está sujeto a instrucciones de los Tribunales Superiores o del T.S., que sólo a través de los recursos previstos en las leyes procesales pueden corregir, en su caso, la interpretación de las leyes que juzguen, también con libertad incorrectas.»

Art. 124. 1. El Ministerio Fiscal, sin perjuicio de las funciones encomendadas a otros órganos, tiene por misión promover la acción de la justicia en defensa de la legalidad, de los derechos de los ciudadanos y del interés público tutelado por la ley, de oficio o a petición de los interesados, así como velar por la independencia de los Tribunales y procurar ante éstos la satisfacción del interés social.

2. El Ministerio Fiscal ejerce sus funciones por medio de órganos propios conforme a los principios de unidad de actuación y dependencia jerárquica y con sujeción, en todo caso, a los de legalidad e imparcialidad.

3. La ley regulará el estatuto orgánico del Ministerio Fiscal.

4. El Fiscal General del Estado será nombrado por el Rey, a propuesta del Gobierno, oído el Consejo General del Poder Judicial.

Ley 50/1981 de 30 de diciembre, por la que se regula el Estatuto Orgánico del Ministerio Fiscal.
Ver STC. 86/85, Fto. Jco. 1. Selección con relación al art. 162.

Art. 125. Los ciudadanos podrán ejercer la acción popular y participar en la Administración de Justicia mediante la institución del Jurado, en la forma y con respecto a aquellos procesos penales que la ley determine, así como en los Tribunales consuetudinarios y tradicionales.

LO 5/1995 de 22 de mayo, del Tribunal del Jurado.

STC. 147/85 de 29 de octubre (**acción popular y recurso de amparo**)

Fto. Jco. 3: «Supuesto implícito de toda su argumentación es el de que la acción popular que consagra la C. (art. 125) y ya con anterioridad a ella la LECr. (art. 101) es un derecho para el cual el ciudadano puede recabar la 'tutela judicial efectiva' que, ahora ya como derecho fundamental, garantiza el art. 24.1 de la C.E. Como es obvio, esta reconducción del contenido del art. 125 de la C. al enunciado del art. 24 de la Ley fundamental, mediante la que se intenta buscar para aquél al protección del amparo constitucional, que sólo para los derechos consagrados en los arts. 14 a 30 ha sido instituída, descansa a su vez en una identificación entre el derecho procesal en el que la acción pública o popular consiste con los derechos o intereses legítimos de carácter sustantivo para los que, en el entendimiento común, se garantiza la tutela judicial efectiva. Esta identificación no es en sí misma rechazable, pero no puede ser aceptada cuando se establece de modo incorrecto y pretende ser utilizada como un instrumento para alterar la configuración legal del derecho mismo que se pretende hacer valer. Puede aceptarse y ello justifica la admisión a trámite de un recurso constitucional de amparo basado en este fundamento, que entre los derechos e intereses legítimos para los que, como derecho fundamental, se tiene el de recabar la tutela judicial efectiva, figura el de ejercitar la acción pública en su régimen legal concreto, pero en modo alguno puede extraerse de la conexión entre derecho de acción y derecho constitucional la necesidad de configurar aquel de manera distinta, como no puede hacerse derivar del derecho fundamental a la tutela judicial efectiva de los derechos sustantivos la necesidad de alterar la configuración legal de éstos.
En nuestro Derecho el ejercicio de la acción popular está sujeto a la prestación de fianza en la cuantía que fijare el Juez o Tribunal para responder de las resultas del juicio,

obligación de la que se dispensa a quienes hubieran resultado ofendidos por el delito, esto es, aquellos a quienes directamente dañe u ofenda.»

STC. 241/92 de 21 de diciembre (alcance del término 'ciudadanos')

Fto. Jco. 4: «Aun cuando el art. 53.2 CE. utilizaba, como el art. 125, el término 'ciudadanos', este TC. ha venido sosteniendo que con él se hace referencia tanto a las personas físicas como a las jurídicas (STC. 53/83), no ya porque a ambas se refiere también el art. 162.1, b) de la CE., sino, antes aún, porque 'si todas las personas tienen derecho a la jurisdicción y al proceso y se reconocen legítimamente las personificaciones que para el logro de un fin común reciben en conjunto el nombre de personas jurídicas', puede afirmarse que el art. 24.1 comprende en la referencia a todas las personas, tanto a las físicas como a las jurídicas (STC. 53/83). Si a ello se añade que ...entre los derechos e intereses legítimos para los que, como derecho fundamental, se tiene el de recabar la tutela judicial efectiva, figura el de ejercitar la acción pública en su régimen legal concreto (STC. 147/85), es obvio que la persona a la que se refiere el art. 24.1 como titular de un derecho que comprende el de recabar la tutela judicial del derecho a acceder a la jurisdicción a través de la acción popular es tanto la persona física o natural como la jurídica o colectiva y que, por ello, sólo a partir de una interpretación restrictiva de la expresión 'ciudadanos' del art. 125 CE. y de las utilizadas por los arts. 19 LOPJ. y 101 y 270 de la LECrim puede justificarse la decisión judicial ahora discutida. Interpretación para la que, por lo demás, no existe otro argumento que no sea el meramente terminológico, insostenible desde el momento en que, con relación a otros preceptos constitucionales, este TC. viene entendiendo que el término en cuestión no se refiere exclusivamente a las personas físicas. Por el contrario, el pleno reconocimiento constitucional del fenómeno asociativo y de la articulación de entidades colectivas dotadas de personalidad, exige asumir una interpretación amplia de las expresiones con las que, en cada caso, se denomine al titular de los derechos constitucionalmente reconocidos y legislativamente desarrollados. En definitiva, si el término 'ciudadanos' del art. 53.2 CE. ha de interpretarse, por las razones señaladas, en un sentido que permita la subsunción de las personas jurídicas, no hay razón alguna que justifique una interpretación restrictiva de su sentido cuando dicho término se utiliza en el art. 125 o en la normativa articuladora del régimen legal vigente de la acción popular.»

Art. 126. La policía judicial depende de los Jueces, de los Tribunales y del Ministerio Fiscal en sus funciones de averiguación del delito y descubrimiento y aseguramiento del delincuente, en los términos que la ley establezca.

L.O. 2/1986 de 13 de marzo, de Fuerzas y Cuerpos de Seguridad.

ATC. 771/86 de 8 de octubre (organización policía judicial y derecho a pruebas)

Fto. Jco. 4: «Por otra parte, la forma como se establezcan las relaciones entre los órganos jurisdiccionales y la Policía Judicial no puede afectar al derecho de los ciudadanos a una tutela judicial efectiva, salvo por las razones que antes se han expuesto, cuando se vea por ello perjudicado su derecho a las pruebas.»

Art. 127. 1. Los Jueces y Magistrados así como los Fiscales, mientras se hallen en activo, no podrán desempeñar otros cargos públicos, ni pertenecer a partidos políticos o sindicatos. La ley establecerá el sistema y modalidades de asociación profesional de los Jueces, Magistrados y Fiscales.

2. La ley establecerá el régimen de incompatibilidades de los miembros del poder judicial, que deberá asegurar la total independencia de los mismos.

STC. 24/87 de 27 de febrero (**asociacionismo de fiscales**)

Fto. Jco. 3: «... la Asociación de Fiscales viene especialmente contemplada en un precepto específico de la CE., que prohíbe a los Fiscales pertenecer a partidos políticos o sindicatos y, por tanto, esa autorización constitucional especial para constituir asociaciones es el único cauce que tiene la Carrera Fiscal para defender sus intereses profesionales y ello es un argumento más para que su legitimación para promover procesos en defensa de dichos intereses deba potenciarse y entenderse en el sentido amplio que se deja razonado, concediéndola siempre que los actos y disposiciones contra los que recurra incidan perjudicialm ente en sus legítimos intereses asociativos.»

TÍTULO VII
Economía y hacienda

Art. 128. 1. Toda la riqueza del país en sus distintas formas y sea cual fuere su titularidad está subordinada al interés general.

2. Se reconoce la iniciativa pública en la actividad económica. Mediante ley se podrá reservar al sector público recursos o servicios esenciales, especialmente en caso de monopolio y asimismo acordar la intervención de empresas cuando así lo exigiere el interés general.

STC. 1/82 de 28 de enero (**constitución económica**)

> Fto. Jco. 1: «En la C.E. de 1978, a diferencia de lo que solía ocurrir con las C. liberales del siglo XIX y de forma semejante a lo que ocurre en más recientes C. europeas, existen varias normas destinadas a proporcionar el marco jurídico fundamental para la estructura y funcionamiento de la actividad económica; el conjunto de todas ellas compone lo que suele denominarse la constitución económica o constitución económica formal. Ese marco implica la existencia de unos principios básicos de orden económico que han de aplicarse con carácter unitario, unicidad que está reiteradamente exigida por la C., cuyo Preámbulo garantiza la existencia de 'un orden económico y social justo', y cuyo art. 2 establece un principio de unidad que se proyecta en la esfera económica por medio de diversos preceptos constitucionales, tales como el 128 entendido en su totalidad, el 131.1, el 139.2 y el 138.2, entre otros.»

STC. 64/82 de 4 de noviembre (**medio ambiente, recursos naturales y economía española**)

> Fto. Jco. 6: «Quizá más que la invocación genérica de este principio (se refiere al de solidaridad), y de los citados arts. 2 y 138 de la C., cuya importancia por otra parte no puede ponerse en duda, conviene fijar la atención en el hecho de que con arreglo al art. 128.1 de la misma 'toda la riqueza del país en sus distintas formas y fuese cual fuese su titularidad está subordinada al interés general'. En una de sus aplicaciones, este precepto supone que no pueden substraerse a la riqueza del país recursos económicos que el Estado considere de interés general, aduciendo otras finalidades, como la protección del medio ambiente. Se trata de nuevo de armonizar la protección del medio ambiente con la explotación de los recursos económicos. Ello supone que si bien como se ha dicho anteriormente la imposición de una carga adicional para la protección del medio ambiente no es en sí contraria a la C. ni al Estatuto (se refiere al de Cataluña), sí lo es la prohibición con carácter general de actividades extractivas de las secciones C y D, que son las de mayor importancia económica en una amplia serie de espacios aunque se exceptúen de esa prohibición los casos en que a nivel estatal y según el plan energético o cualquier otro análogo sea definida la prioridad de aquella actividad con referencia a otros intereses públicos concurrentes (art. 3.3 de la Ley 12/81 de 24 de diciembre de la Generalidad de Cataluña). Cuestión distinta es que puedan prohibir la actividad minera en casos concretos, siempre que no exista un interés prioritario, pero el carácter general con la excepción citada, que prevé el art. 3.3 de la Ley impugnada, debe tacharse de inconstitucional por exceder la finalidad de la Ley y por substraer a

la riqueza nacional posibles recursos mineros. Claro está que la inconstitucionalidad se refiere sólo a la prohibición y no al hecho de que a estas explotaciones se apliquen en su caso las disposiciones de la Ley, como dispone expresamente el apartado primero del mismo art. Tampoco puede pasarse en silencio la referencia que contiene la disp. trans. 1ª a un régimen especial para las explotaciones que, aparte de otras condiciones, estén 'estrechamente vinculadas a instalaciones de sectores productivos básicos para la economía de Cataluña y para la incidencia de la competitividad internacional'. Ha de quedar claro, aún admitiendo que se trata sólo de una redacción desafortunada de ese párrafo, que lo relevante para el establecimiento de ese régimen especial no es sólo la importancia de unos recursos naturales para la C.A. en que se encuentran o para la competitividad internacional, sino la importancia que puedan tener para el conjunto de la economía española.»

STC. 111/83 de 2 de diciembre (**constitucionalidad de la intervención de empresas**)

Fto. Jco. 10: «Otro de los motivos de impugnación alegados por los recurrentes, en muy estrecha relación con el estudiado en los fundamentos que preceden, es el que invocando los arts. 38 y 128.2, en inmediata relación con el art. 86.1, todos de la C.E., acusa que la libertad de empresa, garantía institucional del modelo de sociedad, se ha violado porque está reservada a la Ley con prohibición del Decreto-Ley. Cierto que el primero de los citados preceptos constitucionales en muy directa conexión con otros de la misma C.E. y muy directamente con los arts. 128 y 131, vienen a configurar unos límites dentro de los que necesariamente han de moverse los poderes constituídos al establecer o adoptar medidas que incidan sobre el sistema económico de nuestra sociedad. Pero ni se ha operado aquí una actuación pública de sustracción al sector privado de bloques de recursos o servicios, por cuanto se trata de actuación expropiatoria que recayendo, en definitiva, sobre empresas diversas, pasan a titularidad pública, con la previsión, además, de su posible reprivatización, actuando mientras tanto la Admón. como empresaria dentro del marco de la economía de mercado, ni la intervención de empresas, figura contemplada en el art. 128.2, y legitimada constitucionalmente cuando así lo exigiere el interés general, está impedida a la acción del Decreto-Ley. La expresión mediante Ley que utiliza el mencionado precepto, además de ser comprensiva de Leyes generales que disciplinan con carácter general la intervención, permite la Ley singularizada de intervención que mediando una situación de extraordinaria y urgente necesidad y, claro es, un interés general legitimador de la medida, está abierta al Decreto-Ley, por cuanto la mención a la Ley no es identificable en exclusividad con el de Ley en sentido formal.»

Art. 129. 1. La ley establecerá las formas de participación de los interesados en la Seguridad Social y en la actividad de los organismos públicos cuya función afecte directamente a la calidad de la vida o al bienestar general.

2. Los poderes públicos promoverán eficazmente las diversas formas de participación en la empresa y fomentarán, mediante una legislación adecuada, las sociedades cooperativas. También establecerán los medios que faciliten el acceso de los trabajadores a la propiedad de los medios de producción.

STC. 39/86 de 31 de marzo (participación en la estructura organizativa de la Admón.)

Fto. Jco. 4: «Así resulta que el único precepto clave para determinar el alcance que cabe dar a la expresión 'participación institucional' en el marco constitucional es el art. 129 de la C., al que también hace referencia la recurrente. Pues bien, dicho precepto entiende por participación la desarrollada en el seno de 'organismos públicos', fuera de la cual, otras formas de participación no están prohibidas por la C., pero tampoco reguladas por ella. De la misma manera, la L.O. de Libertad Sindical, siguiendo la pauta marcada por algunos instrumentos internacionales, reconoce a los sindicatos que tengan la consideración de más representativos la capacidad para 'ostentar representación' institucional ante las Admóns. Públicas u otras entidades u organismos de carácter estatal o de C.A. que la tengan prevista' (art. 6.3 a). Esto es, existe una estrecha vinculación entre la participación prevista en el art. 129 de la C. y la estructura organizativa de la Admón. pública, o de 'entidades' y 'organismos' de naturaleza pública que se cualifican por su naturaleza y su adscripción orgánica, y no tanto por la mayor o menor trascendencia que puedan tener, por ello, cabe concluir que las mencionadas comisiones no constituyen manifestaciones de participación institucional en el sentido constitucional del término. Sobre todo lo anterior debe, además, tenerse en cuenta que todas las fórmulas de participación, incluso las que pueden reconducirse al art. 129 de la C. (SSTC. 37/83, Fto. Jco. 2 y 118/83, Fto. Jco. 4), quedan remitidas por el propio texto constitucional a la normativa legal y a la norma que la crea, quedan confiadas sus condiciones de funcionamiento. Por lo anterior, es posible que queden fijadas por ellas condiciones razonablemente estrictas para integrarse en los órganos de representación porque la C. le habilita para hacerlo, sin fijar un cuadro de derecho indisponible en esta materia.»

STC. 77/85 de 27 de junio (preferencia subvención centros docentes régimen cooperativa)

Fto. Jco. 30: «Los recurrentes estiman asimismo discriminatoria la preferencia que el art. 48.3 (LODE), al regular los criterios generales de prelación en el establecimiento de conciertos, instituye en favor de Centros docentes constituídos bajo la fórmula de la sociedad cooperativa. Ahora bien, ha de tenerse en cuenta que tal preferencia es, por así decirlo, de segundo grado, ya que actuará sólo en segundo lugar, tras haberse aplicado el primer criterio señalado en el mismo artículo, esto es, la satisfacción de las necesidades de escolarización, que atiendan a poblaciones escolares de condiciones socioeconómicas desfavorables o que, además, realicen experiencias de interés pedagógico. La preferencia en favor de los Centros en régimen de cooperativa se producirá sólo entre los que cumplan con las finalidades señaladas, y no fuera de éstas. Y ello no es más que el desarrollo del mandato contenido en el art. 129.2 de la C.E., que compromete al legislador a fomentar, mediante una legislación adecuada, las sociedades cooperativas, con lo que la diferencia de trato introducida tiene un fundamento constitucional expreso, por lo que no puede ser tachada de irrazonable.»

STC. 98/85 de 29 de julio (órganos representación de trabajadores en empresa)

Fto. Jco. 3: «Como ha dicho ya este T.C., los órganos de representación de los trabajadores en la empresa no tienen reconocimiento constitucional, sino que son creación de la Ley y poseen sólo una indirecta relación con el art. 129.2 de la C.E. Su creación y su ordenación son desarrollo de este último precepto y no del 28.1, por lo que no requieren la existencia de Ley orgánica. Su presencia en el Proyecto (LOLS) obedece a que de ellos se extraen los requisitos determinantes de la representatividad, pero su regulación no podría realizarse en una L.O. de Libertad Sindical.»

Art. 130. 1. Los poderes públicos atenderán a la modernización y desarrollo de todos los sectores económicos y, en particular, de la agricultura, de la ganadería, de la pesca y de la artesanía, a fin de equiparar el nivel de vida de todos los españoles.

2. Con el mismo fin se dispensará un tratamiento especial a las zonas de montaña.

STC. 96/84 de 19 de octubre (**unidad del orden económico**)

Fto. Jco. 3: «Otra manifestación de esa unidad del orden económico es la exigencia, ya señalada por este T.C. (STC. 1/82, Fto. Jco. 1), de la adopción de medidas de política económica aplicables, con carácter general a todo el territorio nacional, al servicio de una serie de objetivos de carácter económico fijados por la propia C.E. (arts. 40.1 130.1, 131.1 y 138.1).»

STC. 37/87 de 26 de marzo

Fto. Jco. 2: ver selección en relación con el art. 33.

STC. 95/86 de 10 de julio (**competencia estatal política general agrícola**)

Fto. Jco. 2: «Como acabamos de señalar, la agricultura es una de las materias cuya íntegra asunción competencial por las CC.AA. ha sido permitida por la C., en su art. 148. De acuerdo con esta previsión constitucional, el art. 12.1.4 del E.A. de Cataluña atribuye, en efecto, a la Generalidad la competencia exclusiva sobre la agricultura. Pero ello no significa que el carácter exclusivo con que se predica la competencia autonómica sobre el sector agrícola sea en sí mismo un impedimento infranqueable a toda intervención estatal en la materia dentro del territorio de Cataluña, y ello no sólo porque ciertas materias o actividades, estrechamente ligadas a la agricultura, pueden caer bajo otros enunciados competenciales que el art. 149 de la C. confía al Estado, sino sobre todo porque tanto la norma fundamental como el propio E.A. dejan a salvo las facultades de dirección general de la economía, y, por tanto, de cada uno de sus sectores productivos, que han de quedar en poder de los órganos centrales del Estado...

Todo lo cual significa que la Generalidad de Cataluña está ciertamente facultada para desarrollar una política agrícola propia, orientada a la satisfacción de sus intereses peculiares en esa materia, pero sin olvidar que aquella opción política ha de moverse dentro de las orientaciones e intervenciones básicas y de coordinación que el Estado disponga para el sector agrícola en cuanto componente esencial del sistema económico general.»

Art. 131. 1. El Estado, mediante ley, podrá planificar la actividad económica general para atender a las necesidades colectivas, equilibrar y armonizar el desarrollo regional y sectorial y estimular el crecimiento de la renta y de la riqueza y su más justa distribución.

2. El Gobierno elaborará los proyectos de planificación, de acuerdo con las previsiones que le sean suministradas por las Comunidades Autónomas y el asesoramiento y colaboración de los sindicatos y otras organizaciones profesionales, empresariales y económicas. A tal fin se constituirá un Consejo, cuya composición y funciones se desarrollarán por ley.

STC. 37/81 de 16 de noviembre

Fto. Jco. 2: ver selección en relación con el art. 38.

STC. 76/83 de 5 de agosto (**Estado fija en planes bases orientación economía**)

Fto. Jco. 14: «El art. 9 (LOAPA), en su apartado primero, condiciona el ejercicio de las competencias del Estado y de las CC.AA. que afecten a la utilización del territorio y al aprovechamiento de los recursos naturales de interés general, a las directrices generales que establezcan los planes aprobados conforme al art. 131 de la C.

Se trata de un precepto de contenido indeterminado, tanto por lo que se refiere a las competencias cuyo ejercicio se limita, dada la falta de precisión semántica del término 'afectar', como a las limitaciones a que ha de someterse dicho ejercicio, ya que se remite a las directrices generales de un plan que sólo tendrá existencia en el futuro.

En cualquier caso el art. 9.1 supone, en definitiva una reformulación del ámbito competencial del Estado y de las CC.AA. definido por la C. y los EE.AA. El Abogado del Estado defiende la constitucionalidad del precepto, frente a las alegaciones de los recurrentes, arguyendo que el art. 9.1 se limita a proclamar la primacía del plan económico general del art. 131.1 en materia de planificación territorial y programación de recursos naturales. Pero lo cierto es que, desde el punto de vista competencial, la primacía del plan habrá de derivar de la C. y de los Estatutos y no cabe tratar de establecerla en una norma emanada del legislador estatal. Este puede, a través de los planes previstos en el art. 131.1 de la C., fijar las bases de la ordenación de la economía en general y de sectores económicos concretos, dado que el art. 149.1.13 de la C. no establece límites en cuanto al contenido material de la planificación económica, pero no puede establecer una norma que no tenga otro objetivo que el de delimitar las competencias del Estado y de las CC.AA...

Es evidente, como ya ha señalado en otras ocasiones este T.C., que la colaboración entre la Admón. del Estado y las de las CC.AA. resulta imprescindible para el buen funcionamiento de un Estado de las Autonomías. Del mismo modo, el principio de coordinación, que en el campo económico está expresamente afirmado en la C., respalda la creación de órganos coordinadores que fijen pautas de actuación al Estado y a las CC.AA. en materias en que uno y otras resulten afectados.

Pero en el caso del art. 9.2, el carácter necesario y vinculante del acuerdo entre el Estado y la C.A., y la atribución de un papel arbitral al Consejo al que se refiere el art. 131.2 de la C., colocan al precepto en un plano distinto al de la colaboración y la coordinación. Como consecuencia de dicho precepto, el ejercicio de competencias reservadas a diversos órganos del Estado o de la C.A. se ve condicionado a la decisión de otro órgano, al que se atribuyen facultades decisorias que a aquellos pudieran corresponderles, invadiendo así su esfera de competencia. Por otra parte, con independencia de que sea indiscutible, como entienden los recurrentes, que al Consejo pueda atribuírsele una función no acorde con el fin que ha determinado su previsión constitucional, el hecho es que con la función de arbitraje a él encomendada se interpone un mecanismo para la resolución de conflictos competenciales no previsto constitucionalmente.»

STC. 29/86 de 20 de febrero (el art. 131 se refiere a planes generales y no sectoriales)

Fto. Jco. 3: «La Junta de Galicia alega también que las normas impugnadas (R. Decreto-Ley 8/83 de 30 de noviembre y Ley 27/84 de 26 de julio, ambos de Reconversión y Reindustrialización) vulneran el art. 131 de la C. en cuanto establece los requisitos formales y procedimentales de elaboración y aprobación de planes estatales.

Deriva la Junta de este precepto tres exigencias concretas, a saber, que los planes deben ser aprobados por Ley y que deben elaborarse necesariamente de acuerdo con las previsiones que suministren al Gobierno las CC.AA., aparte de con la participación de las organizaciones sociales reunidas en el Consejo al que se refiere el nº 2 del mismo art. A partir de esta afirmación, entiende que (ambas normas), han vulnerado la C. al prever la elaboración de planes de reconversión y reindustrialización por R.D. del Gobierno y al no establecer el R. Decreto-Ley impugnado, aunque sí la Ley 27/84, la expresa intervención autonómica en el proceso de formación de aquellos planes, así como tampoco la del referido Consejo. Junto a estas alegaciones considera también que por Decreto-Ley no pueden adoptarse medidas de planificación porque, dada la urgencia de su aprobación, es imposible atender a la obligada intervención de las CC.AA.

En relación con esta alegación, el T.C. debe señalar que el art. 131 de la C. responde a la previsión de una posible planificación económica de carácter general como indica su propio tenor literal, y que de los trabajos y deliberaciones parlamentarias para la elaboración de la C. se deduce también que se refiere a una planificación conjunta, de carácter global, de la actividad económica. Por ello resulta claro que la observancia de tal precepto no es obligada constitucionalmente en una planificación de ámbito más reducido, por importante que pueda ser, como sucede en el caso de la reconversión y reindustrialización. Ello no quiere decir, obviamente, que no entre en el ámbito de la libertad del legislador, dentro del marco constitucional, el llevar a cabo la planificación por Ley, y previas las consultas que se estimaran pertinentes en la fase de elaboración de cada plan, para garantizar su mayor acierto y oportunidad. Pero en lo que aquí interesa, debemos afirmar que el art. 131 de la C. contempla un supuesto distinto del objeto del R.D. Ley y de la Ley impugnados, por lo que la inobservancia del mismo no da lugar a la inconstitucionalidad de tales normas.»

Art. 132. 1. La ley regulará el régimen jurídico de los bienes de dominio público y de los comunales, inspirándose en los principios de inalienabilidad, imprescriptibilidad e inembargabilidad, así como su desafectación.

2. Son bienes de dominio público estatal los que determine la ley y, en todo caso, la zona marítimo-terrestre, las playas, el mar territorial y los recursos naturales de la zona económica y la plataforma continental.

3. Por ley se regularán el Patrimonio del Estado y el Patrimonio Nacional, su administración, defensa y conservación.

STC. 4/81 de 2 de febrero (limitación poderes de disposición Administraciones Públicas)

Fto. Jco. 14: «Los bienes comunales tienen una naturaleza jurídica peculiar que ha dado lugar a que la C. haga una especial referencia a los mismos en el art. 132.1...»

Fto. Jco. 15: «Por otro lado, y en conexión con los límites de la autonomía en materia económico-financiera, se plantea un tema clásico que es el relativo a la defensa del patrimonio del Estado o de los entes públicos frente a sus administradores, defensa que lleva a limitar los poderes de disposición de las Administraciones públicas, sujetándolas a un control incluso de oportunidad.

El principio de defensa del patrimonio está presente en la C. cuyo art. 132 se refiere a la administración, defensa y conservación del Patrimonio Nacional y del Patrimonio del Estado, por lo que debe sostenerse que idéntico principio habrá que aplicar al patrimonio de las Corporaciones Locales.

En definitiva, y en virtud de las consideraciones anteriores, debe sostenerse que no es posible declarar, en abstracto, la inconstitucionalidad de la existencia de controles que valoren incluso aspectos de oportunidad, siempre que sea una medida proporcionada para la defensa del patrimonio, como sucede en los actos de disposición. En los demás supuestos sólo será admisible la existencia de controles de legalidad.»

STC. 227/88 de 29 de noviembre (configuración del dominio público estatal)

Fto. Jco. 7: «...la C. no garantiza que la propiedad privada haya de extenderse a todo tipo de bienes. Antes bien, el art. 132.2, al tiempo que excluye directamente la titularidad privada de algunos géneros de bienes, permite al legislador declarar la demanialidad de otros. Conforme a esta previsión constitucional, la opción de incluir las aguas continentales en el domino público es legítima en todo caso.»

Fto. Jco. 11: «En efecto, a diferencia del derecho de propiedad privada, no sujeto por esencia a límite temporal alguno conforme a su configuración jurídica general, es ajeno al contenido esencial de los derechos individuales sobre bienes de dominio público, garantizado indirectamente por la C. a través de la garantía expropiatoria, su condición de derechos a perpetuidad o por plazo superior al máximo que determine la ley. Antes bien, debe entenderse que los derechos de aprovechamiento privativo a perpetuidad no son compatibles, en el plano de la efectividad no puramente formal de las normas jurídicas, con los principios de inalienabilidad e imprescriptibilidad de los bienes de dominio público que el art. 132.1 de la C. consagra, pues el significado y el alcance de esos principios no puede quedar reducido a la finalidad de preservar en manos de los poderes públicos la nuda titularidad sobre los bienes demaniales, sino que se extienden en sentido sustantivo a asegurar una ordenación racional y socialmente aceptable de su uso y disfrute, cuya incongruencia con la cesión ilimitada en el tiempo del dominio útil o aprovechamiento privativo resulta patente. Por ello, la limitación temporal de tales aprovechamientos privativos no es una privación de derechos, sino nueva regulación de los mismos que no incide en su contenido esencial.»

Fto. Jco. 14: «La C. se refiere expresamente a los bienes de dominio público en los dos primeros apartados del art. 132. Este precepto reserva a la ley la regulación de su régimen jurídico, sobre la base de algunos principios que ella misma establece (aptdo. 1º), y dispone que 'son bienes de dominio público estatal... (aptdo. 2º)'. Ciertamente este art. 132, no es en sí mismo una norma de distribución de competencias, ni traza nítidamente la frontera entre un dominio público estatal y otro autonómico. Lo que establece, junto a la asignación directa y expresa de algunas categorías genéricas de bienes al dominio público estatal, es una reserva de ley, obviamente ley del Estado, para determinar qué otros bienes han de formar parte de ese mismo dominio público adscrito a la titularidad estatal. Pero eso no significa, como es evi-dente, que corresponda en exclusiva al Estado la incorporación de cualquier bien al dominio público, ni que todo bien que se integre en el demanio deba considerarse, por esta misma razón, de la titularidad del Estado.

Ello no obstante, el art. 132.2 de la C. ofrece una clara pauta interpretativa para determinar los tipos de bienes que al legislador estatal corresponde en todo caso demanializar, si así lo estima oportuno en atención a los intereses generales, incluyéndolos en el dominio público estatal. Dicha pauta se deduce de una lectura sistemática del conjunto del precepto, y se confirma, en la línea de la interpretación unitaria de la C... si se tienen en cuenta, por un lado, el significado y alcance de la institución del dominio público y, por otro, los preceptos constitucionales relativos a la distribución de competencias entre el Estado y las CC.AA. que guardan directa relación con el régimen jurídico de la titularidad de los bienes.

En efecto, no es casual, como lo demuestran también los antecedentes parlamentarios que la C. haya incorporado directamente al dominio público estatal en el art. 132.2 determinados tipos de bienes que como la zona marítimo-terrestre, las playas, el mar territorial, etc., constituyen categorías o géneros enteros definidos por sus características físicas o naturales homogéneas. La C. ha dispuesto así que algunos de los tipos de bienes que doctrinalmente se han definido como pertenecientes al demanio 'natural' formen parte del dominio público del Estado. Sin embargo, con un criterio flexible, no ha pretendido agotar la lista o enumeración de los géneros de bienes que, asimismo en virtud de sus caracteres naturales, pueden integrarse en el demanio estatal ('en todo caso', reza el art. 132.2), pero sí ha querido explícitamente reservar a la ley, y precisamente a la ley estatal, la potestad de completar esa enumeración. Así se desprende, por lo demás, del inciso inicial de ese art. 132.2... Tanto el verbo utilizado, 'son', en vez de la expresión 'pueden ser', como la misma reserva absoluta de ley indican a las claras que la C. se está refiriendo no a bienes específicos o singularmente identificados, que pueden ser o no de dominio público en virtud de una afectación singular, sino a tipos o categorías genéricas de bienes definitivos según sus características naturales homogéneas. En caso contrario, resultaría difícilmente explicable la reserva absoluta a la voluntad del legislador estatal que el precepto establece, pues no es imaginable que la afectación de un bien singular al dominio público requiera en todo caso la aprobación de una ley, asimismo singular, sino que normalmente deberá bastar el correspondiente acto administrativo adoptado en virtud de una genérica habilitación legal. En cambio cuando se trata de categorías completas de bienes formados por la naturaleza, a semejanza de los que en el propio precepto constitucional se declaran de dominio público, el art. 132.2 exige la demanialización por ley y sólo por ley del Estado. Al tiempo, y por lo que aquí interesa, viene a señalar que, en tales supuestos, los bienes demanializados se integran necesariamente en el dominio público estatal.

El significado de la institución jurídica del dominio público refuerza esta interpretación. En efecto, la incorporación de un bien al dominio público supone no tanto una forma específica de apropiación por parte de los poderes públicos, sino una técnica dirigida primordialmente a excluir el bien afectado del tráfico jurídico privado, protegiéndolo de esta exclusión mediante una serie de reglas exorbitantes de las que son comunes en dicho tráfico 'iure privato'. El bien de dominio público es así ante todo 'res extra comercium', y su afectación que tiene esa eficacia esencial, puede perseguir distintos fines: Típicamente, asegurar el uso público y su distribución pública mediante concesión de los aprovechamientos privativos, permitir la prestación de un servicio público, fomentar la riqueza nacional (art. 339 C. Civil), garantizar la gestión y utilización controlada o equilibrada de un recurso esencial u otros similares. Dentro de esta amplia categoría de los bienes demaniales es preciso distinguir entre los singularmente afectados a un servicio público o a la producción de bienes o servicios determinados en régimen de titularidad pública y aquellos otros que, en cuanto géneros, se declaran no susceptibles de apropiación privada en atención a sus características naturales unitarias. En los primeros, la afectación se halla íntimamente vinculada a la gestión de cada servicio o actividad pública específica, de la que constituyen mero soporte material. En cambio, a la inclusión genérica de categorías enteras de bienes en el demanio, es decir, en la determinación del llamado dominio público natural, subyacen prioritariamente otros fines constitucionalmente legítimos, vinculados en última instancia a la satisfacción de necesidades colectivas primarias, como, por ejemplo, la que garantiza el art. 45 de la C., o bien a la defensa y utilización racional de la 'riqueza del país', en cuanto que subordinada al interés general (art. 128.1 C.E.). Por ello, en el supuesto de la afectación en régimen demanial de un bien singular a un servicio público 'stricto sensu', resulta claro que la titularidad del bien es accesoria a la de la competencia para la gestión del servicio, salvo prescripción expresa en contrario, a la que no se opone el art. 132.2 de la C. En tales casos tanto el Estado como las CC.AA pueden ejercer las potestades que les confieren la C. (art. 128.2) y los EE.AA., cuando ello implique una afectación de bienes al dominio público, y de acuerdo con las leyes que regulen el régimen jurídico de este último (art. 132.1 C.E.). Por el contrario, tratándose del 'demanio natural', es lógico que la potestad de demanializar se reserve al Estado en exclusiva y que los géneros naturales de bienes que unitariamente lo integran se incluyan, asimismo, como unidad indivisible en el dominio público estatal. Esta afirmación resulta más evidente aún por referencia a un recurso esencial como el agua, dado el carácter de recurso unitario e integrante de un mismo ciclo (hidrológico) que indudablemente tiene y que la propia Ley de Aguas impugnada le reconoce. Todo ello sin perjuicio de las competencias atribuídas a las CC.AA. sobre la gestión y aprovechamiento de los recursos hidráulicos, en virtud de la C. y de sus respectivos EE.AA, competencias a las que, por los motivos señalados, no es inherente la potestad de afectación y la titularidad del bien sobre el que recaen.»

STC. 58/82 de 27 de julio (**reserva de ley en 132.3**)

Fto. Jco. 1: «... (el) apartado 3° del art. 132 de la C. que no es ciertamente una norma atributiva de competencia, sino una reserva de ley, es decir, al tiempo, un mandato al legislador de regular el régimen jurídico del Patrimonio del Estado y del Patrimonio Nacional, de su 'administración, defensa y conservación', y una interdicción al Gobierno, como titular de la potestad reglamentaria (art. 97 C.E.), de proceder a una regulación 'praeter legem'.»

Art. 133. 1. La potestad originaria para establecer los tributos corresponde exclusivamente al Estado, mediante ley.

2. Las Comunidades Autónomas y las Corporaciones locales podrán establecer y exigir tributos, de acuerdo con la Constitución y las leyes.

3. Todo beneficio fiscal que afecte a los tributos del Estados deberá establecerse en virtud de ley.

4. Las administraciones públicas sólo podrán contraer obligaciones financieras y realizar gastos de acuerdo con las leyes.

LO 8/1980, de 22 de septiembre, de Financiación de las CCAA.
Ley 58/03 de 17 de diciembre, General Tributaria.

STC. 6/83 de 4 de febrero (**principio de legalidad en materia tributaria**)

Fto. Jco. 4: «...hay que destacar que el principio de legalidad en materia tributaria, y su manifestación en una concreta reserva de ley, no es entendido hoy en día de modo inequívoco en la doctrina y no puede extraerse fácilmente la conclusión de que nuestra C. haya consagrado absolutamente el referido principio, con el rigor que hubiera podido tener en momentos históricos anteriores... Según el art. 31.3 'sólo podrán establecerse prestaciones personales o patrimoniales de carácter público con arreglo a la ley'. Este precepto por sí sólo no determina una legalidad tributaria de carácter absoluto, pues exige que exista conformidad con la ley de las prestaciones personales o patrimoniales que se establezcan, pero no impone, de manera rígida, que el establecimiento haya de hacerse necesariamente por medio de Ley. Por su parte, el art. 133.1... define una competencia exclusiva del Estado, si se lee en conexión con el subsiguiente apartado segundo y, además, establece, sin duda, una general reserva de Ley, que, según la letra del precepto, debe entenderse referida a la potestad 'originaria' del establecimiento de los tributos, pero no, en cambio, a cualquier tipo de regulación de la materia tributaria. Y el art. 133.3... conduce a la misma conclusión, pues es obvio que hay una legalidad estricta que comprende el establecimiento de los beneficios fiscales, entre los que se cuentan sin duda las exenciones y las bonificaciones, pero no cualquier regulación de ellos. Sobre el art. 86, que marca los límites del Decreto-Ley... desde ahora puede decirse que no cierra el paso a cualquier regulación tributaria. Todo lo que hasta aquí llevamos dicho, indica que nuestra C. se ha producido en la materia estudiada de una manera flexible y que, como asegura un importante sector de la doctrina, la reserva de ley hay que entenderla referida a los criterios o principios, con arreglo a los cuales se ha de regir la materia tributaria: la creación 'ex novo' de un tributo y la determinación de los elementos esenciales o configuradores del mismo, que pertenecen siempre al plano o nivel de la Ley y no pueden dejarse nunca a la legislación delegada y menos todavía a la potestad reglamentaria.»

Fto. Jco. 6: «...la reserva de Ley se limita a la creación de los tributos y a su esencial configuración, dentro de la cual puede genéricamente situarse el establecimiento de exenciones y bonificaciones tributarias, pero no cualquiera otra regulación de ellas, ni la supresión de las exenciones o su reducción o la de las bonificaciones, porque esto último no constituye alteración de elementos esenciales del tributo.»

STC. 19/87 de 17 de febrero (reserva de ley, autonomía territorial y corporaciones locales)

Fto. Jco. 4: «en lo que al orden tributario importa, aquella reserva de Ley resulta reiterada y especificada en los nº 1 y 2 del art. 133 de la C., precepto en el que, regulándose la relación entre ordenamientos en este ámbito, se enuncia tanto la potestad originaria del Estado para, mediante ley, establecer los tributos como la posibilidad de que las CC.AA. y las Corporaciones locales establezcan y exijan tributos, de acuerdo con la C. y las leyes. Procura así la C. integrar las exigencias diversas, en este campo, de la reserva de Ley estatal y de la autonomía territorial, autonomía que, en lo que a las Corporaciones locales se refiere, posee también una proyección en el terreno tributario, pues estos entes habrán de contar con tributos propios y sobre los mismos deberá la Ley reconocerles una intervención en su establecimiento o en su exigencia, según previenen los arts. 140 y 133.2 de la misma Norma fundamental, ello sin perjuicio de que, esta autonomía tributaria no sea plena (los tributos propios son sólo una de las varias fuentes de ingresos de las haciendas locales), y de que no aparezca la misma, desde luego, carente de límites, por el mismo carácter derivado del poder tributario de las Corporaciones Locales y porque también respecto de ellas, como no podía ser de otro modo, la autonomía hace referencia a un poder necesariamente limitado (STC. 1/81 de 26 de enero). Este T.C. no puede, como es obvio, definir en términos generales y abstractos como hayan de integrarse, en cada caso, las exigencias derivadas de la reserva de ley en el orden tributario y de la autonomía de las Corporaciones locales... para intervenir, de acuerdo con la C. misma y con las leyes, en el establecimiento o en la exigencia de sus tributos propios. Tampoco puede determinar el diferente alcance de la reserva legal, según se esté ante la creación y ordenación de impuestos o de otras figuras tributarias. Sin desconocer la inicial libertad de configuración que en todo ello le cumple al legislador nacional... nos corresponde, estrictamente, hacer valer, cuando así se nos requiera, la subsistencia equilibrada de uno y otros de estos imperativos constitucionales, que no podrán abolirse entre sí en su respectivo despliegue... Es claro, en suma, que, si bien respecto de los tributos propios de los municipios esta reserva no deberá extenderse hasta un punto tal en el que se prive a los mismos de cualquier intervención en la ordenación del tributo o en su exigencia para el propio ámbito territorial, tampoco podrá el legislador abdicar de toda regulación directa en el ámbito parcial que así le reserve la C. (art. 133.1 y 2). De conformidad con el primero de los apartados... le corresponde a la Ley la creación 'ex novo' de cada figura tributaria, más este establecimiento legislativo del tributo no basta para satisfacer la función constitucional de la reserva de ley en este campo, como bien se muestra en el nº 2 de la disposición constitucional que consideramos. El que la Norma fundamental haya querido aquí que el establecimiento o la exigencia de tributos propios por las Corporaciones locales se realice no sólo de acuerdo con la C. misma sino también de conformidad con lo dispuesto en las leyes, significa, en lo que ahora importa, que esta potestad tributaria de carácter derivado no podrá hacerse valer en detrimento de la reserva de Ley presente en este sector del ordenamiento... y que el legislador, por ello, no podrá limitarse, al adoptar reglas a las que remite el art. 133.2 en su último inciso, a una mera mediación formal, en cuya virtud se apodere a las Corporaciones Locales para conformar, sin predeterminación alguna, el tributo de que se trate. Las Leyes reclamadas por la C. en este último precepto no son, por lo que a las Corp. Loc. se refiere, meramente habilitadoras para el ejercicio de una potestad tributaria que originariamente sólo corresponde al Estado. Son también Leyes ordenadoras, siquiera de modo parcial, en mérito de la autonomía de los municipios, de los tributos así calificados de 'locales' porque la C. encomienda aquí al legislador no sólo el reconocer un ámbito de autonomía al ente territorial, sino también garantizar la reserva legal que ella misma establece (art. 31.3) y cuyo sentido hemos recordado con anterioridad. No puede desconocerse que la reserva legal establecida en la última disposición constitucional citada es, según expresión doctrinal común y de conformidad con lo que indicamos, respecto de una fórmula constitucional análoga en STC. 60/86, una reserva 'relativa', como tampoco cabe ignorar que, cuando se trata de ordenar por Ley los tributos locales, esta reserva ve confirmada constitucionalmente su parcialidad, esto es, la restricción de su ámbito. Pero el ámbito objetivo así reservado a la Ley no queda, en tal caso, garantizado, por ello, mediante una mera cláusula legal habilitante en favor de la plena autodeterminación del régimen de sus tributos por las Corp. Loc., conclusión que, en estos términos absolutos, sería incluso inexacta respecto de entes dotados de potestad legislativa, como son las CC.AA. Los Ayuntamientos, como Corp. representativas que son... pueden, ciertamente, hacer realidad, mediante sus Acuerdos, la autodisposición en el establecimiento de los deberes tributarios, que es uno de los principios que late en la formación histórica, y en el reconocimiento actual, en nuestro ordenamiento, de la regla según la cual deben ser los representantes quienes establezcan los elementos esenciales para la determinación de la obligación tributaria. Pero es claro que la reserva legal en esta materia existe también al servicio de otros principios, la preservación de la unidad del ordenamiento y una básica igualdad de posición de los contribuyentes, que, garantizados por la C. del modo que dice su art. 133.2 no permiten, manifiestamente, presentar el Acuerdo municipal como sustitutivo de la Ley para la adopción de unas decisiones que sólo a ella, porque así lo quiere la C., corresponde expresar.»

STC. 37/81 de 16 de noviembre (**Parlamento y Gobierno vasco: creación tributos**)

Fto. Jco. 4: «...la Ley (Ley 3/871 del Parlamento Vasco) se limita a otorgar una habilitación al Gobierno Vasco para que éste determine todos los elementos de una tasa que, como canon para la prestación de un servicio, percibirán el Centro de Contratación y las Oficinas que de él dependan.

Esta habilitación constituye una deslegalización, una simple transferencia al Gobierno de la atribución al Parlamento Vasco para crear tributos (y entre ellos tasas) de acuerdo con la C. y las Leyes. Que la C.A. Vasca posee competencia para la creación de tasas, pese a la redacción restrictiva del art. 42 b) de su E.A., es cuestión que ofrece pocas dudas,pues esa competencia deriva necesariamente de la que también tiene para crear instituciones y organizar servicios públicos dependientes directamente de la propia C.A. y no sólo mediatamente a través de los distintos territorios históricos. La competencia debe ser ejercida, sin embargo, conforme a la C. y a las leyes, y la C., arts. 31.3 y

133.2, exige que el establecimiento de los tributos se haga precisamente con arreglo a la ley, lo que implica la necesidad de que sea el propio Parlamento Vasco el que determine los elementos esenciales del tributo, siquiera sea con la flexibilidad que una tasa de este género requiere, de manera que, aunque su establecimiento concreto quede remitido a una disposición reglamentaria, ésta haya de producirse dentro de los límites fijados por el legislador. La Ley impugnada, que se limita a hacer una remisión en blanco al correspondiente reglamento... no respeta, ciertamente, esta reserva constitucional.»

STC. 4/81 de 2 de febrero (operaciones de crédito de entidades locales)

Fto. Jco. 16: «La Base 34.2 de la Ley de Bases del Estatuto de Régimen Local dispone que las entidades locales que concierten determinadas operaciones de crédito que no rebasen el porcentaje que periódicamente fije el Gobierno no precisarán de autorización previa del Ministerio de Hacienda. Por consiguiente, 'sensu contrario', debe entenderse que las operaciones que superen tal proporción estarán sujetas a dicha autorización.

Tal exigencia, en el supuesto indicado, es la que parecen impugnar los demandantes por considerar que vulnera el principio de autonomía local constitucionalmente garantizada.

Para resolver el problema suscitado, debe tenerse en cuenta que, en relación con la materia de que se trata, la C. establece, en su art. 133.4, que las administraciones públicas sólo podrán contraer obligaciones financieras y realizar gastos de acuerdo con las leyes.

Según este precepto, la C. remite 'en blanco' al legislador la posibilidad de limitar la asunción de obligaciones financieras por parte de las administraciones públicas entre las que, obviamente, están comprendidas las entidades locales.

En consecuencia, no puede afirmarse que la Base citada se oponga a la C. al establecer determinados límites al posible endeudamiento de los entes locales, límites cuya determinación atribuye al Gobierno en función de la necesidad de una regulación unitaria y de las circunstancias cambiantes del interés público en materia económica.»

Art. 134. 1. Corresponde al Gobierno la elaboración de los Presupuestos Generales del Estado y a las Cortes Generales, su examen, enmienda y aprobación.

2. Los Presupuestos Generales del Estado tendrán carácter anual, incluirán la totalidad de los gastos e ingresos del sector público estatal y en ellos se consignará el importe de los beneficios fiscales que afecten a los tributos del Estado.

3. El Gobierno deberá presentar ante el Congreso de los Diputados los Presupuestos Generales del Estado al menos tres meses antes de la expiración de los del año anterior.

4. Si la Ley de Presupuestos no se aprobara antes del primer día del ejercicio económico correspondiente, se considerarán automáticamente prorrogados los Presupuestos del ejercicio anterior hasta la aprobación de los nuevos.

5. Aprobados los Presupuestos Generales del Estado, el Gobierno podrá presentar proyectos de ley que impliquen aumento del gasto público o disminución de los ingresos correspondientes al mismo ejercicio presupuestario.

6. Toda proposición o enmienda que suponga aumento de los créditos o disminución de los ingresos presupuestarios requerirá la conformidad del Gobierno para su tramitación.

7. La Ley de Presupuestos no puede crear tributos. Podrá modificarlos cuando una ley tributaria sustantiva así lo prevea.

RCD. arts. 133-135; RS. Arts. 148-151

STC. 27/81 de 20 de julio (creación y modificación de tributos)

Fto. Jco. 3: «Entre las dos tesis extremas: una de las cuales interpreta que la Ley tributaria sustantiva es tanto como 'precepto o conjunto de preceptos tributarios que están alojados en un cuerpo legal que no es Ley de Presupuestos'; la otra que promueve la equiparación de 'Ley tributaria sustantiva' con 'Ley propia de cada tributo', debemos inclinarnos por una interpretación que redunde en que se trata de una Ley, que desde luego no es la Ley de Presupuestos, pero que regula los elementos concretos de la relación tributaria, eludiendo cualquier generalización.

Si descartamos la primera interpretación, aun cuando aparezca fundada en el sentido expresado en algún momento en los debates constitucionales, es porque responde al eco de la equivalencia de la Ley de Presupuestos como ley en sentido formal que no traduce la realidad de este momento. Sin olvidar que la aceptación de esta equivalencia pudiera entrañar la constitucionalidad de una Ley que autorizara a la de Presupuestos la modificación indiscriminada de los impuestos, lo que enervaría la disposición constitucional a cuyo estudio procedemos.

Pero tampoco podemos reducir el significado de 'Ley tributaria sustantiva' a la Ley que rige cada tributo en concreto. Esta opinión se justifica en el art. 9 de la L.G.T. y, cuando se trata de una exégesis constitucional debemos rechazar el intento de aprehender los enunciados constitucionales, deduciéndolos de normas de rango inferior que precisamente habrán de interpretarse en lo sucesivo en el ámbito de la C. Por otra parte no responde a la realidad la idea de que cada tributo sólo es regulado por una Ley: su Ley propia.

Estas consideraciones nos conducen, como ya hemos anticipado, a inclinarnos por la tercera hipótesis: cuando el art. 134.7 habla de 'Ley tributaria sustantiva' se remite a cualquier Ley ('propia' del impuesto o modificadora de ésta) que, exceptuando la de Presupuestos, regule elementos concretos de la relación tributaria.»

STC. 3/03 de 16 de enero (contenido de la Ley de Presupuestos)

Fto. Jco., 3. La resolución del presente recurso de inconstitucionalidad debe partir del examen de la configuración que de la Ley de presupuestos se contiene en la Constitución y en el bloque de la constitucionalidad. En este sentido, conviene comenzar subrayando que, conforme al art. 1.1 CE, "España se constituye en un Estado social y democrático de Derecho" y que es esencial a un Estado democrático la existencia de un Parlamento cuyos miembros son elegidos por sufragio universal. El papel esencial que en nuestro Estado juega el Parlamento aparece reflejado en la Constitución ya en su primer artículo, donde se declara que la "forma política del Estado español es la Monarquía parlamentaria" (art. 1.3 CE). La soberanía nacional, advierte el apartado 2 del mismo precepto, "reside en el pueblo español", y son las Cortes Generales las que, según expresa el art. 66.1 CE, le representan. De acuerdo con nuestra Constitución, España es una democracia parlamentaria donde las Cortes Generales ejercen la potestad legislativa del Estado, aprueban sus presupuestos, controlan la acción del Gobierno y tienen las demás competencias que les atribuye la Constitución (art. 66.2 CE).

La competencia de aprobar los presupuestos del Estado, como referencia primera e inmediata de la configuración constitucional de nuestras Cortes Generales, tras atribuirles el ejercicio de la potestad legislativa del Estado, revela la esencialidad de la institución presupuestaria para el Estado social y democrático de Derecho en que se constituye, en el mismo art. 1.3 de la norma fundamental, la democracia parlamentaria española.

A este respecto, conviene recordar que el presupuesto nace vinculado al parlamentarismo. En efecto, el origen remoto de las actuales leyes de presupuestos hay que buscarlo en la autorización que el Monarca debía obtener de las Asambleas estamentales para recaudar tributos de los súbditos. Así, entre otros, baste recordar la garantía ofrecida por Pedro III, en 1283, a las Cortes Catalanas de Barcelona de no introducir nuevos tributos sin el consentimiento de ellas o, en un ámbito distinto al nuestro, la prohibición de la Carta Magna inglesa de 1215 que, en su art. 12, prohibía la existencia de tributos "sin el consentimiento del Consejo común". Como consecuencia directa de este principio de "autoimposición", surgió el derecho de los ciudadanos, no sólo a consentir los tributos, sino también a conocer su justificación y el destino a que se afectaban, derechos que recogió tempranamente la Bill of Rights de 1689, expresó claramente la Declaración de los Derechos del Hombre y del Ciudadano de 1789 (art. 14) y estableció nuestra Constitución de Cádiz de 1812 (art. 131). Los primeros presupuestos, así pues, constituían la autorización del Parlamento al Monarca respecto de los ingresos que podía recaudar de los ciudadanos y los gastos máximos que podía realizar y, en este sentido, cumplían la función de control de toda la actividad financiera del Estado. En la segunda mitad del siglo XIX, sin embargo, cuando los tributos se convierten en la principal fuente de financiación de los Estados, se produce un desdoblamiento del principio de legalidad financiera, fenómeno que en nuestro Estado tiene lugar con la Constitución de 1869. La Ley de presupuestos, en efecto, pasa de establecer una autorización respecto de los ingresos a recoger una mera previsión de los mismos, en la medida en que su establecimiento y regulación se produce mediante otras normas de vigencia indefinida (principio de legalidad tributaria). Sin embargo, respecto de los gastos la Ley de presupuestos mantiene su carácter de autorización por el Parlamento, autorización que es indispensable para su efectiva realización (principio de legalidad presupuestaria). Este principio de legalidad presupuestaria dio lugar a la Ley provisional de administración y contabilidad de la hacienda pública de 25 de junio de 1870.

Así, la conexión esencial entre presupuesto y democracia parlamentaria debe ser destacada como clave para la resolución de este recurso de inconstitucionalidad. El presupuesto es, como hemos visto, la clave del parlamentarismo ya que constituye la institución en que históricamente se han plasmado las luchas políticas de las representaciones del pueblo (Cortes, Parlamentos o Asambleas) para conquistar el derecho a fiscalizar y controlar el ejercicio del poder financiero: primero, respecto de la potestad de aprobar los tributos e impuestos; después, para controlar la administración de los ingresos y la distribución de los gastos públicos.

4. Ese desdoblamiento del control por el Parlamento de la actividad financiera pública se recoge en la Constitución española de 1978. De un lado, los arts. 31.3 y 133, apar-

tados 1 y 2, ambos de la CE, establecen el principio de legalidad respecto de las prestaciones patrimoniales de carácter público y los tributos; reserva de ley que, como hemos señalado en varias ocasiones, tiene como uno de sus fundamentos "garantizar que las prestaciones que los particulares satisfacen a los entes públicos sean previamente consentidas por sus representantes", configurándose de este modo como "una garantía de autoimposición de la comunidad sobre sí misma y, en última instancia, como una garantía de la libertad patrimonial y personal del ciudadano" [SSTC. 185/1995, de 14 de diciembre, Fto. Jco. 3; y 233/1999, de 13 de diciembre, FFto. Jco.J 7, 9 y 10 a)]. De otro lado, los arts. 66.2 y 134.1, ambos de la Constitución, establecen el principio de legalidad respecto de los gastos al atribuir a las Cortes Generales la función de examinar, aprobar y enmendar los presupuestos generales del Estado. Como señala el art. 134.2 CE, dichos presupuestos deben incluir "la totalidad de los gastos e ingresos del sector público estatal"; de ahí que, como hemos venido señalando, "aparezcan como un instrumento de dirección y orientación de la política económica del Gobierno" [SSTC. 27/1981, de 20 de julio, Fto. Jco. 2; 65/1987, de 21 de mayo, Fto. Jco. 3; 76/1992, de 14 de mayo, Fto. Jco. 4 a); 178/1994, de 16 de junio, Fto. Jco. 5; 171/1996, de 30 de octubre, Fto. Jco. 2; 203/1998, de 15 de octubre, Fto. Jco. 3; 234/1999, de 16 de diciembre, Fto. Jco. 4; 32/2000, de 3 de febrero, Fto. Jco. 5;180/2000, de 29 de junio, Fto. Jco. 4; 274/2000, de 15 de noviembre, Fto. Jco. 4; 62/2001, de 1 de marzo, Fto. Jco. 4; 109/2001, de 26 de abril, Fto. Jco. 5; 24/2002, de 31 de enero, Fto. Jco. 5; y 67/2002, de 21 de marzo, Fto. Jco. 3].

Es evidente que en la Ley de presupuestos deben figurar, en todo caso, tanto los ingresos como los gastos, como hemos dicho en reiteradas ocasiones. Pero, mientras que, respecto de los ingresos, en virtud de la existencia de normas de vigencia permanente que autorizan su exacción, se produce una mera estimación, respecto de los gastos, la Ley de presupuestos constituye una verdadera autorización de su cuantía y destino [SSTC. 84/1982, de 23 de diciembre, Fto. Jco. 3; 65/1987, de 21 de mayo, Fto. Jco. 5; 134/1987, de 21 de julio, Fto. Jco. 6; 65/1990, de 5 de abril, Fto. Jco. 3; 76/1992, de 14 de mayo, Fto. Jco. 4 a); 16/1996, de 1 de febrero, Fto. Jco. 6; 203/1998, de 15 de octubre, Fto. Jco. 3; 33/2000, de 3 de febrero, Fto. Jco. 5; 274/2000, de 15 de noviembre, Fto. Jco. 4]. En efecto, como señalamos en la STC. 13/1992, de 6 de febrero, los "créditos consignados en los estados de gastos de los presupuestos generales" constituyen "autorizaciones legislativas para que dentro de unos determinados límites la Administración del Estado pueda disponer de los fondos públicos necesarios para hacer frente a sus obligaciones" y "predeterminan el concepto por el que autorizan su uso" (Fto. Jco. 5). Y, en relación con las subvenciones, dijimos en la STC. 68/1996, de 18 de abril, que "el principio de legalidad en materia presupuestaria exige que sea la Ley de presupuestos la que establezca el importe máximo de tales subvenciones y determine con la suficiente concreción su destino" (Fto. Jco. 9). Así lo señala expresamente para el ámbito estatal el Real Decreto Legislativo 1091/1988, de 23 de septiembre, por el que se aprueba el texto refundido de la Ley general presupuestaria, al disponer en su art. 51 que los presupuestos generales del Estado contendrán, de un lado, "los estados de ingresos en los que figuren las estimaciones de los distintos derechos económicos a liquidar en el ejercicio" [letra b)], y, de otro, "los estados de gastos en los que se incluirán, con la debida especificación, los créditos necesarios para atender al cumplimiento de las obligaciones" [letra a)]. En definitiva, del mismo modo que son los representantes de los ciudadanos los que deben autorizar la exacción de las prestaciones patrimoniales de carácter público (art. 31.3 CE), es también al Parlamento a quien corresponde autorizar la cuantía y el destino del gasto, así como el límite temporal de los créditos presupuestarios (art. 134.2 CE).

De lo anterior se deduce que, incluyendo los presupuestos generales del Estado "la totalidad de los gastos e ingresos del sector público estatal" (art. 134.2 CE) y constituyendo el "instrumento de dirección y orientación de la política económica del Gobierno", mediante su "examen, enmienda y aprobación", las Cortes Generales ejercen, como hemos dicho, una función específica y constitucionalmente definida a la que hicimos referencia en la STC. 76/1992, de 14 de mayo [Fto. Jco. 4 a)]. A través de ella, cumplen tres objetivos especialmente relevantes: a) Aseguran, en primer lugar, el control democrático del conjunto de la actividad financiera pública (arts. 9.1 y 66.2, ambos de la Constitución); b) Participan, en segundo lugar, de la actividad de dirección política al aprobar o rechazar el programa político, económico y social que ha propuesto el Gobierno y que los presupuestos representan; c) Controlan, en tercer lugar, que la asignación de los recursos públicos se efectúe, como exige expresamente el art. 31.2 CE, de una forma equitativa, pues el presupuesto es, a la vez, requisito esencial y límite para el funcionamiento de la Administración.

En suma, superada la vieja controversia sobre el carácter formal o material de la Ley de presupuestos generales (como se dijo tempranamente en la STC. 27/1981, de 20 de julio, Fto. Jco. 2, y luego se reiteró, por ejemplo, en las SSTC. 63/1986, de 21 de mayo, Fto. Jco. 5; 68/1987, de 21 de mayo, Fto. Jco. 4; 76/1992, de 14 de mayo, Fto. Jco. 4; y 274/2000, de 15 de noviembre, Fto. Jco. 4), estamos ante una ley singular, de contenido constitucionalmente determinado, exponente máximo de la democracia parlamentaria, en cuyo seno concurren las tres funciones que expresamente el art. 66.2 CE atribuye a las Cortes Generales: es una ley dictada en el ejercicio de su potestad legislativa, por la que se aprueban los presupuestos y, además, a través de ella, se controla la acción del Gobierno.

Y, precisamente, para que mediante la aprobación de los presupuestos esta labor de control pueda ser efectiva, el art. 134.2 CE establece que los presupuestos generales del Estado "incluirán la totalidad de los gastos e ingresos del sector público estatal", recogiendo de este modo los principios de unidad (los presupuestos deben contenerse en un solo documento) y universalidad (ese documento debe acoger la totalidad de los gastos e ingresos del sector público). Como hemos dicho en reiterada doctrina, este precepto constituye el contenido "propio, mínimo y necesario" de la Ley de presupuestos [STC. 109/2001, de 26 de abril, Fto. Jco. 5; en el mismo sentido, SSTC. 65/1987, de 21 de mayo, Fto. Jco. 4; 65/1990, de 5 de abril, Fto. Jco. 4; 76/1992, de 14 de mayo, Fto. Jco. 4 a); 234/1999, de 16 de diciembre, Fto. Jco. 4; 32/2000, de 3 de febrero, Fto. Jco. 5; y 67/2002, de 21 de marzo, Fto. Jco. 3]. Esto es, el contenido que en todo caso debe aparecer en la Ley de presupuestos que cada año debe ser aprobada por el Parlamento. Se trata, en definitiva, de una "ley de contenido constitucionalmente definido" (SSTC. 76/1992, de 14 de mayo, Fto. Jco. 4; 16/1996, de 1 de febrero, Fto. Jco. 6; 61/1997, de 20 de marzo, Fto. Jco. 2; 174/1998, de 23 de julio, Fto. Jco. 6; 130/1999, de 1 de julio, Fto. Jco. 8; 131/1999, de 1 de julio, Fto. Jco. 2; 234/1999, de 16 de diciembre, Fto. Jco. 4; 32/2000, de 3 de febrero, Fto. Jco. 5; y 274/2000, de 15 de noviembre, Fto. Jco. 4), de manera que puede hablarse en propiedad de la existencia en la Constitución de una reserva de un contenido de Ley de presupuestos (STC. 131/1999, de 1 de julio, Fto. Jco. 4).

5. La Ley de presupuestos constituye en la actualidad una habilitación de ingresos y una autorización de los gastos que el Gobierno puede realizar durante un ejercicio

económico que ha de coincidir con el año natural. En este sentido, es preciso señalar que, como se desprende con toda claridad de la Constitución, la autorización en que la Ley de presupuestos generales se materializa tiene naturaleza meramente temporal; esto es, se trata de una autorización que tiene un plazo de vigencia sometida a un límite temporal constitucionalmente determinado, concretamente, el de un año. Sobre este particular, decíamos en las SSTC. 32/2000, de 3 de febrero (Fto. Jco. 2), 109/2001, de 26 de abril (Fto. Jco. 5), y 67/2002, de 21 de marzo (Fto. Jco. 3), que "son las Leyes que cada año aprueban los presupuestos generales del Estado", y en la STC. 195/1994, de 28 de junio, que la "específica función que constitucionalmente se atribuye a este tipo de leyes" es "aprobar anualmente los presupuestos generales del Estado" (Fto. Jco. 2). Así lo establece claramente para las Leyes de presupuestos del Estado el art. 134.2 CE al señalar que "los Presupuestos Generales del Estado tendrán carácter anual".

No obstante lo anterior, la propia Constitución establece en su art. 134.4 la posibilidad de que esa vigencia resulte temporalmente prorrogada en el supuesto de que "la Ley de Presupuestos no se aprobara antes del primer día del ejercicio económico correspondiente", en cuyo caso "se considerarán automáticamente prorrogados los Presupuestos del ejercicio anterior hasta la aprobación de los nuevos". En el mismo sentido, el art. 56.1 LGP dispone que "si la Ley de Presupuestos no se aprobara antes del primer día del ejercicio económico correspondiente, se considerarán automáticamente prorrogados los presupuestos del ejercicio anterior hasta la aprobación y publicación de los nuevos en el Boletín Oficial del Estado". En consecuencia, teniendo la autorización de gastos prevista en la Ley de presupuestos un carácter anual, es evidente que la prórroga de los créditos autorizados constituye, como muestra la experiencia del Derecho comparado en las democracias parlamentarias, un mecanismo excepcional que opera en bloque y exclusivamente en aquellos casos en los que, finalizado el ejercicio presupuestario, aún no ha sido aprobada la nueva Ley. La prórroga opera, además, como un mecanismo automático, ex Constitutione, sin necesidad de una manifestación de voluntad expresa en tal sentido, durante el tiempo que medie entre el inicio del nuevo ejercicio presupuestario y "hasta la aprobación de los nuevos".

Por otra parte, también el propio texto constitucional prevé la posibilidad de que el Parlamento modifique los presupuestos a iniciativa del Gobierno en su art. 134.5. En efecto, conforme al tenor literal de este artículo "aprobados los Presupuestos Generales del Estado, el Gobierno podrá presentar proyectos de ley que impliquen aumento del gasto público o disminución de los ingresos correspondientes al mismo ejercicio presupuestario". Es claro que, por la propia naturaleza, contenido y función que cumple la Ley de presupuestos, el citado art. 134.5 CE no permite que cualquier norma modifique, sin límite alguno, la autorización por el Parlamento de la cuantía máxima y el destino de los gastos que dicha Ley establece. Por el contrario, la alteración de esa habilitación y, en definitiva, del programa político y económico anual del Gobierno que el presupuesto representa, sólo puede llevarse a cabo en supuestos excepcionales, concretamente cuando se trate de un gasto inaplazable provocado por una circunstancia sobrevenida. Admitir lo contrario, esto es, la alteración indiscriminada de las previsiones contenidas en la Ley de presupuestos por cualquier norma legal, supondría tanto como anular las exigencias de unidad y universalidad presupuestarias contenidas en el art. 134.2 CE. Este es, por otro lado, el entendimiento que del art. 134.5 CE ha tenido el legislador estatal al autorizar al Gobierno a solicitar de las Cortes Generales un crédito extraordinario o un suplemento de crédito sólo cuando exista "algún gasto que no pueda demorarse hasta el ejercicio siguiente" y no exista en los presupuestos del Estado "crédito o sea insuficiente y no ampliable el consignado" y, además, "se especifique el recurso que haya de financiar el mayor gasto público" (art. 64.1 LGP).

STC. 31/10 de 28 de junio (no están vinculados por compromisos en Estatuto de autonomía)

Fto. Jco. 138. La disposición adicional tercera establece en su apartado 1 que "[l]a inversión del Estado en Cataluña en infraestructuras, excluido el Fondo de Compensación Interterritorial, se equiparará a la participación relativa del producto interior bruto de Cataluña con relación al producto interior bruto del Estado para un período de siete años. Dichas inversiones podrán también utilizarse para la liberación de peajes o construcción de autovías alternativas." Para los recurrentes este compromiso presupuestario, además de vincular indebidamente a las Cortes Generales en el ejercicio de su competencia ex art. 134.1 CE, supone un privilegio económico contrario a la Constitución (art. 138.2 CE) e incompatible con la asignación y redistribución equitativas de la riqueza nacional entre los distintos territorios (arts. 31.2, 40.1, 131.1 y 138.1 CE). El Abogado del Estado entiende, por el contrario, que sólo se trata de un compromiso político que no vincula al legislador presupuestario, mientras que el Gobierno y el Parlamento de Cataluña sostienen que el Estatuto puede incidir en la ley de Presupuestos del Estado sin vulnerar ninguna reserva constitucional, sobre todo si, como en el caso, se trata de paliar una situación concreta de déficit histórico de inversión en infraestructuras.

La censura de la disposición examinada como expresiva de un privilegio económico no puede ser aceptada, no sólo porque, a los fines de la realización efectiva del principio de solidaridad, no puede atenderse únicamente a una sola de entre las numerosas variables que, como la ahora examinada, concurren a la formación de un sistema de financiación autonómica del que han de predicarse, en su conjunto y por su resultado, los principios constitucionales invocados por los recurrentes, sino, sobre todo, porque tal disposición no puede tener, en modo alguno, como ahora se dirá, efectos directamente vinculantes para el Estado.

Y es que no puede admitirse que la disposición adicional tercera, apartado 1, vincule a las Cortes Generales en el ejercicio de sus funciones de examen, enmienda y aprobación de los Presupuestos Generales del Estado, pues respecto de este tipo de compromisos presupuestarios formalizados en un Estatuto de Autonomía hemos dicho que no constituyen "un recurso que el Estado deba consignar obligatoriamente en los presupuestos generales de cada ejercicio económico", pues es al Estado "a quien corresponde en exclusiva, atendiendo a la totalidad de los instrumentos para la financiación de las Comunidades Autónomas, a las necesidades de cada una de éstas y a las posibilidades reales del sistema financiero del Estado, decidir si procede dotar, en su caso, y en qué cuantía aquellas asignaciones en virtud de la competencia exclusiva que sobre la materia le atribuye el art. 149.1.14 CE (hacienda general). De la afirmación de la legitimidad constitucional de [un] mecanismo excepcional de financiación ... no cabe concluir la consecuencia de que el Estado deba, necesariamente y en todo caso, dotar una concreta partida presupuestaria si no se ha alcanzado al efecto acuerdo entre el Estado y la Comunidad Autónoma en el seno de la Comisión Mixta", correspondiendo "al Estado adoptar la decisión de establecer dicha dotación, si bien su actuación debe resultar presidida por el principio de lealtad constitucional que ... 'obliga a todos' y que impone que el Gobierno deba 'extremar el celo por llegar a acuerdos en la Comisión Mixta'

(STC. 209/1990, de 20 de diciembre, Fto. Jco. 4)" (STC. 13/2007, de 18 de enero, Fto. Jco. 11).

La disposición adicional tercera, apartado 1, debe, pues, interpretarse en el sentido de que no vincula al Estado en la definición de su política de inversiones, ni menoscaba la plena libertad de las Cortes Generales para decidir sobre la existencia y cuantía de dichas inversiones.

Interpretada en esos términos, la disposición adicional tercera, apartado 1, EAC no es contraria a la Constitución y así se dispondrá en el fallo.

Art. 135. 1. Todas las Administraciones Públicas adecuarán sus actuaciones al principio de estabilidad presupuestaria.

2. El Estado y las Comunidades Autónomas no podrán incurrir en un déficit estructural que supere los márgenes establecidos, en su caso, por la Unión Europea para sus Estados Miembros.

Una Ley Orgánica fijará el déficit estructural máximo permitido al Estado y a las Comunidades Autónomas, en relación con su producto interior bruto. Las Entidades Locales deberán presentar equilibrio presupuestario.

3. El Estado y las Comunidades Autónomas habrán de estar autorizados por ley para emitir deuda pública o contraer crédito.

Los créditos para satisfacer los intereses y el capital de la deuda pública de las Administraciones se entenderán siempre incluidos en el estado de gastos de sus presupuestos y su pago gozará de prioridad absoluta. Estos créditos no podrán ser objeto de enmienda o modificación, mientras se ajusten a las condiciones de la ley de emisión.

El volumen de deuda pública del conjunto de las Administraciones Públicas en relación con el producto interior bruto del Estado no podrá superar el valor de referencia establecido en el Tratado de Funcionamiento de la Unión Europea.

4. Los límites de déficit estructural y de volumen de deuda pública sólo podrán superarse en caso de catástrofes naturales, recesión económica o situaciones de emergencia extraordinaria que escapen al control del Estado y perjudiquen considerablemente la situación financiera o la sostenibilidad económica o social del Estado, apreciadas por la mayoría absoluta de los miembros del Congreso de los Diputados.

5. Una Ley Orgánica desarrollará los principios a que se refiere este artículo, así como la participación, en los procedimientos respectivos, de los órganos de coordinación institucional entre las Administraciones Públicas en materia de política fiscal y financiera. En todo caso, regulará:

La distribución de los límites de déficit y de deuda entre las distintas Administraciones Públicas, los supuestos excepcionales de superación de los mismos y la forma y plazo de corrección de las desviaciones que sobre uno y otro pudieran producirse.

La metodología y el procedimiento para el cálculo del déficit estructural.

La responsabilidad de cada Administración Pública en caso de incumplimiento de los objetivos de estabilidad presupuestaria.

6. Las Comunidades Autónomas, de acuerdo con sus respectivos Estatutos y dentro de los límites a que se refiere este artículo, adoptarán las disposiciones que procedan para la aplicación efectiva del principio de estabilidad en sus normas y decisiones presupuestarias.

Art. 136. 1. El Tribunal de Cuentas es el supremo órgano fiscalizador de las cuentas y de la gestión económica del Estado, así como el sector público.

Dependerá directamente de las Cortes Generales y ejercerá sus funciones por delegación de ellas en el examen y comprobación de la Cuenta General del Estado.

2. Las cuentas del Estado y del sector público estatal se rendirán al Tribunal de Cuentas y serán censuradas por éste.

El Tribunal de Cuentas, sin perjuicio de su propia jurisdicción, remitirá a las Cortes Generales un informe anual en el que, cuando proceda, comunicará las infracciones o responsabilidades en que, a su juicio, se hubiere incurrido.

3. Los miembros del Tribunal de Cuentas gozarán de la misma independencia e inamovilidad y estarán sometidos a las mismas incompatibilidades que los Jueces.

4. Una ley orgánica regulará la composición, organización y funciones del Tribunal de Cuentas.

L.O. 2/1982 de 12 de mayo, del Tribunal de Cuentas

STC. 76/83 de 5 de agosto (**LOAPA y Tribunal de Cuentas**)

> Fto. Jco. 25: «El art. 20 (LOAPA) regula el establecimiento de Secciones Territoriales del Tribunal de Cuentas en el ámbito de cada C.A.
>
> Tan sólo el Consejo Ejecutivo de la Generalidad ha cuestionado la constitucionalidad del precepto y únicamente en lo que atañe a la consideración del T. de Cuentas como órgano supremo de control externo de la gestión económica y financiera del sector público. Basa sus alegaciones en que, al extender las atribuciones del Tribunal al control de la gestión financiera, se vulneran los arts. 136 y 153 d) de la C. La impugnación carece, sin embargo, de fundamento, pues, aunque no con idéntica formulación, ambos controles, económico y financiero, aparecen atribuídos al T. de Cuentas en los mencionados arts. de la C., y el art. 2º de la L.O. de dicho Tribunal, al desarrollar el art. 136 de aquella, establece expresamente, como función propia del mismo, la fiscalización externa, permanente y consuntiva de la actividad económico-financiera del sector público.»

STC. 18/91 de 31 de enero (**funciones del Tcu**)

> Fto. Jco. 2. Las dos primeras cuestiones propuestas son muy similares a las que tuvo que resolver este Tribunal en su STC. 187/1988, con ocasión del recurso de inconstitucionalidad promovido por el Gobierno de la Nación contra determinados artículos de la Ley del Parlamento de Cataluña 6/1984, de Sindicatura de Cuentas. Dada tal similitud conviene recordar aquí la doctrina sentada por este Tribunal en esa Sentencia en relación con la distribución de competencias relativa a las funciones de fiscalización y

enjuiciamiento contable entre el Tribunal de Cuentas y los correspondientes órganos autonómicos; si bien, al tratarse de una Sentencia de general conocimiento, en virtud de su inserción en el «Boletín Oficial del Estado», bastará con un somero resumen de sus fundamentos.

Manifestábamos en dicha Sentencia que la cuestión relativa al reparto de competencias en lo que se refiere a fiscalización y enjuiciamiento contable ha de ser analizada a partir de las normas que integran el bloque de la constitucionalidad, que en esta materia comprende el art. 136 de la Constitución y la Ley Orgánica 2/1982, del Tribunal de Cuentas, así como las disposiciones estatutarias por las que se creen los correspondientes órganos autonómicos (en este caso, el art. 53.2 del Estatuto de Autonomía de Galicia). Por lo que se refiere a la normativa estatal, proseguía la citada Sentencia, la Ley Orgánica del Tribunal de Cuentas, en desarrollo del art. 136 C.E., atribuye a este órgano dos funciones.

a) La función fiscalizadora externa de la actividad económico-financiera del sector público, función que se expresa en los informes o memorias anuales que el Tribunal debe remitir a las Cortes Generales (art. 12.1 de la Ley Orgánica 2/1982).

b) La función de enjuiciamiento contable, configurada como una actividad de naturaleza jurisdiccional, consistente en aplicar la norma jurídica al acto contable, emitiendo un juicio sobre su adecuación a ella, y declarando, en consecuencia, si existe o no responsabilidad del funcionario, absolviéndole o condonándole, y, en esta última hipótesis, ejecutando coactivamente su decisión. Todo ello a través de un procedimiento jurisdiccional, regulado en el Capítulo Tercero del Título I de la Ley Orgánica y desarrollado en la Ley de Funcionamiento del Tribunal, de 5 de abril de 1988.

La distinta naturaleza de ambas funciones explica que, mientras la Ley Orgánica del Tribunal de Cuentas califica a éste como supremo órgano fiscalizador (art. 1.1), en cambio lo considera, en cuanto a su función de enjuiciamiento contable, único en su orden, abarcando su jurisdicción —que tiene el carácter de exclusiva y plena— todo el territorio nacional (art. 1.2). Y si bien en dicha Ley se parte de la existencia de órganos fiscalizadores de cuentas que pueden establecer los Estatutos de las Comunidades Autónomas, no existe esta previsión en cuanto a la actividad jurisdiccional, si bien el Tribunal podrá delegar en órganos autonómicos fiscalizadores la instrucción de procedimientos jurisdiccionales (art. 26.3 de la Ley). Cabe concluir, pues, que el Tribunal de Cuentas es supremo, pero no único, cuando fiscaliza, y único, pero no supremo cuando enjuicia la responsabilidad contable.

Fto. Jco. 3. En cuanto al ámbito de las funciones del Tribunal de Cuentas, y en relación con su extensión al control contable de las Corporaciones Locales, se exponía también en la Sentencia que se resume que en la Constitución no existe un precepto que disponga clara y expresamente que le corresponda al Tribunal de Cuentas el control económico y presupuestario externo de tales entidades. Tal falta de atribución expresa se manifiesta también en la propia redacción del art. 136 C.E., que no hace referencia directa a las Corporaciones Locales; ahora bien, el apartado 1, párrafo 1 del mismo artículo atribuye al Tribunal de Cuentas el carácter de «supremo órgano fiscalizador de las cuentas y de la gestión económica del Estado así como del sector público». Y, exponía este Tribunal Constitucional, las Corporaciones Locales se integran indudablemente en tal sector público, por lo que no quedan fuera de la competencia del Tribunal de Cuentas. En consecuencia, habría que llegar a las siguientes conclusiones: a) que la función fiscalizadora del Tribunal de Cuentas puede extenderse a las Corporaciones Locales; b) que la Constitución no exige que el Tribunal de Cuentas sea el único órgano fiscalizador de la actividad financiera pública, pero si que se mantenga una relación de supremacía frente a otros órganos fiscalizadores: c) que, siempre que se mantenga esa relación, es conforme al art. 136.1 C.E. la existencia de otros órganos fiscalizadores de la actividad financiera de las Corporaciones Locales; y d) que la competencia de esos otros órganos fiscalizadores sobre las Corporaciones Locales no excluye ni es incompatible con la que pueda corresponder sobre las mismas al Tribunal de Cuentas.

Como resultado de todo ello, manifestaba el Tribunal, la fiscalización externa de las Corporaciones Locales por el Tribunal de Cuentas derivada del art. 4.1 c) de su Ley Orgánica no supone la exclusión de otros órganos fiscalizadores de la actividad económica financiera de esas Corporaciones. A diferencia de lo dispuesto para la jurisdicción contable, calificada de exclusiva por el art. 17.1 de la Ley, no cabe entender que la Constitución y la Ley Orgánica del Tribunal de Cuentas contengan precepto alguno que reserve en exclusiva para dicho Tribunal la fiscalización se dicha actividad. Todo ello —como ya dijimos en nuestra STC. 187/1988, fundamento jurídico 12— sin perjuicio de la relación de supremacía establecida constitucionalmente entre el Tribunal de Cuentas y los demás órganos fiscalizadores, y del empleo, en su caso, de las técnicas tendentes a reducir a unidad la actuación de uno y otros y a evitar duplicidades innecesarias o disfuncionalidades que serían contrarias a los criterios de eficiencia y economía enunciados en el art 31.2 de la Constitución.

TÍTULO VIII
De la organización territorial del Estado

CAPÍTULO PRIMERO
Principios Generales

Art. 137. El Estado se organiza territorialmente en municipios, en provincias y en las Comunidades Autónomas que se constituyan. Todas estas entidades gozan de autonomía para la gestión de sus respectivos intereses.

STC. 4/81 de 2 de febrero (**Soberanía y Autonomía**)

Fto. Jco. 3: «La C. (arts. 1 y 2) parte de la unidad de la Nación española que se constituye en Estado social y democrático de Derecho, cuyos poderes emanan del pueblo español en el que reside la soberanía nacional. Esta unidad se traduce así en una organización, el Estado, para todo el territorio nacional. Pero los órganos generales del Estado no ejercen la totalidad del poder público, porque la C. prevé, con arreglo a una distribución vertical de poderes, la participación en el ejercicio del poder de entidades territoriales de distinto rango, tal como se expresa en el art. 137 de la C.

El precepto (citado) refleja una concepción amplia y compleja del Estado, compuesto por una pluralidad de organizaciones de carácter territorial dotadas de autonomía. Resulta así necesario delimitar cual es el ámbito del principio de autonomía, con especial referencia a municipios y provincias, a cuyo efecto es preciso relacionar este principio con otros establecidos en la C.

Ante todo, resulta claro que la autonomía hace referencia a un poder limitado. En efecto, autonomía no es soberanía, y aún este poder tiene sus límites, y dado que cada organización territorial dotada de autonomía es una parte del todo, en ningún caso el principio de autonomía puede oponerse al de unidad, sino que es precisamente dentro de éste donde alcanza su verdadero sentido, como expresa el art. 2 de la C.

De aquí que el art. 137 de la C. delimite el ámbito de estos poderes autónomos, circunscribiéndolos a la 'gestión de sus respectivos intereses', lo que exige que se dote a cada ente de todas las competencias propias y exclusivas que sean necesarias para satisfacer el interés respectivo. De acuerdo pues con la C., la autonomía que garantiza para cada entidad lo es en función del criterio del respectivo interés: interés del Municipio, de la Provincia, de la C.A.

Ahora bien, concretar este interés en relación a cada materia no es fácil y, en ocasiones, sólo puede llegarse a distribuir la competencia sobre la misma en función del interés predominante, pero sin que ello signifique un interés exclusivo que justifique una competencia exclusiva en el orden decisorio. Al enjuiciar la conformidad de las Leyes con la C. habrá que determinar, por tanto, si se está ante un supuesto de competencia exclusiva... o de competencias compartidas entre diversos entes.

Este poder 'para la gestión de sus respectivos intereses', se ejerce, por lo demás, en el marco del Ordenamiento. Es la ley, en definitiva, la que concreta el principio de autonomía de cada tipo de entes, de acuerdo con la C. Y debe hacerse notar que la misma contempla la necesidad, como una consecuencia del principio de unidad y de la supremacía del interés de la Nación, de que el Estado quede colocado en una posición de superioridad tal y como establecen diversos preceptos de la C. tanto en relación con las CC.AA., concebidas como entes dotadas de autonomía cualitativamente superior a la administrativa (arts. 150.3 y 155, entre otros), como a los entes locales (art. 148.1.2). Posición de superioridad que permite afirmar... que el principio de autonomía es compatible con la existencia de un control de legalidad sobre el ejercicio de las competencias, si bien entendemos que no se ajusta a tal principio la previsión de controles genéricos e indeterminados que sitúen a las entidades locales en una posición de subordinación o dependencia cuasi jerárquica de la Admón. del Estado u otras entidades territoriales. En todo caso, los controles de carácter puntual habrán de referirse normalmente a supuestos en que el ejercicio de las competencias de la entidad local incidan en intereses generales concurrentes con los propios de la entidad, sean del Municipio, la Provincia, la C.A. o el Estado.

El control de legalidad... puede ejercerse en el caso de los municipios y provincias, dado su carácter de administraciones públicas, por la Admón. del Estado, aún cuando es posible también su transferencia a las CC.AA. en los términos que expresa el art. 148.1.2 de la C., y, naturalmente, en uno y otro caso, siempre con la posibilidad del control jurisdiccional posterior.

En cambio, la autonomía garantizada por la C. quedaría afectada en los supuestos en que la decisión correspondiente a la 'gestión de los intereses respectivos' fuera objeto de un control de oportunidad de forma tal que la decisión viniera a compartirse por otra Admón. Ello, naturalmente, salvo excepción que pueda fundamentarse en la propia C...»

STC. 37/81 de 16 de noviembre (**noción de interés respectivo**)

Fto. Jco. 1: «Como tantos otros conceptos de la misma naturaleza en nuestro texto constitucional (se refiere a los conceptos jurídicos indeterminados), el de los 'intereses respectivos' de las CC.AA., de los Municipios o de las Provincias, cumplen, sobre todo, la función de orientar al legislador para dotar a estas entidades territoriales de los poderes o competencias precisos para gestionarlos. Es el legislador sin embargo, el que, dentro del marco de la C. determina libremente cuales son estos intereses, los define y precisa su alcance, atribuyendo a la entidad las competencias que requiere su gestión.

Para el intérprete de la Ley, el ámbito concreto del interés es ya un dato definido por la ley misma... como repertorio concreto de las competencias. La determinación, en caso de conflicto, del contenido de éstas, ha de hacerse sin recurrir, salvo cuando la propia definición legal lo exija, a la noción del interés respectivo, pues de otro modo se provocaría una injustificada reducción del ámbito de los intereses propio de la entidad autónoma definido por el legislador y se transformaría esta noción del interés propio o respectivo de una apelación a la 'naturaleza de las cosas', mediante la cual la decisión política se traslada del legislador al juez. Es claro, por consiguiente, que el criterio para resolver la cuestión que en este apartado analizamos ha de ser construído a partir de la norma legal, sin reducir su alcance mediante una nueva conexión entre su significado literal y la noción de 'interés de la C.A.'.»

STC. 32/81 de 28 de julio

Ver selección realizada en art. 141.

STC. 213/88 de 11 de noviembre (**autonomía local**)

Fto. Jco. 2: «Es cierto... que este T.C. ha considerado que los controles administrativos de legalidad no afectaban al núcleo esencial de la garantía institucional de la autonomía de las Corp. Local. Pero hay que tener en cuenta que con estas declaraciones el T.C. no pretendía ni podía pretender la determinación concreta del contenido de la autonomía local y estableciese con carácter general la desaparición incluso de esos controles, como hace la Ley de 1985 (L. de Bases del Régimen Local). Ahora bien, ejercitada por el legislador estatal la opción política a favor de una regulación claramente favorable a la autonomía en materia de suspensión de Acuerdos, la norma correspondiente ha de calificarse de básica también en sentido material, por cuanto tiende a asegurar un nivel mínimo de autonomía a todas las Corporaciones Locales en todo el territorio nacional, sea cual sea la C.A. en que estén localizadas, lo que resulta plenamente congruente con la garantía institucional del art. 137 de la C., garantía que opera tanto frente al Estado como frente a los poderes autonómicos.»

STC. 170/89 de 19 de octubre (**autonomía local**)

Fto. Jco. 9: «Este TC. ha declarado que la autonomía local, tal y como se reconoce en los arts. 137 y 140 CE., goza de una garantía institucional con un contenido mínimo que el legislador debe respetar (STC. 84/82). Esa garantía institucional supone 'el derecho de la comunidad local a participar a través de órganos propios en el gobierno y administración de cuantos asuntos le atañen, graduándose la intensidad de esta participación en función de la relación existente entre los intereses locales y supralocales dentro de tales asuntos o materias. Para el ejercicio de esa participación en el gobierno y administración en cuanto les atañe, los órganos representativos de la comunidad local han de estar dotados de las potestades sin las que ninguna actuación autonómica es posible'. (STC. 32/81). Más allá de este límite de contenido mínimo que protege la garantía institucional, la autonomía local es un concepto jurídico de contenido legal, que permite, por tanto, configuraciones legales diversas, válidas en cuanto respeten aquella garantía institucional. Por tanto en relación con el juicio de constitucionalidad sólo cabe comprobar si el legislador ha respetado esa garantía institucional.»

STC. 16/84 de 6 de febrero

Ftos. Jcos. 2 y 3: ver selección con relación a la Disposición Adicional 1ª.

Art. 138. 1. El Estado garantiza la realización efectiva del principio de solidaridad consagrado en el artículo 2 de la Constitución, velando por el establecimiento de un equilibrio económico, adecuado y justo entre las diversas partes del territorio español, y atendiendo en particular a las circunstancias del hecho insular.

2. Las diferencias entre los Estatutos de las distintas Comunidades Autónomas no podrán implicar, en ningún caso, privilegios económicos o sociales.

STC. 1/82 de 28 de enero (carácter unitario del orden económico nacional)

Fto. Jco. 5: «...cabe decir que si la fijación de ese orden de prioridades constituyera competencia de cada C.A., éstas podrían dar preferencia a títulos emitidos por sus respectivos Gobiernos, y por las corporaciones públicas o privadas de la C.A., para atender y financiar necesidades particulares de cada una de ellas, con lo cual, si pudiera tener carácter preferente el interés propio de cada C.A. frente al general del conjunto nacional, la finalidad del coeficiente de fondos públicos resultaría de imposible cumplimiento. Con ello se produciría un grave perjuicio a los principios de unidad económica nacional plasmados en los preceptos constitucionales aludidos en el Fto. Jco. 1 de esta STC. En efecto: el carácter unitario del orden económico que la C. garantiza se vería fragmentado, y se incurriría en el fomento de privilegios económicos prohibidos por el art. 138.2 de la C., en favor de aquellas Comunidades de mayor capacidad de ahorro que lo inviertan preferentemente en atención a sus intereses propios con lo que se quebrantaría también 'eo ipso' el principio de subordinación de toda la riqueza del país al 'interés general' (art. 128.1 de la C.E.).»

STC. 150/90 de 4 de octubre (CC.AA. y principio de solidaridad)

Fto. Jco. 11: «Es cierto que los principios de igualdad material y solidaridad que sancionan los arts. 2, 9.2, 138.1 y 2, y 139 de la CE. y concordantes de los EE.AA., y que reitera el art. 2 de la LOFCA., no suponen por sí mismos la atribución de competencia a las CC.AA. Pero es asimismo evidente que tales principios vinculan a todos los poderes públicos, en el ejercicio de sus respectivas competencias, y no sólo al Estado, sin que pueda entenderse que se oponga a esta conclusión la mención que el art. 138.1 de la CE. hace del Estado como garante del principio de solidaridad ni la reserva al Estado de la competencia exclusiva para regular las condiciones básicas que garanticen la igualdad de todos los españoles en el ejercicio de los derechos y en el cumplimiento de los deberes constitucionales (art. 149.1.1 CE.), o el expreso encargo de adoptar las medidas oportunas para conseguir el desarrollo armónico entre las diversas partes del territorio español que el art. 2 LOFCA asigna asimismo al Estado. Una interpretación semejante chocaría lo dispuesto en otros preceptos constitucionales, en los EE.AA. y en propio art. 2.2 LOFCA, que obliga expresamente a cada CA. a velar por su propio equilibrio territorial y por la realización interna del principio de solidaridad. En consecuencia, si bien las CC.AA. carecen de una competencia específica para desarrollar, con cualquier alcance, los principios constitucionales de solidaridad e igualdad material, sí pueden, e incluso deben, por mandato constitucional, estatutario y legal, atender a la realización de tales principios en el ejercicio de sus competencias propias. Analizada, pues, desde este ángulo, no se puede negar que la creación de un Fondo de Solidaridad Municipal como el previsto en la Ley madrileña resulta plenamente conforme con la CE., siempre que constituya efectivamente un modo de ejercer competencias propias de la CA., sin exceder el ámbito material de las mismas.»

Ver SSTC. 1/82 de 28 de enero y 64/82 de 4 de diciembre, selección realizada con relación al art. 128.

Art. 139. 1. Todos los españoles tienen los mismos derechos y obligaciones en cualquier parte del territorio del Estado.
2. Ninguna autoridad podrá adoptar medidas que directa o indirectamente obstaculicen la libertad de circulación y establecimiento de las personas y la libre circulación de bienes en todo el territorio español.

STC. 25/81 de 14 de julio (**derechos fundamentales y Estado autonómico**)

Fto. Jco. 5: «...en cuanto elemento fundamental de un ordenamiento objetivo, los derechos fundamentales dan sus contenidos básicos a dicho ordenamiento, en nuestro caso al del Estado social y democrático de Derecho, y atañen al conjunto estatal. En esta función, los derechos fundamentales no están afectados por la estructura federal, regional o autonómica del Estado. Puede decirse que los derechos fundamentales, por cuanto fundan un 'status' jurídico-constitucional unitario para todos los españoles y son decisivos en igual medida para la configuración del orden democrático en el Estado Central y en las CC.AA., son elemento unificador, tanto más cuanto el cometido de asegurar esta unificación, según el art. 155 de la C.E., compete al Estado. Los derechos fundamentales son así un patrimonio común de los ciudadanos individual y colectivamente, constitutivos del ordenamiento jurídico cuya vigencia a todos atañe por igual. Establecen por así decirlo una vinculación directa entre los ciudadanos y el Estado y actúan como fundamento de la unidad política sin mediación alguna.»

STC. 37/81 de 16 de noviembre (**la igualdad no equivale a uniformidad monolítica**)

Fto. Jco. 2: «El primero de tales principios (art. 139) es el de igualdad de derechos y obligaciones de todos los españoles en cualquier parte del territorio nacional. Es obvio, sin embargo, que tal principio no puede ser entendido en modo alguno como una rigurosa y monolítica uniformidad del ordenamiento de la que resulte que, en igualdad de circunstancias, en cualquier parte del territorio nacional, se tienen los mismos derechos y obligaciones. Esto no ha sido nunca así entre nosotros en el ámbito del Derecho Privado y, con la reserva ya antes señalada respecto de la igualdad en las condiciones básicas de ejercicio de los derechos y libertades, no es ahora así resueltamente en ningún ámbito, puesto que la potestad legislativa de que las CC.AA. gozan potencialmente da a nuestro ordenamiento una estructura compuesta, por obra de la cual puede ser distinta la posición jurídica de los ciudadanos en las distintas partes del territorio nacional. Es cierto que esta diversidad se da dentro de la unidad y que, por consiguiente, la potestad legislativa de las CC.AA. no puede regular las condiciones básicas de ejercicio de los derechos o posiciones jurídicas fundamentales que quedan reservadas a la legislación del Estado (arts. 53 y 149.1 de la C.), cuyas normas además son las únicas aplicables en las materias sobre las que las CC.AA. carecen de competencia legislativa, prevalecen en caso de conflicto, y tienen siempre valor supletorio (149.3).
Ciertamente, cualquier normativa local que, dentro de su ámbito competencial propio, establezca un ente de esta naturaleza (Municipio, Provincia o C.A.) respecto del transporte o de la carga o descarga de mercancías, o sobre la concurrencia de ofertas y demandas de transporte, puede incidir sobre la circulación de personas y bienes, pero no toda incidencia es necesariamente un obstáculo. Lo será, sin duda, cuando intencionadamente persiga la finalidad de obstaculizar la circulación, pero, en contra de lo que

argumenta la representación del Gobierno Vasco, no sólo en este caso, sino también en aquellos otros en los que las consecuencias objetivas de las medidas adoptadas impliquen el surgimiento de obstáculos que no guarden relación con el fin constitucionalmente lícito que aquellas persiguen.»

STC. 37/87 de 26 de marzo (desiguales competencias e igualdad individual)

Fto. Jco. 10: «El principio constitucional de igualdad no impone que todas las CC.AA. ostenten las mismas competencias, ni menos aún que tengan que ejercerlas de una manera o con un contenido y unos resultados idénticos o semejantes... Y si, como es lógico, de dicho ejercicio derivan desigualdades en la posición jurídica de los ciudadanos residentes en cada una de las distintas CC.AA., no por ello resultan necesariamente infringidos los arts. 1, 9.2, 14, 139.1 y 149.1.1 de la C., ya que estos preceptos no exigen un tratamiento jurídico uniforme de los derechos y deberes de los ciudadanos en todo tipo de materias y en todo el territorio del Estado, lo que sería frontalmente incompatible con la autonomía, sino, a lo sumo, y por lo que al ejercicio de los derechos y al cumplimiento de los derechos constitucionales se refiere, una igualdad de las posiciones jurídicas fundamentales.»

STC. 52/83 de 24 de marzo (igualdad españoles y distribución competencial)

Fto. Jco. 3: «...las reglas constitucionales y estatutarias que disponen la distribución de competencias entre el Estado y las CC.AA., responden en último término, a ciertos principios generales establecidos en la C. y, entre ellos, y aparte de los de unidad y autonomía, a los de igualdad sustancial de la situación jurídica de los españoles en cuanto tales, en todo el territorio nacional, art. 139.1, y de libre circulación de personas y bienes, art. 139.2; pero de estos principios no resultan directamente competencias en favor del Estado o de las CC.AA., si bien informan las reglas que asignan tales competencias que deben ser interpretadas de acuerdo con el contenido de los mismos.»

STC. 64/90 de 5 de abril (CC.AA., unidad de mercado y libre circulación)

Fto. Jco. 2: «En la primera (STC. 37/81) ha precisado este TC. que no toda medida que incida sobre la circulación de bienes y personas por el territorio nacional es necesariamente contraria al art. 139.2 CE., sino que lo será cuando persiga de forma intencionada la finalidad de obstaculizar la libre circulación o genere consecuencias objetivas que impliquen el surgimiento de obstáculos que no guarden relación y sean desproporcionados respecto del fin constitucionalmente lícito que pretenda la medida adoptada. Por su parte la STC. 88/86 ha señalado que 'la compatibilidad entre la unidad económica de la nación y la diversidad jurídica que deriva de la autonomía ha de buscarse, pues, en un equilibrio entre ambos principios, equilibrio que, al menos y en lo que aquí interesa, admite una pluralidad y diversidad de intervenciones de los poderes públicos en el ámbito económico, siempre que reúnan las varias características de que la regulación autonómica se lleve a cabo dentro del ámbito de la competencia de la CA.; que esa regulación en cuanto introductora de un régimen diverso del, o de los existentes en el resto de la Nación, resulte proporcionada al objeto legítimo que se persigue, de manera que las diferencias y peculiaridades en ella previstas resulten adecuadas y justificadas por su fin y, por último, que quede, en todo caso, a salvo la igualdad básica de todos los españoles.»

Fto. Jco. 5: «Esta posibilidad no debe conducir, sin embargo, a considerar constitucionalmente inaceptable toda intervención económica de las CC.AA. mediante subvenciones u otro género de ayudas que repercutan de algún modo en la circulación de industrias por el territorio nacional, pues, no han de perderse de vista que medidas de este tipo pueden resultar, al menos coyunturalmente y en particular, en situaciones de crisis y deterioro industrial, indispensables para corregir o disminuir las insuficiencias o disfunciones que presente el mercado, incrementando la productividad, optimizando el crecimiento económico y favoreciendo, en definitiva, el desarrollo regional, fines todos ellos que, lejos de ser reprobables, la CE. encomienda como propios del Estado Social de Derecho, a todos los poderes públicos. A éstos, en efecto, corresponde promover las condiciones favorables para el progreso social y económico (art. 40.1), atender a la modernización y desarrollo de todos los sectores económicos (art. 130.1) y garantizar y proteger el ejercicio de la libertad de empresa y la defensa de la productividad (art. 38), asumiendo así un compromiso que, como ha señalado este TC. supone 'la necesidad de una actuación específicamente encaminada a defender tales objetivos constitucionales (STC. 88/86).

Ha de ponderarse, por esta razón, la compatibilidad, en cada caso, de las ayudas regionales con las exigencias de libre circulación e igualdad en las condiciones básicas del ejercicio de la actividad económica que la unidad de mercado demanda, comprobando a tal efecto, la existencia de una relación de causalidad entre el legítimo objetivo que se pretenda y la medida que para su consecuencia se provea, asegurándose de su adecuación y proporcionalidad y delimitando, en fin, las consecuencias perturbadoras que de su aplicación puedan seguirse para el mercado nacional, en cuanto espacio económico unitario (STC. 87/85), más allá de las inevitables repercusiones que, dado el fuerte grado de interrelación económica, pueden proyectarse sobre el mismo.»

STC. 247/2007, de 12 de diciembre (**Autonomías y principio de igualdad**)

Fto. Jco. 4 «Junto a los principios de unidad, autonomía y solidaridad opera también, y lo hace de modo relevante, el de igualdad, que la Constitución proclama en su art. 139.1 como principio general de la organización territorial del Estado (capítulo primero, título VIII, CE). Sin embargo, importa precisar el ámbito en que se proyecta el principio de igualdad y también su alcance, pues lo hace, esencialmente, en un ámbito distinto al que es propio de aquellos otros tres principios. En efecto, ha de advertirse que la jurisprudencia constitucional no sólo ha afirmado positivamente la sustentación del reparto del poder político en los principios de unidad, autonomía y solidaridad, según hemos visto, sino que, además, ha precisado expresamente que el principio de igualdad, que se predica de los ciudadanos, no excluye la diversidad de las posiciones jurídicas de las Comunidades Autónomas» (ver STC. 37/81 Fto. Jco.. 2)

«...La conclusión no podría ser otra a la vista de que la Constitución vincula el principio de autonomía con el llamado principio dispositivo (art. 147.2, en conexión con el art. 149.3 CE), principio dispositivo que, actuando dentro de los límites que le marca la Constitución, como con posterioridad se señalará con más detalle, extrae su valor no sólo de estos preceptos sino también, de modo expreso, del art. 138.2 CE, que posibilita la existencia de «diferencias entre los Estatutos de las distintas Comunidades

Autónomas», si bien esas diferencias «no podrán implicar en ningún caso privilegios económicos o sociales». Por otra parte, hay que insistir en la idea antes expresada de que el principio de autonomía no puede oponerse al de unidad (STC. 4/1981, de 2 de febrero, Fto. Jco. 3). Por el contrario, la Constitución impone la integración de ambos principios de unidad y de autonomía mediante la virtualidad que atribuye a cada uno de ellos y que se manifiesta a través del reparto competencial, y, asimismo, su armonización con otros principios constitucionales, a través del principio de solidaridad, consagrado igualmente en los arts. 2 y 138 CE.

Pero no es en dicha esfera propiamente política, sino en el ámbito de los ciudadanos, en concreto, de sus condiciones de vida, donde opera el principio constitucional de igualdad. Y es que la esfera de la ciudadanía, en sentido estricto, está conceptualmente separada de la esfera correspondiente a la configuración del poder político contenida en el art. 2 CE. Ello no obstante, dicha separación debe matizarse a partir de la consideración de que la estructura del poder se proyecta sobre los ciudadanos a través de las potestades que la Constitución atribuye, precisamente, a los diversos entes de naturaleza política, potestades que se ejercen en la esfera de la ciudadanía en la que sí opera el principio de igualdad imponiendo ciertos límites a la acción de los poderes públicos. En conclusión, el principio de igualdad incide en el despliegue del principio de autonomía pero no puede desvirtuarlo...»

«...Es necesario, pues, distinguir los planos en que actúan el art. 14 CE, de un lado, y, de otro, los principios y reglas que operan en la esfera de la distribución de competencias y su reflejo en las condiciones de vida de los ciudadanos. En este sentido, hemos dejado sentado lo siguiente: «Uno es, en efecto, el ámbito propio del principio constitucional de igualdad ex art. 14 (principio que impide, en lo que aquí interesa, que las normas establezcan diferenciaciones no razonables o arbitrarias entre los sujetos a un mismo Legislador) y otro, sin duda alguna, el alcance de las reglas constitucionales que confieren competencias exclusivas al Estado o que limitan las divergencias resultantes del ejercicio por las Comunidades Autónomas de sus competencias propias. Estos últimos preceptos (y, entre ellos, los arts. 139.1, 149.1.1 y 149.1.18, invocados en la presente cuestión) aseguran, con técnicas diversas, una determinada uniformidad normativa en todo el territorio nacional y preservan también, de este modo, una posición igual o común de todos los españoles, más allá de las diferencias de régimen jurídico que resultan, inexcusablemente, del legítimo ejercicio de la autonomía (por todas, STC. 122/1988, fFto. Jco. 5). Pero ni la igualdad así procurada por la Constitución —igualdad integradora de la autonomía— puede identificarse con la afirmada por el art. 14 (precepto que no es medida de validez, por razón de competencia, de las normas autonómicas) ni cabe tampoco sostener que esta última —igualdad en la ley y ante ley— resulte menoscabada a resultas de cualquier conculcación autonómica del orden, constitucional y estatutario, de articulación y distribución de competencias. Como dijimos ya en la STC. 76/1986 (fundamento jurídico 3), la divergencia entre normas que emanan de poderes legislativos distintos no puede dar lugar a una pretensión de igualdad (aunque sí, claro está, a otro tipo de controversia constitucional)» (STC. 319/1993, de 27 de octubre, Fto. Jco. 5). En definitiva, el principio de igualdad de los ciudadanos ante la Ley que incorpora el art. 14 CE no puede concebirse haciendo caso omiso de la diversidad normativa que deriva directamente de la Constitución (arts. 2 y 149.3), dentro de ciertos límites (fundamentalmente, los derivados del art. 149.1.1 CE para el ejercicio de los derechos y deberes constitucionales y del art. 139.1 CE, en su alcance general, como se verá en los FFto. Jco.J 13 y siguientes).

CAPÍTULO SEGUNDO
De la Administración Local

Art. 140. La Constitución garantiza la autonomía de los municipios. Estos gozarán de personalidad jurídica plena. Su gobierno y administración corresponde a sus respectivos Ayuntamientos, integrados por los Alcaldes y los Concejales. Los Concejales serán elegidos por los vecinos del municipio mediante sufragio universal, igual, libre, directo y secreto, en la forma establecida por la ley. Los Alcaldes serán elegidos por los Concejales o por los vecinos. La ley regulará las condiciones en las que proceda el régimen del concejo abierto.

Ley 7/1985 de 2 de abril, reguladora de las Bases de Régimen Local.
L.O. 5/1985 de 19 de julio, del Régimen Electoral General.
Ley 57/03 de 16 de diciembre, de medidas para la modernización del gobierno local.

STC. 84/82 de 23 de diciembre (**CC.AA. y autonomías locales**)

Fto. Jco. 4: «Se cuestiona... la posibilidad de que el Estado (esto es, el conjunto de las instituciones generales y centrales y, en este caso, muy precisamente, el Gobierno) delegue o transfiera competencias directamente en las Corporaciones Locales y no simplemente en las CC.AA., que, a su vez, podrán o no transferir o delegar estas competencias en las Corporaciones Locales existentes en su territorio. Este es, expuesto en su forma más simple, el meollo del debate en torno al carácter 'intracomunitario' de la autonomía local en nuestra CE.

...Los Entes locales (municipios y provincias) tienen autonomía constitucionalmente garantizada para la gestión de sus respectivos intereses; la determinación de cuales sean estos intereses es obra de la Ley, que les atribuye, en consecuencia, competencias concretas, pero que en todo caso debe respetar la autonomía y, como sustrato inexcusable de ésta, reconocerles personalidad propia. Algunas CC.AA., y entre ellas la de Cataluña, han asumido la competencia exclusiva en materia de régimen local y, en consecuencia, es a ella a la que corresponde la regulación mediante la LRJCL. de su territorio. Esta ley debe ajustarse, sin embargo, a las bases establecidas por el Estado, de manera que el régimen jurídico de las Corporaciones Locales, aun en aquellas CC.AA. que, como la Catalana, asumen el maximum de competencias al respecto, es siempre resultado de la actividad concurrente del Estado y de las CC.AA.»

Este carácter bifronte del régimen jurídico de las autonomías locales en algunas CC.AA., que hace imposible calificarlo, de forma unívoca, como 'intracomunitario' o 'extracomunitario', no es contradictorio con la naturaleza que a las entidades locales atribuye la CE., cuyo art. 137 concibe a municipios y provincias como elementos de división y organización del territorio del Estado. Dividido y organizado también éste, en su integridad y sin mengua de ella, en CC.AA., ambas formas de organización se superponen sin anularse, y si bien el grado superior de autonomía, que es el propio de las CC.AA., les otorga potencialmente un poder político y administrativo sobre los municipios y provincias que se incluyen en su territorio, éstas y aquellos no desaparecen, ni se convierten en meras divisiones territoriales para el cumplimiento de los fines de la CA., aunque puedan también cumplir esta función. Las provincias siguen siendo (art. 141.1 CE. y 5.4 EAC.) divisiones territoriales para el cumplimiento de la actividad del Estado, y municipios y provincias, como entes dotados de personalidad jurídica propia (arts. 140 y 141 CE.), pueden ser autorizados por el ordenamiento para asumir a título singular el desempeño de funciones o la gestión de servicios que el Estado proponga transferirles o delegarles y que se corresponden con su ámbito de intereses propios, definido por la Ley. El traspaso de estas funciones y servicios a municipios y provincias no requiere, como es obvio, una Ley de las Cortes Generales, que la CE. (art. 150.2) exige sólo cuando los entes beneficiarios de la transferencia o delegación han de ser CC.AA., y resulta innecesaria, por tanto, toda argumentación dirigida a demostrar que el precepto impugnado no reúne las características de una de tales leyes. La transferencia o delegación de funciones o servicios a las Corporaciones Locales está obviamente limitada 'a priori' por el interés propio de estas Corporaciones, definido por la ley, en tanto que es el propio ámbito de interés peculiar de las CC.AA. definido en sus respectivos EE.AA. el que resulta ampliado mediante la transferencia o delegación de competencias de titularidad estatal. El traspaso a las CC.AA. de tales competencias debe ir acompañado, de otra parte, de los medios financieros que requiere su ejercicio (art. 150.2 CE.), en tanto que lo que, de acuerdo con el precepto impugnado, ha de traspasarse a las Corporaciones Locales a las que se transfieren o delegan funciones o servicios son 'créditos presupuestarios' renovables, por tanto, anualmente.»

STC. 32/81 de 28 de julio

Ver selección art. 141.

Art. 141. 1. La provincia es una entidad local con personalidad jurídica propia, determinada por la agrupación de municipios y división territorial para el cumplimiento de las actividades del Estado. Cualquier alteración de los límites provinciales habrá de ser aprobada por las Cortes Generales mediante ley orgánica.

2. El gobierno y la administración autónoma de las provincias estarán encomendados a Diputaciones u otras Corporaciones de carácter representativo.

3. Se podrán crear agrupaciones de municipios diferentes de la provincia.

4. En los archipiélagos, las islas tendrán además su administración propia en forma de Cabildos o Consejos.

Ley 7/1985 de 2 de abril, reguladora de las Bases del Régimen Local.

STC. 32/81 de 28 de julio (**garantía institucional de la provincia**)

Fto. Jco. 3: «El orden jurídico-político establecido por la C. asegura la existencia de determinadas instituciones, a las que se considera como componentes esenciales y cuya preservación se juzga indispensable para asegurar los principios constitucionales, estableciendo en ellas un núcleo o reducto indisponible por el legislador. Las instituciones garantizadas son elementos arquitecturales indispensables de orden constitucional y las normaciones que las protegen son, sin duda, normativas organizativas, pero a diferencia de lo que sucede con las instituciones supremas del Estado, cuya regulación orgánica se hace en el propio texto constitucional, en éstas la configuración institucional concreta se defiere al legislador ordinario, al que no se fija más límite que el del reducto indisponible o núcleo esencial de la institución que la C. garantiza. Por definición, en consecuencia, la garantía institucional no asegura un contenido concreto o un ámbito competencial determinado y fijado de una vez por todas, sino la preservación de una institución en términos recognoscibles para la imagen que de la misma tiene la conciencia social en cada tiempo y lugar. Dicha garantía es desconocida cuando la institución es limitada, de tal modo que se la priva prácticamente de sus posibilidades de existencia real como institución para convertirse en un simple nombre. Tales son los límites para su determinación por las normas que la regulan y por la aplicación que se haga de éstas. En definitiva, la única interdicción claramente discernible es la de la ruptura clara y neta con esa imagen comúnmente aceptada de la institución que, en cuanto formación jurídica, viene determinada en buena parte por las normas que en cada momento la regulan y la aplicación que de las mismas se hace.

Los arts. 137 y 141 de nuestra C. contienen una inequívoca garantía de la autonomía provincial, pues la provincia no es sólo circunscripción electoral..., entidad titular para la iniciativa para la constitución de CC.AA..., o división territorial para el cumplimiento de las actividades del Estado..., sino también, y muy precisamente, 'entidad local' que goza de autonomía para la gestión de sus intereses...

No precisa la C. cuales sean estos intereses ni cuál el haz mínimo de competencias que para atender a su gestión debe el legislador atribuir a la provincia, aunque sí cabe derivar de la C. razones que apuntan a la posibilidad de que estos intereses provinciales y las competencias que su gestión autónoma comporta han de ser inflexionados para acomodar esta pieza de nuestra estructura jurídico-política a otras entidades autonómicas de nueva creación.

En efecto, la C. prefigura... una distribución vertical del poder público entre entidades de distinto nivel que son fundamentalmente el Estado, titular de la soberanía; las CC.AA., caracterizadas por su autonomía política, y las provincias y municipios, dotadas de autonomía administrativa de distinto ámbito. Prescindiendo ahora de otras consideraciones, es lo cierto que si el poder público ha de distribuirse entre más entes que los anteriormente existentes, cada uno de estos ha de ver restringida lógicamente parte de la esfera de dicho poder que tenía atribuída. En definitiva, hay que efectuar una redistribución de competencias en función del respectivo interés entre las diversas entidades, para que el modelo de Estado configurado por la C. tenga efectividad práctica. La primera y más alta de las entidades a que se refiere el art. 137 de la C. es, por supuesto, la C.A., cuya creación incide no sólo sobre las competencias de los órganos generales del Estado... sino también sobre las atribuídas a las provincias en la medida en que responden al interés general de la Comunidad.

Es necesario distinguir, sin embargo, de acuerdo con la C. y desde la perspectiva territorial, entre las CC.AA. cuyo ámbito comprenda varias provincias y aquellas otras de carácter uniprovincial que puedan constituirse cuando se den los supuestos previstos en los arts. 143 y 144 de la C. En el primer caso, de acuerdo con las ideas antes expuestas parte de las competencias que hasta ese momento fueron de las provincias pasarán a ser funciones de la C.A. a la que habrá también que atribuir, en consecuencia, la parte correspondiente de los recursos provinciales y, lógicamente, de los servicios de esa naturaleza, reduciendo, en consecuencia, por así decir, el ámbito de competencias de la entidad provincial. Esta resultará, por el contrario, potenciada en aquellos otros casos en que, bien por tener la provincia caracteres propios de región histórica (art. 143), bien en virtud de una autorización especial de las Cortes (art. 144), una sola provincia se erija en C.A., asumiendo así un superior nivel de autonomía, y estando en este caso confiado su gobierno y administración a la C.A., tal y como permite el art. 141.2 de la C.

Pero no es esta modificación reductora o ampliadora de la autonomía provincial inducida por la creación de las CC.AA. la única que de la C. resulta. El texto constitucional contempla también la posibilidad (art. 141.3) de crear agrupaciones de municipios diferentes de la provincia. Es claro que estas agrupaciones cuya autonomía no aparece constitucionalmente garantizada, pero que tienen una clara vocación autonómica correctamente confirmada en el E.A. de Cataluña (art. 5.3), podrán asumir el desempeño de funciones que antes correspondían a los propios municipios o actuar como divisiones territoriales de la C.A. para el ejercicio descentralizado de las potestades propias de ésta, pero también el ejercicio de competencias que eran anteriormente competencias provinciales, con lo que por esta vía puede producirse igualmente una cierta reducción del contenido propio de la autonomía provincial. Es obvio, en definitiva, que la aparición de nuevas entidades territoriales ha de tener una profunda repercusión sobre la delimitación de cuál sea el interés propio de las hasta ahora existentes y, en consecuencia, sobre su ámbito competencial.

Estos procesos de cambio que la propia C. impone o posibilita y que manifiestamente han de conducir a una estructura diferenciada no pueden llevar, sin embargo, a menos que la C. sea modificada, a una desaparición de la provincia como entidad dotada de autonomía para la gestión de sus propios intereses. Algunos de los que hoy son tales podrán ser configurados como intereses infraprovinciales y atribuirse su gestión a entidades de esa naturaleza; la defensa y cuidado de otros podrá ser atribuída a la C.A. en la que la provincia se encuentra para ser gestionados por la propia C.A. No cabe establecer, a priori, cual es el límite constitucional de esta reestructuración de las autonomías locales; pero las autonomías garantizadas no pueden ser abolidas, pues la protección que la C. les otorga desborda con mucho de la simple 'remisión a la Ley ordinaria en orden a la regulación de competencias'. El legislador puede disminuir o acrecentar las competencias hoy existentes, pero no eliminarlas por entero y, lo que es más, el debilitamiento de su contenido sólo puede hacerse con razón suficiente y nunca en daño del principio de autonomía, que es uno de los principios estructurales básicos de nuestra C.»

Fto. Jco. 5: «Como titulares de un derecho a la autonomía constitucionalmente garantizada, las comunidades locales no pueden ser dejadas en lo que toca a la definición de sus competencias y la configuración de sus órganos de gobierno a la interpretación que cada C.A. pueda hacer de ese derecho, tanto más cuanto que el mismo no va acompañado, como en otros ordenamientos sucede, de un derecho de carácter reaccional que, eventualmente, les abra una vía ante la jurisdicción constitucional frente a normas con rango de Ley.»

Fto. Jco. 7: «Para el gobierno y administración de las provincias, las Diputaciones provinciales aparecen dotadas de potestades decisorias, cuya naturaleza tampoco puede ser desconocida sin infringir las bases hoy establecidas. En la medida en que la Ley impugnada (Ley 6/1980 de 17 de diciembre, de la Generalidad de Cataluña por la que se regula la transferencia urgente y plena de las Diputaciones catalanas a la Generalidad) prescinde totalmente de la noción de interés peculiar, de competencias propias y de servicios mínimos de la provincia y priva de potestades decisorias a los órganos que deberían tener su gobierno y administración, ha de ser reputada... contraria a la C.»

STC. 27/87 de 27 de febrero (**autonomía provincial y coordinación**)

Fto. Jco. 2: «La C. garantiza la autonomía de las provincias para la gestión de sus propios intereses (art. 137), encomendando su gobierno y administración autónoma a Diputaciones u otras Corporaciones de carácter representativo (art. 141.2)... dicha autonomía hace referencia a la distribución territorial del poder del Estado en el sentido amplio del término, y debe ser entendida como un derecho de la comunidad local a participar, a través de órganos propios, en el gobierno y administración de cuantos asuntos le atañen, constituyendo en todo caso un poder limitado que no puede oponerse al principio de unidad estatal.

La concreta configuración institucional de la autonomía provincial corresponde al legislador, incluyendo la especificación del ámbito material de competencias de la entidad local, así como las fórmulas o instrumentos de relación con otras entidades públicas y el sistema de controles de legalidad constitucionalmente legítimos.

En primer lugar la ley debe especificar y graduar las competencias provinciales teniendo en cuenta la relación entre intereses locales y supralocales en los asuntos que conciernan a la comunidad provincial y sin más límite que el del reducto indispensable o núcleo esencial de la institución que la C. garantiza.

Por otra parte, y dado que cada organización dotada de autonomía es una parte del todo, no cabe deducir de la C. que, en todo caso, corresponda a cada una de ellas un derecho o facultad que le permita ejercer las competencias que le son propias en régimen de estricta y absoluta separación. Por el contrario la unidad misma del sistema en su conjunto, en el que las diferentes entidades autónomas se integran, así como el principio de eficacia administrativa (art. 103.1 de la C.E.), que debe predicarse no sólo de cada Administración Pública, sino del entero entramado de los servicios públicos, permiten, cuando no imponen, al legislador establecer fórmulas y cauces de relación entre unas y otras Administraciones locales y de todas ellas con el Estado y las CC.AA., en el ejercicio de las competencias que para la gestión de sus intereses respectivos les correspondan.

Entre tales fórmulas... el legislador puede disponer la coordinación de la actividad de las Corp. Loc. por el Estado o por las CC.AA., según el régimen de distribución de competencias entre aquél y éstas... tal coordinación no supone, sin embargo, una sustracción o menoscabo de las competencias de las entidades sometidas a la misma; antes bien, presupone lógicamente la titularidad de las competencias en favor de la entidad coordinada. La coordinación implica 'la fijación de medios y sistemas de relación que hagan posible la información recíproca, la homogeneidad técnica en determinados aspectos y la acción conjunta' de las administraciones coordinadora y coordinada en el ejercicio de sus respectivas competencias, de manera que se logre la integración de actos parciales en la globalidad del sistema, integración que la coordinación persigue para evitar contradicciones y reducir disfunciones que, de subsistir, impedirían o dificultarían el funcionamiento del mismo. Así entendida la coordinación constituye un límite al pleno ejercicio de las competencias propias de las Corp. Loc., y como tal, en cuanto que afecta al alcance de la autonomía local constitucionalmente garantizada, sólo puede producirse en los casos y con las condiciones previstas en la Ley.»

STC. 214/89 de 21 de diciembre (**creación de comarcas y autonomía municipal**)

Fto. Jco. 13: «Quiere decirse, pues, que la creación de comarcas podrá repercutir en las competencias de los municipios agrupados en las mismas, pero tal hecho no puede en ningún caso desembocar en una abolición por desapoderamiento total de la autonomía municipal constitucionalmente garantizada. A ello se dirige este párrafo 4 del art. 42 (LRBRL.), garantizado ese mínimo, sin que pueda imputarse al legislador estatal una extralimitación en el ejercicio de sus competencias determinante de la vulneración, por invasión, del ámbito competencial de las CC.AA. recurrentes.

Por lo demás, esa garantía no entra en contradicción con la competencia de las CC.AA. en materia de alteraciones municipales, las cuales pueden plasmarse, incluso, en la supresión de municipios. Según el razonamiento de las entidades recurrentes, el art. 42.4 que impugnan establece frente a las CC.AA. una cautela, de orden competencial a favor de los municipios, cuando lo cierto es que dichas CC.AA. pueden acompañar la creación de comarcas de medidas más radicales, tales como la supresión o fusión de municipios. Se evidenciaría así la inconsistencia lógica del art. 42.4 de la LRBRL. que no estaría sino al servicio de una restricción indebida de las competencias autonómicas.

Este razonamiento no puede, sin embargo, prosperar. Es cierto que las alteraciones de términos municipales, así como la supresión de municipios, entra de lleno en el ámbito de la disponibilidad de los legisladores autonómicos, sin perjuicio de que el Estado, con cobertura en los arts. 137, 140 y 149.1.18 de la C.E., retenga al respecto ciertas competencias. Alteraciones que, en pura hipótesis, pueden correr paralelamente al proceso de creación de comarcas, sin que por ello, y aún en el supuesto extremo de la supresión de municipios, la garantía institucional de la autonomía local constituya un obstáculo insalvable, por cuanto dicha garantía sólo se extiende a la existencia misma de esa autonomía y, por tanto, de las corporaciones gestoras de la misma, pero no, obviamente, al mantenimiento de un determinado 'statu quo' organizativo.

Ahora bien que la garantía institucional de la autonomía local no pueda preservar al municipio individualmente, sino que su alcance sea estrictamente institucional, no empaña para nada la lógica del art. 42.4 de la LRBRL. Todo lo contrario. Dicho precepto no condiciona en absoluto esas alteraciones municipales, pero sí garantiza la institución municipal, que, aún en la hipótesis extrema, no podrá diluirse para pasar a identificarse con la comarca. La configuración constitucional de la comarca como agrupación de municipios (art. 152.3 C.E.) impide, en efecto, la materialización del supuesto último del 'municipio-comarca', de manera que por muy profundas que pudieran imaginarse esas alteraciones municipales no podrá llegarse a semejante situación. De ahí que el art. 42.4 LRBRL. marque un límite infranqueable a la redistribución de competencias que, como consecuencia de la creación de comarcas, puedan llevar a cabo las CC.AA. Esa limitación no es injustificada, ni carente de legitimidad, sino manifestación, una vez más, del contenido mínimo que a la institución municipal corresponde en todo caso, y ello como exigencia de la garantía de su autonomía.»

STC. 31/10 de 28 de junio (**provincias y/o veguerías**)

Fto. Jco. 40...Por lo mismo también es de descartar la inconstitucionalidad imputada al art. 90.1 y 2 EAC, pues ninguna de las dos dimensiones definidoras de la veguería (como división del territorio a efectos intraautonómicos y como gobierno local para la cooperación intermunicipal, que goza de autonomía para la gestión de sus intereses) perjudica en absoluto a la provincia como división territorial del Estado y como entidad local ni a las funciones constitucionales que le son propias; esto es, las de circunscripción electoral (arts. 68.2 y 69.2 CE), división territorial del Estado para el cumplimiento de sus actividades y la de entidad local con personalidad jurídica propia y dotada de autonomía (art. 141.1 CE). En tal sentido, la previsión estatutaria de la existencia de veguerías, sean cuales sean sus límites geográficos, no puede suponer la supresión de las provincias en Cataluña ni la de sus funciones constitucionales.

Interpretado en esos términos, el art. 90 EAC no es contrario a la Constitución, y así se dispondrá en el fallo.

Fto. Jco. 41. De los dos preceptos cuya inconstitucionalidad acabamos de descartar se desprende, en su interpretación más inmediata, que la veguería se constituye como una entidad local que, sin perjuicio de la provincia y de sus funciones constitucionalmente garantizadas, concurre con los municipios en la estructuración de la organización territorial básica de la Generalitat de Cataluña, también organizada en comarcas y otros entes supramunicipales de posible creación por la Comunidad Autónoma; esto es, como una entidad local propia de la Generalitat y distinta de la provincia, con la que convive en el respeto a su autonomía garantizada por la Constitución.

Sin embargo, el art. 91 EAC opone a lo anterior una alternativa radicalmente distinta y que ha sido, por lo demás, la que las partes personadas han coincidido en asumir como la más adecuada para el entendimiento de la veguería como una institución conforme a la Constitución. De acuerdo con dicho precepto la veguería podría no ser una nueva entidad local, sino la nueva denominación de la provincia en Cataluña. Tal sería, en efecto, la conclusión que puede desprenderse del art. 91.3 EAC, conforme al cual los Consejos de veguería (en tanto que órganos de "gobierno y administración autónoma de la veguería": art. 91.1 EAC) "sustituyen a las Diputaciones".

Tal posibilidad no es contraria a la Constitución, habida cuenta de que la veguería reúne en el Estatuto los caracteres típicos de la provincia y es ésta, más allá de su denominación específica, la institución constitucionalmente garantizada. Nada se opone, por tanto, a que, a efectos estrictamente autonómicos, las provincias catalanas pasaran a denominarse veguerías. Como nada impide, tampoco, que, en ese supuesto, los Consejos de veguería sustituyeran a las Diputaciones provinciales, pues el art. 141.2 CE prescribe que el gobierno y la administración autónoma de las provincias han de encomendarse "a Diputaciones u otras Corporaciones de carácter representativo", como, a la vista del art. 91.1 y 2 EAC, han de serlo los Consejos de veguería. De sustituir los Consejos de veguería a las Diputaciones corresponderá a la legislación del Estado determinar su composición y el modo de elección de sus miembros, correspondiendo también a la normativa básica estatal regular sus competencias en el orden local.

Ambas interpretaciones tienen, por tanto y en principio, cabida en el Estatuto de Autonomía catalán, de manera que será el legislador de desarrollo el llamado a concretar si la veguería es una nueva entidad local o una nueva denominación de la provincia. Sin embargo, cada una de estas dos interpretaciones posibles precisan, en su caso, de un determinado entendimiento del art. 91 EAC, pues hay que recordar que los recurrentes también sostienen la inconstitucionalidad del inciso inicial del art. 91.4 EAC, según el cual, la creación, modificación y supresión de las veguerías, "se regulan por ley del Parlamento", previsión que se opondría a lo dispuesto en el art. 141.1 CE, que requiere una ley orgánica para la alteración de los límites provinciales. La impugnación en este particular se reduce a este aspecto, sin extenderse a la regulación por ley del Parlamento de Cataluña del "desarrollo del régimen jurídico de las veguerías".

Pues bien, si la veguería no fuera sino la denominación de la provincia en Cataluña no cabría objeción constitucional alguna a la sustitución de la Diputación provincial por el Consejo de veguería, según prescribe el art. 91.3 EAC. Sin embargo, en ningún caso la "creación, modificación y supresión, así como el desarrollo del régimen jurídico de las veguerías" podrían regularse entonces por ley del Parlamento catalán, como dispone el art. 91.4 EAC, pues es obvio que, como ente local garantizado por la Constitución, la provincia denominada "veguería" en Cataluña es indisponible por el legislador autonómico, reservada como está a la ley orgánica cualquier alteración de los límites provinciales, según recuerda el propio art. 91.4 EAC, con expresa remisión al art. 141.1 CE. En tal caso, esta previsión estatutaria del art. 91.4 EAC hay que interpretarla en el sentido de que, cuando se dé coincidencia geográfica de las provincias con las veguerías, es la simple denominación como veguería, es decir, la creación de esa institución a efectos exclusivamente autonómicos, o su desaparición o supresión, lo único que puede hacer la ley del Parlamento catalán, no la creación, modificación o supresión de las provincias, algo que, de ninguna manera, está al alcance del legislador autonómico.

Por el contrario, si la veguería es una entidad local de nuevo cuño no sería constitucionalmente admisible que los Consejos de veguería sustituyeran a las Diputaciones, de manera que el art. 91.3 EAC, para ser conforme con la Constitución, ha de interpretarse de modo condicional, esto es, que los Consejos de veguería pueden sustituir a las Diputaciones en el exclusivo caso de que los límites geográficos de las veguerías coincidan con los de las provincias.

Interpretados en esos términos, los apartados 3 y 4 del art. 91 EAC no son contrarios a la Constitución, y así se dispondrá en el fallo.

Art. 142. Las Haciendas locales deberán disponer de los medios suficientes para el desempeño de las funciones que la ley atribuye a las Corporaciones respectivas y se nutrirán fundamentalmente de tributos propios y de participación en los del Estado y de las Comunidades Autónomas.

Ley 39/88 de 28 de diciembre, reguladora de las Haciendas Locales.

STC. 4/81 de 2 de febrero (**medios suficientes no significa medios propios**)

Fto. Jco. 15: «A) La C. no garantiza a las corporaciones locales una autonomía económico-financiera en el sentido de que dispongan de medios propios, patrimoniales y tributarios, suficientes para el cumplimiento de sus funciones. Lo que dispone es que estos medios serán suficientes, pero no que hayan de ser en su totalidad propios. Así lo expresa con toda claridad el art. 142 de la C....

En consecuencia, dadas las diversas fuentes que nutren las Haciendas Locales, así como su complementariedad, es aquí plenamente explicable la existencia de controles de legalidad, tanto en relación con la obtención y gestión de ingresos de carácter propio como con la utilización de los procedentes de otras fuentes.»

Ver continuación del Fto. Jco. 15 en selección con relación al art. 132.

STC. 32/81 de 28 de julio (presupuestos de Diputación: aprobación y control de legalidad)

Fto. Jco. 8: «Es evidente que... el precepto contenido en la disp. trans. 1ª de la Ley impugnada (Ley 6/80 de 17 de diciembre, de la Generalidad de Cataluña), en cuanto que sujeta a la aprobación del Parlamento de la Generalidad los presupuestos de las Diputaciones Provinciales, priva a éstas de una potestad decisoria fundamental, sin la que no cabe hablar de autonomía y, en consecuencia, ha de considerarse contraria a la C.... Una cosa es, en efecto, que en el ejercicio de la función de supervisión y tutela sobre las distintas entidades locales dotadas de autonomía, el Estado o, en su caso la Generalidad, puedan llevar a cabo un control de legalidad, dentro de los límites que señala la STC. 2-2-81, sobre la elaboración, aprobación y gestión de sus presupuestos, y otra bien distinta es que se sustraiga a estas entidades dotadas de autonomía la potestad de aprobar sus propios presupuestos.»

STC. 179/85 de 19 de diciembre (recargos sobre impuestos estatales)

Fto. Jco. 3: «El Gobierno Vasco, en su impugnación de los arts. 8 a 12 (Ley 24/83 de 21 de diciembre, de medidas urgentes de saneamiento y regulación de las Haciendas Locales), acude en primer lugar a una serie de argumentos sobre la interpretación conjunta de los arts. 142 y 157 de la C.E., en relación con determinados preceptos de la LOFCA, de los que pretende deducir la improcedencia del establecimiento de los recargos sobre impuestos estatales en favor de los Ayuntamiento...
Así en primer lugar, la afirmación de que el concepto de recargo sobre impuestos estatales hace referencia 'siempre' a un tributo que viene establecido desde fuera de quien decide el recargo, no responde a los datos que proporciona la experiencia, pues lo normal en nuestro ordenamiento ha sido precisamente... lo contrario, a saber, que haya sido, en principio, el Estado quien, al establecer o regular impuestos estatales, haya previsto y fijado en dicha regulación recargos, sobre la base o la cuota, en favor de determinados entes públicos, muchas veces en favor precisamente de las Entidades Locales. Es decir, que lo usual ha sido que los recargos hayan sido establecidos por el ente creador del impuesto municipal. Por otro lado, con el término 'recargos' se designan en la legislación elementos de la deuda tributaria de muy diversa naturaleza (art. 58 LGT), sin que pueda excluirse el que, al menos en ciertos supuestos, los recargos establecidos en favor de un ente distinto del acreedor principal puedan asimilarse a participaciones en los ingresos de este último. Así lo ha podido entender incluso el constituyente, al haber calificado implícitamente en el art. 157.1 a) de la C.E. los recargos sobre impuestos estatales como participaciones en los ingresos del Estado. De donde se deduce, obviamente, la improcedencia de considerar que el art. 142 C.E. excluya tales recargos de entre los posibles recursos de las Haciendas Locales, pues incluye entre los últimos la posible participación en los tributos del Estado. Aparte de que a mayor abundamiento, y cualquiera que sea la naturaleza de los recargos de que se trate, el art. 142 no establece una lista cerrada de posibles recursos de dichas Haciendas, sino que se limita a disponer que estarán constituídos 'fundamentalmente' por tributos propios y participación en los del Estado y de las CC.AA., sin excluir otras posibles fuentes de financiación.
No más persuasivo es el argumento de que sólo corresponda a la C.A. la posibilidad de establecer recargos sobre tributos estatales. Ello no se desprende, ni expresa, ni implícitamente, del tenor de los arts. 142 y 157 de la C.E.

...en lo relativo a Haciendas Locales es el principio de suficiencia y no el de autonomía, el formulado expresamente por el artículo 142 de la C.E. y 12 de la LOFCA. El que el art. 157 de la C.E. prevea los recargos sobre impuestos estatales, sin expresar quien haya de establecerlos, como uno de los posibles recursos de las CC.AA., y el que el art. 12 de la LOFCA autorice a éstas, con las limitaciones a que se refiere su apartado 2, a establecer recargos 'sobre los impuestos estatales cedidos, así como sobre los no cedidos que graven a la renta o el patrimonio de las personas físicas con domicilio fiscal en su territorio', no permite, como es obvio, llegar a la conclusión de que ningún otro ente pueda establecer recargos de este género. Si a alguien compete, en principio, establecer recargos sobre los impuestos estatales, cualquiera que sea el ente en favor del cual sean establecidos, es al propio Estado, en virtud de su competencia de Hacienda general del art. 149.1.14 de la C.E., que comprende obviamente la regulación de los impuestos estatales, tanto en sus aspectos principales o fundamentales como en los accesorios o accidentales. Sin perjuicio de que el Estado pueda, como ha hecho con el art. 12 de LOFCA, autorizar que otros entes establezcan recargos sobre determinados impuestos estatales...».

CAPÍTULO TERCERO
De las Comunidades Autónomas

Art. 143. 1. En el ejercicio del derecho a la autonomía reconocido en el artículo 2 de la Constitución, las provincias limítrofes con características históricas, culturales y económicas comunes, los territorios insulares y las provincias con entidad regional histórica podrán acceder a su autogobierno y constituirse en Comunidades Autónomas con arreglo a lo previsto en este Título y en los respectivos Estatutos.

2. La iniciativa del proceso autonómico corresponde a todas las Diputaciones interesadas o al órgano interinsular correspondiente y a las dos terceras partes de los municipios cuya población represente, al menos, la mayoría del censo electoral de cada provincia o isla. Estos requisitos deberán ser cumplidos en el plazo de seis meses desde el primer acuerdo adoptado al respecto por alguna de las Corporaciones locales interesadas.

3. La iniciativa, en caso de no prosperar, solamente podrá reiterarse pasados cinco años.

STC. 89/84 de 28 de septiembre (**revocación iniciativa autonómica: Diputación León**)

Fto. Jco. 5: «De acuerdo con el art. 143.2 de la C.E., regla común en la materia y de aplicación en el presente caso, 'la iniciativa del proceso autonómico corresponde...'. Quiere decir esto bien a las claras que se atribuye a la Diputación Provincial y a los Municipios... la facultad de impulsar la constitución de la provincia en C.A. o la de constituir una tal C.A. con otras provincias que manifiesten asimismo una voluntad concordante. Esto es precisamente lo que hicieron en el mes de abril de 1980 una mayoría suficiente de municipios leoneses y la misma Diputación Provincial.

Con los acuerdos adoptados en tal sentido se produce, por tanto, un impulso del proceso de constitución de la C.A., impulso sin el cual ésta no podría constituirse o no podría abarcar a la provincia en que faltan, a no ser que las Cortes Generales hiciesen uso de la facultad que les concede el art. 144 c) de la C.E.

Sin embargo, que tal impulso inicial sea necesario, salvo la hipótesis excepcional mencionada, no significa que haya de mantenerse en lo sucesivo y que, como pretenden los recurrentes, la revocación del acuerdo de la Diputación Provincial, o del de suficiente número de Ayuntamientos, haya de suponer que la provincia de que se trate tenga que considerarse excluída de la C.A. en cuestión. Los Ayuntamientos y la Diputación impulsan un proceso pero no disponen de él, por la doble razón de que, producido válidamente el impulso, son otros los sujetos activos del proceso y otro también el objeto de la actividad que en éste se despliega: según el art. 146 una asamblea compuesta por los miembros de las Diputaciones de las provincias afectadas y por los diputados y Senadores elegidos en ellas elaborará un proyecto de Estatuto que será elevado a las Cortes para su tramitación como Ley. El sujeto del proceso no está integrado ya, como en su fase de impulsión preliminar por las Diputaciones y Municipios, sino que es un nuevo órgano que nace porque ya se ha manifestado la voluntad impulsora y que expresa ahora la del territorio en su conjunto; y esa voluntad ya tiene un objeto distinto, el régimen jurídico futuro del territorio que ya ha manifestado su voluntad de constituirse en C.A. mediante actos de iniciativa que ya han agotado sus efectos. Admitir que tras la convocatoria de la asamblea a que se refiere el art. 146 de la C. cualquier provincia puede desvincularse del proceso sería tanto como afirmar que en cualquier momento puede poner fin al proceso autonómico obligando a reabrir otro con distinto sujeto y objeto también diferente. La ordenación del proceso obliga más bien a la conclusión contraria: los actos a que se refiere el art. 143 son, como el propio precepto indica, actos de iniciativa, actos de primera impulsión del proceso que agotan sus efectos cuando éste ha entrado en su siguiente fase.

En el caso que nos ocupa el acuerdo de revocación fue adoptado por la Diputación de León en un momento, el 13 de enero de 1983, posterior no sólo a la convocatoria de la asamblea a que alude el art. 146 de la C., sino posterior también a la recepción en el Congreso de los Diputados del proyecto que dicha asamblea adoptó, y la publicación del mismo en el BOCG... Ello significa que a las consideraciones hechas hasta aquí cabría añadir otras que tuviesen en cuenta las consecuencias a derivar de la conversión del proyecto de la asamblea en proyecto de Ley que la Cámara ya ha hecho suyo. Lo que ya se ha dicho es, sin embargo, suficiente para concluir que, en el momento en que se adoptó, el acuerdo de 13 de enero de 1983 ya no podía privar al de 16 de abril de 1980 de una eficacia que se había agotado tiempo atrás.»

STC. 100/84 de 8 de noviembre (**plazo 143.3 no incide sobre 144**)

Fto. Jco. 1: «Es, sin embargo, necesario examinar el 143.3 en relación con las facultades que el 144 atribuye a las Cortes, es decir, si el plazo de cinco años del primer precepto afecta o no a las Cortes, y respecto a este problema la solución ha de ser forzosamente negativa. En efecto, la iniciativa a la que se refiere el 143.3 como no reiterable hasta pasados cinco años de su primera formulación es la de los entes a los que se refieren los dos primeros apartados del mismo artículo, y ello es así, no sólo, como afirma el representante del Gobierno, por los criterios de interpretación literal y sistemática que él mismo expone, sino porque sería un contrasentido supeditar 'los motivos de interés nacional' que son la única razón de ser de la actuación de las Cortes en el art. 144 de la C.E., al transcurso de un largo plazo cuyo término inicial depende de la esfera de decisión de los diversos entes a que se refiere el 143.1 y 2 de la C., lo que equivaldría a dejar en las manos de entes integrantes de la totalidad nacional un mecanismo impeditivo de la defensa directa del propio interés nacional atribuída, en este caso, por el inciso primero del 144 de la C.E. a las Cortes Generales que representan al pueblo español en quien reside la soberanía nacional.»

Art. 144. Las Cortes Generales, mediante ley orgánica, podrán, por motivos de interés nacional:

a) Autorizar la constitución de una Comunidad Autónoma cuando su ámbito territorial no supere el de una provincia y no reúna las condiciones del apartado 1 del artículo 143.

b) Autorizar o acordar, en su caso, un Estatuto de autonomía para territorios que no estén integrados en la organización provincial.

c) Sustituir la iniciativa de las Corporaciones locales a que se refiere el apartado 2 del artículo 143.

STC. 89/84 de 28 de septiembre (**se precisa LO. para 144.c**)

Fto. Jco. 4: «Tal facultad de sustitución (144.c) sólo puede ejercitarse mediante Ley Orgánica... y, si bien el precepto no lo dice expresamente, está claro que ha de tratarse de Ley aprobada precisamente al amparo de dicho precepto sin que pueda considerarse que se ha cumplido el requisito, y ejercida la facultad por él condicionada, al aprobar un Estatuto de Autonomía como L.O., según exige la norma constitucional, porque de ser así no tendría sentido alguno la iniciativa de las Corporaciones, cuya eventual ausencia resultaría automáticamente suplida por la voluntad de las Cortes manifestada en el solo hecho de aprobar un estatuto que las abarcase.»

STC. 100/84 de 8 de noviembre (**144.c) y autonomía provincial**)

Fto. Jco. 1: ver selección con relación al art. 143.

Fto. Jco. 2: «Es necesario no confundir el derecho a la autonomía que la C. reconoce y garantiza a 'las nacionalidades y regiones'... (art. 2) y que conectado con el 143.1 (...) consiste en el derecho a 'acceder a un autogobierno y constituirse en CC.AA.', con el derecho de cada provincia a la autonomía 'para la gestión de sus respectivos intereses', se entiende, en cuanto provincia (art. 137), ni tampoco con el derecho a la iniciativa autonómica... Del tercero es titular la provincia de Segovia en cuanto ella entienda que reúne los requisitos del 143.1 y 2 para convertirse en C.A., y, ciertamente sus órganos provinciales y locales han hecho uso de la iniciativa autonómica. Pero ello no significa, sin más, que directamente emanado de la C., Segovia, o cualquier otra provincia, tenga un derecho a constituirse en C.A. uniprovincial, pues han de ser las Cortes Generales las que verifiquen si en Segovia concurre el requisito que el art. 143.1 de la C.E. exige al respecto, esto es, si se trata de una provincia con 'entidad regional histórica', y si, por otra parte, en su proceso hacia la autonomía se han cumplido las exigencias del 143.2

de la C.E. Esta apreciación por las Cortes no ha podido producirse en este caso por la interrupción del proceso iniciado, pero es necesario hacer constar que las Cortes, en la fase del 146 de la C.E. hubieran podido pronunciarse sobre uno y otro extremo. Es más, incluso en el supuesto de que las Cortes Generales hubieran entendido que Segovia no es una provincia 'con entidad regional histórica', habrían podido 'autorizar' su constitución en C.A. uniprovincial por motivos de interés nacional con base en el art. 144 a) de la C.»

Fto. Jco. 3: «Es cierto, como señalan los recurrentes, que la C. no define qué es autonomía, pero ello no impide que el contenido y los límites de tal derecho puedan ser inferidos de los preceptos constitucionales por vía interpretativa. Este T.C... ha precisado diversos aspectos concernientes principalmente al derecho a la autonomía, al proceso autonómico y a la delimitación competencial, a través de numerosas sentencias... Muy al comienzo de su andadura este T.C. hizo ver que 'ante todo resulta claro que la autonomía hace referencia a un poder limitado... (ver continuación STC. 4/81 Fto. Jco. 3, selección art. 137)'. La raíz misma del Estado autonómico postula la necesaria articulación entre unidad y diversidad, pues el componente diferenciador, sin el cual 'no existiría verdadera pluralidad ni capacidad de autogobierno, notas ambas que caracterizan al Estado de las Autonomías' tiene límites establecidos por el constituyente, unas veces en garantía de la unidad, otras en aras de una mínima homogeneidad, sin la cual no habría unidad ni integración de las partes en el conjunto estatal' (STC. 76/83, Fto. Jco. 2 a), y otras en función de un interés nacional que aún siendo compatible en cuanto interés del todo con el de las partes, puede entrar en colisión con el de una determinada C.A. Siendo, como es, esto así en la relación potencialmente conflictiva entre tal o cual C.A. y el Estado o la Nación, con mayor motivo existirán límites en favor del interés general frente a la voluntad que una determinada provincia pueda tener de configurarse como C.A. uniprovincial, puesto que las provincias 'uti singuli' no son titulares de un derecho de autonomía en el sentido art. 2 de la C.E., sino de un derecho a ejercer la iniciativa autonómica, como ya dijimos al final del fundamento anterior. En consecuencia, la facultad conferida por la C. a las Cortes, representantes del pueblo español, titular indiviso de la soberanía, para sustituir la iniciativa de las Corpor. Loc. del 143.2 de la C.E., no debe entenderse limitada sólo a los supuestos en que no haya habido tal iniciativa o cuando ésta haya sido impulsada pero se haya frustrado en cualquiera de sus fases, sino que debe considerarse extensible también a la hipótesis en que las Corporaciones del 143.2 de la C. excluyeran en algún caso una iniciativa autonómica que las Cortes entiendan de interés nacional. La facultad del 144 c) de la C., es así, como en otro contexto dijimos con referencia al 150.3 de la C.E. 'una norma de cierre del sistema' (STC. 76/83, Fto. Jco. 3, a), esto es, una cláusula que cumple una función de garantía respecto a la viabilidad misma del resultado final del proceso autonómico. La C.E., que no configura el mapa autonómico, no ha dejado su concreción tan sólo a la disposición de los titulares de iniciativa autonómica, sino que ha querido dejar en manos de las Cortes un mecanismo de cierre para la eventual primacía del interés nacional.
Bien entendido que tampoco esa facultad del 144 c) de la C.E. es ilimitada, pues en el juego de contrapesos propio de la regulación de la autonomía este mecanismo tiene también sus límites, ya que sólo cabe que las Cortes lo ejerzan respecto a las Corporaciones del 143.2 de la C.E., esto es, no respecto a los territorios citados en las disposiciones 2ª, 4ª y 5ª y sólo por motivos de interés nacional.»

ATC. 201 y 202/2000 de 25 de julio (**Melilla y Ceuta no son Comunidades Autónomas**)

Fto. Jco. 4: «Pues bien, en el supuesto aquí enjuiciado, tanto la iniciativa legislativa empleada como la tramitación parlamentaria seguida ponen claramente de relieve que la LO
2/1995 que aprobó el Estatuto de Autonomía de Melilla (y la LO 1/95 que aprobó el de
Ceuta), no se elaboró y aprobó siguiendo el procedimiento previsto en la Disposición
Transitoria 5ª, en relación con el inciso del art. 144 b), relativo a la "autorización" de
las Cortes Generales, sino con el que se refiere al "acuerdo" adoptado por las mismas
previsto en el inciso del citado art. 144 CE.
En efecto, en primer lugar debe tenerse presente que la tramitación parlamentaria de
la LO 2/95 (y la LO 1/95) tiene su origen en un proyecto de ley del Gobierno "ex" Art.
87.1 CE. Ciertamente, en momentos anteriores a dicha tramitación parlamentaria del
EA se adoptaron acuerdos de iniciativa autonómica por parte del Ayto. de la Ciudad,
pero esos acuerdos no prosperaron y no guardan relación jurídica formal con la iniciativa gubernamental que inició el procedimiento del que surgió la LO 2/95.
En segundo lugar, la tramitación parlamentaria de la(s) referida(s) LO pone claramente
de manifiesto que la voluntad de las Cortes Generales no fue la de autorizar la constitución de Melilla (y Ceuta) como Comunidad Autónoma. Así lo evidencia el hecho de
que durante la misma fueron rechazadas aquellas enmiendas cuya finalidad era precisamente la consideración de Melilla (y Ceuta) como CCAA.
...Dado, pues, que la Ciudad de Melilla (y Ceuta) no constituye una CA, procede apreciar ...la falta de legitimación de su Asamblea para promover el presente R.I.»

Art. 145. 1. En ningún caso se admitirá la federación de Comunidades Autónomas.

2. Los Estatutos podrán prever los supuestos, requisitos y términos en que las Comunidades Autónomas podrán celebrar convenios entre sí para la gestión y prestación
de servicios propios de las mismas, así como el carácter y efectos de la correspondiente comunicación a las Cortes Generales. En los demás supuestos, los acuerdos
de cooperación entre las Comunidades Autónomas necesitarán la autorización de las
Cortes Generales.

STC. 44/86 de 17 de abril (**límites convenios; otras actuaciones conjuntas**)

Fto. Jco. 2: «El nº 1 del art. 145 de la C.E. que tiene su precedente casi literal en el art. 13
de la C. de 1931... Y en el nº 2 del mismo precepto, una vez establecida claramente
aquella prohibición, se incluyen normas o previsiones estatutarias para la regulación
de los acuerdos o convenios de cooperación, a fin de que a través de éstos no puedan
crearse situaciones contrarias a la prohibición. No es, por tanto, el nº 2 del art. 145,
un precepto que habilite a las CC.AA. para establecer convenios entre ellas, sino que,
supuesta esa capacidad, delimita por su contenido los requisitos a que ha de atenerse la
regulación de esta materia en los Estatutos y establece el control por las Cortes Generales de los acuerdos o convenios de cooperación.»

Fto. Jco. 3: «Naturalmente que el cuadro constitucional y estatutario expuesto en el fundamento anterior es aplicable a los Convenios; pero no se extiende a supuestos que no merezcan esa calificación jurídica, como pudieran ser declaraciones conjuntas de intenciones, o propósitos sin contenido vinculante, o la mera exposición de directrices o líneas de actuación.»

Art. 146. El proyecto de Estatuto será elaborado por una asamblea compuesta por los miembros de la Diputación u órgano interinsular de las provincias afectadas y por los Diputados y Senadores elegidos en ellas y será elevado a las Cortes Generales para su tramitación como ley.

Art. 147. 1. Dentro de los términos de la presente Constitución, los Estatutos serán la norma institucional básica de cada Comunidad Autónoma y el Estado los reconocerá y amparará como parte integrante de su ordenamiento jurídico.

2. Los Estatutos de autonomía deberán contener:

a) La denominación de la Comunidad que mejor corresponda a su identidad histórica.

b) La delimitación de su territorio.

c) La denominación, organización y sede de las instituciones autónomas propias.

d) Las competencias asumidas dentro del marco establecido en la Constitución y las bases para el traspaso de los servicios correspondientes a las mismas.

3. La reforma de los Estatutos se ajustará al procedimiento establecido en los mismos y requerirá, en todo caso, la aprobación por las Cortes Generales, mediante ley orgánica.

STC. 76/83 de 5 de agosto (**sistema normativo de atribución de competencias**)

Fto. Jco. 4: «a) de acuerdo con lo que determina el art. 147.2.d) de la C. son los Estatutos de Autonomía las normas llamadas a fijar 'las competencias asumidas dentro del marco establecido en la C.', articulándose así el sistema competencial mediante la C. y los Estatutos, en la que éstos ocupan una posición jerárquicamente subordinada a aquella. Sin embargo, de ello no cabe deducir que toda ley estatal que pretenda delimitar competencias entre el Estado y las CC.AA. sea inconstitucional por pretender ejercer una función reservada al Estatuto. La reserva que la C. hace al Estatuto en esta materia no es total o absoluta; las Leyes estatales pueden cumplir en unas ocasiones una función atributiva de competencias, Leyes orgánicas de transferencia o delegación, y en otras, una función delimitadora de su contenido, como ha reconocido este T.C. en reiteradas ocasiones.»

Tal sucede cuando la C. remite a una Ley del Estado para precisar el alcance de la competencia que las CC.AA. pueden asumir, lo que condiciona el alcance de la posible asunción estatutaria de competencias, tal es el caso previsto en el art. 149.1.29 de la C., y lo mismo ocurre cuando los Estatutos cierran el proceso de delimitación competencial remitiendo a las prescripciones de una Ley estatal, en cuyo supuesto el reenvío operado atribuye a la Ley estatal la delimitación positiva del contenido de las competencias autonómicas. En tales casos la función de deslinde de competencias que la Ley estatal cumple no se apoya en una atribución general contenida en la C., como ocurre en el caso de los Estatutos, sino en una atribución concreta y específica.

Este es el sistema configurado en la C., que vincula a todos los poderes públicos de acuerdo con el art. 9.1 de la misma y que, en consecuencia, constituye un límite para la potestad legislativa de las Cortes Generales. Por ello el legislador estatal no puede incidir, con carácter general, en el sistema de delimitación de competencias entre el Estado y las CC.AA. sin una expresa previsión constitucional o estatutaria. La Constitución contiene una previsión de este tipo en el art. 150.3 al regular las leyes de armonización, por lo que las Cortes Generales en el ejercicio de su función legislativa podrán dictarlas dentro de los límites del mencionado precepto.

b) De acuerdo con las consideraciones anteriores, el legislador tampoco puede dictar normas que incidan en el sistema constitucional de distribución de competencias para integrar hipotéticas lagunas existentes en la C.

c) Finalmente el legislador estatal no puede incidir directamente en la delimitación de competencias mediante la interpretación de los criterios que sirven de base a la misma. Es cierto que todo proceso de desarrollo normativo de la C. implica siempre una interpretación de los correspondientes preceptos constitucionales, realizada por quien dicta la norma de desarrollo. Pero el legislador ordinario no puede dictar normas meramente interpretativas, cuyo exclusivo objeto sea precisar el único sentido, entre los varios posibles, que deba atribuirse a un determinado concepto o precepto de la C., pues al reducir las distintas posibilidades o alternativas del texto constitucional a una sola, completa de hecho la obra del poder constituyente y se situa funcionalmente en su mismo plano, cruzando al hacerlo la línea divisoria entre el poder constituyente y los poderes constituídos. No puede olvidarse… que en la medida en que los términos objeto de interpretación son utilizados como criterios constitucionales de atribución de competencias, la fijación de su contenido por el legislador estatal supone a su vez una delimitación del contenido y alcance de aquellas competencias que se definen por referencia a ellos.

Por lo demás… es claro que el sistema constitucional de distribución de competencias entre los distintos órganos constitucionales limita también las posibilidades de las Cortes Generales en el ejercicio de su función legislativa.»

Fto. Jco. 28: «El art. 147.2.d) de la C. determina que los EE.AA. deberá contener las competencias asumidas dentro del marco establecido en la C. y las bases para el traspaso de los servicios correspondientes a las mismas. Entre esas bases figura sin excepción, en todos los Estatutos, la creación de una Comisión Mixta paritaria, integrada por representantes del Gobierno de la Nación y de la C.A. Los Estatutos reconocen a esas Comisiones facultades de autonormación para regular su propia actividad y funcionamiento, fijándoles ciertos criterios a los que han de ajustar los traspasos. Resultado de esta habilitación estatutaria son los Reales Decretos aprobados por el Gobierno a propuesta de tales Comisiones por los que se establecen las normas de traspaso de servicios así como las normas de funcionamiento de las propias Comisiones.

Este mecanismo constitucional presenta dos características que es preciso destacar:

1ª. El traspaso de servicios a las CC.AA. no quedó configurado en el 'bloque de constitucionalidad' como un proceso uniforme sino, más bien, como el resultado de varios procesos que, por su naturaleza, habrían de originar diferencias en cuanto al tiempo y al contenido de los traspasos. La remisión estatutaria contenida en el art. 147.2 de la C. dejó abierta la posibilidad de que los traspasos se realizasen en momentos distintos, bajo técnicas distintas y que condujesen a distintos resultados materiales; y esta posibilidad de diferenciación se proyectó hacia los niveles inferiores de la normación al atribuir los Estatutos la ejecución de los traspasos a Comisiones Mixtas paritarias y dotarlas de facultades para regular su propia actividad.

2ª. Los acuerdos de las Comisiones Mixtas de composición paritaria afectan a un determinado ámbito material, y su validez procesal y material deriva directamente de los EE.AA. y tiene su origen último en el art. 147.2 de la C. Por ello, aun cuando su aprobación tenga lugar mediante Real Decreto dictado por el Gobierno de la Nación, no cabe admitir que una Ley estatal pueda incidir en el ámbito competencial de las Comisiones Mixtas e imponerse a sus acuerdos: el inferior rango del instrumento jurídico utilizado para la aprobación de los acuerdos no implica una subordinación jerárquica normativa.»

STC. 247/2007 de 12 de diciembre (**naturaleza jurídica de los Estatutos**)

Fto. Jco. 6. «Los Estatutos de Autonomía presentan tres características fundamentales. La primera de ellas es la necesaria confluencia de diferentes voluntades en su procedimiento de elaboración, rasgo que es más nítido en las sucesivas reformas de un Estatuto que en su aprobación inicial, pues la Constitución puso fin a un Estado políticamente centralizado en el que no existían aún Asambleas Legislativas autonómicas en sentido estricto, sino representaciones territoriales reguladas transitoriamente por la Constitución a los fines, precisamente, de la implantación de las Comunidades Autónomas (arts. 143 y 151 CE). En todo caso, la reforma de los Estatutos ya vigentes se realiza mediante un procedimiento complejo, que exige la intervención sucesiva de la Asamblea Legislativa autonómica y de las Cortes Generales, aprobando éstas el Estatuto mediante Ley Orgánica (art. 81.1 CE), con sometimiento a referendum, en su caso. La segunda característica es consecuencia de la primera, pues la aprobación de los Estatutos por las Cortes Generales, que representan la soberanía nacional (arts. 1.2 y 66.1 CE) determina que aquéllos sean, además de la norma institucional básica de la correspondiente Comunidad Autónoma, normas del Estado, subordinadas como las restantes normas del Ordenamiento jurídico a la Constitución, norma suprema de nuestro Estado Autonómico (art. 9.1 CE)...Ello supone, entre otras posibles consecuencias, que el Estatuto de Autonomía, al igual que el resto del ordenamiento jurídico, debe ser interpretado siempre de conformidad con la Constitución» (STC. 18/1982, de 4 de mayo, Fto. Jco. 1; en igual sentido, SSTC. 69/1982, de 23 de noviembre, Fto. Jco. 1; 77/1985, de 27 de junio, Fto. Jco. 4; 20/1988, de 18 de febrero, Fto. Jco. 3; 178/1994, de 16 de junio, Fto. Jco. 4; etc.). E importa recordar, como ya dijimos en un proceso en el que se examinaba la posible colisión entre dos Estatutos de Autonomía, que «el único parámetro para enjuiciar la validez constitucional de una disposición incluida en un Estatuto de Autonomía es la propia Constitución; esto es, la constitucionalidad de un precepto estatutario sólo puede enjuiciarse sobre la base de su conformidad con la Norma fundamental. Ello significa que el juicio sobre la validez constitucional de la disposición transitoria séptima, 3, EACL habrá de hacerse por contraste directo con lo previsto en la Constitución —en este caso, la reserva estatutaria relativa a la delimitación territorial— y no cotejando directamente preceptos estatutarios diversos» (STC. 99/1986, de 11 de julio, Fto. Jco. 4).

Esta idea que se acaba de exponer, la de que la validez de un Estatuto de Autonomía que pudiera estar en oposición con otro Estatuto sólo puede extraerse de su contraste con la Constitución, debemos afirmarla también respecto de la consideración aislada de un solo Estatuto de Autonomía. En efecto, la invalidez de un precepto estatutario sólo puede derivarse de la Constitución misma —incluidas, claro está, sus normas de remisión a determinadas leyes orgánicas—, pues, dado que sólo la Constitución establece la función y contenido de los Estatutos, sólo a ella se infraordenan; lo que se acentúa como consecuencia del peculiar procedimiento de elaboración y reforma de los estatutos, que los dota de una singular rigidez respecto de las demás leyes orgánicas. Cuestión distinta a la de la validez de un Estatuto de Autonomía es, como más adelante se verá, la de su eficacia. En los términos indicados, los Estatutos de Autonomía, en su concreta posición, subordinada a la Constitución, la complementan, lo que incluso se traduce de modo significativo en su integración en el parámetro de apreciación de la constitucionalidad de las Leyes, disposiciones o actos con fuerza de Ley, tanto estatales como autonómicas (art. 28.1 LOTC), de manera que forman parte de lo que hemos llamado «bloque de la constitucionalidad» (SSTC. 66/1985, de 23 de mayo, Fto. Jco. 1; 11/1986, de 28 de enero, Fto. Jco. 5; 214/1989, de 21 de diciembre, Fto. Jco. 5, entre otras muchas).

La tercera característica de los Estatutos de Autonomía es, asimismo, consecuencia del carácter paccionado de su procedimiento de elaboración y, sobre todo, de reforma. Se trata de la rigidez de que los Estatutos están dotados; rigidez que es garantía del derecho a la autonomía que se ha ejercido y que refuerza su naturaleza de norma de cabecera del correspondiente ordenamiento autonómico...»

«...Respecto del ordenamiento estatal en sentido estricto, hay que partir de que los Estatutos de Autonomía se infraordenan a la Constitución, sometiéndose a sus prescripciones... Sin embargo, la integración de los Estatutos en el bloque de la constitucionalidad, su consiguiente consideración como parámetro para el enjuiciamiento de las normas legales y, sobre todo, la función que los Estatutos desempeñan y su muy especial rigidez, les otorgan una singular resistencia frente a las otras leyes del Estado que hace imposible que puedan ser formalmente reformados por éstas. Esta afirmación opera, sin duda, con carácter general frente a las leyes estatales ordinarias. Respecto de las otras leyes orgánicas, la relación de los Estatutos se regula, como ya se ha adelantado, por la propia Constitución, según criterios de competencia material, de modo que el parámetro de relación entre unas y otras es, exclusivamente, la Norma constitucional. En este sentido, los Estatutos de Autonomía no pueden desconocer los criterios materiales empleados por la Constitución cuando reenvía la regulación de aspectos específicos a las correspondientes leyes orgánicas (arts. 81.1, 122.1, 149.1.29, 152.1 ó 157.3 CE), pues dichos criterios, referidos a materias concretas para cada ley orgánica, determinan el ámbito que la Constitución les reserva a cada una de ellas, ámbito que, por tal razón, se configura como límite para la regulación estatutaria.

Por lo demás, en el sistema de relaciones existente entre los Estatutos de Autonomía y las leyes orgánicas previstas en la Constitución no puede desconocerse tampoco la diferente posición de los Estatutos respecto de las leyes orgánicas como consecuencia de la rigidez que los caracteriza. Su procedimiento de reforma, que no puede realizarse a través de su sola aprobación por las Cortes Generales, determina la superior resistencia de los Estatutos sobre las leyes orgánicas, de tal forma que éstas (salvo las de su propia reforma ex art. 147.3 CE), por la razón señalada, no pueden modificarlos formalmente.

En todo caso, de acuerdo con lo que indicábamos con anterioridad, las relaciones entre los Estatutos de Autonomía y las leyes orgánicas previstas en la Constitución, están sujetas a lo que al respecto dispone esta última. De ahí que la reserva material que, en términos específicos para cada caso, realiza la Constitución a favor de determinadas leyes orgánicas, suponga que cada una de dichas leyes pueda llevar a cabo una delimitación de su propio ámbito (STC. 154/2005, de 9 de junio, FFto. Jco.J 4 y 5, con referencia a otras), circunscribiendo la eficacia de las normas estatutarias de acuerdo con dicha delimitación. Pues bien, en caso de colisión, será competencia de este Tribunal la apreciación del alcance de la correspondiente reserva y sus efectos sobre la validez o eficacia de la normativa estatutaria.

En cuanto al ordenamiento autonómico, el Estatuto de Autonomía constituye su norma de cabecera, esto es, su norma superior, lo que supone que las demás le estén subordinadas.»

STC. 247/2007 de 12 de diciembre (contenido de los Estatutos)

Fto. Jco. 11. «A la luz de las consideraciones anteriores sobre la naturaleza y funciones de los Estatutos de Autonomía, procede que abordemos ya cuál es su contenido constitucionalmente legítimo, siendo ésta una cuestión nuclear del presente recurso de inconstitucionalidad. En efecto, hay que dilucidar si el derecho al agua que regula el precepto estatutario impugnado tiene o no cabida en el contenido que puede tener un Estatuto de Autonomía. Al respecto, las posiciones de las partes son opuestas, pues mientras que el Gobierno demandante sostiene que el contenido estatutario constitucionalmente legítimo es, exclusivamente, el previsto en el art. 147 CE, el Abogado del Estado y las representaciones procesales del Gobierno y del Parlamento valenciano sostienen que el ámbito material de un Estatuto de Autonomía no está limitado a lo expresamente previsto en aquél precepto constitucional. En definitiva, debemos examinar cuál es el contenido constitucionalmente legítimo de los Estatutos de Autonomía con la finalidad de poder apreciar posteriormente si puede formar parte del mismo la enunciación de derechos, habida cuenta de la literalidad del precepto impugnado.

Centrado así el punto de debate, hemos de señalar que tanto de las prescripciones constitucionales como de la doctrina de este Tribunal se desprende que el contenido constitucionalmente lícito de un Estatuto de Autonomía está previsto en la Constitución de dos diferentes maneras: mediante disposiciones que contienen previsiones específicas al respecto (arts. 3.2, 4.2, 69.5, entre otros, CE); y a través de las cláusulas más generales contenidas en el art. 147 de la misma Constitución.

Ciertamente, a este Tribunal no se le ha planteado hasta el momento, como objeto autónomo de enjuiciamiento, cuál sea el contenido legítimo de un Estatuto de Autonomía, si bien en las escasas ocasiones en que ha debido realizar determinadas apreciaciones al respecto, éstas no se han basado en una mera interpretación literal del citado art. 147 CE, según se desprende de su examen. La STC. 36/1981, de 12 de noviembre, expresamente declara: «la Constitución guarda silencio, como hemos dicho, sobre la inviolabilidad e inmunidad de los miembros de las Asambleas Legislativas de las Comunidades Autónomas. A falta de tal regulación han sido los Estatutos, en 'cuanto norma institucional básica' de la Comunidad Autónoma —art. 147.1 de la Constitución—, el lugar adecuado para regular el status de los parlamentarios en cuanto a la inviolabilidad e inmunidad de los mismos se refiere. En el Estatuto del País Vasco, en su art. 26.6, como hemos dicho, se fija el sistema legal en orden a la inviolabilidad e inmunidad de los miembros de su Parlamento» (STC. 36/1981, Fto. Jco. 4).

Así pues, en esta Sentencia el Tribunal Constitucional relacionó la legitimidad constitucional del referido sistema de inmunidad parlamentaria con el art. 147.1 CE, y más expresamente con el aspecto esencial ya señalado de la función que desempeñan los estatutos, esto es, con el hecho de que los mismos sean la norma institucional básica de la Comunidad Autónoma. A lo que cabe añadir ahora que el contenido al que se refería la controversia se vincula también al art. 147.2 c) CE, que incluye en el contenido estatutario a «la denominación, organización y sede de las instituciones autónomas propias», ya que, resulta evidente que el establecimiento de la Asamblea Legislativa de la Comunidad Autónoma puede acompañarse en el propio Estatuto de la regulación de las garantías básicas del status de sus parlamentarios en sintonía con los principios consagrados por la Constitución en la materia. En cuanto a la STC. 89/1984, de 28 de septiembre, Fto. Jco. 7, en ella indicamos con toda claridad que el art. 147.2 CE realiza «la determinación del contenido mínimo de los Estatutos», pues sus prescripciones resultan imprescindibles para reconocer como tal a un Estatuto de Autonomía. De ahí que quepa deducir que, de acuerdo con la Constitución, los Estatutos de Autonomía pueden incluir otras regulaciones, sin que, por lo demás, dicha Sentencia aborde cuáles puedan ser. En la STC. 99/1986, de 11 de julio, Fto. Jco. 4, declaramos que el art. 147.2 CE prescribe, como contenido necesario de los Estatutos de las Comunidades Autónomas, la delimitación de su territorio. Debe resaltarse que en esta misma STC. 99/1986, considerando que en aquel caso se debatía entre dos Comunidades Autónomas una cuestión atinente al ámbito territorial que legítimamente puede incluirse como contenido propio de un Estatuto de Autonomía [art. 147.2 b) CE], el Tribunal examinó los límites constitucionales que afectaban a la regulación estatutaria y aludió a «los límites en que han de enmarcarse los contenidos estatutarios —que de acuerdo con lo establecido en el art. 147 CE son sólo los establecidos constitucionalmente» (STC. 99/1986, Fto. Jco. 6). Es decir, el Tribunal abordó la discrepancia situando el contenido legítimo de un Estatuto de Autonomía con referencia, no a una interpretación aislada del art. 147.2 b) CE, sino a una interpretación comprensiva de otras previsiones constitucionales relativas a los Estatutos, con sometimiento, pues, a la Constitución y a los límites que de la misma se derivan. Ello nos permitió afirmar que puede extraerse de la Constitución la conclusión de que «los contenidos normativos que afecten a una cierta Comunidad Autónoma no queden fijados en el Estatuto de otra Comunidad, pues ello entrañaría la mediatización de la directa infraordenación de los Estatutos a la Constitución, siendo así que … ésta constituye el único límite que pesa sobre cada uno de ellos» (STC. 99/1986, Fto. Jco. 6).

Por último, en la STC. 225/1998, de 25 de noviembre, manifestamos que las normas estatutarias que regulen materias que queden fuera del ámbito fijado por la Constitución sobre el contenido de los Estatutos «pese a que tampoco pueden ser reformadas por procedimientos distintos a los anteriormente indicados, sí pueden atribuir en todo o en parte la determinación definitiva de su contenido al legislador autonómico» [Fto. Jco. 2b)], lo que incide de nuevo en el criterio de que este Tribunal ha admitido que los Estatutos de Autonomía pueden tener un contenido que, dentro del marco de la Constitución, exceda de las previsiones literales del art. 147.2 CE. La doctrina examinada abunda toda ella en la misma dirección y permite sostener la legitimidad constitucional de un contenido estatutario configurado «dentro de los términos de la Constitución» (art. 147.1 CE), siempre que esté conectado con las específicas previsiones constitucionales relativas al cometido de los Estatutos, aspecto sobre el que se insistirá a continuación.»

Fto. Jco. 12. «La conclusión anterior se ve ratificada por el análisis del alcance que la Constitución otorga a los Estatutos de Autonomía como norma institucional básica de las Comunidades Autónomas. En efecto, inmediatamente se advierte que la limitación del contenido estatutario al cuádruple plano recogido en el propio art. 147.2 CE pugna, en primer lugar, con determinadas prescripciones concretas del propio texto constitucional. En este sentido, hay que partir de que existen otros preceptos constitucionales que prevén que los Estatutos de Autonomía regulen determinados aspectos ajenos a los incluidos en el art. 147.2 CE (así, los arts. 3.2, 4.2, 69.5, 145.2, 149.1.29, 152.1, 152.3 y 156.2 y disposiciones adicionales primera y cuarta CE), pudiendo por ello afirmarse que el contenido estatutario expresamente previsto por la Constitución excede, de entrada, de los términos literales del art. 147.2 CE.

En segundo lugar, para alcanzar un criterio sobre lo que aquí se discute es necesario el examen del contenido completo del art. 147 CE. Así, por un lado, el apartado 3 de este precepto constitucional se refiere a otro nuevo aspecto, además de los ya regulados en el art. 147.2 CE, del contenido estatutario, al incluir en éste el procedimiento de reforma de los propios Estatutos. En todo caso, la clave acerca de cuál haya de ser el contenido de un Estatuto de Autonomía la ofrece el apartado 1 del art. 147 CE, que sitúa el margen de dicho contenido posible del Estatuto a partir de su concepción como norma institucional básica de cada Comunidad Autónoma, que el Estado «reconocerá y amparará como parte integrante de su Ordenamiento jurídico», y ello con una invocación a «los términos de la presente Constitución», invocación que informa y dota de sentido a las cuestiones concretas a que se refieren los apartados 2 y 3 del art. 147.2 CE. Por tanto, hay que destacar la incardinación de los Estatutos de Autonomía en el ordenamiento estatal. Y también su carácter de norma institucional básica que resulta del contenido y función que la Constitución les asigna, según ha sido examinado en el fundamento jurídico 5. De este modo, la configuración por el art. 147.1 CE de los Estatutos de Autonomía como norma institucional básica de cada Comunidad Autónoma con referencia al marco de la Constitución, nos conduce, como antes expusimos, a la función que la Constitución les atribuye, haciendo realidad en el territorio correspondiente el derecho a la autonomía (art. 2 CE).

Como hemos expuesto en el fundamento jurídico 5, el principio dispositivo no sólo se deduce de un determinado entendimiento del art. 147 CE, sino que se refleja en una pluralidad de disposiciones constitucionales. Así se acredita, en concreto, en un aspecto tan destacado del contenido estatutario como es el de las «instituciones autónomas propias» [art. 147.2 c) CE]. En relación con esta cuestión, el art. 152.1 CE contiene un importante límite a la disponibilidad de las Comunidades Autónomas al fijar los elementos centrales configuradores de la autonomía política de las Comunidades que accedieron a la autonomía por la vía del art. 151 CE (Asamblea, Consejo de Gobierno y Presidente). Sin embargo, la organización institucional a la que se refiere el art. 147.2 c) CE no la hemos considerado reducida a las instituciones expresamente contempladas en el citado art. 152.1 de la Constitución. En este sentido, hemos considerado lícita en la perspectiva constitucional la regulación en el Estatuto de Autonomía del Sindic de Greuges (STC. 157/1988, de 15 de septiembre) y también de la Sindicatura de Cuentas (SSTC. 187/1988, de 17 de octubre, y 18/1991, de 31 de enero) o de que puedan serlo los Consejos Consultivos de las Comunidades Autónomas (STC. 204/1992, de 26 de noviembre). En todos estos supuestos se trata de instituciones no previstas constitucionalmente, aunque algunas de ellas se incluyeran ya en los primeros Estatutos de Autonomía (arts. 35 y 42 EAC 1979). En todo caso, hemos considerado que es suficiente la cobertura implícita que ofrece la potestad autoorganizatoria de las Comunidades Autónomas (STC. 204/1992, de 26 de noviembre, FFto. Jco.J 3, 4 y 5) para posibilitar que aquéllas puedan crear dichos órganos u otros similares y, por tanto, incluirlos en sus Estatutos, siempre que ello se realice «dentro de los términos» de la Constitución (art. 147.1 CE), es decir, siempre que su regulación concreta no infrinja las previsiones constitucionales.

Por otra parte, también en ejercicio del principio dispositivo, las Comunidades Autónomas que accedieron a la autonomía por la vía del art. 143 CE han incorporado a sus Estatutos tanto el entramado institucional previsto en el art. 152.1 CE sólo en principio para las Comunidades Autónomas de la vía del art. 151 CE, como otras instituciones similares a las señaladas en el párrafo anterior. En este sentido, el Tribunal ha partido del entendimiento de que, no estando prohibida por la Constitución, tal estructura de organización del poder autónomo de estas Comunidades encuentra acomodo en lo dispuesto en el art. 147.2 c) CE, por lo que ningún reparo cabe oponer a la misma.

De todo ello se desprende, en fin, que los Estatutos de Autonomía pueden incluir con normalidad en su contenido, no sólo las determinaciones expresamente previstas en el texto constitucional a que hemos aludido, sino también otras cuestiones, derivadas de las previsiones del art. 147 CE relativas a las funciones de los poderes e instituciones autonómicos, tanto en su dimensión material como organizativa, y a las relaciones de dichos poderes e instituciones con los restantes poderes públicos estatales y autonómicos, de un lado, y, con los ciudadanos, de otro. El principio dispositivo ofrece, así, un margen importante en este punto a las diferentes opciones de las Comunidades Autónomas, margen tanto sustantivo como de densidad normativa, pero que opera, reiterémoslo de nuevo, dentro de los límites que se deriven de la Constitución. Y es que, en suma, no puede olvidarse que el Tribunal ha señalado que las Comunidades Autónomas «son iguales en cuanto a su subordinación al orden constitucional; en cuanto a los principios de su representación en el Senado (art. 69.5); en cuanto a su legitimación ante el Tribunal Constitucional (art. 162.1); o en cuanto que las diferencias entre los distintos Estatutos no podrán implicar privilegios económicos o sociales (art. 138); pero, en cambio, pueden ser desiguales en lo que respecta al procedimiento de acceso a la autonomía y a la determinación concreta del contenido autonómico, es decir, de su Estatuto y, por tanto, en cuanto a su complejo competencial. Precisamente el régimen autonómico se caracteriza por un equilibrio entre la homogeneidad y diversidad del status jurídico público de las entidades territoriales que lo integran» [STC. 76/1983, de 5 de agosto, Fto. Jco. 2 a)]. Es por ello claro que esa posible proyección de los Estatutos de Autonomía sobre las cuestiones o ámbitos a que hemos hecho alusión tiene, naturalmente, como referencia central el poder político de que los Estatutos de Autonomía dotan en cada caso a la correspondiente Comunidad Autónoma, tanto en su dimensión sustantiva (acervo competencial) como en lo concerniente a sus modalidades de ejercicio.

Cuanto se ha señalado justifica que hayamos de considerar que el contenido legítimo de los Estatutos no se restringe a lo literalmente previsto en el art. 147.2 y 3 CE y restantes previsiones constitucionales expresas, sino que dicho contenido se vincula al principio dispositivo en los términos expuestos. Sin embargo, dicho contenido no puede ser entendido de manera difusa, en atención, entre otras razones, a la especial rigidez que les caracteriza. En definitiva, el contenido constitucionalmente lícito de los Estatutos de Autonomía incluye tanto el que la Constitución prevé de forma expresa (y que, a su vez, se integra por el contenido mínimo o necesario previsto en el art. 147.2 CE y el adicional, al que se refieren las restantes remisiones expresas que la Constitución realiza a los Estatutos), como el contenido que, aun no estando expresamente señalado por la Constitución, es complemento adecuado por su conexión con las aludidas previsiones constitucionales, adecuación que ha de entenderse referida a la función que en sentido estricto la Constitución encomienda a los Estatutos, en cuanto norma institucional básica que ha de llevar a cabo la regulación funcional, institucional y competencial de cada Comunidad Autónoma.»

STC. 31/10 de 28 de junio (**Constitución y Estatutos de Autonomía**)

Fto. Jco. 3. Los Estatutos de Autonomía son normas subordinadas a la Constitución, como corresponde a disposiciones normativas que no son expresión de un poder soberano, sino de una autonomía fundamentada en la Constitución, y por ella garantizada, para el ejercicio de la potestad legislativa en el marco de la Constitución misma (así desde el principio, STC. 4/1981, de 2 de febrero, Fto. Jco. 3). Como norma suprema del Ordenamiento, la Constitución no admite igual ni superior, sino sólo normas que le están jerárquicamente sometidas en todos los órdenes. Ciertamente, no faltan en ningún Ordenamiento normas jurídicas que, al margen de la Constitución stricto sensu, cumplen en el sistema normativo funciones que cabe calificar como materialmente constitucionales, por servir a los fines que conceptualmente se tienen por propios de la norma primera de cualquier sistema de Derecho, tales como, en particular, constituir el fundamento de la validez de las normas jurídicas integradas en los niveles primarios del Ordenamiento; esto es, en aquellos en los que operan los órganos superiores del Estado. Sin embargo, tal calificación no tiene mayor alcance que el puramente doctrinal o académico, y, por más que sea conveniente para la ilustración de los términos en los que se constituye y desenvuelve el sistema normativo que tiene en la Constitución el fundamento de su existencia, en ningún caso se traduce en un valor normativo añadido al que estrictamente corresponde a todas las normas situadas extramuros de la Constitución formal. En nada afecta, en definitiva, a la subordinación a la Constitución de todas las normas que, sea cual sea su cometido con una perspectiva material o lógica, no se integran en el Ordenamiento bajo la veste de la Constitución formal; única que atribuye a los contenidos normativos —también a los que materialmente cupiera calificar de extraños al concepto académico de Constitución— la posición de supremacía reservada a la Norma Fundamental del Ordenamiento jurídico.

Los Estatutos de Autonomía se integran en el Ordenamiento bajo la forma de un específico tipo de ley estatal: la ley orgánica, forma jurídica a la que los arts. 81 y 147.3 CE reservan su aprobación y su reforma. Su posición en el sistema de fuentes es, por tanto, la característica de las leyes orgánicas; esto es, la de normas legales que se relacionan con otras normas con arreglo a dos criterios de ordenación: el jerárquico y el competencial. En tanto que normas legales, el de jerarquía es el principio que ordena su relación con la Constitución en términos de subordinación absoluta. En cuanto normas legales a las que queda reservada la regulación de ciertas materias, el principio de competencia es el que determina su relación con otras normas legales, cuya validez constitucional se hace depender de su respeto al ámbito reservado a la ley orgánica, de manera que el criterio competencial se erige en presupuesto para la actuación del principio de jerarquía, toda vez que de la inobservancia del primero resulta mediatamente una invalidez causada por la infracción de la norma superior común a la ley orgánica y a la norma legal ordinaria, es decir, por infracción de la Constitución. La ley orgánica es, en definitiva, jerárquicamente inferior a la Constitución y superior a las normas infralegales dictadas en el ámbito de su competencia propia; y es condición de la invalidez causada desde la Constitución respecto de aquellas normas que, desconociendo la reserva de ley orgánica, infringen mediatamente la distribución competencial ordenada desde la norma jerárquicamente suprema. La reserva de ley orgánica no es siempre, sin embargo, la reserva a favor de un género, sino que en ocasiones se concreta en una de sus especies. Tal sucede, por ejemplo, con la reguladora del Poder Judicial (art. 122.1 CE) y, justamente, con cada una de las leyes orgánicas que aprueban los distintos Estatutos de Autonomía. La ley orgánica no es en estos casos una forma fungible, sino que, en relación con las concretas materias reservadas a una ley orgánica singular, las restantes leyes orgánicas se relacionan también de acuerdo con el principio de la distribución competencial. Así las cosas, la posición relativa de los Estatutos respecto de otras leyes orgánicas es cuestión que depende del contenido constitucionalmente necesario y, en su caso, eventualmente posible de los primeros.

Fto. Jco. 4. La Constitución no determina expresamente cuál es el contenido posible de un Estatuto de Autonomía. De manera explícita sólo prescribe cuál ha de ser su contenido necesario, integrado por el minimum referido en su art. 147.2 (denominación, territorio, organización institucional y competencias) y por las disposiciones que traen causa de mandatos constitucionales específicos, como, entre otros, el que exige la disciplina estatutaria del régimen de designación de los Senadores autonómicos (art. 69.5 CE). Este contenido necesario puede ser también contenido suficiente, pero la propia Constitución permite expresamente que los Estatutos cuenten además con un contenido adicional. Así, el art. 3.2 CE prevé que sean los Estatutos de Autonomía las normas que dispongan la eventual cooficialidad de otras lenguas españolas; y el art. 4.2 CE los habilita para reconocer banderas y enseñas propias. Existe, por tanto, un contenido constitucionalmente obligado (art. 147.2 CE) y un contenido constitucionalmente posible en virtud de previsiones constitucionales expresas (así, arts. 3.2 y 4.2 CE). En la STC. 247/2007, de 12 de diciembre, quedó resuelta la cuestión de si uno y otro agotan todo el contenido constitucionalmente lícito; esto es, si los Estatutos de Autonomía pueden o no tener también un contenido adicional que, sin resultar de un mandato constitucional expreso o de una autorización del constituyente también explícita, encuentre fundamento implícito en la función y en la cualidad que la Constitución atribuye a esta norma jurídica. Dijimos, en efecto, en el Fto. Jco. 12 de aquella resolución que "el contenido constitucionalmente lícito de los Estatutos de Autonomía incluye tanto el que la Constitución prevé de forma expresa (y que, a su vez, se integra por el contenido mínimo o necesario previsto en el art. 147.2 CE y el adicional, al que se refieren las restantes remisiones expresas que la Constitución realiza a los Estatutos), como el contenido que, aun no estando expresamente señalado por la Constitución, es complemento adecuado por su conexión con las aludidas previsiones constitucionales, adecuación que ha de entenderse referida a la función que en sentido estricto la Constitución encomienda a los Estatutos, en cuanto norma institucional básica que ha de llevar a cabo la regulación funcional, institucional y competencial de cada Comunidad Autónoma."

Lo anterior es consecuencia de una serie de consideraciones de principio sobre la naturaleza y función constitucionales de los Estatutos de Autonomía. En este sentido, es forzoso partir de la obviedad de que el Ordenamiento español se reduce a unidad en la Constitución. Desde ella, y en su marco, los Estatutos de Autonomía confieren al Ordenamiento una diversidad que la Constitución permite, y que se verifica en el nivel legislativo, confiriendo a la autonomía de las Comunidades Autónomas el insoslayable carácter político que le es propio (STC. 32/1981, de 28 de julio, Fto. Jco. 3, por todas). La primera función constitucional de los Estatutos de Autonomía radica, por tanto, en la diversificación del Ordenamiento mediante la creación de sistemas normativos autónomos, todos ellos subordinados jerárquicamente a la Constitución y ordenados entre sí con arreglo al criterio de competencia. Respecto de tales sistemas normativos autónomos el Estatuto es norma institucional básica (art. 147.1 CE). Y es también —en unión de las normas específicamente dictadas para delimitar las competencias del Estado y de las Comunidades Autónomas (art. 28.1 LOTC)— norma de garantía de la indemnidad del sistema autónomo, toda vez que el Estatuto es condición de la constitucionalidad de todas las normas del Ordenamiento en su conjunto, también de las que comparten su forma y rango. Tal condición, sin embargo, sólo le alcanza por remisión de la única norma que en puridad determina la constitucionalidad de cualquier norma, esto es, obviamente, la Constitución misma. La inconstitucionalidad por infracción de un Estatuto es, en realidad, infracción de la Constitución, única norma capaz de atribuir (por sí o por remisión a lo que otra disponga) la competencia necesaria para la producción de normas válidas.

El Estatuto de Autonomía dota, además, de competencias propias a la Comunidad Autónoma por él constituida y de la que es norma institucional básica. Tiene, pues, una función de atribución competencial que define, por un lado, un ámbito privativo de normación y de ejercicio del poder público por parte de la Comunidad Autónoma (eventualmente ampliable con competencias ex art. 150 CE que no le serán, por tanto, propias), y contribuye a perfilar, por otro, el ámbito de normación y poder propio del Estado. Esto último en la medida en que las competencias del Estado dependen mediatamente en su contenido y alcance de la existencia y extensión de las competencias asumidas por las Comunidades Autónomas en el marco extraordinariamente flexible representado por el límite inferior o mínimo del art. 148 CE y el máximo o superior, a contrario, del art. 149 CE. Esto no hace del Estatuto, sin embargo, una norma atributiva de las competencias del Estado. Las estatales son siempre competencias de origen constitucional directo e inmediato; las autonómicas, por su parte, de origen siempre inmediatamente estatutario y, por tanto, sólo indirectamente constitucional. No pocas de las competencias estatales vienen mediatamente determinadas por los Estatutos, si bien únicamente en el si y en el quantum: en lo primero, porque algunas competencias sólo serán del Estado en la medida en que no las hayan asumido las Comunidades Autónomas (STC. 61/1997, de 20 de marzo); en lo segundo, porque en aquellos supuestos en que el Estado deba tener siempre una competencia dotada de un contenido y alcance mínimos, la eventualidad de un contenido y alcance superiores dependerá de los términos en que las Comunidades Autónomas hayan asumido el margen que constitucionalmente les es accesible.

Fto. Jco. 5. La naturaleza y la función constitucionales de los Estatutos de Autonomía determinan su posible contenido. Del mismo forma parte, en primer lugar, y como ya hemos dicho, el minimum relacionado en el art. 147.2 CE. También por disposición constitucional expresa, las materias referidas en determinados preceptos de la Constitución. En ambos casos puede hablarse de un contenido estatutario constitucionalmente explícito. Cabe junto a él un contenido implícito por inherente a la condición del Estatuto como norma institucional básica (art. 147.1 CE), con cuanto ello implica en términos de autogobierno, de autoorganización y de identidad. Con ese título pueden integrarse en los Estatutos previsiones y disciplinas muy dispares, aunque siempre dejando a salvo, como es evidente, las reservas establecidas por la Constitución en favor de leyes específicas o para la disciplina de materia orgánica no estatutaria. Y, dada la apertura y flexibilidad del modelo territorial, serían constitucionalmente admisibles Estatutos de Autonomía dotados de un contenido más amplio que el que resulta del mínimo necesario del art. 147.2 CE. Hasta el punto de que su delimitación sólo podría realizarse, desde esta jurisdicción, mediante la garantía de la observancia de ciertos límites. En el entendido de que constitucionalmente tienen igual cabida una concepción restringida del contenido material de los Estatutos (limitada al mínimo explícito) y un entendimiento más amplio, supuesto en el que el mínimo a garantizar por este Tribunal no es ya el que asegura la existencia, la identidad y las competencias de la Comunidad Autónoma, sino el que resulta, por un lado, de los límites que marcan la divisoria entre la Constitución y los poderes constituidos, y, por otro, de aquellos que permiten la eficacia regular del sistema en su conjunto.

Fto. Jco. 6. En todo caso, a una concepción maximalista no puede dejar de oponerse, en primer término, un límite de orden cuantitativo, toda vez que la especial rigidez del Estatuto de Autonomía supone una petrificación de su contenido que puede llegar a no compadecerse con un efectivo derecho a la participación política en el ejercicio de los poderes estatuidos. Por lo demás, el grado de densidad normativa aceptable en un Estatuto no es cuestión que pueda determinarse en abstracto, pero en el examen de los supuestos en los que se concrete una impugnación con ese fundamento ha de partirse del principio de que la reversibilidad de las decisiones normativas es inherente a la idea de democracia, siendo excepcional la exclusión del debate político de determinadas cuestiones que, por afectar al fundamento mismo del sistema, sólo se hacen accesibles a voluntades conformadas en procedimientos agravados y con mayorías cualificadas. Todo ello sin perjuicio, de un lado, de que los reparos que pudieran oponerse a la técnica de la regulación de detalle en normas especialmente rígidas no dejan de ser en muchas ocasiones otra cosa que una objeción de simple oportunidad, sin relevancia, por tanto, como juicio de constitucionalidad stricto sensu; y de otro, que los Estatutos de Autonomía también son obra del legislador democrático (STC. 247/2007, Fto. Jco. 6). Por lo demás, en la misma STC. 247/2007, quedó dicho que "los Estatutos de Autonomía también podrán establecer con diverso grado de concreción normativa aspectos centrales o nucleares de las instituciones que regulen y de las competencias que atribuyan en los ámbitos materiales que constitucionalmente les corresponden" (Fto. Jco. 6), lo que, con las cautelas propias de toda consideración en abstracto, excluye la concreción en los aspectos de detalle.
En segundo lugar, a la expansividad material de los Estatutos se oponen determinados límites cualitativos. Precisamente aquellos que definen toda la diferencia de concepto, naturaleza y cometido que media entre la Constitución y los Estatutos, como son cuantos delimitan los ámbitos inconfundibles del poder constituyente, por un lado, y de los poderes constituidos, por otro. En particular, los que afectan a la definición de las categorías y conceptos constitucionales, entre ellos la definición de la competencia de

la competencia que como acto de soberanía sólo corresponde a la Constitución, inaccesibles tales límites a cualquier legislador y sólo al alcance de la función interpretativa de este Tribunal Constitucional (STC. 76/1983, de 5 de agosto, passim). Son éstas, en cualquier caso, consideraciones de principio que habremos de concretar con el debido detalle al enjuiciar cada uno de los preceptos impugnados, determinando entonces la verdadera medida del grado de colaboración constitucionalmente necesaria y admisible por parte del legislador estatuyente en la tarea de la interpretación constitucional característica de una sociedad democrática.

Fto. Jco. 57. Un límite cualitativo de primer orden al contenido posible de un Estatuto de Autonomía es el que excluye como cometido de ese tipo de norma la definición de categorías constitucionales. En realidad, esta limitación es la que hace justicia a la naturaleza del Estatuto de Autonomía, norma subordinada a la Constitución, y la que define en último término la posición institucional del Tribunal Constitucional como intérprete supremo de aquélla. Entre dichas categorías figuran el concepto, contenido y alcance de las funciones normativas de cuya ordenación, atribución y disciplina se trata en la Constitución en cuanto norma creadora de un procedimiento jurídicamente reglado de ejercicio del poder público. Qué sea legislar, administrar, ejecutar o juzgar; cuáles sean los términos de relación entre las distintas funciones normativas y los actos y disposiciones que resulten de su ejercicio; cuál el contenido de los derechos, deberes y potestades que la Constitución erige y regula son cuestiones que, por constitutivas del lenguaje en el que ha de entenderse la voluntad constituyente, no pueden tener otra sede que la Constitución formal, ni más sentido que el prescrito por su intérprete supremo (art. 1.1 LOTC).

En lo que hace específicamente a la distribución de competencias entre el Estado y las Comunidades Autónomas, los Estatutos son las normas constitucionalmente habilitadas para la asignación de competencias a las respectivas Comunidades Autónomas en el marco de la Constitución. Lo que supone, no sólo que no puedan atribuir otras competencias que no sean las que la Constitución permite que sean objeto de atribución estatutaria, sino, ante todo, que la competencia en sí sólo pueda implicar las potestades que la Constitución determine. El Estatuto puede atribuir una competencia legislativa sobre determinada materia, pero qué haya de entenderse por "competencia" y qué potestades comprenda la legislativa frente a la competencia de ejecución son presupuestos de la definición misma del sistema en el que el Ordenamiento consiste y, por tanto, reservados a la Norma primera que lo constituye. No es otro, al cabo, el sentido profundo de la diferencia entre el poder constituyente y el constituido ya advertido en la STC. 76/1983, de 5 de agosto. La descentralización del Ordenamiento encuentra un límite de principio en la necesidad de que las competencias cuya titularidad corresponde al Estado central, que pueden no ser finalmente las mismas en relación con cada una de las Comunidades Autónomas —en razón de las distintas atribuciones competenciales verificadas en los diferentes Estatutos de Autonomía—, consistan en facultades idénticas y se proyecten sobre las mismas realidades materiales allí donde efectivamente correspondan al Estado si no se quiere que éste termine reducido a la impotencia ante la necesidad de arbitrar respecto de cada Comunidad Autónoma, no sólo competencias distintas, sino también diversas maneras de ser competente.

En su condición de intérprete supremo de la Constitución, el Tribunal Constitucional es el único competente para la definición auténtica —e indiscutible— de las categorías y principios constitucionales. Ninguna norma infraconstitucional, justamente por serlo, puede hacer las veces de poder constituyente prorrogado o sobrevenido, formalizando uno entre los varios sentidos que pueda admitir una categoría constitucional. Ese cometido es privativo del Tribunal Constitucional. Y lo es, además, en todo tiempo, por un principio elemental de defensa y garantía de la Constitución: el que la asegura frente a la infracción y, en defecto de reforma expresa, permite la acomodación de su sentido a las circunstancias del tiempo histórico.

STC. 99/86 de 11 de julio (segregación de enclaves territoriales en otra C.A.)

Fto. Jco. 6: «La reserva estatutaria establecida en el art. 147.2 de la C. supone no sólo la concreción en los correspondientes Estatutos de los contenidos previstos en el mencionado precepto, sino también el aseguramiento de que los contenidos normativos que afectan a una cierta C.A. no queden fijados en el Estatuto de otra C.A., pues ello entrañaría la mediatización de la directa infraordenación de los Estatutos a la C., siendo así que, como hemos señalado anteriormente, ésta constituye el único límite que pesa sobre cada uno de ellos. La predeterminación del contenido de unos Estatutos por otros en virtud, meramente, de la contingencia de su momento de aprobación, ampliaría los límites en que han de enmarcarse los contenidos estatutarios, que, de acuerdo con el art. 147 C.E. son sólo los establecidos constitucionalmente, lo que, de modo indirecto pero inequívoco, redundaría en la constricción de la autonomía de una de las Comunidades, que vería limitado el ámbito de aplicación de sus actos y disposiciones y el modo de decisión de sus órganos no ya por una fuente heterónoma, también el propio Estatuto lo es, sino por una fuente cuyos contenidos normativos fueron adoptados sin su participación y respecto de los cuales tampoco tendría la ocasión de expresar su voluntad en una hipotética modificación futura.

De todo lo anterior se deduce que, contra lo que los recurrentes entienden el Estatuto de una Comunidad no puede regular de un modo 'completo y acabado' la segregación y correspondiente agregación de los enclaves ubicados en su territorio cuando éstos pertenecen al de otra C.A. La regulación estatutaria no puede contener el procedimiento de modificación territorial que deberán seguir las dos Comunidades implicadas, sino tan sólo el proceso de formación y manifestación de la voluntad de cada una de ellas para perfeccionar, mediante actos distintos, pero complementarios, el complejo procedimiento en que consiste la segregación de un enclave y su agregación a otra Comunidad.»

STC. 209/89 de 15 de diciembre (los Decretos de transferencias no atribuyen competencias)

Fto. Jco. 3: «...es verdad que este TC., en numerosas sentencias ha venido declarando que los Decretos de Transferencias no atribuyen ni reconocen competencias y, por tanto, no pueden modificar o alterar el orden de distribución competencial fijado por la CE. y los EE.AA.; no es menos cierto que tales Decretos se refieren a los medios o instrumentos necesarios para ejercer las competencias atribuídas, entre los que se encuentran, desde luego, las técnicas o formas jurídicas mediante las que se canalizan las relaciones de cooperación o colaboración impuestas por la CE. o los EE.AA., máxime cuando dichas técnicas no se regulan en aquélla o éstos. No obstante, es preciso añadir que la determinación de las técnicas o instrumentos realizada por los Decretos de transferencias no puede suponer en ningún caso una modificación del orden competencial establecido, ni introducir nuevos principios o criterios de relación no previstos en la CE. o en los

EE.AA., o que no se conformen con los establecidos en una y otros. Finalmente, es claro también que las técnicas instrumentales reguladas en los Decretos de transferencias deben interpretarse siempre de acuerdo con las correspondientes previsiones constitucionales y estatutarias.»

Art. 148. 1. Las Comunidades Autónomas podrán asumir competencias en las siguientes materias:

1ª. Organización de sus instituciones de autogobierno.

2ª. Las alteraciones de los términos municipales comprendidos en su territorio y, en general, las funciones que correspondan a la Administración del Estado sobre las Corporaciones locales y cuya transferencia autorice la legislación sobre Régimen Local.

3ª. Ordenación del territorio, urbanismo y vivienda.

4ª. La obras públicas de interés de la Comunidad Autónoma en su propio territorio.

5ª. Los ferrocarriles y carreteras cuyo itinerario se desarrolle íntegramente en el territorio de la Comunidad Autónoma y, en los mismos términos, el transporte desarrollado por estos medios o por cable.

6ª. Los puertos de refugio, los puertos y aeropuertos deportivos y, en general, los que no desarrollen actividades comerciales.

7ª. La agricultura y ganadería, de acuerdo con la ordenación general de la economía.

8ª: Los montes y aprovechamientos forestales.

9ª. La gestión en materia de protección del medio ambiente.

10ª: Los proyectos, construcción y explotación de los aprovechamientos hidráulicos, canales y regadíos de interés de la Comunidad Autónoma; las aguas minerales y termales.

11ª: La pesca en aguas interiores, el marisqueo y la acuicultura, la caza y la pesca fluvial.

12ª. Ferias interiores.

13ª. El fomento del desarrollo económico de la Comunidad Autónoma dentro de los objetivos marcados por la política económica nacional.

14ª. La artesanía.

15ª. Museos, bibliotecas y conservatorios de música de interés para la Comunidad Autónoma.

16ª. Patrimonio monumental de interés de la Comunidad Autónoma.

17ª. El fomento de la cultura, de la investigación y, en su caso, de la enseñanza de la lengua de la Comunidad Autónoma.

18ª: Promoción y ordenación del turismo en su ámbito territorial.

19ª. Promoción del deporte y de la adecuada utilización del ocio.

20ª. Asistencia social.

21ª. Sanidad e higiene.

22ª. La vigilancia y protección de sus edificios e instalaciones. La coordinación y demás facultades en relación con las policías locales en los términos que establezca una ley orgánica.

2. Transcurridos cinco años, y mediante la reforma de sus Estatutos, las Comunidades Autónomas podrán ampliar sucesivamente sus competencias dentro del marco establecido en el artículo 149.

Ver selección con relación al art. 149.

Art. 149. 1. El Estado tiene competencia exclusiva sobre las siguientes materias:

1ª. La regulación de las condiciones básicas que garanticen la igualdad de todos los españoles en el ejercicio de los derechos y en el cumplimiento de los deberes constitucionales.

2ª. Nacionalidad, inmigración, emigración, extranjería y derecho de asilo.

3ª. Relaciones internacionales.

4ª. Defensa y Fuerzas Armadas.

5ª. Administración de Justicia.

6ª. Legislación mercantil, penal y penitenciaria; legislación procesal, sin perjuicio de las necesarias especialidades que en este orden se deriven de las particularidades del derecho sustantivo de las Comunidades Autónomas.

7ª. Legislación laboral; sin perjuicio de su ejecución por los órganos de las Comunidades Autónomas.

8ª. Legislación civil, sin perjuicio de la conservación, modificación y desarrollo por las Comunidades Autónomas de los derechos civiles, forales o especiales, allí donde existan. En todo caso, las reglas relativas a la aplicación y eficacia de las normas jurídicas, relaciones jurídico-civiles relativas a las formas de matrimonio, ordenación de los registros e instrumentos públicos, bases de las obligaciones contractuales, normas para resolver los conflictos de leyes y determinación de las fuentes del Derecho, con respeto, en este último caso, a las normas de derecho foral o especial.

9ª. Legislación sobre propiedad intelectual e industrial.

10ª. Régimen aduanero y arancelario; comercio exterior.

11ª. Sistema monetario: divisas, cambio y convertibilidad; bases de la ordenación de crédito, banca y seguros.

12ª. Legislación sobre pesas y medidas, determinación de la hora oficial.

13ª. Bases y coordinación de la planificación general de la actividad económica.

14ª. Hacienda general y Deuda del Estado.

15ª. Fomento y coordinación general de la investigación científica y técnica.

16ª. Sanidad exterior. Bases y coordinación general de la sanidad. Legislación sobre productos farmacéuticos.

17ª. Legislación básica y régimen económico de la Seguridad Social, sin perjuicio de la ejecución de sus servicios por las Comunidades Autónomas.

18ª. Las bases del régimen jurídico de las Administraciones públicas y del régimen estatutario de sus funcionarios que, en todo caso, garantizarán a los administrados un tratamiento común ante ellas; el procedimiento administrativo común, sin perjuicio de las especialidades derivadas de la organización propia de las Comunidades Autónomas; legislación sobre expropiación forzosa; legislación básica sobre contratos y concesiones administrativas y el sistema de responsabilidad de todas las Administraciones públicas.

19ª. Pesca marítima, sin perjuicio de las competencias que en la ordenación del sector se atribuyan a las Comunidades Autónomas.

20ª. Marina mercante y abanderamiento de buques; iluminación de costas y señales marítimas; puertos de interés general; aeropuertos de interés general; control del espacio aéreo, tránsito y transporte aéreo, servicio meterológico y matriculación de aeronaves.

21ª. Ferrocarriles y transportes terrestres que transcurran por el territorio de más de una Comunidad Autónoma; régimen general de comunicaciones; tráfico y circulación de vehículos a motor; correos y telecomunicaciones; cables aéreos, submarinos y radiocomunicación.

22ª. La legislación, ordenación y concesión de recursos y aprovechamientos hidráulicos cuando las aguas discurran por más de una Comunidad Autónoma, y la autorización de las instalaciones eléctricas cuando su aprovechamiento afecte a otra Comunidad o el transporte de energía salga de su ámbito territorial.

23ª. Legislación básica sobre protección del medio ambiente, sin perjuicio de las facultades de las Comunidades Autónomas de establecer normas adicionales de protección. La legislación básica sobre montes, aprovechamientos forestales y vías pecuarias.

24ª. Obras públicas de interés general o cuya realización afecte a más de una Comunidad Autónoma.

25ª. Bases del régimen minero y energético.

26ª. Régimen de producción, comercio, tenencia y uso de armas y explosivos.

27ª. Normas básicas del régimen de prensa, radio y televisión y, en general, de todos los medios de comunicación social, sin perjuicio de las facultades que en su desarrollo y ejecución correspondan a las Comunidades Autónomas.

28ª. Defensa del patrimonio cultural, artístico y monumental español contra la exportación y la expoliación; museos, bibliotecas y archivos de titularidad estatal, sin perjuicio de su gestión por parte de las Comunidades Autónomas.

29ª. Seguridad pública, sin perjuicio de la posibilidad de creación de policías por las Comunidades Autónomas en la forma que se establezca en los respectivos Estatutos en el marco de lo que disponga una ley orgánica.

30ª. Regulación de las condiciones de obtención, expedición y homologación de títulos académicos y profesionales y normas básicas para el desarrollo del artículo 27 de la Constitución, a fin de garantizar el cumplimiento de las obligaciones de los poderes públicos en esta materia.

31ª. Estadística para fines estatales.

32ª. Autorización para la convocatoria de consultas populares por vía de referéndum.

2. Sin perjuicio de las competencias que podrán asumir las Comunidades Autónomas, el Estado considerará el servicio de la cultura como deber y atribución esencial y facilitará la comunicación cultural entre las Comunidades Autónomas, de acuerdo con ellas.

3. Las materias no atribuidas expresamente al Estado por esta Constitución podrán corresponder a las Comunidades Autónomas, en virtud de sus respectivos Estatutos. La competencia sobre las materias que no se hayan asumido por los Estatutos de Autonomía corresponderá al Estado, cuyas normas prevalecerán, en caso de conflicto, sobre las de las Comunidades Autónomas en todo lo que no esté atribuido a la exclusiva competencia de éstas. El derecho estatal será, en todo caso, supletorio del derecho de las Comunidades Autónomas.

STC. 37/81 de 16 de noviembre

Fto. Jco. 1: ver selección con relación al art. 137.

STC. 18/82 de 4 de mayo

Fto. Jcos. 3 y 4: selección con relación al art. 97.

STC. 76/83 de 5 de agosto

Fto. Jcos. 4 y 28: ver selección con relación al art. 147.

STC. 37/87 de 26 de marzo

Fto. Jco. 10. y STC. 52/88 de 24 de marzo, Fto. Jco. 3: ver selección con relación al art. 139.

Ver selección con relación a los arts. 130 y 131.

STC. 18/82 de 4 de mayo (**supremacía constitucional y Estatutos**)

Fto. Jco. 1: «Para determinar si una materia es de la competencia del Estado o de la C.A., o si existe un régimen de concurrencia, resulta en principio decisorio, el texto del E.A. de la C.A., a través del cual, se produce la asunción de competencias. Si el examen del E.A. correspondiente revela que la materia de que se trate no está incluída en el mismo, no cabe duda que la competencia será estatal, pues lo dice expresamente el art. 149.3 de la C. Esta afirmación, sin embargo, no debe llevar a la idea de que, una vez promulgado el E.A., es el texto de éste el que únicamente debe ser tenido en cuenta para realizar la labor interpretativa que exige la delimitación competencial. Si se procediese así, se estaría desconociendo el principio de supremacía de la C. sobre el resto del ordenamiento jurídico, del que los EE.AA. forman parte como norma institucional básica de la C.A. que el Estado reconoce y ampara como parte integrante de su ordenamiento jurídico. Ello supone... que el E.A., al igual que el resto del ordenamiento jurídico, debe ser interpretado siempre de conformidad con la C. y que, por ello, los marcos competenciales que la C. establece no agotan su virtualidad en el momento de aprobación del E.A., sino que continuarán siendo preceptos operativos en el momento de realizar la interpretación de éste a través de los cuales se realiza la asunción de competencias por la C.A.»

STC. 45/1991 de 28 de febrero (**coordinación**)

Fto. Jco. 4 «Pues bien, respecto de la mencionada competencia estatal de coordinación, este Tribunal ha establecido las siguientes precisiones:

a) «Persigue la integración de la diversidad de las partes o subsistemas en el conjunto o sistema, evitando contradicciones o reduciendo disfunciones que, de subsistir, impedirían o dificultarían, respectivamente, la realidad misma del sistema» (STC. 32/1983, Fto. Jco. 2.°).

b) La competencia estatal de coordinación presupone, lógicamente, la existencia de competencias autonómicas que deben ser coordinadas, competencia que el Estado debe respetar, evitando que la coordinación llegue «a tal grado de desarrollo» que deje vacías de contenido las correspondientes competencias de las Comunidades Autónomas (STC. 32/1983, fundamento jurídico 2.°).

c) Dicha coordinación debe ser entendida como «la fijación de medios y sistemas de relación que hagan posible la información recíproca, la homogeneidad técnica en determinados aspectos y la acción conjunta de las autoridades... estatales y comunitarias en el ejercicio de sus respectivas competencias, de tal modo que se logre la integración de actos parciales en la globalidad del sistema» (STC. 32/1983), fundamento jurídico 2.°, que luego reproducen varias Sentencias posteriores y, entre ellas, significativamente, la 144/1985, fundamento jurídico 4.°).

d) Sobre el alcance que puede otorgarse a esos medios y sistemas de relación, se ha sostenido que la integración de las partes en un conjunto unitario, perseguida por la actividad de coordinación, exige la adopción de las «medidas necesarias y suficientes» para lograr tal integración (STC. 111/1984, fundamento jurídico 6.°). Y así en la mencionada STC. 144/1985, se concluyo que los actos gubernamentales de aprobación de declaraciones de zonas de agricultura de montaña son actos de coordinación, pues, de un lado, mediante tales aprobaciones se integran actos anteriores de fijación de los territorios, realizados por diversos órganos y sujetos, y, de otro, tal aprobación se produce «al final de un procedimiento en el que pueden haber intervenido o participado las Comunidades Autónomas» (fundamento jurídico 4.°). Debe reconocerse, pues, la posibilidad de que el Estado adopte medias de coordinación tras la correspondiente intervención autonómica.

e) Del mismo modo, tampoco cabe negar, con carácter general, el recurso a medidas estatales de coordinación preventiva que establezcan sistemas de relación entre las diversas Administraciones. Así en la STC. 133/1990, fundamento jurídico 14, en relación con el 6.°, se reconoció la facultad del Gobierno de la Nación para regular la composición de un órgano mixto entre Estado y Comunidades Autónomas, denominado Comisión Nacional de Protección Civil. En otras oportunidades, ciertas medidas de coordinación preventiva, como son la fijación de unas normas básicas y comunes a los diversos planes o intervenciones autonómicas, aparecen claramente vinculadas a la «previsión de unas directrices comunes» que hagan posible una actuación conjunta de los diversos servicios y Administraciones implicadas (STC. 133/1990, fundamento jurídico 9.°).

A la luz de cuanto antecede, y como resumen, cabe añadir que la competencia estatal de coordinación ex art. 149.1.13, es decir, en el marco de la planificación sectorial, presupone la existencia de competencias autonómicas que no deben ser vaciadas de contenido, pues busca la integración de una diversidad de competencias y Administraciones afectadas en un sistema o conjunto unitario y operativo, desprovisto de contradicciones y disfunciones; siendo preciso para ello fijar medidas suficientes y mecanismos de relación que permitan la información recíproca y una acción conjunta, así como, según la naturaleza de la actividad, pensar tanto en técnicas autorizativas, o de coordinación a posteriori, como preventivas u homogeneizadoras.»

STC. 48/85 de 28 de marzo (valor de los Decretos de transferencia)

Fto. Jco. 5: «Aunque como este mismo T.C. tiene declarado con reiteración, la distribución de competencias entre el Estado y las CC.AA. viene establecida en la C. y en los respectivos EE.AA., de modo que los Decretos de traspaso de servicios se limitan a transferir éstos y no transfieren competencias,no debe olvidarse, sin embargo, el valor interpretativo, que naturalmente no puede prevalecer sobre las previsiones constitucionales y estatutarias ni vincular a este T.C., de tales Decretos de transferencia, que suelen contener con mayor o menor detalle una especificación de las funciones que recibe la C.A. y las que retiene el Estado.»

STC. 25/83 de 7 de abril (ejercicio de competencias sin estar transferidos los servicios)

Fto. Jco. 3: «De un modo similar a lo que la jurisprudencia de este T.C. ha dicho ya, aunque obviamente en otro contexto, como es el relativo a las competencias de desarrollo normativo, al señalar que éstas se ejercitan sin necesidad de esperar la promulgación de las leyes de bases, conformándose a las bases que en el ordenamiento jurídico del Estado existen, hay que señalar ahora que la atribución 'ipso iure' de competencias debe entenderse como posibilidad de ejercicio inmediato de todas aquellas que para su ejercicio no requieran especiales medios personales o materiales. El traspaso de servicios es condición del pleno ejercicio de las competencias estatutariamente trasferidas cuando, según su naturaleza, sea necesario e imprescindible, caso en el cual es constitucionalmente lícito el ejercicio de las competencias por el Estado mientras los servicios no sean transferidos.»

STC. 26/82 de 24 de mayo (indisponibilidad de las competencias por pasividad)

Fto. Jco. 1: «...en el campo de los conflictos constitucionales la no impugnación de una disposición general por el Estado o la C.A. cuyas competencias hayan podido verse afectadas no implica en modo alguno la imposibilidad de instar el conflicto sobre el mismo objeto en relación con cualquier disposición, acto o resolución posterior, aun cuando sea mera reproducción, ampliación, modificación, confirmación o aplicación de aquella. Así lo exige el carácter indisponible de las competencias constitucionales, cuya distribución entre el Estado y las CC.AA. responde a la forma de organización territorial del Estado configurada por la C. y que no puede verse alterada por la pasividad temporal de cualquiera de los entes interesados frente al indebido ejercicio de sus competencias por parte del otro.»

STC. 35/82 de 14 de junio (reserva de materia completa y de potestades concretas)

Fto. Jco. 2: «El art. 149.1 de la C. utiliza para delimitar el ámbito reservado en exclusiva a la competencia estatal, diversas técnicas cuya compleja tipología no es del caso analizar en detalle. Sobresale, sin embargo, la diferencia que aquí sí es pertinente, entre la reserva de toda una materia (v. gr. Relaciones Internacionales, Defensa y FAS, Administración de Justicia, Hacienda General y Deuda del Estado, etc.) y la reserva de potestades concretas (sea la legislación básica, o toda la legislación sobre determinadas materias). En el primer caso, la reserva estatal impide, no ya que una C.A. pueda asumir competencias sobre la materia reservada, sino también que pueda orientar su autogobierno en razón de una política propia acerca de ella, aunque pueda participar en la determinación de tal política en virtud de la representación específica que las distintas CC.AA. tienen en el Senado. Cuando, por el contrario, la reserva estatal es sólo de ciertas potestades, correspondiendo otras a las CC.AA. que deseen asumirlas, éstas, en el ejercicio de su autonomía, pueden orientar su acción de gobierno en función de una política propia sobre esta materia, aunque en tal acción de gobierno no puedan hacer uso sino de aquellas competencias que específicamente le están atribuídas.»

STC. 76/85 de 5 de agosto (poder estatal de vigilancia)

Fto. Jco. 12: «Es cierto que la uniformidad constitucionalmente pretendida en los supuestos en que corresponda al Estado la normación sustantiva, legal y reglamentaria, y a las CC.AA. sólo la mera ejecución, quedaría desvirtuada si el Estado no tuviera la potestad y el derecho de velar para que no se produzcan diferencias en la ejecución y aplicación del bloque normativo. Incluso en los mismos sistemas federales se reconoce una serie de atribuciones a las instancias federales que, en definitiva, se concretan en una función de vigilancia que la Federación ejerce sobre las actuaciones ejecutivas de los Estados miembros.

Pero al fijar el contenido y alcance de dicha función es preciso tener presente que la autonomía exige en principio, a su vez, que las actuaciones de la Administración autonómica no sean controladas por la Administración del Estado, no pudiendo impugnarse la validez o eficacia de dichas actuaciones sino a través de mecanismos constitucionalmente previstos. Por ello el poder de vigilancia no puede colocar a las CC.AA. en una situación de dependencia jerárquica respecto de la Administración del Estado, pues, como ha tenido ocasión de señalar este TC, tal situación no resulta compatible con el principio de autonomía y con la esfera competencial que de éste se deriva.»

STC. 56/86 de 13 de mayo (competencias exclusivas del Estado y de la C.A.)

Fto. Jco. 3: «...el Estado no puede verse privado del ejercicio de sus competencias exclusivas por la existencia de una competencia, aunque también sea exclusiva, de una C.A... pues tal ineficacia equivaldría a la negación de la misma competencia que le atribuye la C.»

STC. 165/94 de 26 de mayo (**alcance de la expresión 'relaciones internacionales'**)

Fto. Jco. 4: «Por consiguiente, cabe estimar que cuando España actúa en el ámbito de las Comunidades Europeas lo está haciendo en una estructura jurídica que es muy distinta de la tradicional de las relaciones internacionales. Pues el desarrollo del proceso de integración europea ha venido a crear un orden jurídico, el comunitario, que para el conjunto de los Estados componentes de la CEE. puede considerarse a ciertos efectos como `interno'. En correspondencia con lo anterior, si se trata de un Estado complejo, como es el nuestro, aun cuando sea el Estado quien participa directamente en la actividad de las CEE. y no las CC.AA., es indudable que éstas poseen un interés en el desarrollo de esa dimensión comunitaria. Por lo que no puede sorprender, de un lado, que varias CC.AA. hayan creado, dentro de su organización administrativa, departamentos encargados del seguimiento y evolución de la actividad de las instituciones comunitarias. Y de otro lado, al igual que ocurre en el caso de otros Estados miembros de la CEE., que los entes territoriales, hayan procurado establecer en las sedes de las instituciones comunitarias, mediante formas administrativas de muy distinta índole, oficinas o agencias, encargadas de recabar directamente la información necesaria sobre la actividad de dichas instituciones que pueda afectar, mediatamente, a las actividades propias de tales entes.»

Fto. Jco. 5: «No obstante lo dicho, la posibilidad de que disponen las CC.AA... cuenta con un límite evidente: las reservas que la CE. efectúa en favor del Estado, y, señaladamente, la reserva prevista en el art. 149.1, 3... que confiere al Estado competencia exclusiva en materia de relaciones internacionales.
Ciertamente, para delimitar el alcance de esa reserva, es necesario tener en cuenta que no cabe identificar la materia 'relaciones internacionales' con todo tipo de actividad con alcance o proyección exterior. Ello resulta tanto de la misma literalidad de la CE. (que ha considerado necesario reservar específicamente al Estado áreas de actuación externa que se consideran distintas de las 'relaciones internacionales'; así, 'comercio exterior', o 'Sanidad exterior'), como de la interpretación ya efectuada por la jurisprudencia de este TC., que ha manifestado que no acepta 'que cualquier relación, por lejana que sea, con temas en que estén involucrados otros países o ciudadanos extranjeros, implique por sí sola o necesariamente que la competencia resulte atribuída a la regla 'relaciones internacionales' (STC. 153/89). Y, más cercanamente al tema que nos ocupa, hemos sentado que la 'dimensión externa de un asunto no puede servir para realizar una interpretación expansiva del art. 149.1, 3 CE., que venga a subsumir en la competencia estatal toda medida dotada de una cierta incidencia exterior, por remota que sea, ya que si así fuera se produciría una reordenación del propio orden constitucional de distribución de competencias entre el Estado y las CC.AA.» (SSTC. 80/93)
En suma, pues, las 'relaciones internacionales' objeto de la reserva contenida en el art. 149.1, 3 CE. son relaciones entre sujetos internacionales y regidas por el Derecho Internacional. Y ello excluye, necesariamente, que los entes territoriales dotados de autonomía política, por no ser sujetos internacionales, puedan participar en las 'relaciones internacionales' y, consiguientemente, concertar tratados con Estados soberanos (ius contrahendi) y Organizaciones internacionales gubernamentales. Y en lo que aquí particularmente importa, excluye igualmente que dichos entes puedan establecer órganos permanentes de representación ante esos sujetos, dotados de un estatuto internacional,

pues ello implica un previo acuerdo con el Estado receptor o la Organización internacional ante la que ejercen sus funciones.»

Fto. Jco. 6: «A la vista del alcance de la competencia exclusiva estatal, pues, la posibilidad de las CC.AA. de llevar a cabo actividades que tengan una proyección exterior debe entenderse limitada a aquellas que, siendo necesarias, o al menos convenientes, para el ejercicio de sus competencias, no implique el ejercicio de un 'ius contrahendi', no originen obligaciones inmediatas y actuales frente a poderes públicos extranjeros, no incidan en la política exterior del Estado, y no generen responsabilidad de éste frente a Estados extranjeros u organizaciones inter o supranacionales.»

STC. 69/88 de 19 de abril (definición de 'lo básico')

Fto. Jco. 5: «Los arts. 148 y 149 de la C., y los preceptos estatutarios de asunción de competencias que los concretan en relación con cada C.A. establecen un delicado sistema de distribución competencial, cuya equilibrada aplicación se hace especialmente difícil en los supuestos en que las competencias legislativas autonómicas entran en concurrencia con las que al Estado corresponden para definir el marco básico dentro del cual deben aquellas ejercitarse, pues la atribución al Estado de estas competencias deja el sistema abierto en el sentido de que, aún careciendo las normas básicas estatales de efectos atributivos de competencias que puedan alterar el sistema constitucional y estatutario, tiene por objeto delimitar, con alcance general, el espacio normativo al que las CC.AA. deben circunscribirse cuando ejercitan en defensa de sus intereses peculiares, las competencias propias que tengan en relación con la materia que resulte delimitada por dichas normas básicas.

Esta concurrencia de competencias normativas hace que el sistema sólo quede cerrado mediante la producción por el Estado de la ordenación que defina, en cada materia en la que se ocasione dicha concurrencia, los contornos básicos delimitadores de las competencias autonómicas, que quedan así configuradas por remisión al espacio que deja la positividad básica estatal.

Dado que la definición de lo básico constituye una operación normativa de concreción de lo básico que corresponde realizar al legislador estatal sin alterar el orden constitucional y estatutario de competencias y con observación de las garantías de certidumbre jurídica que sean necesarias para asegurar que las CC.AA. tengan posibilidad normal de conocer cuál es el marco básico al que deban someter sus competencias, resulta manifiesto que la función de defensa del sistema de distribución de competencias que a este TC confieren los arts. 161.1 c) de la CE y 59 de su LOTC tiene que venir orientada por dos esenciales finalidades: procurar que la definición de lo básico no quede a la libre disposición del Estado en evitación de que puedan dejarse sin contenido o inconstitucionalmente cercenadas las competencias autonómicas y velar porque el cierre del sistema no se mantenga en la ambigüedad permanente que supondría reconocer al Estado facultad para oponer sorpresivamente a las CC.AA. como norma básica, cualquier clase de precepto legal o reglamentario, al margen de cual sea su rango y estructura.

A la satisfacción de la primera de dichas finalidades responde el concepto material de 'norma básica', acuñado por la citada doctrina constitucional (especialmente SSTC. 32/81; 1/82; 32/83; 48/88 y 49/88), conforme a la cual la definición de lo básico por el legislador estatal, no supone que deba aceptarse que, en realidad, la norma tiene ese carácter pues, en caso de ser impugnada, corresponde a este TC, como intérprete supremo de la C., revisar la calificación hecha por el legislador y decidir, en última instancia, si es materialmente básica por garantizar en todo el Estado un común denominador normativo dirigido a asegurar, de manera unitaria y en condiciones de igualdad, los intereses generales a partir del cual pueda cada C.A., en defensa de sus propios intereses, introducir las peculiaridades que estime convenientes y oportunas, dentro del marco competencial que en la materia le asigne su Estatuto.

A la segunda finalidad atiende el principio de Ley formal que la misma doctrina acoge en razón a que sólo a través de ese instrumento normativo se alcanzará, con las garantías inherentes al procedimiento legislativo, una determinación cierta y estable de los ámbitos respectivos de ordenación de las materias en las que concurren y se articulan las competencias básicas estatales y las legislativas y reglamentarias autonómicas, doctrina que se proclama con la afirmación de que 'las Cortes deberán establecer lo que haya de entenderse por básico' (STC. 32/81, Fto. Jco. 5 y STC. 1/82, Fto. Jco. 1), la cual expresa, de manera bien relevante, que la propia Ley puede y debe declarar expresamente el alcance básico de la norma o, en su defecto, venir dotada de una estructura que permita inferir, directa o indirectamente, pero sin especial dificultad, su vocación o pretensión de básica.

Como excepción a dicho principio de Ley formal, la referida doctrina admite que el Gobierno de la Nación pueda hacer uso de su potestad reglamentaria para regular por Decreto alguno de los aspectos básicos de una materia, cuando resulten, por la naturaleza de ésta, complemento necesario para garantizar el fin a que responde la competencia estatal sobre las bases. Esta excepción, establecida principalmente para adecuar la legislación preconstitucional a situaciones nuevas derivadas del orden constitucional, como lo es la organización territorial del Estado, debe entenderse limitada al sentido que corresponde a su naturaleza de dispensa excepcional de suficiencia de rango normativo, pero no alcanza a la exigencia de que su carácter básico se declare expresamente en la norma o se infiera de su estructura en la misma medida en que es ello aplicable a la Ley formal, pues lo contrario sería permitir que por la vía reglamentaria se introduzcan elementos de confusión e incertidumbre, siendo que ello se deja negado en la Ley formal.»

Fto. Jco. 6: «Tenemos, por tanto, una doctrina constitucional consolidada que, construída sobre el núcleo esencial del concepto material de 'norma básica', se complementa con elementos formales dirigidos a garantizar una definición clara y precisa de los marcos básicos delimitadores de las competencias autonómicas que, siendo fácilmente recognoscibles, evite la incertidumbre jurídica que supone para las CC.AA. asumir, sin dato orientativo alguno, la responsabilidad de investigar e indagar, en la masa ingente de disposiciones legislativas y reglamentarias estatales una definición que es al Estado a quien le corresponde realizar por encargo directo de la C.

En los primeros años de vigencia de la C., en los que la tarea urgente que imponía la implantación del sistema de distribución de competencias consistía en adaptar la legislación anterior al nuevo orden constitucional y no le era posible al Estado desplegar una actividad legislativa tan intensa que pudiera, de manera inmediata, configurar todas las ordenaciones básicas que contemplan la C. y los Estatutos, resultaba inevitable que el concepto material de 'norma básica' adquiriese excepcional relevancia al objeto de conseguir, de la manera más rápida y eficaz, la progresiva determinación de los espacios normativos estatal y autonómico, quedando, por consiguiente, en un segundo plano, el componente formal incluído en la referida doctrina constitucional.

Superada esta inicial situación por la realidad actual de un orden distributivo competencial en avanzado estado de construcción, este componente formal adquiere una mayor trascendencia como garantía de certidumbre jurídica en la articulación de las competencias estatales y autonómicas, lo cual se manifiesta imprescindible en el logro de una clara y segura delimitación de las mismas a través de instrumentos normativos que reduzcan, de manera inequívoca, la indeterminación formal de las normas básicas hasta el nivel que resulte compatible con el principio de seguridad jurídica, que proclama el art. 9.3 de la C. y cuya presencia efectiva en el ordenamiento jurídico, especialmente en el tan complicado e importante de la organización y funcionamiento del Estado de las Autonomías, es esencial al Estado de Derecho que la propia C. consagra en su art. 1.1.

En virtud de ello, manteniendo el concepto material de lo básico como núcleo sustancial de la doctrina de este TC, procede exigir con mayor rigor la condición formal de que la 'norma básica' venga incluída en Ley votada en Cortes que designe expresamente su carácter de básica o esté dotada de una estructura de la cual se infiera ese carácter con naturalidad, debiendo también cumplirse esta condición en el supuesto excepcional de que la norma básica se introduzca por el Gobierno de la Nación en ejercicio de su potestad de reglamento.

Esta exigencia de definición expresa del carácter básico de la norma es generalmente cumplida por el legislador estatal, mientras que el Gobierno de la Nación omite, también por regla general, su cumplimiento, introduciendo con ello una confusión y ambigüedad que es conveniente destacar a fin de reconducir el ejercicio de la potestad reglamentaria a los términos que correspondan, en esta materia, a su naturaleza de básica, excepcional y complementaria.»

STC. 49/84 de 5 de abril (**concurrencia en materia de cultura**)

Fto. Jco. 6: «La lectura de otros textos de la CE (sobre todo el art. 149.2 y una reflexión sobre la vida cultural, lleva a la conclusión de que la cultura es algo de la competencia propia e institucional tanto del Estado como de las CC.AA., y aún podríamos añadir de otras Comunidades, pues allí donde vive una comunidad hay una manifestación cultural respecto de la cual las estructuras públicas representativas pueden ostentar competencias, dentro de lo que entendemos en un sentido no necesariamente técnico-administrativo puede comprenderse dentro de fomento de la cultura. Esta es la razón a que obedece el art. 149.2 de la CE, en el que después de reconocer la competencia autonómica afirma una competencia estatal, poniendo el acento en el servicio de la cultura como deber y atribución esencial. Hay, en fin, una competencia estatal y una competencia autonómica en el sentido de que más que un reparto competencial vertical, lo que se produce es una concurrencia de competencias ordenada a la preservación y estímulo de los valores culturales propios del cuerpo social desde la instancia pública correspondiente. Que en materia cultural es destacada la acción autonómica es algo inherente a la Comunidad (art. 2 CE). Que a su vez al Estado compete también una competencia que tendrá, ante todo, un área de preferente atención en la preservación del patrimonio cultural común, pero también en aquello que precise de tratamientos generales o que hagan menester esa acción pública cuando los bienes culturales pudieran no lograrse desde otras instancias, es algo que está en la línea de la proclamación que se hace en el indicado precepto constitucional.»

STC. 147/89 de 4 de julio (cláusula de cierre y plenitud del ordenamiento)

Fto. Jco. 7: «...mas bien, precisamos ahora, una cláusula de cierre que tiene por objeto realizar el principio de plenitud del ordenamiento jurídico, suministrando al aplicador del Derecho una regla con la que pueda superar las lagunas de que adolezca el régimen jurídico de determinadas materias y 2°) que la normación estatal aprobada con la finalidad de servir de derecho supletorio estaría viciada de inconstitucionalidad, por incompetencia, si pretendiera para sí una aplicación incondicionada en el respectivo territorio autonómico (SSTC. 85/83 y 103/89).

Para armonizar de manera congruente esas distintas declaraciones doctrinales, integrándolas en un sistema conceptual dotado del grado de coherencia lógica que le es exigible, debemos, de un lado, distinguir entre competencias exclusivas y competencias compartidas y, de otro, reducir el concepto de supletoriedad a sus correctos términos de función cuya operatividad corresponde determinarse a partir de la norma reguladora del ámbito material en que se va a aplicar el Derecho supletorio y no desde éste, es decir, como función referida al conjunto del ordenamiento jurídico, cuyo valor supletorio debe obtenerse por el aplicador del Derecho a través de las reglas de interpretación pertinentes, incluída la vía analógica, y no ser impuesta directamente por el legislador desde normas especialmente aprobadas con tal exclusivo propósito para incidir en la reglamentación jurídica de sectores materiales en los que el Estado carece de título competencial específico que justifique dicha reglamentación, puesto que esa carencia, según ha establecido la doctrina referida, no puede ser suplida con la conversión de la regla de supletoriedad en cláusula universal atributiva de competencia.

Las SSTC. 15/89 y 103/89 establecen, como razones que justifican la legitimidad constitucional de las normas generales que el Estado dicte sobre materias que hayan sido asumidas por la CA., promotora del conflicto, en régimen de competencia exclusiva, la diversidad de grado de asunción competencial que pueda existir entre los EE.AA. que delimitan el sistema de distribución de competencias entre las distintas CC.AA. que forman parte de nuestro Estado compuesto y la existencia de competencias estatales concurrentes que permitan establecer la ordenación general de un sector en todo el territorio nacional.

Será, por consiguiente, ilegítima, por invasión competencial, aquella ordenación estatal de materias que hayan sido deferidas por los EE.AA. a la competencia exclusiva de todas y cada una de las respectivas CC.AA. y en relación con las cuales el Estado no invoque algún título propio que le permita dictar normas generales sobre dichas materias, puesto que la asunción de competencias exclusivas confiere a las CC.AA., no sólo el poder oponerse a que las normas del Estado incidan en esas materias sometidas a su competencia exclusiva con alcance de aplicación directa, sino que también atribuyen a las CC.AA. decidir si tales materias deben ser sometidas, por su parte, a reglamentación específica y en qué momento debe hacerse, lo cual las legitima para negar a dichas normas estatales alcance supletorio, especialmente, cuando en ellas se establecen mandatos prohibitivos que, a pesar de su pretendido valor supletorio, resultan de aplicación directa, mientras que la CA. no decida someter la materia a reglamentación propia. Negarles dicha legitimación es tanto como imponerles, en contra de su voluntad, unas normas estatales en materias sobre las cuales el Estado no invoca título competencial distinto a la regla de supletoriedad que no es, según se deja dicho, atributiva de competencia.

Lo expuesto conduce, en principio, a considerar viciadas de incompetencia y, por ello, nulas las normas que el Estado dicte con el único propósito de crear derecho supletorio del de las CC.AA. en materias que sean de la exclusiva competencia de éstas, lo cual no es constitucionalmente legítimo cuando todos los EE.AA. atribuyen a las CC.AA. la competencia como exclusiva y en un mismo grado de homogeneidad. Esto supone que en cada conflicto en el que una CA. reivindique su competencia frente a dicha clase de normas estatales tendría que examinarse si se trata de competencias que corresponden en exclusiva a todas las CC.AA. pues si así no fuese, el Estado tendría competencia para dictarlas en relación con aquellas CC.AA. que no hubieran adquirido tal exclusividad. Por lo tanto, a la resolución de dicho conflicto se añadiría la dificultad de examinar con detalle todos y cada uno de los EE.AA. con el fin de determinar si la competencia exclusiva viene o no atribuída con alcance universal a todas las CC.AA., puesto que de no ser así no podría declararse nula por incompetencia la norma estatal, sino únicamente como inaplicable en el territorio de la CA. que, habiendo planteado el conflicto, resultase tener la competencia exclusiva sobre la materia; debe por ello evitarse un pronunciamiento de nulidad total que además afectaría a CC.AA. que no han impugnado la normativa estatal, quizás por seguir la política normativa de considerar apropiada la norma estatal y, por tanto, decidir el aplicarla mientras no consideren oportuno desplazarla a un grado supletorio mediante la aprobación de una reglamentación propia.»

STC. 61/97 de 20 de marzo (**el alcance del 149.1.1ª**)

Fto. Jco. 7: «...Este título competencial no representa, pues, una suerte de prohibición para el legislador autonómico de un trato divergente y desproporcionado respecto de la legislación estatal.
Ha de añadirse que "condiciones básicas" no es sinónimo de "legislación básica", "bases" o "normas básicas". El art. 149.1.1 CE, en efecto, no ha atribuído al Estado la fijación de las bases sobre los derechos y libertades constitucionales, sino sólo el establecimiento, eso sí entero, de aquellas condiciones básicas que tiendan a garantizar la igualdad. Y si bien es cierto que su regulación no puede suponer una normación completa y acabada del derecho y deber de que se trate y, en consecuencia, es claro que las CCAA, en la medida en tengan competencia sobre la materia, podrán siempre aprobar normas atinentes al régimen jurídico de ese derecho, como en el caso de la propiedad del suelo, no lo es menos, sin embargo, que la competencia ex art. 149.1.1 CE no se mueve en la lógica de las bases estatales- legislación autonómica de desarrollo. En otras palabras, el Estado tiene la competencia exclusiva para incidir sobre los derechos y deberes constitucionales desde una concreta perspectiva, la de la garantía de la igualdad en las posiciones jurídicas fundamentales, dimensión que no es, en rigor, susceptible de desarrollo como si de unas bases se tratara; será luego el legislador competente, estatal y autonómico, el que respetando tales condiciones básicas establezca su régimen jurídico, de acuerdo con el orden constitucional de competencias.
Finalmente, las condiciones básicas no equivalen ni se identifican tampoco con el contenido esencial de los derechos (art. 53.1 CE), técnica cuyo objeto ...consiste en garantizar el derecho frente a los eventuales abusos o extralimitaciones de los poderes públicos, en particular y en primer término, del legislador, cualquiera que este sea, en su tarea reguladora. El contenido esencial constituye, pues, una garantía constitucional a favor del individuo, algo a respetar por el legislador en cada caso competente, no para regular; no es, en definitiva, una técnica que permita determinar lo que al Estado o a las

CCAA les corresponde ...tanto el legislador estatal de las condiciones básicas, como el autonómico deben respetar el contenido esencial del derecho de propiedad.

...En lo que hace a su ámbito material o alcance horizontal, es de advertir que la materia sobre la que recae (el art. 149.1.1 CE) o proyecta son los derechos constitucionales en sentido estricto, así como los deberes básicos. Ahora bien, las condiciones básicas que garanticen la igualdad se predican de los derechos y deberes constitucionales en sí mismos considerados, no de los sectores materiales en los que éstos se insertan y, en consecuencia, el art. 149.1.1 CE sólo presta cobertura a aquellas condiciones que guarden una estrecha relación, directa o inmediata con los derechos que la CE reconoce. De lo contrario, dada la fuerza expansiva de los derechos y la función fundamentadora de todo el ordenamiento jurídico que éstos tienen atribuída (art. 10.1 CE), quedaría desbordado el ámbito y sentido del art. 149.1.1, que no puede operar como una especie de título horizontal, capaz de introducirse en cualquier materia o sector del ordenamiento por el mero hecho de que pudieran ser reconducibles, siquiera sea remotamente, hacia un derecho deber constitucional. Por otra parte ...constituye un título competencial autónomo, positivo o habilitante, constreñido al ámbito normativo, lo que permite al Estado una "regulación", aunque limitada a las condiciones básicas que garanticen la igualdad, que no el diseño completo y acabado de su régimen jurídico.

STC. 61/97 de 20 de marzo (**supletoriedad del Derecho estatal**)

Fto. Jco. 12: «...en la STC. 118/96, el TCE declaró que "Si para dictar cualesquier normas precisa el Estado de un título competencial específico que las justifique, y la supletoriedad no lo es, esa conclusión ha de mantenerse en todo caso. Por lo tanto, tampoco en las materias en las que el Estado ostenta competencias compartidas puede, excediendo el tenor de los títulos que se las atribuye y penetrando en el ámbito reservado por la CE y los EEAA a las CCAA, producir normas jurídicas meramente supletorias, pues tales normas, al invocar el amparo de una cláusula como la supletoriedad que, por no ser título competencial, no puede dárselo, constituyen una vulneración del orden constitucional de competencias» (Fto. Jco. 6).

En consecuencia "la supletoriedad del Derecho estatal ha de ser inferida por el aplicador del Derecho autonómico mediante el uso de las reglas de interpretación pertinentes" (Fto. Jco. 6). Por consiguiente, "la cláusula de supletoriedad no permite que el Derecho estatal colme, sin más, la falta de regulación autonómica en una materia. El presupuesto de aplicación de la supletoriedad que la CE establece no es la ausencia de regulación, sino la presencia de una laguna detectada como tal por el aplicador del derecho» (Fto. Jco. 8).

Si, como hemos señalado, la cláusula de supletoriedad no es una fuente atributiva, en positivo, de competencias estatales, ni aun con carácter supletorio, tampoco puede serlo en negativo; es decir, tampoco puede ser un título que le permita al Estado derogar lo que era su propio Derecho, en este caso sobre urbanismo, pero que ya ha dejado de serlo o, más exactamente, que ya no se encuentra a su disposición, ya sea para alterarlo (aun con eficacia supletoria, o para derogarlo. De otro modo, si el legislador estatal suprimiese, mediante su derogación, el derecho sobre una materia cuya competencia ya no es suya, sino de las CCAA, vendría a quebrantar una de las finalidades básicas de la cláusula de supletoriedad, cual es la de que, con la constitución de los órganos de poder de las CCAA y su correspondiente asunción de competencias normativas, no se origine un vacío parcial del ordenamiento, permitiendo y prescribiendo, con este propósito, la aplicación supletoria, potencialmente indefinida, del ordenamiento estatal.»

STC. 31/10 de 31 de junio (**Estatutos de Autonomía y derechos**)

Fto. Jco. 16. El título I del Estatuto catalán relaciona una serie de "Derechos, deberes y principios rectores" ordenados en cinco capítulos que agrupan los arts. 15 a 54 EAC, varios de ellos impugnados por los recurrentes. El conjunto de dicho título ha merecido una crítica de principio en la demanda, cuyas razones sobre el particular se han consignado en el antecedente 11 y tienen que ver con la supuesta inidoneidad de un Estatuto de Autonomía para incluir derechos fundamentales o afectar a los que con ese carácter se reconocen en los arts. 15 a 29 CE. Objeción a la que las restantes partes de este proceso han opuesto los argumentos referidos en los antecedentes 12, 13 y 14.

Derechos fundamentales son, estrictamente, aquellos que, en garantía de la libertad y de la igualdad, vinculan a todos los legisladores, esto es, a las Cortes Generales y a las Asambleas legislativas de las Comunidades Autónomas, sin excepción. Esa función limitativa sólo puede realizarse desde la norma común y superior a todos los legisladores, es decir, desde la Constitución, norma suprema que hace de los derechos que en ella se reconocen un límite insuperable para todos los poderes constituidos y dotado de un contenido que se les opone por igual y con el mismo alcance sustantivo en virtud de la unidad de las jurisdicciones (ordinaria y constitucional) competentes para su definición y garantía. Derechos, por tanto, que no se reconocen en la Constitución por ser fundamentales, sino que son tales, justamente, por venir proclamados en la norma que es expresión de la voluntad constituyente.

Los derechos reconocidos en Estatutos de Autonomía han de ser, por tanto, cosa distinta. Concretamente, derechos que sólo vinculen al legislador autonómico, —como así se desprende, inequívocamente, del propio Estatuto recurrido, cuyo art. 37.1 EAC, también impugnado y sobre el que más adelante habremos de pronunciarnos en particular, circunscribe, por principio, a los poderes públicos de Cataluña, y según la naturaleza de cada derecho a los particulares, el ámbito de los obligados por los derechos reconocidos en los capítulos I, II, y III del título I—; y derechos, además, materialmente vinculados al ámbito competencial propio de la Comunidad Autónoma, circunstancia expresamente detallada, según veremos, en el art. 37.4 EAC. Ahora bien, bajo la misma categoría "derecho" pueden comprenderse realidades normativas muy distintas, y será a éstas a las que haya de atenderse, más allá del puro nomen, para concluir si su inclusión en un Estatuto es o no constitucionalmente posible. En efecto, ya en la propia Constitución bajo el término "derecho" se comprenden tanto verdaderos derechos subjetivos como cláusulas de legitimación para el desarrollo de determinadas opciones legislativas, si bien en ambos casos se trata siempre, al cabo, de mandatos dirigidos al legislador, bien imponiéndole un hacer o una omisión que se erigen en objeto de una pretensión subjetiva exigible ante los Tribunales de justicia; bien obligándole a la persecución de un resultado sin prescribirle específicamente los medios para alcanzarlo y sin hacer de esa obligación el contenido de ningún derecho subjetivo, que sólo nacerá, en su caso, de las normas dictadas para cumplir con ella. Normas, en definitiva, que prescriben fines sin imponer medios o, más precisamente, que proveen a la legitimación de la ordenación política de los medios públicos al servicio de un fin determinado.

En el nuevo Estatuto catalán se prodiga sobre todo, según veremos, sin que falten proclamaciones de derechos subjetivos stricto sensu, el segundo tipo de derechos, es decir, mandatos de actuación a los poderes públicos, ya estén expresamente denominados como "principios rectores", ya estén enunciados literalmente como derechos que el legislador autonómico ha de hacer realidad y los demás poderes públicos autonómicos respetar. Lo decisivo para pronunciarse sobre su legitimidad constitucional será, en cada caso, si los mandatos en ellos comprendidos vinculan exclusivamente al poder público catalán y, naturalmente, si sólo pretenden hacerlo en el marco de sus competencias. Este tipo de derechos estatutarios, que no son derechos subjetivos sino mandatos a los poderes públicos (STC. 247/2007, FFto. Jco.J 13 a 15), operan técnicamente como pautas (prescriptivas o directivas, según los casos) para el ejercicio de las competencias autonómicas. De lo que resulta, naturalmente, un principio de diferenciación que no puede confundirse con la desigualdad o el privilegio proscritos por los arts. 138.2 y 139.1 CE, pues con ella sólo se abunda en la diversidad inherente al Estado autonómico [STC. 76/1983, de 5 de agosto, Fto. Jco. 2 a)] en tanto que implícita en la pluralidad de ordenamientos que, fundamentados y reducidos a unidad en la Constitución, operan sobre ámbitos competenciales diversos en los que se actúan potestades legislativas y gubernamentales propias cuyo ejercicio puede legítimamente condicionarse desde la misma norma que define, en concurso con la Constitución, cada uno de esos ámbitos privativos.

Fto. Jco. 17. La distribución competencial que opera entre las propias leyes orgánicas explica que el Estatuto de Autonomía no pueda regular toda la materia que en principio se reserva al género de la ley mediante la cual se aprueba, pues en ocasiones la reserva orgánica lo es, de manera exclusiva y excluyente, a una ley orgánica determinada (así, LOPJ), o a una especie del género común. Este último es el caso de las leyes orgánicas de desarrollo de los derechos fundamentales (art. 81 CE). Esa función de desarrollo no puede acometerse en una ley orgánica de aprobación de un Estatuto de Autonomía; y ello por razones que tienen que ver con la condición del Estatuto como norma institucional básica, por un lado, y con su vigencia territorial limitada, por otro.

Lo primero supone que el Estatuto de Autonomía, como norma primera de un sistema normativo autónomo, tiene su ámbito más propio en el terreno de la generalidad, la abstracción y los principios, lo que no se compadece con la disciplina de desarrollo de un derecho fundamental cuya proclamación y definición sustancial (contenido mínimo) ya se habrá verificado en la Constitución, de suerte que la intervención del Estatuto sólo sería admisible si fuera reiterativa; esto es, si se limitara a hacer lo que ya se ha hecho en la Constitución, en la que se agota la función normativa necesaria en ese primer nivel de abstracción, al que sólo puede seguir ya la función de desarrollo, proceso de concreción que no corresponde al Estatuto. Lo segundo implica que la participación del Estatuto en el desarrollo de los derechos redundaría en una pluralidad de regímenes de derechos fundamentales (tantos como Estatutos), lo que afectaría al principio de igualdad de los españoles en materia de derechos fundamentales.

De otra parte, la divisoria ley orgánica/ley ordinaria en materia de derechos fundamentales (desarrollo/regulación: arts. 81.1 y 53.1 CE) supone que el Estatuto, en tanto que ley orgánica, tampoco puede, no ya declarar o desarrollar derechos fundamentales o afectar a los únicos que son tales, sino siquiera regular el ejercicio de tales derechos. Podrá hacerlo, en su caso, el legislador autonómico, en tanto que legislador ordinario y de acuerdo con el reparto constitucional de competencias, pero no el legislador (orgánico) estatuyente. De ahí que no haya paradoja alguna en el hecho de que por simple ley autonómica (ley ordinaria) pueda hacerse lo que no cabe en un Estatuto (norma superior a la autonómica). En realidad, no es que pueda hacerse más por ley autonómica; es que se hace cosa distinta, como corresponde en el juego de normas ordenadas con arreglo al criterio de competencia.

STC. 247/2007 de 12 de diciembre (atribución de competencias en el Estatuto)

Fto. Jco. 7. «En definitiva, del indicado sistema de reparto competencial establecido por la Constitución en su art. 149, se deriva que los Estatutos atribuyen competencias a las Comunidades Autónomas en ejercicio del principio dispositivo que la Constitución les reconoce y, al hacerlo, también determinan las del Estado. Ello es así porque al atribuir el Estatuto competencias a la Comunidad Autónoma, quedan precisadas las que el Estado no tiene en el correspondiente territorio (art. 149.3, primer inciso, CE); por el contrario, las competencias que el Estatuto no haya atribuido a la Comunidad Autónoma permanecen en el acervo competencial del Estado (art. 149.3, segundo inciso, CE). De este modo, la función atributiva de competencias a la Comunidad Autónoma produce, como efecto reflejo, la delimitación de las que corresponden al Estado en el territorio autonómico de que se trate. Sin embargo, la determinación del alcance que puede tener la asunción de competencias por los Estatutos de Autonomía no es cuestión sencilla, pues ha de adecuarse al marco constitucional y éste está dotado de considerable complejidad en este punto. En efecto, el art. 149.1 CE atribuye al Estado la competencia exclusiva sobre una relación de materias («materias siguientes»). Examinando la relación allí contenida, cabe resaltar dos aspectos. De un lado, que la competencia exclusiva del Estado se refiere a «materias» cuyo contenido sólo se enuncia, es decir, no se describe ni se delimita (por ejemplo, «relaciones internacionales», «Defensa y Fuerzas Armadas» o «Administración de Justicia»: entre otras, STC. 147/1991, de 4 de julio, Fto. Jco. 4). De otro lado, la competencia exclusiva estatal se refiere en ocasiones a la totalidad de la materia enunciada en los términos generales descritos, pero en otros casos incluye sólo la «función» relativa a dicha materia, función que alcanza, o bien a la «legislación básica» (o «bases» o «normas básicas»), o bien a la «legislación», siendo así que tampoco se determina el contenido o alcance de dichas funciones (así, STC. 35/1982, de 14 de junio, Fto. Jco. 2).
Es decir, la Constitución, que sí fija las materias de competencia estatal, no especifica directamente el contenido o alcance ni de las materias ni de las funciones materiales sobre las que se proyecta aquélla, ni tampoco contiene reglas expresas de interpretación que inmediatamente permitan concretar dicho contenido o alcance, lo que, en última instancia, sólo corresponde precisar a este Tribunal Constitucional en el ejercicio de su jurisdicción. Además, superado el alcance temporal que tuvo el art. 148 CE, según su apartado 2, y sin menoscabo de su valor hermenéutico, la Constitución tampoco establece el elenco de materias sobre el que las Comunidades Autónomas pueden asumir competencias, sino que atribuye a los Estatutos de Autonomía la función de determinarlas, sin que dicha determinación pueda incidir en el despliegue de las competencias reservadas al Estado por el mencionado límite del art. 149.1 CE (art. 149.3 CE). De esta forma, los Estatutos pueden libremente asumir competencias, completando así el espacio que la propia Constitución ha dejado desconstitucionalizado, para lo que han de realizar una cierta operación interpretativa con los condicionantes que veremos a continuación.»

STC. 247/2007 de 12 de diciembre (interpretación de las competencias)

Fto. Jco. 8. «En definitiva, dos criterios pueden extraerse de la doctrina contenida en la STC. 76/1983 y complementarias aludidas. El primero consiste en señalar que lo que le está vedado al legislador, estatal o autonómico, es la interpretación genérica y abstracta del sistema constitucional de reparto competencial con pretensión de vinculación general a todos los poderes públicos, imponiéndoles su propia interpretación de la Constitución. Y el segundo, consecuencia del anterior, se traduce en que los poderes legislativos constituidos, estatal o autonómico, ejercerán su función legislativa de modo legítimo cuando, partiendo de una interpretación de la Constitución, sus normas se dirijan a su ámbito competencial, ejerciendo las competencias propias, siempre que, al hacerlo, no pretendan imponer a todos los poderes públicos, como única, una determinada opción interpretativa del precepto constitucional, pues «al usar de sus facultades legislativas sobre las materias de su competencia, tanto el Estado como las Comunidades Autónomas han de operar a partir de un determinado entendimiento interpretativo del bloque de la constitucionalidad (STC. 214/1989, Fto. Jco. 5)» (STC. 197/1996, de 28 de noviembre, Fto. Jco. 21).»

STC. 247/2007 de 12 de diciembre (fórmulas de atribución de competencias)

Fto. Jco. 9. «Para aproximarnos al tema suscitado, deberemos partir de las fórmulas concretas de asunción de competencias por las Comunidades Autónomas que tradicionalmente han figurado en los Estatutos de Autonomía y que han sido enjuiciadas por este Tribunal, como intérprete supremo de la Constitución.

En unos casos, se ha tratado de no llevar hasta el límite de lo constitucionalmente posible la competencia asumida en el Estatuto; es decir, cuando éste, pudiendo hacerlo, no ha extendido la competencia autonómica hasta los límites fijados por el art. 149.1 CE. En esos casos el Estatuto excluye de la competencia asumida determinadas esferas, proclamando que permanecen en el ámbito de la competencia estatal; así ha ocurrido con las normas de «seguridad industrial», que se excluyen de la competencia autonómica en materia de industria (arts. 10.29 del Estatuto de Autonomía para el País Vasco: EAPV; 12.1 del Estatuto de Autonomía de Cataluña: EAC 1979; 30.1.2 del Estatuto de Autonomía para Galicia: EAG, etc.); o de la «alta inspección» en materia educativa, entre otras (arts. 16 EAPV; 15 EAC 1979; 31 EAG, etc.). Estos criterios estatutarios fueron confirmados, respectivamente, por las SSTC. 203/1992, de 26 de noviembre, Fto. Jco. 2 y 243/1994, de 21 de julio, Fto. Jco. 3, respecto de la «seguridad industrial» y en la STC. 6/1982, de 22 de febrero, Fto. Jco. 2, en conexión con la STC. 95/1984, de 18 de octubre, Fto. Jco. 7, para la «alta inspección». En otros casos, los Estatutos han delimitado la competencia autonómica, restringiéndola mediante la remisión a lo que se establezca en la normativa estatal correspondiente; así, en materia de «medios de comunicación social» (arts. 16.1 EAC 1979; 34.1 EAG; 16.1 del Estatuto de Autonomía para Andalucía: EAAnd 1981, etc.). Esta delimitación ha sido asimismo aceptada por el Tribunal (SSTC. 26/1982, de 24 de mayo, Fto. Jco. 3, y 21/1988, de 18 de febrero, Fto. Jco. 2, entre otras).

El Tribunal ha reconocido también una tercera modalidad de norma estatutaria delimitadora, caracterizada porque el Estatuto incide, no ya en la competencia autonómica, sino directamente en la competencia estatal prevista en el art. 149.1 CE, precisando su alcance a partir de los preceptos constitucionales que remiten a una ley orgánica habilitando en determinadas materias la regulación estatutaria. Así ha ocurrido, por ejemplo, en materias tan relevantes como son las de «Administración de Justicia», «Hacienda General» o «seguridad pública» (art. 149.1.5, 14 y 29 CE), entre otras. En efecto, la delimitación en materia de «Administración de Justicia» se ha producido a través de las llamadas «cláusulas subrogatorias», en virtud de las cuales las Comunidades Autónomas han asumido competencias sobre aspectos relativos a la administración de la Administración de Justicia que este Tribunal ha declarado que no estaban comprendidos en la materia «Administración de Justicia», sobre la cual el art. 149.1.5 CE atribuye competencia exclusiva al Estado (STC. 56/1990, de 29 de marzo, FFto. Jco.J 4, 5, y 6). En cuanto a la materia de seguridad pública, los arts. 17.6 EAPV y 14.1 EAC (1979) especifican, incluso, aspectos concretos que han de ser de la competencia estatal, lo que confirma de nuevo que los Estatutos de Autonomía han realizado, en supuestos concretos, una delimitación entre las competencias estatales y las autonómicas (STC. 175/1999, de 30 de septiembre, FFto. Jco.J 3 y 6).

Por último, en este mismo orden de consideraciones, una situación peculiar se produjo en materia de hacienda general (art. 149.1.14 CE). En efecto, el art. 157.1 a) CE se limita a señalar que los recursos de las Comunidades Autónomas estarán constituidos, entre otros, por «impuestos cedidos total o parcialmente por el Estado», sin indicar cuáles son, siendo así que el Estatuto de Autonomía de Cataluña (1979), con anterioridad a la promulgación de la Ley Orgánica de financiación de las Comunidades Autónomas (LOFCA, y posteriormente todos los Estatutos de Autonomía) en su disposición adicional sexta, 1, relacionó los tributos estatales que serían objeto de cesión, si bien, y ahí está una peculiaridad más de la situación creada, el precepto carecía de rango estatutario, según el apartado 2, de la citada disposición adicional (STC. 181/1988, de 13 de octubre, FFto. Jco.J 3 y 4).»

STC. 31/10 de 28 de junio (**distribución y alcance de las competencias**)

Fto. Jco. 58. Lo anterior es de la mayor importancia para el adecuado planteamiento de una de las cuestiones de fondo capitales suscitadas por el nuevo Estatuto catalán. La defensa de la constitucionalidad del Estatuto se fundamenta en no pocas ocasiones en la circunstancia de que muchas de las soluciones en él adoptadas en punto a la distribución de competencias y, sobre todo, a la definición del sentido y alcance de las competencias mismas y de las materias sobre las que se proyectan, se compadecen perfectamente con las que se han ido decantando por el Tribunal Constitucional en casi treinta años de jurisprudencia. Que el Estatuto se acomode efectivamente a tales soluciones —que en la opinión del Gobierno y el Parlamento catalanes habrían tenido su sede natural en la Constitución o, en su defecto, en los Estatutos, pero no en la jurisprudencia, por más que las circunstancias históricas hayan hecho necesario el recurso a esa fuente normativa, en puridad, a su juicio, extravagante—, no resuelve las objeciones de inconstitucionalidad de las que se le hace objeto, toda vez que, a tenor de lo dicho, la censura que en realidad merecería no sería tanto la de desconocer las competencias del Estado, cuanto la de hacerse con la función más propia del Tribunal Constitucional, al que se habría cuidado de respetar ateniéndose al sentido de su jurisprudencia, pero olvidando que, al formalizar como voluntad legislativa la sustancia normativa de ésta, la desposee de la condición que le es propia en tanto que resultado del ejercicio de la función jurisdiccional reservada a este Tribunal como intérprete supremo de las normas constitucionales.

Los arts. 110, 111 y 112 EAC no pretenden disciplinar una cuestión ajena a la disponibilidad del legislador constituido como es la definición misma de qué sean las potestades legislativa, reglamentaria y ejecutiva comprendidas en las competencias de las que puede ser titular la Comunidad Autónoma de Cataluña. Tales potestades serán siempre y sólo las que se deriven de la interpretación de la Constitución reservada a este Tribunal y, de no mediar la oportuna reforma constitucional, su contenido y alcance no será sino el que eventualmente resulte de la propia evolución de nuestra doctrina.

Ello no obstante la misma indefinición del texto constitucional en este punto, unida a la inevitable dispersión de los criterios constitucionales determinantes al respecto en un cuerpo de doctrina conformado a lo largo de tres décadas, han deparado un cierto grado de incertidumbre en la identificación formal de las categorías y principios del modelo territorial del Estado una vez configurados y definidos por obra de nuestra jurisprudencia, pues, siendo cierto que unas y otros han sido objeto en ese tiempo de una definición jurisdiccional perfectamente acabada en su contenido sustantivo y que ha hecho posible reducirlos a unidad mediante su ordenación como sistema, no lo es menos que la expresión formal de ese resultado adolece de las carencias características de toda obra jurisprudencial en términos de cognoscibilidad y reconocimiento por parte de la comunidad de sus destinatarios y obligados. En esas circunstancias, a los fines de la exposición ordenada y sistemática del conjunto de las potestades, facultades y funciones que, de acuerdo con la jurisprudencia constitucional, integran el contenido funcional de las competencias asumidas por la Comunidad Autónoma en su norma institucional básica, pueden los Estatutos de Autonomía relacionar sin definir, esto es, sin otro ánimo que el descriptivo de una realidad normativa que le es en sí misma indisponible, y así lo han hecho los diversos Estatutos de Autonomía desde su aprobación, las potestades comprendidas en las competencias atribuidas, en el marco de la Constitución, a las respectivas Comunidades Autónomas.

Tal es, en definitiva, el sentido que les cabe a las previsiones incluidas en los arts. 110, 111 y 112 EAC, constitucionalmente aceptables en la medida en que, con la referida voluntad de descripción y de sistema, se acomoden a la construcción normativa y dogmática que cabe deducir de nuestra jurisprudencia en cada momento histórico, es decir, sin que su formalización como expresión de la voluntad del legislador orgánico estatutario suponga un cambio en su cualidad normativa, que será siempre, de no mediar una reforma expresa de la Constitución, la propia del ejercicio de nuestra jurisdicción. Esto es, sin que en modo alguno se sustraiga a este Tribunal la facultad de modificar o revisar en el futuro la doctrina ahora formalizada en los preceptos examinados.

Fto. Jco. 59. De acuerdo con el art. 110.1 EAC, "[c]orresponden a la Generalitat, en el ámbito de sus competencias exclusivas, de forma íntegra la potestad legislativa, la potestad reglamentaria y la función ejecutiva", añadiéndose a continuación que "[c]orresponde únicamente a la Generalitat el ejercicio de estas potestades y funciones, mediante las cuales puede establecer políticas propias".

Nada puede objetarse a un precepto que se limita a describir como consustanciales a la titularidad de competencias exclusivas el ejercicio de las potestades legislativa y reglamentaria, así como el de la función ejecutiva, pues, como poder público dotado de autonomía política para su autogobierno en el marco de la Constitución, es evidente que, respetado el límite de las competencias reservadas al Estado, las Comunidades Autónomas pueden ser titulares exclusivas de cuantas potestades normativas y actos de ejecución puedan tener por objeto la disciplina y ordenación de las materias atribuidas

a su exclusiva competencia. En otras palabras, siendo constitucionalmente posible la asunción autonómica de competencias que se quieren exclusivas sobre materias determinadas, o sobre sectores materiales de una misma realidad, es constitucionalmente necesario que con ellas se atribuya a las Comunidades Autónomas el ejercicio de cuantas potestades y facultades agotan el tratamiento normativo de la materia o del sector material sobre los que se proyecta y en los que se realiza la competencia así calificada. Lo anterior es tan evidente y conforme con nuestra doctrina más reiterada que, como alega el Abogado del Estado, sólo una cierta interpretación del tenor del precepto pudiera atribuirle un sentido constitucionalmente inaceptable. En efecto, tomando pie en el adverbio "únicamente" cabría acaso deducir que el Estatuto hace indebida abstracción de la posibilidad de que las competencias exclusivas de la Comunidad Autónoma se proyecten sobre sectores de la realidad respecto de los que también tiene competencia exclusiva el Estado, resolviéndose siempre esa concurrencia, para el Estatuto, en beneficio de la Generalitat. Sin embargo, como quiera que el art. 110.1 EAC se refiere estrictamente a la dimensión funcional-normativa de las competencias exclusivas, sin mención de su posible objeto material, nada permite abonar la conclusión de que el Estatuto parte indefectiblemente del principio de que las competencias exclusivas se proyectan en todo caso sobre materias y no sobre sectores de una materia en la que puedan también incidir competencias exclusivas estatales. Del art. 149.1 CE resulta la obviedad de que las potestades normativas sobre una misma materia pueden atribuirse a distintos titulares, de manera que la exclusividad de una competencia no es siempre coextensa con una materia, predicándose en ocasiones de la concreta potestad o función que sobre la totalidad o parte de una materia se atribuye a un titular determinado. Así lo asumen, por lo demás, y como enseguida veremos, los arts. 111 y 112 EAC.
Ciertamente, el art. 110.1 EAC sólo se refiere al caso de la coextensión de la competencia y la materia in toto, pero ello no implica que se excluya la eventualidad —prevista constitucionalmente y, por ello, legislativamente indisponible— de una exclusividad competencial referida únicamente a las potestades normativas que cabe ejercer sobre un sector de la realidad en el que también concurren potestades exclusivas del Estado. Siendo ello así, el precepto examinado no merece la censura de inconstitucionalidad pretendida por los recurrentes. Ello sin perjuicio de que al enjuiciar los artículos atributivos de concretas competencias hayamos de verificar si efectivamente se respeta en cada caso el ámbito de las competencias exclusivas reservadas al Estado, sea sobre la integridad de una materia, sea respecto de las potestades que le corresponden en sectores de una materia en la que también inciden competencias autonómicas y sin que para la proyección de las competencias estatales sobre la materia pueda ser obstáculo el empleo de la expresión "en todo caso" por los preceptos estatutarios.
El segundo apartado del art. 110 EAC define al "derecho catalán, en materia de las competencias exclusivas de la Generalitat", como "el derecho aplicable en su territorio con preferencia sobre cualquier otro". Pese a su impugnación formal, el precepto no ha sido objeto de crítica fundada en el escrito del recurso, fuera de la que genéricamente pudiera merecer en tanto que referido a la disciplina de una categoría constitucional como es el régimen de la articulación en el espacio de los distintos sistemas normativos constituidos en el marco de la Constitución. Objeción ésta para la que ha de valer cuanto ya hemos dicho sobre el particular y, en especial, que esa "preferencia" del Derecho autonómico en materia de competencias exclusivas de la Generalitat no impide la aplicación del Derecho del Estado emanado en virtud de sus competencias concurrentes. Por lo dicho, el sentido del precepto se compadece sin dificultad con el art. 149.3 CE,

cuyas cláusulas de prevalencia y supletoriedad no se ven menoscabadas por la norma en cuestión.

En definitiva, el art. 110 EAC no es contrario a la Constitución en tanto que aplicable a supuestos de competencia material plena de la Comunidad Autónoma y en cuanto no impide el ejercicio de las competencias exclusivas del Estado ex art. 149.1 CE, sea cuando éstas concurren con las autonómicas sobre el mismo espacio físico u objeto jurídico, sea cuando se trate de materias de competencia compartida, cualquiera que sea la utilización de los términos "competencia exclusiva" o "competencias exclusivas" en los restantes preceptos del Estatuto, sin que tampoco la expresión "en todo caso", reiterada en el Estatuto respecto de ámbitos competenciales autonómicos, tenga otra virtualidad que la meramente descriptiva ni impida, por sí sola, el pleno y efectivo ejercicio de las competencias estatales.

Interpretado en esos términos, el art. 110 EAC no es inconstitucional, y así se dispondrá en el fallo.

Fto. Jco. 60. El art. 111 EAC establece que corresponde a la Comunidad Autónoma, "[e]n las materias que el Estatuto atribuye a la Generalitat de forma compartida con el Estado", las potestades legislativa y reglamentaria y la función ejecutiva "en el marco de las bases que fije el Estado como principios o mínimo común normativo en normas con rango de ley, excepto en los supuestos que se determinen de acuerdo con la Constitución y el presente Estatuto". Concluye el precepto con la afirmación de que "[e]n el ejercicio de estas competencias, la Generalitat puede establecer políticas propias" e imponiendo al Parlamento el deber de "desarrollar y concretar a través de una ley aquellas previsiones básicas".

La previsión de que el Estado y las Comunidades Autónomas puedan compartir un ámbito material determinado en el ejercicio de diferentes potestades y funciones es una de las características típicas del modelo territorial del Estado autonómico. El concurso de dichas potestades y funciones sobre una misma materia se ordena en la Constitución, en términos de principio, bien atribuyendo al Estado central la competencia legislativa y permitiendo la atribución a las Comunidades Autónomas de las competencias de ejecución, bien confiando al primero el establecimiento de normas legales básicas y haciendo posible que las Comunidades Autónomas desarrollen legislativamente dichas bases y sean titulares de las correspondientes potestades de reglamentación y ejecución de la legalidad desarrollada. Los arts. 111 y 112 EAC se atienen escrupulosamente a este modelo, describiéndose en el primero de ambos preceptos el supuesto del concurso de competencias arbitrado con arreglo al criterio bases/desarrollo. Nada hay que objetar, por tanto, al art. 111 EAC en ese punto.

Sin embargo, el precepto no se atiene estrictamente al concepto constitucional de las bases estatales, toda vez que las reduce a los "principios o mínimo común normativo" fijados por el Estado "en normas con rango de ley", cuando es lo cierto que, conforme a nuestra jurisprudencia, siendo aquél el contenido que mejor se acomoda a la función estructural y homogeneizadora de las bases y ésta la forma normativa que, por razones de estabilidad y certeza, le resulta más adecuada (por todas, STC. 69/1988, de 19 de abril), no lo es menos que también es posible predicar el carácter básico de normas reglamentarias y de actos de ejecución del Estado (STC. 235/1999, de 16 de diciembre), y son factibles en las bases un alcance diferente en función del subsector de la materia sobre la que se proyecten e incluso sobre el territorio (SSTC. 50/1990, de 6 de abril y 147/1991, de 4 de julio, respectivamente). Y ello no como pura excepción al criterio que para el art. 111 EAC constituye la regla de principio (base principial o de mínimo normativo, formalizada como ley), sino como elementos de la definición del contenido y alcance de la competencia atribuida al Estado cuando éste es el titular de la potestad de dictar las bases de la disciplina de una materia determinada.

El art. 111 EAC no se ajusta, por tanto, al cometido de la sistematización de las categorías del régimen constitucional de distribución de competencias que, según tenemos repetido, puede desempeñar, sino que, elevando a regla esencial una sola de las variables admitidas por este Tribunal en la definición del concepto de las bases estatales, termina por definir el ámbito competencial del Estado. Si las bases son "principios" o "normación mínima" no es asunto a dilucidar en un Estatuto, sino sólo en la Constitución, vale decir: en la doctrina de este Tribunal que la interpreta. Ello es así, ante todo, por razones de concepto. Pero, además, por razones de orden estructural y práctico. De un lado, porque el concepto, el contenido y el alcance de las bases no pueden ser, como regla general, distintos para cada Comunidad Autónoma, pues en otro caso el Estado tendría que dictar uno u otro tipo de bases en función de lo dispuesto en cada Estatuto de Autonomía. De otro, porque, siendo mudables las bases (STC. 1/2003, de 16 de enero), también lo es, en correspondencia inevitable, el ámbito disponible por la legislación de desarrollo, de manera que la rigidez procedimental de un Estatuto lo convierte en norma inapropiada para determinar con detalle el alcance de las potestades inherentes a esa legislación.

Como consecuencia de lo anterior, es inconstitucional, y por tanto nulo, el inciso "como principios o mínimo común normativo en normas con rango de ley, excepto en los supuestos que se determinen de acuerdo con la Constitución y el presente Estatuto". Con su supresión, el art. 111 EAC se limita a describir correctamente las facultades comprendidas en la competencia de desarrollo de unas bases estatales cuyo contenido y alcance serán siempre, y sólo, las que se desprenden de la Constitución interpretada por este Tribunal.

Fto. Jco. 61. El art. 112 EAC establece que, "en el ámbito de sus competencias ejecutivas", corresponde a la Comunidad Autónoma "la potestad reglamentaria, que comprende la aprobación de disposiciones para la ejecución de la normativa del Estado, así como la función ejecutiva, que en todo caso incluye la potestad de organización de su propia administración y, en general, todas aquellas funciones y actividades que el ordenamiento atribuye a la Administración pública". La impugnación de los recurrentes se centra en el inciso "la potestad reglamentaria, que comprende la aprobación de disposiciones para la ejecución de la normativa del Estado", alegando que con él se desconoce que, de acuerdo con nuestra jurisprudencia, la competencia legislativa del Estado puede comprender en ocasiones el ejercicio de la potestad reglamentaria, por tratarse siempre de un concepto material de legislación.

El precepto examinado no contraría, en el inciso recurrido, la doctrina constitucional que tradicionalmente ha incluido en el concepto "legislación", cuando se predica del Estado, la potestad reglamentaria ejecutiva (STC. 196/1997, de 13 de noviembre), pues en la referencia a "la normativa del Estado" se comprenden con naturalidad las normas estatales adoptadas en ejercicio de la potestad reglamentaria, además de las que son resultado de la potestad legislativa del Estado. Cuestión distinta es si la competencia ejecutiva de la Generalitat puede ejercerse, a partir de "la normativa (legal y reglamentaria) del Estado", no sólo como función ejecutiva stricto sensu, sino también como potestad reglamentaria de alcance general. La respuesta es, de acuerdo con nuestra doctrina, claramente negativa, aun cuando es pacífico que en el ámbito ejecutivo puede tener cabida una competencia normativa de carácter funcional de la que resulten reglamentos internos de organización de los servicios necesarios para la ejecución y de regulación de la propia competencia funcional de ejecución y del conjunto de actuaciones precisas para la puesta en práctica de la normativa estatal (STC. 51/2006, de 16 de febrero, Fto. Jco. 4). Sólo entendida en esa concreta dimensión, la potestad reglamentaria a que se refiere el art. 112 EAC, limitada a la emanación de reglamentos de organización interna y de ordenación funcional de la competencia ejecutiva autonómica, no perjudica a la constitucionalidad del art. 112 EAC.

Interpretado en esos términos, el art. 112 EAC no es contrario a la Constitución, y así se dispondrá en el fallo.

Art. 150. 1. Las Cortes Generales, en materias de competencia estatal, podrán atribuir a todas o a alguna de las Comunidades Autónomas la facultad de dictar, para sí mismas, normas legislativas en el marco de los principios, bases y directrices fijados por un ley estatal. Sin perjuicio de la competencia de los Tribunales, en cada ley marco se establecerá la modalidad del control de las Cortes Generales sobre estas normas legislativas de las comunidades Autónomas.

2. El Estado podrá transferir o delegar en las Comunidades Autónomas, mediante ley orgánica, facultades correspondientes a materia de titularidad estatal que por su propia naturaleza sean susceptibles de transferencia o delegación. La ley preverá en cada caso la correspondiente transferencia de medios financieros, así como las formas de control que se reserve el Estado.

3. El Estado podrá dictar leyes que establezcan los principios necesarios para armonizar las disposiciones normativas de las Comunidades Autónomas, aun en el caso de materias atribuidas a la competencia de éstas, cuando así lo exija el interés general. Corresponde a las Cortes Generales, por mayoría absoluta de cada Cámara, la apreciación de esta necesidad.

STC. 76/83 de 5 de agosto (concepto de ley armonizadora)

Fto. Jco. 3: «Por lo que se refiere a la dimensión armonizadora del Proyecto (LOAPA), también impugnada, antes de proceder al análisis de su articulado es preciso dilucidar dos cuestiones previas: a) si el carácter armonizador atribuído al Proyecto se extiende a la totalidad de su contenido, y b) en qué supuestos la defensa del interés general legitima constitucionalmente al legislador para hacer uso de la técnica armonizadora prevista en el art. 150.3 de la C.E.

a) El Gobierno, en su comunicación al Congreso de los Diputados y al Senado sobre la necesidad de promulgar una Ley de armonización del proceso autonómico, solicitó de las Cortes Generales, de acuerdo con lo dispuesto en el art. 150.3 de la C., que apreciaran la necesidad, impuesta por el interés general, de que se dictasen las disposiciones armonizadoras contenidas en el Anteproyecto de LOAPA que acompañaba a la comunicación...

Tanto el Congreso como el Senado se pronunciaron positivamente sobre la necesidad de establecer los principios necesarios para armonizar las disposiciones normativas de las CC.AA. en relación con las mencionadas materias, pero, al cumplirse únicamente respecto a ellas el requisito establecido en el art. 150.3 de la C., el pretendido carácter armonizador no puede extenderse al resto de la Ley, pese a la denominación asignada a ésta. En la misma comunicación a las Cortes señala el Gobierno que conviene mantener la estructura y el contenido unitario de la Ley en cuestión con el fin de presentar una ordenación global del proceso autonómico, pero reconoce que dentro de la Ley existen preceptos heterogéneos y que sólo algunos de ellos tienen el carácter de armonizadores en el sentido constitucional.

b) Una vez acotada aquella parte del Proyecto de LOAPA a la que en principio puede asignarse naturaleza armonizadora, ha de plantearse la cuestión de si el legislador puede dictar leyes de armonización en el supuesto de que disponga de otros títulos específicos previstos en la C. para dictar la regulación legal de que se trate. Y, dado que proyecto de LOAPA pretende establecer preceptos que se impongan al Estado y a todas las CC.AA., ha de tomarse como punto de referencia las posibilidades ordinarias que tiene el legislador para dictar leyes de este alcance en relación a las CC.AA. con el mayor nivel de autonomía.

La respuesta ha de ser negativa si se tiene en cuenta que el mencionado art. 150.3 constituye una pieza dentro del sistema global de distribución de competencias entre el Estado y las CC.AA. y por ello no puede ser interpretado aisladamente, sino en relación con el conjunto de normas que configuran dicho sistema. En este sentido, es preciso señalar que el constituyente ha tenido ya presente el principio de unidad y los intereses generales de la nación al fijar las competencias estatales y que es la imposibilidad de que el texto constitucional agote todos los supuestos lo que explica que la propia C. haya previsto la posibilidad de que el Estado incida en el ámbito competencial de las CC.AA., por razones de interés general, a través de la técnica armonizadora contenida en el art. 150.3

Desde esta perspectiva, el art. 150.3 constituye una norma de cierre del sistema, aplicable sólo a aquellos supuestos en que el legislador estatal no disponga de otros cauces constitucionales para el ejercicio de su potestad legislativa o éstos no sean suficientes para garantizar la armonía exigida por el interés general, pues en otro caso el interés que se pretende tutelar y que justificaría la utilización de la técnica armonizadora se confunde con el mismo interés general que ya fue tenido en cuenta por el poder constituyente al fijar el sistema de distribución de competencias entre el Estado y las CC.AA. Las Leyes de armonización vienen a complementar, no a suplantar, las demás previsiones constitucionales.

De ello no cabe deducir, sin embargo, que la armonización prevista en el art. 150.3 de la C., se refiera únicamente al ejercicio de las competencias exclusivas de las CC.AA., alegando, como hacen los recurrentes que en los supuestos de competencias compartidas el Estado puede, a través de la regulación básica en la materia, tutelar directamente el interés general y conseguir la uniformidad jurídica pretendida por la Ley armonizadora. Si bien normalmente la armonización afectará a competencias exclusivas de las CC.AA., no es contrario a la C. que las Leyes de armonización sean utilizadas cuando, en el caso de competencias compartidas, se aprecie que el sistema de distribución de competencias es insuficiente para evitar que la diversidad de disposiciones normativas de las CC.AA. produzca una desarmonía contraria al interés general de la Nación.

Teniendo en cuenta las consideraciones anteriores, el análisis del Proyecto ha de limitarse a aquellas materias sobre las que en su día se pronunciaron las Cortes. Respecto a ellas, es preciso examinar si existe un título competencial específico que permita al legislador estatal dictar normas contenidas en el proyecto relativas a esas materias, con el pretendido valor de imponerse a todas las CC.AA.; solamente en el caso de que el Estado no disponga de dicho título, o éste sea insuficiente, podrá dictar las mencionadas normas, si se dan los supuestos previstos en el art. 150.3 de la C., cuyo examen habrá que efectuar en cada caso.»

STC. 56/90 de 29 de marzo (EE.AA. y LO. de trasferencia o delegación)

Fto. Jco. 5: «Los EE.AA., pese a su forma de LO., no son instrumentos ni útiles ni constitucionalmente correctos, por su naturaleza y modo de adopción, para realizar las transferencias o delegaciones de facultades de una materia de titularidad estatal permitidas por el art. 150.2 CE. Ello porque, muy resumidamente expuesto y sin agotar los posibles argumentos, a pesar de su forma de LO., el EA. se adopta mediante un complejo procedimiento distinto del de las leyes orgánicas comunes. Utilizar, pues, el EA. como instrumento de transferencia o delegación implicaría dar rigidez a una decisión estatal en una manera no deseada por el constituyente y que choca con la mayor flexibilidad que los instrumentos del art. 150.2 han de poseer. Por otra parte este último precepto implica una decisión formalmente unilateral por parte del Estado, susceptible de renuncia y de introducción de instrumentos de control; el EA., en cambio, supone una doble voluntad y una falta de disposición estatal a la hora de derogar la transferencia o delegación o de introducir esos instrumentos de control. Como se ha señalado, y resumiendo, si el EA. es el paradigma de los instrumentos jurídicos de autoorganización, la transferencia y delegación cae en el ámbito de la heterorganización.»

Art. 151. 1. No será preciso dejar transcurrir el plazo de cinco años, a que se refiere el apartado 2 del artículo 148, cuando la iniciativa del proceso autonómico sea acordada dentro del plazo del artículo 143, 2, además de por las Diputaciones o los órganos interinsulares correspondientes, por las tres cuartas partes de los municipios de cada una de las provincias afectadas que representen, al menos, la mayoría del censo electoral de cada una de ellas y dicha iniciativa sea ratificada mediante referéndum por el voto afirmativo de la mayoría absoluta de los electores de cada provincia en los términos que establezca una ley orgánica.

2. En el supuesto previsto en el apartado anterior, el procedimiento para la elaboración del Estatuto será el siguiente:

1º. El Gobierno convocará a todos los Diputados y Senadores elegidos en las circunscripciones comprendidas en el ámbito territorial que pretenda acceder al autogobierno, para que se constituyan en Asamblea, a los solos efectos de elaborar el correspondiente proyecto de Estatuto de autonomía, mediante el acuerdo de la mayoría absoluta de sus miembros.

2º. Aprobado el proyecto de Estatuto por la Asamblea de Parlamentarios, se remitirá a la Comisión Constitucional del Congreso, la cual, dentro del plazo de dos meses, lo examinará con el concurso y asistencia de una delegación de la Asamblea proponente para determinar de común acuerdo su formulación definitiva.

3°. Si se alcanzare dicho acuerdo, el texto resultante será sometido a referéndum del cuerpo electoral de las provincias comprendidas en el ámbito territorial del proyectado Estatuto.

4°. Si el proyecto de Estatuto es aprobado en cada provincia por la mayoría de los votos válidamente emitidos, será elevado a las Cortes Generales. Los Plenos de ambas Cámaras decidirán sobre el texto mediante un voto de ratificación. Aprobado el Estatuto, el Rey lo sancionará y lo promulgará como ley.

5°. De no alcanzarse el acuerdo a que se refiere el apartado 2°. de este número, el proyecto de Estatuto será tramitado como proyecto de ley ante las Cortes Generales. El texto aprobado por éstas será sometido a referéndum del cuerpo electoral de las provincias comprendidas en el ámbito territorial del proyectado Estatuto. En caso de ser aprobado por la mayoría de los votos válidamente emitidos en cada provincia, procederá su promulgación en los términos del párrafo anterior.

3. En los casos de los párrafos 4°. y 5°. del apartado anterior, la no aprobación del proyecto de Estatuto por una o varias provincias no impedirá la constitución entre las restantes de la Comunidad Autónoma proyectada, en la forma que establezca la ley orgánica prevista en el apartado 1 de este artículo.

Art. 152. 1. En los Estatutos aprobados por el procedimiento a que se refiere el artículo anterior, la organización institucional autonómica se basará en una Asamblea Legislativa, elegida por sufragio universal, con arreglo a un sistema de representación proporcional que asegure, además la representación de las diversas zonas del territorio; un Consejo de Gobierno con funciones ejecutivas y administrativas y un Presidente, elegido por la Asamblea, de entre sus miembros, y nombrado por el Rey, al que corresponde la dirección del Consejo de Gobierno, la suprema representación de la respectiva Comunidad y la ordinaria del Estado en aquélla. El Presidente y los miembros del Consejo de Gobierno serán políticamente responsables ante la Asamblea.

Un Tribunal Superior de Justicia, sin perjuicio de la jurisdicción que corresponde al Tribunal Supremo, culminará la organización judicial en el ámbito territorial de la Comunidad Autónoma. En los Estatutos de las Comunidades Autónomas podrán establecerse los supuestos y las formas de participación de aquéllas en la organización de las demarcaciones judiciales del territorio. Todo ello de conformidad con lo previsto en la ley orgánica del poder judicial y dentro de la unidad e independencia de éste.

Sin perjuicio de lo dispuesto en el artículo 123, las sucesivas instancias procesales, en su caso, se agotarán ante órganos judiciales radicados en el mismo territorio de la Comunidad Autónoma en que esté el órgano competente en primera instancia.

2. Una vez sancionados y promulgados los respectivos Estatutos, solamente podrán ser modificados mediante los procedimientos en ellos establecidos y con referéndum entre los electores inscritos en los censos correspondientes.

3. Mediante la agrupación de municipios limítrofes, los Estatutos podrán establecer circunscripciones territoriales propias, que gozarán de plena personalidad jurídica.

STC. 16/84 de 6 de febrero (**modelo parlamentario navarro**)

Fto. Jco. 4: «Otra objeción de carácter previo que debemos despejar antes de entrar en la cuestión de fondo consiste en mantener que en este caso es inaplicable el procedimiento de impugnación por el Gobierno de la Nación previsto en el art. 161.2 de la C. y el Título V de la LOTC por tratarse de una cuestión de legalidad, y no de constitucionalidad, y al ser el acto impugnado un mero acto de trámite.

Para resolver esta objeción es necesario efectuar unas consideraciones acerca del acto de nombramiento de Presidente de la Diputación Foral. Se trata de un acto compuesto, en el que concurren, de una parte, la decisión del Parlamento Foral... y de otra, el nombramiento por S.M. el Rey y el refrendo por el Presidente del Gobierno, de acuerdo con el art. 64 de la C.E., el cual asume la responsabilidad a que se refiere el nº 2 del propio precepto.

En consecuencia, y en relación a la primera parte de la objeción suscitada, no cabe duda de que el acto compuesto de nombramiento, el cual comprende cada uno de los que lo forman, ha de incluirse en su conjunto y en cada una de sus partes dentro de la materia constitucional, por lo que el T.C. no puede compartir la tesis de que la cuestión planteada sea de mera legalidad ya que transciende de la misma para incidir en el orden constitucional.

Por otro lado, tampoco puede admitirse que el acto del Parlamento Foral sea de mero trámite, dado que culmina el procedimiento a seguir por la Comunidad Foral, dotada de personalidad jurídica, al que pone fin. Por ello se configura como un acto resolutorio, sin perjuicio de que dada la naturaleza de acto compuesto que tiene el nombramiento, la decisión de la Comunidad pase a integrarse en tal acto del que forma parte.»

Fto. Jco. 5: «Dicha cuestión de fondo... consiste en que, de acuerdo con el art. 29.3 de la LORAFNA 'si, transcurrido el plazo de dos meses a partir de la primera votación (se refiere a la que haya tenido lugar... para elegir Presidente de la Diputación Foral), ningún candidato hubiera obtenido la mayoría simple, será designado Presidente de la Diputación Foral el candidato del partido que tenga mayor número de escaños.' La interpretación de esta disposición varía. Para el Presidente del Parlamento el candidato ha de ser forzosamente uno de los que ya se han presentado ante la Cámara y verificadas las votaciones ha sido rechazado por ésta, o dicho de otro modo, 'no hubiera obtenido la mayoría simple', es decir la confianza de la Cámara. Por el contrario, la interpretación que a dicho artículo dan el Gobierno de la Nación y el recurrente en amparo es que la designación ha de llevarse a cabo por el partido con más escaños en la Cámara, independientemente de que el candidato hubiera concurrido o no a la fase previa de investidura.»

Fto. Jco. 6: «El modelo que establece la normativa examinada (la LORAFNA art. 20.3 y la Ley Foral 23/1983, art. 20) se configura como una variante del sistema parlamentario nacional, con la peculiaridad de que trata de reglamentar explícitamente su funcionamiento, en sus diversos aspectos... en lugar de dejar tales extremos, como es el caso en otros regímenes parlamentarios de mayor tradición y antigüedad, a la costumbre o a las convenciones de diverso origen.

Dentro de esa peculiaridad, propia de lo que se ha llamado 'parlamentarismo racionalizado' se prevé igualmente la posibilidad de que de las diversas propuestas que se efectúen no resulte la investidura de candidato alguno, y en tal caso, la solución adoptada es, frente a la disolución de la Cámara que se prevé en casos similares en la C.E. y en once Estatutos de Autonomía, la de la propuesta a S.M. el Rey del candidato que designe el partido político que cuente con mayor número de escaños.

Resulta imprescindible, para dilucidar las cuestiones y dificultades que pueden plantear los complejos procedimientos propios de este modelo parlamentario, que el mismo no se ha considerado únicamente como un mero mecanismo técnico, sino que se inserte en el orden de valores y principios a los que sirve; valores y principios que han de inspirar la interpretación de las normas que lo regulan.

Junto al principio de legitimidad democrática de acuerdo con el cual todos los poderes emanan del pueblo, art. 1.2 de la C.E., y la forma parlamentaria de gobierno,nuestra C. se inspira en un principio de racionalización de esta forma que, entre otros objetivos, trata de impedir las crisis gubernamentales prolongadas. A este fin prevé el art. 99 de la C.E. la disolución automática de las Cámaras cuando se evidencia la imposibilidad en la que éstas se encuentran de designar un Presidente de Gobierno dentro del plazo de dos meses. La LORAFNA y otros diversos Estatutos de Autonomía sirven al mismo principio y persiguen la misma finalidad al arbitrar un procedimiento subsidiario para la designación del presidente del órgano ejecutivo, cuando la correspondiente Asamblea, dentro del mismo plazo de dos meses no haya logrado la designación por mayoría de uno de los candidatos propuestos. Este procedimiento no puede llevar, sin embargo, como es evidente, a que la voluntad de la Asamblea sea sustituída por ninguna otra y, en consecuencia, sólo puede entrar en juego cuando se han agotado todas las posibilidades que la Ley ofrece e impone.»

Fto. Jco. 7: «En el caso que nos ocupa, de todo ello viene a deducirse la importancia que reviste el que la Asamblea tenga la oportunidad de pronunciarse sobre otra u otras alternativas, en el supuesto de que la primera propuesta efectuada a la presidencia de la Diputación no dé como resultado la investidura del candidato. En este sentido, el art. 29.3 de la LORAFNA se refiere a 'sucesivas propuestas', de no conseguirse la mayoría requerida en la primera, y el art. 20.6 de la Ley Foral 13/1983 dispone específicamente que, no habiéndose obtenido la investidura a la cuarta votación, se propondrá al Parlamento un nuevo candidato. Se trata, pues, en concordancia con lo arriba dicho, de ofrecer diversas posibilidades a la Asamblea de expresar su voluntad, sin restringir su elección a una opción única que, de no prosperar, hubiera de dar lugar a un procedimiento extraordinario de designación de Presidente. La configuración del modelo parlamentario adoptada, inspirado, como se dijo, en principios democráticos, supone que la Asamblea parlamentaria ha de disponer de amplias posibilidades para determinar, efectivamente, la elección del candidato a la Presidencia.

Por ello, la propuesta de un nuevo candidato, y su sometimiento a la votación parlamentaria aparece como fase esencial e imprescindible en el procedimiento de designación, fase que, sin embargo, se omitió en el presente caso, en que únicamente se propuso y votó un sólo candidato, sin darse a la Asamblea la posibilidad de pronunciarse sobre otras alternativas, y sin agotarse, por tanto, las oportunidades de elección parlamentaria del Presidente de la Diputación. La propuesta se efectuó, por tanto, sin que se hubieran llevado a cabo previamente actuaciones imprescindibles en el procedimiento de elección, esto es, la propuesta al Parlamento de nueva candidatura, como expresamente impone el art. 20.6 de la Ley Foral 13/83. Lo que viene forzosamente a representar la nulidad del acto de propuesta, por no haber agotado el procedimiento previo previsto imperativamente por la Ley, y haber omitido la práctica de actuaciones esenciales en ese procedimiento, como se deriva... de su misma naturaleza.»

Fto. Jco. 8: «La interpretación que del art. 29.3 de la LORAFNA realiza el Presidente del Parlamento de Navarra es difícilmente compatible con este papel determinante de la Cámara, ya que viene a convertirse en decisivo, caso del transcurso sin éxito del plazo de dos meses, no el número de escaños de un partido, que puede incluso suponer la mayoría absoluta, sino el hecho de que el Presidente haya propuesto o no formalmente a la Cámara al candidato de ese partido como aspirante a la investidura parlamentaria. La propuesta del Presidente, que no está vinculado por sus consultas con los portavoces de los grupos políticos representados en el Parlamento, cobraría así un valor decisivo, si se aceptara la interpretación de que, transcurrido el plazo citado, fuere designado automáticamente Presidente del Gobierno navarro el candidato del partido con más escaños, de entre los propuestos libremente por el Presidente del Parlamento. El papel de éste dejaría de ser instrumental para convertirse, en tal caso, en determinante, al ser, en último término, sus propuestas las que decidirían el resultado final del proceso de designación del Presidente del Gobierno de Navarra, y no, como se exige en la C.E., la voluntad del Parlamento. Pero por otro lado, la interpretación consistente en considerar que, transcurrido el plazo señalado, el Presidente debe proponer a S.M. el Rey al candidato designado por el partido que haya obtenido más escaños, sin necesidad de que se haya dado a la Asamblea la oportunidad de pronunciarse sobre él y su programa, resulta difícilmente compatible con la preeminencia y carácter determinante de la Asamblea en el proceso de elección que se deriva de los mandatos constitucionales y estatutarios. Sin que la falta de éxito en el procedimiento ordinario deba suponer que se prescinda, en la fase extraordinaria, de los elementos y principios que informan todo el sistema, esto es, la referencia continua a la voluntad popular, representada por la Asamblea. Aceptar que la propuesta del Presidente del Parlamento pueda realizarse en favor de un candidato que no haya dado oportunidad alguna a la Asamblea de pronunciarse sobre un programa resultaría así un fraude a la voluntad de la Ley.»

Fto. Jco. 9: «Hay que concluir que en el procedimiento extraordinario, o sea, transcurrido el plazo de dos meses, la propuesta del Presidente del Parlamento ha de versar sobre un candidato que haya sido presentado formalmente al Presidente del Parlamento por un grupo político representado en la Asamblea, para ser propuesto como candidato a la elección por ésta, y ello independientemente de que el Presidente haya decidido o no llevar a cabo tal propuesta a la Cámara, al no concederse, como dijimos, a su intervención, un papel determinante, sino meramente instrumental.»

STC. 179/89 de 2 de noviembre (**organización de los Parlamentos de las CC.AA.**)

Fto. Jco. 6: «Pero no es en modo alguno exigible, en virtud de los mandatos constitucionales, que las instituciones legislativas de las CC.AA. deban adecuar su estructura, funcionamiento u organización a las correspondientes de las Cortes Generales, ni que deban aplicarse a las Cámaras legislativas de las CC.AA., en forma directa o supletoria,

las normas constitucionales que regulen la organización y funcionamiento de las Cortes Generales, entre ellas el art. 79.2 CE.»

STC. 141/90 de 20 de septiembre

Ver selección con relación al art. 72.

STC. 5/87 de 27 de enero

Ftos. Jcos. 2, 3 y 6. Ver selección con relación al art. 64.

STC. 56/90 de 29 de marzo (**organización judicial y CC.AA.**)

Fto. Jco. 15: «Con carácter previo, interesa... delimitar los conceptos de planta judicial y demarcación judicial, cuya organización y establecimiento necesariamente han de encuadrarse en el concepto estricto de Administración de Justicia a que se refiere el art. 149.1.5 de la C., para preservar con carácter exclusivo la competencia al Estado, si bien, por excepción, el art. 152.1, párrafo segundo permite que, en lo que se refiere a la demarcación judicial, las CC.AA. puedan asumir competencias participativas.

El establecimiento de la planta judicial supone determinar los Juzgados y Tribunales a los que se atribuye el ejercicio de la potestad jurisdiccional, juzgando y haciendo ejecutar lo juzgado (art. 117.3 C.E.). En consecuencia, dentro de la organización o establecimiento de la planta judicial necesariamente han de encuadrarse las dos siguientes operaciones: El establecimiento en abstracto de los tipos o clases de órganos a los que se va a encomendar el ejercicio de aquella potestad y, en segundo lugar, la fijación del número de órganos que, dentro de cada uno de los tipos definidos de forma abstracta, se van a asentar en el territorio nacional.

Establecida la planta judicial, la organización de la demarcación judicial se presenta como una operación complementaria de la anterior. Se trata de circunscribir territorialmente los órganos jurisdiccionales que previamente han quedado definidos en el establecimiento de la planta judicial (art. 35.1, LOPJ), a lo que hay que añadir la localización de la capitalidad de cada uno de los órganos judiciales.

Pues bien, el art. 152.1 párrafo segundo de la C, ha permitido que las CC.AA. asuman competencias participativas en la Organización de las demarcaciones judiciales, pero no en el establecimiento de la planta judicial que, en todo caso, es competencia exclusiva del Estado.»

Fto. Jco. 16: «En cualquier caso, cualquiera que sea la extensión que se quiera dar a las competencias de las CC.AA. en la delimitación de las demarcaciones de los órganos judiciales radicados en su territorio, existen dos premisas de las que hay que partir:

1. La competencia de delimitación ha de referirse necesariamente a las demarcaciones judiciales de ámbito diferente del provincial y autonómico, por las dos razones siguientes: la delimitación de la demarcación judicial correspondiente a cada uno de los Tribunales Superiores de Justicia viene determinada directamente por la propia C. (art. 152.1), y sobre las demarcaciones de ámbito provincial no existe disponibilidad por parte de las CC.AA. (art. 141.1 C.E.).

2. La competencia para fijar la delimitación y la forma de ejercicio de la misma, habrá de ejercitarse siempre conforme a la LOPJ, no sólo porque así lo dispongan expre-

samente los Estatutos de Autonomía, sino, principalmente, porque de modo expreso así lo exige la C.E. (art. 152.1), y, además, como precisa este precepto constitucional, dentro de la unidad e independencia del Poder Judicial, de modo que cualquier consecuencia que quiera derivarse de las disposiciones estatutarias en la materia ha de quedar pospuesta a la determinación del alcance de las competencias asumidas a través de tales disposiciones por parte de la LOPJ.»

Fto. Jco. 17: «Las CC.AA., en virtud de lo dispuesto en el art. 152.1 párrafo segundo, de la C. podrán participar en la organización de la demarcación judicial... Pero esa previsión constitucional no implica que las CC.AA. puedan asumir, en cualquier caso, competencias para establecer por sí mismas la demarcación judicial: pues por una parte... esta operación requiere un diseño global en todo el territorio nacional, y, por otra, la dicción del art. 152.1, de la propia norma fundamental limita la posibilidad de intervención de las CC.AA. en la organización de la demarcación judicial a la asunción de competencias de índole participativa (esto es, de participación en el proceso de decisión, y no de asunción de todo el mismo) que habría de actuarse 'de conformidad con lo previsto en la LOPJ y dentro de la unidad e independencia de éste'.
La competencia, por tanto, para establecer la demarcación judicial pertenece al Estado, y, en consecuencia, la previsión del art. 35.1 de la LOPJ, en el sentido de que dicho establecimiento o su modificación, hayan de hacerse por ley aprobada por las Cortes Generales no resulta contraria a la asunción, por parte de las CC.AA., en sus respectivos Estatutos, de competencias de índole participativa en la organización de las demarcaciones judiciales.»

Fto. Jco. 32: «...la culminación en el TSJ de la organización judicial en el ámbito territorial de la C.A. establecido en el art. 152 C.E... no comporta que el agotamiento de las instancias procesales se haya de producir necesariamente y en todos los órdenes jurisdiccionales ante dicho órgano, sino tan sólo la inexistencia de ningún otro órgano jurisdiccional jerárquicamente superior, con independencia de la salvedad que, respecto al T.S., resulta del art. 123 C.E. La única exigencia constitucionalmente impuesta por dichos preceptos en orden a las instancias procesales es que su preclusión se produzca ante órganos radicados en el propio territorio de la C.A. si en ella lo está el órgano competente de la primera instancia.»

Fto. Jco. 36: «4) Resulta evidente que el legislador estatal al establecer la planta orgánica de los Tribunales ha de tener en cuenta y respetar la estructura autonómica del Estado y el reconocimiento constitucional de los TSJ, pero la actuación de éstos presupone la radicación en el territorio de la C.A. del órgano competente en primera instancia. Existen supuestos que, en relación con su naturaleza, con la materia sobre la que versan, por la amplitud del ámbito territorial en que se producen, y por su trascendencia para el conjunto de la sociedad, puede hacer llevar razonablemente al legislador a que la instrucción y el enjuiciamiento de los mismos pueda llevarse a cabo por un órgano judicial centralizado, sin que ello se contradiga el art. 152.1 C.E. ni los preceptos estatutarios que se alegan, ni tampoco el art. 24.1 C.E.»

STC. 179/85 de 19 de diciembre (152.3 excluye Estado cree o mantenga entidades)

Fto. Jco. 2: «Aprovechando la posibilidad que ofrece el art. 152.3 de la C. los E.A. de Cataluña y País Vasco atribuyen a las respectivas Comunidades (...) la competencia para crear demarcaciones supramunicipales. Esta competencia autonómica no excluye, ciertamente, la competencia estatal para dictar las normas básicas sobre la materia, pero sí la posibilidad de que el Estado cree o mantenga en existencia, por decisión propia, unas Entidades Locales de segundo grado que, como tales, sólo los órganos de las correspondientes CC.AA. en Cataluña y en el País Vasco son competentes para crear o suprimir.»

STC. 214/89 de 21 de diciembre (garantía no alcanza entidades inferiores municipio)

Fto. Jco. 4: «Estas Entidades locales, en efecto, entran en cuanto a su propia existencia en el ámbito de disponibilidad de las CC.AA. que dispongan de la correspondiente competencia.

Se trata, en consecuencia, de unas Entidades con un fuerte grado de 'interiorización' autonómica, por lo que, en la determinación de sus niveles competenciales, el Estado no puede sino quedar al margen. Corresponde, pues, en exclusiva, a las CC.AA. determinar y fijar las competencias de las Entidades Locales que procedan a crear en sus respectivos ámbitos territoriales. Asignación de competencias que, evidentemente, conllevará una redistribución, si bien con el límite de que esa reordenación no podrá afectar al contenido competencial mínimo a estas últimas garantizado como imperativo de la autonomía local que la C.E. les reconoce, garantía institucional que, sin embargo, no alcanza 'a las Entidades territoriales de ámbito inferior al municipal'.»

Fto. Jco. 13: ver selección con relación al art. 141.

Art. 153. El control de la actividad de los órganos de las Comunidades Autónomas se ejercerá:

a) Por el Tribunal Constitucional, el relativo a la constitucionalidad de sus disposiciones normativas con fuerza de ley.

b) Por el Gobierno, previo dictamen del Consejo de Estado, el del ejercicio de funciones delegadas a que se refiere el apartado 2 del artículo 150.

c) Por la jurisdicción contencioso-administrativa, el de la administración autónoma y sus normas reglamentarias.

d) Por el Tribunal de Cuentas, el económico y presupuestario.

Art. 154. Un Delegado nombrado por el Gobierno dirigirá la Administración del Estado en el territorio de la Comunidad Autónoma y la coordinará, cuando proceda, con la administración propia de la Comunidad.

Ley 6/1997, de 14 de abril, de organización y funcionamiento de la Administración General del Estado.

STC. 123/84 de 18 de diciembre (**Delegado del Gobierno coordina protección civil**)

Fto. Jco. 7: «Una última salvedad resta todavía por realizar y una cautela por añadir a los que se han ido llevando a cabo en los apartados anteriores, con el fin de permitir el juego conjunto y la distribución de las competencias que, en la controvertida materia de la protección civil, se produce. Nos referimos a las facultades del Delegado del Gobierno, tal y como resultan del art. 154 de la C.E., pues al Delegado del Gobierno no sólo le compete dirigir la Administración del Estado radicada en el territorio de la C.A., sino coordinar tal Administración con la Administración propia de la C.A., de suerte que la coordinación, en materia de protección civil, de los organismos y servicios de la Administración del Estado radicados en el territorio de la C.A. deberá siempre llevarse a cabo con la intervención de la Delegación del Gobierno con la C.A.».

Art. 155. 1. Si una Comunidad Autónoma no cumpliere las obligaciones que la Constitución u otras leyes le impongan, o actuare de forma que atente gravemente al interés general de España, el Gobierno, previo requerimiento al Presidente de la Comunidad Autónoma y, en el caso de no ser atendido, con la aprobación por mayoría absoluta del Senado, podrá adoptar las medidas necesarias para obligar a aquélla al cumplimiento forzoso de dichas obligaciones o para la protección del mencionado interés general.

2. Para la ejecución de las medidas previstas en el apartado anterior, el Gobierno podrá dar instrucciones a todas las autoridades de las Comunidades Autónomas.

STC. 4/81 de 2 de febrero

Fto. Jco. 10: ver selección con relación al art. 140.

STC. 25/81 de 14 de julio

Fto. Jco. 5: ver selección con relación al art. 139.

Art. 156. 1. Las Comunidades Autónomas gozarán de autonomía financiera para el desarrollo y ejecución de sus competencias con arreglo a los principios de coordinación con la Hacienda estatal y de solidaridad entre todos los españoles.

2. Las Comunidades Autónomas podrán actuar como delegados o colaboradores del Estado para la recaudación, la gestión y la liquidación de los recursos tributarios de aquél, de acuerdo con las leyes y los Estatutos.

L.O. 8/1980 de 22 de septiembre, de Financiación de las CC.AA.

STC. 11/84 de 2 de febrero (**emisión de deuda pública por CC.AA.**)

Fto. Jco. 4: «La competencia de las CC.AA. para emitir deuda pública fue ya reconocida implícitamente por la C.E. en favor de todas las CC.AA., al dotarlas mediante su art. 156 de autonomía financiera y al prever en su art. 157.1, e), como uno de sus recursos financieros, los constituídos por 'el producto de las operaciones de crédito'.»

Fto. Jco. 5: «Pero las competencias de cualesquiera C.A. en materia de emisión de deuda pública deben ser enmarcadas en los principios básicos del orden económico constitutivos o resultantes de la denominada 'constitución económica', a que este T.C. se ha referido en su STC. 1/82 de 28 de enero (...), y especialmente por lo que se refiere al ámbito más concreto de la actividad financiera pública, en el que debe encuadrarse el caso contemplado en el presente proceso, deben ajustarse al principio de coordinación de las Haciendas de las CC.AA. con la Hacienda estatal, formulado por el art. 156.1 de la C.E.».

Fto. Jco. 6: «Queda, por último, hacer referencia a la competencia aquí controvertida, la del Estado de autorizar las emisiones de deuda pública de la C.A. vasca. Dicha competencia ha sido reconocida genéricamente en favor del Estado frente a las CC.AA. por el art. 14.3 de la LOFCA.

Dicho art. 14.3 lo que ha hecho es configurar una facultad estatal de acuerdo con los principios a que se ha hecho referencia en el fundamento anterior y, en especial, de acuerdo con los de coordinación de las Haciendas de las CC.AA. con las del Estado y de exigencia de una política económica unitaria... El art. 3.2 e) de la misma LOFCA atribuye al Consejo de Política Fiscal y Financiera, como órgano consultivo y de deliberación, competencia en la materia de 'coordinación y de la política de endeudamiento'. Pero la coordinación de la actividad financiera de las CC.AA. y, en concreto, de sus respectivas políticas de endeudamiento, no se agota, como pretende la representación del Gobierno vasco, en la emisión de informes no vinculantes por parte de dicho Consejo, sino que la integración de la diversidad de las partes en un conjunto unitario, perseguida por la actividad de coordinación... exige la adopción de las medidas necesarias y suficientes para asegurar tal integración. De ahí que puedan ser consideradas las autorizaciones de emisión de deuda pública contempladas en el art. 14.3 de la LOFCA como medios al servicio de la coordinación indicada.»

STC. 63/86 de 21 de mayo (**solidaridad y coordinación, límites autonomía financiera CC.AA.**)

Fto. Jco. 11: «Dicha autonomía (financiera de las CC.AA.)... aparece sometida a ciertos límites materiales que no son incompatibles con el reconocimiento de la realidad constitucional de las Haciendas autonómicas (STC'. 14/86, de 31 de enero), entre los que se encuentran los derivados de la solidaridad entre todos los españoles y de la necesaria coordinación con la Hacienda del Estado, expresamente establecidos en el art. 156.1 de la C.E.

El primero de ellos no justifica, sin embargo, la adopción por el Estado de una medida unilateral con fuerza normativa general, que incida en la delimitación de las competencias autonómicas en materia presupuestaria, si bien cada C.A. está obligada a velar por la realización interna del principio de solidaridad de acuerdo con el art. 2.2 de la LOFCA.

El segundo, en cambio, implica, como se deduce del apartado 1 b) de este artículo, que la actividad financiera de las CC.AA. se someta a las exigencias de la política general de carácter presupuestario dirigida a garantizar el equilibrio económico mediante las oportunas medidas tendentes a conseguir la estabilidad económica interna y externa.

Pero esta cláusula general no permite la adopción de cualquier medida limitativa de la autonomía financiera de las CC.AA. sino, en todo caso, de aquellas medidas que tengan una relación directa con los mencionados objetivos de política económica dirigidos a la consecución y mantenimiento de la estabilidad y el equilibrio económicos.»

STC. 13/92 de 6 de febrero (**financiación estatal y CC.AA.**)

Fto. Jco. 7: «conviene recordar... que la autonomía financiera de las CC.AA. viene definida en bloque de constitucionalidad más por relación a la vertiente del gasto público, y si acaso a la de las transferencias de ingresos procedentes de la hacienda estatal y que constituyen un derecho de crédito frente a ésta a favor de las haciendas autonómicas, (...)que por relación a la existencia y desarrollo de un sistema tributario propio y con virtualidad y potencia recaudatoria suficientes para cubrir las necesidades financieras de la hacienda autonómica. Se configura así un sistema de financiación apoyado en mecanismos financieros de transferencias desde el Estado.

Claro está que dentro de un sistema de financiación autonómica así concebido, con un fuerte predominio de las fuentes exógenas de financiación, ...las CC.AA. gozarán de autonomía financiera (de gasto) en la medida en que puedan elegir y realizar sus propios objetivos políticos, administrativos, sociales o económicos con independencia de cuáles hayan sido las fuentes de los ingresos que nutren sus presupuestos. De otro modo, si por el origen de los fondos se pudiera condicionar el destino que se haya de dar a los mismos, se privaría a las CC.AA. de una potestad decisoria fundamental, sin la que no cabe hablar de autonomía.

...Sostener que la autonomía política y financiera de las CC.AA. no constituye un límite a la acción subvencional del Estado a través de su 'poder de gastar', con el argumento de que, en definitiva, el Estado, en el ejercicio de su poder legislativo, es soberano para decidir sobre el destino de sus propios recursos financieros y que la autorización presupuestaria por sí misma no puede invadir el ámbito material de competencias de las CC.AA. (sino que habrá de estarse a los actos concretos de ejecución de esos programas de gasto para verificar la existencia de tal lesión competencial), equivaldría a afirmar que a través del sistema de subvenciones con cargo a los Presupuestos Generales del Estado en materias de competencia exclusiva de las CC.AA., la posición y el papel de éstas en la nueva organización estructural del Estado surgida de la CE. y de los EE.AA. con la distribución vertical del poder público entre los diferentes niveles de gobierno (...) podría desaparecer y con él el núcleo de la propia estructura del Estado compuesto. Pues no es imposible que, al amparo de dicho poder de gasto, los órganos de la Administración central del Estado traten de atraer para sí o recuperar competencias normativas o de ejecución en los sectores subvencionados, y que, en principio, han quedado íntegramente descentralizados en favor de las CC.AA. De suerte que, a través de esta vía indirecta de las ayudas económicas que figuran en los Presupuestos Generales del Estado, las competencias autonómicas exclusivas pasen a redefinirse o convertirse 'de facto' en competencias compartidas con el Estado, con la consiguiente e inevitable restricción de la autonomía política de las CC.AA. Técnica que, según doctrina reiterada de este TC., resulta constitucionalmente inaceptable.

Puede decirse, con razón, que el poder de gasto del Estado o de autorización presupuestaria, manifestación del ejercicio de la potestad legislativa atribuída a las Cortes Generales(…), no se define por conexión con el reparto competencial de materias que la CE. establece (arts. 149 y 149 CE.), al contrario de lo que acontece con la autonomía financiera de las CC.AA. que se vincula al desarrollo y ejecución de las competencias que, de acuerdo con la CE., le atribuyan los respectivos EE.AA. y las Leyes (art. 156.1 CE. y 1.1 LOFCA.) Por consiguiente, el Estado siempre podrá, en uso de su soberanía financiera (de gasto, en este caso), asignar fondos públicos a unas finalidades u otras, pues existen otros preceptos constitucionales (y singularmente los del Capt. III del Tit. I) que legitiman la capacidad del Estado para disponer de su Presupuesto en la acción social o económica.

Pero admitido esto, constatación del señorío del Estado sobre su Presupuesto, esencia misma del poder financiero (la capacidad de decisión sobre el empleo de sus propios recursos) tanto en la programación como en la ejecución de ese gasto el Estado debe respetar el orden competencial. Es evidente que en el sistema español de distribución territorial del poder, el Estado puede asignar sus recursos a cualquier finalidad lícita y que la definición de esta finalidad en la Ley de Presupuestos condiciona necesariamente la libertad de acción de aquellas instancias que hayan de utilizar esos recursos. Si estas instancias son exclusivamente estatales por ser también de competencia exclusiva del Estado la 'materia' o sector de actividad pública no se plantea ningún problema en cuanto a la delimitación competencial entre el Estado y las CC.AA. Cuando, por el contrario, tal materia o sector corresponden en uno u otro grado a las CC.AA., las medidas que hayan de adoptarse para conseguir la finalidad a la que se destinan los recursos deberán respetar el orden constitucional y estatutario de las competencias, sin imponer a la autonomía política de las CC.AA. otros condicionamientos que aquellos que resultan de la definición del fin o del uso que el Estado puede hacer de otras competencias propias, genéricas o específicas.

De otro modo, si así no fuera y se admitiese que al asignar sus propios recursos a objetivos específicos en sectores o ámbitos materiales de competencia exclusiva de las CC.AA., el Estado pudiera regular el modo, las condiciones y la manera en que han de emplearse por las CC.AA. los fondos estatales transferidos, entonces el Estado estaría restringiendo la autonomía política de las CC.AA. y su capacidad de autogobierno que se manifiesta, sobre todo, en la capacidad para elaborar sus propias políticas públicas en las materias de su competencia, forzándolas a una suerte de regateo o negociación con el Estado so pena de perder los fondos asignados a la subvención.

Se podría pensar que mal puede el Estado lesionar la autonomía política y financiera de las CC.AA. cuando éstas en modo alguno están obligadas a aceptar la subvención establecida en los Presupuestos Generales del Estado para acciones de fomento en materias o servicios de competencia exclusiva de aquellas. De manera que la CA. siempre podría evitar la lesión a su autonomía política o la invasión competencial rechazando la subvención en la forma prevista en los P.G. del Estado y si en uso de su autonomía de la voluntad la acepta, prestando su consentimiento a las condiciones y modo de la subvención, ello priva de fundamento a toda queja competencial en este sentido, pues sería como ir contra sus propios actos. Pero un razonamiento semejante sería constitucionalmente inaceptable porque la autonomía y las propias competencias son indisponibles tanto para el Estado como para las CC.AA… y porque …la autonomía financiera de las CC.AA. reconocida en los arts. 156.1 CE. y 1.1 LOFCA. exige la plena disposición de medios financieros para poder ejercer, sin condicionamientos indebidos y en toda su extensión, las competencias propias, en especial las que se configuran como exclusivas.

Por todo ello, en un sistema respetuoso con el orden constitucional de distribución de competencias y con la autonomía política y financiera de las CC.AA. que la CE. reconoce y garantiza, las transferencias financieras para subvenciones destinadas a acciones de fomento que el Estado disponga con cargo a sus propios recursos en materias cuya competencia haya sido asumida de manera exclusiva por las CC.AA. y en las que el Estado no invoque título competencial alguno, deben atribuirse directa e incondicionalmente a las CC.AA. nutriendo, como un recurso financiero más, la Hacienda autonómica. Técnica esta de reparto territorial de las subvenciones para su gestión descentralizada por las diferentes CC.AA. que, como ya se dijo en la STC. 95/86 resulta la más ajustada al modelo de Estado de las Autonomías diseñado por la CE.»

...La financiación mediante las Leyes de Presupuestos Generales de acciones de fomento en materias atribuídas a la competencia exclusiva de las CC.AA. no significa, claro está, la imposibilidad para el Estado de fijar siquiera el destino o finalidad de política económica o social a que deben dedicarse esos fondos presupuestarios, pues de otro modo se produciría una restricción constitucionalmente inaceptable en el ejercicio soberano de la función legislativa presupuestaria.

(arts. 66.1 y 134.1 CE) Pero esa afectación ha de ser global o genérica, en función de materias o sectores de la actividad económica o social, de manera que la especificación presupuestaria de los créditos sea la mínima imprescindible para acomodarse a las exigencias del principio de legalidad presupuestaria y deje el margen necesario de actuación para que las CC.AA. puedan ejercer su competencia exclusiva en la materia 'desarrollando en el sector subvencionado una política propia orientada a la satisfacción de sus intereses peculiares, dentro de las orientaciones de programación y coordinación que el Estado disponga para el sector como componente del sistema económico general' (STC. 201/88). Siendo evidente que el Estado no puede condicionar las subvenciones o determinar su finalidad más allá del alcance de los títulos en que ampare su intervención.»

STC. 27/87 de 27 de febrero

Fto. Jco. 2: (concepto de coordinación), ver selección art. 141.

Art. 157. 1. Los recursos de las Comunidades Autónomas estarán constituidos por:

a) Impuestos cedidos total o parcialmente por el Estado; recargos sobre impuestos estatales y otras participaciones en los ingresos del Estado.

b) Sus propios impuestos, tasas y contribuciones especiales.

c) Transferencias de un Fondo de Compensación interterritorial y otras asignaciones con cargo a los Presupuestos Generales del Estado.

d) Rendimientos procedentes de su patrimonio e ingresos de derecho privado.

e) El producto de las operaciones de crédito.

2. Las Comunidades Autónomas no podrán en ningún caso adoptar medidas tributarias sobre bienes situados fuera de su territorio o que supongan obstáculo para la libre circulación de mercancías o servicios.

3. Mediante ley orgánica podrá regularse el ejercicio de las competencias financieras enumeradas en el precedente apartado 1, las normas para resolver los conflictos que pudieran surgir y las posibles formas de colaboración financiera entre las comunidades Autónomas y el Estado.

STC. 11/84 de 2 de febrero

Fto. Jco. 4: ver selección art. 156.

STC. 179/85 de 19 de diciembre

Fto. Jco. 3: ver selección con relación al art. 142.

STC. 181/88 de 13 de octubre (**LOFCA y leyes especiales de cesión de tributos**)

Fto. Jco. 3: «El art. 157.1 de la C.E. incluye, entre otros recursos de las CC.AA. los impuestos cedidos total o parcialmente por el Estado y el art. 157.3 remite a una L.O. la regulación de las competencias financieras enumeradas en el presente apartado 1. Este último precepto debe ponerse en relación con el art. 133.1 del propio texto constitucional, según el cual la potestad originaria para establecer tributos corresponde exclusivamente al Estado, así como con el art. 149.1.14, que reserva al Estado en exclusiva la competencia sobre hacienda general. En principio, por tanto, debe afirmarse que aquella potestad originaria del Estado no puede quedar enervada por disposición alguna de inferior rango, referida a la materia tributaria y, en coherencia con ello, la regulación esencial de la cesión de tributos a las CC.AA. corresponde también al Estado, mediante Ley Orgánica.»

Afirmado este principio general, que ninguna de las partes en este recurso cuestiona, es preciso constatar a renglón seguido que el Estado reguló con carácter general los principios básicos y aspectos esenciales de la cesión de tributos a las CC.AA. en los arts. 10 y 11 de la LOFCA, cumpliendo la reserva legal prevista en el art. 157.3 de la C., en cuanto a esta parcela del régimen financiero autonómico, con la única excepción de los regímenes singulares de concierto del País Vasco y Navarra... En cualquier caso y por lo que se refiere al régimen que podríamos llamar 'común', la LOFCA no regula en toda su extensión y detalle la cesión de tributos, sino que, sobre la base de la normativa sustancial, dispone en el art. 10.2, que 'se entenderá efectuada la cesión cuando haya tenido lugar en virtud de precepto expreso del Estatuto correspondiente, sin perjuicio de que el alcance y condiciones de la misma se establezca en una ley específica'.

Evidentemente este precepto de la LOFCA se está refiriendo a una Ley específica de cesión de tributos a cada C.A. que, de acuerdo con su Estatuto pudiera recoger, en su caso, las particularidades que se estimasen oportunas en cuanto al alcance y condiciones de las cesiones. Esta previsión resulta de inexcusable cumplimiento por la normativa de inferior rango y, contenida en una L.O., su desconocimiento o vulneración es determinante de un vicio de inconstitucionalidad de las Leyes que la infrinjan, a tenor de lo dispuesto en el art. 28.2 de la LOTC.»

STC. 150/90 de 4 de octubre (**sobre recargos tributarios**)

Fto. Jco. 5: «El art. 157.2 de la C. prohibe a las CCAA. adoptar medidas tributarias sobre bienes situados fuera de su territorio, pero no sobre la renta de las personas con domicilio fiscal en su territorio, aunque esta renta provenga, en parte, de bienes localizados fuera de la CA. Es cierto que, en el caso que ahora enjuiciamos, los efectos del recargo en el Impuesto sobre la Renta pueden alcanzar indirectamente a los bienes situados fuera del territorio de la CA. de Madrid, en cuanto a las rentas producidas o imputadas a los mismos; pero de ello no se sigue, como pretenden los recurrentes, una vulneración del art. 157.2 de la C. En primer lugar porque lo que dicho precepto prohibe a las CCAA. es «adoptar medidas tributarias sobre bienes situados fuera de su territorio»; y, a la evidencia de que la renta personal gravada por el recargo autonómico no es un bien situado en territorio alguno, hay que añadir la de que las rentas no son bienes, sino que son los bienes los que producen la renta. Debe considerarse en segundo lugar, que una cosa es adoptar medidas tributarias sobre bienes y otra distinta establecer un recargo tributario cuyos efectos puedan alcanzar mediata o indirectamente, en el «plano de lo fáctico», a los bienes como fuente de la riqueza o renta que constituye el hecho imponible. Este último supuesto no es contrario al art. 157.2 de la C., pues el límite territorial de las normas y actos de las CCAA. no puede significar, en modo alguno, que les esté vedado a sus órganos, en el ejercicio de sus propias competencias, adoptar decisiones que puedan producir consecuencias de hecho en otros lugares del territorio nacional...»

STC. 168/2004 de 6 de octubre (**principio autonomía financiera**)

Fto. Jco. 4: «...A fin de dar una adecuada respuesta a esta cuestión, hay que situarla en el contexto del principio de autonomía financiera de las Comunidades Autónomas, al que hemos caracterizado como "instrumento indispensable para la consecución de la autonomía política" en la STC. 289/2000, de 30 de noviembre, Fto. Jco. 3.
El mencionado principio encierra dos vertientes. Por un lado, la vertiente del gasto que, como consecuencia del establecimiento inicial de un sistema de financiación autonómica basado en las transferencias de la hacienda estatal a las autonómicas, ha sido la primera a la que hemos debido prestar atención en nuestros pronunciamientos. La doctrina elaborada al respecto se sintetiza en la STC. 239/2002, de 11 de diciembre, donde se insiste en que las Comunidades Autónomas "disponen de autonomía financiera para poder elegir sus 'objetivos políticos, administrativos, sociales y económicos' (STC. 13/1992 Fto. Jco. 7), lo que les permite 'ejercer sin condicionamientos indebidos y en toda su extensión, las competencias propias, en especial las que figuran como exclusivas' (STC. 201/1998, Fto. Jco. 4), pues dicha autonomía financiera 'no entraña sólo la libertad de sus órganos de gobierno en cuanto a la fijación del destino y orientación del gasto público, sino también para la cuantificación y distribución del mismo dentro del marco de sus competencias' (STC. 127/1999, de 1 de julio, Fto. Jco. 8, con cita de la STC. 13/1992, de 6 de febrero)" (Fto. Jco. 9).
Ahora bien, debemos recordar que "en los últimos años se ha pasado de una concepción del sistema de financiación autonómica como algo pendiente o subordinado a los presupuestos generales del Estado, a una concepción del sistema presidida por el principio de 'corresponsabilidad fiscal' y conectada, no sólo con la participación en los ingresos del Estado, sino también y de forma fundamental, de la capacidad del sistema

tributario para generar un sistema propio de recursos como fuente principal de los ingresos de Derecho público" (STC. 289/2000, de 30 de noviembre, Fto. Jco. 3), con lo que se incrementa el interés por la vertiente de los ingresos. Vertiente que implica, en lo que ahora estrictamente interesa, la "capacidad de las Comunidades Autónomas para establecer y exigir sus propios tributos" (STC. 96/2002, 25 de abril, Fto. Jco. 2; en parecidos términos y por referencia a la Comunidad Autónoma de Cataluña, STC. 176/1999, 30 de septiembre, Fto. Jco. 4).

Ambas vertientes se reconducen a la unidad mediante la estrecha conexión que existe entre la autonomía financiera de los entes locales[IBI2] y su suficiencia financiera, que exige la plena disposición de los medios financieros para poder ejercer, sin condicionamientos indebidos y en toda su extensión, las funciones que legalmente les han sido encomendadas, posibilitando y garantizando el ejercicio de la autonomía constitucionalmente reconocida en los arts. 137 y 156 CE (STC. 289/2000, Fto. Jco. 3 y las numerosas resoluciones allí mencionadas). Para satisfacer dichos requisitos, este Tribunal ha sentado como criterio hermenéutico el de que ninguno de los límites constitucionales que condicionan la potestad tributaria de las Comunidades Autónomas puede ser interpretado de tal modo que la haga inviable (STC. 150/1990, de 4 de octubre, Fto. Jco. 3).

Sin embargo, convendrá no olvidar que la formulación de este criterio parte de la premisa insoslayable de que "el poder tributario propio, reconocido por la Constitución a las Comunidades Autónomas, en nuestro Ordenamiento está también constitucionalmente condicionado en su ejercicio" (STC. 289/2000, Fto. Jco. 3). En efecto, según indicamos en la STC. 49/1995, de 16 de febrero, "la potestad tributaria de las Comunidades Autónomas no se configura constitucionalmente con carácter absoluto, sino que aparece sometida a límites intrínsecos y extrínsecos que no son incompatibles con el reconocimiento de la realidad constitucional de las haciendas autonómicas (SSTC. 14/1986, Fto. Jco. 3; 63/1986, Fto. Jco. 11, y 179/1987, Fto. Jco. 2), entre cuyos límites, algunos son consecuencia de la articulación del ámbito competencial —material y financiero— correspondiente al Estado y a las Comunidades Autónomas (SSTC. 13/1992, FFto. Jco.J 2, 6 y 7, y 135/1992, Fto. Jco. 8). Así, la subordinación a los principios proclamados por el art. 156.1 CE ('coordinación con la Hacienda estatal y de solidaridad con todos los españoles') a los que hay que añadir los que resultan respecto de los impuestos propios de las Comunidades Autónomas de los arts. 157.2 CE y 6 y 9 LOFCA" (Fto. Jco. 4).»

Art. 158. 1. En los Presupuestos Generales del Estado podrá establecerse una asignación a las Comunidades Autónomas en función del volumen de los servicios y actividades estatales que hayan asumido y de la garantía de un nivel mínimo en la prestación de los servicios públicos fundamentales en todo el territorio español.

2. Con el fin de corregir desequilibrios económicos interterritoriales y hacer efectivo el principio de solidaridad, se constituirá un Fondo de Compensación con destino a gastos de inversión, cuyos recursos serán distribuidos por las Cortes Generales entre las Comunidades Autónomas y provincias, en su caso.

Ley 22/2001, de 27 de diciembre, reguladora de los Fondos de Compensación Interterritorial.

STC. 63/86 de 21 de mayo (**configuración del FCI.**)

Fto. Jco. 3: «...resulta conveniente examinar en primer término el marco constitucional en que el FCI se encuadra.

El art. 158 de la C.E. determina en su apartado 2 que, con el fin de corregir etc. etc. Por otra parte, el art. 74.2 de la C.E. establece que las decisiones de las Cortes previstas en dicho precepto se adoptarán mediante un procedimiento iniciado en el Senado.

Asimismo el art. 157 de la Norma fundamental en su apartado 1 c), considera como uno de los recursos de las CC.AA. a las 'transferencias de un FCI y otras asignaciones etc. etc.', previendo en el apartado 3 la regulación mediante L.O. del ejercicio de las competencias financieras enumeradas en el apartado 1.

Esta ley, la LOFCA, fue sancionada el 22 de septiembre de 1980 y en ella se hace referencia al FCI...

La LOFCA desarrolla así en su art. 16 los principios configuradores del FCI a la vez que remite a una ley ordinaria la ponderación de los distintos índices o criterios para la distribución del mismo.»

Fto. Jco. 6: «Por lo que respecta al FCI, en la C.E. se distinguen y delimitan perfectamente ambos planos: a) El de la autorización presupuestaria, al que se refieren los arts. 158.2, según el cual se constituirá un Fondo de compensación con destino a gastos de inversión', y el 157.1 c), en el que se prevé, entre los recursos de las CC.AA. las transferencias del FCI 'con cargo a los Presupuestos Generales del Estado', y b) El de la distribución de las dotaciones del Fondo entre las CC.AA. en virtud de un acto de las Cortes Generales (art. 158.2 C.E.), distinto de la autorización presupuestaria.

Similar esquema encontramos en la LOFCA, en cuyo art. 16 apartado 1, se distingue claramente entre dotación anual del Fondo en los Presupuestos Generales del Estado y distribución del mismo por las Cortes Generales de conformidad con lo establecido en el art. 74.2 de la C.E.

De lo anterior se deduce que ambos actos, el de autorización de las transferencias del Fondo, por un lado, y el de la distribución del mismo, por otro, producen sus respectivos efectos y han de realizarse a través de procedimientos distintos: El acto de autorización presupuestaria de las transferencias sólo produciría los mismos efectos que cualquier otra consignación y aprobación de créditos presupuestarios y habría de acordarse siguiendo el procedimiento de tramitación propio de la Ley de Presupuestos, mientras que la distribución del Fondo, que vendría acordada por las Cortes Generales a través del procedimiento específicamente previsto en el art. 74.2 de la C., sería la auténtica fuente en este caso de las obligaciones del Estado con las CC.AA.»

STC. 183/88 de 13 de octubre (**Cortes Generales interpretan principio de solidaridad**)

Fto. Jco. 5: «El que las Cortes Generales, pues, en el desarrollo de las previsiones constitucionales y de la LOFCA, interprete el principio de solidaridad en el reparto del FCI que ellas deben efectuar en el sentido de remediar también desequilibrios intraterritoriales, queda dentro de las facultades del legislador estatal, en virtud de la habilitación constitucional del art. 158.2: sin que resulte contradictoria con esa habilitación la obligación, establecida en el art. 2.2 de la LOFCA de cada C.A. de 'velar por su propio equilibrio territorial y por la realización interna del principio de solidaridad', pues esta obligación no excluye la correlativa de los poderes públicos estatales.»

STC. 250/88 de 20 de diciembre (**Cortes Generales definen inversiones**)

Fto. Jco. 2: «... el art. 158.2... lo que impone... es sólo que el Fondo quede afectado a gastos de inversión, correspondiendo a la libertad de configuración del legislador la opción de definir, según estimaciones de oportunidad aquí irrevisables, la cuantía, concepto y límites concretos de tales inversiones.»

Fto. Jco. 3: «...dicha distribución corresponde a las Cortes Generales (arts. 158.2 y 74.2 de la C.E. y 16.1 de la LOFCA), a las que compete también por lo mismo, la determinación de los porcentajes del Fondo que se habrán de distribuir según los correspondientes criterios, determinación que, de nuevo, responde a estimaciones de política legislativa no controvertibles, como tales, en esta sede. Sólo procedería la invalidación de tal decisión si ésta resultase manifiestamente incompatible con los fines constitucionales que justifican la existencia del Fondo, pero es claro que tal descalificación no puede admitirse respecto a la regla legal que prevé que un 70 por 100 de su cuantía se distribuirá con arreglo a la renta por habitante de cada territorio, porcentaje que no puede decirse en modo alguno desproporcionado si se repara en que la propia C.E. compromete a los poderes públicos con la tarea de lograr una 'distribución de la renta regional y personal más equitativa.'»

STC. 13/2007 de 18 de enero de 2007 (**financiación autonómica**)

Fto. Jco. 5: «...En suma, no existe un derecho de las Comunidades Autónomas constitucionalmente consagrado a recibir una determinada financiación, sino un derecho a que la suma global de los recursos existentes de conformidad con el sistema aplicable en cada momento se reparta entre ellas respetando los principios de solidaridad y coordinación. Por este motivo, habida cuenta de que la cifra de la financiación no es ilimitada y de que su distribución debe efectuarse de conformidad con los intereses generales y en función de los de todos los entes territoriales afectados, no puede pretender cada Comunidad Autónoma para la determinación del porcentaje de participación que sobre aquellos ingresos le pueda corresponder la aplicación de aquel criterio o variable que sea más favorable en cada momento a sus intereses, reclamando de nosotros una respuesta que sustituya la falta de acuerdo entre las instancias políticas.»

Fto. Jco. 6. «...En suma, es de competencia exclusiva del Estado, en ejercicio de la que le atribuye al efecto el art. 149.1.14 CE, no sólo el señalamiento de los criterios para el reparto de la participación que se les conceda a las Comunidades Autónomas en los ingresos estatales, sino también la concreción por ley de esa participación.»

TÍTULO IX
Del Tribunal Constitucional

Art. 159. 1. El Tribunal Constitucional se compone de 12 miembros nombrados por el Rey; de ellos, cuatro a propuesta del Congreso por mayoría de tres quintos de sus miembros; cuatro a propuesta del Senado, con idéntica mayoría; dos a propuesta del Gobierno, y dos a propuesta del Consejo General del Poder Judicial.

2. Los miembros del Tribunal Constitucional deberán ser nombrados entre Magistrados y Fiscales, Profesores de Universidad, funcionarios públicos y Abogados, todos ellos juristas de reconocida competencia con más de quince años de ejercicio profesional.

3. Los miembros del Tribunal Constitucional serán designados por un período de nueve años y se renovarán por terceras partes cada tres.

4. La condición de miembro del Tribunal Constitucional es incompatible: con todo mandato representativo; con los cargos políticos o administrativos; con el desempeño de funciones directivas en un partido político o en un sindicato y con el empleo al servicio de los mismos; con el ejercicio de las carreras judicial y fiscal, y con cualquier actividad profesional o mercantil.

En lo demás, los miembros del Tribunal Constitucional tendrán las incompatibilidades propias de los miembros del poder judicial.

5. Los miembros del Tribunal Constitucional serán independientes e inamovibles en el ejercicio de su mandato.

L.O. 2/1979 de 3 de octubre, del Tribunal Constitucional.

STC. 49/2008 de 9 de abril (**magistrados propuestos por el Senado**)

Fto. Jco. 7. El precepto impugnado dispone lo siguiente: "Los Magistrados propuestos por el Senado serán elegidos entre los candidatos presentados por las Asambleas Legislativas de las Comunidades Autónomas en los términos que determine el Reglamento de la Cámara". Los recurrentes consideran que el mismo vulnera flagrante y frontalmente el art. 159.1 CE, norma que atribuye directamente al Senado la facultad exclusiva y absoluta de proponer a cuatro Magistrados del Tribunal Constitucional. De ahí que en varias ocasiones la demanda considere que la norma impugnada altera la Constitución para desapoderar al Senado de una de sus competencias constitucionales.

Fto. Jco. 9. Comenzando por la segunda cuestión, esto es, por el contenido real del precepto impugnado, resulta necesario distinguir dos fases o momentos en la elección de los miembros del Tribunal Constitucional que corresponden al Senado: la facultad de los Parlamentos autonómicos de presentar candidatos a Magistrados, y la elección final de los mismos, elección que compete al Senado, aunque deba realizarse "entre" los candidatos propuestos por las Asambleas autonómicas. Al margen de este segundo requisito, que ciertamente resulta decisivo para la resolución de la presente impugnación, la nota sin duda más destacada de la nueva regulación es la amplitud de la remisión que se hace al Reglamento parlamentario. El régimen jurídico de la presentación de candidaturas por parte de los Parlamentos autonómicos y de la elección de los Magistrados entre dichos candidatos, lejos de concretarse, se remiten íntegramente a "los términos que determine el Reglamento de la Cámara", lo cual abre necesariamente las puertas a múltiples desarrollos.

Por lo que a la presentación de candidaturas a Magistrado se refiere, lo único que se prevé es que la misma corresponde a los Parlamentos autonómicos. No se dice nada, en cambio, ni del procedimiento a seguir, ni del número de candidatos que cabe presentar, ni de si deben cumplir algún requisito que los vincule a la respectiva Comunidad Autónoma, ni de si es posible presentar candidaturas sucesivas a iniciativa del Senado o del propio Parlamento autonómico. Aunque los términos que se emplean en el precepto permiten configurarlo como un deber y no sólo como una facultad, son el Reglamento del Senado y los Reglamentos de cada Parlamento autonómico los que deben concretar el régimen jurídico de dicho deber. Lógicamente, dicha concreción debe tener en cuenta no sólo el respectivo ámbito de actuación de los diversos Reglamentos parlamentarios, sino también que los candidatos a Magistrado deben cumplir los requisitos exigidos constitucionalmente para poder desempeñar su función y que la elección de los Magistrados por parte del Senado no puede ser obstaculizada por la actuación de los Parlamentos autonómicos. En todo caso, el régimen jurídico aplicable a las propuestas de candidatos a Magistrado por parte de las Asambleas autonómicas no se agota en el art. 16.1 LOTC.

Esta nota de apertura también es predicable de la segunda fase del mecanismo, es decir, de la elección definitiva de los Magistrados por parte del Senado. Lo que exige el precepto impugnado es que dicha elección se realice "entre" los candidatos presentados por las Asambleas Legislativas de las Comunidades Autónomas. Pero de nuevo la remisión expresa a "los términos que determine el Reglamento de la Cámara" (que en este caso sólo puede referirse, como es lógico, al propio Senado) también permite múltiples desarrollos, al dejar abiertas cuestiones como, por ejemplo, si es preciso que los candidatos sean propuestos por más de una Asamblea, si deben cumplir otros requisitos adicionales, si es posible solicitar la presentación de nuevos candidatos si los presentados no son suficientes, no se presentan en tiempo y forma, o si se considera que no cumplen los requisitos exigidos constitucionalmente para integrar el Tribunal Constitucional. Sin prejuzgar, como es lógico, la constitucionalidad de ninguna de estas opciones, y sin que los ejemplos que se acaban de señalar agoten las cuestiones que el Reglamento del Senado puede desarrollar, la expresión "entre los candidatos" no tiene, pues, que ser interpretada necesariamente en un sentido que excluya cualquier posible margen de maniobra por parte del Senado. Por un lado, porque incluso en el caso de ser interpretada en el sentido más estricto presupone necesariamente la existencia de diversos candidatos y, por lo tanto, una posibilidad de elegir a unos y descartar a otros. Y por otro, porque los términos en que está redactada la remisión al Reglamento parlamentario no puede cerrar las puertas a que el propio Senado pueda velar por el ejercicio constitucionalmente correcto de su función si, por ejemplo, el número de candidatos presentados es insuficiente, si considera que los candidatos propuestos no cumplen los requisitos exigidos constitucionalmente, o si la elección de algunos de los Magistrados se frustra por no alcanzarse la mayoría requerida. En definitiva, tal y como está redactada la norma impugnada no puede dejar totalmente en manos de los Parlamentos autonómicos la libre determinación de los candidatos elegibles por el Senado, sino que remite a su Reglamento y, por lo tanto, a la propia voluntad de la Cámara, la concreción del grado de participación de los Parlamentos autonómicos en dicha facultad, así como el margen de intervención del Senado en el proceso de elección de los Magistrados del Tribunal Constitucional. Como es lógico, tal remisión no implica que el Reglamento del Senado no esté sometido a límites constitucionales que permitan a la Cámara ejercer adecuadamente su función constitucional, ni que este Tribunal no pueda controlar que el concreto desarrollo de la participación autonómica en el proceso de elección de sus Magistrados respeta tales límites. Pero la posibilidad de que éstos se sobrepasen no puede llevarnos a considerar que, tal y como está redactado, el precepto impugnado sea inconstitucional.

...Por todo ello, no puede considerarse, como aducen los recurrentes, que el precepto impugnado desapodere al Senado del ejercicio material de una de sus funciones constitucionales. Por la misma razón tampoco es posible aceptar que se produzca necesariamente una renuncia, traslado o sustitución del Senado por parte de los Parlamentos autonómicos, o la sustracción de una facultad constitucional mínima, puesto que ello implicaría desconocer que la norma impugnada admite una lectura que impide considerar que el papel del Senado sea meramente formal.

Fto. Jco. 10. Tampoco la primera premisa de la argumentación de los recurrentes, esto es, que la facultad del Senado es absoluta e ilimitada, puede ser aceptada. Aunque la regulación del art. 159.1 CE es extensa, la elección de los Magistrados del Tribunal Constitucional por parte del Senado es un aspecto que requiere necesariamente desarrollo normativo y que, por tanto, puede verse limitada tanto material como procedimentalmente. Así, ya con ocasión de la constitución del primer Tribunal Constitucional la Presidencia del Senado tuvo que aprobar unas Normas para la elección de cuatro de los miembros del Tribunal Constitucional, de fecha 30 de enero de 1980, que otorgaba a los grupos parlamentarios o a veinticinco Senadores la facultad de presentar candidaturas, que regulaba los plazos y el modo de presentación de las mismas, así como aspectos relacionados con las sucesivas votaciones y el escrutinio. Esta regulación fue asumida por el Reglamento del Senado de 1982 sin más cambios que la reducción del número de Senadores facultados para presentar candidatos (que pasó de veinticinco a diez), y permaneció en vigor hasta la reforma del Reglamento del Senado de 15 de junio de 2000, que vino a crear la Comisión de Nombramientos y a regular con más detalle el procedimiento de elección de cargos públicos por parte de la Cámara Alta. El aspecto sin duda más destacado de esta reforma fue la introducción de mecanismos para verificar el cumplimiento de los requisitos exigidos a los Magistrados para desempeñar el cargo, entre los que destaca la admisión a trámite de las candidaturas por parte de la Mesa del Senado, la posibilidad de comparecencias de los candidatos ante la Comisión de Nombramientos, así como la apertura de plazos sucesivos para presentación de nuevos candidatos. Aunque hasta la entrada en vigor del precepto impugnado las normas que han desarrollado el art. 159.1 CE han tenido origen parlamentario y se han limitado a regular aspectos básicamente procedimentales, su existencia revela que no es posible partir, como pretenden los recurrentes, de que la norma constitucional sobre la elección de los Magistrados impide un desarrollo normativo que incluya condicionamientos procedimentales y, lo que es más importante, materiales para llevarla a cabo. Y es que no hay que olvidar, a este último respecto, la ya mencionada necesidad de velar por los requisitos de elegibilidad, capacidad e independencia que la Constitución también exige a los candidatos a Magistrado del Tribunal Constitucional.

Fto. Jco. 12. La respuesta a la primera cuestión debe ser necesariamente negativa. Ningún precepto constitucional impide expresamente, en efecto, que las Asambleas de las Comunidades Autónomas puedan intervenir en la elección de Magistrados del Tribunal Constitucional presentando candidatos al Senado. Aunque ello tampoco está previsto, la competencia constitucional de la Cámara Alta de elegir a cuatro de los doce Magistrados no puede interpretarse como una prohibición constitucional implícita a que los Parlamentos autonómicos intervengan en dicha elección mediante la presentación de candidatos.

Art. 160. El Presidente del Tribunal Constitucional será nombrado entre sus miembros por el Rey, a propuesta del mismo Tribunal en pleno y por un período de tres años.

STC. 49/2008 de 9 de abril (**prórroga mandato Presidente**)

Fto. Jco. 18. Como se ha señalado en el fundamento jurídico 1, el recurso también se dirige contra la tercera frase del art. 16.3 LOTC, según la cual "[s]i el mandato de tres años para el que fueron designados como Presidente y Vicepresidente no coincidiera con la renovación del Tribunal Constitucional, tal mandato quedará prorrogado para que finalice en el momento en que dicha renovación se produzca y tomen posesión los nuevos Magistrados". Los recurrentes consideran que esta regulación vulnera el art. 160 CE por dos motivos: por no respetar la duración del mandato de la Presidencia, que de forma taxativa se establece en tres años, y por sustraer al Pleno la competencia de elegirla. Según el parecer de los recurrentes, ambas cuestiones vendrían impuestas directamente por dicho precepto constitucional, de forma que debería ser el Pleno quien eventualmente aprobase la prórroga de la Presidencia en los supuestos de renovación tardía del Tribunal...
La respuesta a esta impugnación debe partir, como es obvio, de lo establecido en el art. 160 CE. Esta norma dispone que "[e]l Presidente del Tribunal Constitucional será nombrado entre sus miembros por el Rey, a propuesta del mismo Tribunal en pleno y por un período de tres años."

Fto. Jco. 19. ...El objeto del presente recurso se limita, sin embargo, al segundo aspecto introducido en el art. 16.3 LOTC: la prórroga legal del mandato presidencial. Como se desprende de la mera lectura de la norma impugnada, no estamos ante la reelección del Presidente (supuesto éste previsto expresamente por el art. 9.3 LOTC y limitado a una ocasión), sino ante una prórroga automática del mandato presidencial vigente. Esta prórroga tiene un presupuesto de hecho y unas consecuencias jurídicas que se derivan del propio precepto y que no pueden ser ignoradas. Por un lado, dicha prórroga sólo se produce si "el mandato de tres años" para el que fue designado el Presidente "no coincidiera con la renovación del Tribunal", lo cual es algo perfectamente previsible dado el retraso que, desde la primera renovación por tercios del Tribunal, se ha venido produciendo en las renovaciones parciales de sus miembros...
Por otro lado, el carácter automático y ope legis de dicha prórroga no puede inducir a confusión respecto de sus consecuencias jurídicas. Tratándose de una prórroga y no

de un nuevo mandato, es evidente que su duración no es de tres años, sino que se limita al tiempo que transcurra hasta que la renovación parcial del Tribunal sea una realidad. Como se desprende de forma meridiana de la norma impugnada el mandato presidencial se prorroga "para que finalice en el momento en que dicha renovación se produzca y tomen posesión los nuevos Magistrados". La referencia explícita al final de la prórroga y su concreta vinculación a la toma de posesión de los nuevos Magistrados vuelve a poner de relieve, pues, que la finalidad de la norma no es propiciar un nuevo mandato presidencial, sino prorrogar el vigente única y exclusivamente hasta que el Tribunal renovado esté en condiciones de proceder a la elección de la nueva Presidencia de acuerdo con lo dispuesto en el art. 9 LOTC.

La finalidad última de la reforma es, pues, la de garantizar que la elección de la Presidencia se produzca tras la renovación parcial del Tribunal y, por lo tanto, con participación de los nuevos Magistrados. Como se desprende de la interpretación conjunta del art. 16.3 LOTC y de las intervenciones de la mayor parte de Diputados y Senadores que se pronunciaron sobre la misma durante el trámite parlamentario, la prórroga legal del mandato presidencial hasta que dicha renovación se haga efectiva constituye un mecanismo para garantizarlo en los supuestos en que dicho mandato haya expirado antes de la misma.

Fto. Jco. 20. La legitimidad constitucional de la medida impugnada también se deduce, por otro lado, de su repercusión en el funcionamiento y en el modelo organizativo del Tribunal Constitucional. Pretender, en efecto, que sea el Pleno renovado el que elija la Presidencia permite que este órgano continúe ejerciendo sus competencias con normalidad hasta que la renovación del Tribunal se produzca. Al mismo tiempo, refuerza la figura de la Presidencia tanto antes como después de la renovación, puesto que garantiza que el colegio de Magistrados sea presidido en todo momento por un miembro del Tribunal elegido con el concurso de todos sus integrantes.

Fto. Jco. 21. Confirmada la legitimidad constitucional de la finalidad perseguida, nuestro examen debe dirigirse al concreto instrumento introducido por el legislador para conseguirla: la prórroga legal del mandato presidencial impugnada por los recurrentes y cuyo régimen jurídico hemos analizado en el fundamento jurídico 19. En primer lugar y como una cuestión preliminar, debemos rechazar que el contenido de la norma impugnada sea equiparable a los ejemplos señalados en la propia demanda a efectos argumentativos. La prórroga del mandato presidencial no es asimilable, en efecto, a un fraccionamiento de dicho mandato ni a una restricción del número o del nombre de los candidatos a ocupar la Presidencia, supuestos ambos que se mencionan en la demanda ayunos de cualquier argumento que pueda justificarlos desde una perspectiva constitucional y que entran abiertamente en conflicto con alguno de elementos que configuran el estatuto constitucional de la Presidencia.

En segundo lugar, también debemos rechazar que la norma impugnada vulnere el art. 160 CE, puesto que lo que se prevé en la misma es una prórroga del mandato presidencial vigente y no un nuevo nombramiento. Como consecuencia de tal prórroga es evidente que el mandato presidencial se prolonga más allá de los tres años previstos por dicho precepto, pero sólo desde una interpretación inadecuada del mismo que confunda la temporalidad del mandato con la posibilidad de su prórroga y que no tenga en cuenta la necesidad de armonizar otros bienes jurídicos constitucionales es posible derivar de esta circunstancia la inconstitucionalidad del precepto impugnado. En este sentido, pueden traerse a colación otros ejemplos de la propia Ley Orgánica del Tribunal Constitucional y de la práctica seguida por este Tribunal que ponen de relieve que no pueden confundirse mandato temporal y prórroga del mismo, o más claramente que la temporalidad del mandato no impide su prórroga, e incluso su acortamiento.

Los propios recurrentes admiten implícitamente la posibilidad de que el mandato de la Presidencia se prolongue más de tres años al aceptar que la Ley Orgánica del Tribunal Constitucional podría permitir una renovación de la Presidencia, previa elección por parte del Pleno. Aunque la demanda no es clara al respecto, parece que lo que admiten los recurrentes sería una prórroga de la Presidencia decidida por los propios Magistrados en supuestos de retraso de la renovación parcial del Tribunal. Tratándose de una prórroga, sin embargo, es evidente que el mandato de la Presidencia también se prolongaría necesariamente más allá de los tres años previstos en el art. 160 CE. Pero más allá de debilitar el primer motivo de inconstitucionalidad aducido por ellos mismos, esta argumentación pretende centrar su pretensión en el carácter automático y, por lo tanto, sin intervención preceptiva del Pleno, de la prórroga de la Presidencia.

Desde una perspectiva constitucional ello no supone ninguna vulneración del art. 160 CE, porque, como ya hemos señalado, lo que prevé la norma impugnada es una prórroga automática y temporalmente limitada de la Presidencia vigente en el supuesto en que no se haya producido aún la renovación parcial del Tribunal, y no un nuevo mandato de dicha Presidencia. En la medida, en efecto, en que la facultad que el art. 160 CE atribuye a los Magistrados en Pleno es la de elegir a su Presidente por un período de tres años, la prórroga automática de la Presidencia no puede considerarse que sustrae, como aducen los recurrentes, una competencia constitucional del Pleno. En este mismo sentido, tampoco es posible aceptar la tesis de que la respuesta constitucional a la falta de coincidencia entre la renovación parcial del Tribunal y la duración del mandato presidencial es única y pasa necesariamente por la elección de un Presidente cada tres años. Y es que, como ya se ha señalado, esta posibilidad no resulta constitucionalmente obligatoria desde una concepción unitaria del texto constitucional que otorga al legislador orgánico un margen de maniobra para desarrollar el régimen jurídico de la Presidencia procurando armonizar los diversos bienes jurídicos constitucionales que se proyectan sobre esta figura y sobre el modelo mismo de Tribunal Constitucional.

La propia experiencia práctica pone de relieve que la interpretación de los recurrentes no siempre ha sido secundada por el Tribunal. Aunque dicha experiencia no puede erigirse en canon de control, sí puede ser traída a colación para rechazar la tesis defendida en la demanda...

...El criterio adoptado por la norma impugnada ha sido, pues, el empleado por el propio Tribunal en los supuestos más recientes. El que haya sido así incluso en ausencia de una previsión legal de prórroga no significa que ahora, cuando la Ley la ha previsto, ello produzca el desapoderamiento del Pleno. En primer lugar, porque no es la competencia para prorrogar sino para elegir la que la Constitución le otorga. Y en segundo lugar, porque el Pleno entonces actuó precisamente porque dicha prórroga no estaba normativamente prevista. El criterio adoptado por la norma impugnada ha sido, pues, como hemos señalado, el mismo que el empleado por el Tribunal en los supuestos más recientes.

En definitiva, en la medida, como se ha visto, en que la finalidad perseguida por dicha norma es constitucionalmente legítima y su concreto contenido no vulnera ningún mandato constitucional, su impugnación debe ser, pues, rechazada.

Art. 161. 1. El Tribunal Constitucional tiene jurisdicción en todo el territorio español y es competente para conocer:

a) Del recurso de inconstitucionalidad contra leyes y disposiciones normativas con fuerza de ley. La declaración de inconstitucionalidad de una norma jurídica con rango de ley, interpretada por la jurisprudencia, afectará a ésta, si bien la sentencia o sentencias recaídas no perderán el valor de cosa juzgada.

b) Del recurso de amparo por violación de los derechos y libertades referidos en el artículo 53, 2, de esta Constitución, en los casos y formas que la ley establezca.

c) De los conflictos de competencia entre el Estado y las Comunidades Autónomas o de los de éstas entre sí.

d) De las demás materias que le atribuyan la Constitución o las leyes orgánicas.

2. El Gobierno podrá impugnar ante el Tribunal Constitucional las disposiciones y resoluciones adoptadas por los órganos de las Comunidades Autónomas. La impugnación producirá la suspensión de la disposición o resolución recurrida, pero el Tribunal, en su caso, deberá ratificarla o levantarla en un plazo no superior a cinco meses.

STC. 9/81 de 31 de marzo (**TC. y Poder Judicial**)

Fto. Jco. 1: «El TC., no forma parte del Poder Judicial y está al margen de la organización de los Tribunales de Justicia, como la propia CE. pone de manifiesto al regular en títulos diferentes unos y otros órganos constitucionales.»

STC. 4/81 de 2 de febrero (**TC. y leyes preconstitucionales**)

Ver selección con relación a la Disposición Derogatoria.

Fto. Jco. 1: «...no puede negarse que el Tribunal Constitucional, intérprete supremo de la C., según el art. 1 de su LOTC., es competente para enjuiciar la conformidad o disconformidad con aquella de las leyes preconstitucionales impugnadas, declarando, si procede, su inconstitucionalidad sobrevenida y, en tal supuesto, la derogación operada por virtud de la Disposición Derogatoria.

A mayor abundamiento debe señalarse que la afirmación de la competencia del T.C. para entender de la constitucionalidad de las Leyes preconstitucionales ha sido la solución acogida tanto en el sistema italiano como en el alemán...

D) En aras de la debida claridad, antes de concluir el examen de la primera causa de inadmisibilidad aducida, es preciso efectuar algunas precisiones en orden al alcance de la competencia del T.C., que son las siguientes:

- Así como frente a las Leyes postconstitucionales el T.C. ostenta un monopolio para enjuiciar su conformidad con la C.E., en relación a las preconstitucionales los Jueces y Tribunales deben inaplicarlas si entienden que han quedado derogadas por la C., al oponerse a la misma; o pueden,en caso de duda, someter este tema al T.C. por la vía de la cuestión de inconstitucionalidad.

- El planteamiento de la cuestión de inconstitucionalidad, es decir, que actúe previamente un Juez o Tribunal al que se le suscite la duda, no es un requisito para que el T.C.

pueda enjuiciar las leyes preconstitucionales. El enjuiciamiento de la conformidad de las Leyes con la C. es, por el contrario, una competencia propia del mismo que, sólo excepcionalmente, en cuanto a las anteriores a la C., corresponde también a los Jueces y Tribunales integrados en el Poder Judicial; los cuales, al inaplicar tales leyes, no enjuician realmente la actuación del legislador al que no le era exigible en aquel momento que se ajuste a una C. entonces inexistente, sino que aplican la C., que ha derogado las leyes anteriores que se opongan a lo establecido en la misma y que, por ello, son inconstitucionales. En definitiva, no corresponde al Poder Judicial el enjuiciar al Poder legislativo en el ejercicio de su función peculiar, pues tal enjuiciamiento está atribuído al T.C.

- Por último, conviene señalar también que la declaración de inconstitucionalidad sobrevenida, y consiguiente derogación, efectuada por el T.C. tiene plenos efectos frente a todos, si bien, salvo que en el fallo se disponga otra cosa, subsistirá la vigencia de la Ley en la parte no afectada por la inconstitucionalidad. Todo ello de acuerdo con lo dispuesto en el art. 164 de la C.E., en conexión con su Disposición Derogatoria. De esta forma, la Sentencia del T.C., dado su valor erga omnes, cumple una importante función, que es la de depurar el Ordenamiento resolviendo de manera definitiva y con carácter general las dudas que puedan plantearse.»

Fto. Jco. 3.: «En un sistema de pluralismo político (art. 1 de la C.E.) la función del T.C. es fijar los límites dentro de los cuales pueden plantearse legítimamente las distintas opciones políticas, pues, en términos generales, resulta claro que la existencia de una sola opción es la negación del pluralismo.»

STC. 11/81 de 8 de abril (**el recurso de inconstitucionalidad**)

Fto. Jco. 3: «Cuando lo que está en juego es la depuración del ordenamiento jurídico, es carga de los recurrentes no sólo la de abrir la vía para que el T.C. pueda pronunciarse, sino también la de colaborar con la justicia del T.C. en un pormenorizado análisis de las graves cuestiones que se suscitan. Es justo, por ello, hablar... de una carga del recurrente y en los casos en que aquella no se observe, de una falta de la diligencia procesalmente exigible, que es la diligencia de ofrecer la fundamentación que razonablemente es de esperar.

Sin embargo, no puede compartirse la tesis de que la falta de diligencia del recurrente obligue al T.C. a no pronunciarse sobre el fondo. La acción de inconstitucionalidad, como toda acción, se concreta a través de su 'petitum' y de su 'causa petendi'. Queda configurada por lo que se pide y por la causa en que la petición se fundamente. La causa es un título formal, pero es también la argumentación a través de la cual el recurrente sostiene su razón. Por ello puede el T.C. rechazar la acción en la medida en que la fundamentación jurídica sea manifiestamente insuficiente. No debe, sin embargo, olvidarse que es función del T.C. la depuración del ordenamiento jurídico y que, por esto, ante él no rige de manera completa el principio dispositivo. Así en los casos de fundamentación insuficiente, el T.C. resta en libertad para rechazar la acción en aquello en que se encuentre insuficientemente fundada o para examinar el fondo del asunto si encuentra razones para ello.

Fto. Jco. 4: «El recurso de inconstitucionalidad no lo establecen la C. y la LOTC. como una impugnación dirigida contra un bloque o una parte del sistema normativo o del ordenamiento jurídico, de suerte que para decidir la legitimidad constitucional haya que enjuiciar los criterios de aplicación del Derecho. La función del recurso es más modesta pero más clara. Se trata de enjuiciar, exclusivamente, los textos legales y las fórmulas legislativas que no se encuentren expresamente derogados. Si se admite la distinción entre norma como mandato y texto legal como signo sensible mediante el cual el mandato se manifiesta o el medio de comunicación que se utiliza para darlo a conocer, la conclusión a la que hay que llegar es que el objeto del proceso constitucional es básicamente el último y no el primero.

Lo anterior no significa que el T.C. tenga que renunciar a poder establecer lo que se ha llamado acertadamente una sentencia interpretativa, a través de la cual se declare que un determinado texto no es inconstitucional si se entiende de una determinada manera. Se observará que esta labor interpretativa tiene por objeto el establecimiento del sentido y significación del texto, pero no, en cambio, lo que podría entenderse como interpretación en un sentido más amplio, que sería la deducción o reconstrucción del mandato normativo, mediante la puesta en conexión de textos. Puede el T.C. establecer un significado de un texto y decidir que es conforme con la C.E. No puede, en cambio, tratar de reconstruir una norma que no esté debidamente explícita en un texto, para concluir que esta es la norma constitucional.

No compete, pues, al T.C., en su función de órgano decisor de recursos de inconstitucionalidad enjuiciar el mayor o menor acierto con que los operadores jurídicos están llevando a cabo la labor de aplicación. Este enjuiciamiento sólo puede llevarlo a cabo este T.C. cuando se haya decidido sobre un derecho subjetivo concreto de un ciudadano, que quede comprendido en los que son objeto de recurso de amparo si aquella interpretación o modo de operar condujera a una violación de tal derecho.»

STC. 17/81 de 1 de junio (**actuación por razones graves y sólidas**)

Fto. Jco. 4: «La ley, como emanación de la voluntad popular, sólo puede ser en principio derogada o modificada por los representantes de esa voluntad, y sólo para el caso de que el precepto legal infrinja la C. se ha concedido a este T.C. la potestad de anularla. Esta potestad sólo puede ser utilizada, sin embargo, cuando así lo exigen razones muy graves y sólidas; cuando un órgano constitucional o parte sustancial de él afirman la existencia de esa infracción, o cuando, de no ser declarada dicha infracción, un órgano judicial hubiera de verse en la situación de violar la C. porque, estando sometido al imperio de la ley... carece de facultades para inaplicarla aunque la considere contraria a una norma más alta, pero anterior en el tiempo. Cuando estas razones graves y sólidas no existen, el respeto al legislador exige que este T.C. se abstenga de hacer pronunciamiento alguno.»

STC. 76/83 de 5 de agosto

Fto. Jco. 4: Ver selección art. 9.1

STC. 86/82 de 23 de diciembre (**T.C. y libertad y pluralismo político**)

Fto. Jco. 1: «En el recurso de inconstitucionalidad, por tanto, el T.C. garantiza la primacía de la C. y, a tal efecto, enjuicia la conformidad con la misma de la Ley, disposición o acto impugnado.

Nuestro juicio se ha de circunscribir a determinar la conformidad con la C. de la Ley impugnada. No es, por tanto, un juicio de valor acerca de si la regulación adoptada es o no la más oportuna, porque este es el campo de actuación en que han de moverse las distintas opciones políticas, dentro del marco de la C., como corresponde al pluralismo político que propugna su art. 1 como uno de los valores superiores del Ordenamiento.»

Fto. Jco. 5: «En el recurso de inconstitucionalidad... el T.C. garantiza la supremacía de la C., es decir, un interés público objetivo, y ello se refleja en que, si bien el T.C. no tiene un poder de iniciativa, una vez sometido al mismo el enjuiciamiento de la constitucionalidad de una Ley, puede declarar no sólo la inconstitucionalidad de los preceptos impugnados sino también, en su caso, la de aquellos otros de la misma Ley a los que deba extenderse por conexión o consecuencia (art. 39.1 de la LOTC.).»

STC. 24/82 de 13 de mayo (**inconstitucionalidad por omisión; dificultad**)

Fto. Jco. 3: «...debemos señalar que no resulta fácil admitir la figura de la inconstitucionalidad por omisión que los recurrentes intentan articular, alegando que el legislador debió aprovechar la ocasión que le brindaba la Ley 49/81 para reestructurar la prestación de asistencia religiosa a las Fuerzas Armadas, pues la inconstitucionalidad por omisión sólo existe cuando la C. impone al legislador la necesidad de dictar normas de desarrollo constitucional y el legislador no lo hace.»

STC. 77/85 de 27 de junio (**varias interpretaciones posibles**)

Fto. Jco. 4: «También resulta necesario, en segundo lugar, referirse a la pretensión de los recurrentes de que este T.C. dicte, con relación a algunos de los preceptos impugnados, una Sentencia de carácter interpretativo. Esta pretensión resulta inadmisible por las razones ya expuestas ante una petición análoga en nuestra STC. 5/81... en cuyo fto. jco. 6 se dice que la Sentencia interpretativa 'es en manos del T.C., un medio lícito, aunque de muy delicado y difícil uso, pero la emanación de una Sentencia de este género no puede ser objeto de una pretensión de los recurrentes. El T.C. es intérprete supremo de la C., no legislador, sólo cabe solicitar de él el pronunciamiento sobre la adecuación o inadecuación de los preceptos de la C.'
Este T.C. ha señalado en su STC. 122/83... que incluso si existen varios sentidos posibles de una norma, es decir, diversas interpretaciones posibles de la misma, debe prevalecer, a efectos de estimar su constitucionalidad, aquella que resulta ajustada a la C. frente a otros posibles sentidos de la norma no conformes con el texto fundamental. En efecto, este principio de interpretación de las leyes conforme a la C. se justifica, puesto que la C. es uno de los elementos interpretativos que deben barajarse en toda labor de hermenéutica legal, particularmente al hacer uso de la interpretación sistemática y teleológica. La razón de ello está en que, como dice el art. 9.1 de la C., los ciudadanos y los poderes públicos están sujetos a la C. Esta sujeción de los poderes públicos al ordenamiento constitucional impone una interpretación de las normas legales acorde con la C., por lo que debe prevalecer en el proceso de exégesis el sentido de la norma, entre los posibles, que sea adecuado a ella.
Por otra parte, este T.C. debe pronunciarse, respecto a los preceptos impugnados, no sobre eventuales e hipotéticas interpretaciones de los mismos, propuestas por los re-

currentes, sino sobre si se oponen a los mandatos constitucionales. Sin que procedan, por tanto, pronunciamientos preventivos referidos a posibles, y aún no producidas, aplicaciones de los preceptos legales, que no resultan necesariamente derivadas de las mismas, y que, de producirse, habrán de ser combatidas, en su caso, con los medios que ofrece nuestro ordenamiento, tanto ante este T.C. como ante otros órganos jurisdiccionales.»

STC. 60/86 de 20 de mayo (**función de la jurisdicción constitucional**)

Fto. Jco. 1: «Con ello no se priva, sin embargo, de objeto o de sentido al presente recurso, ni padece tampoco la competencia de este TC. para pronunciarse acerca de la pretendida inconstitucionalidad de tales normas ahora derogadas, puesto que es función esencial de esta jurisdicción garantizar 'la primacía de la CE.' y asegurar en todo momento, sin solución de continuidad, el correcto funcionamiento del sistema de producción normativa preconizado por la norma fundamental, depurando y expulsando del ordenamiento las normas impugnadas que se aparten de dicho sistema, con independencia de que se encuentren o no en vigor cuando se declara su inconstitucionalidad. Es la pureza misma del ordenamiento jurídico la que se ventila en esta sede jurisdiccional, y ello ha de decidirse en términos de validez o invalidez 'ex origine' de las normas impugnadas, sin atender a su vigencia o derogación en el momento en que se pronuncia el fallo constitucional.»

STC. 213/88 de 11 de noviembre (**criterios para enjuiciar la constitucionalidad**)

Fto. Jco. 2: «...según la doctrina de este TC., en un recurso directo de inconstitucionalidad como es el que aquí se examina, los criterios para enjuiciar la constitucionalidad de una norma deben deducirse de las normas vigentes en el momento en que este TC. procede a dicho enjuiciamiento y no de las vigentes en el momento de dictarse la norma impugnada.»

STC. 239/92 de 17 de diciembre (**violación doctrina TC. no fundamenta R.I.**)

Fto. Jco. 2: «...el recurso de inconstitucionalidad no puede fundarse autónomamente en la 'violación de la doctrina del TC' sino sólo en la disconformidad con la CE., de las leyes, disposiciones o actos impugnados, en los términos que disponen los arts. 27 y 28 LOTC.»

STC. 239/92 de 17 de diciembre (**finalidad del juicio de constitucionalidad**)

Fto. Jco. 2: «Este (el juicio de constitucionalidad) no puede confundirse con un juicio de intenciones políticas, sino que tiene por finalidad el contraste abstracto y objetivo de las normas legales impugnadas con aquellas que sirven de parámetro de su constitucionalidad. Sin perjuicio de la competencia de este TC. para apreciar si la norma enjuiciada se ajusta a los valores y principios constitucionales, el concreto objeto político que con ella pretenda conseguir el legislador no es cuestión que incumba a este TC., sino más bien problema de simple valoración política, que debe plantearse y debatirse en otros momentos y en otros foros, conforme a las reglas democráticas de la acción y la crítica política.»

STC. 99/87 de 11 de junio

Fto. Jco. 1: Ver selección con relación al art. 89.

STC. 16/81 de 18 de mayo (**T.C. y poder judicial**)

Fto. Jco. 2: «En los recursos de amparo interpuestos contra supuestas violaciones de derechos fundamentales o libertades públicas derivadas de acciones u omisiones de órganos judiciales sólo le corresponde (al T.C.) decidir si existieron o no tales violaciones. Por el contrario, es ajeno a sus funciones valorar la forma en que los órganos del Poder Judicial en general y en particular el T. Supremo interpretan y aplican las leyes, en tanto no se violen las garantías constitucionales pues tal interpretación y aplicación... está atribuída por la C. a los Juzgados y tribunales ordinarios según el art. 117.3, y respecto al T. Supremo según el 123 de la C.»

Fto. Jco. 9: «...este T.C. no puede entrar, por ser ajeno a su competencia, como también se ha dicho, en los problemas que puede plantear el alcance de la casación de las Sentencias por quebrantamiento de forma y de las facultades del Tribunal de instancia al dictar nueva Sentencia, cuando se mantiene la validez del juicio oral anterior, problema que corresponde resolver al Poder Judicial.»

STC. 11/82 de 29 de marzo (**T.C. no es una tercera instancia**)

Fto. Jco. 4: «Como ya hemos declarado en STC. 2/82, la competencia del T.C. tiene ciertas peculiaridades cuando el objeto del recurso es una resolución judicial. En particular... debe reiterarse la afirmación de que este T.C. no es una tercera instancia a la que corresponde revisar, con carácter general, los hechos declarados probados y el derecho aplicado en la resolución judicial impugnada. Por el contrario cuando la Sala conoce del recurso de amparo contra resoluciones de órganos judiciales, ha de partir de los hechos declarados probados (art. 44.1, b) de la LOTC), y hemos de limitar nuestra función a concretar si se han violado derechos o libertades del demandante y a preservar o restablecer tales libertades o derechos (art. 54 LOTC.).»

ATC. 147/82 de 22 de abril (**los parlamentarios no son 'poderes públicos'**)

Fto. Jco. 4: «El primero de los dos actos supuestamente lesivos es el constituído por la formulación misma de la pregunta y, en la medida en que sea también responsable de ello el mismo autor, la publicación de tal pregunta en una revista de información. Respecto de este 'acto', la falta de contenido de la demanda para justificar una decisión de este TC. sobre el fondo es manifiesta porque el 'acto' en cuestión no es impugnable en esta vía y ello no en razón de la inviolabilidad de que gozan los miembros de las Cortes Generales por las opiniones manifestadas en el ejercicio de sus funciones, privilegio cuyo alcance no es ahora momento de analizar, sino por la razón mucho más simple e inmediata de que como tales miembros de las Cortes Generales, los Diputados y Senadores no son, en su actuación individual y sin mengua de la alta representación que ostentan y de la función pública que ejercen, poderes públicos en el sentido del art. 41.2 LOTC., ni 'agentes o funcionarios' de éstos. Es el órgano del que forman parte, y no ellos, el que debe ser considerado como 'poder público', pues sólo el órgano como tal y no los hombres que lo integran, actuando aisladamente, es el que puede producir 'disposiciones o actos' (art. 41.2 LOTC.) o actuar siguiendo vías de hecho en términos capaces de imponer obligaciones a los ciudadanos y lesionar sus derechos y libertades fundamentales.»

STC. 105/83 de 23 de noviembre (el **amparo no es instancia de revisión**)

Fto. Jco. 1: «Interpuesto recurso de amparo constitucional contra resoluciones de los Tribunales de cualquiera de los órdenes jurisdiccionales, pero posiblemente con preferencia cuando de lo penal se trata, es frecuente observar no ya en medios ajenos, sino incluso dentro del planteamiento de aquella última vía, la constante pretensión de que mediante ella se ponga en revisión prácticamente en su integridad el proceso penal, penetrando en el examen, resultado y valoración de las pruebas practicadas y justeza o error del derecho aplicado y de las conclusiones alcanzadas en las sentencias allí dictadas, erigiendo esta vía del amparo constitucional en una auténtica superinstancia, si no en una nueva casación o revisión, incluso planteando cuestiones que exceden de las posibilidades de esas vías, y todo ello a pesar de la claridad de la normativa aplicable al proceso de amparo, y de haberse puesto de relieve por la doctrina de este T.C., que de conformidad con lo establecido en el art. 117.3 de la C.E., el ejercicio de la potestad jurisdiccional en todo tipo de procesos, juzgando y haciendo ejecutar lo juzgado, corresponde exclusivamente a los Juzgados y tribunales determinados por las Leyes, y dispuesto en el art. 123.1 que solamente la materia de garantías constitucionales exceptúa del carácter de órgano jurisdiccional superior, en todos los órdenes, que se atribuye al T. Supremo, en consonancia con todo lo cual, a la hora de articular el recurso de amparo contra actos u omisiones de un órgano judicial, se establece que en ningún caso entrará a conocer el T.C. de los hechos que dieron lugar al proceso en el que se hayan producido las invocadas violaciones de derechos y libertades (art. 44.1 b de la LOTC), y, todavía más precisamente si cabe, que en esta clase de recursos la función del T.C. se limitará a concretar si se han violado o no los derechos o libertades del demandante, preservándolos o restableciéndolos, mas absteniéndose de cualquier otra consideración sobre la actuación de los órganos jurisdiccionales (art. 54 LOTC), porque como dice el art. 41.3, en el amparo constitucional no pueden hacerse valer otras pretensiones que las dirigidas a restablecer o preservar los derechos o libertades por razón de los cuales se formuló el recurso.»

STC. 187/84 de 7 de febrero (**violación de derechos por particulares**)

Fto. Jco. 6: «El Ministerio Fiscal plantea, sin embargo, la cuestión de que la C. no circunscribe el recurso de amparo a los actos emanados de los poderes o entes públicos en sus arts. 53.2 y 161.2, con lo que viene a sostener la posibilidad del mismo frente a actos emanados de entes que no poseen tal naturaleza.»
«...la LOTC. (art. 42.1) viene... a desarrollar la C., estableciendo la posibilidad del recurso de amparo contra disposiciones, actos o simple vía de hecho, de los poderes públicos del Estado, las CCAA. y demás entes públicos de carácter territorial, corporativo o institucional, así como de sus funcionarios o agentes, ámbito subjetivo que concreta en cuanto a las decisiones o actos sin valor de ley del legislativo (art. 42), de los emanados del ejecutivo (art. 43) y de los actos u omisiones de órganos judiciales (art. 44).»

«...Esta concretización de la Ley Suprema no debe interpretarse en el sentido de que sólo se sea titular de los derechos fundamentales y libertades públicas en relación con los poderes públicos, dado que en un Estado social de derecho como el que consagra el art. 1 de la C. no puede sostenerse con carácter general que el titular de tales derechos no lo sea en la vida social, tal y como lo evidencia la Ley 62/78 de Protección de los derechos Fundamentales, la cual prevé la vía penal, aplicable cualquiera que sea el autor de la vulneración cuando cae dentro del ámbito penal, la contencioso-administrativa ampliada por la disp. transitoria 2ª de la LOTC. y la civil, no limitada por razón del sujeto autor de la lesión. Lo que sucede, de una parte, es que existen derechos que sólo se tienen frente a los poderes públicos (como los de del art. 24) y, de otra, que la sujeción de los poderes públicos a la C. (art. 9.1) se traduce en un deber positivo de dar efectividad a tales derechos en cuanto a su vigencia en la vida social, deber que afecta al legislador, al ejecutivo y a los Jueces y Tribunales, en el ámbito de sus funciones respectivas. De donde resulta que el R.A. se configura como un remedio subsidiario de protección de los derechos y libertades fundamentales cuando los poderes públicos han violado tal deber. Esta violación puede producirse respecto de las relaciones entre particulares cuando no cumplen su función de restablecimiento de los mismos, que normalmente corresponde a los Jueces y Tribunales a los que el Ordenamiento encomienda la tutela general de tales libertades y derechos. En este sentido, debe recordarse que este TC. ha dictado ya Sentencias, en que ha admitido y fallado recursos de amparo contra resoluciones de órganos judiciales, cuando los actos sujetos al enjuiciamiento provenían de particulares...»

«...En el presente caso, sin embargo, lo impugnado no es una resolución de un órgano judicial, sino un acto del Consejo de Administración de la Caja de Ahorros de Asturias, entidad que no tiene la condición de ente público, no siendo imputable tampoco a la Administración tal acto... En consecuencia no se trata de un acto encuadrable en los supuestos del art. 41.2 de la LOTC.»

STC. 48/89 de 21 de febrero (**carácter subsidiario del recurso de amparo**)

Fto. Jco. 3: «...la exigencia de agotar todos los recursos utilizables es una consecuencia del carácter subsidiario del amparo y, por tanto, cuando existe un recurso susceptible de ser utilizado y adecuado por su carácter y naturaleza para tutelar el derecho o libertad que se entiende vulnerado, tal recurso ha de agotarse antes de acudir en vía constitucional.»

STC. 9/92 de 16 de enero (**agotamiento de recursos previos**)

Fto. Jco. 5: «Este TC. ha señalado ya con anterioridad que el agotamiento de la vía judicial supone no sólo utilizar todos los recursos existentes contra la decisión que presuntamente vulnere el derecho fundamental, sino también que esos recursos se interpongan observando los cauces procesales adecuados y, concretamente, cumpliendo los requisitos que para su interposición establezca el Derecho; pues sólo así, se podrá entender satisfecho el presupuesto previo que nos ocupa y respetada la naturaleza subsidiaria propia del recurso de amparo. Si por el contrario... el recurso necesario para entender agotada la vía judicial, o, lo que es lo mismo, para que el órgano judicial se pronuncie sobre la lesión invocada antes de plantearla ante esta sede, se interpone en forma extemporánea o legalmente improcedente, ha de entenderse incumplido el requisito, toda vez que los órganos judiciales se han visto privados, sólo por causa imputable a la parte, del conocimiento y resolución de la cuestión de fondo controvertida; y en fin, la naturaleza del recurso de amparo como remedio subsidiario frente a las violaciones de derechos fundamentales, no ha resultado respetada.»

STC. 64/91 de 22 de marzo (TC., recurso de amparo y Tratado de adhesión a la CEE.)

Fto. Jco. 4: «La adhesión de España a las Comunidades Europeas no ha alterado ni el canon de validez en los procesos de amparo ni el carácter del TC. como 'intérprete supremo de la CE.' (art. 1.1 LOTC.) en tales procesos y respecto de las materias sobre las que se ha producido, en favor de los órganos comunitarios, la atribución del 'ejercicio de competencias derivadas de la CE.' (art. 93 CE.). En efecto, la vinculación al Derecho comunitario, instrumentada, con fundamento en el art. 93 CE., en el Tratado de Adhesión, y su primacía sobre el derecho nacional en las referidas materias no pueden relativizar o alterar las previsiones de los arts. 53.2, y 161.1.b) CE. Es por ello evidente que no cabe formular recurso de amparo frente a normas o actos de las instituciones de la Comunidad, sino sólo, de acuerdo con lo dispuesto con lo dispuesto en el art. 41.2 LOTC, contra disposiciones, actos jurídicos o simple vía de hecho de los poderes públicos internos. Y es asimismo patente que los motivos de amparo han de consistir siempre en lesiones de los derechos fundamentales y libertades públicas enunciados en los arts. 14 a 30 de la CE., con exclusión, por tanto, de las eventuales vulneraciones de Derecho comunitario, cuyas normas, además de contar con específicos medios de tutela, únicamente podrían llegar a tener, en su caso, el valor interpretativo que a los Tratados Internacionales les asigna el art. 10.2 CE.»

ATC 246/00 de 27 de octubre (reglamentos y recurso de amparo)

Fto. Jco. 1 Pues bien, en el estudio de la cuestión que nos ocupa es necesario precisar que nos encontramos ante una pretendida vulneración del principio de igualdad "en la ley", donde el recurrente viene a cuestionar la conformidad misma con la Constitución de las reglas de distribución de las compensaciones contenidas en una norma jurídica de rango reglamentario. Igualmente, es preciso apuntar que la naturaleza reglamentaria de la norma cuestionada no es óbice para que sea objeto de un juicio de constitucionalidad cuando a la misma se impute la vulneración de un derecho o libertad fundamental. Y ello porque, "aunque el control de legalidad de las normas reglamentarias es también competencia propia de los órganos del Poder Judicial que pueden, en consecuencia, sea anularlas, sea inaplicarlas, cuando las consideran contrarias a la Ley, el resultado de tal control queda sometido también a nuestra decisión por esta vía del recurso de amparo cuando a tal resultado se imputa, como aquí es el caso, una violación de alguno de los derechos fundamentales" (STC. 209/1987, de 22 de diciembre, Fto. Jco. 3). Y en este sentido, y aunque el legislador (o la Administración en uso de su potestad reglamentaria) goza de un amplio margen de libertad en la configuración de las normas (discrecionalidad normativa), y en principio no corresponde a este Tribunal enjuiciar si las soluciones adoptadas son las más correctas técnicamente, sin embargo, sí nos hallamos facultados para determinar si el régimen compensatorio establecido ha vulnerado el citado principio de igualdad (STC. 214/1994, de 14 de julio, Fto. Jco. 5). Por tanto, hay que determinar si por vía reglamentaria se ha previsto un tratamiento diferenciado para la entidad recurrente que supone establecer una diferencia no querida por el legislador y que no encuentra cobertura explícita ni implícita en la Ley, en orden a alcanzar la conclusión de que con su aplicación se ha vulnerado el principio constitucional de igualdad ante la Ley (STC. 4/1991, de 14 de enero, Fto. Jco. 4).

STC. 62/92 de 27 de abril (recurso de amparo y cuestión de inconstitucionalidad)

Fto. Jco. 3: «En efecto, es retierada jurisprudencia de este TC. (...) que el planteamiento de la cuestión de inconstitucionalidad es prerrogativa exclusiva e irrevisable de los órganos jurisdiccionales, sin que pueda constituir base para el planteamiento de un recurso de amparo el hecho de que éste no haya considerado conveniente formular una determinada cuestión de inconstitucionalidad pretendida por el recurrente.»

STC. 32/81 de 28 de julio (recurso de inconstitucionalidad y conflicto de competencias)

Fto. Jco. 1: «...el recurso de inconstitucionalidad es un medio de impugnación de una Ley, disposición normativa o acto con fuerza de Ley, que tiene por objeto inmediato la determinación de su inconstitucionalidad, sin que queden excluídas de su ámbito las normas que afectan a la delimitación de competencias (arts. 161.1 a) de la C. y 31 de la LOTC), mientras que la finalidad del conflicto positivo de competencias es determinar el titular de éstas cuando con motivo de una disposición, resolución o acto se entiende que uno de sus titulares invade el ámbito competencial del otro.»

STC. 110/83 de 29 de noviembre (el conflicto positivo de competencias)

Fto. Jco. 1: «Los conflictos positivos de competencias suponen la existencia de una controversia entre el Estado y una C.A. (o bien, entre varias de estas últimas) relativas al orden de competencias establecido en la C., en los EE.AA. o en las leyes correspondientes, como indican los arts. 62 y 63.1 de la L.O. de este T.C. Esta controversia puede plantearse ante este T.C. si el Gobierno considera que una disposición o resolución de una C.A. no respeta ese orden de competencias, o si el órgano ejecutivo superior de una C.A. estima que tal orden se ve vulnerado por una disposición, resolución o acto emanado de la autoridad de otra C.A. o del Estado.

Son dos, pues, los aspectos de un conflicto positivo de competencia. Por un lado, consiste en la determinación de la legitimidad o ilegitimidad constitucional de la disposición o resolución concreta de que se trate; por otro, consiste en la interpretación y fijación del orden competencial y en la determinación de qué competencias pertenecen a qué sujetos, yéndose así más allá de la mera solución del caso concreto origen del conflicto o controversia. Por este motivo, el art. 66 de la LOTC. prevé una doble dimensión de la Sentencia constitucional en caso de conflicto. Esta Sentencia debe 'acordar, en su caso la anulación de la disposición, resolución o actos que originaron el conflicto en cuanto estuvieren viciados de su incompetencia'; y además, debe efectuar un pronunciamiento más general, relativo al orden competencial, ya que, como señala el mismo artículo, en su primer inciso, 'la Sentencia declarará la titularidad de la competencia controvertida'. Se trata así de la resolución de una controversia mediante la determinación del titular de una competencia, determinación que precisará la legitimidad constitucional de su ejercicio más allá del caso concreto que dio lugar al conflicto.»

STC. 166/87 de 28 de octubre (**el conflicto de competencias es reparador, no preventivo**)

Fto. Jco. 2: «El planteamiento y la pretensión de la Junta de Galicia sobrepasa con mucho el objeto específico sobre el que el conflicto se plantea... e intenta centrarse sobre los problemas generales de la competencia en materia de vivienda y de los efectos del retraso por el Estado en el traspaso a la C.A. gallega de los servicios correspondientes... Es menester que la disposición presuntamente invasora o lesiva de las competencias autonómicas... transgreda el orden constitucional de competencias y, a la par, que afecte al ámbito de autonomía de la C.A. promotora del conflicto. El conflicto es, en consecuencia, un cauce reparador, sin que pueda utilizarse con funciones meramente preventivas ante posibles sospechas de actuaciones viciadas de incompetencia. Por ello este T.C. ha exigido la existencia de un efectivo y real despojo de la competencia por el ente invasor que genere una correlativa 'vindicatio potestatis' por el ente invadido que se ve despojado de su competencia, sin admitir planteamientos meramente preventivos o cautelares o virtuales o hipotéticos (SSTC. 67/83 y 95/84).

Ciertamente la naturaleza del conflicto de competencias le concede también una dimensión abstracta de control que va más allá de la norma concreta impugnada y la eventual declaración de nulidad de la misma, lo que se pone de manifiesto cuando el T.C., de acuerdo con el art. 76 de su L.O., pronuncia una declaración general respecto de la titularidad de la competencia controvertida, declaración que fija e interpreta el orden de distribución competencial. Sin embargo, tal declaración se encuentra en una síntesis inescindible con el objeto inmediato del conflicto que no es sino el examen, y en su caso anulación, de la disposición viciada de incompetencia.

STC. 102/88 de 8 de junio (**conflicto de competencias por disposiciones defectuosas**)

Fto. Jco. 3: «Se dijo en STC. 143/85 que los arts. 61, 62 y 63 de la LOTC no requieren la existencia de 'disposiciones, resoluciones y actos' que no respeten el orden de competencias, como requisito procesal o presupuesto generador de un conflicto de este orden. También, según SSTC. 67/83 y 95/84, que no cabe aceptar la posibilidad de conflictos hipotéticos en los que se solicite una declaración preventiva de competencia frente a una lesión todavía no producida. Pero esto no debe conducir a una rigurosidad extrema y formalista de la concepción del conflicto y limitarlo a los supuestos de resoluciones, disposiciones y actos administrativos perfectos desde el punto de vista de su validez y eficacia, puesto que es a la jurisdicción ordinaria contencioso-administrativa, y no a este T.C., a quien compete enjuiciar la regularidad formal de esos actos y disposiciones, y no cabe duda que éstos, aun dentro de su posible irregularidad, pueden originar una vulneración en el ámbito competencial del recurrente y, por ende, con trascendencia constitucional que legitime la entrada de esta jurisdicción. Negar esto supondría consagrar la inmunidad de las invasiones de competencia por actos o disposiciones defectuosos.

No hay que olvidar, en este sentido, que este T.C. al referirse a los actos susceptibles de provocar un conflicto de competencias, ha considerado tales a circulares o meras comunicaciones en las que se afirmaba que no eran más que puras instrucciones internas dirigidas a órganos subordinados, o informaciones no resolutorias (SSTC. 33/1982 y 27/1983). Cabe, pues, la posibilidad de admitir actos preparatorios, como base de un conflicto siempre, claro, que su contenido perturbe o no respete el orden de competencias.»

STC. 88/89 de 11 de mayo (delimitación de competencias, no control de su ejercicio)

Fto. Jco. 2: «Esta necesidad de identificar un fundamento constitucional del conflicto se conecta también con el objeto y alcance de la decisión en este tipo de proceso (la determinación de a quien corresponde la competencia controvertida), siendo una consecuencia eventual la declaración de nulidad del acto viciado por incompetencia. Por ello mismo, cuando sobre la titularidad y límites de esa competencia no existe controversia, sino que ésta se limita a discutir el ejercicio concreto de esa competencia en relación a supuestos específicos, dentro de unos límites competenciales sobre los que existe acuerdo, ha de afirmarse que falta el presupuesto para la jurisdicción reservada al T.C., puesto que el conflicto sólo puede plantearse para definir los límites externos de la competencia y del correspondiente poder estatal o autonómico, pero no para verificar el ejercicio concreto dentro de tales límites de dicho poder, en relación a determinados hechos, cuyo alcance territorial deviene el elemento decisivo para decidir la distribución competencial dentro de unos límites y de acuerdo con unos criterios no controvertidos. En ese caso, la decisión no establece límites competenciales, sino que sólo los aplica a supuestos concretos, en relación con una calificación fáctica o, en su caso, jurídica de los mismos que carece de toda relevancia constitucional. Por ello la discrepancia sobre el ámbito territorial de una determinada situación o supuesto no es propia ni puede ser planteada en un proceso constitucional como el del conflicto positivo de competencias.»

STC. 156/90 de 18 de octubre (el conflicto negativo de competencias: requisitos)

Fto. Jco. 1: «...se exige para tener por planteado uno de estos conflictos (...) la concurrencia de dos presupuestos: de un lado que se haya obtenido de las Administraciones implicadas sendas resoluciones negativas o declinatorias de competencias, y de otro, que dicha negativa se funde en una diferente interpretación de las normas de distribución de competencias que componen el bloque de constitucionalidad ex art. 69.2 LOTC... Con esa configuración legal de este cauce procesal se pretende vedar el acceso al TC. de pretensiones que 'hayan sido desatendidas por razones no competenciales o por controversias que, aún siendo de naturaleza competencial, no son, sin embargo, propias de la jurisdicción del TC. (...). De forma que la simple presencia de cuestiones estrictamente fácticas o, incluso, jurídicas en alguna medida vinculadas con el sistema de distribución de competencias, pero cuya solución no requiera de una interpretación de las reglas competenciales, no permite transformar un conflicto de competencias aparente en una verdadera controversia competencial susceptible de resolución en el cauce prevenido en los arts. 68 y ss. de la LOTC.»

STC. 44/86 de 17 de abril (impugnación por el Gobierno)

Fto. Jco. 1: «...el art. 161.2 de la C. no limita la impugnación prevista en el mismo, a que la infracción de los preceptos constitucionales en que ha de apoyarse la impugnación quede limitada a los supuestos en que esté en juego la competencia; sino que, como dice el precepto expresamente y sin restricción alguna: 'el Gobierno podrá impugnar ante el T.C. las disposiciones y resoluciones adoptadas por los órganos de las CC.AA.' De ahí que en desarrollo de este precepto, el art. 77 de la LOTC disponga que la impugnación regulada en el Tít. V, sea cual fuere el motivo en que se base, se formulará y sustanciará por el procedimiento previsto en los arts. 62 a 67 de esta Ley.»

STC. 45/86 de 17 de abril (los conflictos entre órganos constitucionales del Estado)

Fto. Jco. 1: «El conflicto constitucional de atribuciones es un particular y especialísimo proceso que puede entablarse exclusivamente entre los órganos constitucionales mencionados en el art. 59 LOTC. y que tiene por principal objeto una vindicación de competencia suscitada por uno de estos órganos constitucionales a consecuencia de actos o decisiones de otro órgano constitucional. La 'vindicatio potestais' sólo puede referirse a actos constitutivos de invasión de atribuciones (art. 75.2 LOTC.) y pretende, agotado el trámite previo de solicitud de revocación, que se determine el órgano a que corresponden las atribuciones constitucionales controvertidas y que, en consecuencia y, en su caso, se declaren nulos los actos ejecutados por invasión de atribuciones y se resuelva lo que procediere sobre las situaciones jurídicas producidas al amparo de los mismos. Es claramente un cauce reparador, no preventivo, y sólo indirectamente, a consecuencia del reconocimiento de la invasión de atribuciones, puede tener efectos impugnatorios sobre tales actos y atribuciones.»

Fto. Jco. 4: «A diferencia de los conflictos interterritoriales en los que este TC. ha admitido supuestos de lesión por simple menoscabo, no por invasión, de competencias ajenas, en los conflictos entre órganos constitucionales el Legislador no ha admitido otro supuesto que el de la estricta usurpación de atribuciones. La razón de esta diferencia es que en los conflictos de atribuciones no se trata de preservar las esferas respectivas de soberanía y de autonomía de entes territoriales.

El conflicto de atribuciones garantiza más que el ámbito de autodeterminación de un ente creador de un ordenamiento propio, la existencia de la misma estructura constitucional concebida como sistema de relaciones entre órganos constitucionales dotados de competencias propias, que se protegen también a través de esta vía procesal. El interés preservado por el proceso conflictual es estrictamente el de respeto a la pluralidad o complejidad de la estructura de poderes constitucionales, lo que tradicionalmente se ha llamado 'división de poderes', resultando así coherente que el único vicio residenciable en él sea el deparado por una invasión de atribuciones que no respete esa distribución constitucional de poderes. En este caso habría de tratarse de atribuciones asumidas por el Legislador como propias pero que constitucionalmente corresponderían al actor.»

ATC. de 23 de enero de 1992 (alcance de la prolongación de la suspensión)

Fto. Jco. 1: « ...la prolongación de la suspensión, que impide el normal despliegue de la eficacia de las leyes y demás disposiciones de las CC.AA., es una medida que debe tomarse con sumo cuidado y con carácter excepcional, pues sólo así se evitará en este trámite un indebido bloqueo del ejercicio de sus competencias por las CC.AA., lo que implica también que la ratificación de la inicial suspensión automática requiere que el Gobierno, a quien se debe la iniciativa determinante de esta medida excepcional, aporte argumentos o razones que la justifiquen (...) y que han de llevar a la conclusión de que si no se mantuviera la suspensión se producirían previsiblemente graves perjuicios al interés general y, en su caso, a los de aquellos sujetos afectados por la norma impugnada.»

Fto. Jco. 2: «...si se aceptara el razonamiento del Abogado del Estado, justificaría el mantenimiento de la suspensión de todos los preceptos impugnados, rara vez procedería que este TC. acordara el levantamiento de la inicial suspensión automática, pues los hipotéticos daños a la seguridad jurídica (entendida como certeza normativa) son una consecuencia inherente a toda situación de pendencia de un recurso de inconstitucionalidad y consustanciales, por tanto, al funcionamiento del Estado de las Autonomías y a la coexistencia del ordenamiento estatal con los ordenamientos autonómicos, de manera que, desde este simple ángulo de enfoque, la suspensión de las normas impugnadas por motivos competenciales, como es el presente caso, será siempre necesaria en la medida en que en los conflictos de dicha naturaleza concurra una duplicidad de normas. Pero de lo que se trata en este trámite no es de defender la seguridad jurídica con argumentos que pueden valer para cualesquiera impugnaciones, sino de alegar y acreditar los perjuicios irreparables o de difícil reparación que se producirían, en concreto, por la vigencia de los preceptos impugnados durante el tiempo que dure el proceso constitucional.»

Art. 162. 1. Están legitimados:

a) Para interponer el recurso de inconstitucionalidad, el Presidente del Gobierno, el Defensor del Pueblo, 50 Diputados, 50 Senadores, los órganos colegiados ejecutivos de las Comunidades Autónomas y, en su caso, las Asambleas de las mismas.

b) Para interponer el recurso de amparo, toda persona natural o jurídica que invoque un interés legítimo, así como el Defensor del Pueblo y el Ministerio Fiscal.

2. En los demás casos, la ley orgánica determinará las personas y órganos legitimados.

STC. 25/81 de 14 de julio (**legitimación de CC.AA. interposición recurso**)

Fto. Jco. 2: «...es conveniente recordar que en el proceso constitucional la legitimación no se establece en términos abstractos, sino que es fórmula para un actor concreto (...), en relación con un determinado tipo de acción (...), referida a su vez a una clase concreta de actos o normas. Estos términos están en nuestro caso previamente determinados por las normas constitucionales a un nivel de generalidad desarrollado y precisado por la LOTC.

Partiendo de este supuesto, es pertinente examinar la relación entre los arts. 162.1 a) de la C. y el 32.2 de la LOTC, de un lado, y los arts. 161.1 a) de la C. y el 27.2 de la LOTC, de otro. En el art. 161.1 a) de la C. se define genéricamente el objeto del recurso de inconstitucionalidad; en el art. 27.2 de la L.O. se concretan mediante su enumeración las clases de normas que pueden ser objeto de recurso. En paralelismo u homología con los mencionados preceptos, el art. 162.1 a) de la C. enumera los órganos o fracciones de órganos legitimados para la interpretación del recurso de inconstitucionalidad, y en el art. 32.2 de la L.O. se especifica la conexión entre los titulares de la acción de inconstitucionalidad y los posibles objetos de éste, con lo cual el concepto de legitimación que el texto constitucional formula en términos muy amplios o genéricos adquiere su sentido técnico concreto.»

Fto. Jco. 3: «La precisión que en el apartado 2 del art. 32 (LOTC) se hace de la legitimación de los órganos superiores de las CC.AA. para interponer el recurso de inconstitucionalidad contra disposiciones o actos con fuerza de ley del Estado que puedan afectar a su propio ámbito de autonomía, es una concreción que deriva lógicamente de la integración del art. 162.1 a) de la C. con otras normas de la misma, relativas al márgen de las autonomías y a su respectivo alcance, especialmente los arts. 2.97, 137, 149.3 y 155. Sin dejar, como es obvio, de participar en la vida general del Estado, cuyo ordenamiento jurídico reconoce y ampara sus Estatutos como parte integrante de su ordenamiento jurídico (art. 147.1), las CC.AA., como corporaciones públicas de base territorial y de naturaleza política, tienen como esfera y límite de su actividad en cuanto tales los intereses que les son propios, mientras que la tutela de los intereses públicos generales compete por definición a los órganos estatales.

En función de ello, es coherente que la legitimación para la interposición del recurso de inconstitucionalidad frente a cualquier clase de leyes o disposiciones con valor de ley corresponda sólo a aquellos órganos o fracciones de órganos que por su naturaleza tienen encomendada la tutela de los intereses públicos generales (art. 32.1) y que la legitimación conferida a los órganos de las CC.AA., de acción objetivamente ceñida al ámbito derivado de las facultades correspondientes a sus intereses peculiares, esté reservada a las normas que las afecten (art. 32.2).

Fto. Jco. 4: «De las razones alegadas para fundar la legitimación por el recurrente, la primera, según la cual 'la suspensión de derechos que se establece afecta fundamentalmente a ciudadanos residentes en la C.A. por ser el País Vasco uno de los principales focos de atención de la Ley', no puede considerarse admisible, por cuanto viene a confundir, como señala el Abogado del Estado, la 'afectación al propio ámbito de autonomía' con el hecho de que la Ley tenga vigencia en el País Vasco de igual manera que la tiene en el resto del territorio nacional. La Ley no se refiere a ninguna parte del territorio en concreto, sino que su ámbito se extiende a todo el del Estado, lo cual está en consonancia con el hecho de que las actuaciones que contempla, aún en el supuesto de que estuvieran más presentes en una parte del territorio nacional, alcanzan en sus efectos al de todo el Estado y afectan a la estabilidad del conjunto del ordenamiento constitucional. El concepto de 'propio ámbito de autonomía' no puede reducirse a un criterio meramente cuantitativo. Tal planteamiento llevaría a reservar o privilegiar la legitimación para impugnar una ley general del Estado a las CC.AA. en cuyo ámbito territorial fuera presumible una mayor incidencia de la misma; lo cual conduciría a consecuencias inadmisibles.

Por otra parte, es preciso distinguir lo que motiva una ley, es decir, la circunstancia concreta que mueve al legislador a establecerla, y la validez general y objetiva que, una vez promulgada adquiere con respecto a dicha circunstancia.»

STC. 84/82 de 23 de diciembre (legitimación CC.AA.)

Fto. Jco. 1: «...la legitimación de las CC.AA. para interponer el recurso de inconstitucionalidad no está objetivamente limitada a la defensa de sus competencias si esta expresión se entiende en su sentido habitual como acción dirigida a reivindicar para sí la titularidad de una competencia ejercida por otro. Se extiende objetivamente al ámbito de sus intereses peculiares que, evidentemente, se ven afectados por la regulación estatal de una materia acerca de la cual también la C.A. en cuestión dispone de competencias propias, aunque distintas de las del Estado. El haz de competencias de la C.A., plasmación positiva de su ámbito propio de autonomía es, simplemente, el lugar donde ha de situarse el punto de conexión entre el interés de la C.A. y la acción que se intenta, pero el objetivo que esta persigue, la pretensión a que da lugar, no es la preservación o delimitación del propio ámbito competencial, sino la depuración objetiva del ordenamiento mediante la invalidación de la norma inconstitucional. Como es evidente, esta pretensión sólo podrá generalmente fundamentarse con éxito en la vulneración de normas constitucionales no delimitadoras de competencias, pues estas normas delimitadoras son en nuestro sistema normas particulares, referidas a las distintas CC.AA. y, en consecuencia, su infracción, como ya se indicó en nuestra STC. de 13 de febrero de 1981, no afecta a su validez. De ahí, como se indica en nuestra sentencia ya citada de 14 de julio de 1981, el carácter complementario del recurso de inconstitucionalidad y el conflicto de competencia.»

STC. 199/87 de 16 de diciembre (**no restricción de la legitimación de CC.AA.**)

Fto. Jco. 1: «...la legitimación de las CC.AA. para interponer el recurso de inconstitucionalidad no está al servicio de la reivindicación de una competencia violada, sino de la depuración del ordenamiento jurídico, y en este sentido, dicha legitimación se extiende a todos aquellos supuestos en que exista un punto de conexión material entre la Ley estatal y el ámbito competencial autonómico, lo cual, a su vez, no puede ser interpretado restrictivamente tanto por el propio interés en la constitucionalidad que prima a la hora de habilitar la acción frente a las leyes estatales, como por el hecho de que el art. 32.2 de la LOTC contiene una precisión sobre el alcance de la legitimación para los recursos de inconstitucionalidad frente a las leyes estatales que establece el art. 162.1 de la C. Por ello, la exigencia específica de posible afectación 'a su propio ámbito de autonomía' no puede ser interpretada de forma restrictiva, sino en favor del reconocimiento de la legitimación.

En definitiva, la C.A. que recurre contra una Ley del Estado, está legitimada para actuar no sólo en defensa de su propia competencia en la materia, sino también para la depuración objetiva del orden jurídico que regula, en la medida en que el ejercicio o despliegue de las funciones que le correspondan pueda verse afectado, como textualmente dispone el art. 32.2 de la L.O. de este T.C., por la norma recurrida.»

STC. 223/2006 de 6 de julio (**carencia de legitimación de la CA**)

Fto. Jco. 2: « De acuerdo con el artículo 32.2 LOTC los órganos colegiados ejecutivos de las CA sólo están legitimados para el ejercicio del recurso de inconstitucionalidad contra las leyes, disposiciones o actos con fuerza de ley del estado que puedan afectar a su propio ámbito de autonomía. Carecen, por tanto, de legitimación para recurrir en vía directa contra las leyes, las disposiciones con fuerza de ley de su propia CA.»

STC. 42/85 de 15 de marzo (**la legitimación para el recurso de inconstitucionalidad**)

Fto. Jco. 2: «...la facultad de promover el recurso de inconstitucionalidad no la otorga la C. en atención a un interés propio de quienes la reciben, sino en virtud de la alta cualificación política que resulta de su cometido constitucional. No se defiende mediante este recurso ningún interés o derecho propio, sino el interés general y la supremacía de la C., de manera que el 'ius agendi' en que tal facultad consiste, sin conexión alguna con los derechos de que es titular la persona que lo ejerce, forma parte de las competencias que corresponden al órgano que se ocupa, o del haz de facultades propias de la representación política que se ostenta. No es la persona física concreta la que, por sí solo o en unión con otras, puede impugnar la constitucionalidad de las leyes, sino el órgano de que la misma es titular o la condición de representante del pueblo de la que está investida.

Esta naturaleza peculiar de la acción de inconstitucionalidad no puede ser olvidada cuando se intenta precisar el sentido y el alcance de la fórmula que utiliza el art. 162.1 de nuestra C. Emplea éste el término de legitimación (…) y de lo que antes decimos resulta evidente que esa legitimación no podrá ser negada, ni, en consecuencia, rehusado el pronunciamiento sobre el fondo de la pretensión deducida, por inexistencia de un derecho subjetivo o de un interés propio de quien ejerce la acción, sino sólo por inexistencia de la voluntad que se manifiesta o, tratándose de los órganos de las CC.AA., por no afectar el precepto objeto de la impugnación a su propio ámbito de autonomía, en razón del acotamiento introducido en este punto por el legislador en el art. 32.2 LOTC.

Cuando los legitimados son órganos monocráticos o unipersonales (…) es evidente que, salvo el improbable supuesto de una acción delictiva encaminada a formar su voluntad o a tergiversarla, la simple manifestación de esa voluntad hecha ante nosotros, directamente o a través de representante, basta para entender que la acción de inconstitucionalidad ejercida no adolece de defecto alguno de legitimación. Otro es, naturalmente, el caso, cuando la acción es ejercida por un órgano colegiado, pues siendo éste, y no su Presidencia o la Magistratura a la que, en cada caso, corresponda su representación, quien tiene la legitimación para ello, el ejercicio de la acción requiere la previa formación de la voluntad impugnatoria de acuerdo con las reglas de procedimiento interno propias del órgano en cuestión, y el recurso no será admitido cuando no se acredite la preexistencia de tal voluntad.

Este es, efectivamente, el requisito que la LOTC (art. 32.2) impone para la interposición del recurso de inconstitucionalidad por parte de los órganos colegiados o las Asambleas legislativas de las CC.AA., únicos órganos colegiados que en el referido precepto se contemplan. No cabe duda de que tales órganos colegiados tienen la capacidad suficiente para ejercer la acción de inconstitucionalidad o, si se quiere, la 'legitimatio ad procesum'. A falta de ese acuerdo previo que el mencionado precepto exige, la acción intentada en su nombre, incluso por quien ostente en términos irreprochables su representación procesal, no puede conducir a un pronunciamiento sobre el fondo de la pretensión cuando, de oficio o a instancia de parte, se advierte su defecto. En cuanto que en el tenor literal del artículo tan repetidamente citado se enlaza la existencia del acuerdo previo con la legitimación del órgano, parece razonable pensar que ésta es concebida más como condición de la acción que como mero requisito procesal, mas sea cual fuere la construcción doctrinal que a partir de los textos se haga, queda fuera de toda duda que la acción de inconstitucionalidad intentada por un órgano colegiado requiere la preexistencia de un acuerdo del mismo.

De otra parte, siendo la legitimación para la acción de inconstitucionalidad una potestad atribuída directamente por la C. a determinados órganos o miembros de órganos representativos y no una facultad que derive del derecho del que se es titular, es claro que no puede ser delegada ni transmitido el poder para ejercerla y que, en consecuencia, la decisión de impugnar no puede ser adoptada en términos genéricos, habilitando a delegados, apoderados o mandatarios para interponer o no la acción de inconstitucionalidad, según su propio criterio, contra las leyes que en el futuro se vayan promulgando.

Esta conclusión, a la que igualmente conduce el elemental razonamiento de que no cabe adoptar la decisión de impugnar una ley mientras tal ley no exista, aparece consagrada por el tan citado art. 32.2 LOTC, que no sólo exige 'acuerdo previo', sino que también este haya sido 'acordado al efecto'.

Aunque la inexistencia de una precisión análoga respecto del recurso interpuesto por 50 Diputados o 50 Senadores pudiera hacer pensar que en este caso no es condición necesaria para el ejercicio de la acción un 'previo acuerdo adoptado al efecto', es evidente que también en este supuesto es indispensable ese requisito que deriva de las mismas razones (reforzadas, incluso, por la naturaleza ocasional de la agrupación de Diputados o Senadores que ejercita la acción) y que igualmente viene exigido, en conexión con la designación de Comisionado, por el art. 82.1 LOTC.

La legitimación para el recurso de inconstitucionalidad no está atribuída en este caso, en efecto, a un órgano y ni siquiera a una parte de un órgano que, como sucede con el grupo parlamentario, posee una cierta continuidad, una composición personal estable y un grado mayor o menor de organización, sino a la agrupación ocasional o 'ad hoc' de 50 Diputados o 50 Senadores, que se unen al solo efecto de impugnar la validez constitucional de una ley. La agrupación surge sólo de la concurrencia de voluntades en la decisión impugnatoria y sólo tiene existencia jurídica como parte en el proceso que con esa impugnación se inicia, en el cual los Diputados o Senadores no actúan en rigor como 'litis consortes', sino como integrantes de una parte única que, por imperio de la Ley, ha de ser siempre plural. De ahí el que hayan de actuar mediante una representación única que puede ser otorgada, bien a uno de sus miembros, bien a un Comisionado 'nombrado al efecto' (art. 82.1 LOTC). No cabe, por tanto, transferir o delegar la facultad de impugnar, ni en el miembro de la agrupación, ni en el Comisionado, pues la parte a la que uno u otro han de representar sólo existe precisamente como parte del proceso para el que se les otorgó la representación y esta parte resulta sólo, como se dice antes, de la concurrencia de voluntades en el propósito impugnatorio. Es claro que al mismo resultado se llega desde otro punto de vista, a partir de la consideración de que no son nunca delegables las facultades que se ostenta como representante de la voluntad popular, pero no es necesario insistir más ahora en la demostración de lo evidente.»

ATC. 547/89 de 15 de septiembre (legitimación y expiración del mandato de Senadores)

Fto. Jco. 3: «En materia de legitimación ex art. 32.1 LOTC., este TC. ha sostenido que la facultad de promover un recurso de inconstitucionalidad no la otorga la CE. en atención a un interés propio de quienes la reciben, sino en virtud de la alta cualificación política que resulta de su respectivo cometido constitucional (...). Mediante el recurso de inconstitucionalidad, por tanto, no se defiende un interés o derecho propio (...), sino un interés general y la misma supremacía de la CE. que se proyecta sobre Leyes supuestamente inconstitucionales. Se ha dicho además, que la atribución de dicha legitimación a un órgano colegiado o a 'partes de un órgano constitucional' (como son los cincuenta Diputados o Senadores) que manifiestan una concurrencia de voluntades en la decisión impugnatoria se encuadra claramente en este contexto y, en consecuencia, cada Diputado o Senador no es titular ni dueño de un derecho a la acción del que pueda disponer libremente para 'apartarse del recurso' con posterioridad a su interposición. En definitiva debe colegirse que la legitimación constitucional es una atribución a determinados órganos unipersonales o de partes o fracciones de órganos colegiados cuando actúen conjuntamente, que deriva de una opción del constituyente, y no de la concreta titularidad de derechos por parte de los legitimados; de forma que no existe un correlato necesario entre garantía constitucional de derechos o de cualesquiera competencias y legitimación o acceso a la justicia constitucional(...) y se produce una relativa disociación entre la titularidad de la acción y la del derecho.

Esta disociación entre legitimación y titularidad de un derecho o competencia puede entenderse también aplicable a la relación entre legitimación y mandato representativo, cuando agotado éste por expiración de su término o disolución anticipada de las Cortes, no puede mantenerse la conexión necesaria entre la función representativa y la legitimación para el recurso de inconstitucionalidad si no es a costa de hacer inimpugnables en esta vía las leyes promulgadas durante o inmediatamente antes del interregno, como ocurre en el presente caso en el que en el momento de la promulgación de la Ley, de cuya impugnación aquí se trata, tenían la condición de Senadores los firmantes del recurso. La finalidad de preservar el interés general que concurre en la defensa de la CE. y de sus contenidos, poniendo en marcha los mecanismos que depuran el ordenamiento jurídico de Leyes inconstitucionales (...), ha de llevar a interpretar la legitimación prevista en art. 32.1 LOTC. en el sentido más favorable a la función de garantía que supone. Por ello, a los exclusivos efectos de lo previsto en el art. 32.1, c) y d) LOTC., ha de reconocerse que la pérdida de la condición de Diputado o Senador por disolución anticipada de las Cámaras o por expiración del mandato de cuatro años no impide la titularidad de la acción de inconstitucionalidad y, en consecuencia, ha de aceptarse la legitimación de los Senadores recurrentes para formular el presente recurso de inconstitucionalidad.»

STC. 19/83 de 14 de marzo (legitimación amparo: personas jurídicas públicas)

Fto. Jco. 11: «Pues bien, de acuerdo con los preceptos mencionados (arts. 162.1 b) C.E., 44 y 346.1 b) LOTC), ha de afirmarse que la legitimación para interponer recursos de amparo no corresponde sólo a los ciudadanos, sino a cualquier persona, natural o jurídica, que sea titular de un interés legítimo, aun cuando no sea titular del derecho fundamental que se alega como vulnerado.

En consecuencia, no puede sostenerse la falta de legitimación de la Diputación Foral de Navarra para promover el presente recurso de amparo, dada la personalidad de la misma en el momento de formular la demanda, y el hecho de haber sido parte en el proceso antecedente.»

STC. 53/83 de 20 de junio (legitimación amparo: sociedades mercantiles)

Fto. Jco. 1: «La referencia que hace el art. 53.2 de la C.E. a 'cualquier ciudadano' como sujeto que puede recabar la tutela de las libertades y derechos a través del recurso de amparo ante el T.C., y las notas que para algunos tipifican el concepto de ciudadano, no debe llevarnos a negar a las personas jurídicas, y entre ellas, a las sociedades mercantiles, como es aquí la actora, el que frente a una eventual violación del derecho que proclama el art. 24.1 de la C.E., puedan acudir al proceso de amparo.»

STC. 86/85 de 10 de julio (legitimación amparo: Ministerio Fiscal)

Fto. Jco. 1: «La legitimación para recurrir en amparo que la C. atribuye al Ministerio Fiscal en el apartado 1b), de su art. 162 y que aparece igualmente recogida en el punto 1b), del art. 46 de la LOTC, se configura como un 'ius agendi' reconocido a este órgano en mérito a su específica posición institucional, funcionalmente delimitada en el art. 124.1 de la norma fundamental. Promoviendo el amparo constitucional, el Ministerio Fiscal, defiende, ciertamente, derechos fundamentales, pero lo hace, y en esto reside la peculiar naturaleza de su acción, no porque ostente su titularidad, sino como portador del interés público en la integridad y efectividad de tales derechos. Esta legitimación, según se desprende del tenor literal del citado apartado 46.1 b) de la LOTC, y como corresponde también a su carácter institucional, no queda condicionada a la exigencia de haber actuado como parte el Ministerio Público en el proceso judicial antecedente, exigencia ésta que privaría de sentido a la propia previsión constitucional y legal de la legitimación que se considera, aunque sí ha de decirse que ésta no puede desplegarse, en virtud del carácter subsidiario del recurso de amparo, sino una vez que haya recaído, en la vía jurisdiccional ordinaria, resolución firme.

STC. 150/90 de 4 de octubre (**legitimación del Defensor del Pueblo**)

Fto. Jco. 1. «Tanto el Abogado del Consejo de Gobierno de la Comunidad de Madrid como el Abogado del Estado alegan que en recurso del Defensor del Pueblo concurre parcialmente un defecto de legitimación puesto que en el primero de los fundamentos jurídicos de la demanda imputa a la ley recurrida la infracción del principio de seguridad jurídica que establece el art. 9.3 de la C., siendo así que el Defensor del Pueblo sólo puede actuar, conforme a la L.O. 3/81 de 3 de abril, en defensa de los derechos comprendidos en el T. I de la C., función que delimita las competencias de la institución. Esta última objeción previa debe ser también rechazada por la sola y simple razón de que los arts. 162.1.a) de la C. y 32.1 de la LOTC reconocen la legitimación del Defensor del Pueblo para interponer recursos de inconstitucionalidad sin sujetarla a límites o condiciones objetivas de ningún tipo.»

STC. 155/2009 de 25 de junio (**admisión recurso amparo**)

Fto. Jco. 2 »...Este Tribunal estima conveniente, dado el tiempo transcurrido desde la reforma del recurso de amparo, avanzar en la interpretación del requisito del art. 50.1 b) LOTC. En este sentido considera que cabe apreciar que el contenido del recurso de amparo justifica una decisión sobre el fondo en razón de su especial trascendencia constitucional en los casos que a continuación se refieren, sin que la relación que se efectúa pueda ser entendida como un elenco definitivamente cerrado de casos en los que un recurso de amparo tiene especial trascendencia constitucional, pues a tal entendimiento se opone, lógicamente, el carácter dinámico del ejercicio de nuestra jurisdicción, en cuyo desempeño no puede descartarse a partir de la casuística que se presente la necesidad de perfilar o depurar conceptos, redefinir supuestos contemplados, añadir otros nuevos o excluir alguno inicialmente incluido.

Tales casos serán los siguientes: a) el de un recurso que plantee un problema o una faceta de un derecho fundamental susceptible de amparo sobre el que no haya doctrina del Tribunal Constitucional, supuesto ya enunciado en la STC. 70/2009, de 23 de marzo; b) o que dé ocasión al Tribunal Constitucional para aclarar o cambiar su doctrina, como consecuencia de un proceso de reflexión interna, como acontece en el caso que ahora nos ocupa, o por el surgimiento de nuevas realidades sociales o de cambios normativos relevantes para la configuración del contenido del derecho fundamental, o de un cambio en la doctrina de los órganos de garantía encargados de la interpretación de los tratados y acuerdos internacionales a los que se refiere el art. 10.2 CE; c) o cuando la vulneración del derecho fundamental que se denuncia provenga de la ley o de otra disposición de carácter general; d) o si la vulneración del derecho fundamental traiga causa de una reiterada interpretación jurisprudencial de la ley que el Tribunal Constitucional considere lesiva del derecho fundamental y crea necesario proclamar otra interpretación conforme a la Constitución; e) o bien cuando la doctrina del Tribunal Constitucional sobre el derecho fundamental que se alega en el recurso esté siendo incumplida de modo general y reiterado por la jurisdicción ordinaria, o existan resoluciones judiciales contradictorias sobre el derecho fundamental, ya sea interpretando de manera distinta la doctrina constitucional, ya sea aplicándola en unos casos y desconociéndola en otros; f) o en el caso de que un órgano judicial incurra en una negativa manifiesta del deber de acatamiento de la doctrina del Tribunal Constitucional (art. 5 de la Ley Orgánica del Poder Judicial: LOPJ); g) o, en fin, cuando el asunto suscitado, sin estar incluido en ninguno de los supuestos anteriores, trascienda del caso concreto porque plantee una cuestión jurídica de relevante y general repercusión social o económica o tenga unas consecuencias políticas generales, consecuencias que podrían concurrir, sobre todo, aunque no exclusivamente, en determinados amparos electorales o parlamentarios.

Art. 163. Cuando un órgano judicial considere, en algún proceso, que una norma con rango de ley, aplicable al caso, de cuya validez dependa el fallo, pueda ser contraria a la Constitución, planteará la cuestión ante el Tribunal Constitucional en los supuestos, en la forma y con los efectos que establezca la ley, que en ningún caso serán suspensivos.

LOTC arts. 35 y ss.

STC. 17/81 de 1 de junio de 1981 (**naturaleza de la cuestión de inconstitucionalidad**)

Fto. jco. 1: «La cuestión de inconstitucionalidad es, como el recurso del mismo nombre, un instrumento destinado primordialmente a asegurar que la actuación del legislador se mantiene dentro de los límites establecidos por la Constitución, mediante la declaración de nulidad de las normas legales que violen estos límites. El objetivo común, la preservación de la constitucionalidad de las leyes, puede ser perseguido a través de estas dos vías procesales que presentan características específicas, pero cuya identidad teleológica no puede ser ignorada...»
«La cuestión de inconstitucionalidad no es una acción concedida para impugnar de modo directo y con carácter abstracto la validez de la ley, sino un instrumento puesto a disposición de los órganos judiciales para conciliar la doble obligación en que se encuentran de actuar sometidos a la Constitución y a la ley. La estricta aplicación del principio de jerarquía permitiría al juez resolver el dilema en que lo situaría la eventual contradicción entre la Constitución y la ley con la simple inaplicación de esta, pero ello hubiera implicado someter la obra del legislador al criterio tal vez diverso de un elevado número de órganos judiciales, de donde podría resultar, entre otras cosas, un

alto grado de inseguridad jurídica. El constituyente ha preferido, para evitarlo, sustraer al juez ordinario la posibilidad de inaplicar la ley que emana del legislador constituído, aunque no la de cuestionar su constitucionalidad ante este Tribunal que, en cierto sentido, es así, no solo defensor de la Constitución, sino defensor de la ley. La defensa de la Constitución frente a eventuales extralimitaciones de los órganos dotados de poder para crear normas de carácter general corresponde, en primer lugar, a los jueces y tribunales, que han de negar validez, a las normas reglamentarias que sean contrarias a la Constitución, inaplicándolas, y están facultados para inaplicar también incluso las normas legales que adolezcan del mismo efecto, cuando sean anteriores a la Constitución. La supremacía de ésta obliga también a los jueces y tribunales a examinar, de oficio o a instancia de parte, la posible inconstitucionalidad de las leyes en las que, en cada caso concreto, hayan de apoyar sus fallos, pero, en defensa, como antes se dice, de la dignidad de la ley emanada de la representación popular, el juicio adverso a que tal examen pueda eventualmente conducirlos no los faculta para dejar sin más de aplicarlas, sino sólo para cuestionarla ante este Tribunal. La depuración continua del ordenamiento desde el punto de vista de la constitucionalidad de las leyes, y siempre a salvo la acción del propio legislador, es así el resultado de una colaboración necesaria entre los órganos del poder judicial y el Tribunal Constitucional, y sólo esta colaboración puede asegurar que esta labor depuradora sea eficaz y opere de manera dinámica y no puramente estática, ya que sólo por esta vía, y no por la del recurso de inconstitucionalidad, cabe tomar en consideración el efecto que la cambiante realidad social opera sobre el contenido de las normas.»

«La extraordinaria trascendencia de las cuestiones de inconstitucionalidad como principal mecanismo de conexión entre la jurisdicción ordinaria y la constitucional obliga, sin embargo, a extremar las garantías destinadas a impedir que esta vía procesal resulte desvirtuada por un uso no acomodado a su naturaleza, como sería, por ejemplo, el de utilizarla para obtener pronunciamientos innecesarios o indiferentes para la decisión del proceso en el que la cuestión se suscita…»

«…El órgano judicial que plantea la cuestión es así, en principio, el competente para determinar cuales son efectivamente las normas aplicables al caso que ha de decidir, y el control del T.C. sobre este primer requisito ha de limitarse, por decirlo así, a juzgar por las apariencias. Sólo cuando de manera evidente, sin necesidad de análisis de fondo, la norma cuestionada sea, según principios jurídicos básicos, inaplicable al caso en donde la cuestión se suscita, cabrá declarar inadmisible por esta razón una cuestión de inconstitucionalidad. Correlativamente es también claro que en ningún caso puede entenderse la admisibilidad de una cuestión de este género como una corroboración que el T.C. hace del juicio de aplicabilidad formulado por el órgano judicial proponente…»

«Los preceptos indicados (arts. 163 C.E. y 35.1 LOTC) condicionan el planteamiento (de la cuestión) al hecho de que el órgano judicial considere, esto es, estime o juzgue, que la norma es inconstitucional, lo que si bien puede entenderse que no impone a aquel una afirmación de inconstitucionalidad y permite que el planteamiento se haga en los casos de duda, de indeterminación entre dos juicios contradictorios, sí exige que el razonamiento que cuestiona la constitucionalidad haya de exteriorizarse, proporcionando los elementos que lleven al mismo, como explícitamente manda el art. 35.2 de la LOTC…»

«…Por último, la doble exigencia de que la cuestión haya de plantearse una vez concluso el procedimiento y de que el planteamiento haya de especificar y justificar en qué medida la decisión del proceso depende de la validez de la norma en cuestión, obligan al órgano competente a exponer ante este Tribunal la situación procesal y, sobre todo, el esquema argumental en razón del cual el contenido de su fallo depende precisamente de la validez de la norma cuya constitucionalidad cuestiona.»

STC. 76/82 de 14 de diciembre (**cuestión sobre autos**)

Fto. Jco. 1: «...no existe razón para que los autos, en cuanto resoluciones motivadas sobre cuestiones incidentales en el sentido más amplio de la expresión, no puedan dar lugar a una cuestión de inconstitucionalidad en orden a la norma aplicable y de cuya validez dependen. La utilización del vocablo «Sentencia» en el art. 35.2 de la LOTC o la de «fallo» en el art. 35.1 también de la LOTC y en el art. 163 de la C.E., no debe llevarnos a entender que sólo tienen acceso a la cuestión de inconstitucionalidad aquellos preceptos que se hacen valer para fundamentar la Sentencia entendida en su acepción formal. Cuando la cuestión de inconstitucionalidad surge respecto a una ley de cuya validez depende la decisión, podrá plantearse independientemente de que ésta adopte la forma de Sentencia, o se trate de una decisión bajo forma de Auto... Cabe concluir que el vocablo «fallo» en el art. 163 de la CE significa el pronunciamiento decisivo o imperativo de una resolución judicial, se trate de materia de fondo o de materia procesal».

STC. 26/84 de 24 de febrero (**condiciones para presentar la cuestión**)

Fto. Jco. 5: «...De acuerdo con las previsiones del art. 35.1 de la LOTC para que el planteamiento de una cuestión de inconstitucionalidad suscitada por un Juez o Tribunal conduzca finalmente a un pronunciamiento en cuya virtud nuestro tribunal proclame que una norma es o no contraria a la C.E., es menester la concurrencia de un triple condicionamiento, a saber: a) que se trate de una ley; b) que sea aplicable al caso y c) que de su validez dependa el fallo.»

STC. 94/86 de 8 de julio (**el fallo depende de la norma cuestionada**)

Fto. Jco. 2: «Figura entre tales exigencias (para la admisión de la cuestión) la de que de la validez de la norma cuestionada dependa el fallo del proceso en que la cuestión se suscita, ya que, en otro caso, faltarían las graves razones que permitirán acometer el juicio de constitucionalidad de la ley. Tal dependencia implica que debe existir una correlación lógica y directa entre la eventual anulación de la norma legal cuya constitucionalidad se cuestiona y la satisfacción de las pretensiones objeto del petitum de las partes en el proceso 'a quo', correlación que el órgano judicial llamado a resolver debe poner de relieve de manera razonada ante este Tribunal, pues en caso contrario sería imposible determinar si la cuestión planteada se ajusta a sus límites constitucionales.»

ATC. 389/90 de 29 de octubre (**inadmisión de la cuestión**)

Fto. Jco. 1: «El art. 37.1 de la LOTC... permite que las cuestiones de inconstitucionalidad sean inadmitidas mediante Auto y previa audiencia del Fiscal General del Estado, «cuando faltaren las condiciones procesales o fuere notoriamente infundada la cuestión suscitada». Este último concepto de cuestión 'notoriamente infundada' encierra un cierto grado de indefinición que se traduce procesalmente en otorgar a este TC. un margen de apreciación a la hora de controlar la solidez de la fundamentación de las cuestiones de inconstitucionalidad. A este respecto, desde sus primeras decisiones, el TC. ha mantenido una línea interpretativa muy flexible cuya finalidad fundamental ha sido, además de contribuir a la consolidación de la institución procesal, fomentar la colaboración entre órganos judiciales y jurisdicción constitucional de cara a cumplir el mandato de asegurar la supremacía de la C. mediante la depuración del ordenamiento jurídico a través de la expulsión de éste de las normas con fuerza de ley contrarias a la Norma fundamental.»

«Sin embargo, existen supuestos en los que un examen preliminar de las cuestiones de inconstitucionalidad permiten apreciar la falta de viabilidad de la cuestión suscitada, sin que ello signifique, necesariamente, que carezca de forma total y absoluta de fundamentación o que ésta resulte arbitraria. En tales casos puede resultar conveniente resolver la cuestión en la primera fase procesal, máxime si su admisión pudiera provocar efectos no deseables como la paralización de múltiples procesos en los que resulte aplicable la norma cuestionada.»

STC. 76/92 de 14 de mayo (**cuestión y proceso**)

Fto. Jco. 1: «La primera objeción...es que la actuación judicial regulada en los arts.130 LGT y 87.2 LOPJ no es un proceso, única esfera donde los Jueces y tribunales tienen reconocida la potestad para cuestionar la constitucionalidad de una norma según el art. 163 CE, sino una actuación judicial en garantía de un derecho fundamental que se inserta en un procedimiento administrativo...si bien es cierto que nuestra CE ha condicionado la posibilidad de plantear la cuestión de inconstitucionalidad a la existencia de un proceso, no lo es menos que la doble obligación en que se encuentran los Jueces y Tribunales de actuar sometidos a la ley y a la C, de un lado, y el principio de la seguridad jurídica (que las dudas de constitucionalidad ponen en evidencia), de otro, impiden que de la calificación dogmática de una actuación judicial como proceso pueda extraerse una consecuencia tan grave como la referencia a la legitimación de aquellos para plantear la cuestión de inconstitucionalidad. La `ratio´ de este proceso constitucional obliga a concluir que no puede negarse la legitimación para plantear las dudas de constitucionalidad de una norma con rango de ley al TC, único órgano competente para resolverlas, a un Juez o Tribunal que ha de aplicar la ley en unas actuaciones en que, sea cual sea su naturaleza y forma de desarrollo, ejerce poderes decisorios. No reconocerlo así llevaría a la grave conclusión de que en supuestos en los que el órgano judicial ejerza este tipo de potestad de carácter decisorio se vería obligado a aplicar una ley que considera inconstitucional o de cuya constitucionalidad duda, posibilidad ésta que el constituyente ha preferido sustraer al juez ordinario para evitar el alto grado de inseguridad jurídica que ello podría implicar.»

STC. 67/02 de 21 de marzo (**del juicio de relevancia**)

Fto. Jco. 2: «Existe ya una reiterada doctrina de este Tribunal acerca del denominado juicio de relevancia, determinante de la admisión a trámite de las cuestiones de inconstitucionalidad (art. 37 LOTC). Al efecto hemos venido manteniendo un criterio flexible de las previsiones de la LOTC, lo que se justifica por la conveniencia de que las cuestiones planteadas por los órganos judiciales encuentren, siempre que sea posible, solución por Sentencia con el objeto de contribuir a la depuración del Ordenamiento jurídico de preceptos presuntamente inconstitucionales, extendiendo así la fuerza vinculante de la

CE gracias a la cooperación entre los órganos judiciales y el TC. En este sentido hemos declarado también que es a los Jueces y Tribunales ordinarios que plantean las c.i. a quienes, en principio, corresponde comprobar y exteriorizar la existencia del llamado juicio de relevancia, de modo que el TC no puede invadir ámbitos que, primera y principalmente, corresponden a aquellos, adentrándose a sustituir o rectificar el criterio de los órganos judiciales proponentes, salvo en los supuestos en que "de manera notoria, sin necesidad de examinar el fondo debatido y en aplicación de principios jurídicos básicos se desprenda que no existe nexo causal entre la validez de los preceptos legales cuestionados y la decisión a adoptar en el proceso a quo, ya que en tales casos sólo mediante la revisión del juicio de relevancia es posible garantizar el control concreto de constitucionalidad que corresponde a la c.i. y evitar que los órganos judiciales puedan transferir al TC la decisión de litigios que pueden ser resueltos sin acudir a las facultades que este TC tiene para excluir del ordenamiento las normas inconstitucionales» (STC. 189/91).

Complementariamente debemos tener en cuenta, asimismo, que "no es preciso ni pertinente que, correspondiendo al órgano judicial ... interpretar los requisitos ordenadores de los procesos propios de su jurisdicción, este TC, con la excusa de constatar el carácter de norma decidendi de la norma legal cuestionada, se adentre a sustituir o modificar el criterio del órgano judicial proponente que, aun pudiendo ser discutible, no resulta irrazonable o radicalmente infundado."

Art. 164. 1. Las sentencias del Tribunal Constitucional se publicarán en el «Boletín Oficial del Estado» con los votos particulares, si los hubiere. Tienen el valor de cosa juzgada a partir del día siguiente de su publicación y no cabe recurso alguno contra ellas. Las que declaren la inconstitucionalidad de una ley o de una norma con fuerza de ley y todas las que no se limiten a la estimación subjetiva de un derecho, tienen plenos efectos frente a todos.

2. Salvo que en el fallo se disponga otra cosa, subsistirá la vigencia de la ley en la parte no afectada por la inconstitucionalidad.

STC. 5/81 de 13 de febrero (sentencias interpretativas)

Fto. Jco. 6: «Las llamadas en parte de la doctrina Sentencias interpretativas, esto es, aquellas que rechazan una demanda de inconstitucionalidad o, lo que es lo mismo, declaran la constitucionalidad de un precepto impugnado en la medida en que se interprete en el sentido que el T.C. considera como adecuado a la C., o no se interprete en el sentido (o sentidos) que considera inadecuados, son efectivamente, un medio al que la jurisprudencia constitucional de otros países ha recurrido para no producir lagunas innecesarias en el ordenamiento, evitando, al tiempo, que el mantenimiento del precepto impugnado pueda lesionar el principio básico de la primacía de la C. Es, en manos del Tribunal, un medio lícito, aunque de muy delicado y difícil uso, pero la emanación de una Sentencia de este género no puede ser objeto de una pretensión de los recurrentes. El T.C. es intérprete supremo de la C., no legislador, y sólo cabe solicitar de él el pronunciamiento sobre adecuación o inadecuación de los preceptos a la C.»

STC. 11/81 de 8 de abril (interpretar no puede ser deducir una norma no explícita)

Fto. Jco. 4: «Se observará que esta labor interpretativa tiene por objeto el establecimiento del sentido y significación del texto, pero no, en cambio, lo que podría entenderse como interpretación en un sentido más amplio, que sería la deducción o reconstrucción del mandato normativo, mediante la puesta en conexión de textos. Puede el TC. establecer un significado de un texto y decidir que es el conforme con la CE. No puede en cambio tratar de reconstruir una norma que no esté debidamente explícita en un texto, para concluir que ésta es la norma constitucional.»

STC. 150/85 de 5 de noviembre (valor de cosa juzgada)

Fto. Jco. 2: «De acuerdo con el art. 164.1 de la C., las Sentencias que declaren la inconstitucionalidad de una Ley, además de tener el valor de cosa juzgada, tienen plenos efectos frente a todos; y, a tenor del art. 38.1 LOTC, las Sentencias recaídas en procedimientos de inconstitucionalidad tendrían el valor de cosa juzgada, vincularán a todos los poderes públicos y producirán efectos generales desde la fecha de su publicación en el BOE, debiendo señalarse además que, como establece el art. 39.1 de la LOTC, cuando la Sentencia declare la inconstitucionalidad, declarará asimismo la nulidad de los preceptos impugnados.

Pues bien, partiendo de tales preceptos, no puede caber duda de que una vez declarada por el T.C. la inconstitucionalidad y consiguiente nulidad de determinados preceptos de una ley, no puede plantearse de nuevo otra cuestión acerca de su inconstitucionalidad,porque tal cuestión ha sido ya decidida con valor de cosa juzgada y con efectos 'erga omnes', en los términos vistos.»

ATC. 309/87 de 12 de marzo (ejecución de sentencias por el TC)

Fto. Jco. 2: «...las Sentencias declaratorias de inconstitucionalidad de las leyes, que determinan el efecto de invalidación de las mismas, no tienen ejecución por la justicia constitucional. Producen efectos generales y vinculan a todos los poderes públicos... pero no requieren una especial actividad de ejecución por parte del TC. Es cierto que el art. 92 LOTC. permite al TC. que éste disponga en su Sentencia o en la resolución, o en actos posteriores, quién ha de ejecutarla y, en su caso resolver, los incidentes de ejecución, mas no debe olvidarse que el citado art. se encuentra contenido en las disposiciones comunes sobre procedimiento y que debe, por tanto, interpretarse en función de las peculiaridades de los diversos procedimientos posibles ante este TC., quedando, por lo ya indicado, excluída su aplicación en lo que afecta a las cuestiones de inconstitucionalidad.»

STC. 20/88 de 18 de febrero (explicación del 38.2 de la LOTC.)

Fto. Jco. 2: «...el art. 38.2 (LOTC) se refiere sólo a las Sentencias desestimatorias dictadas en recursos directos de inconstitucionalidad, quedando fuera del efecto impeditivo que dicho precepto consagra tanto las Sentencias dictadas en el recurso previo de inconstitucionalidad, que es, como queda dicho, un proceso distinto al del recurso directo, como la vía indirecta de la cuestión de inconstitucionalidad que los órganos judiciales pueden plantear ante este T.C. cuando alberguen dudas acerca de la validez de la norma legal aplicable al caso y de la cual dependa el fallo que hayan de dictar.»

STC. 45/89 de 20 de febrero (inconstitucionalidad y nulidad de la norma)

Fto. Jco. 11: «...hemos de comenzar por recordar que, de acuerdo con lo dispuesto en la LOTC. (art. 39.1), las disposiciones consideradas inconstitucionales han de ser declaradas nulas, declaración que tiene efectos generales a partir de su publicación en el BOE (art. 38.1 LOTC), y que en cuanto comporta la inmediata y definitiva expulsión del ordenamiento de los preceptos afectados impide la aplicación de los mismos desde el momento antes indicado, pues la LOTC. no faculta a este TC., a diferencia de lo que en algún otro sistema ocurre, para aplazar o diferir el momento de efectividad de la nulidad.

Ni esa vinculación entre inconstitucionalidad y nulidad es, sin embargo, siempre necesaria, ni los efectos de la nulidad en lo que toca al pasado vienen definidos por la LOTC., que deja a este TC. la tarea de precisar su alcance en cada caso, dado que la categoría de la nulidad no tiene el mismo contenido en los distintos sectores del ordenamiento.»

Art. 165. Una ley orgánica regulará el funcionamiento del Tribunal Constitucional, el estatuto de sus miembros, el procedimiento ante el mismo y las condiciones para el ejercicio de las acciones.

ATC. 26/2007 de 5 de febrero (recusación Magistrado TC)

Fto. Jco. 2: « Nuestro enjuiciamiento de fondo debe comenzarse señalando que el art. 165 CE remite a la Ley Orgánica del Tribunal Constitucional la regulación, entre otros extremos, del funcionamiento de este Tribunal y del estatuto de sus miembros. Por su parte, el art. 22 LOTC dispone que sus Magistrados ejercerán su función de acuerdo, entre otros principios, con el de imparcialidad, a cuyo aseguramiento obedecen precisamente las causas de recusación y abstención.

A diferencia de lo que acontece en otros ordenamientos, nuestra Ley Orgánica no regula por sí misma las causas de recusación de los Magistrados del Tribunal, sino que se remite a las que son aplicables a los Jueces y Magistrados de la jurisdicción ordinaria. Se diferencia en este extremo de lo que acontece en otros sistemas, en los que su propia Ley reguladora establece previsiones específicas para la abstención o recusación de los Magistrados, adaptadas a la naturaleza singular de esta institución de garantía constitucional, como, por todos, ocurre con los arts. 18 y 19 de la Ley reguladora del Tribunal Constitucional federal alemán.

En efecto, el art. 80 LOTC se remite, a falta de una regulación expresa, a la Ley Orgánica del Poder Judicial y a la Ley de enjuiciamiento civil. Así pues, y en virtud, a su vez, de la remisión del art. 99.2 LEC a la Ley Orgánica del Poder Judicial, las causas de abstención y de recusación de los Magistrados del Tribunal Constitucional son, en la actualidad, las enumeradas en el art. 219 LOPJ, en la redacción establecida por la Ley Orgánica 19/2003, de 23 de diciembre, vigente desde el pasado 15 de enero de 2004.

La traslación a la jurisdicción constitucional de las causas de recusación que operan en la jurisdicción ordinaria no está exenta de dificultades, que dimanan fundamentalmente de la naturaleza de algunos procesos constitucionales y de la composición del Tribunal. Los procesos constitucionales —en especial los recursos y cuestiones de inconstitucionalidad, como procesos objetivos y abstractos de control de constitucionalidad de las leyes— pueden comportar modulaciones en la aplicación supletoria de la Ley Orgánica del Poder Judicial y la Ley de enjuiciamiento civil en materia de abstención y recusación, pero no permiten eludir la aplicación a cada caso de las causas concretas de recusación establecidas en la Ley Orgánica del Poder Judicial con carácter general. En efecto, el carácter jurisdiccional que siempre reviste nuestra actuación (por todas, Declaración 1/2004, de 13 de diciembre, Fto. Jco. 1) y el mandato de que sus Magistrados ejerzan su función de acuerdo con el principio de imparcialidad (art. 22 LOTC), conducen a declarar que el régimen de recusaciones y abstenciones de los Jueces y Magistrados del Poder Judicial son aplicables (ex art. 80 LOTC) a los Magistrados del Tribunal Constitucional.

Con todo, la naturaleza singular de este Tribunal y de los procesos constitucionales a él sometidos nos ha llevado a una jurisprudencia muy rigurosa en la apreciación de las causas de recusación y abstención de que se trata. Hemos afirmado, así, que la enumeración establecida actualmente en el art. 219 LOPJ es taxativa y de carácter cerrado, de suerte que "los motivos de recusación han de subsumirse necesariamente en algunos de aquellos supuestos que la ley define como tales" (SSTC. 69/2001, de 17 de marzo, Fto. Jco. 21, y 157/1993, de 6 de mayo, Fto. Jco. 1, citadas en ATC. 61/2003, de 19 de febrero, Fto. Jco. 1). Por otra parte en el escrito en el que se proponga una recusación se debe expresar "concreta y claramente la causa de recusación" prevista por la ley, sin que "baste afirmar un motivo de recusación; es preciso expresar los hechos concretos en que la parte funde tal afirmación y que estos hechos constituyan —en principio— los que configuran la causa invocada" (ATC. 109/1981, de 30 de octubre, Fto. Jco. 2; en el mismo sentido, AATC. 115/2002, de 10 de julio, F J 1; y 80/2005, de 17 de febrero, Fto. Jco. 3).

Nuestra jurisprudencia también ha destacado que la composición específica de este Tribunal Constitucional, cuyos Magistrados no son susceptibles de sustitución, conduce a una interpretación estricta o no extensiva de las causas de recusación o abstención previstas en la Ley Orgánica del Poder Judicial (STC. 162/1999, de 27 de septiembre, Fto. Jco. 8). En dos recusaciones muy recientes, formuladas además en este mismo proceso constitucional, hemos recordado (con cita de la STC. 162/1999, de 27 de septiembre, Fto. Jco. 8) que, "en la medida en que las causas de recusación permiten apartar del caso al juez predeterminado por la ley, la interpretación de su ámbito ha de ser restrictiva y vinculada al contenido del derecho a un juez imparcial"; "interpretación restrictiva que se impone mas aún respecto de un órgano, como es el Tribunal Constitucional cuyos miembros no pueden ser objeto de sustitución" (AATC. 394/2006, de 7 de noviembre, Fto. Jco. 2, y 383/2006, de 2 de noviembre, Fto. Jco. 3).

Una interpretación restrictiva no comporta, sin embargo, la exclusión de la posibilidad de que se aprecien abstenciones o causas de recusación.

La participación de todos los miembros que integran este Tribunal en los procesos constitucionales no es, en efecto, un elemento decisivo para entenderlo así, como lo evidencia la previsión misma de la posibilidad de constitución del Pleno, de las Salas y de las Secciones de este Tribunal sin la totalidad de sus componentes, sino con el quórum de presencia que resulta del art. 14 LOTC. Por otra parte el mandato citado, del art. 22

LOTC, que exige que los Magistrados ejerzan su función de acuerdo con el principio de imparcialidad, no contiene salvedad respecto de los procesos objetivos de control de constitucionalidad ni de ninguno de los procesos de que conoce este Tribunal (ATC. 226/2002, de 20 de noviembre, Fto. Jco. 3).»

TÍTULO X
De la reforma constitucional

Art. 166. La iniciativa de reforma constitucional se ejercerá en los términos previstos en los apartados 1 y 2 del artículo 87.

Art. 167. 1. Los proyectos de reforma constitucional deberán ser aprobados por una mayoría de tres quintos de cada una de las Cámaras. Si no hubiera acuerdo entre ambas, se intentará obtenerlo mediante la creación de una Comisión de composición paritaria de Diputados y Senadores, que presentará un texto que será votado por el Congreso y el Senado.

2. De no lograrse la aprobación mediante el procedimiento del apartado anterior, y siempre que el texto hubiere obtenido el voto favorable de la mayoría absoluta del Senado, el Congreso, por mayoría de dos tercios, podrá aprobar la reforma.

3. Aprobada la reforma por las Cortes Generales, será sometida a referéndum para su ratificación cuando así lo soliciten, dentro de los quince días siguientes a su aprobación, una décima parte de los miembros de cualquiera de las Cámaras.

RCD arts. 146 y 147
RS arts. 152 a 159

Declaración de 1 de julio de 1992

Ver selección con relación a los arts. 93 y 95.

Art. 168. 1. Cuando se propusiere la revisión total de la Constitución o una parcial que afecte al Título preliminar, al Capítulo II, Sección 1ª del Título I, o al Título II, se procederá a la aprobación del principio por mayoría de dos tercios de cada Cámara, y a la disolución inmediata de las Cortes.

2. Las Cámaras elegidas deberán ratificar la decisión y proceder al estudio del nuevo texto constitucional, que deberá ser aprobado por mayoría de dos tercios de ambas Cámaras.

3. Aprobada la reforma por las Cortes Generales, será sometida a referéndum para su ratificación.

Art. 169. No podrá iniciarse la reforma constitucional en tiempo de guerra o de vigencia de alguno de los estados previstos en el artículo 116.

DISPOSICIONES ADICIONALES

Primera. La Constitución ampara y respeta los derechos históricos de los territorios forales.

La actualización general de dicho régimen foral se llevará a cabo, en su caso, en el marco de la Constitución y de los Estatutos de Autonomía.

STC. 16/84 de 6 de febrero (**caso de Navarra. La LORAFNA es E.A.**)

Fto. Jco. 2: «Dicha objeción no es aceptable a la luz de la Constitución y de la propia Ley orgánica de Reintegración y Amejoramiento del Fuero de Navarra (LORAFNA), de las que no se deduce, en forma alguna, la inaplicabilidad a Navarra de los citados arts. 161.2 de la C.E. y 76 y 77 de la LOTC. En efecto, la Constitución Española, en su art. 2 reconoce y garantiza el derecho a la autonomía de las nacionalidades y regiones que integran la Nación española, introduciendo así en el ordenamiento una nueva categoría de entes territoriales, dotados de autonomía, diferentes de los ya existentes, provincias y municipios. El art. 137 de la C.E. precisa esta nueva ordenación al señalar que el Estado se organiza territorialmente en municipios, en provincias y en las Comunidades Autónomas que se constituya», y que «todas estas entidades gozan de autonomía para la gestión de sus respectivos intereses». Frente a la autonomía municipal y provincial, el acceso de las nacionalidades y regiones a la autonomía aparece regulado en la Constitución de acuerdo con unos principios dispositivos que permiten que el régimen autonómico se adecúe en cada caso a las peculiaridades y características de esas regiones y nacionalidades. Principio dispositivo que alcanza a materias como la denominación a adoptar, que podrá acomodarse a la tradición histórica; el procedimiento de acceso a la autonomía, que presenta diversas modalidades, como se desprende de los arts. 143, 144, 151, disposición adicional primera, disposiciones transitorias primera, segunda, cuarta y quinta de la C.E., competencias a asumir, como resulta de los artículos 148 y 149, entre otros, de la C.E., e instituciones de los entes autonómicos, siempre dentro de los límites que la Constitución señala. Como consecuencia, y en virtud de las disposiciones constitucionales, el acceso a la autonomía de las nacionalidades y regiones se ha producido por vías diversas y se ha configurado en formas muy distintas de un caso a otro. Ello no obstante, y sin perjuicio del margen dejado a las peculiaridades y características de cada nacionalidad o región, la C.E. contiene una serie de preceptos y disposiciones referentes a la ordenación de este proceso de reestructuración territorial del Estado, de los que se excluye el principio dispositivo, fijando normas a las que los entes autonómicos así creados deben atenerse. Estos preceptos se encuentran a lo largo de todo el texto constitucional, y se refieren a una multiplicidad de temas que, y sin carácter exhaustivo, son los siguientes: a') incompatibilidades entre la pertenencia de Diputado o Senador a las Cortes generales y a las Asambleas autonómicas (art. 67.1 de la C.E.); b') designación de Senadores (art. 69.5 de la C.E.); c') exigencia del carácter de Ley Orgánica para las que se aprueben los Estatutos de Autonomía (art. 81.1 de la C.E.); d') límites a los Decretos-leyes en cuanto a la modificación del régimen autonómico (art. 81.1 de la C.E.); e') requerimiento de información y ayuda por parte de las Cámaras de las Cortes Generales (art. 109 de la C.E.); f') participación en los proyectos de planificación (art. 131 de la C.E.), y g') extensión de la competencia del Tribunal Constitucional (art. 161 de la C.E.).

Fto. Jco. 3: «El hecho de que el acceso de Navarra a su actual régimen autonómico se haya llevado a cabo por una vía peculiar —mediante lo previsto en la disposición adicional primera de la Constitución— y de que la denominación utilizada en la Ley Orgánica de 13/1982, de 10 de agosto, de Reintegración y Amejoramiento del Régimen Foral de Navarra, para referirse a la entidad autonómica por ella regulada sea la de Comunidad Foral y no la de Comunidad Autónoma, no supone que no le sean aplicables esas disposiciones constitucionales, o que quede al margen de ellas. La Constitución, en efecto, emplea el término genérico de 'Comunidades Autónomas', sin distinguir entre las diversas vías seguidas para acceder a la autonomía, o las diversas denominaciones que se hayan adoptado, para referirse a las entidades territoriales que resultan de la aplicación del principio de autonomía de nacionalidades y regiones, y emplea el término de 'Estatuto de Autonomía' para referirse a la norma institucional básica de dichas Comunidades. Así, en la misma disposición adicional primera de la C.E. se especifica que la vía por ella prevista de la actualización general del régimen foral 'se llevarán a cabo, en su caso, en el marco de la Constitución y de los Estatutos de Autonomía'.

La Comunidad Foral navarra se configura, pues, dentro de ese marco constitucional, como una Comunidad Autónoma con denominación y régimen específicos, que no excluyen su sometimiento, como las restantes Comunidades Autónomas, a los preceptos constitucionales que regulan el proceso autonómico. Ello se traduce en el mismo contenido material de la LORAFNA que no sólo se configura según líneas idénticas a otros estatutos, sino que, contiene numerosas disposiciones que suponen el reconocimiento del sometimiento de la Comunidad Foral a las reglas generales que ordenan el proceso autonómico. Así, y a título de ejemplo, su art. 39.1 c) señala que corresponden a Navarra 'todas aquellas facultades o competencias que la legislación del Estado atribuya, transfiera o delegue, con carácter general, a las Comunidades Autónomas', y, en la materia referente a la competencia del T.C., el art. 36 se remite a «los casos y formas establecidos por las leyes» en cuanto a la legitimación para suscitar conflictos de competencia y proponer recursos de inconstitucionalidad el Parlamento y la Diputación de Navarra. Mas precisamente el art. 69 de la referida LORAFNA indica que las 'discrepancias que se susciten entre la Administración del Estado y la Comunidad Foral de Navarra' serán resueltas por una Junta de Cooperación 'sin perjuicio de la legislación propia del Tribunal Constitucional y de la Administración de Justicia'.

Las peculiaridades, pues, de la vía por la que Navarra ha configurado su autonomía, dentro del marco constitucional, no excluyen la aplicabilidad, respecto de las resoluciones y disposiciones de los órganos de dicha Comunidad, de lo previsto en los arts. 161.2 de la C.E. y 76 y 77 de la LOTC, como se deriva del mismo art. 60 de la propia LORAFNA citada. Por lo que se refiere a la intervención de la Junta de Cooperación prevista en el mismo artículo, la exigibilidad de tal requisito no puede plantearse como cuestión a resolver en el presente caso, no sólo por no haberse constituido tal organismo en el momento en que se produjo la impugnación gubernamental, sino también porque no estamos ante una discrepancia propiamente dicha entre la Administración del Estado y la Comunidad Foral, pues de una parte, la impugnación ha sido planteada por el Gobierno de la Nación que, según el Título IV de la C.E., aparece diferenciado de la administración propiamente dicha a la que dirige, y de otra, el objeto de la impugnación es un acto que, como veremos, ha de incluirse en la materia constitucional».

STC. 76/88 de 26 de abril (la C. obra del poder constituyente; la garantía institucional de la foralidad)

Fto. Jco. 1: «Aun cuando el presente recurso se dirige frente a preceptos de la Ley vasca de Territorios Históricos que versan sobre materias diversas, los argumentos de los recurrentes en relación con todos ellos, parten de una base común, consistente en afirmar que vulneran, por distintos motivos, la garantía de los derechos de los territorios forales contenida en la Disposición adicional primera de la Constitución y en el Estatuto de Autonomía del País Vasco. Resulta por tanto conveniente, para decidir sobre las cuestiones que se nos proponen, examinar, siquiera sea someramente, el significado de la mencionada Disposición adicional, y las consecuencias que de ella se derivan.

Fto. Jco. 2: «Comienza la Disposición proclamando que 'la Constitución ampara y respeta los derechos históricos de los territorios forales'. Vienes pues a referirse a aquellos territorios integrantes de la Monarquía española que, pese a la unificación del Derecho público y de las instituciones políticas y administrativas del resto de los reinos y regiones de España, culminada en los Decretos de Nueva Planta de 1707, 1711, 1715 y 1716, mantuvieron sus propios fueros (entendidos tanto en el sentido de peculiar forma de organización de sus poderes públicos como del régimen jurídico propio en otras materias) durante el siglo XVIII y gran parte del XIX, llegando incluso hasta nuestros días manifestaciones de esa peculiaridad foral. Tal fue el caso de cada una de las Provincias Vascongadas y de Navarra. En lo que atañe a las primeras —sobre cuyos derechos históricos versa el recurso de inconstitucionalidad a resolver— sus respectivos regímenes forales se vieron afectados por la Ley confirmatoria de 25 de octubre de 1839, y, posteriormente, por la Ley de 21 de julio de 1876, que vino a suprimir gran parte de las particularidades forales aún existentes, si bien las tres provincias vascongadas mantuvieron, a partir del Real Decreto de 28 de febrero de 1878, que aprueba el primer concierto Económico, un régimen fiscal propio, interrumpido respecto a Vizcaya y Guipúzcoa por el Decreto-ley de 23 de junio de 1937, pero que se mantuvo en la provincia de Alava.
Incluso de tan sucinta exposición se desprende que las peculiaridades forales (del régimen público) de las tres provincias vascongadas han atravesado fases históricas muy distintas, como son la correspondiente al Antiguo Régimen (hasta 1812), la anterior a la Ley de 1839 (bajo la vigencia de las Constituciones de 1812 y 1837), la posterior a esta Ley hasta la Ley de 1876, y, tras ésta, una etapa de conciertos económicos, bajo las Constituciones de 1876 y 1931, prolongada en el caso de Alava, hasta la entrada en vigor de la Ley aprobatoria del Concierto Económico de 13 de mayo de 1981. Se trata, por tanto, por un lado, de regímenes forales de variable contenido, sin que sean, como es lógico, comparables las peculiaridades existentes bajo la Monarquía del Antiguo Régimen (pase foral, régimen aduanero, exención de quintas, organización judicial propia) con las que se conservaron en el régimen constitucional, ni tampoco sean, ni mucho menos, homogéneas las características del régimen foral de cada provincia durante la vigencia de las diversas Constituciones de 1812 a nuestros días; y, por otra parte, es obvio que esos regímenes forales surgieron o cobraron vigencia en contextos muy distintos del que representa la actual Constitución, los principios que proclama y la organización territorial que introduce».

Fto. Jco. 3: «El segundo apartado de la Disposición adicional primera de la Constitución toma en cuenta ambos aspectos, al establecer que 'la actualización general de dicho régimen foral se llevará a cabo, en su caso, en el marco de la Constitución y los Estatutos de Autonomía'. Es evidente que esta precisión supone un complemento indisoluble del primer párrafo de la disposición adicional primera C.E., que ha de ser considerada en su conjunto, y no únicamente en cuanto reconocimiento y respeto de derechos históricos, sin otra matización. En efecto, la actualización que se prevé resulta consecuencia obligada del mismo carácter de norma suprema de la Constitución. Y ello, al menos, desde dos perspectivas.

Primeramente, desde la necesaria adaptación a los mandatos constitucionales de esos derechos históricos que se amparan y respetan. El carácter de norma suprema de la Constitución, a la que están sujetos todos los poderes del Estado (art. 9) y que resulta del ejercicio del poder constitucional del pueblo español, titular de la soberanía nacional, y del que emanan todos los poderes del Estado (art. 1.2 C.E.) imposibilita el mantenimiento de situaciones jurídicas (aun con una probada tradición) que resulten incompatibles con los mandatos y principios constitucionales. La Constitución no es el resultado de un pacto entre instancias territoriales históricas que conserven unos derechos anteriores a la Constitución y superiores a ellas, sino una norma del poder constituyente que se impone con fuerza vinculante general en su ámbito, sin que queden fuera de ella situaciones 'históricas' anteriores. En este sentido, y desde luego, la actualización de los derechos históricos supone la supresión, o no reconocimiento, de aquellos que contradigan los principios constitucionales. Pues será de la misma Disposición adicional primera C.E. y no de su legitimidad histórica de donde los derechos históricos obtendrán o conservarán su validez y vigencia.

En segundo lugar, ha de destacarse que la Constitución da lugar a la formación de una nueva estructura territorial del Estado, basada en unas entidades anteriormente inexistentes: Las Comunidades Autónomas. Aparecen así unos nuevos sujetos públicos a los que la Constitución otorga un 'status' propio, y atribuye potencialmente la asunción de un elenco de competencias, reservando a sus respectivos Estatutos, como normas institucionales básicas de cada Comunidad, la definición y regulación tanto de su propia organización como de las competencias que asuman. Esta nueva realidad no puede por menos de suponer una inevitable incidencia en situaciones jurídicas preexistentes. Tanto en las competencias de las Instituciones centrales del Estado, como (en lo que aquí importa) en las de otras entidades territoriales, los territorios forales, cuyos 'derechos históricos' habrán de acomodarse o adaptarse al nuevo orden territorial. La actualización, por tanto, y como la Constitución dispone, ha de llevarse a cabo también en el marco de los Estatutos de Autonomía, y ello puede suponer (contrariamente a lo señalado por los recurrentes) que determinados derechos históricos incompatibles con el hecho autonómico deban suprimirse, o que deban atribuirse a unos nuevos sujetos, las comunidades Autónomas, aquellos que resulten imprescindibles para su misma configuración o funcionamiento».

Fto. Jco. 4: «De la consideración de la disposición adicional primera C.E. en su totalidad, en relación con los mandatos constitucionales y la nueva estructura territorial que la Constitución prevé, se deriva que la garantía, o, literalmente, el amparo y respeto por parte de la Constitución de los derechos históricos de los territorios forales no puede estimarse como una garantía de toda competencia que pueda legítimamente calificarse de histórica; como este Tribunal declaraba en su STC. 123/1984, de 18 de diciembre, fundamento jurídico 3, la idea de derechos históricos no puede considerarse como un título autónomo del que puedan deducirse específicas competencias. Lo que la Constitución ha venido a amparar y respetar no es una suma o agregado de potestades, facultades o privilegios, ejercidos históricamente, en forma de derechos subjetivos de corporaciones territoriales, susceptibles de ser traducidos en otras tantas competencias de titularidad o ejercicio respaldadas por la Historia. Como resulta de la misma dicción del párrafo segundo de la Disposición adicional primera C.E., lo que se viene a garantizar es la existencia de un régimen foral, es decir, de un régimen propio de cada territorio histórico de autogobierno territorial,esto es, de su 'foralidad', pero no de todos y cada uno de los derechos que históricamente la hayan caracterizado. La garantía constitucional supone que el contenido de la foralidad debe preservar tanto en sus rasgos organizativos como en su propio ámbito de poder la imagen identificable de ese régimen foral tradicional. Es este núcleo identificable lo que se asegura, siendo, pues, a este último aplicables los términos de nuestra STC. 32/1981, de 28 de julio, cuando declaraba que, por definición, la garantía institucional no asegura un contenido concreto o un ámbito competencial determinado y fijado una vez por todas, sino la preservación de una Institución en términos recognoscibles para la imagen que de la misma tiene la conciencia social en cada tiempo y lugar (fundamento jurídico 3). Todo ello en el bien entendido que esa garantía —referida a los territorios forales—, si bien no especifica exhaustivamente las competencias históricas que protege (esto es, un haz determinado de competencias concretas), sí alcanza, como mínimo, irreductible, a proteger un régimen de autogobierno territorial con el que quepa reconocer el régimen foral tradicional de los distintos territorios históricos. Son de nuevo aplicables, a este respecto, las palabras de la STC. 32/1981, cuando afirmaba que la garantía institucional es desconocida cuando la institución es limitada de tal modo que se le priva prácticamente de sus posibilidades de existencia real como institución para convertirse en un simple nombre (fundamento jurídico 3). Dentro de estos límites, es al proceso de actualización previsto en la Disposición adicional primera C.E. al que corresponde precisar cuál es el contenido concreto que, en el nuevo marco constitucional y estatutario, se da al régimen foral de cada uno de los territorios históricos, garantizado por la C.E.»

Fto. Jco. 5: «Ello supone que, junto a la actualización que la Constitución por sí misma lleva a cabo, es el Estatuto de Autonomía el elemento más decisivo de actualización en lo que a los regímenes forales de los tres territorios históricos integrados en la Comunidad Autónoma del País Vasco se refiere. En efecto, el Estatuto de Autonomía se configura como norma fundacional de la Comunidad Autónoma del País Vasco, norma que, integrando en una organización política superior a tres territorios históricos que ya disfrutaban de un régimen foral de autogobierno, reconoce a la nueva organización política una serie de competencias, cuyo ejercicio deberá corresponder, en unos casos, a unas Instituciones comunes de nueva creación y, en otros, a los órganos de poder de dichos territorios históricos, quienes continuarán, en virtud de la garantía institucional de la Disposición adicional primera C.E., conservando un régimen de autogobierno en una Comunidad Autónoma interiormente descentralizada.
Al constituir el Estatuto la norma fundacional de la Comunidad Autónoma así estructurada, se convierte tanto en norma fundacional de las Instituciones comunes como en norma de integración y reestructuración (o actualización) de la potestad de autogobierno de los tres territorios históricos. Por medio del Estatuto, Alava, Guipúzcoa y Vizcaya pasan a organizar su derecho histórico al autogobierno, amparado por la Constitución, de modo distinto a como lo venían haciendo hasta el presente, de manera que su fondo

de competencias de raíz histórica (no incompatibles con los principios constitucionales) pasa a ejercerse en dos niveles diferentes: Uno, común, por parte de las Instituciones comunes, habida cuenta de su naturaleza y funciones en la Comunidad Autónoma; y otro, no centralizado, sustentado en los órganos de poder tradicionales de cada uno de los territorios históricos. En este sentido cabe afirmar que el Estatuto de Autonomía del País Vasco es, al mismo tiempo, expresión del derecho a la autonomía que la Constitución reconoce a la nacionalidad vasca, y expresión actualizada del régimen foral, como régimen foral actualizado, en el sentido de la Disposición adicional primera C.E. Así se explica que las Instituciones comunes del País Vasco hayan recibido del Estatuto de Autonomía funciones en materias directamente vinculadas al régimen foral (como son los conciertos económicos), y, viceversa, que el Estatuto haya posibilitado la asunción por órganos forales de los territorios históricos de diversas competencias sin necesaria relación con su ejercicio histórico [art. 37.3 f) EAPV].

El Estatuto de Autonomía lleva a cabo, una labor de actualización de los regímenes forales que supone, y hace posible, la integración de éstos en la nueva estructura territorial española. Tal actualización se lleva a cabo mediante dos vías: Por un lado, reconociendo de forma genérica la existencia de los regímenes forales; por otro, concretando y especificando su contenido mínimo.»

STC. 31/10 de 28 de junio (**significado de los derechos históricos**)

Fto. Jco. 10. De acuerdo con el art. 5 EAC "[e]l autogobierno de Cataluña se fundamenta también en los derechos históricos del pueblo catalán, en sus instituciones seculares y en la tradición jurídica catalana, que el presente Estatuto incorpora y actualiza al amparo del artículo 2, la disposición transitoria segunda y otros preceptos de la Constitución", lo que, a juicio de los recurrentes, supone recabar para el Estatuto de Autonomía una facultad de actualización de los derechos históricos y, con ella, de asunción de competencias por los cauces que la Constitución ha reservado a los territorios forales en su disposición adicional primera.

El art. 5 EAC sería manifiestamente inconstitucional si pretendiera para el Estatuto de Autonomía un fundamento ajeno a la Constitución, aun cuando fuera añadido al que ésta le dispensa. Sin embargo, el enunciado íntegro del artículo permite descartar esa interpretación, así como la de que con él se hayan querido traer a colación para la Comunidad Autónoma de Cataluña los derechos históricos a los que se refiere la disposición adicional primera de la Constitución. Tanto los derechos históricos como las instituciones seculares y la tradición jurídica de Cataluña invocados por el precepto son únicamente aquellos "de los que deriva el reconocimiento de una posición singular de la Generalitat en relación con el derecho civil, la lengua, la cultura, la proyección de éstas en el ámbito educativo, y el sistema institucional en que se organiza la Generalitat", según concluye el propio art. 5 EAC. Se trata, pues, de derechos históricos en un sentido bien distinto del que corresponde a los derechos de los territorios forales a que se refiere la disposición adicional primera de la Constitución. Y ello porque se refieren a derechos y tradiciones de Derecho privado o, en el ámbito del Derecho público, al derecho que la disposición transitoria segunda de la Constitución ha querido atribuir a los territorios que en el pasado hubieran plebiscitado Estatutos de autonomía en orden a facilitarles su constitución como Comunidades Autónomas a través de un procedimiento específico. Con ese limitado alcance, por completo diferente al que la Constitución ha reconocido a los derechos de los territorios forales de la disposición adicional primera, el art. 5 EAC anticipa el elenco de competencias que, de acuerdo con la Constitución, atribuye a la Comunidad Autónoma en el ámbito de la lengua, de la cultura y de la educación y hace explícitas las razones que justifican el concreto sistema institucional en el que se organiza la Generalitat de Cataluña.

Sólo de manera impropia podría entenderse que tales derechos históricos son también, jurídicamente, fundamento del autogobierno de Cataluña, pues en su expresado alcance constitucional únicamente pueden explicar la asunción estatutaria de determinadas competencias en el marco de la Constitución, pero nunca el fundamento de la existencia en Derecho de la Comunidad Autónoma de Cataluña y de su derecho constitucional al autogobierno. Los derechos, instituciones y tradiciones aludidos en el precepto, lejos de fundamentar en sentido propio el autogobierno de Cataluña, derivan su relevancia constitucional del hecho de su asunción por la Constitución y, desde ella, fundamentan, en términos constitucionales, el sistema institucional y competencial instaurado con el Estatuto de Autonomía.

En definitiva, el art. 5 EAC no es contrario a la Constitución interpretado en el sentido de que su inciso "en los derechos históricos del pueblo catalán" no remite al contenido de la disposición adicional primera de la Constitución ni es fundamento jurídico propio del autogobierno de Cataluña al margen de la Constitución misma, y así se dispondrá en el fallo.

En los mismos términos ha de entenderse la afirmación del preámbulo de que "[e]l autogobierno de Cataluña se fundamenta en la Constitución así como en los derechos históricos del pueblo catalán que, en el marco de aquélla, dan origen en este Estatuto al reconocimiento de una posición singular de la Generalitat".

Segunda. La declaración de mayoría de edad contenida en el artículo 12 de esta Constitución no perjudica las situaciones amparadas por los derechos forales en el ámbito del Derecho privado.

Tercera. La modificación del régimen económico y fiscal del archipiélago canario requerirá informe previo de la Comunidad Autónoma o, en su caso, del órgano provisional autonómico.

STC. 35/84 de 13 de marzo

Fto. Jco. 6: «Sentado que el supuesto que el recurso plantea queda dentro de las previsiones de la disposición adicional tercera de la CE., y del art. 45 de EA. de Canarias (derogación de la exacción sobre el precio de las gasolinas de automoción), es necesario examinar el alcance de la omisión del trámite de informe o audiencia en esas normas exigido, y con esta finalidad parece ante todo adecuado precisar que a tal respecto puede ser útil la aplicación de la doctrina existente, emitida a propósito del procedimiento administrativo, bien que con las necesarias matizaciones... a este campo constitucional. En este sentido ninguna duda se ofrece acerca de que nos hallamos ante informe o audiencia no facultativo, sino preceptivo, pues así resulta de lo imperativo de las expresiones utilizadas en los repetidamente invocados textos constitucionales... En cuanto al alcance o efectos de la omisión del trámite... es indispensable incluir algunas precisiones, como puede ser el recordar que si la omisión de informes o audiencias preceptivas, en el procedimiento administrativo, determina normalmente incidir en un vicio esencial, causante de la anulabilidad del acto o disposición final, en el orden de la materia objeto de este recurso, la imperativa exigencia del trámite establecida en textos de índole constitucional, así como el rango y carácter del órgano llamado a evacuarlo, y no menos el alcance y trascendencia de la materia objeto de la disposición, conducen inexcusablemente a entender que la repetida omisión es una violación que entraña la insonstitucionalidad que en este recurso se denuncia...»

Cuarta. En las Comunidades Autónomas donde tengan su sede más de una Audiencia Territorial, los Estatutos de Autonomía respectivos podrán mantener las existentes, distribuyendo las competencias entre ellas, siempre de conformidad con lo previsto en la ley orgánica del poder judicial y dentro de la unidad e independencia de éste.

DISPOSICIONES TRANSITORIAS

Primera. En los territorios dotados de un régimen provisional de autonomía, sus órganos colegiados superiores, mediante acuerdo adoptado por la mayoría absoluta de sus miembros, podrán sustituir la iniciativa que el apartado 2 del artículo 143 atribuye a las Diputaciones Provinciales o a los órganos interinsulares correspondientes.

Segunda. Los territorios que en el pasado hubiesen plebiscitado afirmativamente proyectos de Estatuto de autonomía y cuenten, al tiempo de promulgarse esta Constitución, con regímenes provisionales de autonomía podrán proceder inmediatamente en la forma que se prevé en el apartado 2 del artículo 148, cuando así lo acordaren, por mayoría absoluta, sus órganos preautonómicos colegiados superiores, comunicándolo al Gobierno. El proyecto de Estatuto será elaborado de acuerdo con lo establecido en el artículo 151, número 2, a convocatoria del órgano colegiado preautonómico.

Tercera. La iniciativa del proceso autonómico por parte de las Corporaciones locales o de sus miembros, prevista en el apartado 2 del artículo 143, se entiende diferida, con todos sus efectos, hasta la celebración de las primeras elecciones locales una vez vigente la Constitución.

Cuarta. 1. En el caso de Navarra, y a efectos de su incorporación al Consejo General Vasco o al régimen autonómico vasco que le sustituya, en lugar de lo que establece el artículo 143 de la Constitución, la iniciativa corresponde al Organo Foral competente, el cual adoptará su decisión por mayoría de los miembros que lo componen. Para la validez de dicha iniciativa será preciso, además, que la decisión del Organo Foral competente sea ratificada por referéndum expresamente convocado al efecto, y aprobado por mayoría de los votos válidos emitidos.

2. Si la iniciativa no prosperase, solamente se podrá reproducir la misma en distinto período del mandato del Organo Foral competente, y en todo caso, cuando haya transcurrido el plazo mínimo que establece el artículo 143.

Quinta. Las ciudades de Ceuta y Melilla podrán constituirse en Comunidades Autónomas si así lo deciden sus respectivos Ayuntamientos, mediante acuerdo adoptado por la mayoría absoluta de sus miembros y así lo autorizan las Cortes Generales, mediante una ley orgánica, en los términos previstos en el artículo 144.

Sexta. Cuando se remitieran a la Comisión Constitucional del Congreso varios proyectos de Estatuto, se dictaminarán por el orden de entrada en aquélla, y el plazo de dos meses a que se refiere el artículo 151 empezará a contar desde que la Comisión termine el estudio del proyecto o proyectos de que sucesivamente haya conocido.

Séptima. Los organismos provisionales autonómicos se considerarán disueltos en los siguientes casos:

a) Una vez constituidos los órganos que establezcan los Estatutos de Autonomía aprobados conforme a esta Constitución.

b) En el supuesto de que la iniciativa del proceso autonómico no llegara a prosperar por no cumplir los requisitos previstos en el artículo 143.

c) Si el organismo no hubiera ejercido el derecho que le reconoce la disposición transitoria primera en el plazo de tres años.

Octava. 1. Las Cámaras que han aprobado la presente Constitución asumirán, tras la entrada en vigor de la misma, las funciones y competencias que en ella se señalan, respectivamente, para el Congreso y el Senado, sin que en ningún caso su mandato se extienda más allá del 15 de junio de 1981.

2. A los efectos de lo establecido en el artículo 99, la promulgación de la Constitución se considerará como supuesto constitucional en el que procede su aplicación. A tal efecto, a partir de la citada promulgación se abrirá un período de treinta días para la aplicación de lo dispuesto en dicho artículo.

Durante este período, el actual Presidente del Gobierno, que asumirá las funciones y competencias que para dicho cargo establece la Constitución, podrá optar por utilizar la facultad que le reconoce el artículo 115 o dar paso, mediante la dimisión, a la aplicación de lo establecido en el artículo 99, quedando en este último caso en la situación prevista en el apartado 2 del artículo 101.

3. En caso de disolución, de acuerdo con lo previsto en el artículo 115, y si no se hubiera desarrollado legalmente lo previsto en los artículos 68 y 69, serán de aplicación en las elecciones las normas vigentes con anterioridad, con las solas excepciones de que en lo referente a inelegibilidades e incompatibilidades se aplicará directamente lo previsto en el inciso segundo de la b) del apartado 1 del artículo 70 de la Constitución, así como lo dispuesto en la misma respecto a la edad para el voto y lo establecido en el artículo 69,3.

Novena. A los tres años de la elección por vez primera de los miembros del Tribunal Constitucional se procederá por sorteo para la designación de un grupo de cuatro miembros de la misma procedencia electiva que haya de cesar y renovarse. A estos solos efectos se entenderán agrupados como miembros de la misma procedencia a los dos designados a propuesta del Gobierno y a los dos que proceden de la formulada por el Consejo General del Poder Judicial. Del mismo modo se procederá transcurridos otros tres años entre los dos grupos no afectados por el sorteo anterior. A partir de entonces se estará a lo establecido en el número 3 del artículo 159.

DISPOSICIÓN DEROGATORIA

1. Queda derogada la Ley 1/1977, de 4 de enero, para la Reforma Política, así como, en tanto en cuanto no estuvieran ya derogadas por la anteriormente mencionada Ley, la de Principios del Movimiento Nacional, de 17 de mayo de 1958; el Fuero de los Españoles, de 17 de julio de 1945; el del Trabajo, de 9 de marzo de 1938; la Ley Constitutiva de las Cortes, de 17 de julio de 1942; la Ley de Sucesión en la Jefatura del Estado, de 26 de julio de 1947, todas ellas modificadas por la Ley Orgánica del Estado, de 10 de enero de 1967, y en los mismos términos esta última y la de Referéndum Nacional de 22 de octubre de 1945.

2. En tanto en cuanto pudiera conservar alguna vigencia, se considera definitivamente derogada la Ley de 25 de octubre de 1839 en lo que pudiera afectar a las provincias de Alava, Guipúzcoa y Vizcaya.

En los mismos términos se considera definitivamente derogada la Ley de 21 de julio de 1876.

3. Asimismo quedan derogadas cuantas disposiciones se opongan a lo establecido en esta Constitución.

STC. 4/81 de 2 de febrero (**supremacía de la C.E. y leyes preconstitucionales**)

Fto. Jco. 1: «A) La peculiaridad de las leyes preconstitucionales consiste, por lo que ahora interesa, en que la Constitución es una Ley superior —criterio jerárquico— y posterior —criterio temporal—. Y la coincidencia de este doble criterio da lugar —de una parte— a la inconstitucionalidad sobrevenida, y consiguiente invalidez, de las que se opongan a la Constitución, y —de otra— a su pérdida de vigencia a partir de la misma para regular situaciones futuras, es decir, a su derogación.

Esta pérdida de vigencia se encuentra expresamente preceptuada por la Disposición Derogatoria de dicha norma fundamental, que dice en su número 3: 'asimismo quedan derogadas cuantas disposiciones se opongan a lo establecido en esta Constitución'.

La lectura de esta disposición evidencia que las Leyes anteriores que se opongan a lo dispuesto en la Constitución quedan derogadas. El primer juicio que hay que hacer, por tanto, es el de disconformidad —en términos de oposición— de tales Leyes con la Constitución, única forma de determinar si se ha producido, como consecuencia, la derogación.

B) Es necesario determinar ahora si la afirmación anterior debe matizarse por el hecho de que la impugnación de los preceptos se fundamente en muy buena medida en su pretendida contradicción con un principio general de la organización del Estado plasmado en nuestra constitución, que es el de autonomía; principio que podría entenderse tiene un carácter meramente programático, en el sentido de suponer un mandato al legislador, pero sin valor aplicativo inmediato alguno.

Pues bien, entendemos que los principios generales del Derecho incluidos en la Constitución tiene carácter informador de todo el Ordenamiento jurídico —como afirma el art. 1.4 del Título Preliminar del Código Civil— que debe así ser interpretado de acuerdo con los mismos. Pero es también claro que allí donde la oposición entre las Leyes anteriores y los principios generales plasmados en la Constitución sea irreductible, tales principios, en cuanto forman parte de la Constitución, participan de la fuerza derogatoria de la misma, como no puede ser de otro modo. El hecho de que nuestra norma fundamental prevea, en su art. 53.2, un sistema especial de tutela de las libertades y derechos reconocidos —entre otros— en el art. 14 que se refiere al principio de igualdad, no es sino una confirmación de carácter específico del valor aplicativo —y no meramente programático— de los principios generales plasmados en la Constitución.

En conclusión, en los supuestos en que exista una incompatibilidad entre los preceptos impugnados y los principios plasmados en la Constitución, procederá declararlos inconstitucionales y derogados, por ser opuestos a la misma.

Sin perjuicio de la afirmación anterior, conviene poner de manifiesto la especial dificultad que presenta esta valoración en el caso de un recurso de inconstitucionalidad abstracto —es decir, sin conexión con un supuesto concreto— en el que se trata de enjuiciar la conformidad de una regulación específica con un principio general cuyo alcance indubitado es difícil de precisar con exactitud, dado que —en definitiva— la autonomía es un concepto jurídico indeterminado que ofrece un margen de apreciación muy amplio.

De aquí que, dadas las especiales características que presenta el recurso, sea necesario apurar las posibilidades de interpretación de los preceptos impugnados conforme a la Constitución y declarar tan sólo la inconstitucionalidad sobrevenida y consiguiente derogación de aquellos cuya incompatibilidad con la misma resulte indudable por ser imposible el llevar a cabo tal interpretación.

Una vez declarada la inconstitucionalidad y la derogación de tales preceptos, no por ello podrá afirmarse que la legislación de régimen local se ajusta —de forma positiva— a los principios inspiradores de la Constitución, ya que ha sido dictada con anterioridad a la misma y —por consiguiente— sin poder tener en cuenta tales principios, ni, en especial, la nueva distribución territorial del poder prevista en el Título VIII de la Constitución. Por ello debe afirmarse que tal ajuste se producirá cuando el legislador dicte una nueva legislación de régimen local, de acuerdo con el mandato implícito que puede deducirse de los arts. 148.1.2° y 149.1.18° de la propia Constitución.

Mientras tanto, si en el futuro se plantearan casos concretos que permitieran apreciar nuevos matices en orden a justificar la oposición —o la disconformidad— a la Constitución de alguno de los preceptos cuya inconstitucionalidad no se declara ahora, el Juez o Tribunal correspondiente podría promover la cuestión de inconstitucionalidad con relación al precepto que le suscitara la duda, de acuerdo con lo dispuesto en el art. 38.2 de la Ley orgánica del Tribunal.

C) En virtud de las consideraciones anteriores procede entrar ya en el examen de la competencia del tribunal para declarar la inconstitucionalidad e invalidez, sobrevenida y —como consecuencia— la derogación de leyes preconstitucionales que se opongan a la Constitución.

El Tribunal Constitucional —art. 161.1 a) de la Constitución— es competente para conocer de los recursos de inconstitucionalidad contra leyes y disposiciones normativas con fuerza de Ley, y de la cuestión de inconstitucionalidad promovida por Jueces y Tribunales de acuerdo con el art. 163 de la propia Constitución. Mediante estos procedimientos, dice el art. 27 de su Ley Orgánica, 'el Tribunal Constitucional garantiza la primacía de la Constitución y enjuicia la conformidad o disconformidad con ella de las Leyes, disposiciones o actos impugnados'.»

Fto. Jco. 1: «D) ver selección con relación al art. 161.

STC. 77/82 de 20 de febrero (**derogación automática**)

Fto. Jco. 2: «Si la Ley reguladora del derecho fundamental es anterior a la C.E. e infringe ésta, no cabe duda que debe considerarse inaplicable en lo que vulnere dicha norma constitucional por haber quedado derogada. Lo mismo debe concluirse, y con mayor razón, cuando la norma que vulnera lo dispuesto en la C.E. es de naturaleza reglamentaria, y todo ello sin necesidad de que el legislador, la Administración o los Tribunales, según los casos, hagan una declaración en tal sentido.»

STC. 80/83 de 10 de octubre (**efectos inmediatos de la derogación**)

Fto. Jco. 1: «Es preciso, sin embargo, señalar al respecto que, en virtud de la Disposición derogatoria, párrafo 3º, de la C. han quedado sin efecto cuantas disposiciones se opongan a lo establecido en la norma fundamental.»

DISPOSICIÓN FINAL

Esta Constitución entrará en vigor el mismo día de la publicación de su texto oficial en el «Boletín Oficial del Estado». Se publicará también en las demás lenguas de España.

Por tanto, mando a todos los españoles, particulares y autoridades, que guarden y hagan guardar esta Constitución como norma fundamental del Estado.

Palacio de las Cortes, a veintisiete de diciembre de mil novecientos setenta y ocho.

STC. 35/87 de 18 de marzo (reconocimiento posible retroactividad C.E.)

Fto. Jco. 3: «Frente a dicha expansiva doctrina es de considerar, en la línea de las SSTC. 9/81 y 43/82, que a pesar de no existir en la cláusula final de la C.E., ni en ningún otro pasaje del Texto constitucional precepto alguno que establezca su retroactividad en términos generales o en relación con los derechos fundamentales, la C. tiene la significación primordial de establecer un orden de convivencia, singularmente en relación con los derechos fundamentales y libertades públicas, debiendo por ello reconocerse que puede afectar a actos posteriores a su vigencia que deriven de situaciones creadas con anterioridad, ya que, además, la Disposición transitoria segunda, 1, de la LOTC admite el recuso de amparo contra actos o resoluciones anteriores que no hubieran agotado sus efectos.

Pero esta doctrina de carácter general debe ser concretada caso por caso, teniendo en cuenta sus peculiaridades, sin admitir en ningún supuesto una retroactividad de grado máximo que conduzca a aplicar, sin más matización, una norma constitucional a una relación jurídica, sin tener en cuenta que fue creada bajo el imperio de una legalidad anterior, así como la época en que consumió sus efectos.»

Apuesta por Tirant Online, la base de datos jurídica de la editorial más prestigiosa de España.*

www.tirantonline.com

Suscríbete a nuestro servicio de base de datos jurídica y tendrás acceso a todos los documentos de Legislación, Doctrina, Jurisprudencia, Formularios, Esquemas, Consultas o Voces, y a muchas herramientas útiles para el jurista:

* Biblioteca Virtual
* Herramientas Salariales
* Calculadoras de tasas y pensiones
* Tirant TV
* Personalización

* Foros y Consultoría
* Revistas Jurídicas
* Gestión de despachos
* Biblioteca GPS
* Ayudas y subvenciones
* Novedades

* Según ranking del CSIC

☎ 96 369 17 28
🖨 96 369 41 51

✉ atencionalcliente@tirantonline.com
🌐 www.tirantonline.com